外国文学名家精选书系
编 委 会

主　　编 柳鸣九
副 主 编 钱海骅　张立升　国祯明
编　　委（以姓氏笔划为序）
　　　　　　王守仁　吕同六　朱　虹　沈石岩
　　　　　　张　黎　张立升　国祯明　罗新璋
　　　　　　金志平　柳鸣九　钱海骅　高　莽
　　　　　　高中甫　高慧勤　陶　洁
主编助理 张晓强

韩耀成　编选

茨威格精选集

山东文艺出版社
2003

编选者简介

韩耀成,1934年生于浙江省长兴县,1957年毕业于北京大学西方语言文学系德国语言文学专业。系中国社会科学院外国文学研究所编审,曾任《外国文学评论》杂志常务副主编。

发表有关德语文学的研究、评论和赏析文章数十篇;主编和编选的作品有《外国争议作家·作品大观》、《世界短篇小说精品文库·德语国家卷》、《世界心理小说名著选·德奥部分》、《毕希纳奖获奖作家作品选》等;翻译作品有《中国古代神话》(中译德)、《少年维特的烦恼》、《城堡》、《一个陌生女人的来信》(小说集)等。

出 版 说 明

外国文学的译介进行到一定阶段,精选集的出版便成为迫切的社会需要。精选集是社会文化积累的最佳而又最简便有效的一种形式。为了同时满足阅读欣赏、文化教育以至学术研究等广泛的社会需要,为了便于广大读者全面收集与珍藏外国文学名家名著,本社隆重推出"外国文学名家精选书系"。

每卷以一位著名作家为对象,务求展示该作家的文学精华,成为该作家的一个全貌缩影。

书系以"名家、名著、名译、名编选"为目标,分批出版。

对译者、编选者以及有关出版社的合作与支持,我们表示深切的谢意。

目 录

编选者序 茨威格：对人道的孜孜不倦的追求
.... 韩耀成（1）

中 短 篇 小 说

普拉特的春天 .... 韩耀成译（3）
森林上空的那颗星 .... 韩耀成译（18）
猩红热 .... 史行果译（28）
一个女人沦没的故事 .... 王泰智译（87）
朦胧夜的故事 .... 韩耀成译（123）
灼人的秘密 .... 韩耀成 高中甫译（157）
夏天的故事 .... 韩耀成译（225）
桎梏 .... 黄湘舲译（237）
恐惧 .... 关惠文译（276）
热带癫狂症患者 .... 罗 炜译（326）
月光巷 .... 韩耀成译（383）
雨润心田 .... 韩耀成译（402）
奇妙的夜 .... 关惠文译（425）
一个陌生女人的来信 .... 韩耀成译（485）
看不见的收藏 .... 关惠文译（529）

黄金国的发现 …………………… 雪　声译（544）
一个女人一生中的二十四小时 ………… 韩耀成译（554）
里昂的婚礼 …………………………… 韩耀成译（620）
迷乱的情感 …………………………… 关惠文译（631）
书商门德尔 …………………………… 罗　炜译（715）
国际象棋的故事 ……………………… 韩耀成译（744）

附录一　茨威格遗书 ………………… 韩耀成译（803）
附录二　茨威格生平及创作年表 ……… 韩耀成编（805）

编选者序

茨威格：对人道的孜孜不倦的追求

韩耀成

一

1942年2月22日，奥地利作家斯特凡·茨威格在流亡地巴西里约热内卢近郊的彼德罗保利斯小山坡上的寓所给他的前妻弗丽德莉克写了一封诀别信和留下一封遗书之后，同他夫人洛蒂一道服下大量安眠药，结束了宝贵的生命。茨威格在留下的遗书中写道："……与我同操一种语言的世界对我来说业已沉沦，我的精神故乡欧洲已自我毁灭，在此之后，除了这里，我不想到任何别的地方去彻底重建我的生活了。要想再次开始全新的生活，那是需要有特殊精力的，但是我已年过花甲，我的精力在流离失所、颠簸流浪的漫长岁月里已经消耗殆尽。因此我觉得还不如及时以尊严的方式来结束我的这个生命，结束我这个始终视精神劳动为最尊严的快乐、个人自由为世界上最珍贵的财富的生命为好……"

茨威格的悲剧震惊了世界。巴西决定为茨威格夫妇举行国葬。巴西总统亲自参加葬礼，参加葬礼的还有国务部长、许多官方和学术界的代表团、作家、艺术家、将军和各界群众共4000人。彼德罗保利斯文学院院长卡劳塔·德·索扎致悼词。

送葬队伍在灿烂的阳光下走过市区的时候，商店都自动关了门，漫长的群众队伍跟随在摆满鲜花的灵柩后面，缓缓走向里约热内卢公墓。当棺椁放入墓穴之时，天空的乌云遮住了太阳，随即下起瓢泼大雨，安葬完毕，大雨也停了。为一个外国人举行如此隆重的葬礼，这在巴西历史上是空前的。这倒为茨威格作为"世界公民"添加了一个注脚。纽约和伦敦也举行了类似的悼念仪式，整个反法西斯自由世界都为茨威格之死感到巨大悲痛。古往今来自杀的作家不少，但像茨威格之死引起那么大的反响，其葬礼那么隆重，即使不是绝无仅有，恐怕也是极其少有的。茨威格的死不是对人类责任的逃避和对生活、对世界前途的断念，而是对灭绝人性、毁灭人类精神文明的法西斯的抗议，是对人类前途的希望。他在遗书中希望他所有的朋友"在漫漫长夜之后尚能看到朝霞"就是明证。

斯特凡·茨威格于1881年11月28日出生在维也纳一个企业家的家庭。上了5年国民小学之后，他于1892年进入维也纳马克西米连中学。这所以历史上德意志国王(1468～1519年在位)兼神圣罗马帝国皇帝(1493～1519年在位)的马克西米连(1459～1519)命名的中学是维也纳的一所名牌学校。1900年茨威格入维也纳大学学习哲学、德语文学和法国文学。1904年获得博士学位，结束了大学的学习。第一次世界大战期间，他持和平主义立场，反对战争，呼吁各国人民和睦友好相处。

战后，奥地利和德国都经历了通货膨胀时期，物价飞涨，到了简直要用天文数字来计数的程度。譬如，一个鸡蛋在奥地利相当于过去一辆豪华汽车的价格，而后来在德国竟高达40亿马克，几乎相当于大柏林市全部房屋的地价。商店像是被洗劫过似的，空空如也，饥馑到处在蔓延。茨威格对人民的苦难充满了同情。从1924年到1929年是欧洲相对稳定的时期，这期间茨威格写作、旅行、学习、读书,搜集他心爱的名人手迹。1928年应邀赴苏联参加纪念托尔斯泰诞辰100周年的庆典,与高尔基面晤。

1933年德国希特勒上台,茨威格虽然从来没有写过反对德国的一个字,也不干预政治,但是因为他有独立的思想,是犹太人、人道主义者,所以他的作品也被焚烧,被禁止,纳粹还把他的著作钉在耻辱柱上。在公共图书馆里,他的书被当作"毒草",只有为了批判,经官方特许才能看到。奥地利的纳粹党徒也日益嚣张,1934年作家在萨尔茨堡的住宅被搜查,于是他便下决心离开奥地利,移居伦敦。在伦敦,茨威格虽然深居简出,但对欧洲的状况心里充满忧虑。1938年希特勒吞并奥地利,茨威格失去了祖国,他的奥地利护照被取消,从此他作为"无国籍者"浪迹天涯,过着流亡生活。1938年9月,英、法搞绥靖政策,与德、意签订慕尼黑协定,把捷克斯洛伐克的苏德台区出卖给希特勒,但并没有换来自己的和平。1939年3月,希特勒德国就撕毁协定,占领捷克斯洛伐克全部领土。英国这时重新开始作战争准备,浅色防空气球布满伦敦上空,用以阻碍德国飞机,到处修筑防空掩体,检查防毒面具,局势变得非常紧张。7月,茨威格从伦敦迁居英国西南部的小镇巴思。9月1日,德国进攻波兰;3日,英、法对德宣战,第二次世界大战全面爆发。1940年茨威格和他的第二任夫人洛蒂才获得英国国籍。同年,茨威格移居美国纽黑文;1941年8月底,又前往巴西里约热内卢,9月迁往近郊的彼德罗保利斯小山坡上的一所房子。住所的环境很好:屋后有个小花园,从屋前加有顶盖的阳台上可以眺览小山谷的美丽景色。可是,茨威格由于在烽火连天的战争时期与他的朋友们几乎失去了联系,流亡生活使他精神上感到沉重的压抑,夫人洛蒂又受着哮喘病的折磨,到这里不久,他就变得烦躁不安,精神忧郁,但他还是忘不了让他魂牵梦萦的欧洲。这位视精神劳动为世上最珍贵的财富的诗人,在他生命的最后时刻仍然笔耕不缀,完成了他晚年的小说杰作《国际象棋的故事》、自传《昨日的世界》和其他作品。为了创作《国际象棋的故事》,他还专门买了一本棋谱,和夫人洛蒂照书上的名局下棋。但是他在这里有种与世隔绝之感。内心世界,孤独和沮丧不断折磨着他;外部世界,法西斯猖獗,希特勒的铁蹄把一切都踩得粉碎,他心爱的欧洲文明遭到破坏。茨威格内心痛苦不堪,于是下了决心,以极其理智和平静的方式离开了他如此眷恋的人世……

和上个世纪末出生的许多作家一样,茨威格生活在一个命途多舛的时代,他的一生经历了两次世界大战,他的心灵深处不时被世界上特别是欧洲大陆上无休止的争斗和残杀所震撼。他那一代人什么事情都经历过,什么灾难都饱尝过:战争的杀戮、革命的高涨、难捱的饥馑、时疫的流行、通货膨胀、货币贬值、政治流亡……作为人类历史上两次最大战争的同时代人,茨威格有着在不同战线上的两次经历:一次是站在德国一边,另一次是站在反德国一边。他"作为一个奥地利人、犹太人、作家、人道主义者、和平主义者,恰好站在地震最剧烈的地方"[①],这样,他就成了两次世界大战——人类历史上一段时间里理性遭到失败、野蛮横行、一代人精神文明堕落到极其低下的那种反常情况的见证人,一个手无寸铁、毫无防卫能力的见证人,目击了人类从高度文明倒退到原始野蛮之中。另一方面,茨威格生活的那个时代,人类在科学技术方面取得了未

[①] 茨威格自传《昨日的世界——一个欧洲人的回忆》序言第1页,三联书店,北京,1992年。以后出自该书的引文只在引文后的括号内注明页码。

曾预料到的成就，超越了以往千万年所创造的业绩。这样，这个时代就出现了令人奇怪的悖谬现象：既露出了恶魔般的狰狞面目，又创造了像是神明创造的业绩。这一切都在作家的思想上和创作上打下了深深的烙印。

二

茨威格毕生都在以自己的作品甚至生命孜孜不倦地追求人道主义的理想，呼唤着正义、理性和人类的良知，并把实现欧洲的共同联合视作自己的最高理想。这些与他的家庭和社会环境对他的影响有着非常密切的关系。

茨威格从小受到良好的家庭教育，他的父亲是犹太人，在波希米亚[①]北部开了一家规模很大的纺织厂，虽很富有，但依然恪守勤俭的美德。他从不抛头露面，拒绝任何虚荣，也不追求头衔、身份和职位，一直过着静悄悄的生活。他很有教养，钢琴弹得非常出色，写得一手好书法，除了德语，还会说法语和英语。茨威格的母亲出生在意大利南部安科纳的布雷陶厄尔家，说意大利语就像说德语一样。布雷陶厄尔家族是一个国际性的犹太大家族。最初在瑞士边境的霍海内姆斯开设银行，后来家族成员就分散到世界各地：圣加仑、维也纳和巴黎；茨威格的外祖父到了意大利，还有一个舅舅到了纽约。这种国际性的联系使这个家族的人都会说好几种语言。茨威格在巴黎的姨妈家，用餐时大家从一种语言转换到另一种语言，非常轻松自如。这样的家庭，为茨威格除德语外掌握法语、意大

---

① 波希米亚，捷克西部地区的旧称，十六世纪属哈布斯堡王朝统治，为奥匈帝国的一个省，直至1918年捷克斯洛伐克独立。

利语、英语、西班牙语、葡萄牙语等多种外语提供了良好的语言环境,并为他周游世界各国,进行世界性的交往提供了便利条件。

茨威格的青少年时代,维也纳仍是奥匈帝国(1867~1918)的首都。世纪更迭时期,古老的维也纳显得特别繁荣,放射出熠熠的光辉。维也纳的文化生活极其丰富多彩,欧洲文化的各种潮流:德意志的、斯拉夫的、匈牙利的、西班牙的、意大利的、法兰西的、佛兰德的等等都汇集在这里。这座城市博采众长,把一切有着极大差异的文化传统都熔于一炉,成为一种新的、独特的奥地利文化、维也纳文化。维也纳成了欧洲著名的文化中心,这里有让奥地利人感到骄傲的皇家城堡剧院和皇家歌剧院。当时世界上出类拔萃的人物都汇聚在这里,像群星闪耀在维也纳的上空。瓦格纳、施特劳斯父子、鲁宾斯坦、古斯塔夫·马勒、胡戈·沃尔夫、戈德马克、舍恩贝格、卡尔曼……都在这里生活过或举行过音乐会。文学上也是一派繁荣景象,流派纷呈,百花齐放,多姿多彩。维也纳兼容并蓄的多元的精神文化的沃土,从思想上培育了茨威格作为欧洲乃至世界公民的种子,以致他很早就把欧洲共同联合的理想作为自己心中的最高理想,直至晚年都没有改变。

从中学毕业后,他几乎每年都到国外去旅游或演讲旅行,足迹遍及欧洲的德国、法国、比利时、意大利、瑞士、英国、苏格兰、波兰、捷克斯洛伐克、荷兰、西班牙、葡萄牙、阿尔及利亚、苏联,亚洲的锡兰、印度、缅甸和尼泊尔,北美洲的美国、加拿大、古巴、牙买加和波多黎各,南美洲的巴西、阿根廷、乌拉圭等国。他结识世界各国的作家、艺术家,如维尔哈仑、罗曼·罗兰、弗洛伊德、高尔基、里尔克、霍夫曼斯塔尔、施尼茨勒、托马斯·曼、戴默尔、瓦塞尔曼、韦弗尔、瓦莱里、法朗士、克洛代尔、罗丹、皮埃尔－让·茹弗、纪德、房龙、马丁·杜·加尔、布洛克、皮兰德娄、勃兰兑斯、叶芝、乔伊斯、威尔斯……或结下深厚友谊，或交往密切；他见过瓦格纳的遗孀科西玛、尼采的妹妹伊丽莎白；听到过肖伯纳和威尔斯私下成见极深、但表面上却文雅得体的争论。这些世界性的联系和交往，开阔了茨威格的视野，加强了各国人民之间的友谊，是使他成为一个超民族主义者和世界主义者的重要因素。

茨威格是个非常文雅、很有教养的人。他不尚虚荣，始终保持淡泊宁静的心境，这一点继承了他父亲的性格。像茨威格这样的作家在"太平盛世"时期怎么会想到发生战争呢！第一次世界大战前的那些年，每年夏天他都要到比利时作家维尔哈仑的乡间别墅去消夏，而在这之前总是先去海滨住两个星期。1914年7月，茨威格去维尔哈仑那儿之前，照例先到海滨浴场勒科去休息两个星期。这期间，战争的风声一天紧似一天，战争的阴云布满天空，形势越来越严重，7月的最后几天，令人战栗不安的战争冷风把海滩上的游客一扫而光。茨威格坐上从比利时开往德国的最后一辆列车，到维也纳两天，战争就爆发了。①

战争开始时德国和奥地利的民族主义情绪相当普遍，许多人都陷入"爱国主义"的狂热之中，竭力煽动民族仇恨，连德国的豪普特曼、托马斯·曼和戴默尔这样的优秀分子一时间对战争也还认识不清。但也有许多人不为歇斯底里的宣传所惑，

---

① 1914年6月28日奥国王储弗兰西斯·斐迪南在萨拉热窝被塞尔维亚爱国者刺死。奥匈帝国在德国的支持下，于7月23日向塞尔维亚提出最后通谍，28日宣战，第一次世界大战爆发。至1918年9月，同盟国成员国土、保、奥先后投降，最后德国也被迫投降，于11月1日签订停战协定，大战遂以同盟国的失败而告终。

保持着清醒的头脑,罗曼·罗兰和茨威格这两颗"欧罗巴的良心"就活跃在反战的行列里。茨威格从战争最初一刻起就确定自己要作为一个世界公民。他对战争十分憎恨,认为这场战争是非常荒唐的。他的基本思想是:在国际范围内建立兄弟般的关系,不分语言和国别,以和平的方式增进谅解和思想上的团结。但是,茨威格只是从人道主义的角度来看待战争,对于帝国主义战争的本质缺乏认识,因而战争初期理想主义和乐观主义多了一些,他深信欧洲的精神力量、欧洲的道义力量将会在最后关键时刻显示出自己的胜利。亲属关系的国际性,以及他自己世界性的交往和联系,使他不相信各国人民会成为仇敌,开战前两天他还在"敌国"比利时度假,和当地人民友好相处呢。现在突然要去憎恨另一个世界,他做不到,因为那个世界就像他自己的世界一样,也是他的祖国。因此他认为,拿起凶器去杀人是罪恶的时代性错误,他绝不这样去做。但是公开站出来宣布拒绝服兵役是要受到严厉惩罚的,茨威格又缺乏这种英雄气概。于是他通过关系,到国防部军事档案馆去任职。他还在自己力所能及的范围内做一些反战工作,宣传各国人民的友好。战争开始不久,他在《柏林日报》发表《致外国朋友》的公开信,其基本思想同他对战争的态度是一致的。他在信中表示,将来一有机会就与所有外国的朋友一起为重建欧洲文化而工作,虽然现在还不可能取得联系,他也将保持对他们的忠诚。在战争宣传甚嚣尘上、煽动对敌国人民仇恨的时候,发表这样一封信也是需要很大勇气的。信件发表后,有人对他"在这样的时刻和那些卑鄙下流的敌人为伍"(第266页)进行谴责,但是正直的、有良心的人都给了他有力的支持。罗曼·罗兰致信茨威格说:"不,我永不离开我的朋友。"大战期间,茨威格热情赞誉把战争指责为犯罪的和平主义创始人贝尔塔·冯·

苏特纳,并在奥地利的一家报纸上介绍法国作家巴比塞的反军国主义、揭露帝国主义战争的小说《炮火》。茨威格还积极支持罗曼·罗兰关于召开国际文化名人大会来呼吁实现和平的建议,并积极开展实际工作。大战期间,人们在"胜利"和"英雄主义"中陶醉的时候,茨威格依然是冷静的。他非但不相信什么"胜利",而且决心用戏剧作为武器,去回敬那些民族主义者。这时,耶利米的形象在他心里成熟了,他创作了反战诗体悲剧《耶利米》。在关键时刻,茨威格和罗曼·罗兰一样代表着欧洲的良知。中立国瑞士的苏黎世要上演《耶利米》,邀请茨威格去参加首演式。1917年11月茨威格以去瑞士休假为名,请假两个月。他先到日内瓦会见罗曼·罗兰,再到苏黎世。实际上他在瑞士住了一年半,一直到战争结束后,于1919年3月才返回奥地利,迁入他于1917年赴瑞士途中在萨尔茨堡买下的卡普齐纳山上的一所别墅。

经过第一次世界大战,作家对问题的观察也更加深入了。1921年他在意大利目睹法西斯党的崛起,在二十年代他看到希特勒纳粹在德国和奥地利培育党羽,蠢蠢欲动。这些都在他思想上敲响了警钟:现在的和平还不是真正的和平,欧洲在平静的表层下到处潜伏着危险的暗流。

对于希特勒发动的第二次世界大战,茨威格认识到它灭绝人性的本质,认为这是人类历史上最卑劣、最残忍的战争。他不但在作品中对纳粹加以揭露和批判,而且还以自己的生命对法西斯表示最后的抗议和控诉。

茨威格一生都在追求个人自由和实现欧洲的和平统一,这使他成为一个超民族主义者,一个世界主义者。哪儿是他的家?是维也纳、萨尔茨堡?是伦敦、巴思?是纽约?是里约热内卢?都是,又都不是。他既无家可归,又四海为家。

三

　　茨威格很早就开始了文学活动，16 岁时就发表诗歌。他中学所在的那个班的同学对文学艺术都怀着狂热的兴趣，这决定了他一生的道路。那时中学的功课虽然十分紧张，但是大家还是挤出时间来读各种书籍和新出版的各种报刊，如饥似渴地了解新鲜事物，吸取新的营养。文学界这一时期群星灿烂，流派纷呈。茨威格上中学时，德国自然主义大师盖哈特·豪普特曼的戏剧在维也纳公演曾使青少年如痴如狂；接下来便是印象主义、象征主义、新浪漫主义、表现主义、达达主义等文学流派先后或同时崛起。"青年维也纳"名震一时，倡导新的艺术观念、审美情趣和价值判断。施尼茨勒、里尔克、霍夫曼斯塔尔、贝尔-霍夫曼、巴尔、彼得·阿尔滕贝格、穆西尔等作家使维也纳文学与欧洲文学并驾齐驱。中学生们对正在兴起的势不可挡的现代主义潮流如痴如狂。里尔克 23 岁时就有了很高的文学声誉和许多狂热的追随者，特别是文学"神童"霍夫曼斯塔尔这位不同凡响的人物对年轻的茨威格起了剧烈的冲击作用。他在十六七岁就写下了不朽的诗篇和后人难以企及的散文，直到晚年茨威格还深情地回忆起当时他读霍夫曼斯塔尔作品的感受："总而言之，这位中学生、这位大学生所写的一切，如同水晶一般从内在深处散射出光彩，同时又显得深沉和炽烈。诗歌、散文，在他手中犹如伊米托斯山上芬芳的蜂蜡，紧紧地糅合在一起。他的每一篇诗作，从来都是恰到好处，不多也不少，不落窠臼，人们总觉得在那前人足迹未至的道路上必有一种不可理解的力量在神秘地引导他。"（第 54 页）年轻的霍夫曼斯塔尔和里尔克对茨威格这些更年轻的人来说是一种极大的推动。茨威格以霍夫曼斯塔尔为榜样,发奋努力,刻苦读书和创作。十六七岁的茨威格,不仅知道波德莱尔或者惠特曼的每一首诗,而且还能背诵重要的名篇。从16岁起茨威格就开始在报刊上发表诗歌和小说。这种文学上的早熟,不仅在马克西米连中学茨威格班上是这样,在当时维也纳其他中学里也同样存在着对文学的狂热和文学上的早熟现象。世纪之交,维也纳浓郁的文化氛围为年轻人文学才华的发挥提供了非常适宜的土壤。处于青春期的年轻人心里总有一种诗兴或写作冲动,这种在心灵中泛起的涟漪碰到有利的环境,就产生出了一批文学"神童"。一进大学,茨威格就计划好,只要在第8学期末交一篇论文和参加唯一的一次考试就行,因为参加讨论之类的事是很容易混过去的。这样,一天24小时都可以由他自己来支配,他有的是时间去读书、写作。4年大学期间,他出版了第一部诗集《银弦集》(1901),第一部小说集《艾丽卡·埃瓦尔特之恋》(1904),翻译出版了法国诗人保尔·魏兰和比利时诗人维尔哈仑的诗选。从此,他的创作一发而不可收,终于走上了终身从事文学创作之路。一次大战后到1933年希特勒上台前这一时期是茨威格创作上的成熟期和丰收期,他最重要的作品都是这个时期产生的,而且拥有大量的读者,他的每一本书,在德国公开发行的第一天就要销售2万册。

作为诗人、小说家、剧作家,茨威格给我们留下了大量文学遗产:诗集除了《银弦集》,还有《昔日的花环》(1906)和《诗集》(1924);小说集除了《艾丽卡·埃瓦尔特之恋》,还有三部"环链"系列小说集——《初次经历》(1911)、《热带癫狂症患者》(1922)和《迷乱的情感》(1927),《作品小集》(1929)、《万花筒》(1937)以及许多未曾收入集子的中、短篇小说;长篇小说有《永不安宁的心》(1939)和《变形的陶醉》(1982);人物特写集《人类命运的转折点》(1945),《传奇》(1937);传记小说系列《世界的建筑师》——《三大师:巴尔扎克、狄更斯和陀思妥耶夫斯基》(1921)、《斗恶魔:荷尔德林、克莱斯特和尼采》(1925)和《三诗人:卡萨诺瓦、斯丹达和托尔斯泰》(1928),以及传记《精神疗法》(1931,关于催眠术的发明者梅斯梅尔、基督教科学创始人玛丽·贝克尔-埃迪和精神分析学家弗洛伊德)、《罗曼·罗兰》(1921),《约瑟夫·富歇》(1929),《玛丽·安托瓦内特》(1932),《伊拉斯谟·冯·鹿特丹的胜利和悲剧》(1934),《玛丽·斯图亚特》(1935),《卡斯特里奥反对加尔文:良知反对暴力》(1936),《麦哲伦》(1938),《巴尔扎克》(1946)等;剧本《忒耳西忒斯》(1907),《化身喜剧演员》(1913),《海滨之家》(1912年首演),《耶利米》(1917),《生活的传奇》(1918年首演),改编剧《沃尔波纳》(1926),《穷人的羔羊》(1930年首演)和《沉默寡言的女人》(1932)等10余部;自传《昨日的世界》(1942)以及大量演讲、评论、学术论文、游记随笔、回忆、书信日记和翻译作品。

四

  托马斯·曼在悼念茨威格时说:"他的世界声誉是当之无愧的,在这个时代的重压下,这位才华横溢的人,他的灵魂的反抗力垮了,这是很不幸的。我最佩服他的,是他善于把历史时期和人物形象从心理上和艺术上表现得栩栩如生的那种才能。"[①] 托马斯·曼十分确切地指出了茨威格艺术创作的特色:

[①] 《悼念斯特凡·茨威格》,托马斯·曼著,《建设》,纽约(1942年2月27日)。转引自哈特穆特·缪勒《斯特凡·茨威格》,罗沃尔特袖珍书出版社,莱因贝克/汉堡,1988年11月。

通过心理描写来塑造生动的人物形象。茨威格是位心理描写大师，对心理问题有着特殊的偏爱，他难以抵制谜一样的心理活动对他的诱惑。

茨威格对青少年青春期心理非常关注，描写少男少女青春前期和青春期的心理，是茨威格小说的一个重要题材。青春期是人生旅程上的一个重要驿站，情窦初开的青少年，他们的心理最为敏感，对世界、对成人生活，尤其是对两性问题充满羞涩、恐惧和好奇，因此文学涉足于这个领域是必要的。但是茨威格浓墨重彩地描画青春期的少年心理，还有另一层意义。19世纪末20世纪初的奥地利，中学生的学习负担非常繁重，他们除了要学习几何、物理和学校规定的其他课程外，还要学习5种语言——古希腊语和拉丁语这些"死的语言"和法语、英语、意大利语等"活的语言"。学生每天上课五六个小时，课余时间完全被作业占满，根本没有时间进行体育锻炼和娱乐活动。这种单调枯燥、死气沉沉的学校生活完全忽视正在发育的青少年对空气和活动的需要。奥地利这个老朽的帝国把按部就班、从容不迫和适中节制视作生活的美德，而年轻人自信、大胆、好奇、朝气蓬勃、要求变革的天性势必就要受到压制。当时的学校教育正适应了帝国社会的这一意图。另外从心理学的角度来说，处在青春期的青少年，他们内心骚动不安，对两性问题感到神秘好奇完全是正常现象，社会和学校理应通过性启蒙教育，给予他们正确的引导。可是，那个时代人们都小心翼翼地回避性的问题，认为它是造成不安定的因素，有悖于当时的伦理道德，所以不能让它暴露在光天化日之下。青年男女很少有无拘无束的真诚的关系，他们的正常交往也受到社会道德规范的种种限制，年轻人举行郊游或聚会，女孩子总得有母亲或家庭教师的陪伴。另一方面，在虚伪道德的掩盖下，有人又偷偷摸摸地干着见不得人的事,而且社会上卖淫成风,娼妓盛行。可是双重的道德标准,对性爱的回避、防范和掩盖并不能缓解青少年自然本能所产生的不安和躁动,相反只会引起他们对这个问题更加强烈的好奇心和神秘感。青春冲动会导致一种意识的觉醒,使青少年以更多的批判意识去观察那个他们在其中长大成人的社会和世界。他们在教师或父母身上发现的任何虚伪行为都不可避免地会促使他们用怀疑的眼光来观察周围的人。茨威格说,他就是"在这样一种令人窒息的不健康的空气中,在这样一种充满香水味而又郁闷得难以忍受的空气中长大成人的"(第78页)。对性一味隐藏和保持沉默的做法,以及违反心理学的虚伪道德,像大山一样压在青少年身上。作家本人对此就有着深切的体会:"从我们春情萌发的那一天起,我们就本能地感觉到,那种不诚实的道德观念想以掩盖和缄默,从我们身上夺走理该属于我们年龄的东西,为了一种早已变得虚伪的习俗,牺牲我们希望坦诚的意志。"(第84页)茨威格十分关心青少年的发育成长,对青春期青少年的心理所作的细致入微的研究和真实生动的描绘不啻是对当时资产阶级虚伪的道德和奥地利学校教育的有力批判,是对家庭、学校和社会忽视对青少年进行青春期教育的严肃的控诉。其早期小说集《初次经历》的副标题就是"儿童世界里的四个故事",其中的4篇小说《朦胧夜的故事》、《家庭女教师》、《灼人的秘密》和《夏天的故事》,中期的《一个陌生女人的来信》到晚年的《迟还的债》等,或者是专门描写青少年青春期心理,或者涉及到了这个问题。有了"初次经历"和对"灼人的秘密"的追踪和探索,青少年们打开了感情世界的大门,"下意识地感到自己已经处在童年时代的边沿"[①]。在世界文学史上,像茨威格这样对青少年青春

---

① 引自《灼人的秘密》。

期的心理给予那么大的关注的作家还不多见。

茨威格是位善于洞察和表现女性内心活动的作家,在塑造女性形象、揭示女性心理方面有着突出的成就。《一个陌生女人的来信》和《一个女人一生中的二十四小时》是茨威格两篇脍炙人口的描写女性心理的中篇小说。在前一篇小说中,那位陌生女子的信写得缠绵悱恻,情意缱绻,如诉如怨,袒露了一个女子最隐秘的心理活动。这篇巧妙地安排在两性关系上的小说把爱情写得非常纯洁和崇高,这不但显出茨威格高超的写作技巧,也表现了作家纯洁的思想境界和高尚的情操,难怪我国作家禁不住惊呼:"真是一部惊人的杰作!"[①] 高尔基在谈到这篇小说时很动感情地说,作品"以其惊人的诚挚语调、对女人超人的温存、主题的独创性,以及只有真正的艺术家才具有的奇异表现力,使我深为震动。读着这个短篇小说,我高兴得笑了起来——您写得真好!由于对您的女主人公的同情,由于她的形象以及她悲痛的心曲使我激动得难以自制,我竟丝毫不感到羞耻地哭了起来"[②]。后一篇,女主人公在情欲的驱使下,对赌徒的一时委身转变为真诚的爱,她愿意抛弃一切,追随所爱的人走向天涯海角。谁知她的无私奉献换来的却是赌徒的辱骂。这二十四小时的经历像梦魇一样压在她的心头,使她后半生像行尸走肉似的活着。小说对潜意识心理的描写令人叹为观止。高尔基认为《一个女人一生中的二十四小时》比茨威格的其他中短篇"更见匠心",并说茨威格是"以罕见的温存和同情来描写妇女"的。

茨威格的小说,几乎都是心理小说。他的三本"环链"系列

[①] 刘白羽《谈艺日记四则》,1987年2月19日《光明日报》。
[②] 《三人书简——高尔基、罗曼·罗兰、茨威格书信集》,湖南人民出版社,1981年,第123、158页。

小说集分别写儿童、成年和老年时期这三个阶段。《初次经历》写青春前期和青春期少年萌动的心理,通过他们的眼睛观察成年人的两性关系;《热带癫狂症患者》写成年人的激情遭遇及其后果;《迷乱的情感》写激情对饱经风霜的人的折磨。其他像《桎梏》、《恐惧》、《国际象棋的故事》以及长篇小说《永不安宁的心》也都是心理小说。他以《世界的建筑师》为总标题的三部传记系列小说中的人物特写和人物传记也都着重刻画人物的性格特征和精神气质,作出符合当时客观实际的心理分析,着眼点也是揭示人物的心路历程。人的心理是一个值得开垦的广阔的领域。丹麦批评家勃兰兑斯说:"人心并不是平静的池塘,并不是牧歌式的林间湖泊。它是一片海洋,里面藏有海底植物和可怕的居民。"① 茨威格就是这片心灵海洋的不知疲倦的勇敢探险者。他认为:"内心的无限,灵魂的宇宙还为艺术打开了取之不尽的领域;对灵魂的发现,对自我的认识将成为我们变得智慧的人类将来越来越大胆地解开的、又无法解开的课题。"②

茨威格一生孜孜不倦地探索人的心理活动的奥秘,那么热衷于对人物进行心理分析,弗洛伊德学说的影响是一个重要因素。弗洛伊德是茨威格最亲密的朋友之一。茨威格十分推崇弗洛伊德的潜意识理论,认为它向人们指出了进入人的灵魂、探索人的深层心理之路。他在自传《昨日的世界》里曾多次提到弗洛伊德的潜意识的原始欲望,并对弗洛伊德勇往直前地向当时被列为禁区的"那个人世间隐秘的性冲动世界"(第462页)表示钦佩。茨威格的小说绝大多数都写到激情的遭遇。在他的笔下,

---

① 《十九世纪文学主流》第2分册《德国的浪漫派》,勃兰兑斯著,人民文学出版社,1981年,第2页。

② 《三诗人》,斯特凡·茨威格著,菲歇尔袖珍书出版社,1981年6月,第16页。

激情就是本能冲动,就是强烈的情欲,是潜意识中释放出来的"力比多"。茨威格笔下的主人公往往受到激情的煎熬,而且一辈子都在饱尝潜意识的激情所酿成的苦酒,有的还导致悲剧性的结局。茨威格中篇小说的主人公大多是一些抵抗不住命运摆布的人物,他从不同的角度表现了性压抑以及本能冲动对主人公行为方式的支配作用,以及对其命运的决定性影响。C夫人委身于赌徒,结果后半辈子过着背上精神十字架式的生活(《一个女人一生中的二十四小时》),"陌生女人"的悲剧性结局(《一个陌生女人的来信》),那位梦游少女性压抑导致的反常心态(《雨润心田》),饭店跑堂的卧轨殉情(《森林上空的那颗星》)……都是激情冲动的后果。茨威格的面向现实、与时代社会结合较紧的小说(数量不很多),虽然不是表现情欲的主宰,但对人物的心理分析也非常细腻和深刻(如《看不见的收藏》、《日内瓦河畔的插曲》、《书商门德尔》、《巧识新艺》、《国际象棋的故事》等)。罗曼·罗兰把茨威格称为"灵魂的狩猎者",那是十分贴切的。

茨威格的小说大多采用第一人称的叙述方法,这样更便于揭示人物的心理活动。有的作品中虽然出现第三者的叙述(如《一个陌生女人的来信》),但小说的主体部分仍然是主人公的自述。茨威格的多数小说并不注意对时代和背景(人物背景和社会背景)的交待,有点游离于现实生活。茨威格研究专家普拉特在谈到《热带癫狂症患者》这部小说集时指出,这些小说"不讲究现实主义的细节(连主要人物的名字都不提,有时连姓氏的第一个字母都不给,所以我们对人物的背景一无所知),但是这些作品对日常生活表层下面隐藏的激情的描写却令人信服"[①]。

[①] 《斯特凡·茨威格》,多纳尔德·A·普拉特著,卡尔·汉泽尔出版社,慕尼黑-维也纳,1981年,第198页。

茨威格的心理分析小说像是一个个精确的心电图，记录着主人公心灵颤动的曲线。

茨威格曾说，他梦想一个更美好、更人道的世界。我们读茨威格的心理分析作品时，常常会被他那温馨的人道主义所震撼。茨威格是个心地十分善良的人，人道主义是他观察事物的出发点。他一生都执著地追求人与人之间的友爱、相互理解和帮助，维护人的尊严和个人的精神自由。在帝国主义为了争霸世界而进行惨绝人寰的战争的时候，他幻想着通过欧洲的精神和道德力量，通过唤起人们的良知就可以实现各国人民的和睦相处。他的这种人道主义不免有点天真，但是他在任何情况下都坚持人道主义理想，渴望更人道的世界，对人，特别是对"小人物"、弱者和妇女以及心灵上受着痛苦煎熬的人充满同情和爱心，却是难能可贵的，令人感动，在那个阴暗的历史阶段抹上了一笔美丽的霞彩。

茨威格和他的前辈斯丹达尔、巴尔扎克、福楼拜和托尔斯泰等不同，他对自己笔下的人物不是无情揭露、残酷解剖，而是怀着巨大的同情和温馨的爱心叙说人物的遭遇和不幸。作家对两位有生理缺陷的年轻工人充满同情，认为他们也应和正常人一样有娱乐的权利、社交的权利、爱情的权利，不应受到嘲笑和歧视，为他们伸张正义（《两个寂寞的人》）；故事的叙述者对巴黎街头一个穷极潦倒的小偷表现了深切的同情，他观察小偷的偷窃行动，还为他行窃时可能会被抓住而担心（《巧识新艺》）；那位中年母亲在休养地同一位男爵的隐情被十二岁的儿子发现，作家并没有去谴责她，也没有让孩子在家人面前揭穿这件事，最后母亲温存地吻着儿子的脸，孩子也"温柔地回答了母亲的爱抚"（《灼人的秘密》）；律师瓦格纳的妻子伊莱娜和年轻的钢琴家发生婚外情，但是她的一举一动全在一个跟踪她的女人掌握之中,这个女人还不断到家里来对她敲诈,伊莱娜陷入恐惧之中,精神濒于崩溃,打算买毒药了结自己一生时,她丈夫救了她。原来那个神秘女人是丈夫雇来跟踪她的。事后丈夫并没有责备她,反而向她表示歉意,对她十分温柔体贴,伊莱娜也甩掉了压在她身上的恐惧(《恐惧》);那位如今满头银发的C夫人,当年委身于赌徒,二十四小时的经历使她后半辈子的生活失去了阳光和欢乐,在她向叙述者讲述了这段痛苦的生活经历后,丝毫没有受到耻笑和鄙视,作家还赋予C夫人的行为以高尚的动机,对她的所作所为,包括对她的委身都给予了真诚的理解和同情(《一个女人一生中的二十四小时》);饭店跑堂对伯爵夫人一见钟情,竟以殉情来了却自己无法实现的心愿。作家并没有嘲笑他"癞蛤蟆想吃天鹅肉",而是对他表示同情和惋惜(《森林上空的那颗星》)……这样的例子在茨威格的作品中俯拾皆是。茨威格对人性的缺憾和弱点给予真诚的谅解和宽容,对所有这些人物给予人道主义的同情和关爱,显示出他那颗金子般的心。

另有一些反战小说,着重揭露战争给人民造成的精神创伤。小说《桎梏》写主人公对军事当局由顺从、恐惧到觉醒和反抗的过程,对战争这架"巨大的杀人机器"进行了谴责。茨威格最后一篇小说《国际象棋的故事》则控诉纳粹对人们的残酷的精神迫害。在其他一些中、短篇小说以及长篇小说中也直接或间接地写到了战争及其灾难性的后果,表现了作家一贯的人道主义思想。茨威格的剧作有个明显的特征,就是从来不为所谓的"英雄人物"歌功颂德,着眼点始终是失败者的悲剧。在他的传记文学中,不写在现实生活中取得成功的人物,只写那些保持着崇高道德精神的人。他的剧作和传记中的人物,如忒耳西忒斯、伊拉斯谟、玛丽·斯图亚特、卡斯特里奥、耶利米等都体现了这一创作思想。作家善于借题发挥,古为今用,针砭时弊,或反对战争,抗议法西斯主义;或颂扬人道主义精神自由,抨击思想统治和政治暴力;或弘扬宽容良知,反对狂热和极端。有的作品当时还引起了很大反响,如剧作《耶利米》。耶利米是《圣经·旧约全书》中的一个先知,他反对以色列穷兵黩武,预言耶路撒冷将毁灭。这个被人蔑视、被认为是胆怯的人物,却正是这个"唯一不仅能忍受失败而且还能战胜失败的"(第281页)"失败主义者"。"众人皆醉我独醒",正当民族主义甚嚣尘上的时候,正当别人被虚假的胜利冲昏头脑的时候,茨威格却在宣告并且赞美失败,颂扬失败者心灵上的优越感,借古喻今,宣告德国必将失败,从而说出了时代的心声。"沧海横流,方显出英雄本色"。1917年3月《耶利米》出版后两万册很快销售一空,不仅像罗曼·罗兰这样的反战作家,而且像德国的戴默尔这样原先持民族主义立场的作家也都公开表示支持,即便是主战派,在反对剧本的时候态度上也表现得很有礼貌和充满尊重,这是茨威格未曾料到的。其实原因很简单,是时间使他们猛然清醒:战争已进行了两年半,战场上流淌的鲜血使得慷慨激昂的高烧开始降温。如果能用一句话来概括茨威格的艺术特色和思想倾向的话,我们可以说:"灵魂的狩猎人"渴望"更人道的世界"。

茨威格的作品语言优美,富于音乐性,这是人们所公认的。意大利著名作家皮兰德娄对茨威格在语言方面的造诣也十分钦佩。1935年皮兰德娄决定,自己的新作《不知道怎么样》(Nonsi sa mai)不仅要在意大利首演而且也要在维也纳用德语举行首演。他托人转达他的请求,希望茨威格把他的剧作译成德语,以保持剧本语言的音乐性和感染力。

有些著名作家的作品的哲理负载过于沉重，规模庞大，晦涩难懂，只有少数读者和研究者才敢接近它们。但是茨威格的作品却人人能读，个个爱看，用我们今天流行的话来说，就是具有很大的可读性。这和茨威格"每一页都始终保持高潮、能够让人一口气读到最后一页"的追求不无关系。优美的语言、精巧的结构、深刻的心理描写、悬念的设置、引人入胜的情节、"戏中戏"的结构（如《一个女人一生中的二十四小时》、《国际象棋的故事》等）、出色的景物描写以及人道主义的内涵，这一切使茨威格赢得了读者的心。他的作品被译成五十多种语言，是世界上最受欢迎的作家之一，在我国"茨威格热"也经久不衰。

但是，茨威格的作品也并非十全十美、篇篇佳作。茨威格是位创作态度非常严肃、对自己的作品十分苛求的作家。晚年他对自己的处女作诗集《银弦集》就很不满意，认为作品还不成熟，"那些诗句不是出于自己的亲身体验，而是一些不确定的预感和无意识的模仿，只是一种语言上的激情。"（第106页）这本诗集中的诗，他一首也没有选入自己的《诗集》。他说，他虽然很早就发表作品，但"直到二十六岁还没有创作出真正的作品"（第186页），并说，他不喜欢自己的早期作品，因为最初发表的一些小说写作的时候完全不了解现实情况，而是学的别人的技巧。可见，即使是一位大作家，如果缺少生活，他的作品也难免流于苍白。确实，他早年的作品受印象主义－新浪漫主义的影响，过多地着意于形式的雕琢，有明显的唯美主义倾向，流露出不真实的伤感情调，故事情节也有点模式化，构思也限制在某种框框里，语言还不够个性化。不过，他在1904年出版的第一部小说集《艾丽卡·埃瓦尔特之恋》中的作品，虽然还较粗糙，还不够成熟，但是却显示了茨威格未来创作的某些风格和思想,著名作家赫尔曼·黑塞就曾肯定这部小说集的特色。另外,心理小说或心理描写小说的关键是如何把握好心理描写和心理分析的"度",这个"度"就可显示出作家艺术手法的高低和作品艺术水平之优劣。在茨威格的一些名作中这个"度"把握得恰到好处,读了让人拍案叫绝,但在某些小说中也有心理描写过头的现象,显得冗长和烦琐,读者难免会生出厌烦的心理。这个缺点作家自己也看到了,他给高尔基的一封信中曾说:"我总是责怪自己心理描写太多,缺乏你们俄国作家具有的那种伟大的率真。"[①]

　　这本选本共收茨威格的中、短篇小说21篇,包括了作家早期、中期和后期的创作,基本上可以看出茨威格创作的全貌。这里特别要对给予编选者以大力支持的各位译者表示衷心的谢意。

韩耀成,北京

[①] 《三人书简——高尔基、罗曼·罗兰、茨威格书信集》,湖南人民出版社,1981年,第135页。

中短篇小说

普拉特的春天①

韩耀成 译

她像旋风似的冲进门来。

"我的衣服送来了吗?"

"没有,小姐。"女仆回答道,"我也纳闷,衣服怎么今天还没送来。"

"当然不会送来,我知道那懒蛋。"她嚷道,声音里颤动着强压的啜泣。"现在已经十二点了,一点半我要坐车到普拉特公园去看赛马。这下可去不成了,就因为这傻蛋!再说,天气又这么好!"

她感到十分恼怒,颀长的身子气冲冲地猛的一下跌躺在那张窄窄的波斯沙发上。沙发在绣房的一角,上面铺着毯子,垂着流苏,绣房布置得花里胡哨,难看极了。今天的赛马会上,她这位人人皆知的小妇人和出名的美女原本要扮演重要角色的,可是现在她不能去参加了,为此她气得浑身直哆嗦。她双手捂着脸,热泪从她那戴着沉甸甸的戒指的纤细的手指缝里滚落下来。

她就这样在沙发上躺了几分钟,随后稍稍支起身子,伸手

---

① 普拉特是一座规模很大的自然公园,在维也纳郊区,地处多瑙河和多瑙运河之间,尤以其游乐场著称。

刚好够着那张英式小桌，她知道，小桌上有夹心巧克力糖。她机械地把糖一块块塞进嘴里，慢慢化开。她疲惫极了，加上昨天夜里又逛荡又喝酒，凉爽的屋里半明半暗，她心里非常痛苦——在这一切的共同作用下，她慢慢打起盹来了。

她大约睡了一个小时，睡得不沉，也没有做梦，意识似睡非醒。平时她的眼睛顾盼之间波光粼粼，万种风情，最能勾魂，此时尽管她的两只眸子闭着，但她仍然非常漂亮。只有那两道精心描画的眉毛使她显出一副交际花的模样，要不然别人还真会把她当作一个沉睡的孩子呢。她的容貌那么灵秀，那么匀称，脸上因失去快乐而现出的痛苦也被睡眠抹去了，未留下一丝痕迹。

近一点钟的时候她醒了，对自己方才竟睡了一觉，感到有点吃惊。随后她又渐渐记起了一切。她神经质地不断使劲按铃，女仆应声来到她面前。

"我的衣服送来了吗？"

"没有，小姐！"

"混账东西！她明知我今天要穿这件衣服的。现在完了，我去不成了。"

她激动地跳了起来，在狭窄的绣房里踱来踱去，随后就把脑袋伸出窗外，看看她的马车来了没有。

当然，马车已经来了。只要该死的女裁缝一到，一切就会称心如意。可是，看来她还不得不呆在家里。思量来，思量去，她渐渐生出一个念头，觉得自己最最倒霉，像她这么倒霉的女子，世界上没有第二个了。

可是，忧闷却又使她感到快慰，她无意中发现，忧闷的时候自己就清心寡欲，忧闷倒是有其独特的魅力。说到风就是雨，这一时的心血来潮，她就令女仆去将她的马车打发走。马车夫得到这道命令，简直是喜出望外，因为今天是赛马日，他可以去大大挣笔钱了。

但是，她刚看到这辆华丽的双座马车疾驰而去，就对自己下的这道命令感到后悔了，倘若她不怕害臊，她宁愿自己从窗户上收回这道成命，不过她毕竟是住在维也纳最显贵的地区，住在格拉本街的名媛啊。

那么，现在完了。她在房间里关了禁闭，就像士兵受了处罚不得离开营房一样。

她闷闷不乐地在房里走来走去。狭窄的绣房里各色东西样样齐全，从最低劣的破烂到精致的艺术品，毫无选择，格调低下，把房间塞得满满的，她此刻在这里感到很不自在，再加上那种由二十种不同的香水一起散发的气味和粘在每样东西上的那股子刺鼻的烟味，更让人无法忍受。对这一切，她第一次感到如此厌恶，就连普雷奥①的一本本黄皮小说，今天对她也失去了魅力，因为她不断在想着普拉特，想着她的普拉特，想着那片正在赛马的快乐草地。

这一切仅仅因为她没有华贵的礼服而统统成了泡影。

这真不由得要让人大哭一场。她精神颓丧地靠在圈手椅里，又想睡一睡，以此来打发下午的时光。但是，这不成，眼皮总是不断睁开，渴望光亮。

于是她又走到窗前，眺望在阳光下闪闪发亮的格拉本大街的人行道和人行道上来去匆匆的行人。天空如此湛蓝，空气如此温暖，她渴望到郊外去的心情也越来越强烈，越来越迫切，心里急得像热锅上的蚂蚁。突然，她脑海里闪过一个念头：独

---

① 普雷奥（1697—1763），法国多产小说家，尤以小说《曼侬·莱斯科》（1731）而闻名。

自到普拉特去,虽然不能也坐在彩车上巡礼,但至少可以看看,享会儿眼福,这个机会可不能错过。这样她就不必穿华丽的礼服,穿身朴素的衣服甚至更好,因为这样人家就认不出她了。

这个计划很快就决定了。

她打开柜子,挑选衣服。这些衣服耀眼闪亮,花花绿绿,光彩眩目。各种五色斑斓、花团锦簇的华服纷然杂陈,一齐映入她的眼帘。她挑衣服的时候,丝绸在她手里渐渐作响。挑衣服可并非易事,因为这里的衣服几乎全是礼服,其意图极为鲜明,那就是要把别人的注意力吸引过来——而这正是她今天想要避免的。找了很久,她脸上终于一下子绽出一抹天真而快乐的微笑。在柜子的一角,她发现一件朴素的、甚至可以说是穷酸的衣服,衣服已经压得皱皱巴巴,上面布满灰尘。使她微笑的还不单是发现了这件衣服,而且还有这件纪念品所唤起的栩栩如生的往事呢。她想起了穿着这件衣服同自己的情郎一起离家出走的那个日子,想起她和情郎两人分享的许多幸福,接着又想起另一种情景:那时她先是成了某个伯爵的情妇,继而成了另一位的,随后又成为其他好多人的情妇……总之是拿自己的幸福换得了许多华裳丽服。

她不知道,还留着这件衣服干吗。但是找到这件衣服她心里却很高兴。她换好衣服,在笨重的威尼斯穿衣镜前一照,就禁不住对自己的打扮笑出了声。看上去她的举止是那么端庄,一副平民姑娘那种纯真无邪的样子,活脱脱一个甘蕾箐[①]……

[①] 甘蕾箐,歌德诗剧《浮士德》第一部中的女主人公,是位朴质、纯真的平民姑娘。

经过一阵翻找,她把帽子也找出来了,同衣服正好相配。接着她又笑吟吟地朝镜子里瞅了一眼,镜子里映出一位身穿周末盛装的年轻的平民姑娘,同样也回报她吟吟一笑,接着就走了。

她唇上挂着微笑,走上大街。

起先,她感到每个从她身边走过的人都会觉察到,她并不是她所装扮的那个样子。

不过街上行人稀少,人们在中午热辣辣的阳光下从她身边匆匆而过,绝大多数人都没有时间去打量她。渐渐地,她在自己这种新的状态下就能够挥洒自如了,于是便一边思量一边沿着红塔街往下走去。

这里,在阳光的沐浴下,一切都在闪闪发光。精心打扮的快乐的人群把星期日的气氛传给了动物和其他东西。一切都熠熠生辉,光灿炫目,都在向她欢呼,向她致意。她目不转睛地望着这五光十色、熙来攘往的人群,这样热闹的场面她还从未见过呢。她只顾看啊,瞧啊,差点儿撞在一辆马车上。"简直像个村姑。"她自言自语地脱口而出。

于是她便稍加注意,可是一到普拉特大街,她的狂放不羁一下又冒了出来。因为这时她看见她的一位仰慕者正乘坐一辆华丽的马车紧挨她身边驶过,距离近得她几乎可以扯到他的耳朵,她真想这么来他一下。但是,他并没有注意到她,因为他正神态优雅地、懒洋洋地把身子往后靠着。这时她放声大笑,笑得他回过头来,要不是她用手帕将脸捂住,也许就要被他认出来了。

她兴冲冲地继续朝前走去,旋即就被卷进人潮之中。星期日人们穿着光鲜的衣服,到维也纳国家圣塔,到普拉特的条条林阴道上去漫步。这些林阴道宛如铺在绿茸茸的草地上的白木梁，穿过林木葱郁、没有小径的普拉特谷地。她的狂放不羁受了人们欢乐情绪的感染，不知不觉中也全都消散了，因为人们沉浸在星期日的欢乐中，陶醉在大自然中，把星期日两头各六个风尘仆仆、工作繁重的日子一股脑儿忘到了九霄云外。

她随人流而动，像大海中的一朵浪花，既无计划又无目标，然而在充满生机的喧嚣中也在吞泡吐沫，逐浪翻腾。

女裁缝忘了把衣服给她送去，为此她几乎喜笑颜开了，因为她在这里感到如此欢畅，如此自由，她一生中还从未经历过，这与她童年时代初游普拉特的情景很是相仿。

这时，那些回忆和画面又纷至沓来，而且全被她那欢快的情绪织上一道金光闪烁的镶边。她又想起了自己的初恋，可是心情并不悲郁颓丧，完全不像是在回忆某件不愿触及的事情，倒是像在回忆一种命运，一种极想再次经历的命运，那次爱情是赠予，并非出卖……

她沉浸在梦里，脚步还在继续往前走，她觉得，喧哗声变成了汹涌激荡的海涛，个别人的声音她已无法听清。她独自信步而行，心里思绪翻滚，往常她无所事事，躺在屋里狭窄的波斯睡榻上优哉游哉地往寂静、停滞的空气里吐着烟圈的时候，从未想得那么多……

突然，她抬头仰望。

起先她不明白是怎么回事。她只有一种模模糊糊的感觉，突然给她的思绪蒙上一层难以揭开的薄纱。现在，她抬头一看，发现有一双眼睛老在盯着自己。凭着女性的直觉，她正确解释了这两道将她从梦中惊醒的目光。

这目光是从一位小伙子脸上那双黑眼睛里投来的。小伙子尽管还留着浓浓的胡子，但是他那张稚气的脸却很讨人喜欢。

从穿着可看出他是大学生，扣眼里还插了一朵民族党的党花，这更可以进一步证实这一推测。头上一顶圆顶宽边毡帽斜斜地遮挡着柔和、端正的面容，赋予这颗普通的、极其平常的脑袋以某种诗人气质，给人以富于理想的印象。

她的第一个动作就是轻蔑地皱起眉头，骄矜地把目光瞥往一边。这个普通人想在她身上打什么主意？她可不是郊区来的姑娘，她是……

突然间，她停了下来，眼睛里又重新闪现出狂放不羁的笑意。此时她又感到自己是交际场上的名花，把装扮成平民姑娘一事忘在了九霄云外。她的乔装打扮如此出色，对此她自己也孩子气地乐了。

这位年轻人把微笑解释成为对他表示爱情，于是便向她走近，眼睛不停地紧紧盯着她。他竭力想使自己的脸孔现出对胜利具有十足把握的男子汉风度，可是功亏一篑，胆怯和犹豫将他的努力一次次化为乌有。而这恰恰是她喜欢他的地方，因为她先前尚未遇见过表现出自制和含蓄的男人。这年轻人身上尚未消失的稚气给了她一种异乎寻常的印象，一种新的感受，而且极其自然，真是无与伦比。大学生几十次嘴唇微启，想跟她搭讪，可是每到关键时刻又总是由于胆怯和害羞而欲言又止。细细品味这情景，对她来说不啻是观看一出极其滑稽的喜剧。她不得不紧紧咬住嘴唇，才不致冲他哈哈大笑。

这小伙子还有一个长处：眼睛不瞎。所以他把她秀美的嘴角的抽搐所泄露的心意看得一清二楚，所以勇气大增。

突然，他一下脱口而出，恂恂有礼地问，是否可以允许他稍稍陪她一程。至于此举的理由，他并没有说明。他所以没有将理由说明，其实原因很简单：他尽管收索枯肠，也没有找到能够自圆其说的理由。

她呢，尽管小伙子作了很长的准备，但在他提出问题的瞬间，她还是大吃一惊。她该接受吗？干吗不？只是不要现在马上就去考虑此事的结局会是怎样。她想，既然已经化装成平民了，干脆就把这个角色演下去；她像平民姑娘似的，也想同自己的仰慕者一起到普拉特去走走。说不定这事还很有趣呢。

于是，她决定接受他的提议，并对他说，她很感谢，不过还是请他不要陪她，因为这要浪费他很多时间的。在这种情况下，她说明原因的这句话里实际上已经包含了这个"行"字。他也马上就明白了这个意思，便走到她身边。

一会儿，两人便在交谈了。

他是个年轻大学生，性格快乐、开朗，文科高中毕业还没多久，在高中时代养成了有点倜傥不羁的性格。他还阅世不深，经历不多，虽说男孩子式的爱他已有过无数次，不过大多数年轻人梦寐以求的那种"艳遇"虽不能说从未有过，但也屈指可数。这是因为他缺少死皮赖脸地进攻的勇气，而这一点却是猎取"艳遇"的主要条件。他的爱情多半只是浅尝辄止，不是苦苦思索、从远处欣赏一番心爱的人，就是在诗里梦里排遣一下情怀。

相反，她开始关心起什么事的时候，就会一下子变成话匣子——突然间她操起也许已有五年未曾说过或想过的维也纳方言来了，对此她自己也感到暗暗吃惊。她仿佛觉得这五年美不可言的风流放纵的生活已经消失得无影无踪，仿佛她又回到从前，成了那个瘦弱的、渴望生活的郊区女孩，对普拉特公园及其魅力爱得入迷。

她还没有觉察到，他们已经慢慢离开了大道，走出喧嚣的人流，进入春光明媚的宽阔的普拉特草地。

高大的百年栗树繁枝远伸，浓叶遮地，葱翠欲滴，宛如一个个高高耸立的巨人。挂满沉甸甸的花朵的树枝簌簌作响,犹如在悄悄倾吐绵绵情话,一条条白色花絮像冬雪飘落在翠绿的草地上,地上各种色彩鲜艳的鲜花织成许多独特的图案。泥土里升起一股馥郁的甜香,像涟漪似的四处飘散,附着在每个人身上,粘得紧紧的,以致人们对于所得到的消受也无法说得清楚,而只有某种甜蜜的、可爱的、催人入睡的朦朦胧胧的意识。树木之上蓝宝石似的天穹如此湛蓝,如此明亮,如此纯净。太阳将万道金光洒遍它超群绝伦、恒久不变、无与伦比的创造物——普拉特的春天。

普拉特的春天!

这个词庄严地在空中飘浮,大家都感觉到自己周围有股强大的魔力,每个人心里都有花苞竞放、姹紫千红、百花争艳的感觉。对对情侣手挽手漫步在宽广无垠的草地上,脸上洋溢着幸福的神采,孩子们还不了解这种幸福,但他们心中也滋生出一种独特的冲动,迫着他们蹦跳、舞蹈、欢呼,欢乐的声音随风飘向远方,消失在树林中。

普拉特的春天像一道灵光映照在所有这些摆脱了工作压力的幸福的人们头上。

他们两人毫没觉察,魔力也慢慢地占领了他们的心灵,在甜蜜欢快的戏谑中渐渐潜入一种会心的亲密——一位颇受欢迎的不速之客。他们彼此成了朋友,对于这位迷人的、活泼开朗的姑娘,这位我行我素、锋芒毕露、宛如乔装的公主似的姑娘,他心里感到喜出望外。她呢,她也很愿意获得这位生气勃勃的小伙子。她同他开始演出的这场喜剧,现在她自己也稍稍认真地加以对待了。她穿着以前的衣服,也重新获得了以前的感觉,她又重新渴望一次幸福,渴望初恋的幸福……

她觉得，她仿佛希望现在的一切都是初次体验：那戏谑式的赞赏，那隐秘的欲望，那朴素而宁静的幸福。

　　他轻轻挽住她的胳膊，她也没有拒绝。她感到他热乎乎的呼吸挨到她的头发，他给她讲了许许多多事情，讲他青少年时代的种种经历，随后告诉她，他叫汉斯，正在上大学，并说非常喜欢她。他半开玩笑半认真地向她作了爱情表白，这使她快乐和幸福得浑身颤抖不已。她曾经听过几百次求爱的话，有些人的话也许说得更动听，她也曾经接受过许多人的求爱，但是从来没有一次爱情表白像今天这句简单、真挚而恳切的话那样使她神采飞扬，满脸通红。今天的话他是在她耳际悄悄向她倾吐的，由于内心激动，他的声音在微微颤动。这些颤抖的话语听起来像是一个人们渴望体验的甜蜜的梦，震颤传遍她全身，直到她幸福得浑身直打哆嗦。她感到他的手臂愈来愈使劲地压着她的手臂，焕发出狂野而热烈的万种风情，让人销魂荡魄，飘飘欲仙。

　　他们已经到了宽阔的草地深处，那儿已无游人，几乎就只有他们两人，只有些微汽车的声响还咕隆咕隆地传来。绿荫丛中，间或有女人的浅色夏装闪现，宛如往前飞去的白色蝴蝶，很少听到人的声音，一切似乎都被阳光照得困倦了，全都处于酣睡之中……

　　只有他的声音不知疲倦，喁喁倾吐着绸缪缱绻，一句比一句更温存，更缠绵。她听得如痴如醉，犹如入睡时听到一首远处飘来的乐曲，一个个单音已无法听清，只能听到音乐的节奏和旋律。

　　当他双手将她的头捧过来亲吻的时候，她也没有拒绝。他给了她一个昵昵长吻，未曾言说的许许多多情话全在不言之中了。

随着这个吻，她的全部记忆也就风流云散，她觉得这是她生平第一个爱吻。她原本想同这个年轻人演演戏的，现在这场戏里充满了生活和体验。深深的爱慕之情已经在她心里扎了根，使她忘却自己的全部过去，就像一个演员，演到出神入化的瞬间感到自己就是国王或英雄，而不再去想自己是演员一样。

她觉得，仿佛有个奇迹，使她得以再次体味初恋的情愫……

他们就这样漫无目的地走了几个小时，手挽着手，陶醉在似水柔情中。天空已染成深红色，树梢像一双双黝黑的手伸进晚霞中，暮色苍茫，大地的轮廓越来越朦胧，越来越模糊，晚风吹拂，树叶沙沙作响。

汉斯和莉莎——平时她管自己叫莉茜，可是此刻她又感到自己童年的名字是那么可爱，那么亲切，所以就把这个名字告诉了他——两人也已转过身，现在正朝普拉特游乐园走去。老远就听到那里各种嘈杂吵嚷之声喧腾聒噪，沸天震地。

色彩斑驳的人流从这里一个个灯火辉煌的摊位前流过，有伴着恋人的士兵，有年轻人，有盯着各种从未见过的玩意儿百看不厌的活蹦乱跳的孩子。到处噪声雷动，震耳欲聋：军乐队和其他乐手竞相拼命加大音量，以盖过对方；手工艺人和小商贩扯着已经喊得嘶哑的嗓子，还不停地吆喝，夸赞自己的东西；还有靶场里的枪声和各个音阶齐备的孩子的声音。全城的老百姓以及三教九流的头面人物统统都涌到这里来了。这些挤得严严实实的各色人等，真是千姿百态，纷然杂陈，但合为一个整体，简直就像是浑然天成。他们各有各的目的和愿望，商贩和店主们就使出浑身解数给予满足。

对莉莎来说,这个普拉特是一块新发现的乐土,或者更确切地说是重新找到的自己童年的乐土。以前她知道的主要是那条林荫大道,它的优美和气派以及道上车水马龙川流不息的壮观,可是现在她觉得一切都那么迷人,她像进了玩具店的孩子,每样东西都想要,都想把它抓来。她又变得高高兴兴,狂放不羁,那梦幻般的、近乎抒情的情绪已经渺无踪迹。他们两人像顽皮的孩子在人的海洋里欢笑嬉闹。

　　他们在每个摊位前都要停下来,乐呵呵地欣赏摊主单调的、又是最最逗人发笑的叫卖和吆喝:"世界上最高的女人","欧陆最矮的男人",或者"快来看蛇人①、算命女、怪物、海中奇观啦"等等。他们坐旋转木马,让人算命,样样都玩一玩。他们那副兴高采烈、欣喜若狂的样子,惹得大家都回过头来朝他们张望。

　　过了一阵子,汉斯发现,肚子在提出抗议了。她也同意。于是两人一起走进一家不在闹市中心的餐馆。在那里,喧嚣的人声成了一片越来越轻、越来越静的嗡嗡声。

　　在那里,他们并排而坐,紧紧偎依在一起。他给她讲各种各样让人捧腹的故事,并善于在每个故事里巧妙地织进几句讨好的话,让她始终保持快乐欢畅的情绪。他给她取了几个滑稽的名字,乐得她哈哈大笑;他还给她做出种种傻里傻气的怪相,逗她笑得前仰后合。她呢,往日她喜欢克制自我,保持优雅、安静的风度,现在却变得从未有过的狂放不羁。她久已忘却的儿时故事现在又重新记起来了。她像着了魔似的,成了另一个人,成了更为年轻的人。

　　他们就这样在一起闲聊了许久许久……

----

①　指柔体杂技演员。

夜晚早已带着它黝黑的面纱降临了，但却尚未驱走傍晚的闷热。空气沉闷，像一股沉重的魔力。远处，一道闪电划过越来越静的夜空。灯光渐渐熄灭，人们散向四面八方，各回各的家。

汉斯也站起身来。

"来，莉莎，我们走吧。"

她跟着站起来，两人手挽手出了普拉特。公园在黑暗中神秘兮兮地注视着他俩的背影。轻轻簌簌作响的树林里最后几盏彩灯还在闪烁，宛如亮晶晶的老虎眼睛。

他们横穿洒满晶莹月华的普拉特大街，街上行人稀少，已非常安静。走在铺石路上，每一步都发出很大的响声。行人匆匆打路灯下走过，影子悠忽而过，街灯依然淡漠地投下微弱的亮光。

他们没有谈要去的方向，不过汉斯在默默地领着路。她预感到，他是在往他的住处领，但她并不想挑明。

他们就这样往前走去，说话不多。他们走过多瑙河大桥，随后穿过环形路，朝第八区——维也纳大学区走去，走过大学亮闪闪的雄伟的石头建筑，经过议会大厦，直奔寒酸的小胡同。

突然，他对她说起话来。

他对她说着炽烈、滚烫的话，用色彩热烈鲜艳的语言倾吐青春爱情的渴念，只有最狂热的欲望迸发的瞬间才能吐露出这些话来。他的言语中包藏着一个年轻人对幸福和享受的热情憧憬，对爱情的最最华彩的目标的全部狂热的渴望。他滔滔不绝的话语越来越汹涌澎拜，越来越急切，像欲望的火焰在冉冉升起，男人的本性在他身上达到了顶点。他像乞丐一样，苦苦恳求着她的爱情……

听了他的这番表白，她全身都颤抖起来了。

她的耳朵里充满甜蜜的话语和狂热的歌曲。她听不懂他的话，但是急切的欲望也在她自己心里强烈地升起，并朝他那个欲望涌去。

她终于答应把她像施舍给乞丐一样给过成百人的东西，当作一件珍贵的、精美绝伦的童话般的礼物赠予他。

在一幢狭小的旧房子前，他停住脚步，按了门铃，眼睛里闪耀着幸福之光。

大门很快就打开了。

他们先是快步穿过一条狭长而阴湿的过道，接着上了好多好多螺旋楼梯。可是这些她都没有觉察到，因为他用他那强壮的胳膊像抱一团羽毛似的抱着她上楼，他手上由于期待的快乐而引起的颤抖，传到她的手上，她宛如在梦里一样，在上楼。

到了顶层，他停下脚步，打开一个小房间。那是一间又小又黑的屋子，要费很大劲才能分清屋里的东西，这是因为天窗上罩着一条白色的破窗帘，月光透过窗帘才洒进房里来。

他把她轻轻一放下，就狂热地将她抱住，无数个滚烫的吻随着她血管里的血液在奔流。她的四肢在他的爱抚下颤颤抖动，两人发出春情难遏的阵阵低吟……

房间又暗又窄。

但是，里面无际的幸福，在悄然无声的满足的静谧中鼓起它的翼翅。爱情的火热的阳光照亮了这深沉的黑暗……

时间还早。也许才六点。

莉茜刚刚回到家，回到她自己华丽的绣房。她做的第一件事，就是把两扇窗户打开，好呼吸早晨的新鲜空气，因为她对那混浊的甜腻腻的香水味感到恶心，这味道使她想起现在的生活。以前，生活是什么样子她都认了，不去思量，盲目地漠然处之，认为一切都是命中注定。但是昨天的经历像一个光明、快乐的青春梦进入她的命运，使她突然滋生了对爱情的渴求。

然而她感觉到，她已无法回到过去。现在马上就有她的一位仰慕者要来，接着又将有另一位登门。想到这些，她着实吓了一跳。

她害怕这个渐渐明亮、清晰的白天。

但是她又慢慢地开始回味和思考已经过去的一天，它像一道迷惘的阳光射进她如此暗淡、如此抑郁的生活。她忘记了将要到来的一切。

她像清晨从美妙的梦里甜蜜地醒来的孩子，唇上挂着幸福的微笑。

森林上空的那颗星

深切思念弗朗茨·卡尔·金茨凯①

韩耀成译

　　有一次,身材颀长、穿着讲究的侍者法朗索瓦,从漂亮的波兰伯爵夫人奥斯特洛夫斯卡的肩头俯下身去摆放餐具时,发生了一件奇特的事情。这件事持续的时间只有一秒钟,没有引起任何颤动和惊恐,一切都纹丝未动。可是这却是千万个小时和日子都为之欢愉和怅然的一秒钟,就如簌簌作响的高大橡树连同摇晃的树枝和摆动的树冠,其巍巍气势全都安安稳稳地包藏在一粒四处飘飞的花粉之中一样。这一秒钟内外表上看不出一丝迹象。伯爵夫人手中的餐刀正在寻找食物,法朗索瓦,这位里维埃拉②大饭店的机灵的侍者,便赶紧弯下腰去,把盘子摆摆好。就在这一瞬间,他的脸恰好紧贴着她一头松软的、香气四溢的卷发,他本能地睁开谦卑地下垂的眼睛,他迷醉的目光在这片黑色的发波中窥见了她白净的脖颈,其柔和、粉白的线条延伸下去,消失在鼓起的深红衣服里。他的心里仿佛忽地升起了紫色

---

　　① 金茨凯(1871—1963),奥地利诗人和小说家。第一次世界大战期间他曾和茨威格一起在维也纳的战争档案馆服务过。
　　② 里维埃拉,地中海沿岸地区。包括法国东南部的兰岸地区以及意大利北部的波嫩泰和勒万特,气候宜人,风光绚丽,是度假胜地。沿岸地区有戛纳、尼斯、拉巴洛、莱万托等城市。

的火焰。餐刀碰到难以察觉地颤动的盘子上，发出微微的声响。虽然在这一秒钟里他预感到了这突如其来的陶醉的种种严重后果，但他巧妙地控制住了自己的激动，仍以一个风度翩翩的年轻侍者那种有点讨好的热情继续侍候伯爵夫人用餐。他迈着镇定的步子，把盘子送到常同伯爵夫人一起用餐的贵族面前。这位贵族年纪比她稍长，举止温文尔雅，正在用法语讲些无关紧要的事情，其法语说得极其准确清晰，声音犹如水晶一般。送了盘子，年轻侍者就目不斜视、面无表情地从餐桌边退下。

　　这几秒钟乃是一种奇特的、充满沉醉的失落的开始，一种陶醉的、神魂颠倒的感受的开始，就连爱情这个郑重和骄傲的字眼也难于将它表达。这是那种盲目忠诚、毫无欲愿的爱情，只有年纪很轻和年纪很大的人才会有的爱情，除此之外人的一生中是根本体会不到的。这是一种毫不深思熟虑的爱情，它不加思考，只是梦想。他全然忘记了人们对侍者所持的那种虽不公正、但却无法消除的蔑视，这种蔑视就连聪明、潇洒的人对身穿跑堂服的人也会表露出来的。他并不去考虑种种可能性和偶然性，而是在自己的血液里培育这种奇怪的情愫，直至其隐秘的眷恋把种种嘲笑和责难统统视若敝屣。他的缱绻柔情不是表现在眨动和窥视的目光中，不是表现在突发胆大妄为时放肆的举止上，不是表现在春心荡漾失去自制时渴望的嘴唇和颤抖的手上，这柔情表现在默默的尽心侍候上和做好各项细小的服务工作中，明知这些小事不会被人注意，所以谦卑中的柔情就显得更为崇高和神圣。晚餐以后他用那么温存、那么缠绵的手指把她座位前桌布的皱痕抚平，犹如抚摸可爱而温柔的女人之手；他倾注全部深情将她身边的每样东西收拾得十分对称，仿佛在恭候她来参加筵席似的。他将她芳唇碰过的那些酒杯都小心翼翼地拿到他那间开有天窗、散发着霉味的小房间里，让它们像珍贵的首饰一样在明朗的月光下熠熠闪光。他常常在某个角落秘密偷听她走路或漫步的声音。他吸吮她的话语,犹如人们美滋滋地用舌头品味一种甘醇可口、香气醉人的葡萄美酒,他贪婪地抓住每一句话和每个吩咐,就像孩子们抓住飞来之球。就这样,他那颗沉醉的心给他可怜的、不值一提的生活带进了一束千变万化、绚丽多姿的光辉。法朗索瓦这个穷跑堂爱上了一位永远也无法企及的异国伯爵夫人,关于这件事的来龙去脉,他脑子里从来未曾有过这样聪明的愚蠢想法:用冷冰冰的毁灭性语言将它原原本本地加以表达。因为他压根儿没有觉得她是现实的人,而是觉得她很高很远,到达这里的,只是她生命的反光。他喜欢她发号施令时的那副盛气凌人的傲慢,喜欢她那两道几乎相碰的颐指气使的青黛色眉毛,喜欢她薄唇周围密密的皱折,喜欢她言谈举止的自信与优雅。对他来说,表现出卑躬屈膝那是理所当然的,他觉得能低声下气地在她身边做些低贱的侍奉工作,那是幸福,因为正是由于她,他才能进入围绕着她的那个令人着迷的圈子。

就这样,在一个普通人的生活中突然做起了一个梦,这就像路边精心培育的一棵珍贵花木,往日它的萌芽全被熙攘的行人踩坏,如今却盛开了。这是一个朴实的人的沉迷,是冷酷而单调的生活中一个令人回肠荡气、飘飘欲仙的梦。这样的梦就像无舵之舟,毫无目地飘荡在一平如镜的水上,晃晃悠悠,其乐无比,直到它猛的一下撞在一处不知晓的湖岸上。

可是现实比所有的梦境更严酷,更粗暴。一天晚上胖门房沃州[①]人从他身边走过时说:"奥斯特洛夫斯卡明天乘八点钟的火车走。"接着还说了另外几个无关紧要的名字,这些他根

[①] 沃州(Waadtland,法文 Vaud),在瑞士西南部,居民主要讲法语。

本就没有听见。因为听了前一句话他脑子里嗡的一下，像翻江倒海似的，卷起阵阵汹涌澎湃的波涛。有几次他机械地用手指抚推紧锁的额头，仿佛要把压在那里、紧紧束缚着智力的那层东西拨开。他迈了几步，脚下踉踉跄跄。他心神不定、惊惶失措地快步从一面镶着金框的大镜子前走过，镜子里一张苍白的陌生面孔木然地瞧着他，似乎什么思想也没有，好像统统都被禁锢在阴暗朦胧的墙壁后面了。他几乎下意识地扶着栏杆，摸索着走下很宽的台阶，进了暮色苍茫的花园，几棵高大的伞松寂寞地耸立着，就像阴暗的思绪。他那摇晃不定的身影像只翩翩低飞的黑色大夜鸟，又往前趔趄了几步，随后便跌坐在一张长椅上，脑袋倚着冰凉的扶手。这时四周一片岑寂。后面，大海在簇簇圆形灌木丛中闪闪发光。柔和、颤动的灯光在那里微微闪亮，在这静谧的夜晚只有远处滚滚翻涌的波涛单调而持续地在吟唱。

突然间，一切都明白了，完全明白了。这事是如此清楚，又如此苦涩，他几乎现出了一丝微笑。一切全都完了。奥斯特洛夫斯卡伯爵夫人要回家去了，而侍者法朗索瓦仍旧干他的活。这事难道真那么奇怪吗？来这里住上两三个星期或三四个星期的客人不是全都走了吗？多傻呀，连这都没有想到！一切都明明白白，明白得让人笑，让人哭。各种思绪冗杂芜驳，像团乱麻。明天晚上，乘八点钟的火车去华沙。去华沙——那要好多小时，要穿过好多森林和山谷，越过好多丘地和山岭，驶过好多草原、河流和喧嚣的城市。华沙！多么遥远的华沙！他根本不能想象，但是内心深处却能感觉到这个骄傲而带有威胁性的、严峻而遥远的字眼：华沙。而他……

刹那间，他心里还升起一星点梦幻似的希望之光。是啊，他可以跟着去呀。他可以在那里当仆役，当抄写，当车夫，当奴隶；还可以当乞丐，冻得哆哆嗦嗦地站在华沙的街头，只要不离得那么远，只要能呼吸到同一城市的气息，或许有时她坐车疾驶而过的时候能看见她——哪怕只能见到她的身影，她的衣服和她的黑发。于是种种行色匆匆的梦幻闪烁而来。可是时间是残酷无情的。那事绝对办不到，这点他看得一清二楚。他算了一下自己的积蓄，顶多也只有一二百法郎。这点钱连一半路费都不够。往后怎么办？突然，他好似透过一条撕破的面纱看到了自己的生活，感到它现在好可怜，好可悲啊。寂寞空虚的侍者生涯已被愚蠢的渴望折磨得苦不堪言，他的未来大概就是这样可笑。他全身起了一阵寒颤。突然，所有的思想之链都猛不可挡地汇集在一起。现在只有一种可能。

　　树梢在难以觉察的微风中轻轻摇曳。他面前阴森的黑夜令人胆寒。这时他不慌不忙，镇定自若地从椅子上站起来，踩着咯咯作响的砾石走上台阶，进了灯光通明、寂静无声的大厦。到她窗前，他便停住脚步。窗户黑乎乎的，没有一星点闪烁的、可以点燃梦幻般渴念的灯光。所以他血液的跳动很平静，他迈步走去，颇似个不再被困惑、不再受欺骗的人。到了房间里，他往床上一躺，毫不激动，睡得沉沉的，一夜没有做梦，直到第二天早晨，铃声才把他叫醒。

　　第二天，他把自己的举止完全约束在精心琢磨过的限度之内，强自镇定。他以冷冷的漠然态度干着他的服务工作，神情中显示出无忧无虑的自信力，谁也感觉不到这副虚假的面具掩盖下的苦涩的决断。快开晚餐之前，他拿着自己的那点小小的积蓄跑到一家最气派的花店，买了精心挑选的鲜花，花的色彩绚丽多姿，说明了他的心意：盛开的金红色郁金香象征热情似火，宽瓣白菊使人觉得像是充满异国情调的淡淡的梦，窄窄的兰花表示憧憬中的秀丽形象，此外还有几枝矜持、妩媚的玫瑰。接着他又买了一只用闪光的乳白玻璃制成的花瓶。尚剩的几个法郎，他从一个小乞儿身边走过时以极其迅速的动作毫不在乎地给了他。随后他便急忙赶回。他心情忧郁，郑重其事地将插着鲜花的花瓶摆放在他怀着身心的快感慢慢地、一丝不苟地最后一次为伯爵夫人准备的餐具之前。

  接着晚餐开始了。他工作的时候仍和往常一样：冷冷的，没有声音，眼明手快，不抬头张望。只是直到最后，他才以一道她永不知晓的没有尽头的目光盯着她整个柔软而骄傲的身躯。他觉得，她从来没有像在他这别无所求的最后的目光中所呈现的那么美。随后他便平静地从餐桌边退下，出了餐厅，未作告别，脸无表情。他像个该受到侍者躬身致意的客人一样，穿过过道，走下十分气派的迎宾台阶，朝大街而去：你定会感觉到，在这一瞬间他告别了过去。在饭店门口他犹豫不决地停了一秒钟，接着他便顺着闪光的别墅和宽大的花园拐向一条林阴道，边沉思边漫步向前，自己也不知道要往何处去。

  他就这样心神不定地怀着梦一般的失落感漫无目的地走着，一直走到晚上。他什么也不再去思考，不去思考过去的事情，也不去思考那不可避免的事情。他不再考虑死的问题了，就像人们在最后的瞬间举起闪闪发亮、令人胆寒的手枪，用深深的目光打量一番，并在手里掂量一阵之后，又重新将枪放下一样。他早已给自己作了判决。① 只不过种种画面依然纷至沓来，匆匆浮现，旋即飞去，犹如迁徙的飞燕。先是青春岁月，直到一堂倒霉的课为止。在这堂课上，他为诱人的前途所惑，干了一桩愚蠢的事，因而一头栽进了纷乱的世界。随后便是无

---

① 意为：他早就决定了自己的命运。

休止的奔波，为挣钱餬口而卖力，所作的种种尝试又一再碰壁，直到人们称之为命运的黑乎乎的巨浪把他的骄矜击得粉碎，并将他抛在一个低声下气的岗位上。许多色彩绚丽的回忆卷起阵阵旋涡而去。末了，这些天的温柔影像还从清醒的梦境中闪闪发光；可是这些梦猛的一下又撞开了他不得不通过的现实的阴暗大门。他思忖，还不如今天就死去呢。

他思索了片刻，考虑了通向死亡的各条道路，并将其痛苦和快捷程度作了一番比较。突然，他生出一个念头，为此他浑身起了一阵战栗。他神志沮丧，一下想到一个阴森的象征：既然她从他的命运之上飞驶而过，毁了他的命运而毫不知晓，那么就让她把他的身体也碾碎吧。这件事要让她亲自来做。要让她亲自完成她的作品，就这样，这个想法便迅速形成了，而且毫不踌躇。不到一小时了，特别快车八点开，它就要从他身边把她劫走。他要扑在火车的车轮下，让夺走他梦中情人的同一股狂暴的力量把自己碾成齑粉。他要将血流在她的脚下。这些念头纷纷袭来，仿佛彼此在欢呼。他也想好了那个殉情的地点：一直在上面林木密布的山坡上，就在那沙沙作响的树梢挡住鸟瞰近处海湾的视线的地方。他看了看表：秒针和他突突直跳的血液几乎打着同样的节拍。已经到动身的时候了。他疲软的脚步竟一下有了弹性和坚定不移的目标，出现了坚毅而急促的节奏，向前迈步的时候把梦想都一个个加以扼杀。在南方傍晚五彩缤纷的暮色中，他心神不宁地朝那个地方奔去。那儿，在远处森林茂密的山峦间，天上好似嵌着一条紫带。他急忙往前跑去，一直跑到铺着轨道的地方，那里，两条银线在他面前闪亮，为他指路。铁轨引导他蜿蜒向上，穿过吐着芳香的深谷，淡淡的月光透过披在山谷上的朦胧面纱，将世界染成一派银色；铁轨引导他爬上一条坡道，来到山岗上，从那里可以看到远处黑黝黝的浩淼的海洋在海滩灯光的映照下闪闪发光。他终于看到了幽深的、不安地沙沙作响的森林,铁轨在它投下的阴影中延伸。

他喘着粗气站在黑暗的林坡上,这时天色已晚。他的四周树木一棵挨一棵,黑黝黝的,令人不寒而栗。只有高处,在微光闪烁的树冠中,树枝间才有一抹苍白而颤抖的月光洒落,每当晚风微拂,树枝就发出阵阵呻吟。有时,在这阴郁的静谧中还传来远处夜鸟奇怪的啼鸣。在这令人心悸的寂寞中,他的思绪凝固了。他只是等待着,等待着,注视着第一个陡峻的S形曲线的弯道处是否有列车的红灯出现。有时他又心神不宁地看看表,一秒一秒地数着。随后他就专心致志地倾听机车在远处的鸣叫。但这是错觉。一切又都变得寂静无声。时间似乎凝固了。

终于,远处山下灯光闪亮了。这一瞬间他感觉到心里撞了一下,但并不清楚这是恐惧还是高兴。他突然扑倒在铁轨上。起初,片刻间他只感到太阳穴上铁轨惬意的凉爽,接着他便凝神谛听。火车还很远。大概还要几分钟才会到这里。除了风中树木的簌簌低语,别的什么还听不见。各种思绪纷繁缭乱,一齐涌上心头。突然,有一种思绪无法排遣,像是利剑穿心,痛不堪言:他为她而死,而她却永远不知就里。他的生活里激起了汹涌的波涛,但是连一个细微的泡沫也未曾触到过她生活的浪花。她永远不会知道,一个素不相识的生命曾眷恋过她,并为她而肝脑涂地。

万籁俱寂的空气中从远处传来机车有节奏地爬坡时发出的微弱的喘息声。但是他那个思绪还在灼燃,其势依然一丝未减,在最后的几分钟里还在折磨这个行将命赴黄泉的人。隆隆的列车越来越近。这时他再次睁开眼睛。他上面青黑色的天空默默无语，几处树冠簌簌作响。森林上空有一颗闪闪发光的白色星星。森林上空的一颗孤独的星星……他头枕着的铁轨开始轻轻震动，低声歌唱了。可是那个思绪像火一样在他心里，在他目光中灼燃，目光里饱含着他爱情的全部炽热和绝望。所有的憧憬以及那最后的痛苦的问题全部都涌溢而出，注入那颗闪闪发亮的温柔地俯视着他的白色星星。这位行将殒命的人再次以他最后的、无法言说的目光拥抱了那颗闪亮的星星，森林上空的那颗星星。随后他闭上眼睛。轨道颤抖了，摇晃了，飞驰的列车隆隆地越来越近，森林里也轰隆隆地响个不停，像是敲响了无数口巨钟。大地像是在摇晃。风驰电掣般的一声呼啸震耳欲聋，嗖的一下卷起一阵轰响，紧接着便是刺耳的"呜——吱——"的声音，这是汽笛发出的野兽般的惊叫以及列车一下没有刹住而发出的尖声呻吟……

美丽的伯爵夫人奥斯特洛夫斯卡定了一个包厢。开车以来她一直在读一本法国小说，火车的颠簸使她微微摇晃。在这狭窄的空间里空气闷热，充满了许多正在枯萎的花儿所散发的令人窒息的香味。临别时人家送的豪华的花篮里白丁香的花簇好似熟透的果子，疲倦地搭拉着脑袋，花朵软绵绵地倚着花茎，而又沉又宽的玫瑰花萼在这醉人的浮香热云中像要枯萎了。令人窒息的闷热给这沉沉的香气之波加了温，使得它们即使在列车呼啸飞驶时也在懒洋洋地往下浮垂。

突然间书本从她虚弱的手指中掉下。她自己也不明其就里。使她松开手的是一种隐秘的感情。她感到一种昏昏沉沉的痛苦的压迫。骤然，一阵不可理喻的、揪心的痛苦紧紧袭上心头。她想，在这闷热的、令人眩晕的花香中非窒息不可。那令人忧惧的痛苦还未消退，她感觉到疾驰的车轮的每次震动，不假思索地滚滚向前的隆隆声把她折磨得心力交瘁。突然间她心里升起一种渴望，要把飞奔的列车刹住，把正朝着难以理喻的痛苦疾驰的列车拉回来。她一生中还从未像这几秒钟那样感到自己的心被那种不可理喻的痛苦和莫名的恐惧紧紧钳住过，无论是碰到可怕的事，看不见的事或是残酷的事都未曾体验过类似此刻的那种恐惧。这种难以言表的感觉越来越强烈，喉咙被卡得越来越紧。但愿列车停下，像祷告一样，她在心里呻吟着这个想法。

这时突然响起了尖厉的汽笛声，机车发出狂叫示警，制动闸咔嚓咔嚓吐出凄惨的呻吟。飞滚的车轮放慢了节奏，而且越来越慢，随后嘎吱一声，哐啷一撞就停了下来……

她拖着笨重的脚步，费力地摸索到窗户边去呼吸清凉的空气。窗户的玻璃乒乒砰砰掉落下来，外面有人影在奔跑……几个声音飞快地说了几个字：一人自杀……压在轮下了……死了……在野外……

她吓得心惊胆战。她本能地将目光注视着高高的、默默无言的天空，以及那边黑黝黝的、簌簌作响的树木。树木上面是森林上空一颗孤独的星星。她觉得星星的目光犹如一颗晶莹的泪珠。她凝视着这颗星星，突然感到一种从未有过的哀伤。这是一种充满激情和渴望的哀伤，她一生中还从未体验过……

列车开始缓慢地继续行驶。她倚在一角，感到眼泪从脸颊上轻轻滴落。难以理喻的恐惧消退了，只是还感到一种深沉而奇怪的痛苦，她努力思索这痛苦的踪迹，但是没有找到。她心里充满痛苦，就像孩子在漆黑的深夜突然惊恐地醒来，感到自己十分孤独时的那种痛苦……

猩 红 热

史行果译

老家的朋友们曾经对他讲，假如要去维也纳，一定要在约瑟夫施塔特①租间房子，那儿离大学不远，不仅僻静，而且十分古朴，大学生们都乐意在那儿住，更何况传统上那里早就是他们的大本营了。因此，他一下车就将行李暂存在火车站，然后便去问路。他穿过一条条陌生、嘈杂的巷子，从那些匆匆忙忙的人身边经过，他们一个个在雨中疾步而行，仿佛后面有谁在撵他们似的，对于他的问话只是敷衍了事。

秋天的天气无情，骤雨劈劈啪啪地下个不停，毫无间歇，把最后一片战栗的叶子从灰黄的树干上冲下来。雨水敲打着屋檐，又将阴沉沉的天空撕扯成千万条蒙蒙的细线。风不时舞动起雨幕，如飘扬的绸巾，又猛然掀起它劈劈啪啪地打在墙上，撕破人们的雨伞。不过一会儿，马路上就只能见到那些浑身冒着热气的马拖着颠簸的黑色车厢，偶尔，也掠过飞奔的人影。

这位年轻的学生挨门挨户地询问有无房间出租，他在楼梯上跑上跑下，因为借机能避一避这场恶雨而感到高兴。他看过的房间不少，但没有一间合意，也许是下雨的关系吧，阴沉暗淡的光线使明朗的屋子看上去都很压抑，充满窒闷的空气。每

---

① 约瑟夫施塔特，维也纳的一个区。

次，当他沿着弯曲潮湿的楼梯上去，来到房门前，看见住所寒冷和脏乱的样子时，胸口就隐隐发闷，仿佛被堵住了，此刻，他开始体察到，在这些低矮斑驳的临街的房子后面，潜伏着一种巨大的悲凉。于是，他找房子的勇气愈来愈小了。

但是，他终于找到了，在约瑟夫施塔特离居特尔大街不远，有一栋年代久远、笨重宽大的房子，十分古朴舒适。房间很朴素，比他期望的要小些，但是窗子全都朝着一处宽广的庭院。在这城郊老式院舍中，有几棵树，正在雨中簌簌作响，微微颤动。这点怯生生的残绿吸引了他，让他回想起那被他抛在脑后的故乡的花园，而且，他一拽门铃，前厅里的那只金丝雀就不知疲倦地鸣叫起来，在他察看房间的时候就没有停过。他觉得这是个好兆头。房东也令他很满意，这是位上了年纪的面容憔悴的寡妇，她说她丈夫原是位公务员，她带着小女儿只住一间简陋的小屋子。隔壁还住着一个大学生，门上的名片已说明了这位房客的身份。

在日暮之前，他还想多看几眼这座陌生的城市，毕竟，他向往这里已有三年之久了。然而，这伴风狂舞的冷雨浇灭了他心中的热情。于是，他走进一家咖啡馆，坐了好一阵子，怔怔望着台球桌上的白球追逐红球。他听见身边有好多陌生人在谈天、说笑，他却在努力克制着自己，将慢慢涌上喉头的失望的苦楚吞咽回去。他作了一次努力，想走到街对面去。但是雨太大了，固执地下个不停。他浑身都被雨淋透了，像落汤鸡似的来到一家餐馆，不识滋味地匆匆咽下一个面包权当晚餐，随后便回去了。

现在他站在自己的房间里四下张望。几件家什靠墙放着，彼此毫无关联，既无美感也无生气，仿佛被人遗忘了：两只柜子向前佝偻着，一走近它们就会吱吱呀呀地叹气；床上铺着褪色的被子；一盏白色的灯在幽暗的屋中摇晃，还有一只经不起碰的老式维也纳炉子。其间挂着几张彩画与相片，这些各不相干的旧玩意儿，尽是些生面孔，互相盯视，谁也不认识谁，可能已经挂在这儿好多年了。一股寒气从凹凸不平的地板上冒上来，风把雨刮到关不严实的玻璃窗上砰砰乱响。

他打了个寒噤。立在这堆破烂的老古董当中，他感到很不习惯。谁曾睡过这张床，什么人在这张沙发上坐过，又是谁照过这面镜子？他那张苍白的娃娃脸在镜子里充满恐惧地望着自己，几乎要哭出来了。这里没有一样东西会让他想起过去，想到经历过的事情。这里一切都是陌生的。他感到寒意刺骨。

那么现在就去睡觉吗？九点了。他还是头一回睡在陌生的屋子里呢。现在，家里人肯定在桔黄的灯光下围坐在圆桌前静静地谈天，大家和气融融。他晓得金发妹妹艾蒂特就要起身去弹钢琴了，弹首忧伤的奏鸣曲或者欢快的华尔兹，他要她弹什么她就弹什么。平日，他总是立在琴边的暗处和着琴声梦想出神，直到艾蒂特站起身亲切地向他道晚安。而今夜，他又身在何处？

不，他还不能睡。他走过去，从车站送来的箱子里拿出他的东西。这些东西统统都是他的亲人细心收拾的，当他将它们一样样拿出来时，不由得思念起怀着关爱为他整理行装的那一双双手。在书堆里，他又惊又喜地发现夹着一张妹妹的相片，那是她背着他偷偷放进来的，上面还题了一句深情的话。他久久地凝视着相片上这张粲然的笑脸，并将照片搁在书桌上，这样，它便可以亲切地注视他，安慰这异乡的游子。

然而，他又觉得那相片上的笑容变得越来越阴郁，仿佛在这黑暗中，她也要与他一同忧伤。他简直再也不敢多瞧它一眼，他觉得，照片已经很暗了。

那么，离开这间令人抑郁的蜗居再出去走一趟？他来到窗前，看见满世界都滴着雨水。雨滴汇聚在模糊不清的窗玻璃上静止不动，直到接纳了新的雨点，才融为一股细流飞快落下，像眼泪从小孩的嫩脸蛋上淌落下来一样。不断有新的雨滴挂在玻璃上，又不断地掉下去，雨水从四面八方飘来，屋外，整个世界好像都在嚎啕大哭，抹着无尽的泪水倾吐它的悲哀。他就那样站在窗前，约摸有半个时辰。这包含着无言沉痛的轻声低吟的雨戏，止不住掉落的雨滴，以及那怨诉的树木奏出的难以理喻的音乐——这幅奇异的泪流图深深打动了他，巨大的悲哀向他袭来，他禁不住泪水流淌。

他站在那里呆呆地出神。可是，难道这就是他在维也纳的第一个夜晚吗？这个夜晚，他在梦里，在和妹妹与朋友们的谈话中不知早就预先经历过多少次了。他那时的想象中并没有具体的内容，只想过些狂野的、令人振奋的东西，譬如飞奔着穿过霓虹闪耀的街道，向前，一味地向前，仿佛明天这辉煌的一切都将不复存在，仿佛他在初来乍到的第一个小时就要经历一些难忘的事情似的。在欢声笑语之中，他见到自己豪情满怀地唱着歌，揣着一颗砰砰乱跳的激动的心，向天上甩着帽子。而如今，他独自站在模糊的窗前打着哆嗦，望着雨滴往下淌，两滴、三滴，又是两滴。他凝视着雨水为自己寻找一条条看不见的去路，然后，他又紧闭上双眼，以免自己的泪水也突然落在冰凉的手上。这些年来他一直盼望着的难道竟是这些吗？

时间过得真慢。那木壳老钟的指针在毫无知觉地挪动。他越发感到对夜晚的恐慌，不知何故，他像孩子一样因为这间陌生房间里的孤寂而紧张不安。他无法否认的乡思也越来越强烈，他的心越来越慌乱。在这座庞大的城市中，他孤独一人，成千上万颗心脏在这城市中跳动，却没有一个人对他讲一句话，只有这嘲弄般劈啪作响的雨点。没人听他说话，没人看他一眼，他使劲地忍住泪水与啜泣，一面觉得不好意思，一面却又不知所措，无力摆脱这藏在黑暗身后的恐慌，它双目炯炯地盯着他，丝毫没有慈悲之心。他从来没有像现在这样渴望得到一声安慰。

这时，隔壁的门嘎吱地响了，随即砰的一声关上了。他本是蹲在地上的，这时蹦了起来，侧耳倾听。隔壁，一个虽沙哑却训练有素的声音在哼着一段校园歌曲，然后，传来擦火柴的声响，再接着，他听见灯被点亮了。此人只能是他的那位邻居了。房东对他说过，那人是个学法律的，正在准备最后的考试。他深深吸了口气，觉得先前的冷清寂寞暂时得到些许缓解。隔壁又传来沉重结实的脚步声，在地板上踱来踱去，那支歌也听得越来越清楚了。忽然，这边这个偷听的人发觉自己原来是在那样哆哆嗦嗦、偷偷摸摸地傻站着，不觉害起臊来，于是，他又蹑手蹑脚地溜回到桌边，提心吊胆，好像隔壁唱歌的人能够透过墙看到他似的。

这会儿，隔壁的歌声停了下来，脚步声没有了，邻居一定是坐了下来。滴答滴答的雨点又开始牵扯起他的心绪。孤寂伴着它所有的恐惧也都重新从漆黑之中冒了出来。

他感到自己在这斗室之中是会被闷死的，不，现在他没法独自呆下去了。他站起身，等到脸颊不再因为刚才一直躺着而发红，便清了清嗓子，蹑手蹑脚地走出房门，向隔壁那房门走去。他抬起手，停顿了两次，但最终还是怯生生地叩响了那扇陌生的房门。

随即出现的是一阵沉寂，显然，是由于惊讶。接着，房里传来一声响亮的"进来"。

他推开门，一团蓝色的雾冲他迎面扑来，这窄小的房里每一个角落都充斥着烟雾,家具统统隐在烟雾之中,现在这浓烟被夺门而入的空气搅动起来了。邻居站得笔直,吃惊地看着来人。他已经脱了坎肩,半开着的衬衣毫无拘束地露出一片宽阔多毛的胸脯,鞋子东一只西一只地歪倒在地上。他体魄健壮,庄稼汉般结实,口衔一根短烟斗,用力吐出一口烟,一直喷到门口,那样子与其说是学生,不如说像一名工人。

不速之客结结巴巴地吐出一句话来:"我是今天新搬来的,想和您这位邻居认识一下。"

他对面的这位双脚机械地一并:"很高兴认识您,我是法学系学生施拉梅克。"

来客赶紧也自报家门,以弥补适才的疏忽:"我叫贝托尔德·贝尔格。"

施拉梅克瞥了一眼,问道:"您刚上一年级吧?"

贝尔格给了他一个肯定的回答,并且立刻又加上一句,说这是他到维也纳的第一天。

"您肯定是学法律的。大家都只学习法律。"

"不,我想在医学系注册。"

"是吗?太棒了!总算还有一个……哎呀,您请坐吧!"

热情的邀请。

"来根烟吧,老兄。"

"不,我不吸烟。"

"噢……慢慢你也会抽的。不抽烟的快死光了。那么,来杯法国白兰地,够味的。"

"谢谢了……太谢谢了。"

施拉梅克笑着耸了耸肩头:"亲爱的老弟,我说这话您可别生气,我相信您就是所谓的书呆子,不抽烟,又不沾酒,真让人摸不透。"

贝尔格的脸红了。他为自己的笨拙感到不好意思,更何况这笨拙马上就暴露出来给人家看到了。但是,他又觉得如若再补说自己烟酒都还可以,那就更加可笑了,于是,为了找点话说,他又为这次夜间造访向主人谢了罪。施拉梅克却不让他就此闭嘴,倒是向他问个没完。这下,他们居然发现两人竟还算是半个老乡,因为他俩一个来自波希米亚,另一个来自摩拉维亚。① 很快,他们俩谈着谈着,又发现一个共同的熟人,于是便聊得热乎起来。施拉梅克谈到他一门又一门的考试和种种人际关系,谈到那几年这类大学生认为很有意义的那些蠢事。他讲得相当活泼诚恳,明快爽朗,还有意显出沾沾自喜的老练派头。显然,他很乐意受到一名新生、一个乡巴佬的敬佩。而实际上,他做得比自己想要做到的还要成功。贝尔格真是怀着无以言状的羡慕和好奇心把施拉梅克讲的话一字不漏地全听了进去,它们就像是新生活向他发出的召唤,新生活正在这里、在维也纳等着他。他喜欢这样生气勃勃的谈话,他欣赏施拉梅克吐着蓝色的大烟圈的姿态;他不放过一丁点细节,因为这是他遇见的第一个大学生,他就全然将其当作最杰出的了。

他也很想与施拉梅克聊点什么,可是他自己家的那些事在这一大堆新鲜事物面前突然显得那样毫不起眼、无关紧要和平淡无奇,中学里的趣事和家乡的见闻,以及他自己至今的一切思想和言语都变得傻里傻气,只有现在才是真正成熟的男子汉的开端。施拉梅克压根儿就没注意到他的沉默寡言,倒是这位新生敬羡胆怯的目光使他洋洋得意。应他的要求,贝尔格小心翼翼地伸手摸了摸施拉梅克头上的三道剑痕,它们在他的寸头上留下了红色印记,非常清晰。贝尔格听着施拉梅克讲着决斗

---

① 波希米亚和摩拉维亚都在捷克境内。

呀、击剑呀，惊得目瞪口呆，当他想到自己不久也会如此和仇人面对面站着时不禁又惊恐又惬意，于是，他请求施拉梅克让他从屋角的那堆剑中抽出一支来握一握。可是，当他吃力地拎起一把剑时，真是痛心极了；这时，他才发觉自己的胳臂是那么瘦弱无力，根本不像个男子汉。于是，他对身边这个彪形大汉不由猛然嫉妒万分，他感到了自己与他的差距。若是能手持这样一柄利剑，就能在空中舞得习习生风，就能全力击垮对手的抵挡，并且划破他的脸！贝尔格觉得这真是太耸人听闻了，所以，他把这些极为普通的事情统统当作威武雄壮、当孜孜以求的伟业，而他说话时所表现出的那种羞答答的敬仰之情使得施拉梅克愈发健谈，愈发推心置腹。他就像面对朋友一样，对贝尔格说着知心话，并且向他展示了自己那幅色泽刺眼的生活画卷。当然，这画面一点也脱不出大学生理想的老一套模式。但贝尔格如痴如醉，听得几乎都傻了眼。这里，他找到了他新生活的先行者。

　　这两人直到半夜才总算相互道了再见，施拉梅克亲切地握着贝尔格的手，拍拍他的肩膀，以一种年轻人所特有的心血来潮式的友爱之情对他说，他很不错。那入了迷的男孩子听了真是高兴死了。

　　贝尔格神魂颠倒地回来了。那间屋子马上显得不那样冷清灰暗了，虽然雨依旧在拍打窗槛，寒气依然从每条缝隙中透进来，但他的心中装满了那些闪亮的新奇的事物，他觉得第一天就找到了一个朋友真是无比幸运。然而，很快地，一丝忧郁又渗进了他的快乐之中，他觉得这是个坚实地立足于生活之中的人，在他身边自己显得多么孱弱、多么幼稚，又多么肤浅啊。以前在同学中，他也总是最虚弱、最娇气的病秧子，在大家戏耍和调皮的时候，总没他的份，但直到今天他才头一次为此真正感到痛苦。他将来能变得和施拉梅克一样果断、强健和自由吗？他狂热地渴望自己也能这样能言善辩，也能拥有壮实的体魄，渴望能牢牢地把握住生活而不是随波逐流。他能做得到吗？他望着镜中自己那张腼腆削瘦、下巴光溜溜的娃娃脸，自己都不信自己。他又想起，自己这隆不起一块肌肉的瘦胳膊连剑都拎不起来，他记起自己在两个钟头以前只是因为天又黑又冷和没人陪伴就差点像孩子似的哭起来，一股恐惧悄悄向他袭来：在这需要魄力、勇气和锋芒毕露的新生活中，在这座陌生的城市里，他这个软弱而孩子气的人的命运会如何呢？不行——他强打起精神，他要战斗，直到成为一个十全十美的人，像他的朋友那样身强体壮。他要向他学习一切，学他摆动手脚的姿态，学他讲话时果断明朗的风度，他要练肌肉，他要做一个施拉梅克式的男人。他浮想联翩，想入非非，痛苦与欢乐、希望与颓丧统统混为一体，他的头脑愈发混乱了。直到油灯快燃尽时，他才意识到已经很晚了，就赶紧上床。窗外，九月的秋雨依旧无情地滴滴答答地下个不停。

这就是贝托尔德·贝尔格在维也纳度过的第一天。

后来的几天还是老样子：苦与乐、希望与失望不停地伴着他。那是一种混乱的感觉，但总还不外乎是孤寂陌生，以及对新环境的不适应。他那些对自己独立自主、对大学时代，以及对维也纳所抱的期待全落空了，那伟大的、难以意料的新奇的事物总是迟迟不肯露面。只有一件事是美丽的，那就是：沐浴在九月温和的阳光中的丽泉宫①。通往观景亭的金色林阴道蜿蜒而上，而在观景亭上俯瞰御园和皇宫，视野开阔，更令人胸

---

① 丽泉宫，维也纳市区的皇宫，观景亭是丽泉宫的最高处。

襟大开。此外,剧院的节目也相当精彩,许多漂亮的男女聚在一起,令人神往,还有各种活动和节日光彩夺目,在大街上会遇到许多美丽和奇异的面孔,令人眼花缭乱,充满各种诱惑。但是,这一切也只是看看罢了,他还从未参与其中,他总是像在如饥似渴地读一本打开的书,而不是在直接交谈,亲身体验。

他在初来乍到的那段日子里,倒是有过一次积极参与到新世界中去的尝试,但那也是唯一的一次而已。他拜访了在首都的亲戚,他们可都是体面人物,接着,他便被请去做客。大家待他都很热情周到,那些同他年纪相当的表兄弟们对他也很亲热,但他极其深切地感到,所谓请客,他们其实都只是在敷衍,不过是尽义务罢了。他觉到他们在观其衣衫时强抑住的含有怜悯的笑意,他为自己的土气感到害臊,而与表兄弟镇定自若的气度相比,他的局促惶恐确是显得太寒酸,为此,他又添了一层羞愧。等到可以告辞的时候,他心中真是说不出的高兴。此后,他再也没有去过。

于是,他遭遇的一切又将他重新推回到在第一个夜晚结成的友谊中去,他怀着一个半大孩子的全部热情投入它的怀抱。他完全信赖这位强壮的伙伴,而后者一面乐意地承受了这分热情洋溢的感情,一面又仅以玩世不恭者随时都准备好了拿得出手的那点表面上的诚意作为回报。没过几天,施拉梅克便以"你"来称呼贝尔格了,贝尔格快乐得脸都红了,而他自己过了好久才敢结结巴巴地称施拉梅克"你",他真是太尊敬、太看重这位朋友了。他俩一块走路的时候,贝尔格总是偷偷侧眼瞟着施拉梅克,想学他昂首阔步的走路姿态和他肆无忌惮地拉着漂亮小姐亲嘴的样子,就连他的恶习贝尔格也一并欣赏,诸如在街上乱舞手杖,衣服上总散发着烟臭味,在酒馆里挑衅性地大声嚷嚷，以及做一些常常非常愚蠢的恶作剧等。他可以长达几小时地听施拉梅克讲话，听他讲决斗、牌局和女人等等鸡毛蒜皮的事情，这些与他毫无关系的事不知不觉地变得相当重要起来，在他看来，它们是真正的、实实在在的生活，他为此而兴奋激动，在他心中，燃起了熊熊火焰，他渴望也去经历这一切。他暗自希望哪一天施拉梅克会将他带入这样的奇遇当中去，但施拉梅克却高深莫测，总是将贝尔格隔离在这类重大事件之外。显然，他是觉得贝尔格这张嘴上没毛的娃娃脸太没有派头，他佩着学生社团色标出去时，很少带上贝尔格，他俩一般只在咖啡馆或在住处碰头，而且总是贝尔格积极主动。

贝尔格很快便意识到了这一点，为此心里很烦恼。如同所有年轻人的友谊一样，他的友谊之中也包含爱的成分：汹涌的激情之后跟随一丝轻微的妒意。当他注意到，施拉梅克对待那些认识不久的、很一般的、无关紧要的人的态度竟同对他一般热诚，甚至更加随便亲热时，他心中那不敢透露出半点的痛苦便愈发加深了。接着，他便觉得，他们相识的这几个星期以来，尽管他对施拉梅克是多么言听计从，施拉梅克对他却从未比第一个夜晚更加亲密。他气愤，因为施拉梅克从未对他的事表示过兴趣，而他对施拉梅克的一切都抱有过多的热情；他气愤，还由于施拉梅克每次都只有一句亲切的问候，从不多说一句，随后便立即谈起自己的事情来，但假如贝尔格说点自己的什么事情，他是绝对不想听的。

最最令人气愤、令人伤心的是，贝尔格从施拉梅克的每一句话中都感到对方没有把自己认真当回事！他是怎样称呼他的！他不叫他贝托尔德，而喊他"小乖乖"。这听上去倒是亲切温馨，却总让人难受，因为这恰恰刺到了贝尔格的痛处，这久治不愈的伤口流血已有好几年了，他总是被当作小孩子。在中学,他被视为女孩子,大家都觉得他那么文弱、又那样害羞;而现在,他该是个男子汉了,却还是一副小男孩的模样,仍旧那样胆怯慌张、神经过敏。一年又一年,这苦闷在心头燃烧。人们怎么也不愿相信,他贝尔格已经是大学生了。当然,他确实还不满十八岁,但看上去肯定是还要幼稚得多,才会让人觉得他像个小孩。他心里越来越怀疑,施拉梅克是不是就因为他长相太幼稚而不愿在大伙面前与他太亲密。他越来越觉得自己的怀疑是对的。

一天晚上,他终于弄清了这点。他在城里蹓跶了很久,在拥挤的街道上,他又感到了那种痛彻心扉的绝对的孤独感。于是,他又去找施拉梅克聊天,以摆脱寂寞。施拉梅克正在沙发上,他亲热地招呼了贝尔格一声,并未起身。

桌上放着施拉梅克的那顶有学生社团色标的帽子,鲜艳夺目的红色直刺贝尔格的眼。他心中最隐秘、最强烈的愿望就是由施拉梅克介绍他加入他们的社团,他觉得自己在那里能够获得他现在极缺的一切:亲密的交往,他将拥有一个家;在那里,他能够成为他想成为的人,强壮、有男子气概,一个真正的男子汉。几个星期以来,他一直在等待施拉梅克提出建议,引他入会。他曾三番五次作出小心暗示,但施拉梅克显然对他不予理睬。现在,这顶帽子刺激着他的双眼,他觉得它像一簇火焰般在桌上放着光芒,它闪动着,光彩四溢,将他整个心思都迷住了。他忍不住要提起这个话题了。

"你明天去酒馆吗?"

"当然啰,"施拉梅克答道,并马上变得兴致勃勃起来。"明天肯定会特别有意思,我们又吸收了三名新会员,全都是呱呱叫的棒小伙。我作为第二主席得在场,明天一定会很不错的。礼拜四下午两点之前你可别把我喊醒,我们那天肯定要闹到凌晨才散。"

"好的,我也觉得那肯定会很精彩,"贝尔格说。他等待着。可施拉梅克偏偏什么也没说。那么干吗再继续谈下去呢?但是桌上的帽子诱惑着他,那么红,火一样红……像血一样闪烁着。

"我说……你就不能带我去参加一次……当然,只是一块儿去一趟……你知道,我很想去看看。"

"好啊,你什么时候来吧。可是明天肯定不行,你以后来瞧瞧吧,当然喽,只是作为客人来看看,尽管那儿会令你失望的,小乖乖,因为会上总是乱糟糟的,但是,假如你自己想去……"

贝尔格觉得嗓子眼里有什么东西在往上涌。霎时,他只能像隔着雾似的看着那顶帽子,那个红色的诱人的梦。是泪水吗?他强忍着,狠狠地甩出一句话:

"怎么会让我失望?你当我是什么人了?我是小孩吗?"

贝尔格的声音和语调里一定是有点什么东西,因为施拉梅克一下子蹦了起来。他走到贝尔格跟前,这次可真的是满怀诚意的,他捶着贝尔格的肩膀说:

"不,小乖乖,你可别生气,我并没有瞧不起你的意思。但根据我对你的了解,我认为你不适合那种场合、那种活动。你太规矩、太老实、太正经,反正太那个了。而在那种场合,要别人服你,你就得粗野,即使在喝酒的功夫上也是这样,你能想象自己参加到酗酒和斗殴中去吗?而这在学校礼堂是司空见惯的事。你不能想象吧,是不是?这不是什么不幸的事,你就是不适合。"

是的,他是不适合,他觉得施拉梅克说得有道理。但他到底适合干什么呢?生活需要他做什么呢?施拉梅克的这番话说得那么坦率，贝尔格不知该对他生气还是该感激。施拉梅克当然是转头就把这事忘了，又接着说笑起来，但在贝尔格心中，那认为大家都轻视他的念头却将根扎得越来越深了。桌上的红帽好像恶狠狠地瞪着他，他待不下去了，回到自己的房间。他枯坐着，两手支在桌上，一动不动地盯着油灯发愣，直到深夜。

第二天，贝托尔德·贝尔格干了件蠢事。他前一夜彻夜未眠，因为他觉得施拉梅克鄙视他，当他胆小鬼、小毛孩，这个念头太伤他的心了。于是他打定主意，要证明给他们看，他贝尔格并非没有胆量。他要找人打架，和人决斗，让施拉梅克瞧瞧，他可不是胆小鬼。

但是这个企图没有实现。以前，在与施拉梅克的交谈中，贝尔格已经了解到像决斗这类事情是如何开端的。在郊区小饭馆的那个又小又矮的屋子里，每天都有几个佩戴社团色标的大学生坐在他对面。向他们寻衅可一点儿也不难，因为这几个人成天不谈别的，只关心所谓"荣誉受损"问题。

这天，贝尔格走过他们身边时，成心擦了一下，掀翻一把椅子。他一句抱歉的话也不说，心安理得地继续走他的路，心却在砰砰乱跳。

他身后马上响起一个刺耳的、充满威胁的声音："您不能留点神吗？"

"您别来教训我！"

"真不要脸！"

这下他赶紧转过身来，递过去自己的名片，并要了他们的。他庆幸自己的手在递名片时没有发抖。只一瞬间，一切就都成了。但当他满心骄傲地走出饭馆时，听见对方还坐在桌边笑，其中一个笑着说："真是个脓包！"这句话令他的骄傲顷刻顿消。

他接着就冲回住处，他双颊放光、说话都结结巴巴地闯到刚刚起床的施拉梅克的房间里，告诉他发生的一切。当然，对手的最后那句话他没有说，他也没说自己是成心要撞倒椅子的。不用说，施拉梅克得做他的决斗证人。

他本希望施拉梅克会搋他的肩，夸他是好样的。然而，施拉梅克若有所思地端详着那张名片，牙缝里呼呼地吹着气，气呼呼地说："你可真会找，偏偏挑中了这家伙！他跟牛一样结实，是我们最棒的一个击剑手。不费吹灰之力他就可以了结你。"

贝尔格却并没有被吓住。他心里明白，自己当然不会赢，因为他在此之前从来就没有摸过剑柄。但他简直因为脸上就要有道深深的疤痕而高兴：那样的话，别人就不必问他是不是大学生了。可是，施拉梅克的反应让他吃惊并且失望，只见他手持名片，不停踱着步，嘴里嘟囔着："这下糟了，他骂了你不要脸，是不是？"

终于，施拉梅克停了下来。他穿戴整齐，对贝尔格说："我马上去一趟我们那边，帮你找第二个代表。别担心，一切我都会安排好的。"

贝尔格的确一点儿也不担心。他现在将首次作为一名大学生、一个男人公开与人决斗，他也终于要有自己的"麻烦"了，所以他心中狂喜，几乎无法抑制。而且他好像突然间浑身充满了力量，他拿起剑挥舞几下，觉得刺杀搏击真是其乐无穷。他整个下午都做着白日梦，急促地走来走去，幻想着这场决斗，知道自己会输的念头一点儿也没令他难过，相反，正因为他会输，他才能向施拉梅克和其他人表明自己无所畏惧。即使血流满面，他也要坚持站着不倒下，即使他们想把他拖下去，他也不走。到那时，他们可就要主动送他一顶红帽子了。

想到这里，他热血沸腾，晚上七点钟，施拉梅克回来时，他兴奋地跳起来追上去。施拉梅克此时也兴高采烈。

"好了，小乖乖，万事大吉，一切顺利。"

"决斗定在什么时候？"

"不，小乖乖。我们可不要你和他决斗。事情已经调停好了。"

贝尔格的脸刷的一下变得和死人一样灰白，他的双手在颤抖，一股怒火从胸中升起，直逼出眼泪来。施拉梅克继续说："这可不是容易办到的呀，下次你可得留神一点！麻烦事不会总这样好了结啊！"贝尔格真恨不得能朝他脸上来一拳。

贝尔格努力想吐出一句话来，可是竟吐不出一个字，失望完全攫住了他。终于，他忍着泪哽咽着说："不管怎样，我非常感谢你。但你这样做并没有帮我。"说罢，他走了出去。施拉梅克愕然瞪着他的背影，但是，他将贝尔格奇怪的反应归咎为毛孩子的一时冲动，便不再细想了。

贝尔格开始留心起自己的生活来，他的生活终究得要落到一个实处才行。现在，他来维也纳已有好几个礼拜了，但各方面的状况都没有比第一天更好。少年时五彩缤纷的梦想已化作苍白的云雾，渐渐飘散在天际，汇入暮霭。这里真的就是维也纳，就是那个他多年以来一直渴望来到的大都市吗？就是那个自从他第一次在纸上歪歪斜斜地写下维也纳这几个字的那天起便一直向往的地方吗？那时候，他起初可能只想到维也纳会有很多房子，想到这儿的旋转木马比他们那儿赶集时市场上的木马更大更好看；然后，借助书本，他又为自己这幅画上了颜色：在街上，迷人的女子卖弄风情，房子里住满大胆的寻花问柳之辈，夜晚回荡着一帮年轻人狂野的笑声，而这一切统统消失在叫作青春与生命的喧嚣的漩涡中去了。

现在，又是怎样的光景呢？一间又狭窄又简陋的房间，每天清早，他逃离这里，到闷热、充满汗味的学习室去看几小时书；一家饭馆，他在那儿胡乱吃点东西；一家咖啡馆，他在其中傻瞪着报纸或人群，消磨时光；还有，在热闹的大街上漫无目的瞎逛，直到精疲力尽，再回到又窄又简陋的小屋。他也去过一两次剧院，但总是很难受。因为，当他站在顶层楼座、挤在一群不认识他的生人之中的时候，他看见在楼下的正厅和包厢里，衣冠楚楚的绅士巧舌如簧、左右逢迎，袒胸露背的贵妇珠光宝气，令人想入非非，他看见他们相互打着招呼，笑着问好，根本无视周遭。他们都互相认识，他们是一个圈子里的。书上确实没有瞎说。平时他因为未曾体验过而抱以怀疑的那些打情骂俏之事，在这里都是现实；这些先生太太，平时躲在静悄悄的屋子里，这儿就是他们胆大妄为的世界；这儿就是冒险、奇遇与命运。他觉得这里有许多深井通向下面生活的辉煌之中。但是，他却站在那里，只能观望，不能进入。真的，他小时候看到的是真的：这里嗡嗡作响的彩色旋转木马比家乡的大，伴奏的音乐更喧闹，旋转得更狂野，令人喘不过气来。可是，他只是一旁站着，没有跟着一道转。

使他置身局外的不仅仅是他本身的羞怯，囊中羞涩也是一个因素。家里给他的钱实在太少，只能让他吃饱穿暖，过那种简单安静的日常生活，绝不可能让他挥霍浪费，然而，这却是青春的意义呀。但他有钱也不会花，想到那些隐隐约约让他感到美好、陶醉的事物都与自己无缘，他就感到羞愧难言：譬如坐一辆四驾马车在普拉特公园兜风，或者在豪华酒店里与朋友和佳人一起喝酒，或者仅凭一时高兴便一掷千金、毫不计较。他讨厌在乌烟瘴气的小啤酒馆里看那些人胡闹，他愈来愈渴望，仅仅让他放手挥霍一次也好，他想摆脱这老一套的生活，获得一种更有生机的感觉，感受生命的大节拍和无拘无束的青春的韵律。然而，所有的希冀都化为泡影。每天，他仍旧要回到那间狭小的该死的房间里去，仿佛有一双邪恶的手早已在里面撒满了阴暗。镜子犹如冰块，在暗中闪着光。晚上，他害怕早晨又得醒来，而早晨，他又发愁如何捱过这单调无味、令人发困的漫长的一天。

在这段日子里，他心怀绝望，于是开始异常勤奋地学习。无论是在课堂还是在实验室，他都是第一个来，最后一个走。他发狂地用功，毫不关心其他同学，因此，大伙儿很快就不喜欢他了。他试图以学业上的发奋来抑制对别的东西的渴望，的确，他做到了这一点。每天晚上，他都弄得疲惫不堪，往往再也提不起兴致与施拉梅克聊天。他玩命学习，并非是求什么上进，只是想消耗自己的精力，忘掉那些不得不放弃的东西。他明白，在这股狂热当中隐含了一个奇妙的秘密，许多人正是以此来欺骗自己，掩饰他们自己一生的碌碌无为和生活空虚。贝尔格也想这样赋予自己的生活一个意义，然而他忘了，在青春初期，要的并不是什么生活的意义，而是绚丽多彩的生活。

一天下午，贝尔格比往常回来得早些。路过施拉梅克的房门时，他记起来已经有四天没见着他了，于是便敲了敲门。没人应声。贝尔格并未介意，因为施拉梅克如果晚上与朋友一起闲荡的话，一般都会睡到傍晚时才起来，对此，贝尔格已经习以为常了。

他推开门，黑漆漆的屋子里好像是空的。可是突然，有什么东西在靠窗的椅子边上一动,一个高个子姑娘笑着跳了起来,原来,方才她正坐在施拉梅克的怀里。

贝尔格扭头便想走。显然,他俩没听见敲门声。他窘极了,竭力要走。可施拉梅克跳起来抓住贝尔格的胳膊,拉他进来。"你看,他就是这德行。见了姑娘就像见了鬼。咳,你可跑不了。卡拉,你瞧,他就是我对你讲过的那个小乖乖。"

"我什么都看不见,"有个清脆的、很响亮的声音笑道。真的,房间里太黑了。贝尔格只能模糊看见她洁白的牙齿在昏暗的暮色中发着微光,还有一双含笑的眼睛。

"好,要有光。"施拉梅克说着便去点灯。贝尔格极不自在,心跳得厉害,但又走不掉。

他听说过这个卡拉。几星期前,她就是施拉梅克的情人了,她在商店干活,人挺开朗。他在自己房里也时常听到这两人的笑声和小声说话声,但他特意留神别撞见他们,他真是忒胆小。

灯点亮了,现在他看见她站在那里,长得又高又美。她身材健美丰满,一头红发,两只含笑的大眼睛。这姑娘有几分粗俗,带着些许侍女的浪气,服饰与头发都有点凌乱,也许是刚才被施拉梅克弄乱的,看上去真有可能是这样。然而,她又有一股动人的、无拘无束的神气,现在,她就带着这副神态向贝尔格走过来,主动与他握手,向他问好。

"嗨,你喜欢他吗?"施拉梅克问她,他成心要让贝尔格狼狈一下,寻寻开心。

"比你还漂亮些呢,"卡拉笑着说,"但可惜是个哑巴。"

"别逗他了,"施拉梅克说,"他受不了女孩子。他脸皮就是这样薄,但是你会让他兴奋起来的。"

"当然,那又不是什么坏事。您到这边来,我不会吃了您的。"

她断然握住他的手臂，强迫他坐下。

"可是小姐……"贝尔格一点儿办法没有，嘟囔着。

"听见了吗？他说小姐，小姐。亲爱的小乖乖先生，您听着，大伙儿都不叫我小姐，都管我叫卡拉，就那么叫得了。"

施拉梅克与卡拉两人笑得前仰后合，贝尔格觉得自己的样子肯定很狼狈，为了不显得那样窝囊，他也跟着笑了。

"你说这样好不好，"施拉梅克说，"我们让他买瓶酒去，这样他可能就不会再那样害羞了。好吧，小乖乖，去，给我们买瓶酒来，两瓶最好。好吗？"

"当然啰"，贝尔格答道。他渐渐缓过神来了，他们刚才是出其不意地给了他一个偷袭。他走出去，让房东太太取了酒水和杯子来。他们三人于是围桌而坐，谈笑风生。卡拉坐在贝尔格身边，向他敬酒，贝尔格胆子显然大了许多，甚至敢在她凑向施拉梅克说话的时候正眼打量她了。现在，他更加喜欢这个姑娘了。她白皙的脖颈与火红中闪着金光的头发形成强烈的对比，非常迷人；她浑身充满无拘无束的活力，那野性的、强壮的、激情奔放的精力令他无法拒绝；他禁不住要不停地看她性感的红唇，她笑的时候露出雪白坚实的牙齿，妩媚极了。

有一次当他正盯着她看时，她冷不丁转过身来，像捉贼似的逮住了他。"你喜欢我吗？"她毫无顾忌地笑着说，"我也喜欢你！"她的话语毫无恶意，也不是恭维，可是贝尔格听着可意极了，几乎迷醉了一会儿。

于是他越来越来劲了，中学时代被掩埋的热情渐渐大胆冒了出来，像一股温泉一样不停在他身上翻涌。他的话多了，还开起了玩笑。借着酒劲，他谈得眉飞色舞，整个人都生龙活虎的，那情形他自己也是头一次见。这下连施拉梅克都傻了眼了。"唉呀，小乖乖，你变了一个人了！瞧瞧，你就该永远这样子，可别再做书呆子了！""是呀，"卡拉笑着说，"我不是一见他就对你说过，我会让他脱胎换骨。"

这样一来，房东太太又得去拿酒了。三人愈谈愈高兴，平日几乎滴酒不沾的贝尔格觉得自己被这不寻常的喜庆给抬了起来，飘飘欲仙，他恣意说笑，抛却了羞怯。喝到第三瓶酒时，卡拉唱起歌来，她开始以"你"称呼贝尔格了。

"施拉姆①，你不反对我这样叫他吧？他太可爱了。"

"那还用说吗，去，再去亲一下弟弟。"

不等贝尔格反应过来，两片湿润的嘴唇已经压在了他嘴上。这吻既不难受也不舒服，它无影无踪地钻入他薄雾迷蒙的狂热情欲中，这情欲把他摇来晃去，弄得他晕晕乎乎。他现在只有一个愿望，但愿这狂野而美丽的旋涡一直转下去不要停息，但愿由这姑娘由美酒和他的青春共同造就的微醉永远缭绕脑际。就连卡拉现在也是双颊通红，时不时笑着朝施拉梅克眨着眼。

突然，施拉梅克问贝尔格："你看见我新买的剑了吗？"

贝尔格对剑并不感兴趣，但是，施拉梅克硬拖着他去看，当他们俯下身去时，施拉梅克低声对他说："现在你走吧，小乖乖。现在我们用不着你了。"

贝尔格惊讶地盯了他一会儿，这才明白过来，道声晚安走了。

来到自己的房间，他有点站立不稳，头脑发昏，他累坏了，一头栽在床上。第二天，他睡过了钟点，头一次误了课。

---

① 施拉梅克的昵称。

这次经历尽管太短暂，但还是触动了他的内心。他暗自沉思：这种对友情的渴求是不是一个错误，一个秘密的欺骗？在这渴望摆脱孤独、获得亲昵的要求当中，是否有另一种竭力掩饰的需求在骚动？

他回想起与妹妹共同度过的日子。他记起在那些蓝色的傍晚，妹妹坐在渐黑的花园里，他看不清她的样子，只见暮色中她的白衫微微泛着光，那样轻微，宛如在余晖褪尽的天际尚挂有一丝轻柔的白云。当她圆润清脆的声音轻轻地从黑暗里传来时，那欢快的笑声，脉脉的柔情，优美的乐音如和风般轻拂，小鸟依人，那时他究竟是因何感到幸福呢？难道这的确仅仅是兄妹情谊吗？难道在心灵深处没有潜藏着一种被不含欲念的友情所冷却的对女性的爱吗？难道没有包含对女人的最最温柔甜蜜的体验吗？而他现在默默渴望着的，莫非便是闪耀在他生命中的一道光彩，留在他生命中的女性灵魂的迷途的印迹？

从这个晚上开始，他明白了，他是在渴望一个女人。他并不是急切地想要与谁建立什么关系，或得到爱情，他只是想与女人有所接触。他所期待的那些陌生的和奇妙的事情难道不是与女人有关吗？难道她们不是所有奥秘的守护者，既有魅力，又让人心存希望，既渴求又被渴求？贝尔格于是更多地注意起街上的女人来。他看见许多年轻美貌的女子，她们双眸放光，泄露了心底的秘密。这些走起路来如风舞杨柳的女子，这些女皇般矜持、昂首挺胸、傲然环视的女子，这些像躺在淫乐的怀中一样慵懒地靠在马车里、朝惊讶地立在那里的她们的崇拜者投去懒散一瞥的女子，她们究竟属于谁呢？她们的内心难道没有深藏同他一样的渴望吗？在这座大都市的成千上万扇门后、在无数或怯怯垂着窗帘或企盼地打开的窗后面，难道不是住着很多胸中埋藏同样要求的女人吗？她们难道不会张开双臂迎接他吗？他不是与她们同样年轻吗？他们不是共有同一种追求吗？

现在他很少去听课，常常在街上闲逛。他觉得自己好像一定会遇到一个能够读懂他眼中悸动不定的信号的女人，但一定要有什么邂逅帮他一把才行，得有意想不到的事发生。他眼睁睁看见面前别的男孩子一下就和姑娘们混熟了，眼红得不得了；看见一对对爱侣勾肩搭背、柔情蜜意地一等天黑便钻进公园，他心中的冲动就愈发强烈，他太希望自己也有一次艳遇。当然，他并不是有什么邪念，他只是梦想得到一个像妹妹一样温柔和善的女人，既温存又可爱，有孩子般纯洁的忠诚，在傍晚用甘甜的声音轻声将他呼唤。他的梦里总是出现这种画面。

每天中午，当他穿过弗罗里昂巷回住所时，总要碰上一群女孩子。她们是放了学的十五六岁的中学生，三五成群，叽叽喳喳的，像所有这种年龄的女孩子一样，走起路来蹦蹦跳跳、东张西望，手里晃动着书本，边聊边笑。每天他都远远地看着她们，看着这一张张明朗的笑颜、穿着短裙的苗条身材、款款扭摆的臀部，以及她们尚且稚气的无忧无虑的快乐，他热切地渴望从这些年轻的生命中学习欢笑的开朗的愉悦。每天，他都看见她们。她们已经认识他了，见到他来了，她们就以黄毛丫头特有的方式互相推推碰碰，故意大声欢笑，用自负的目光挑衅地望着他，而他总是赶紧移开目光，匆匆从她们身边走过。她们发现他竟是这样害羞和窘迫，竟红着脸被自己吓跑，便一日比一日更加放肆起来，而他总鼓不起勇气与她们搭腔。这样看来，难道她们不是比他更像男孩子吗？而他脸皮那样薄，手足无措，那样稚气，不更像女孩子吗？

他记起几年前妹妹在家里开的一个玩笑。她悄悄将他扮成女孩，将他突然带到女伴们面前，她们一开始没认出他来，但后来都来逗他、笑他。他当时还是个小男孩，浑身发抖、满脸通红地站在那里，根本不敢抬眼朝她们递来的镜子里望一眼。那时候，他就已经是这样腼腆胆小了，但是那时，他到底是个孩子。而现在，他都快是个男人了，但仍受不了一道含笑的目光，仍不知道该如何按生活所要求的那样变得强壮剽悍。为什么他不能像施拉梅克或其他男人那样呢？难道他真的不如别人，真的像个小孩吗？

那一次他被扮成女孩子、胆战心惊地站在那帮嘻嘻哈哈的疯丫头当中的情景一次又一次地浮现在他眼前。那些丫头们后来怎么样了呢？她们都尝过了吻和爱的滋味，穿上长裙子，有些已成了贤妻良母。她们全都走出了童年，从那天的屋子里出来，投入生活中去了。只有他，还站在那间屋子里，众人已散去，女孩气十足的他仍一脸羞红地站在那儿，慌得两眼低垂，不敢抬头……

一月底的一天，他又去找施拉梅克。自从闲荡给他的欲求带来几分轻微的满足后，他一直很少去找施拉梅克。那一天很阴沉，头几天下的雪已经化了，但是寒风呼啸，刮得街上空无一人。云团在灰暗的天空上移动，天空仿佛盲人的双目呆呆俯视着大地。这时，下起了一阵急雨，雨点打在人身上，像冰尖一样刺进皮肤。

施拉梅克几乎都没有招呼贝尔格一声，他自己有麻烦的时候，总是这样粗暴无礼、不顾及他人。他烦躁地走来走去，大口吸着烟斗，时而猛然扭过身来，仿佛要问什么。"该死的，"他从牙缝里却迸出这几个字。

贝尔格静静坐着。他不敢开口问施拉梅克发生了什么事。他知道，施拉梅克就会说出来的。

那伙计终于开口了:"这是他妈的什么天气!来得倒可真是时候,现在我可好去为那些蠢事跑腿了!"

说完,他又气呼呼地踱起大步,嗖嗖地挥舞着手里的尺子。现在,贝尔格才小心地问了一声:"到底出了什么事?"

"我的老伙计拉夫前天惹了两个家伙,今天下午四点钟决斗,明天还有一场。但是我八天后就得考试,真的有一摊功课要看哪。而他找的那两个对手赢他都是绝对没问题的,这蠢驴,这笨蛋。我这次要是再考砸了就全完了,那我又得坐一年冷板凳干等,和小学生没什么两样。真叫人恼火。"

贝尔格没有吭声。此前没多久,他已经认识到了这些决斗的愚蠢荒唐,尽管它们看上去很光彩,很吸引人。他有一次在一家小酒馆里看见大学生们在狂欢或者举行活动之后,个个喝得酩酊大醉,在晨曦中他们的脸显得苍白和憔悴,他还在校外的一间狭小肮脏的小屋里旁观了一次决斗,此后他心里便对那些人的煞有介事的认真劲儿感到暗自好笑,从此,他对这类纠纷再也没有以前那种发自内心的向往了。当然,他从来不敢对施拉梅克说起这些想法,因为这些对于施拉梅克来说就像性命一般重要。现在,他们两人一言不发地坐着,各自想着心事,窗外的风呼啸得更猛烈了。

门铃响了,随即便有人敲门。

卡拉走了进来,她歪戴着帽子,几绺湿发贴在笑眯眯的面庞上。

"我看上去很美吧?对不对?""你好。"她走到施拉梅克身边,正要亲他,他却气呼呼地避开了。"你怕我的衣服把你弄湿吗,小坏蛋?"说完,她见到贝尔格也在,便又对他说:"你好啊,小宝贝!"

她将外衣脱下,扔在沙发上。三人都不说话。贝尔格觉得有几分不自在。自从那天夜里他们三人一起称兄道弟地纵饮一番之后,他又与卡拉一块儿聚过几次,但他再也没有朋友间无拘无束的感觉了。上一次灌入他生命之中的那爱欲的温流令他在靠近女性时便心猿意马、把持不定。他的这腔激情让他自己都感到害怕。

施拉梅克亦默不作声。他心情很糟,总也摆不脱决斗和考试这两桩麻烦事。沉默在延续着,让人很不舒服。

卡拉这时恼火了。"看来,我来得不是时候,给尊贵的先生添乱了。我今天下午专门请了假,就是想来看看你们是怎样睁眼睡觉的。我得说,你们两位可真不错。"

施拉梅克站起来穿上棉衣,说:"亲爱的,你总来烦我,这你自己也知道。但是现在这会儿可真的不成,我得走了,现在是三点半,四点费克斯就要在郊外奥塔克林决斗了。"

"他活该,这捣蛋鬼,他对谁都那么放肆!——你这就要走吗?那我怎么办?我又得在这种坏天气里在街上乱转不成?"

"亲爱的,我七点才回来。你可以呆在这里等我。"

"那我做什么呢?睡觉吗?那可谢谢你了,我从昨晚九点一直睡到今天早上,足够了。你还是带我一道去吧!我想看看人家是怎样揍扁费克斯的。"

"那可不行,亏你想得出来。"

"那算了吧,以上帝的名义我留在这里等你。小宝贝陪我,好吗,乖乖?"

贝尔格不晓得该怎样回答,面对这突如其来的进攻他措手不及。他看都不敢看她一眼,那两人便笑了起来。

"没问题,"施拉梅克心情又好起来了,"我当然该让你俩单独呆一会儿,可你知道这小乖乖是怎样胆小吗?"

"他不是什么小乖乖,他是个小丫头片子。"

两人又笑了起来。贝尔格心想,他们多么瞧不起我啊。但我怎么就不能和他们一道乐呢,我怎么就这样呆、这样木,说不出话,开不来玩笑,什么都不会呢?他胸中憋着一团怒火。

"好了,就这样吧,"施拉梅克说,"我就冒一次险试试,但你俩要是弄出点什么事来,我怎么办呢?"

"那也得两厢情愿才会有事啊!"

"是啊,但是,你,我可信不过你哟!"

"我指的可不是我自己呀!"

他们又笑了起来,那是健康生命发出的爽朗笑声,丝毫不带恶意,但却像鞭子一样抽打在贝尔格心上。走,离开这儿,走得远远的,一千里、一万里,他暗暗地想,或者干脆去睡觉,要不就像他们这么快乐,反正不能这样一言不发地枯坐着,不能这样拘束呆板,不能这样没用,让人可怜。

施拉梅克戴好帽子说:"好吧,让我们试试吧。但如果……你们会倒霉的。我七点回来,小宝贝,可要乖点啊!你要是惹出祸来,我会从你眼睛里发现的。别闷坏了我这可怜的妞儿。再见!"

他双手紧紧抱住卡拉的腰臀,弄得她窃窃笑起来,扭头狠狠亲了他几下。他又向贝尔格摆摆手,走了出去。门砰的一声关上了。

现在,屋里只剩下贝尔格和卡拉两人。风伴着雨在大街小巷上空飞舞,炉子里有时发出"咔咔"的声音,好像有什么东西裂开了。屋子里愈发寂静,能听见一旁摆钟的微微声息。贝尔格像睡着了一样坐着不动,不用抬头他便能感到,她正微笑着瞅着他。他感到这目光如同电流一般令人兴奋发麻,先是轻触他的头发,然后一直传到脚下。他快要透不过气来了。

她跷着二郎腿,等待着。现在,她俯身向前倾,轻轻笑起来。突然,她打破沉寂,说道:"宝贝儿,你怕不?"

是的,他怕。而她怎么会知道?他觉得胆怯,只是胆怯,一种很蠢的孩子气的胆怯。但他鼓足勇气顶了一句:"害怕?怕谁?怕你吗?"这话听上去很莽撞,尽管他并没有存心要这样。

房间里又是一阵沉默。卡拉站了起来,整整衣服,又在镜前理理乱了的头发,望着自己的眼睛笑。她又半侧过身来对他说:"不瞒你说,你这个人太老实巴交了,宝贝儿,你给我说点什么吧。"

贝尔格心中越发滋生了一股抵触情绪,对她,也是对自己,他恨自己太木讷。他真想再次尖刻地顶一回嘴,然而,这时,她向他走了过来,显得又亲切又温存。她挨着他坐下,像哄小孩子一样求他:"给我讲点什么吧。随便什么都行,聪明的、愚蠢的。你们整天都埋在书里,一定知道些什么吧?"她整个人都靠在他身上。她总是这样无拘无束地和谁都能亲热。但当她把自己温热柔软的手臂靠在他的手臂上时,他人都快晕乎了。

"我什么都想不起来。"

"我看你的脑袋就是不聪明。那你整天到底在干什么?我觉得你在四处瞎逛。上次我在约瑟夫施台德大街看见你了。但你匆匆忙忙地走掉了,兴许你那时不想碰见我吧。我甚至觉得你是在追踪一个姑娘呢。"

他想申辩几句。

"得了,得了,这又没什么关系。宝贝儿,告诉我,你到底有没有妞儿?"

她冲着他笑,看到他的窘态高兴得很。"看,脸红了。我一下就看出来了,你有个妞儿,你这个胆小鬼。我真想见见她，她长得什么样？"

绝望之中，他知道只有一种办法，只能用这一套来逗一下英雄。于是，他变得粗声粗气地说："这是我的事，和你有什么相干？管好你自己的那些情人好了。"

"唉呀，宝贝儿，你吼什么呀，我真怕你。"她装得吓坏了的样子。

他一跳而起，说道："那就别再管我叫小宝贝，我可受不了。"

"但是施拉梅克也是这样叫你的呀。"

"那是另外一回事。"

卡拉乐了。他发起火来像个孩子，她特别喜欢他这副模样。

"好，现在我偏这样叫你，宝贝儿、乖宝宝、小乖乖，我叫了三遍了！"

他的鼻翼翕动着，"我对你说过不许再叫了。我受不了。"

"偏叫你小宝贝——乖乖儿！"

他攥紧拳头，脸涨得通红。他离她只有一步，她听见他沉重的鼻息，看见他双眼威胁地闪闪发光，不由往后退了一步。但是很快，她那股放肆劲又上来了。她双手叉腰，笑得露出两排雪白光洁的牙齿，嘻皮笑脸地仿佛自言自语地对他说："嗨，来这一套！现在宝贝儿生气了。"

他朝她扑了过去，刚才她的讥嘲鞭打在他身上，他想揍她、打她，反正要教训她一顿，好让她以后不再嘲笑自己。可是这个强壮的姑娘机敏地握住了他的拳头，将它们压了下去。他觉得自己的手腕像被铁钳夹住一样生疼，他动弹不得了，他就像个孩子、像一件玩具一样被她捉住了。两张面孔隔着一步距离相互打量：他的脸气歪了，两眼肿起，快要掉下泪来；她的脸上一片惊讶，几乎有点笑意地相信自己的力量绝对占有优势。她就这样像抓一条想要咬人的小狗一样抓着他，有一分钟长的时间。再抓一分钟的话，他的手腕就会碎了，他就得跪下来。于是她松开手放了他，轻轻把他推开。"好了。——现在乖点。"

但他又扑了上来。刚才他是那般软弱地在她掌中挣扎，这个事实让他发了狂。现在，他一定要打倒她，要制伏她，不许她再笑话自己。他猛然抱住了她，这次是拦腰抱住，想将她摔倒。他俩此刻胸对胸地喘着气，她对他那股莫名其妙的怒火感到吃惊和好笑，而他真是怒气冲天，牙关紧咬。他两手使劲抠住她，将她未穿紧身内衣的柔软的身体搂得越来越紧，她不停地灵活地挣脱开来，试图将他牢牢围紧自己的手从宽臀上拽开。拉扯之中，他的脸碰在她的肩膀与胸脯上，他嗅到一股柔和的、温暖的醉人香气，神志恍惚起来，胳臂也变得越来越无力。有几次，他听见从她被压住的胸口深处传来强烈的心跳声与咯咯的笑声，他觉得自己的肌肉仿佛快要僵住了。他抱着这个强健的农妇般的身躯晃来晃去，仿佛抱着一棵树。她的身体时而轻轻晃动一下，但绝不会被压垮，而且，它在抵抗之中似乎变得越发强壮有力了。终于，她不想再闹下去了，便用力抓了贝尔格几下，脱了身。她猛地推他一下，便将他推得老远。"现在别吵了！"她话中带气，甚至有些威胁。

他跟跟跄跄地后退几步，脸在发烧，双眼充血，眼前的东西都成了红色，血红色，都在打转。他再一次扑向她，张开双臂，像醉汉一样盲目地、疯狂地扑过去。突然，情况变了。她身上散发着浓郁的令人陶醉的香味，她衣服的窸窣声，还有他触摸到的她柔软温暖的身体，这一切都令他如痴如狂。他不再想打她或者教训她，而是想占有这个激起他情欲的女人。他将她拉过来紧贴在身上,使自己尽情钻进她发烫的全身,他用火热的双手搓捏她的全身,急迫地紧紧抓住她的衣衫不放,想将她压在身下。她还一直在笑,她被他弄得有些痒。但是现在,在她的笑声中有一种异样的、沙哑的音调。她整个人似乎变得更为激动了,她的胸脯剧烈地起伏着,她的身子在扭打中更猛烈地挤压在他身上,她那双有力的手抖得越来越神经质了;她头发乱了,披散在肩上,发出一股浓郁的闷香。她的脸越来越烫,她的衣衫在撕打中被扯破了些,一粒纽扣崩掉了;突然,发狂的他看见雪白的胸脯在骚动不安地闪着光。在使出最后一点力气时他呻吟了一声。他感觉到,她根本不想抵抗他,她只是想被征服,被摔倒,但是即使只需做到这一点,他的气力也达不到了。他昏沉无力地抱着她左右摇晃,一瞬间仿佛她自己要倒下去了,她的身体放荡地向后仰,他见到她眼中突然闪过一道他从未见过的强烈的光。这时她开口说:"哎,宝贝儿,宝贝儿!"如同一声缠绵而急迫的叹息。他把她拽过来,却又觉得她在他那双瘦骨嶙峋的小孩手中不肯倒下,于是他猛然贪婪地揪住她披散开的红发,想一下子把她拉倒。她又痛又恼,大叫一声,发蛮地把这个瘦弱的人一脚踢开,他就像一只轻皮球,被甩到屋子那头去了。

贝尔格趔趔趄趄直往后退,哗啦一下倒在角落里,正好摔在那堆剑上。从他手背直到手臂顿时划了一道很深的口子。

他就地躺了一会儿,好像昏迷了一样。她这时已走到近前,由于激动,还在微微颤抖,她担心地问他:"你伤着了吗?"

他没吱声。她扶他坐起来,用手抚摸着他,毫无恶意。他站起来很费劲,因为他将左手藏在衣袋里,以免让她发现他受了多重的伤,他不想让她知道。他气得心里像是烈火在燃烧,他为自己的无用感到气愤，甚至连一个愿意委身的女人都无法占有。他念头一闪，仿佛还要向她扑去，但是他藏在衣袋里的手上，热血正湿乎乎地从伤口里涌出来。

他一步三晃地向前走去，她惊呆了，想扶他一把，但他连看都不看她一眼。他眼前一片泪雾，几乎无法透过这片湿漉漉的云雾看清楚门在哪里。他觉得一切都是空的，一切都无所谓，一切都很无聊。衣袋里鲜血在滴，他隐约感到在出血，除此之外，他的脑中便是一片空白。他只管一步步往前瞎走……到门口……出门……进自己的房间。

他倒在自己床上，受伤的那只手臂平伸在床沿外，一直在滴血，有时啪嗒滴下一滴血，沉沉地落在地上。他不去理会这些。他胸中有什么东西在涌动，像要令他窒息似的。终于爆发了。那是一阵抽搐，一阵悲痛断肠的抽泣，他将头深深埋在枕头里。这一阵痛哭像鞭子抽打在他孩子般灼烫的身子上，长达几分钟之久。尔后，他感觉舒坦多了。

他小心地听着隔壁的动静。卡拉在那边故意将步子迈得很响。他没有动弹。现在，脚步声停止了。她又拍打起衣橱，敲打起桌子来，她想让贝尔格听见。显然，她在等他回去。

他继续倾听着，他的心跳得越来越快，但他仍旧一动不动。

她又踱了一会儿，接着，用口哨吹起一支华尔兹，用手打着拍子；渐渐地，她安静了下来，过了一会儿，他听见外面开门的响声，接着走廊上一声响，房门沉沉地关上了。

这漫长的一夜似乎没有尽头，连第二天早晨贝尔格都一直在等施拉梅克来找他质问他与卡拉之间发生的事。因为他确信，卡拉会立刻把一切都讲给施拉梅克听的，他只是不知道，她会将这件事描述为恶意的侵犯还是可笑的瞎胡闹。整整一夜,他都在想如何应对施拉梅克,他设想了无数回合的唇枪舌箭,还想好了特定的手势动作,一旦无计可施,就用它们来果断地打断谈话。他清楚,他俩的友谊现在前途未卜,要么一切既往不咎,要么就必须从头开始。

可是,他白等了。施拉梅克没来,接着的几天也没来。这其实也没什么奇怪,因为施拉梅克经常只有在要人帮忙或想找人说话解闷时才来找他,其他时候都是贝尔格去找他。但是这次,心虚的贝尔格觉得施拉梅克是故意不来找他,而他自己偏就不去,他顽强克制,尽管很难受,却仍固执地等着施拉梅克来。这几天他非常孤单,没有人来看他,他比以往更强烈地有一种受了侮辱的感觉,他觉得谁也不需要他,没有人爱他,他对谁都没有价值。这时,他双倍地体会到,这份友谊尽管包含了失望与侮辱,对他仍是多么重要。

就这样过了一个星期。一天下午,他正坐在写字台前想温习一下功课,却听见一阵急促的脚步声走来。他立刻就听出是施拉梅克,便急忙跳了起来,这时门已经推开,又猛地关上,施拉梅克气喘吁吁地站在他面前,笑着用双臂抓住他,将他摇来摇去。

"你好啊,宝贝儿!真该让他们也见见你,大家伙都在那儿,就缺你了,你整天都在用功。好了,我通过了,感谢上帝,这是我最后一场考试。八天以后你得叫我博士先生了。"

贝尔格懵了,他作了各种思想准备,就是没想到他们还会这样再见面。他磕磕巴巴地正想说几句祝贺的话,施拉梅克打断了他。

"好,好,行了,别费劲了,现在过来,到我屋里来,我们得好好庆祝一下,我还要告诉你所有的事情。好了,过来吧，卡拉已经在那儿了。"

贝尔格吃了一惊。他突然感到一阵恐惧，怕和卡拉在一起，因为她现在也许会笑话他，而他又要红着脸像个小学生似的夹在这两人中间了。他竭力想躲开。

"你一定得原谅我，我不能去，真的去不了，我有好多事要做呢。"

"有事？我最后一门都考完了，你这家伙会有什么事要做？你得高兴，一道来庆贺，这就是你要做的事，别的事不用管。走吧。"

他抓住贝尔格的胳臂，把他拖走。贝尔格觉得根本无力抵抗，他只是模糊地意识到，施拉梅克对他的控制力有多大。施拉梅克像对付一个小妞一样捉住贝尔格，贝尔格这下第一次真正理解了，一个女人为何定会愿意让这样一个强壮爽朗、充满活力的男子汉来征服，这种屈服完全违背她的意志，却仅仅出于一种模模糊糊的对于身强体壮的赞赏，她降伏了。就像他现在这样想着施拉梅克一样，女人在被征服的那一刻也会这样评价那个男人，女人的心中一定有愤怒、有仇恨，但是还蕴含着另一种柔情，一种希望被强者征服的温柔之情。贝尔格根本不觉得自己在走路，他也不知道自己是怎样走过来的，突然间，他已到了施拉梅克的房间里。

卡拉早已站在那儿了，她见他进来，便迎上前去。她瞟了他一眼，那目光里有种特别的暖意，像一阵轻柔的波涛拥簇着他。她默默地朝他伸过手去，一句话没说，接着又看了他一眼，很好奇的样子，像看一个陌生人，神色却又有所不同。

施拉梅克围着桌子忙活着，他一定要做点什么事，并且一定要说点什么。他勃勃的生机、欢乐激动的感情需要宣泄的渠道。当他内心激动时，他需要向人倾吐，而通常情况下，他其实对什么都漠不关心,性格内向。可今天,他整个都活了起来,浑身充满了孩子般的狂喜,神采飞扬。

"好了,我们喝点什么呢?口干舌燥的我可什么也讲不了。你说什么,不喝酒?我们平常晚上没心思找乐,今晚可一定得弄得翻天覆地才罢休。那我们泡壶茶吧,泡壶滚烫的淡茶,你们以为如何?"

卡拉和贝尔格都同意了。他俩挨着坐在桌边,但贝尔格不和她讲一句话。"我竟然像疯子一样和身边的这个女人打了一架,这难道是个梦吗?"这个念头在他的脑海中萦绕,就像一只被关在房中的飞蛾嗡嗡地飞来飞去。他不敢瞧她一眼,只觉得四周的空气很闷,自己的喉咙发紧。幸亏施拉梅克什么也没有注意到,他正在分放碗碟,弄得当当作响,一边还吹着口哨,胡乱闲侃。他觉得给这两个人当招待很是有趣,他得意地为他们端来吃的,接着便一屁股坐在嘎吱作响的靠椅上,舒舒服服地伸直两条腿,面朝他俩开始讲起这几天的事情来。

"好。我向来都没有好好学习,这对你俩已毋需再提了。当我穿着报丧的黑西服,一步一挪地走向考场时,我碰到了一个老朋友,就是那个卡尔——你认得他的——,他见我那副惨相,便开始使劲地安慰我。但我特别没把握,担心地问他考试难不难,他两年前都考了些什么题目——你们不知道,再正派的人在考试前一个钟头也会变得十分气短的。当他告诉我他那年考的第一道题时,我根本不晓得该从何谈起,心里很害怕。我赶忙求他快给我讲讲——那是一道关于宪法史的题目——他便反复教我这道题该怎样答。后来,他又跑到考场来,看看我是怎样在受苦刑。"

他讲了些什么?贝尔格没法听进去,施拉梅克的话仿佛从远方传过来的,听起来像是一个个句子,但却没有意义。在贝尔格的脑子里，那个念头仍旧在打战：他身边坐着的女人和他搏斗过，并且把他打得趴了下去；可是这女人现在并不笑话他，反而用温柔的目光围绕他、注视他……

正在这时，他猛地一惊。在他随意靠着桌沿的手上，有个手指正轻轻地抚摸着那道伤痕。伤痕仍然很红，犹如一条火红的带子。正当他悚然之际，他遇到了卡拉眼神中的疑问，几乎是温情脉脉的同情的疑问。烈火倏地蹿上了他的面颊，他不得不紧紧抓牢沙发。

那一头，施拉梅克还在侃他的故事。"你们想想看吧，我还没坐稳哪，就听见那第一题竟然就是卡尔刚才教我的那道。我听见身后有咳嗽声和咯咯的笑声，但我那时顿时轻松了好多，对这些干扰一点都不生气。于是我就滔滔不绝地讲开了，简直口若悬河啊。一旦上了正轨，就一发不可收拾。我说呀说，直到舌头都说疼了才停下来，天知道我那时都胡扯了些什么，但我毕竟开了口。"

贝尔格什么也没听进去，他只感到，那只手指一次又一次地抚摸着他的伤疤，他觉得，那道疤经这无言的抚摸简直快要裂开了，使他感到疼痛。他浑身一颤，猛然从桌旁缩回手，像被一块白热的铁板烫了一下似的。他心里感到又愤怒、又迷惘，但是，当他看她时，发觉她紧闭的双唇仿佛在喃喃梦呓："可怜的宝贝儿。"

这究竟是一句挂在唇边的无声的话，还是她确实已将它说了出来？对面坐着施拉梅克，那是她的情人、他的朋友，他仍在忘乎所以地说个不停，但与此同时……贝尔格微微地在颤抖，一阵晕眩，他觉得自己脸色都白了。这时，卡拉在桌下非常轻、非常轻地将他的手拿来搁在自己的膝上。

他又一次觉得所有的热血都升到了脸上，接着又统统积聚在心里，现在正向下流去，他的手心发烫了。他碰到了一个软软的滚圆的膝，他想抽回手，但他的手不听使唤。它像个熟睡的孩子一样躺在柔软的床上，沉醉在奇妙的梦境中。

在那边——啊，这烟雾中传来的声音是多么遥远——那是他的朋友、现在正被他欺骗的人仍在讲他自己的故事，无牵无挂、兴高采烈地讲他的运气。"我最高兴的是，费克斯那个坏蛋这下可输了钱。你们想象一下，他和所有的人打赌，说我考试不会通过，当我从考场中出来的时候，他不知道怎么办才好。他不得不高兴，又不得不恼火，我告诉你们吧，他当时那张脸、那副表情……嗨，你们怎么了？我怎么觉得你们两个都睡着了？"

卡拉没有松开手，贝尔格心里不由得一直念叨："手……膝盖……她的手。"但是，卡拉笑着向施拉梅克申辩说："才没有呢。像你这样的懒虫却成了大博士了，我们还能不闭嘴呀。我真想瞧瞧考试不及格的人会是什么德性，他肯定是个呆头鹅。"

施拉梅克和她都笑了起来。贝尔格却抖得更厉害了，看到这姑娘扯谎，他感到一种神秘的恐惧。她仍旧用自己的手握住他的手，攥得那样紧，以至于戒指都把他的手指硌出血来了。悄悄地，她又把丰满的腿贴在他的腿上，一面还照样说话，若无其事地说话，这真叫他毛骨悚然。"现在你说我们该怎样庆祝这个上帝赐予的奇迹呢？要是不好好闹腾一下，你就是个厚脸皮的小气鬼，你这个大博士，你这个刚出炉的博士。如果是我们的宝贝儿当上了博士，我可没什么二话，你看着，那得好好乐一乐。"

边说着，她的臀已经完全贴在他身上了，他感到了她的体温与柔软。他眼前的东西全都晃荡起来了，他激动得难以自持,太阳穴上的血使劲地往外撞,使他感到疼痛。

这时,闹钟响了,钟上的布谷鸟隐隐地发出七声低低的"咕咕"声,使得贝尔格清醒了。他跳了起来,结结巴巴地讲了几句话,又和谁握了握手,也弄不清是他还是她,便听到一个声音——肯定是她的——说:"再见,"接着,他又听见门在身后关上了,他松了口气,愉快极了。

当他一转眼又回到自己的房间里时,他一切都明白了:现在,他失掉朋友了。假如他不愿挖朋友的墙脚的话,就不能再与他交往,因为他知道自己抵挡不住那个古怪姑娘的诱惑。她头发的芬芳,她激情汹涌的四肢的搐动,她那欲火难熬的力统统都在他心中燃烧。他明白,如果她再像今天这样带着略微挑逗的微笑凝视他的话,他将无法抵御。但是究竟是怎么回事,让她突然对他如此渴求,让她为了他竟然宁愿欺骗施拉梅克,欺骗这个他暗中多么羡慕的强壮而英雄的人的呢?他不得其解,也不感到自豪和欣喜,只觉得非常痛苦。现在,为了不背叛朋友,他不得不避开她。诚然,他与施拉梅克的友谊并未发展到他所期望的那种地步,他已经看透了其中的不少事,也辨明了一些当初令他迷惑的假象,但是现在,当这一切都成为过去,他又觉得它们无比宝贵。因为这友谊是他在维也纳仅存的财富了。一切都消逝了,先是希望与好奇心,接着是学习的乐趣与热情,现在,最后失去的便是这友谊。他感到,这一个小时使他一贫如洗了。

这时,他听见隔壁一阵响声,是有人在低声咯咯地笑,现在,笑声大了起来。他听着,两手捂着狂跳的心口。他们在笑他吗?卡拉把一切都告诉施拉梅克了吗?刚才那究竟是不是一场串通好了的恶作剧,想试探他?他侧耳细听。不对,这是另外一种笑声,其中还有很响的亲嘴声和咯咯的疯笑,接着便是不堪入耳的情话与求欢，他们真一点儿也不害臊。他的双手不自觉地捏紧了，他扑到床上，用枕头蒙住耳朵，再也不想听见什么。他心里升起一种可怕的感觉，那是一阵剧烈的愤怒，一阵恶心，恶心，他真想呕吐。他恶心他这位朋友，恶心这个婊子，也恶心他自己，自己竟差点就卷入到这场令人作呕的游戏中去了。他感到对整个生活都感到恶心，他迷惘而极度疲惫，心中无比恐怖。

就在这些阴霾的日子里，他给妹妹写了封信：

"亲爱的妹妹，谢谢你来信祝我生日快乐。最近我心情不好。当你的信把我唤醒并告诉我今天我十八岁时，我却觉得这一切好像都与自己无关，好像这些都不是真的。因为，若这封信不是出自你亲爱的手，若那信不是我自小就熟悉的字迹的话，我就会把上面写的所有关于我的青春和自由的幸福的话都看作是对我的讥讽。因为我在这里的生活与你所能想象的和我原先所期望的可谓大相径庭。告诉你这一切使我很难受，但是在这里我身边没别的人了。好几天来，我没同任何人说过话。有时，我在街上跟在别人后面，听他们讲话，我这样做，只是想听听说话声。我谁也不认识，什么都不知道，什么事都没有做，这种漫无目标的状况会毁了我的。一连数日我都在无聊中捱过，见不到一个熟人。你不知道，在成千上万的人群中感到孤独是怎样一种滋味。

"我与施拉梅克的交情也完了。出了点事，我不能告诉你，因为你不会理解，况且，连我自己几乎都不理解，因为这事既怪不得我也怨不了他，它就像是横在我俩当中的一柄双刃剑。可是现在，因为我已失去了他，我才明白：他是我在维也纳所有的一切中最为珍贵的。

还有一件事我只跟你说,你不会泄露给别人的:我不再念书了。我已经有好几个礼拜没去上课了,我的书上积满了灰尘。我不知道为什么,但我再也学不进去了,我变得很麻木,这里没有哪样工作能吸引我,因为没有人帮我摆脱现在这种可怕而压抑的孤独感。我在这儿什么也不想要,什么都令我厌恶。我厌恨这里我踩过的每一块石头,厌恨我的这间房间,厌恨遇到的所有的人,我呼吸着这儿的又冷又湿的混浊空气,心里很苦痛。这里的一切都压得我透不过气来,我就要完了。我像陷进泥潭一样,越沉越深。也许,我还太年轻,并且,我真的太软弱。我没有铁拳,缺乏意志,在各自忙碌的人群中,我就像个孩子。

"有一点我是很明白的:我必须回家。现在我还不能这样孤独地生活,也许几年之后可以吧。但是现在,我还很需要你和爸爸妈妈,我需要爱我的人,需要你们在身边帮助我。确实,这是很孩子气,是一个小孩在黑屋子里的恐惧,但我没有办法。你得告诉爸爸妈妈,我想退学回家,当个农民或者抄写员什么的,好吗?你会告诉他们的,会给他们解释的,是吗?求你了,赶快去办这件事,我觉得在这儿再也待不下去了。我还从来没有这样清晰地感到,自己心里是多么迫切地想回家,但是现在,给你写信的时候,所有渴望便全冒了出来,我知道自己别无选择,我必须回到你们身边来。

"这是逃避,是逃避生活,这在我已不是第一回了。你还记得送我到中学去的情景吗?我头一次迈进那间教室,六十个陌生的男孩子盯着我看,那神情有好奇的、不屑的、发笑的,还有吃惊的,当时我也跑掉了。我跑回家,哭了一整天,不愿再回学校去。今天,我仍旧是从前的那个小孩,我还有与从前一样愚蠢的胆怯和一样强烈的怀乡之情,还有对你们、对家里所有爱我的人的思念。

"我一定得离开这儿，我必须回去。当初为了来这里，我是作了很大努力的，所以现在，我感到没有再回去的可能了。我知道回去后好多人都会笑话我，笑我打了败仗，被生活开除了；我知道对于爸妈来说，他们对我的期望落空了；我也知道这懦弱是幼稚可笑、胆怯脆弱的表现，但是，我没有办法，我只觉得再也不能在这儿待下去了。没有人会知道，我这些天来是受了怎样的折磨，没有人会比我更瞧不起我自己。我觉得自己是一只丑小鸭，是病人、残废，因为我和别人太不一样了，我流着泪，觉得自己比别人差劲、没用、低贱，我是……"

他停下笔来，被自己这种内心痛苦的尽情宣泄吓住了。此刻，当手中的笔飞快地记下他汹涌的感情时，他才发现自己胸中原来积压了那么多的痛苦，现在，它们都想喷涌而出，一泻千里。

他该不该将这些写下来呢？他能再去打扰他的几个亲人吗？能将这谁也不能替他承担的重负再去压在这颗温柔的少女的心上吗？犹如从迷雾蒙蒙的远方，他又见到她亲切的面庞，她那对透着盈盈笑意的明眸；接着，他见到她的唇惊愕地抿紧了，一阵颤抖牵动她的五官，泪水从惨白的双颊上慢慢滚下。他何必再去惊扰这个生命，让求援的惊叫吓坏了她？如果要忍受痛苦，那就让他独自承担吧。

他推开窗，扯碎了信，将碎片抛撒在黑夜里。不，宁愿在这里静悄悄地毁灭，也不去求援。难道他自己不清楚物竞天择、适者生存这个道理吗？生活也会公正地对待他的，对他也绝不例外……

白色的碎纸片犹犹豫豫地向下面的院子里飘去，像浅色的石子沉入深不可测的水中。天空看不到星星，黯淡的高空有时会掠过一些微亮的云层,风卷带着一股潮湿的空气,呜呜地吹向沉睡的房屋。在这一切景象之中,有一丝微微的不安;风不停地刮着,像激动的喘息,从呜咽的窗棂与颤抖的树林那边传来一阵低语,仿佛有人正做着噩梦,在黑暗中轻声言语。风越刮越猛,云层像闪电一般在黑色的天空疾驰;突然,那个专心谛听的人从以上所有这些不寻常的躁动中发现了正在守候春归的那些美妙之夜才具有的激动。

春天来了,像位迟疑的客人一样姗姗来迟。置身于这座陌生都市里,贝尔格几乎没有意识到春的来临。而以前,当第一缕和风拂过白雪覆盖的原野,当黑油油的泥土从冰雪中显露出来,湿润的空气中充满湿润的气息时,他是多么兴奋激动啊!那时他起床时,常常推开窗子,让微风吹着裸露的胸膛,听着渴望发芽的树木的叹息声,感到无比的慌张,而现在,这最初的慌张到哪里去了?那时,各种各样微小的事物都会令他陶醉,远处的鸟鸣、飘移的白云、从地下发出的轻微的喀嚓声和潺潺的流淌声,以及屏息聆听花园里的枝头上那粘粘的嫩芽儿怎样生长、又怎样绽裂开来,怯怯地长出几片新叶和唯一的一朵无色的花朵。现在,这些陶醉在哪里?潜伏在心底的悸动又在哪里?以前,他脱下棉衣,穿着笨重的鞋子走在潮湿的、吸足了水的土地上,又冲上小山丘,猛地放开嗓子大声欢呼,没有目的地欢叫,犹如飞翔在灿烂高空中的鸟儿,感到无比的快乐、满足。如今,这一切到哪里去追寻?

啊,这儿的春天是多么寂静啊,没有一丝力量。但抑或这微微的慵倦正是在他自己心中,这意冷心灰令他感受不到任何欢悦,无论是照暖了屋顶的金色的柔和阳光,还是街道上的日益热闹生动的景象,全都不能让他高兴起来。为什么这一切都打动不了他,不能让他提起兴致去逛逛普拉特公园,或者去参观一下卡伦贝格①?他只远远地看过卡伦贝格,它却像被轻柔的空气移近了似的。他的生活圈是那样狭窄,他从来都不迈出他所在的那个区。他变得越来越没精打采了。他坐在小小的舍恩波恩公园,那儿平日只有孩子和一些老人。他去那里看书、温习功课,但却又连书本都不碰一下,只管坐在那儿看小孩子玩耍,心中升起一股渴望,想同他们一道玩,想重新返回到从前无忧无虑的快乐时光中去。

他早就放弃了学业,他只是越来越沉寂地熬着日子,观望一切,却又毫无兴趣。但是有一次,他想重新振作起精神,于是走进医院。他走进宽敞的院子,瞥见一棵棵正绽出新芽的树,静静地无所牵挂地摇晃着,仿佛对周围各种可怕的、神秘的命运毫无所知。于是,他忘掉了自己,在一条板凳上坐了下来。病人们穿着蓝色的棉布长袍,迈着初愈的蹒跚步履踱出来,他们双手虚弱而安详,不笑也不讲话,完全听命于正在苏醒的生命的那种无为与迟钝。贝尔格与他们一样,也坐在他们当中,让暖暖的阳光由指缝间流过,疲惫地做着白日梦。他忘记了自己来这里的目的,他只感到有人在走动,圆门外面有条嘈杂的大马路,他只感到时间在慢慢流逝,影子不知不觉地往前伸展。当病人们被招呼回病房的时候,他一下子惊醒了。他不是像他们其中的一员那样坐在那里吗?或许他比他们病得更重,更接近死神?真奇怪,他只想这样坐着,看时光溜走,无甚别的渴求。

当然,在晚上有时也会有恶念在他心头闪烁。他逐渐堕落了,与女人厮混。他瞧不起她们,因为他得在她们身上出钱买

---

① 卡伦贝格,维也纳近郊的一座名山,那儿是有名的风景区。

乐;有时,他闷声不响地坐在咖啡馆里,但是,他做这些时都没有任何乐趣与欲望,只是出于恐惧,他害怕那种无药可救的孤独。自从他不再与别人说话以来,唇边出现了一道难看的皱纹,使得他自己都不敢照镜子。有几次他想振作起来,但像是被堆积在心中的寂寞压垮了似的,终于还是跌回到漫无目的、半梦半醒的混沌状态中去了。

然而,生活又将他唤醒了。

有一天,他又累又恼地在深更半夜回到住处,一想到那冷冷清清等着自己的房间,内心不禁一阵畏缩。这时,他发现自己在路上把钥匙丢失了,便揿响了门铃,也顾不得来开门的可能不是房东太太,而是施拉梅克。然而,里面马上就传来一阵急促的脚步声:房东太太打开了门,正举着煤油灯看是谁在门外。这时,灯光照在她散乱的头发和那张对于他几乎是陌生的面孔上,他看见她的眼皮因为熬夜而显得红肿,唇边现出一道悲伤的皱纹。他心里一惊,心想这妇人怎么晚上两点了还没有睡,便关心地问她是怎么回事。

"您不知道,医生先生,我的女儿米芝患了猩红热。她不行了,不行了!"她又开始小声哭了起来。

贝尔格吓了一跳。他什么都不知道,甚至都不知道她还有个女儿。有几次在昏暗的前厅里,在他出去或回来的时候,有个瘦瘦的小姑娘对他说了声"您好"便轻轻走了过去,大概是个十二三岁的女孩子吧,但他从来没有同她说过话,或者看过她一眼。他心里突然难受起来,近在咫尺,好几个月的时间,他竟从未正眼看过仅一墙之隔的人;残酷的命运就在他身边,而他竟毫无知觉。他是多么渴望得到其他人的信任啊,而当身旁的孩子正在和死亡搏斗时,他自己竟睡得像只猪。

他试图安慰这哭泣的女人。"没事的……您别担心……"接着,又越发迟疑地问道,"我可不可以去看看您的女儿,虽然我懂得还不多……我才刚开始学医,但是终归……"这时,他心中猛然产生了对学业的向往,他多想跑回去翻开书本,重新开始学习啊。

房东太太轻手轻脚地带他去看女儿,她住在院子里一间狭窄的平房内,那盏微燃着的油灯使屋内又闷又呛,迎面是一堵防火墙。住在这里,感受不到一丝春的气息,阳光只能从窗玻璃上反射过来一点微光。现在,在这暗淡的灯光中,当然看不出这个小屋有多么破旧,屋内只是在放着床的角落里闪着一点点黄色的光。那个女孩子睡得相当不安,她双颊通红,一只瘦胳膊好像被遗忘了似的从床边垂下来,双唇瘪了下去。但是,这张俊俏的面庞乍看上去一点病容也没有,只是呼吸声很重,有时喘息比较困难。

房东太太小声说着女儿的病,但不时被啜泣打断。"今天医生又来看过了,可他什么也没对我说。我守在这里,已经是第三个晚上了,白天我得去干活。我的女邻居白天帮我照看她,可现在是我守着的第三个晚上了,她一点儿也不见好转。我的上帝啊,只要别让这孩子出事,什么我都肯干。"

又是一阵抽泣打断了她的话。她的言语之中流露出深深的绝望。

贝尔格的心中涌出一种奇妙的感情。他头一次感到,自己可以去帮助一个人;他头一次由于职业的光荣而感到快乐。

"亲爱的夫人,不能再这样下去了。您苦了自己,却又救不了孩子。您现在应该去休息,让我晚上守着孩子。"

"可是医生先生!"

她惊讶地举起双手,仿佛不敢相信。

"您现在必须去睡觉,您需要睡眠。您尽管相信我吧。"

"但是医生先生……不……不行……您怎么能……不……不行……"

贝尔格越来越觉得胸有成竹,自信心驱散了他胸中堆积了数月的尘埃。

"这是我的工作与责任。"他说得相当自豪,仿佛带着喜悦,因为,他突然在一夜之间、在这一刹那,找到了他已完全丧失了的生命的意义与目标。

他们两人并没有争执很久,房东太太确实累极了,瞌睡压得她睁不开眼睛,所以她很快便让步了。贝尔格只是还得阻止她怀着无比谦卑的感激吻他的手,然后便带她去自己的房间,将她安顿在长沙发上睡觉。自从孩子病倒以来,这些晚上她都是睡在厨房里的一个垫子上的。所有这些他以前都不知道,这些微不足道但却很悲惨的事情让他觉得,自己现在并不是在做什么善举,反倒是在补偿一个痛苦的过错。

现在,他坐到了这女孩的床边。他有种说不清的感觉,生命似乎变得比原先轻松、和气了,就像女孩现在的呼吸,一呼一吸,比刚才轻微了许多。现在,他才凑近看清这张由微光围映着的面庞。自从到维也纳以来,他还从未有机会这样深切地感到别人的存在,从未能这样静静体察别人脸庞的每根线条所蕴藏的一切。当他这样凝望着她时,心中不由浮现一丝怀念,在她薄薄的嘴唇上,某些地方他妹妹很相似,只是这张脸更孩子气一些,脸上的美丽尚未绽放就憔悴了。他心里产生了好奇:她的眼睛不知是什么样子,会不会也像妹妹的眼睛一样?他不停地怪罪自己的疏忽和粗心,以前他为什么老是像陌生人那样从这个女孩和她母亲身边走过呢?为什么从来就没有想过这两个生活在旁边的人呢?为什么这张嘴从来没有为他笑过,她的眼睛在平日同现在这样藏在眼睑底下一样的陌生吗？为什么他对这瘦削的、随着轻轻的呼吸上下起伏的孩子胸中的心一无所知？他小心翼翼地握住孩子垂在床边的小手，将它放在被子上，他的动作犹如爱抚一般温柔。然后，他就静静地坐着，一面望着她，难过地想着自己耽误了那么多的功课，他暗下决心，要重新开始自己的生活。这时，他面前已经出现了好多梦幻般的画面：他看见自己当了医生，在帮助人。这些诱人的想象使他感到全身暖和起来了。他的目光不停地注视着女孩子苍白的、孩子气的小脸，紧盯着它，仿佛凭着这目光他就能护卫她的命运，挽救她受到威胁的生命。

忽然，孩子动了一下，睁开了眼。那是一双烧得亮亮的、像在泪水中闪烁的眼睛。霎时，那张脸也变得开朗了。那双眼睛先是四下转动了一下，仿佛要透过高烧的迷云和晦暗的梦境注视什么东西似的。接着猛然停在了贝尔格脸上，好像吃了一惊。它们询问地把他的脸打量一番之后，便牢牢地盯着他的眼睛。她焦干的双唇含糊不清地嗫嚅着。

贝尔格赶忙跳了起来，擦干她额上烧出的汗，接着又给她喝水。女孩抬起头，急匆匆地喝了水，头又虚弱地倒在枕头上，两眼一动不动地盯着贝尔格看。贝尔格觉得这目光中仍有几分不清醒，但是惊讶之中还掺杂了几分感激。她不停地望着他。他在这难以理解的目光下略微有点发抖，便转过身去假装在屋里干这干那，这时他不用看也能感到那双潮润闪亮的大眼睛仍在跟着他，当他回到床边时，那双眼睛已睁得大大的，他俯下身去时，她的嘴在蠕动，他不知她是想说话还是想微笑。接着，她闭上了双眼，光亮从她的脸上消失了。她又静静地、面色苍白地躺在那儿睡了，现在的呼吸更加微弱了。

在这一片叫人喘不过气来的寂静之中，贝尔格突然觉得自己的心噗噗地跳得很响。他心中怀着一种幸福,它正飞快地膨胀。他生来第一次看见自己有所作为地参与到别人的生活之中,他觉得仿佛有人对他大声地衷心致谢,对于他来说,仿佛在这几个钟头里发生了美好的、伟大的事情。他简直是温情地低头看着这女孩,这孩子,这个被托付给他的第一个人,这个他应该挽救的人,这个挽救了他自己的人生的人。他望着沉睡的孩子,在漫漫长夜,他也觉得轻松了。油灯的火苗突然一跳,灭了,他惊讶地发现黑夜已经过去,清晨正带着它第一缕轻柔的光泽等候在窗前。

上午,医生来探视病人。贝尔格自我介绍说是医科学生,并且问这孩子的情况是否还很危险,他因为自己的学识浅薄而感到相当尴尬。

"真让我难以置信,"医生说道,"她好像已经度过难关了。奇怪,小孩子对这种病的抵抗力竟会比大人还强;这看起来仿佛是他们体内那部分尚未发展的生命力在与死神较量,把死神赶跑了。几乎所有的儿科疾病都是这种情形;孩子战胜了病魔,大人反倒难闯此关。"

他说完便开始检查病人,贝尔格深受感动,立在一旁观看。他发现自己是多么仔细地聆听了医生的每一句话,不肯放过他的一举一动,他从心底里感到他这份从前盲目选择的、尔后又一直被自己轻视的职业其实拥有伟大的力量。就像这样,向一张床走去,好似在那里放下礼物一样,留下希望和祝愿,也许还有健康,他觉得这份美丽宛如眼前突然升起一轮红日。顿时,他明白了自己这一生的方向:他必须积极地生活,做个有用的人,那样,也就不会再有陌生感,不再孤独了。

于是,他开始完全担负起照料女孩的工作。他不再胡思乱想，只监视病情的发展，为她守夜，白天还照看她好长一段时间。他照看这孩子的第一个晚上确实是病情最严重的关头，现在，高烧已经退了，他可以和这孩子聊聊天了，他很喜欢和她讲话。他每次出去，回来时必定为她带来一束花，并且告诉她春天来了，在她平常总去玩的舍恩博恩公园里，春天已经染绿了枝头，他还告诉她别的女孩都已经换上了鲜艳的春装；告诉她屋外阳光灿烂；给她讲各种各样的故事，读书给她听；他向她保证她就快好了，对他来说，没有什么比见到她高兴更舒心的事了。在这些单纯而又故作稚气的谈话当中，他觉得非常自在，有时，他自己都惊讶地听见自己在大声地、快乐地笑。

而那个苍白的小女孩靠在枕头上，只是微笑着。她浅笑的时候唇边有一条可爱的细线，随即又像一缕轻风飘逝而去。但是当她望着他时，她的目光，她那双明亮清澈、熠熠闪光的深沉的灰眼睛便停留在他的脸上，不再有惊讶与陌生，就像孩子搂着母亲的脖子一样温情地、实实地落在他身上。现在，她也可以讲话了，不久她就消除了开头的羞赧，敢向他打招呼了。

她最爱让他讲他的妹妹。她长得什么样，高还是矮，穿什么衣服，在学校乖不乖等等。还有，她是不是和他一样一头金发，他能不能安排妹妹来维也纳一趟，她觉得维也纳肯定比那个名字拗口的小地方漂亮，她一听见那个地名就总忍不住要笑；她还问他妹妹是否也生这么重的病，总之，她总有各种各样很稚气的傻问题要问他。可是，她并没有让贝尔格觉得烦。他很乐意回答她的提问，能有机会好好谈谈在这世界上他那最心爱的妹妹，他觉得很开心。当女孩子提出想看看他妹妹的照片时，他把桌上的相片拿来给她看。

她用纤细的、还很苍白的孩子的手好奇地提着照片。

"这儿——"她异常小心地用指尖指着照片，"她的嘴长得与您的一模一样。不过您嘴边常常有道难看的皱纹，那样您的样子一下就全变了。我以前看见您的时候，总是怕您，您总是那样愣愣地瞪着眼。"

"那现在呢？"他温和地微笑着问。

"现在不怕了。可您告诉我，她的眼睛也和您的一样吗？"

"我觉得是的。"

"也和您的一样大，是吗？您的妹妹她一定非常美。哎呀，您瞧啊，她头发的样子和我的一样，也是这样编起来盘好的。妈妈原来不许我这样盘头发，她说这样显得老气些。但我不是小孩子了，我已经受过坚信礼了。"

她将相片递还给他，他默默地长久地注视着它。他头一次从这张相片上找不回记忆中妹妹的面容了，不知不觉中，他心里感觉到，这孩子的苍白秀美的面容已经与他妹妹的面容融在了一起，他不愿将它们再区分开来。两人的微笑与两人的声音在他心中合而为一，她们现在是仅有的两位信任他、愿与他为伴的女性，已在他的生活中融合在一起了。卡拉的形象已从他的记忆中抹去了，这些天来，他一次也没想到过她和与她在一起的那些时候，而现在，当他平静地回想起过去那段时间时，就好像回想起一次醉酒的经历、一次沉迷，或怒火中烧时干的一件蠢事。而且，他也已经将在这座城市里熬过的所有黯淡悲惨的日子统统忘得一干二净了。

他只有一种感觉，他遭遇到了巨大的幸福。他觉得自己仿佛在黑暗中、在夜晚行走多时，猛然惊喜地见到一处明亮的亮光，如同天边闪烁的星星，那是一所房子里的灯光，他可以在那儿休息，被当作客人受到殷勤招待。他，他这个弱不禁风的、懦弱无力、灰心丧气的人想在女人身上得到什么呢？对于有经验的女人来说，他太蠢；而对于不谙世事的少女来说，他又太胆小。他仍是个需要照料的、不成熟的人,是个梦想家。他来得过早,过急地挤到了那些只贪求生活的成熟果实的女人们的身边。但是,现在的这个女孩子,女人在她体内才刚刚萌芽,含苞待放,仍是混沌未开;她温顺,没有骄气和贪欲;在她身上滋生的、迎向他的命运难道不正是他可以驾驭的吗?她的灵魂不是他可以培育的吗?而她的心不是已经不知不觉地倾向于他了吗?一个梦,一个比往昔所有的梦更加甜美、同时又比他在空白的时日中的模模糊糊幻象更为真实的梦,像温暖的波浪撞击着他的心胸。

现在,她的双颊在病愈后正微微地恢复了颜色,为年轻的面庞更添秀美。他看她的时候越多,相识的日子越长,心里就升起一股极隐蔽、毫无欲求的柔情。这只是一种兄妹间的柔情,只要能抚摸一下她那双细小的手,见到她唇边绽开笑靥,他就感到非常幸福了。

有一回,她又静静地躺在床上,非常安静。两个人都不做声。突然,他感到心中有一种他自己也不理解的需求,他来到床边,以为她睡着了;可是她只是静静地躺在那儿,奇特地望着他,眼睛闪闪发亮。她的嘴犹如卷起的浅色玫瑰花瓣,默不出声。他猛地明白了自己想要什么:用自己的唇触一下她的嘴,轻轻地、很轻地碰一下。

他俯下身,但是即使是在这生病的孩子面前,他还是缺乏勇气。

她仰望着他,问:"您在想什么?"

他的秘密被她发现了,他不能再瞒了。他极其轻声地说:"我很想亲您一下。可以吗?"

她没有动,只是微笑着,那双明眸微笑着,一直触到他的心房。她已不再像孩子那样笑,而是已经像个女人……

于是他弯下身,轻轻地吻了这柔嫩、纯洁的孩子的唇。

几天过后,病人首次可以起床了。她坐在为她挪到窗前的靠背椅上,很高兴能够离床了。贝尔格坐在她身边,满心自豪地望着她,心中暗暗觉得,仿佛是他帮着救了她,她又属于生活了,这仿佛也有他的一份功劳。生病期间她好像长大了,反正那股孩子气已悄悄从她身上消失;她像年轻姑娘一样坐在那儿,她的快乐已完全不再是孩子式的无拘无束了,而是那样若有所思、深有所感。她敲着窗框,望着窗外和风煦暖,说道:"我还不能出去,春天就该进来。"这时,贝尔格觉得她可爱极了,就像看见了一个小小的奇迹,他从未见过生命如此可爱。他一点儿也不因为自己爱上了一个十三岁的女孩而感到害臊,因为他知道,他在这些康复的日子里所体验的一切如梦一般,并且去而不返。而且,她那尚未为女性的羞怯所困惑的真诚的信任和她对于他那种发自内心的明朗的爱慕让他感动极了。现在,她常常喊他的名字了,跟他一起开玩笑,他在兴高采烈的同时感受到一种真切的极大的幸福,因为他不再孤独了。欢笑又从他的灵魂中涌出,就像想起了被忘记的童年时的语言一般。独处的时候,各种温柔梦幻便接踵而至,看着她长成了女人,看见她聪慧、严肃、明理,接着,又看见自己也被织进画面,于是他领悟到,她是为他长大成女人的。他的孤独感现在也消失了。女孩的母亲当时景仰他犹如神灵,似乎整天都在设法向他表达感激之情。现在,他经常与她交谈,他发现这位可怜的女人一生坎坷,但是,尽管遭受过许多挫折、打击,她仍旧保留着一份令人感动的善良。他现在很后悔以前那样生硬地不去理睬这些比他卑微的人,同时又因为现在可以清偿这份罪过而感到高兴。

此外，他与施拉梅克也重归于好了。他有一次在楼道里碰见施拉梅克，他自己都很惊讶居然能那样爽朗无拘无束地和他讲话。他们也提到了卡拉，当说到这个名字时，他一点儿也没有难过。他的内心充满了太多的欢悦，还有一种天高任鸟飞、海阔凭鱼跃的感觉，从他仰首阔步、步履轻松的走路的姿态也反映了这一点。生活仿佛正从四面八方跃入他的内心，一切都协调得当；而此时激荡在他心中的唯一渴望，便是翻开那些积满灰尘的书籍，开始学习。他的职业正以灿烂金光召唤着他，他只想再待几日，姑娘便可痊愈，他要尽情品尝这首次的成功，尽情品尝这些阳光灿烂的日子里的每一秒钟都体验到的那种无比的欢乐。

贝尔格几乎两个星期没到街上去了，只是有时匆匆从病房里冲下来去买点东西。此刻，当他这么长时间以来头一次又慢腾腾地行走在铺满阳光的石路上时，他才完全感受到了春天，料峭的芳香的春风轻颤地拂过被阳光照得喜洋洋的城市上空。他觉得自己今天是第一次见到这座城市，它仿佛闪耀着从一片混浊的湿雾中浮现出来。以前他看见约瑟夫施塔特的老房子时，总觉得它们破败和肮脏，现在，由于它们的老式房顶和烟囱被湛蓝明朗的天空勾勒得线条分明而显得亲切和舒适；远处，在宽阔的马路后面，卡伦贝格山正披着初绿探出头来，仿佛在向他问好。他觉得所有人的脸上都带着喜悦，有时，他感到，女人从他身边走过仿佛向他投来友善的一瞥。但或许，这些仅仅是他自己内心闪耀着的光芒在每样东西上——在深色的瞳孔里、在闪烁的窗玻璃上、在亮晶晶的街道上和在窗外苏醒的色彩绚丽的鲜花上的反射？他觉得周遭的一切都不再显得充满敌意和陌生，而像是一枚正在成熟的果实，色泽滋润，孕育着希望，他不久就将拥有，现在就预先品尝了奇妙的滋味。他周围的一切像是源源不断喷涌的泉水推他向前，尤如推着一朵浪花。他全然沉浸在这幸福之中了。

但马上他感到一阵轻微的晕眩，就像喝醉了一样，两腿发沉，头上像被箍了一个环。这虚脱如同一场春季病似的突袭了他，他不得不在环城大街的一张椅子上坐下来。在他眼前，阳光照耀在他的手上和他微微战栗的身上，这阳光还没有被浓密的树叶过滤，强烈地直接全部流泻下来，令他不得不闭上眼睛。石铺路上，阵阵喧闹飘来荡去，行人穿梭不息，但是有种东西强迫他一直闭着眼睛，一动不动地坐在硬靠椅上。两三个小时过去了，他始终这样坐着。直到夜幕降临，天气变凉，他才吃力地站起来，像个病人一样费劲地走回去。

他从女孩子的房门旁路过，觉得自己现在得独自呆一阵子，要好好清理一下几个星期来让他改头换面的许许多多新鲜体验。他坐到写字桌前，准备整理一下书本和笔记，想明天开始学习。

这时，他发现一本厚本子，还是空白的，他差点记不得这个本子了。这原本是他刚来维也纳时准备用来记日记的，但他一直在等待值得他记在第一页上的一次体验和事情，由于日子始终是那样单调，他最后竟将这事忘得一干二净了。现在，他觉得它仿佛是一个标志，因为，他的生活才刚刚开始，现在，星星开始在无所慰藉的黑夜上空闪耀。它应该成为一本记载他生活经历的日记本，并且——他不太自信地觉得，也许还会记下他的爱情。因为在他心中有某个声音在这样说，仿佛他对这孩子的喜爱终有一日会变成对女人的爱情……

他将油灯拧亮，取来黑色和红色的墨水，以及各种各样的笔，开始在扉页上用许多花饰和曲线写下但丁的一句话：

"Incipit vita Nuova.（新生活开始了。）"他从小就喜爱写花体字玩，现在在这个他想记录下过去与未来的本子上，他也一笔一画细心地写出漂亮的、曲线型的字母，再用红色与黑色填满其中空隙："新生活开始了。"这句话要写得鲜艳似血！

接着……他停了下来……一滴墨水沾在他手上，一个圆圆的小红点。他想擦掉它，红点还在，他用水擦，红点就是消不掉……真奇怪……他又擦，还擦不掉。

他突然一闪念，脑海中像划过一道闪电，他觉得血液都凝固了。这是什么……难道……

于是，他迟疑地、充满恐惧地一把将袖子撸上来，感到那撸袖子的手都变凉了，胳臂上也有这样圆圆的红点，一点，两点，三点。他立即就明白了自己刚才怎么会那样虚弱，怎么会那样乏力。他太清楚了。他的太阳穴突突地跳得更加剧烈，嗓子眼像被卡住了。他觉得桌子底下的脚像笨重的木头一样冰凉，不像是自己的脚了。

他跟跟跄跄地扯下衣服，惊恐地朝镜子上扫了一眼。不，千万别往那边看！不要做任何事，不要叫、不要哭、不要有所希望或期待，因为这已是无法改变了，却又是那样顺理成章。他被感染了，他得了猩红热。

猩红热……这时，他突然听见似乎有人在屋里大声说着话，说着那天医生说过的有关儿科病和猩红热的话："孩子战胜了病魔，大人反倒难闯此关。"

猩红热……死亡……这些声音在他耳中混合了起来。猩红热……一种儿科病！他作为一个成年人却总是得儿童和少年才得的病。这难道不是他这一生的写照吗？成年人比孩子更难经受住这些病：刹时，他对此恍然大悟！

但是对死亡……他心中有太多反抗。三个礼拜前，他是多么乐意离开这个世界,多么甘心这样静悄悄地、默默地从没有人听他讲话也没有人对他说话的舞台上退下来啊!可是现在?生活为什么要这样捉弄他,直到最后一刻还将诱人的景象展现给他看,令他不忍离去?为什么偏偏在这个时候,在他与人们又有所联系,在有些人也许会为他痛苦、也许会比他还要痛苦的时候?

一股倦意袭来,他心里默默无言,不知所措,只好听天由命。他呆呆地盯着那些红斑,直到它们在他眼前似火星般的跳跃起来。他心里很乱。他只觉得一切都是一场梦:幸福抑或不幸、热闹抑或孤寂、过往抑或将来。他万念俱灰。他悲痛地想:在这样一个瞬间的平静,这就是死亡?

但他还想去作一次道别。

他走进女孩睡觉的房间,只朝那张安详沉睡的、再熟悉不过的面庞望了一眼。他不是梦想过他的命运在这儿吗?难道他不是由于她而改变了吗?只不过和他所想的完全不同,是死,而不是生。

他用目光温柔地抚摸着她的面容,将那在睡梦中浮现在她孩子气的嘴上的微笑放在自己的唇上带走。但是,在他回到自己房间时,那微笑已经颓然垂落,犹如一朵凋谢的花朵。

他又撕掉了几封信,在纸条上写下一个地址,便揿响铃,等着房东太太来。

房东太太很快便冲了进来。能为他这个她奉为偶像的人效劳,她总是奔跑而来的。

"我,"——他的声音不那么坚定,他得再说一遍——"我觉得不太舒服。请您帮我铺床并去请医生。如果我病重的话,您就发份电报给我妹妹,这是她的地址。"

两个小时之后,他高烧不止,卧床不起。

他的身体烧得滚烫，仿佛他那从未耗费过的热情和那尚未使用的激情要在这漫长一生留给他的最后两天中将他烧光。这幢房子里一片惊惶。女孩子哭肿了双眼，蹑手蹑脚地走来走去，谁也不敢看，好像怕被人责骂似的。她母亲绝望地伏在前厅的耶稣受难像前，呜咽地求上帝救救这个垂死的人。施拉梅克也不时过来探望他，以他那种毫不气馁的信心向众人保证一切都会好起来的。医生却不这么认为，他给贝尔格的妹妹拍了份电报。

高烧将这个昏迷不醒的人折磨了两天，让他在红色浪花里沉浮。有一回，他竟醒过来了，他的血液僵滞了，他耷拉着眼皮，双手无力，一动也不动地躺着。

但是他相当清醒。他感到现在屋子里一定很亮，因为他的眼皮上好像罩着一层玫瑰红的雾。

他仍一动不动地躺着。旁边的小鸟唧唧喳喳地开始唱起歌来，起初非常小心，就像在排练，然后就正式开始了，鸣啭欢叫，旋律激越上扬，现在已是春天了。

鸟鸣越来越响：它的欢啼几乎让他难受。他觉得这只鸟仿佛就在他床边筑了巢，冲着他的耳朵刺耳地尖叫……噢，不要叫……现在，声音又很遥远了。鸟儿准是在外面春光中的一棵树上。歌声越来越轻、越来越柔了，像笛音，像一个姑娘的声音。或者那根本不是小鸟吧，而是一个女孩子婉转清脆的歌声，或是一个可爱的童声。

一个女孩子，一个小孩……回忆又怯生生地飘了过来，触着了他的心。他渐渐又将一切都想起来了，然而不是按照正确连贯的顺序，而是浮现起一幅幅画面。从遗忘的阴影中浮现出那微笑的孩子的脸，现在，那个轻轻的吻，像影子一般却又甜蜜无比。接着是她的病，她妈妈，这幢房子——经历又转回到原处，他突然明白了自己正卧病在床，也许必死无疑了。

他睁开沉重的眼皮，对，正是这个房间。就他一个人在这里。旁边的小鸟不再唱歌，就连平日滴答滴答响个不停的钟，因忘了给它上弦也停下不走了。他不知不觉又缓缓地合上眼皮，仿佛回首眺望远方一样看着这个房间，在刚到的那个晚上他坐在这房间里，屋外大雨倾盆，他则因孤单而哭泣。接着，他又见到那些与施拉梅克有关的事情，还有其他五花八门的事，可它们都已经变得虚无飘渺……那样生疏……不让人高兴，也不让人难过……一切就这样流过去了，消失在黑暗和虚弱之中。

这时，他听见……突然……旁边有扇门关上了。接着是一阵脚步声。他听出是施拉梅克。对，是他讲话的声音。他在同谁说话？血又开始在他的太阳穴上突突地跳了……在隔壁笑的不是卡拉吗？噢，这笑声让他多么难受啊。她现在应该安静点啊！他要安静……沉默……寂静。不，他们在干什么？他听见他们在笑。突然，他像透过玻璃一样看进了那个房间。施拉梅克正站在那儿，抱着她亲嘴。她翘着臀部，两眼含笑，同那时一样，一模一样……

他的手滚烫。他们在那边竟笑得如此疯狂！真让他难受。他们不知道他在这儿就快死了吗？不知道他就要在这儿孤独地死去，身边没有一个朋友？他感到泪水涌了上来，胸口在沸腾。他用手乱打。他们就不能等一等，等到他死吗？但是这时……一把椅子啪嗒一声摔在地上……他什么都看见了，她挣脱了他，现在他又追上去，噢，他是多么剽悍、多么强壮，他越过桌子抓住了她，将她拖过去……可她又跑开了……去哪儿了？噢，她藏了起来……现在，他们乱蹦乱跳，猛追一气，房间开始颤动起来……整幢房子不都在呻吟吗……是的,什么都东倒西晃,空气里充满混浊的嘈杂声。他们怎么在他弥留之际也不体谅一下,这对该死的混蛋!……不,他们又在追逐了,现在,这下他把她逮住了。你怎么会发出这样淫荡和惊恐的呻吟?……病人痛苦地呻吟起来。现在,那个施拉梅克抓住她了,红头发像血一样披散下来……他扯下她的外衣……她的内衣白得发光……她赤裸着身子,浑身雪白……他俩就这样围着桌子追呀、逃呀,转来转去……她只是一个劲儿地笑!她怎么笑得这样开心……现在——怎么回事?——她穿过墙冲进他的房间里,站在他面前……他的床前……她光着身子,白得刺眼……或者……

或者——他吃力地睁开沉甸甸的眼皮——或者……穿着白色衣服站在他面前的不是他的妹妹吗?放在他额上的不正是她那凉凉的可爱的手吗?……

火焰又燃烧了两个小时。然后,一切都熄灭了。在他的床前,站着他妹妹、那个孩子和施拉梅克,这是他所深爱的三个人,他们聚在一起,过去他从未见过这种相聚,这三人意味着他的全部生活。三个人都缄默不语。小女孩在低声抽泣,可渐渐地,这最后的悲切声音也归于沉寂了。屋内显得非常寂静,三人都很肃穆、悲痛。窗外这座陌生的大都市不停地发出嘈杂而愤怒的隆隆声,根本无心顾及生或死。除此之外,什么也听不见。

一个女人沦殁的故事

王泰智 译

　　去诺曼底的路，漫长得让人心烦，可到达库贝庞的第一天，她就恢复了她快活的本性。她不安分的、好玩的、永远渴求新奇的性格，在这里找到了一种不寻常的刺激，她把全部身心融入这乡间夏日的水晶般的纯净之中。她在做千百种顽皮的事情，头上系着一条素带，身着一件雪白的连衣裙，奔跑在林阴路上，跳过小树丛，像小女孩那样，追赶着翩翩飞舞的蝴蝶，她感到很开心，她记得，她也曾是这样一个小女孩，但她总以为，这在她身上早已死去。她信步走着，多年来第一次感到，在行走中让四肢有节奏地放松，是多么的舒服；她在这简陋的生活空间里，又找回了她在宫廷生活中早已忘却了的东西，这使她感到兴奋。她躺在绿宝石一样的草地上，望着天上的云。多奇怪，她已经多年没有看见过一片云了。她问自己，这些云在巴黎房屋的上空是否也这么美丽，也这么白，也这么洁净和轻飘。她第一次这样仔细观看天空，它的蓝色的带有白边的穹隆，使她想起一个德国贵族不久前送给她的精美的中国瓷瓶，只是天空更美、更丰满、更蓝，而且充满淡淡的清香，它柔软得就像绸缎一样可以触摸到。无所事事，使在巴黎被一个接一个活动追赶着的她感到兴奋，而周围的寂静，就像一杯清凉饮料一般爽口。她现在才第一次意识到，在凡尔赛终日围绕在她身边的人,对她是无所谓的,没有人爱她,也没有人恨她,他们对一切都无动于衷,就像这里的农夫一样,手握闪闪发光的大镰刀站在森林边,有时低垂着头,好奇地看她一眼。她越来越放肆了,她玩弄着小树,向上跳起,直到抓住低垂的树枝,然后松开手,再让它回弹上去。当几朵白花像被箭射中一样落下,落到她的手上,落到几年来第一次松散的头发上时,她高声笑了起来。就像放荡的女人在一生中每时每刻都会做的那样,她现在神奇地忘掉了一切,失去了所有的记忆,忘记了她是被流放到此地的,忘记了她曾是法兰西的统治者,而如此潇洒地戏弄命运,就像戏弄蝴蝶和落花一样,她仿佛回到了五年、十年、十五年以前,又变成了普勒内夫小姐,日内瓦银行家的女儿,一个小巧、瘦弱、顽皮的十五岁的小姑娘正在修道院的花园里玩耍,对巴黎对全世界都一无所知的小姑娘。

下午,她帮助农家女们收庄稼,把大束的粮食捆扎起来,然后猛然用力把它扔到车上,她觉得太好玩了。她就置身在开始时还对她有些拘谨和敬畏的乡下女人中间,她高高地坐在装得满满的车上,任其下垂的两条腿自由摆动,同时和小伙子们嬉笑着,后来,大家开始跳舞时,她又旋风一样跳进人群之中。她感到所有这些都很像宫中的化装舞会,她现在就已按捺不住欣喜的心情,想立即给巴黎讲一讲,她在这里度过多么美好的时光,讲她是如何头上带着野花,跳着土风舞,以及和乡下人同饮一杯酒的情况。她并没有察觉,所有这些都是实际发生的事情,而不像凡尔赛的田园戏剧那样,只是假相。她的心总是陶醉在瞬间,她说实话时,是在欺骗;而她想欺骗时,却是真诚的:她只相信她感觉到的东西。现在,她全部血管里所能感到的,只有幸福和兴奋,如果这时提到她已被贬黜,她只会付之一笑。

到了第二天早上,她这种水晶般的欢快生活,开始渗入几滴莫名的惆怅。她一醒来,就感到内心一阵痛楚:她从无梦的黑夜坠入到白昼,就像从闷热的空气坠入冰冷的水中。她不知道,是什么把她唤醒的。那不是光亮,因为雨天的光线透过沾满水滴的窗子是很暗的。也不是声音,因为这里没有声音,只有几幅画中的死人用呆滞的目光盯着她。她醒了,但不知为什么和有什么意义:这里没有任何东西可以呼唤她和吸引她。

她想起了巴黎,在那里一觉醒来后,情况完全不同。晚上,是同朋友们在跳舞和聊天中度过半夜,然后是极度困倦后的甜美的睡眠,在睡梦中,那兴奋的头脑仍然沉醉在五彩缤纷的图画之中。而到了第二天早上,她闭着眼睛,像在梦中一样,听着前厅传来的压低的说话的声音。早上的卧室接见一开始,人们就涌了进来:法兰西的公爵们、求情者、情人和朋友,他们都在乞求她的恩典,带来了求情者的奉献:殷勤和欢快。每个人都在讲、都在笑、都在喋喋不休,他们在她床边和她闲聊,给她讲新闻,她是从彩色的梦幻中直接醒在生活的洪流里,在梦中显现的微笑还没有消去,像笼中的小鸟一样,挂在嘴角上兴奋地左右跳动着。

白天,把她从梦境又带回到了凡间,真实的人又围绕在她身边,不论是穿衣、外出、吃饭,一直到夜晚再次降临,他们都无所不在。她无时无刻不感到被潮水般永不平息的情绪推涌着,千百次地以一种永恒的节奏冲击着她生命的五彩缤纷的小船。

但在这里,她却醒在一块礁石上,牢牢地固定在那里,一动不动地无所事事地搁浅在时光的沙滩之上。没有什么可以吸引她起床。昨天那些无谓的娱乐已不再有什么魅力,她的习惯的好奇心早已不复存在。房间空荡荡的,好像没有了空气,在这孤独中，她感到内心也是空荡荡的，没有人需要她，空虚、无用、耗净：她不得不慢慢回忆，她为什么要到这里来，是怎么到这里来的。那天，她久久盯着那面迈着颤抖的步伐轻轻穿过沉默的时钟：从这一天起，她将面临什么样的命运。

她终于想起来了。她曾请阿林库亲王，她至今仍保持亲密关系的老情人，每天派信使骑马给她送来宫中的消息。昨天一整天，她忘记了设想，巴黎由于她的消失会产生什么样的骚动，她甚至感到高兴，可以品尝这内心凯旋的滋味。信使很快就来了，但没有她期待的消息。阿林库只给她写了几行不痛不痒的套话，几句关于国王健康情况的消息，外国王子来访的报道，最后几句对她身体的友好的祝愿，使这封信草草结束。关于她和她的消失，信中只字未提。她感到迷惘。难道这个消息没有公布？或者人们真的相信她是到这个无聊的地方来休养的谎言？

那个信使是个头脑简单、肌肉发达的马夫，他只是耸了耸肩膀。他什么都不知道。她压抑住自己的气恼，给阿林库写了回信——没有表示自己的不满——她感谢他送来的消息，并恳请他继续向她提供详尽的情报。她说，她不愿在这里停留得太久，但这里她还是非常喜欢的。她甚至没有感到，她是在欺骗他。

然而，这里的白天太长了。时间就像这里的人一样，迈着从容不迫的脚步走路，她不知道有什么办法可以加快它的节奏。她不知道她该干些什么；她身体里的一切都停止不动了，她内心里那智慧的音乐，就像一只丢失钥匙的八音盒，寂静无声了。她作了各种尝试，她让人把书拿来，但最好的书对她也只是一叠印了字的废纸。不安笼罩着她，她缺少的是多年生活在一起的人们。她向仆人们发布各种无谓的命令，让他们前后左右地干些无用的事情；她想听到脚步走在楼梯上发出的噪音，想看到人，想人为地制造混乱的信息，她想欺骗自己，但总不成功，就像她现在的所有计划都不能实现那样。她讨厌吃饭，讨厌这个房间，讨厌天空，讨厌那些仆人。她现在只想一件事，那就是深夜，无梦的黑色的睡眠，直到第二天早上，期待更好消息的到来。

　　终于到了晚上。但这里的晚上却是如此的凄凉！只是天变黑了，只是一切东西都消失了，只是光线黯淡了。这里，晚上是一切的结束，而在巴黎却是一切消遣的开始。这里的晚上把夜浇灭了，那里的晚上却点燃了宫殿大厅的金边蜡烛，它让人们看到空气在闪闪发光，它点着了、温暖了、陶醉了、挑逗了人们的心。而在这里，它却让人心惊胆战。她从一个房间走到另一个房间：在所有的房间里，寂静像野兽一样匍匐在那里，多年来在这里供养着，因为这里从来没有人走动，她怕，怕它们突然向她扑来。门厅在叹气，书架上的书，只要碰到它们，就会发出吱吱怪响，她触到钢琴的键盘，钢琴发出可怕的叫声，就像一个挨打的小孩在哭嚎。所有的一切都在反抗她这个不速之客，它们在黑暗中结成了联盟。

　　她浑身冷得发抖，就让人把房子里的灯火全部点起来。她试图停留在一个房间，但她却一直不断地走动着，她从一个房间逃向另一个房间，仿佛在那里可以找到平静。但她到处碰到无形的沉默之墙，多年来，沉默在这里享有贵族的特权，不肯轻易离去。连烛火也似乎感到了这一点，它们轻轻地嘶泣着，落下炽热的泪珠。

　　但是，从外面看，这座有三十个闪亮的窗子的宫殿，在大放光明，似乎里面正在举行盛大的庆典。村子里的人们成群结队地站在宫殿前面，惊奇不已，不知里面这么多的人，是突然从什么地方来的。但是，他们看到的从一个窗子走到另一个窗子的身影，却始终是一个人：德普丽夫人。她像一头绝望的野兽，在她内心寂寞的监笼里无目的地来回走着，企图通过窗子找寻不会出现的东西。

到了第三天，她的难耐冲开了一切约束，她开始暴躁。寂寞挤压着她，她需要人或至少是关于人的消息，关于她的身心与之有千丝万缕关系的宫廷里的消息，关于她的朋友的消息，或者任何能使她激动或动情的消息。她等不及信使的到来，一大清早就自己骑马跑三个小时迎了上去。外面下着大雨，刮着大风：被雨水浸透的头发飘在脑后，她的眼睛已看不清周围的景物，暴风雨鞭打着她的脸，她的手发僵了，几乎握不住疆绳。最后她只得再跑回来，脱掉湿透的衣服，躲进被窝。她像发烧一样等待着，把被角咬在嘴里。这时她才理解德贝里斯伯爵微笑的警告，说她很难忍受长期的寂寞。而现在才刚刚过了三天！

信使终于来了。她不再装模作样，而是贪婪地像一个饥渴难忍的人，用指甲挑开漆封。信里写了不少宫中的事情，但她都用眼睛一扫而过，她寻找她的名字。没有，一点儿也没有。但有一个人的名字刺伤了她：她原来占有的宫廷女官的职位，授予了卡蓝库夫人。

一瞬间她颤抖了，她感到晕眩。看来，对她的处置不是出自一时的恼怒，而是长期的流放：这是向她宣判死刑，因为她热爱生活。她一下子从床上跳了起来，毫无羞涩地在信使面前半裸着开始写信，寒冷使她战栗，她发疯一样一封接着一封地写。她放弃了傲慢的表演。她写信给国王，尽管她知道国王恨她，但她用最卑恭的、低三下四的语言向国王保证，再也不干预朝政。她写信给莱琴斯卡，提醒她，是自己的推荐，才使她成为法兰西王后的。她写信给大臣们,向他们许诺金钱。她写信给她的朋友们。她恳求那时由于她的挽救而免于牢狱之灾的伏尔泰撰写一首关于她沦落的悲歌去朗诵。她命令她的秘书,雇佣诽谤文人,抨击她的敌人,把文章广为传抄散发。就这样,她用发烫的笔写了二十封信,而目的只有一个:回到巴黎,回到世界,跳出寂寞的火坑。它们不是信,它们是呐喊。然后,她拿出藏宝箱,赠给信使一把金币,让他快马加鞭,务必于今夜赶回巴黎。她现在才知道,一个小时意味着什么。信使还想鞠躬致谢,但她把他赶了出去。

然后她又躲进被窝。她有些发冷。一阵强烈的咳嗽震动着她那削瘦的身体。她躺在那里,呆望着屋顶,仍在等待着,直到壁架上的时钟敲响。但是,时间是固执的,它不为谩骂、请求和金钱所驱使,仍在懒散地走着它的圆周。仆人们进来,她又把他们打发出去,她不想向任何人显示自己的绝望,她不想吃饭,不想说话,她不想要任何人的任何东西。外面的雨仍在淅沥地下着,她又发冷,似乎她还站在外面,像枝杈纷乱的树丛一样簌簌发抖。她内心里反复蹦跳着一个问题,这是像钟摆一样来回振荡着的一句话:为什么,为什么,为什么,为什么?上帝为什么要这样对待她?她犯下太多的罪孽吗?

她拉了一下铃绳:让人把当地的教士叫来。想到这里还有能与之交谈并可以向他吐露心事的人,她感到欣慰。

教士不敢怠慢,何况他听人告诉他,夫人生病了。当教士进到房间,德普丽夫人忍不住微笑起来。她想起了巴黎她的忏悔神父,他有一双柔嫩的手、闪光的几乎是温柔的目光、让人忘掉一切的世俗的谈话。而这位库贝庞的神父却是个大腹便便、膀大腰圆的人,他是穿着带响的长靴闯进门来的。他全身一片红色,粗糙的大手、被风吹皱的脸膛、一双大耳,但却显得和蔼可亲,他伸出爪子向她问候,然后坐在一张软椅上。房间中的凄凉似乎惧怕这个粗壮的大汉,立刻退缩到角落之中:室内变得温馨而有生气,充满了他洪亮的声音,德普丽夫人在他面前连呼吸也舒畅多了。教士不知道为什么被召到这里来,于是开始无目的地说起话来,他讲他的教区,讲他只是听说过的巴黎,他炫耀自己的学问,大谈笛卡尔和蒙田的有危险倾向的作品。而德普丽夫人却只是有时不经心地插上一两句话:她的思绪就像一群蚊蝇嗡嗡地叫着,她只想听,听一个人的声音,让这声音筑成一堵坝,挡住快要把她淹死的寂寞的大海。当神父不想过分打扰她,而打算起身告辞时,她以激情般的友善——这实际只是一种惧怕——挽留他,并许诺将去拜访这位德高望重的人,同时邀请他经常到这里来;她的曾征服巴黎的妩媚,从梦幻的沉默中超量地涌了出来。神父留了下来,直到天黑。

可神父一走,那沉默的重压顷刻间又以双倍的力量向她压来,就像她一个人要擎起这高高的屋顶,一个人要推开这袭来的黑暗。她从不知道,一个单个的人对另一个人有多大的意义,因为她从未孤独过。她一向把人看成像空气一样渺茫,但现在,当她的喉咙被孤独紧锁着的时候,她才感到她是多么需要他们,这时她才知道,人意味着多少东西,即使他们骗人或被人欺骗,她可以在他们身上得到一切,轻松、安全和欢乐。十几年来,她一直在社交之中游泳,但从不知道,是这股潮水养育和呵护着她,而现在她却像被抛到荒凉海滩的一条鱼,绝望地蠕动着,痛苦地翻滚着。她发寒但同时又发烧。她抚摩自己的身体,吃惊地发现它是何等的冰冷,一切肉体的温暖似乎都已消失殆尽,浓滞的血液像胶一样壅塞在血管里,她感到,在这寂静之中她似乎装进自己的尸体里了。突然她又感到一阵燥热,绝望地抽泣起来。她感到吃惊,想忍住。但这里没有别人,在这里她不需要伪装,在这里她第一次单独一个人。她打开了这痛苦的甜蜜的闸门,感到热泪从她冰冷的面颊上流下,在这可怕的寂静中她听到了自己的哭泣声。

  她急着去回访神父。她的房间仍然凄凉,信件没有来——她知道,巴黎是没有时间答复请愿者的,她想做些什么,什么都行,玩骰子或者闲聊,或者只是看别人说话,找任何一件事去蒙骗无聊,这无聊越来越紧迫,越来越残酷地袭击她的心。她很快地往村里走去。所有和库贝庞这个名字相关联的任何一个部分,都使她讨厌,因为这使她记起她的流放。神父的小屋位于村中小路尽头的绿地之中。它不比一个库房高多少,但鲜花环绕着那小小的窗子,并从蔓藤上垂到门前,她只好弯着腰走进去,以免挂在这可爱的花网之中。

  神父不是一个人。在他身旁的写字台边上,坐着一个年轻人,神父对如此高贵客人的来访受宠若惊,介绍说这是他的侄子。神父正为他传授学问,他当然不会当神父,因为这个职业耽误很多事情。这当然是一句文雅的笑话。德普丽夫人微笑了,但并不是因为这句有些唐突的客气话,而是因为这个年轻人所表现的有趣的腼腆,他满脸通红,不知道该把目光转向何处。他是一个高大的乡下青年,有一副线条鲜明的红红的脸庞,黄色的长发,有些平淡的眼睛;他的四肢显得笨拙和粗犷,而现在极度的恭谦,抑制了他的乡下人特有的粗鲁,脸上挂着一副孩子般的无奈。他几乎不敢回答她提出的问题,他口吃得说不出一句完整的话,他把手一会儿插入裤兜,一会儿又拿出来。德普丽夫人对他的不知所措感到很开心,不断向他提出问题——她又找到了一个人,由于她的出现而不知所措,在她面前微不足道，求她开恩，卑躬屈膝，她感到很高兴。神父为这个年轻人说好话，夸奖他的学习热情，夸奖他的优点，说他极其渴望能到巴黎的大学完成他的学业。当然，他自己很穷，无法为他的侄子提供帮助，而且他也缺少关系，为他的侄子在巴黎打开通往官场的道路，他以恳切的话语，乞求夫人的恩惠。因为她在宫中是无所不能的，只要说一句话，就足以实现这个年轻大学生的最大胆的梦想。

德普丽夫人不得不暗自苦笑：她在宫中是无所不能的，可是她连要求回答她的一封信，回答她的一个请求都做不到。但她感到高兴，这里的人不知道她的无能和失宠，甚至这种权力的假相现在都使她兴奋不已。她控制住自己，说她当然愿意推荐这个年轻人，既然有这样一位有德长者的介绍，他当然应得到一切照顾。她让年轻人明天去找她面谈，她要考验一下他的学识。她愿意向宫廷推荐他，她将为他写推荐信，给她的王后女友和学院的先生们（当她说这些话时，她想到这些人中无一人给她写一句回信）。

老神父欢喜得直发抖，眼泪从他胖胖的面颊淌了下来。他吻她的手，像醉汉一样摇晃着身体，而那个年轻人却像被麻醉了一样，呆站在那里说不出一句话来。当德普丽夫人决定离去时，他仍像生根一样一动不动地站在原地，直到神父暗中用力推他一把，向他暗示陪同夫人回到宫殿。年轻人走在她身旁，嘟囔着感谢的话，每当夫人看他时，他都会惊魂般地中断说话。这使德普丽夫人感到高兴。她又一次感觉到一种略带鄙视的快意，她又看到一个人，在她面前失去一切力量，她要耍弄别人的欲望，在她有权的年月里已成为生活的必需，现在又重新复活了。到了宫殿门口，年轻人停住脚步，笨拙地向她鞠了一躬，又急忙迈起生硬的乡下人的步伐走了，她甚至没有时间提醒他明天的来访。

她看着他走远，暗自微笑了。他笨拙和幼稚，但他的勃勃生气和满怀激情同周围的事物一样没有衰亡。他是一把火，而她自己却在发冷。她的习惯于被爱抚和搂抱的身体，在这里忍受着饥渴，为保持生命的光芒，她的目光需要再见到青春的欲火，像她在巴黎每天都会遇到的那样。她长久地望着年轻人的背影：这可以当作一个玩具，当然是硬木做的，笨拙和单调，但无论如何是个可以蒙骗时光的玩具。

第二天早上，年轻人前来报到。德普丽夫人一向疲于无事可做和无聊，大多下午很晚的时候才起床，现在决定在床上接见他。她先让侍女为她精心地打扮一番，在越来越苍白的嘴唇上略涂一些红色。然后她吩咐让他进来。房门发着响声慢慢打开了。年轻人犹豫地十分笨拙地挨进屋来。他穿了最好的衣服，当然仍是典型的乡村节日服装，而且发出过于浓郁的各种油腻的香味。他的目光胡乱地从地面搜寻到昏暗房间的屋顶，没有发现有人，他刚想镇定下来，突然从床那边，从帷帐的玫瑰色的轻纱下面，传出了欢快的问候。他吓了一跳，因为他不知道巴黎的高贵的夫人是在卧室接见客人的，或者他是忘记了。他做了一个后退的动作，好像刚把脚误踏入了深深的水中，一阵绯红冲上他的面颊，这一窘态，使德普丽夫人欢愉和兴奋。她用献媚的语调，请他走近些。对这个年轻人表示十分客气，也给她带来乐趣。

年轻人小心翼翼地走近床边，就像走在一块左右俱是水浪咆哮的深渊的狭窄木板上。她向他伸出瘦小苍白的手，年轻人用他那粗糙的手指小心地握住，好像怕把它捏碎，虔诚地把它送到唇边。她友好地摆手让他坐在床边的一张舒适的靠椅上，他一下子坐了下去，好像膝盖突然折断了一样。

他坐下以后，感到镇静了一些。整个房间不再围着他疯狂地旋转了，地面也不再高低不平了。但床上那个不寻常的形象仍使他心慌意乱，松软的丝绸被面，显现出她身体的赤裸的形状，帷帐的玫瑰色的轻纱，像薄薄的雾向下弥漫着；他不敢去看，但又感觉到，他的目光无法总是盯着地面。他的两只粗大而红润的手，无目的地上下抚摩着坐椅的扶手，好像要紧紧握牢它，然后又由于自己的不安，惊恐地把冰冷的手抽回来，像沉重的木头一样放回到膝上。他的眼睛在燃烧，有一种要哭的感觉，全身的肌肉布满了畏惧，他感到喉咙里没有一丝力量，无法说出一句话来。

年轻人的窘态使她心醉。她无情地让这种沉默无言延续下去，这给她带来欢快，她微笑着观察他如何在想说第一句话，又如何只是喃喃不语，她看到，这个五大三粗的男子汉是如何在颤抖，并且闪着无助的目光折磨自己。她终于同情他了，开始问他的意图，她知道如何假意地对此表现出极大的兴趣，使他逐渐恢复了勇气。年轻人开始讲述他的学习，讲述教会的先人和哲人，她也跟着插话，尽管她对此知道得很少。当年轻人讲述的各种观点过于广泛和平淡，而使她开始厌烦时，她就开始做各种动作，使他失态，以此来娱乐自己。她有时拉一下被子，仿佛她想从里面滑出来，有时在交谈中突然从揉搓的绸被中伸出一只光裸的胳膊，有时又在被子中摆动一下双脚：这时年轻人就会愣住，就会神魂颠倒，就会语无伦次，每次都会在脸上出现一种受煎熬的紧张的表情，她可以看到他的一根血管像蛇一样从他的额头上爬过。这种表演使她开心。这种孩子般的恐慌比他振振有词的言论要有趣上一千倍。同时，她也用言词挑逗他。

"您不要老是想着您的学业和成绩！机灵乖巧在巴黎是最

主要的。您必须学会向上爬。您是个可爱的人，您要放聪明，要利用您的青春，尤其不要忘记女人，在巴黎，女人就是一切，我们的弱点，正应当是您强大的力量。您要学会选择和利用您的情人，您将成为大臣。您在这儿有情人吗？"

年轻人大吃一惊。他的脸一下子变得血红。他感到内心里激起一股难忍的热潮，冲击着他，要把他冲出门外，但他心里有一块重砣压得他动弹不得，他被这个女人的香气和呼吸麻醉了。所有的肌肉都抽紧了，他的胸膛在扩展，他感到要发疯了，但毫无目的。

突然咯吱一声，他的痉挛的手指压断了坐椅的扶手。他惊恐得跳了起来，对这个过失感到无比的羞愧，但德普丽夫人却对他这一原始的激情感到兴奋，她只是微笑着说："有人提出不寻常的问题时，您不必马上如此惊慌。这在巴黎是常有的事。不过，您在行为举止方面还需要学习，我愿意帮助您。反正我离不开我的秘书，如果您愿意代替他，我会很高兴的。"

年轻人的眼睛闪光了，喃喃地说了很多感激的话，紧紧地握住她的手，握得使她发疼。她微笑着，难过地微笑着——这又是一个获得爱慕的惯用的欺骗手法，一个是许以重任，第二个是虚荣心，第三个是前程。但是，无论如何这都是很美好的，因为她常常会把它忘掉。那么然后呢：她没有欺骗别人，而恰恰是欺骗了自己。

三天后，他成了她的情人。

然而，那危险的无聊只是被赶开了，并没有被置于死地，它仍在空旷的房间里游荡，潜伏在门的后面。从巴黎只传来令人烦恼的消息。国王根本没有回信，莱琴斯卡寄来了几行冰冷的字句，只是谈到她的健康情况，精心地避免了任何友情的暗示。而诽谤文章写得拖泥带水又枯燥无味，让人立即可以猜出，是谁指使的，这只能使她在宫中的地位——如果人们还记得她的话——更加恶化。即使在她的朋友阿林库的信中，也看不到一句有关她返回的迹象，甚至没有一线希望的暗示。她像一个假死的人，在地下的棺木里醒来，喊着、闹着，敲着棺木壁，但地上无人能够听到，地面上的人迈着轻松的步伐走着路，而她的声音却淹没在孤独之中。德普丽夫人又写了几封信，但带着墓中人呐喊的感觉，完全不知道是否有人能够听到，她无力地敲打着她孤独的桎梏。但她以此蒙骗时光，而时光在库贝庞是她最严酷的敌人。

她和年轻人的游戏，也使她厌烦了。她从未对任何人表现出始终如一的爱情（这也是她失宠的主要原因），年轻人的几句情话和他很快就忘掉的那种笨拙，她馈赠年轻人贵重服装、丝袜和鞋扣的乐趣，都已不能再吸引她。她是个被很多人超量供奉的女人，单个一人很快就使她厌烦，而她自己，只要她孤独一人时，就会感到恶心和饥渴。引诱这个怯懦的乡下人，纠正他的笨拙的情爱，让他按自己的意愿行事，去占有他，曾是一个可爱的游戏，但这已变得令她讨厌，她甚至感到很尴尬。

而且后来：年轻人不再使她舒心。本来使她最开心的，是他对她的崇敬，对她的屈从和在她面前的种种窘态。但他很快就克服了这一切，产生了一种亲昵的关系，而这恰恰令她讨厌。年轻人原来的卑屈的目光，变成了充满舒适和自信，他穿着新衣服，伸展四肢，德普丽夫人觉得他在村子里招摇撞骗。一种无名的仇恨逐渐在她心中升起，因为他是从她的不幸和孤独中获得这一切的，身强体壮的年轻人，放开肚皮狼吞虎咽，而她却由于气闷和伤感，进食很少，日渐消瘦和虚弱。这个无赖，他已经把她看成是理所当然的情人，他在主人的软床上竟肆无忌惮舒展肢体,而不像以前那样受宠若惊地接受恩赐了。他变得迟钝和懒惰,而她却遭受着不幸和耻辱的烈火煎熬,她深深地嫉妒他的讨厌的满足、乡下人的金钱欲和他的卑贱的傲慢。她也恨自己,竟堕落到如此低下的地步,为了不淹没在孤独的泥潭之中,竟然不得不这样向愚蠢的人伸手求援。

她开始刺激他,折磨他。她原本并无恶意,但她需要随便找一个人为她的一切遭遇进行报复,为她敌人的胜利,为她被巴黎流放,为那些没有回答的信件,为库贝庞。她找不到别人。她要挑逗他的舒适感,她要使他重新渺小,让他屈膝求饶,让他不再幸福。她毫不留情地挑剔他的红手、他的浅薄、他的不良举止,而他呢,作为一个有正常本能的男人,不再理会把他招引来的女人的行为,他不顾这些,笑着不情愿地把这些当作逗趣。但她却不让步:在这无聊的时刻去刺激一个人,也是一种有趣的游戏。她力图让他妒嫉,她利用一切机会讲她在巴黎的情人,她扳着手指一个一个地给他数。她给他看她得到的礼物,她夸张,她撒谎。但这一切却只能让年轻人高兴:在那些公爵和王子之后他被选中。他舒适地咂着嘴,没有任何反应。这更刺痛了她。她给他讲其他的事情,更糟糕的事情,她撒谎,讲她和马夫,讲她和仆人的艳事。年轻人的额头终于发暗了。她发现了这个变化,她笑了,她继续讲。年轻人猛然敲起了拳头:

"够了!你为什么要给我讲这些?"

她摆出一副完全无辜的样子。

"因为我喜欢这样。"

"但我不喜欢!"

"但我喜欢,我亲爱的,否则我也不会这样做。"

他不说话了,紧紧地咬着嘴唇。德普丽夫人的命令式的、理所当然命令式的口气，使他感到自己像一个奴婢。他攥紧拳头。他像野兽一样被激怒了，德普丽夫人这样想的时候，心中产生一种厌恶情绪，同时也感到恐惧。她感到了这种气氛的危险性。但她内心积累的愤恨太多了，她必须继续折磨他。她重新开始说：

"我的小不点儿，你是怎么设想你的生活的，你以为人们在巴黎也像你们一样生活在你们的狗窝里，最后无聊地慢慢死去吗？"

年轻人的鼻孔翕动着，过了片刻说：

"如果在这儿感到无聊，就不必到这里来。"

德普丽夫人感到一阵阵深深的刺痛。这么说他也知道了她的流放。可能是仆人说出去的。她感到有些晕眩，她掩盖起恐惧，微笑着说：

"我亲爱的，有些事情，你是不会明白的，尽管你学过一点儿拉丁文。但学点儿规矩，对你更有用。"

他保持沉默。但她可以听到他由于气忿而急促的喘息声。这使她更加刺激，继续刺痛他，她感到快意。

"你这个站相，叉着腿就像站在粪堆上的大公鸡。你这样喘气干什么？你的举止就像个野汉子！"

"不能人人都是王子、公爵或者马夫。"

他满脸通红，手握拳头。但德普丽夫人在所有不幸的驱使下，跳了起来。

"住嘴！你忘了我是谁。我不许一个乡下佬这样和我说话！"

年轻人做了一个姿态。

"住嘴！要不然……"

"要不然，怎样？"

他放肆地站了起来。这时德普丽夫人才意识到,她并没有什么"要不然"的办法。她不能送人进巴士底狱,不能降人的职,不能把人流放,她不能命令任何人,也不能禁止任何人。她什么也不是,而只是一个空手无援的女人,像千千万万法兰西女人一样,任凭任何人的谩骂和伤害。

　　"要不然,"——她深深吸了一口气——"我就让仆人把你赶出去。"

　　年轻人耸了一下肩膀,转过身去。他要走了。

　　但她不能让他走。不,和她分手,不能让对方主动,不能让人把自己踢开,而且绝不应该是这个人。她的全部愤怒一下子爆发了出来,几天来的各种苦恼驱使她像喝醉了一样,向他泄去。

　　"你滚出去!你以为我需要你吗?你这个愚蠢的乡下佬,你以为我会同情你吗?你走!不要再污染这个房子,你走,随便到哪里去,就是不要到巴黎去,不要到我这里来,滚!你让我讨厌,你的贪婪、你的浅薄、你的愚蠢的满足,都让我讨厌,你让我恶心。滚出去!"

　　一件没有料到的事情发生了。当她这样突然充满仇恨地向年轻人宣泄时,把拳头像无形的盾牌挡在面前的年轻人,突然举起拳头,落石般向她打来。她叫了起来,死死地盯着年轻人。但年轻人却怀着盲目的仇恨,不断地打着,他陶醉在自己的力量之中,向她打去,他打的是一个乡下人对这个富有、高贵和聪明的贵族的一切妒嫉,他打的是一个被轻视的男人对一个女人的仇恨,他把所有这一切都打到这个稚弱、卷曲而抽动的身体上。德普丽夫人先是呼喊,然后是抽泣,最后是沉默无声。耻辱比殴打更使她痛苦。一瞬间在她的身体里似乎一种什么东西死去了。她沉默,她感觉到了年轻人的愤怒,她沉默,她沉默。

年轻人停住了拳头，他打累了，但同时也为这一举动而感到惊惧。德普丽夫人的身体一阵抽动。他以为她要站起来，他怕看到她的眼睛，匆忙地逃了出去。德普丽夫人受到屈辱的哭泣，使全身剧烈地颤抖着。

就这样，她亲自毁掉了她最后一件玩具。

房间的门早已在他身后关上了。但德普丽夫人一动不动地躺在那里，就像一只被驱赶将死的野兽，轻轻地吐着气，已经完全没有了恐惧，没有感觉，也没有对疼痛和羞耻的意识。一种无以名状的疲惫笼罩着她，她已感觉不到仇恨和愤怒，只有疲惫，无以名状的疲惫，好像她的全部血液都已被泪水冲走，她的没有生命的躯体躺在那里，只有她的体重使她无法移动。她根本不想站起来；在这场经历以后，她再也不知道她应该怎么办了。

夜缓慢地进入了房间，但她没有感到它的到来。因为夜很静。它不像中午那样总是放肆地窥视着窗子。夜像从墙壁中渗出的黑水，把屋顶高高地举向无垠的夜空，把一切都融入它的无声的细流之中。德普丽夫人仰视着，她的周围一片黑暗和寂静，只有不知何处的一只小钟滴答着走向无穷无尽。窗帘的皱褶是如此的黑暗，好像后面隐藏着极其恐怖的怪物，房间的门好像缩入墙壁，整个房间被黑色封闭起来，恰似一口钉死的棺木。没有一处入口和出口，一切都无边无沿，但又是封闭着，一切似乎都在向前压来，空气挤缩到了一块，使人只能喘息而无法呼吸。

只有身后还闪烁着一条通往无尽头的路，那是一面高高的镜子，在黑暗中，像一个沼泽池塘的水面，在夜里淡淡地闪着光，当她坐起身来时，水面荡起了白色的浪花。她站了起来，走近镜子；镜面上仿佛一股烟雾显现出一个鬼影：就是她自己，她走近些，又急速地倒退了回去。

她感到悚然。她内心里有什么在呼喊光明。可她不想喊任何人，她自己划着了火种，然后一支接着一支点燃了烛台上的蜡烛，烛台的麻鸟的金属表面，在大理石的壁架上闪着微弱的光。烛光抖动着，颤抖地向黑暗伸去，就像一个发热的人踏进冰冷的浴池，缩了回来。然后又踏进去，最后终于在烛台上形成一朵圆形的抖动着的光云，继续向外散去直到屋顶。平时柔嫩的小爱神在蓝色云雾中漂浮的屋顶，现在散发着灰暗的雾影，在上冲的烛光的轻轻的闪烁中不安地颤动着。周围的一切好像从沉睡中刚被唤醒，一动不动地站立在那里，带着身后那高高的怪兽般的阴影，让人看了毛骨悚然。

但那面镜子却诱惑着她，诱惑着她。她看它时，觉得那里面总还有着什么在动。

除此之外，周围的一切都对她怀有无声的敌意，一切还都睡眼朦胧。而所有的人，她都已赶走了。她没有人可以问话，也没有人可以诉苦：但只有那里，还有着什么，可以回答她的问题，还没有迟钝，还在运动，还在向她暗示什么。可是，她应该向它问什么呢？她在巴黎时，很少问人她是否美丽，因为在那些想得到她的男人的闪光的眼睛里看到过她的影子。她知道自己很美，在庆典的时候，在闷热的夜里，当她坐着马车向凡尔赛驶去，她从人们的赞叹中，知道了这一点。她相信他们，即使他们在撒谎，因为她对权力的自信，本身就是她的力量。可是现在呢？她被羞辱了，她还是什么呢？

她害怕地向那块闪光的玻璃看去，仿佛她的命运就站在里面向她回视。她大吃一惊：难道这真的是她吗？她的面颊下陷了,没有了光彩,丑陋的嘴角正在讥讽着她,眼睛深陷在眼窝里,可怕地显露出求助的目光。她抖动着身子。这只是幻影。她向镜子微笑。但镜中反射回来的却是冷漠和讥讽。她抚摩自己的身体,是的,镜子没有欺骗她,她变得消瘦了,像幼童一样的消瘦。手上的戒指已经显得过大。她感到血管里流的血液变冷了。她感到悚然。一切都流失了吗?包括青春?一股愤恨冲上心头,她要讥讽自己,这就是到处受到欢呼的法兰西的统治者,像在梦中一样,她朗诵起伏尔泰在一个剧本里献给她的诗句,这也是她的崇拜者们最喜欢重复的诗句:

> 您拥有美貌,
> 不爱慕虚荣,也不卖弄风情,
> 生机勃勃,
> 从不冒失莽撞。
> 诸神赋予您
> 丰盈的自然光辉,
> 一个正直优雅的灵魂,
> 庄重中透着坚定,
> 些微处露出妩媚。

诗的每一句都像是对她的讥讽,她死盯着,死盯着镜子,想看看镜子的那一面是不是也在嘲笑她。

为了看得更清楚,她用手举起烛台。但她拿得越近,镜子中的她也就变得越发苍老。她盯着镜子的每一分钟,都好像在吞噬着她生命的年华,她看起来越发瘦弱、越发苍白、越发病态、越发衰老了,她感觉到她在衰老,她的生命正在消亡。她颤抖着。她在镜中可怕地看到了她全部命运的暴露和沦落,她不厌其烦地、一遍又一遍地看着，死盯着那个老女人的苍白的、变形的脸谱，这个女人就是她自己。

突然，所有的蜡烛像受了惊一样，一起跳动了一下，烛光变成了蓝色，飞离了灯芯。镜子中出现了一个昏暗的人影，伸出手向她抓来。

她大叫一声，自卫地把金属烛台向镜子扔去，产生了千百点火花。蜡烛掉到了地上，熄灭了。她的四周和她的内心都变成一片漆黑，她晕倒在地上。她看到了她自己的命运之神。

从巴黎带来消息的信使的突然到来，吓倒了德普丽夫人，他开门进来时，只看到了镜子碎片的闪光，听到了黑暗中重物坠地的声音。他跳了出去，找来了仆人。他们看到德普丽夫人一动不动地紧闭着眼睛，躺在闪光的玻璃碎片和熄灭的蜡烛之间的地上。只有发青的嘴唇在颤抖，显示了生命的迹象。人们把她放到床上，一个仆人立即动身骑马去昂夫勒维请医生。

但病人很快就苏醒了，面对一群惊慌的面孔，她无所适从。她不太知道，为什么会到了这里，她在人们面前强压住恐惧和疲劳，摆出一副她一向具有的、但现已变成一张僵化的微笑的脸谱，她张开没有血色的嘴唇，用一种似乎无忧无虑的甚至欢快的声调问道，她发生了什么事情。仆人们惊恐地用回避的语言向她做了报告。她没有再说什么，微笑着拿起了送来的信件。

但她不得不收起微笑。她的朋友告诉她，他终于见到了国王。但国王还一直很生她的气，因为是她动摇了国家的财政，引起人民的不安，但希望还是有的，两年或三年以后，将争取召她回巴黎。信纸在她手中抖动着。她还要在远离巴黎的地方生活两年，没有人，没有权力：她没有力量能承受这么多的孤独。这是判处她死刑。她知道,没有幸福,没有财富,没有权力,没有青春,没有爱情,她是无法呼吸的,她曾是法兰西的统治者,她不能在这里变成乡下女人。

她突然理解了镜子里向她抓来的那个人影和灯火的熄灭:她必须在完全变老、完全变丑、完全不幸之前作个了结。她没有接见请来的医生,因为能治愈她的只有国王。可国王不愿意这样做,她只能自己帮助自己了。这一想法并不再使她感到难受。她实际早已死去,就在那时,当军官来到她的房间,拿走了她赖以为生的一切,她唯一能够呼吸的巴黎的空气,她当作玩具的权力,她从中获得力量的赞扬和风采。现在在空旷的房子里来回走动的孤独、无聊、受到屈辱的女人,已不是德普丽夫人,而是一个正在衰老的、不幸福的、丑陋的生灵,她必须杀死它,不能让它再侮辱那个曾在法兰西光彩夺目的名字。

自从这个被流放的女人决定要自我了结,她身上的凝重、负荷和踌躇不安,一下子都不见了。她又有了目的,又有了作为,又有了可以使她动心、可以让她行动、可以向她提供多种多样可能性的动力。因为她不想在这里像一只野兽一样默默地死在角落里,她制定了一个充满神奇和秘密的计划,衬托自己的死亡。她想死得伟大,死得传奇,就像古代的很多王后那样。她的生命曾是光彩夺目的,她的死也应该这样,它应该再一次激起千万人沉睡了的赞叹。不能让巴黎感到,她是在痛苦中沦落,在孤独和遗弃中窒息,被未得满足的权力欲所焚毁,她要用一场死亡的喜剧蒙骗所有的人。欺骗是她生活中的乐趣,它再一次打开了她的心扉。她要在欢乐的熊熊烈火中结束,而不愿像被扔掉的蜡烛一样颤抖着熄灭,佝曲着躺在地上,被人随意地踏碎。她要欢舞着走向深渊。

第二天，一批信件带着淡柔的芳香和温情的、恳请的、妩媚的、命令的、许诺的语句飞离她的写字台。她向巴黎和行省普发请柬，根据各人的喜好请他们赴约，或来打猎，或来赌博，或来参加假面舞会。她通过她的代理人在巴黎雇请演员、歌手和舞伎，定制昂贵的服装，并宣称建立法兰西第二宫廷，和凡尔赛一样精彩华丽和歌舞升平。她召唤和邀请认识的和不认识的人，高贵的和不怎么高贵的人，她要的就是人，很多的人，很多的观众，来观看她在结束自己之前想表演的这出显示幸福和得意的喜剧。

很快，库贝庞开始了一种新的生活。一向追求欢愉的巴黎社会，发现了新奇的大陆。于是，他们都怀着内心的稍有讥讽的好奇，想看一看被推翻的法兰西统治者，在流放中是如何生活的。庆祝活动一个接着一个。带有家族标志的马车来了，坐满欢乐人群的宽敞的乡村大车来了，骑着马的军官也来了。每天都有很多各式各样的人来，和他们一起来的还有大批食客和奴仆们。有些人带来了牧羊人的服装，像是来参加乡间比赛，另一些人穿着华丽：小村子变成了一个熙熙攘攘的营地。

那座宫殿也苏醒了，骄傲地以其大放光明的窗子一展风采，笑声和讲话声、玩耍和音乐使它活跃了起来。人们走来走去，在原来只有寂静的阴暗的角落，对对情侣在窃窃私语。在灌木丛的阴影下，五彩斑斓的妇女服装闪闪发光，曼陀林奏出的浪荡小曲，欢快地颤抖在夜色之中。奴仆们奔走在回廊之间，鲜花围满窗框，五彩的灯光从树丛中抛出缤纷的火花。人们在过着凡尔赛式的放荡的生活，享受着无忧无虑的轻松和潇洒。宫廷人士的缺席虽使活动稍有逊色，但却提高了欢乐程度，摆脱了清规戒律，弄痒了人们的舞步。

德普丽夫人感到，在这旋涡之中，她已凝固的血液又开始火一般地奔腾起来。她属于那种并不少见的女人，完全生活在其他人的情绪之中。有人爱慕时，她很美；和聪明人在一起，她充满智慧；有人献媚时，她高傲无比；有人热恋她时，她就会陷入爱河。人们对她要求越多，她赋予的越多。然而，在孤独中，无人看她，无人和她说话，无人听她说话，也无人要求她时，她就变得丑陋、愚蠢、无奈和不幸。她只能在生活中活跃，在孤独中只能缩成一团阴影。而现在，她以往生活的余光再次笼罩她时，她的欢乐又大放光彩，她的无忧无虑的风姿再次显露，她又变得充满智慧和和蔼可亲，她又楚楚动人和言词流畅，在人们瞥向她的火热的目光中，她又燃烧起来了。她忘记了，她想通过这场闹剧蒙骗这些人，她是真的兴奋了，她把每一个微笑看成是幸福，每一句话语看成是诚实，她浑身发热，投入到这失去很久的温馨的享受之中，有如投入恋人的怀抱。

她让这种庆祝越来越疯狂，她向越来越多的人发出邀请，诱惑他们前来参加。来的人也越来越多了。因为在当时，劳氏银行[①]破产以后，国家变得贫穷了，但是她却把执政时期搜刮的钱财，成百万地用双手扔了出去。金钱在赌台上滚动，在昂贵的烟火中燃烧，在追求异国情调的欢乐中流淌，她像一个绝望的人一样，越来越疯狂地抛洒着钱财。客人们对这些庆祝活动的铺张和华丽感到意外，目瞪口呆：没有人知道，这些活动是为谁举行的。他们在这疯狂的旋涡中几乎忘记了自己。

[①] 劳（1671—1729），苏格兰货币改革家，后在巴黎创办一家有权发行纸币的银行，很有成效，但与投机倒把和政治阴谋纠缠不清。1720年，他被迫逃离法国，后死于威尼斯。

整个八月，都是庆祝的气氛。九月的树枝挂上了五彩缤纷的果实和金光耀眼的晚云。客人变少了，时间迫近了。

但是，德普丽夫人在这欢乐之中，几乎完全忘记了她的本意。她想用金迷纸醉和堂皇富丽来蒙骗别人，也同时蒙骗自己，她把她的轻佻融入她过去生活的缩影之中，甚至觉得这一切都是真的，包括她的权力、她的美貌和她生活的乐趣。

当然有一点是不一样的，这使她感到心痛。自从她什么都不是了以后，所有的人都对她更友好了，更热情了，但却也更冷漠了。女人们不再嫉妒她，也不再做小动作刺激她，男人们也不再围着她转了。人们和她一起笑，把她当成一个好伙伴，但人们不再用爱情欺骗她，不再乞求她，不再献媚她，也不再敌视她，她感到，她已失去了全部权力。生活中没有嫉妒、没有仇恨、没有欺骗是不值得生活的。她可怕地认识到，她实际已被人遗忘：欢乐的旋涡仍和从前一样的疯狂，但她已不是旋涡的中心。男人们在和其他女人谈笑，她第一次发现了她们的青春艳丽：是时候了，世界应该再次想起她了，否则她就变老，变得不为人知了。

她一天一天推迟她的决定。她内心中有一种感情在颤抖，一半是害怕，一半是希望，似乎还想抓住些什么，从永无退路的绝望的一跃中留下些什么。难道那些出席她宴席的人中，搂抱女人跳舞的男人中，在赌台上让金钱滚动的人中，就没有一个她能够信赖或愿意信赖的人吗？难道就没有一个人可以义无反顾地放弃那五彩缤纷的赌台而去爱她、她可以用从宫廷带来的财富交换的人吗？她在不自觉地寻找，去追求男人对她的激情，她追求的也是自己的生命。但所有的人都在她面前扬长而去。

有一天，她在业已昏暗的花园里遇到一名皇家卫队的上尉，这是她以前就已留意过的一个漂亮、快活的年轻人。她看到他目光紊乱、紧咬牙关，在树木之间来回走着，不时地用拳头捶打树干。她走过去和他搭话。但他的答话语无伦次，她知道有什么秘密使他不安，她追问下去。军官终于承认，他在赌台上输掉了从团队挪用的一百块路易多尔①。现在他成了小偷，只好自行裁决了。她感到这是一种多么异常的警告，在这欢乐的混乱中，竟还有另一个人和她有着同样黯淡的抉择。当然，这个人年轻，有着红润的面孔，他可以继续欢笑；他还有救。她带他到她的房间，送给他五百块路易多尔。他幸福得发抖，吻着她的手。她留下他很久，但军官对她没有欲念，没有那样的目光，没有那样的姿态。她颤抖了：她甚至用钱都买不来爱情。这又增强了她自绝的决心。

　　她让他走了，自己又尽快回到大厅。她一打开大门，欢笑声就向她涌来，欢快的气氛和五颜六色的人群像云雾一样充斥着大厅。一股仇恨感突然在她心中升起，她恨所有这些在她的坟墓上欢舞和嬉笑的人。她嫉妒这些人还将得意地活下去。

　　一种恶念在她心中燃烧，她要骚扰他们，恐吓他们，使他们不知所措，使他们笑不起来。当欢乐暂停一秒钟，大厅里出现片刻沉默时，她突然说："你们难道没有发现，房子里有一个死人？"

　　大厅里出现短暂的骚动。连半醉的人听到死亡这个字眼都感到心中一震。大家相互不安地问询着。但是，德普丽夫人不动声色地冷冷地说："就是我。我将活不过这个冬天！"

　　她说得如此严肃，如此阴森，使在场的人默默相觑。当然只持续了一秒钟。然后，从大厅角落飞出一句笑话，它像一只

---

① 法国 17 世纪末至 18 世纪初流通的金币。

彩色的球，随后又被另一个人抛了回去，顿时，欢乐的浪花被这一奇怪的声音所冲击，又冒着泡沫活跃起来了，覆盖了一时惊吓的僵局。

德普丽夫人异常平静地站在那里。她感到，现在已经没有退路了。但她还想使这一预言更加令人惊诧。她走向一张正在赌纸牌的圆桌前，等待下一张打出的牌。这是一张黑七。"原来是十月七日。"她漫不经心地轻声说。

"十月七日是什么日子？"旁边的一个旁观者问道。

她平静地看着他："是我的死期！"

大家都轰然笑了。人们继续讲着这个笑话。德普丽夫人发现无人相信她，感到一种无法控制的欢快。在她活着的时候，再也没有人相信她什么了，他们将在她死的时候，看到他们在这场喜剧中扮演了多么可怜的角色。一种美妙的优越感，一种欣喜，一种轻松震颤着她的四肢，她觉得，她应该发出欢快的讥讽的狂笑。

旁边的音乐响了。一场舞会又开始了。她进入人群，她的舞跳得从未这么好过。

从这一分钟开始，她的生活又有了意义。她知道，她在准备做一件使她永垂不朽的事情。她想象着她的死亡预言准时应验时国王的吃惊和客人们的惊恐。她精心地准备着她死亡的喜剧。她邀请更多的客人来，她加倍所需的开支，她像雕琢一件艺术品那样，装点着这最后几天的丰富多彩的盛会，以便让最后的结局在对比中更加鲜明。她在各种场合让她将死的预言广为传播，但总是在它上面覆盖一块光彩夺目的欢乐的帷幕，她想让所有的人都知道这个预言，但又无人相信它。只有死亡才能使她的被国王贬黜的名字升华至无人忘怀的地位。

在她要实现这无法改变的抉择的前两天，她举行了最后一次庆祝,这是所有庆祝活动中最为豪华的一次。在当时的法兰西,自从波斯和其他伊斯兰的公使馆在巴黎建立以来,效仿东方成了时尚,人们用东方的装潢出版书籍,人们翻译东方的童话和传说,人们按阿拉伯方式着装,人们模仿花哨的风格说话。德普丽夫人花费巨资把她的整个行宫变成一座阿拉伯的宫殿。地面铺上贵重的地毯,窗子的横杆上悬挂着用银链拴着的牙牙学舌的五色鹦鹉和白羽八哥,仆人们一律缠着头巾,穿着宽大的绸裤,无言地奔走在走廊上,向被这奇异的光彩弄得目瞪口呆的客人递送在当时还鲜为人知的土耳其甜食和饮料。

在花园里,支起了五彩缤纷的帐篷,一批男童拿着大扇子扇着凉风,从树丛深处传来音乐声,所有这一切都是为了使这个晚上充满梦幻和令人难忘,而夜空中悬挂在群星中间的新月,又使这事先计算好的梦幻游戏锦上添花,魔术般地变出了博斯普鲁斯海峡①之夜的神秘的热浪。

真正令人感到意外的,是一个特别大的帐篷,其中设立一个挂有红色绒幕的舞台。德普丽夫人为了向客人们全面展示她光辉的过去和她的美貌,亲自表演了一场戏:这是她最后和最美的骗局,她要在死去之前,再一次把她一生的全部欢乐和潇洒展现出来。她在还剩下的几天中,委托一个年轻诗人,完全按照她的意图赶写了一个剧本。演出的时间很短,台词的诗句很差,但这对她都不是最主要的。悲剧发生在一个东方国度,她自己扮演剧中的主角岑卡娜,她是一位年轻女王,她的国家已被敌人攻占,她没有接受胜利者的建议,作为他的夫人共同统治这个王国,而是骄傲地走向死亡。德普丽夫人编出这个情

---

① 沟通里海和马尔马拉海,并将土耳其亚洲部分和欧洲部分隔开的海峡,全长19英里。

节的本意是：她想在真正自杀之前，向那些毫不知觉的人演示她的自我了断。最后，她还在演戏中，再次经历她的往事，再做一次女王，她想表明，这是她天生的权力，一旦被夺去权力，她只有去死。

她企图在这最后一个晚上，以美貌和王气展现在人们面前，她要让人们看到，她在她往事的形象上，覆加一顶无形的王冠，为她的名字稳稳缀上那令人崇敬的威严，让高贵笼罩她的全身。她用化妆掩盖塌陷的面颊的苍白，把消瘦的身体藏匿在宽大飘逸的阿拉伯服饰里面，把疲惫的双眼淹没在头上令人目眩的宝石光芒之中，宝石像湿润的早露在一朵暗色的鲜花上闪烁。当她带着散发激情的光彩出现在拉开的幕前，当人们看到她周围簇拥着跪倒的奴仆和惊恐礼拜的臣民时，客人中出现一阵骚动，她的心跳加快了：数周的痛苦之后，她第一次感到了美好的赞叹之波又向她涌来，这是她长期赖以生存的浪波，在她心中涌起了一股美妙的感觉，一种甜蜜的伤感，夹杂着悲伤的快意，一种被回潮冲击幸福的遗憾。在她面前是汹涌澎湃的大海，她再也看不清单个的人，只看到一个大团块，或许是她的客人，或许是整个法兰西，或许是她的后世，或许是永恒。她所陶醉的却只有一点，那就是她站到了上面，再一次站到了上面，被所有那些无名而好奇的目光所羡慕、赞叹和注视，她终于，终于在不知多长时间以后，又一次意识到了生活，意识到了她是活生生的人。而这用死换来的瞬间的生活，她并不觉得昂贵。

她的戏演得极好，尽管她以前还从未尝试过。所有其他人不愿体现的感情，恐惧、担心、羞耻、畏却，所有这些她都无所顾忌了，她把这一切都淋漓尽致地表演了出来。她想当女王，那怕只有一个小时。只有一处她演不下去了，那就是在念这一句台词的时候：

"Je vais mourir, oh ne me plaignez pas!"① 因为她感到，她在说出内心深处求生的渴望，她怕别人不再受骗，怕被别人看透而警觉，把她拉住。但恰恰因为她在这句呐喊之后的停顿，使观众感到她表演得如此令人信服，以致在人群中产生一种悚然。当她随后疯狂地举起匕首刺向心脏，面带一丝微笑扑倒在地，这场实际上刚刚开场的戏结束时，人群立即涌了上来，热情地向她欢呼向她道贺，其程度在她握有最高权力时都未曾有过。

而对所有这些狂热，她只报以一丝微笑。当人们赞扬她，说她演到岑卡娜的死是如何精彩时，她平静地说："我现在还不知道一个人怎样死去吗？死神早已附在我身上，到了后天，一切就会过去。"

人们又笑了起来。但这次她不再感到心痛。她的内心已经充斥着一种陶醉式的抵制一切疼痛的欢快，一种孩童般的纵情的欣喜，因为她欺骗了所有这些热情的人，她也不由得加入到这嘈杂的欢笑之中。她过去一直在戏弄人和权力，而现在她发现，没有任何一个玩具比死亡更能给她带来欢快。

第二天，她生命的最后一个整天，她遣散了客人，她想单独一人迎接死亡。马车在远处卷起了白色的烟尘，骑士们都已飞马远去，大厅中没有了笑声和灯光，风不安地在壁炉中游荡。她感到，血管中的血液也随着人流缓慢地离她而去，她越来越冷越来越虚弱越来越六神无主，越来越害怕。昨天她还轻松地当作儿戏的死神，突然又向这个孤独的人显示他的恐怖和威力。

---

① 法文："我要死去了，啊，别怜悯我！"

她本以为已驱走已踏碎的一切，又全部复活了。最后一个晚上来临了：蛇一般的阴影，在光亮的惊吓中躲进幕后，现在又蠕动着从隐蔽中爬了出来。恐怖在嬉笑中窒息，在五彩缤纷的人流中被遮盖，现在又回到这凄凉的房间里。沉默在喧嚣中畏缩不起，现在又像云雾一般布满房间、大厅、楼梯和走廊，也布满那颗颤动的心。

她多希望现在就了结一切。但她选择了十月七日，她不能破坏她的骗局，她不能使这座人为的用那么多的谎言建起的凯旋的大厦，只因为一时的心绪而付诸东流。她必须等待。但这比死还要难受，屋外的风在嘲笑，屋内的暗影在冲击着她的心，她在等待死亡。可她如何忍受这一切呢？这死前的长长的夜，这朝霞前的无穷无尽的时间？那些阴暗的东西像鬼魂一样离她越来越近，她的往事的影子又从墓穴中爬了上来——她从一个房间逃向另一个房间，而那些怪影从油画中盯着她，从窗子后面向她狞笑，匍匐在柜橱后面。死神正在抓向那个还在活着的人，还想只当一夜人的人。她渴求着什么，好像渴求一件大衣，能把她冻得发抖的身体包裹起来，直到早晨的到来。

突然她牵动了铃绳，铃声像一只被击中的野兽，刺耳地嘶叫起来。一个仆人睡眼蒙眬地走了进来。她命令他，立即到神父的侄子那里去，把他叫醒并带来见她，就说她有重要的消息告诉他。

仆人像看一个疯子一样看着她。但她感觉不到，她什么都感觉不到，她的所有感觉都已灭绝。她不感到羞耻，召唤曾殴打过她的人，她在仆人面前毫不迟疑地让他把一个男人找到她的卧室来。她只感到空虚和寒冷，她感到，她的可怜的颤抖的身体需要温暖，否则就会冻僵。她的灵魂已经死去，只有她的肉体还需要她去毁灭。

过了一段时间，门开了。她以前的情人走了进来。他的面孔冷淡而狡黠，对她是那么不可言喻的陌生。然而，当他踏入房间，当她不再是孤单一人时，那些怪物似乎又畏缩下去了。

年轻人极力表现出异常坚定，不暴露自己内心的惊奇，因为这次召见是他意想不到的。这些日子里，当宫殿中庆典不断时，他游荡在花园围墙栏杆外面，眼睛因愤怒而紧皱着，他感到心酸，充满怨恨，作为她的情人，他本应可以进入这辉煌的庆典之中的。他恨自己，当时如此侮辱了她，因为在这耗资巨大的活动上，他又一次看到财富的全部力量，但他却失去了利用它的机会。而且，他和德普丽夫人共处的时刻，使他产生了对这个高贵的、香气诱人的、堕落的女人的欲念，她那柔弱欲折的肢体，她那异样醉人的淫荡，她那些丝绸的衣服，都在吸引着他。是他自己把自己又送回到这可怜的神父的小屋，这里所有的一切对他都突然变得肮脏和陈旧了。他的曾被激起的欲火使他不止一次地把目光转向从巴黎来的女人们，但没有人看他，她们的马车蔑视地把车轮上的泥块向他溅来，而那些高贵的先生们，甚至在他脱帽致敬时都不向他看上一眼。几百次他想到宫殿去，跪倒在德普丽夫人的脚下，可惧怕又阻止了他。

现在她却来召见他，这使他傲慢起来。他内心感到舒适，这是他生活中最值得骄傲的时刻，她又需要他了。

他们相互对视了一瞬间。他们都无法隐蔽目光中的仇恨。在这一时刻，他们都在蔑视对方，因为都想利用对方。德普丽夫人努力控制自己。她的声音十分冷淡。

贝灵顿公爵昨天问我，能不能为他物色一名秘书。如果你想要这个职务，明天一早我送你带着我的信去巴黎。

年轻人颤抖了。他已摆出一副高傲的姿态，准备她请求他的时候，居高临下向她施恩。但他垮了。欲望征服了他，巴黎闪现在他眼睛里。

"如果夫人能如此恩典的话——我,我不知道对我还有比这更大的幸运了,"他喃喃地说。他眼睛里闪出一只被鞭打的狗所发出的乞怜的目光。

德普丽夫人点了点头。然后她看着他:威严但却是温柔地。年轻人明白了。一切又恢复到当时那样……

在这闷热的夜里,德普丽夫人一刻都没有忘记对他的恨,对他的轻蔑,她欺骗了这个年轻人——因为根本不存在一个贝灵顿公爵,她知道自己是多么的卑鄙,不得不用谎言换取一个人的温情,然而,这恰恰是她的肉体所感觉到的,从情人嘴唇上吸吮到的生活,活生生的生活,她所需要的不是黑暗,不是寂静。她感觉到,情人的青春的温暖驱走了死亡;每一分钟她都知道,她只是在欺骗那越来越临近的死亡,她第一次体验到了死亡的威力。

十月七日的早晨很晴朗,太阳在田野上抖动着,连影子都是透明洁净的。德普丽夫人像参加庆典一样,精心地穿好衣服,整理好东西,烧毁了信件。她把她十分昂贵的首饰装进一只乌木盒中,撕毁所有的账单和合同。天亮以后,她的头脑又变得清晰和坚定,她想把一切都弄得清清楚楚。

她的情人走了进来。她热情地和他说话,没有厌恶:她感到有些痛心,如此卑鄙地欺骗了在她心中尚有地位、即使是很小的地位的最后一个人。她希望没有人再厌烦她,而只是赞扬她和感谢她。她愿意把装满首饰的盒子,为这一夜而送给年轻人:这是一笔巨额财产。

但年轻人睡眼蒙眬懒散无力。乡下人对占有的贪婪使他只想着一件事,那就是他的岗位,他的未来。而对夫人欲火熊熊的温情的回忆，使他肆无忌惮了。他无礼地说，他必须马上到巴黎去，否则就太迟了，他要求而不是请求得到那封推荐信。德普丽夫人感到心里一阵寒栗。她把他租来，他现在要求报酬了。

她写信，写信给一个不存在的人，写信给一个他永远也找不到的人。但她还在犹豫，想把他留下来。她再一次推迟她的决心。她问，他能不能再多留一天，她很希望这样。同时她用手掂量着首饰盒。她感到，如果年轻人答应，或许她可能获救。但所有的决心无法改变了。年轻人急着要走，他不愿意留下。假如他不是这样无礼地回答，而是感情用事，再把自己出卖一夜，那么德普丽夫人就会把首饰送给他，这是价值几十万里弗赫① 的财富。但他很粗鲁，眼中流露着淡漠的目光，没有丝毫爱的踪迹。德普丽夫人从首饰盒中取出一颗小小的像少年的眼睛一样发着乌光的宝石，送给他作为报酬，让他把他不知什么内容的首饰盒送往巴黎乌苏林修道院。同时还附了一封信，请修道院为她的灵魂祈祷。然后她就派他去巴黎找贝灵顿公爵了。

年轻人稍稍地感谢了一句就走了，可他不知道，他随身携带的这个物件有多么贵重。德普丽夫人就这样在为众人表演了发泄情感的戏剧之后，又欺骗了最后一个她遇到的人。

然后她关上了门，匆匆地从抽屉里取出一个小瓶。这是一只中国细瓷瓶，一条蓝色的奇异的怪龙弯曲着环绕在上面。她好奇地看着它，用手随意地玩弄着它，就像她玩弄人，玩弄王公贵族，玩弄法兰西，玩弄爱情和玩弄死亡一样。她拧开瓶盖，把里面浅色的液体斟入一只小杯中。她迟疑了一下，只是

---

① 里弗赫，法国旧时流通的货币名，当时价值相当于1磅白银。

出于小孩子怕吃苦药的担心。她像小猫在热奶面前一样，小心翼翼地把舌尖伸进去舔了舔：不，味道还不太坏。于是一口把它喝了下去。

  在这一刻，她总觉得这一切似乎有些滑稽，甚至很可笑，人只需要喝下这么一小口，明天她就再也看不见云彩、草地和森林，就再也不能在地上行走，就会使国王震惊，就会使全法兰西吃惊。这就是她如此惧怕过的伟大的举动。她想到她的客人会对此惊奇不已，她想到会出现与此有关的传说，说她如何准确地预言了她的死期，但他们不会理解，她所以死就是因为她失去了周围的人，就是那些庸俗和愚蠢的人，就是那些可以用一场小戏欺骗的人。整个的死对她是如此轻而易举，她甚至可以微笑着死——她在试图这样做——而且并不难，在死亡时留下一副美丽的平和的面孔，放射着超然的幸福。真的，死后她仍可以表演一场幸福欢愉的喜剧，这是她原来并不知道的。人、世界、死与生，所有的一切，她都一下子感到是如此的可笑，以致从她轻浮的嘴唇上不由得显现出了微笑。她站起身来，好像面对一面镜子，等待着死亡，微笑着，微笑着，微笑着。

  然而，死亡是不让人欺骗的，它摧毁了欢笑。当人们发现德普丽夫人时，她的面孔显现一种可怕的扭曲：在那上面刻画着几周来她所遭受的一切：愤怒、痛苦、无谓的恐惧、疯狂绝望的疼痛。她的双脚在绞痛中已经脱臼，双手紧紧抓住一片窗帘，手指间还紧夹着窗帘上撕下的碎布，她大张着嘴，好像在嚎叫。

  同样，她导演的那场虚伪欢乐的大戏，她对死期的神秘莫测的预言，也没有收到预期的效果。她自杀的消息当天晚上到达了巴黎，当时一名意大利的魔术师正在宫中表演魔术。他让一只兔子在帽子里消失，从蛋壳里变出一只大鹅；当消息传来时，大家有些激动，感到惊奇，有人窃窃私语，德普丽夫人的名字曾在人们中间传送了几分钟，但是魔术师这时正好又表演了一个精彩绝伦的节目，人们立即忘记了德普丽夫人，就像她生前在这样一些时刻会忘记别人的遭遇一样。法兰西对她这奇异的结局的关心并没有持续多久，而她妄图制造一出流芳后世的喜剧的努力，也枉费心机了。她渴望的荣誉，她想用死换取的永生，都未能留在她的名字上：悠悠岁月的灰尘淹没了她的命运。因为世界历史不允许局外人侵入，它自主地选择自己的英雄，并把无缘者无情地排斥在外，不论他们是如何地想挤进来；谁从奔驰的命运之车上摔了下来，他就再也无法追赶上去。至于德普丽夫人的传奇式的沦殁，她的真实的生活以及她刻意制造的死亡的骗局，只是在不知哪一本回忆录中曾有过短短的几行记载，它很少能让人联想到这个女人当年风流惊世的一生，就像一枝枯干的花朵，不会让人想起早已逝去的春天留给她的奇异的芬芳。

朦胧夜的故事

韩耀成译

　　我们房间里突然变得那么黑暗，是大风又把淫雨吹到了城市上空？不是，空气澄澈明净，沉寂安谧，这样好的天气今年是少见的，现在已经很晚了，但我们竟毫没察觉。只有对面的天窗还闪着微光，山顶上面的天空已经蒙上一层金色的烟雾。再过一小时天就黑了。这是奇妙的一小时，因为这时的色彩比什么都好看：色彩渐渐消退、昏暗，从地上升起的黑暗随之笼罩房间，最后这黑黝黝的波浪毫无声息地在墙上激荡，把我们也冲进了沉沉的黑夜。这时若有人相对而坐，相视无言，定会觉得在这一小时里，黑影之中对方那张亲切的面孔显得更苍老、更生疏、更遥远，仿佛过去从未见过这副模样，仿佛此刻两人是隔着辽阔的空间和悠悠岁月在遥相凝望。但是你说，你现在不愿沉默，要不然听到钟表把时间敲成上百个小碎片的滴答声，听见寂静中病人似的呼吸，心里就会感到压抑。你要我现在把事情讲给你听，好的。当然不是讲我自己，因为我们始终都生活在城市里，不是在这些城市，就是在那些城市，所以生活经历贫乏，或者说我们觉得很贫乏，因为我们还不知道真正属于我们的究竟是什么。此刻本来最好是默不作声，可是我却要给你讲个故事，但愿这个故事会像一片轻纱似的浮动在我们窗前的朦胧的光，温暖、柔和、溢泻的朦胧的光。

我不知道，我是怎么想起这个故事的。我记得，那天下午，时间还早，我在这里坐了很久，看了一会儿书，后来就迷迷糊糊地进了梦乡，或许已经微微睡着了，书掉在了地上。突然间我看见这里有一些人影，他们沿着墙壁忽闪而过，我能听见他们的谈话，看见他们的活动。可是正待我目送这些快要消失的人影时，我就醒了，只是孤零零一人。那本书掉在了我脚下。于是我就捡起书来，打听方才这些人影的情况，可是我在书里再也找不到那个故事了；仿佛这个故事从书页中落到了我手里，或者书里压根儿就没有那个故事。这个故事也许我是梦到的，或者是在一片彩云中读到的。这是从遥远的国家飘到我们城市上空的彩云，它带走了久久压抑着我们的淫雨，要不然我是从手摇风琴忧伤地在我窗下嘎吱嘎吱地拉的那首朴素的古老歌曲中听到的，或者是多年以前有人讲给我听的？我搞不清了。那样的故事常常来到我跟前，我就像手里捧着水在玩，让故事里的事情从我的手指中间流掉，不将它们抓住，犹如我们从谷穗和高杆儿鲜花边走过，只是抚摸一下而不折摘一样。我只是梦到过这个故事，先是突然出现一幅色彩缤纷的图像，其结局倒是比较温和，可是我并未将它抓住。不过你今天要我讲个故事，那么此刻，在这朦胧的夜色中我们的眼睛越来越看不清，而我们渴望见到的色彩斑斓、活跃生动的东西却在我们眼前熠熠闪耀的时候，我就来给你讲这个故事。

　　怎么开始呢？我觉得，我得从黑暗中突出一个瞬间，突出一个画面和一个形象，因为这些稀奇古怪的梦也是这样在我心里开始的。现在我想起来了。我看见一个瘦长的男孩子正从一座王府宽阔的台阶上走下来。这时已是夜晚，一个月色朦胧的夜晚，可是我像拿着一面明亮的镜子把他灵活的身体照得轮廓分明，把他的面容看得清清楚楚。他简直美得出奇。他的头梳得有点孩子气,黑黑的头发垂下来,贴在几乎过高的额头上,他的一双手娇嫩而高贵,黑暗中摸索着伸向前面,以感受浸透了阳光的空气的温暖。他的脚步犹豫不决。他梦幻般地走下台阶,来到这座大花园,花园里许多粗壮的树木在簌簌作响,贯通花园的仅有的一条宽阔的大道像一根白色的跳板在闪闪发光。

我不知道,这一切是何时发生的,或许是昨天,或许是五十年前,我也不知道是何处发生的,但是我想,大概是发生在英格兰或者苏格兰,因为只有那里我才见到过这么高大的、用宽大的方石砌成的王府,从远处看它宛如碉堡,桀骜不驯,有点吓人,细细观看才会发现这些王府都热情地俯视着下面阳光明媚、花团锦簇的花园。嗯,现在我完全确定,故事发生在苏格兰高原,因为只有在那里夏夜才这么明亮,天空像蛋白石似的闪着乳白色的光,田野也通宵不黑,仿佛万物都在从内部发出微微的光亮,只有像黑色的鲲鹏似的影子垂落在片片明亮的平地上。是在苏格兰,噢,这一点现在我完全、完全能肯定,要是好好想一想,我或许会想起这座伯爵府的名字和那个男孩的姓名来呢,因为梦幻上那张黑色的皮正在迅速脱落,一切我都能够如此清晰地感觉得到,仿佛这不是回忆,而是亲身经历。这年夏天,男孩在他已经出嫁的姐姐家作客,按照英国体面家庭的热情方式,他并不孤单。晚上,一大批狩猎朋友和他们的夫人大家在一起进餐,还有几位姑娘,全都是高贵的、如花似玉的佳丽,她们洋溢着青春活力的欢声笑语在古老的围墙上发出阵阵回音,然而却并不让人感到嘈杂喧闹;白天,骏马来回奔驰,猎犬系上皮带,那边河上则有两三条小船在闪亮:一派忙而不乱的景象使得生活有一种快速而适意的节奏。

现在已是黄昏,餐席已散。先生们都在客厅里坐着,抽烟玩牌；直到午夜时分，从明亮的窗户里射出来的、边上颤动着的光束投在了花园里，有时还传出阵阵响亮而风趣的笑声。女士们大多已经回到自己房里，或许有一两位还在前厅聊天。所以到了晚上这位男孩便孤单了。还不允许他到先生们那儿去，或是只允许他在那儿呆一会儿，到夫人们跟前去吧，他又腼腆，不好意思，因为往往他去拧太太们的房门把手的时候，她们就突然压低说话的声音，他感到，她们在谈他不该听的事情。其实还是因为他不喜欢同她们凑在一起，因为她们问他问题的时候，像是问小孩似的，对他的回答只是漫不经心地听一听，她们仅仅是用他来干各种各样的小事，完了就谢谢他，说他是乖孩子。所以他想上床睡觉去了，而且已经从盘曲的楼梯上了楼；可是房间里太热，憋得让人喘不过气来。白天忘了把窗户关上，所以阳光把屋子晒了个够：桌子灼热，床上像是用火烤过，四壁暑气熏蒸，房角里和窗帘上闷热的暑气还在颤颤悠悠地蒸腾。随后他想：天气还早——外面，夏夜像白蜡烛在闪亮，是那么宁静，一丝风儿都没有，静得消去了胡思乱想。现在男孩又走下这座王府的高高的台阶，走进花园。黑黝黝的花园上空，苍穹闪着微弱的光亮，像圣徒头上的祥光，许多看不见的鲜花竟吐芬芳，阵阵浓郁的香气诱惑地向他袭来。他心里有种奇怪的感觉。这位十五岁的男孩心情如此紊乱，他自己也不知道怎么会这样，但是他的嘴唇翕动着，仿佛要对黑夜倾吐些什么，他举起双手，或者久久闭上眼睛，仿佛他与这宁静的夏夜之间有什么神秘而知心的事儿似的，想说话或做个问候的手势。

　　男孩慢慢地从宽阔的、没有什么遮挡的大道上拐进一条狭窄的小路，两旁是高大的树木，顶上闪着银光的树冠像是在互相拥抱一样，而树底下却是黑黝黝的。这时万籁俱寂，只有静谧的花园里那种无法描述的声息，那种宛如细雨落进草里或草茎互相抚摩时所发的窸窣声颤动着向这位沉浸在甜蜜的、不可捉摸的伤感中信步前行的男孩子飘来。有时他轻轻摸一摸树，或者停下来聆听这微微的声息：帽子压着他的额头，于是他就把帽子取了下来，好让裸露的、血液扑腾的太阳穴感受一下睡意朦胧的微风的抚摩。

正当他往黑暗处走进一些的时候，突然发生了一件匪夷所思的事情。他背后，砾石发出嚓嚓的响声。他吓了一跳，待转过身去，就只看见一个修长的白色身影朝他翩翩而来，并且已经挨近了他。他胆颤心惊，感觉到自己已被一个女人紧紧地、可又无丝毫强制地搂住。一个温暖、柔软的身体紧贴着他的身体，一只娇嫩的手迅速地、颤颤栗栗地抚摩着他的头发，并使他的头朝后仰；他心醉神迷地感到嘴上沾着一颗陌生的、开了口的仙果——两片颤抖的芳唇在使劲吮吸他的嘴唇。这张脸离他的脸那么近，近得他连对方的面容都无法看清。再说他也不敢看，因为一阵寒战向他袭来，他心里感到隐隐作疼，以至于不得不闭上眼睛，服服帖帖地任凭自己成为这两片灼烫的芳唇的猎物；他的两条胳膊迟疑不定、犹豫不决地搂住这个陌生的佳丽，如痴如醉地将这个陌生的身体使劲贴在自己身上，他的两只手贪婪地顺着柔软的曲线游移，歇了一会儿又哆哆嗦嗦地继续蠕动，越来越火热，越来越疯狂。她将他箍得越来越紧，身子已经弓了起来。现在她躯体的全部重量都压在他那任凭摆布的胸脯上，虽然很重，但他却感到美不胜收。她喘着粗气紧紧地贴着他，他感到自己不知怎么在往下坠，双膝已经支持不住。他什么也不去想，既不去想这个女人是怎么到他身边来的，也不去想她叫什么名字，他只是闭上眼睛从这陌生而湿润的双唇上贪婪地吮吸玉液琼浆，直饮得酩酊大醉，情不自禁，毫无理智地驱向一股无比强烈的激情之中。他觉得天上的星星突然坠落了，眼前光芒闪烁，他触及的东西全都像火花似的在颤动，在灼燃。他不知道，这一切持续了多久，他这样被柔软的链子拥锁着是否有几个小时，还是只有数秒钟：在这疯狂的感觉中，在这场心摇神荡的搏斗中，他感到身上每一根神经都在熊熊燃烧，他正在朝一种妙不可言的眩晕状态蹒跚而行。

后来，突然间这条火烫的链子一下子断了。紧紧抱着他的那双手猛地、几乎是愤怒地松开了，陌生女人站起来，一阵风似的跑了，一道白光从树旁一闪而过，在他举手去拽住她之前，早就不见了踪影。

这是谁？方才持续了多久？他忐忑不安、魂不守舍地倚着一棵树站立起来。他滚烫的太阳穴慢慢冷却下来，他又能冷静地思考了：他觉得，他的一生似乎往前挪了上千个小时。他过去曾迷迷糊糊地梦到过女人和情欲，难道突然之间竟梦想成真了？或者说，这确实只是一个梦？他摸了摸自己，抓了抓自己的头发。在砰砰捶打着的太阳穴周围确实又湿又凉，这是因为方才他俩跌进草丛，沾了露水的缘故。现在这一切又在他眼前一闪而过，他感到嘴唇又在灼燃，又吮吸到了从她窸窣作响的衣服里散发出来的荡气回肠的馨香，他竭力想回忆起每一句话，可是一句也想不起来。

现在他一下想起，她什么话也没有说，连他的名字也没叫，他心里感到好生吃惊；他只听到她嘴里漾出来的阵阵呻吟，拼命屏住的销魂荡魄的狂喜的啜泣，只有闻到她散乱的头发散发的幽香，只感觉到她那对压着他的滚烫的乳房，以及她光滑的肌肤，她把她的娇躯，她的呼吸，她颤抖着的全部感情都给了他，而他却并不知道这个女人是谁，这个在黑暗中以其爱情来袭击他的女人是谁。他一定得要她说出一个名字来，以便解开他的惊愕和幸福之谜。

　　这时他觉得,方才他同一位女人所经历的那件闻所未闻的事,对于以诱惑的目光凝视着他的那个闪闪发光的秘密来说,实在是贫乏,极其贫乏和微不足道。这个女人是谁呢?他飞快地把每个可能的人都想了个遍,将住在这个王府里的所有女人的形象统统集合在他眼前;他回想起每个不寻常的时刻,从记忆中挖出同她们的每次谈话,重温唯一有可能卷入这个谜里去的五六个女人的每次微笑。也许是年轻的伯爵夫人 E,她常常那么厉害地叱责她渐渐衰老的丈夫;或许是他表叔的年轻夫人,她那双眸子显得出奇的温柔和彩虹般美丽;或许是——想到这点他就吓了一跳——他三位表姐中的一个?她们三人彼此长得很相像,个个都是一副文雅、矜持的神情。不是,她们可全都是冷若冰霜、谨言慎行的。近几年来,他常常觉得自己是个被驱逐的人,是个病人,自稳秘的烈焰在他心里熊熊燃烧,并且闪闪烁烁地落入他的梦境以来,他是多么羡慕三位表姐啊,她们个个都那么安然恬静,不晕头晕脑,没有欲念,或者说看起来是这样,而对自己正在苏醒的情欲则感到惶恐不安,就像害怕残疾似的。那么现在呢……是谁,她们之中是谁善于如此掩人耳目呢?

　　经过这个问题的一番折腾,他慢慢地从心醉神迷的状态中清醒过来了。时间已晚,牌厅里的灯光已经熄灭,王府里只有他一人还醒着,就只有他——也许还有那一个,那个他不知其名字的女人。疲倦微微向他袭来。还去想它干什么?明天早晨目光一瞥,眼皮下的眼睛一闪,心照不宣的一下握手就会向他透露这一切的。他精神恍惚地走上台阶,就像他精神恍惚地走下台阶一样,不过两者之间可有天壤之别啊。他的血液仍然微微地激动着,白天太阳晒热的房间他现在似乎觉得凉快多了。

他第二天早晨醒来，楼下的马匹已在用蹄子蹬地刨土了，欢声笑语传进他的耳朵，中间还夹杂着他的名字。他飞快地从床上一蹦而起——早餐是已经耽误了——，急忙穿上衣服，奔下楼去，受到大家兴高采烈的迎接。"爱睡懒觉的人，"伯爵夫人朝他笑着说，两只明亮的眼睛里闪着笑意。他贪婪的目光在她脸上搜寻着；不是，不会是她，她笑得过于没有拘束。"做了个甜蜜的梦吧，"这位年轻夫人戏谑道，他觉得她的娇躯好像过于瘦削。他飞快地将她们的脸逐一扫视一遍，想为他的疑问找到答案，可哪一张脸也没有以嫣然一笑来向他回传心曲。

他们骑马到乡下去。他用心谛听每个人的声音，眼睛紧紧注视着女士们骑在奔马上身体扭动时的每根线条和每个起伏的姿势，窥视着她们弯腰抬臂的神态。中午在餐桌上坐着闲聊的时候，他故意弯着身子，挨近她们，以便闻一闻她们双唇上的芬芳，或者秀发上散发出来的馥郁的香味。但是一无所获，他没有得到信号，没有得到些微可以供他发烫的思想去跟踪追击的踪迹。漫长的白昼已尽，天色渐近黄昏。他本想看看书，但是一行行的字都从书页边上溜出去，突然进了花园。黑夜，奇怪的黑夜又降临了，他感觉到那不知名的女人的一双手臂又将他紧紧抱住了。他从哆嗦着的手里把书放下，想到池塘那边去。突然间他已经站在老地方的砾石路上了，对此他自己也大为吃惊。晚餐时他心里忐忑不安，一双手不知所措，不停地来回摸索，无处摆放，好像被人注视着一样，他的眼睛怯生生地缩在眼帘之下。终于，其他人都挪开椅子起身了，直到这时他才喜形于色，马上从往房间去的路上逃进花园，在白色小路上来回踱步。小路好似一条乳白色的雾带在他脚下闪着微光，他在这条路上不停地踯躅，徘徊了千百次。客厅里的灯点亮了吗？点亮了，灯终于全都点亮了，二楼上几个黑乎乎的窗户里终于也透出了灯光。夫人小姐们都回各自的卧室去了。她若是来，只要再过几分钟就可以到了，可是现在每一分钟都在膨胀，膨胀到爆裂的程度，他心急如焚。他又在踯躅了，像是被一条看不见的绳子拴着，扯着他只好这样走来走去。

这时突然白色的人影一闪，下了台阶，动作飞快，快得他无法认出来。她像一缕月光，或者像遗失在树丛中的一条随风飘舞的纱巾，被一阵急风刮了过来，现在，现在刮进了他的怀抱，他伸开爪子似的双臂，贪婪地将这个因为急速奔跑而发热的、充满野性的身子抱住，感觉得到她的心脏在砰砰直跳。这股热浪出其不意地袭在他的身上，在热浪甜蜜的冲击下，他以为要晕倒了，一心只想随波流去，在暧昧的快乐和满足的波涛中浮沉。同昨天一样，这次又只是一瞬间。接着他从陶醉中猛然清醒过来，抑制住内心的欲火。女人的娇躯此刻在他身上贴得那么紧，他觉得这颗砰砰作响的陌生的心是在他自己胸中跳动。但是不行，绝不能沉迷在这销魂荡魄的温柔乡里，在知道这女人的名字之前，绝不能任凭这两片正在吮吸的芳唇来摆布！她吻他的时候，他把头往后一仰，想看清她的脸。可是，这里落着一片树影，在黯淡的月光中和黑发交织在一起，难以分辨。树丛太密，浮云遮掩的月亮光线又太弱。他只看见一双晶莹的眼睛，像是两颗红似烈焰的宝石，像是藏在色泽黯淡的大理石深层的两颗宝石。

他一心想听她说一句话，即使只听到她吐出的一星半点儿声音也好。"你是谁？告诉我，你是谁？"他要求道。但是这两片柔软、湿润的芳唇只是一味亲吻而不出一声。于是他想，把她弄痛，她一叫喊，不就逼出声来了。于是，他搣住她的胳膊，用指甲戳她的肉，可是他从她紧紧屏住的胸口听到的只是喘息声，火辣辣的呼吸和硬不出声的嘴唇上的春情。从她的双唇中只是间或吐出微弱的呻吟,他不明白,这声音是由于疼痛还是由于销魂之乐而发的。面对这固执的意志,他感到无能为力,从黑暗中出来的这个女人征服了他而没有暴露自己,他具有无限的力量来战胜这个欲壑难填的娇躯,但却无法得知她的名字——这一切弄得他快要发疯了。他不由得怒火中烧,想竭力脱出她的缠绕;可是她呢,她感觉到他胳膊上的劲儿渐渐小了,觉察到他心里踟蹰不安,就用她激动的手抚摸他的头发,既是安慰,又是挑逗。她的玉指在他头发上摩挲时,他感觉到额上有种轻微的叮当声,那是她松松地垂挂于她手镯上的一块金属牌牌——一枚硬币——在摆动。这时他突然生出一个想法。他像是沉溺于最最野性的情欲中似的,把她的手拉来压在自己身上,同时把这块硬币深深压进自己半裸的胳膊,直到硬币的一面在皮肤上留下一个印记。现在他已经得到了一个记号,因为记号就在他身上,所以这时他便乐得顺从自己方才被抑制的激情。于是他便紧紧贴近她的身体,吮吸她芳唇上醉人的快乐,默不作声地搂抱着她,跃入神秘、恣肆的欲火之中。

后来,同昨天一样,她又突然一跃而起,逃之夭夭,不过他也没有想要拦住她,因为他急于想看清那个记号,这种好奇心使他的血都烫了。他奔回自己的房间,把黯淡的灯火拨得雪亮,迫不及待地低头查看那枚硬币印在他臂上的记号。

这个印记正在消去,已经不很清楚,圆周已不完整,但是有一角还很清晰,留下的红色印痕还历历可见。印记的角上棱角分明,这枚硬币大概是八角形,中等大小,大体上像是一便士币,只是更有立体感,因为图案上与山丘相应的低洼还刻得更深。这印记像火一样烫人,正当他如此贪婪地细细观看时,他感到这印记突然像伤口一样作疼,直到他把手浸在冷水里,火辣辣的疼痛才消去。这枚金属牌牌是八角形,现在他感到有了十足的把握。他的眼里闪着胜利之光。明天一切他都将知晓。

翌日早晨他是最早来到餐桌上的一个。已经来到餐厅的夫人小姐中只有一位年纪较大的小姐，还有他姐姐和伯爵夫人。她们个个满面春风，兴之所至，谈笑风生，谁也没有去理他。这倒正中他的下怀，他可以更好地观察她们。他的目光迅速扫过伯爵夫人纤细的手腕：她没有戴手镯。他这才泰然自若地同她说话，但是他的眼睛却总是焦躁不安地往门口探望。他的三位表姐这时正一同进来。他心里又惴惴不安了。他看见她们手腕上的饰物都缩在衣袖里，隐隐约约地看不清楚，可是她们转眼就落了座，恰好在他对面：吉蒂，栗色头发，玛尔戈特是一头金发，伊丽莎白的头发很亮，亮得像白银在黑暗中闪光，像金色的瀑布在阳光中飞泻。这三位都像往常一样，冷淡、沉静和矜持，摆出一副端庄的样子。他最恨的就是她们身上的这副神气，因为她们并不比他大多少，前几年还跟他一起玩呢。现在就缺他表叔的年轻妻子了。少年的心变得越来越忐忑不安，因为他感到马上就要水落石出了，一下子他几乎反倒喜欢上这秘密给他的谜一般的折磨了。不过他的目光是好奇的，老在餐桌边飞快地游弋，女士们的手或是静静地放在洁白雪亮的桌布上，或是像轻舟在波光粼粼的港湾里缓缓地荡漾。他看到的只是一双双纤手，他突然觉得一只只手犹如一个个古怪的人，犹如舞台上的人物，每个都有自己的生命和灵魂。他太阳穴上的血液为什么跳得这么厉害？他的三位表姐都带了手镯，这一发现使他大吃一惊。从儿童时期起他就一直知道她们三人脾气倔强，性格内向，可是他要加以证实的，肯定就是这三位高傲的、外表上无可挑剔的姑娘中的一位，这事使他感到困惑。那么究竟是哪一位呢？是年纪最大也是他最不熟悉的吉蒂，是态度生硬的玛尔戈特，还是小伊丽莎白？她们之中无论哪一位，他都不敢企望。他心里暗暗希望，但愿她们都不是，或者说他不愿知道那个人。可是现在他心里充满了强烈的渴望，非弄个水落石出不可。

"可以再给我一杯茶吗，吉蒂？"他的声音听起来像喉咙里有沙子似的。他把杯子递了过去，这么着她就得抬起手臂，伸过桌子，将茶递到他面前。现在——他看见她的手镯上垂挂的一块雕牌颤动着，一瞬间他的手僵住了，但不是，这是块镶嵌的圆形绿宝石，碰在瓷餐具上发出微微的响声。他的目光满怀感激地掠过吉蒂的褐发，像是给了她一个吻。

片刻间，他喘了口气。

"能劳驾你递给我一块方糖吗，玛尔戈特？"对面餐桌上抬起一只纤手，伸出去拿住银盒，递了过来。这时——他的手微微哆嗦了一下——他看见她藏在袖子里的手腕上戴着一个编工精巧的手镯，上面垂着的一枚古银币在摆动，银币是八角形，一便士大小，显然是件传家之宝。这可是八角形的呀，每个角都很锐利，昨天在他肉里扎下了一块印记。他的手把握得不太稳，夹糖的钳子两次都夹偏了，最后夹起的一块方糖才掉进茶里，不过他忘了喝。

玛尔戈特！这个名字在他嘴唇上灼燃，这是一个前所未有的惊异，他差点叫喊起来；不过他还是咬紧了牙齿。这时他听见她在说话——他觉得她的声音好陌生，仿佛有人在讲台上向台下讲话——冷冰冰的，字斟句酌，轻轻开个玩笑，神色从容，泰然自若，她的这种肆无忌惮的谎言真让他感到心惊胆战。这真是晚上像猛兽似的向他扑来的姑娘，就是昨天被他压得气喘吁吁、两片芳唇任他狂吸猛饮的那位姑娘吗？他又一次怔怔地谛视着她的嘴唇。是的，那固执劲儿、那内向的性格，只可能隐藏在这两片轮廓鲜明的嘴唇上,可是那烈焰熊熊的欲火又向他泄露了什么呢?

　　他更加仔细地凝视着她的脸,仿佛是第一次见到她。他狂喜、震颤、幸福得差点儿大哭起来,他第一次感到,她显出这副高傲的神态时有多美,她心怀这个秘密时诱惑力有多大。她的两道秀眉呈弧形曲线,形成一个锐角之后就突然往上一挑,他那春情激荡的目光精心描摹着这两道眉毛的线条,深深钻入她那双灰绿色的眸子中清凉的宝石红玉髓之中,吻着她脸庞上苍白的、微微透着光泽的皮肤,将她此刻轮廓鲜明的紧绷着的嘴唇软软地隆成拱形来亲吻,又在她那浅色的秀发中搜寻了一番,随后迅速往下移去,销魂地将她整个身躯拥入怀里。直到此刻他才算认识她。这时他从餐桌边站起来,但两膝哆嗦不已。他被她的外貌弄得酩酊大醉,仿佛饮了浓郁的玉液琼浆。

　　这时他姐姐已经在楼下喊他了。已经备好的做晨骑用的马匹嘴嚼轻勒,都在那儿焦躁地踏着舞步,显得很不耐烦。他们一个个迅速坐上马鞍,随即便像一队色彩缤纷的骑兵上了花园林阴道。起初马匹是慢步小跑,这男孩觉得这种懒洋洋的均匀的马步同他血液涌流的急速节拍很不协调。然而一出大门,大家就纵马飞奔,从道路的左右两侧驰进还在蒸腾着薄薄的晓岚的草地。夜里的露水一定很重,因为在轻纱般袅袅升腾的烟雾中不时闪烁着晶莹的水珠,空气格外清凉,好似近处有道瀑布在飞泻。完整的一队人马立刻就分散开来,链条扯成了五颜六色的几截。有几位已经连人带马消失在山间的树林里了。

　　玛尔戈特是骑在最前面的人中的一个。她喜欢恣肆驰骋,喜欢劲吹的疾风戏弄她的长发,喜欢策马奔驰,听到耳际嗖嗖风声时的那种无法描述的感觉。在她身后,那男孩在纵马狂奔:他看见她那高高端坐马上的骄傲的身躯随着剧烈的起伏动作，弓成一条美丽的弧线，间或还看到她泛着一抹淡淡红晕的脸颊和炯炯有神的眼睛。此刻，在她如此热情地展示自己的精力时，他又认出了她。他极其强烈地感觉到她突如其来的爱情，她的欲望。他心里突然升起猛烈的欲望：现在猛地将她抓住，从马上拉下来搂在怀里，再次吮吸她那难以驯服的芳唇，承受她那颗激动的心战战栗栗地对他胸口的冲撞。他向马的腹部抽了一鞭，马便嘶鸣着奔到前面。现在他到了她身边，几乎同她膝盖擦膝盖，马镫相碰发出轻微的声响。现在他非得把事情揭开，非得揭开。"玛尔戈特，"他结结巴巴地说。她转过头来，两道剑眉往上一挑。"什么事，波普？"她冷冷地问，眼睛冷淡而晶莹。他身上起了一阵寒战，一直传到膝盖上。他该说些什么呢？他可找不到词儿了。他支支吾吾地说出了往回走的意思。"你累了？"她问，他觉得这话里带有嘲弄的意味。"不累，可是他们远远落在后面了，"他更加吃力地说。他感到，再有片刻，他恐怕就要干出荒唐事来了：猛地朝她伸出胳膊，或者放声大哭，或者用像带了电似的、在他手里颤抖的鞭子抽她。他猛然一拉缰绳，将马往回一带，弄得奔马立起了后脚，而她却继续往前疾驰，高挺的身子端坐马上，一副骄傲、拒人于千里之外的神态。

　　其余的人很快就赶上了他。他周围响起一阵叽叽喳喳的说话声，但是这些欢声笑语回响在他耳畔，就同哒哒的马蹄声一样，没有一点意义。他没有勇气向她诉说他的爱情，逼她说出事实真相，为此他感到十分苦恼；他想驯服她的欲望变得越来越强烈，像一片红色的天穹在他眼前坠落在地上。为什么他不将她嘲弄一番，就像她犟着性子将他嘲弄一样？他下意识地策马向前，等到坐骑风驰电掣般跑开了，他心里才感到轻松一些。这时大家都在喊他往回骑。太阳已经爬上山峦，高悬中天。田野上飘来一阵柔和弥散的芳香，色彩耀眼，像熔化的黄金闪入他的眼帘。湿热和浓香在大地上蒸腾，汗水涔涔的马匹已经懒洋洋地开始小跑，身上冒着热气，不住地喘息着。队伍又慢慢地聚集在一起，欢笑声显得有气无力，大家的话也少了。

玛尔戈特也重新出现了。她的马的嘴里吐着白沫，有的溅在她衣服上在微微颤动，头发绾的圆髻眼看就要散开，现在只有发卡松松地别着。这男孩着了魔似的紧盯着这头金色的发辫，他思忖，这头金发说不定会突然松开，披落下来，长发飘洒。这个想法使他兴奋异常，几乎发狂。大路尽头处，花园的拱形大门已经在光灿灿地闪耀，后面是通往王府的宽阔的大道。他把缰绳一带，小心翼翼地纵马从别人身边超过，第一个到达花园。他跳下马，把缰绳交给跑来的仆人，自己则在那里等着大队人马到来。玛尔戈特是最后到达的几位之一。她缓缓策马而来，身体软绵绵地往后倚着，像是一次销魂之后全身酥瘫了一般。他觉得，她在心醉神迷之后准是这副样子。想起这事，他心里便激情翻涌，狂飙顿生。他挤到她跟前，气喘吁吁地扶她下马。

他扶着马镫，一只手急切不安地就势抱住她娇嫩的脚腕。"玛尔戈特，"他呻吟着喃喃地低声喊道。听到他喊她，她连眼皮都没抬一抬，就泰然自若地握着他伸过来的手，从马上一跃而下。

"玛尔戈特，你真是妙极了，"他再次结结巴巴地说。她狠狠地盯着他，又把眉毛高高地挑到额头上。"我认为你喝醉了，波普！你在这里胡说些什么？"他对她的装模作样感到愤怒，出于盲目的激情，他把还一直握着的那只手紧紧压在自己胸口，仿佛要将这只手戳进自己胸腔里去似的。玛尔戈特大为恼火,脸气得绯红,她狠狠地把他一推,推得他一个踉跄,她自己则迅速从他身边迈过。这一切发生得非常迅速,只在一闪之间,所以谁也没有发现,就连他自己也以为,这不过是一个令人心悸的梦。

他的脸色如此苍白,整天激动不已,以致那位金发伯爵夫人走过时还捋着他的头发问,他是否哪儿不舒服。他怒不可遏,竟将那条汪汪吠叫的狗一脚踢到边上,玩牌的时候也是笨头笨脑的,惹得姑娘们都拿他来取笑。他想,今晚她不会来了。这个想法害了他,弄得他闷闷不乐,无名火起。他们大家一起在外面花园里坐着喝茶,玛尔戈特在他对面,但是她连看都不看他。他的眼睛一直颤颤悠悠地望着她的眼睛,像有磁铁在吸引似的,可是她的眼睛冷冷的,就像两块灰色的石头,没有一点反应。受她这般耍弄,他不禁心头火起。她转过脸,不去看他。见她这副狂妄神气,他便捏紧拳头,他觉得,他简直会一拳把她打趴下。

"到底怎么啦,波普?你的脸色很苍白呢。"这时突然有个声音问道。那是小伊丽莎白,玛尔戈特的妹妹。她的眼里闪烁着一道温暖、柔和的光,然而他却没有觉察到。他感到像是被人抓住了什么把柄似的,怒气冲冲地说:"让我安静一会儿吧,别拿你那该死的担心来折磨人!"说了这话,他便后悔不已,因为伊丽莎白的脸刷一下变得十分苍白,马上转过头去,眼含泪水说:"你这个人可真怪。"大家都愤愤不平地、几乎是威逼性地望着他,他自己也感到礼亏。然而,他还没有来得及道歉,那边桌上便传来一个生硬的声音,那是玛尔戈特的声音,锋利、冷峻犹如刀刃:"我压根儿就觉得,波普那么大了还这么不懂礼貌。把他当绅士,或者仅仅把他当成年人看待,都不对。"这话是玛尔戈特说的,就是昨天晚上还把双唇赐予他的玛尔戈特说的。他感到周围的一切都在旋转,眼前一片模糊,不禁怒火中烧。"想必是你,恰恰是你,对于这件事该是一清二楚的!"他不怀好意地强调说,并且站起身来。由于他动作过猛,碰倒了身后的椅子,可是他头也不回,就拂袖而去。

不过,他自己也觉得这太荒唐,晚上他又站在楼下的花园里,向上帝祷告,愿她能来。或许她的态度也只不过是故作姿态和桀骜不驯的表现吧,不,他不想再问她,不想再折磨她了,只要她来,只要允许他在自己嘴上能重新感觉她柔软、湿润的双唇那强烈的欲望,那么所有的问题就都无需解答了。时间似乎已经沉入梦乡,像只行动迟钝、有气无力的野兽俯伏在王府前面:时间真是长得出奇。他觉得四周草丛中发出的轻微的咻咻声就像是嘲笑人的声音,轻轻摇曳的枝桠在戏耍着自己的影子和微微闪耀的灯光,像是爱捉弄人的手在晃动。各种声音纷乱杂沓,而且陌生,比沉寂更让人感到肝肠寸断。那边乡村里间或有犬吠声传来,有时一颗流星嗖的一下划过夜空,坠落在王府后面的什么地方。黑夜似乎变得越来越亮了,投在路上的树影则变得越来越浓,那些微弱的声响也越来越纷乱杂沓。后来,飘动的浮云又遮住了天穹,朦胧、抑郁的昏暗笼罩着大地。这份寂寞一下袭上他滚烫的心头,令他感到隐隐作痛。

少年不住地踯躅徘徊,步子越来越急,越来越快。有时候他朝树木怒击一拳,或者用手指把树皮揉得粉碎,他怀着满腔怒火使劲地揉,把手指都揉出了血。唉,她不会来了,他本是预料到的,然而他却不愿相信,因为她要是不来,那就永远,永远不会再来了。这是他一生中最痛苦的一刻。他还年轻,正值豆蔻年华,想到这里,他便狠狠地扑倒在潮湿的苔藓地上,双手在土里乱抓,泪流满面,剧烈地轻声啜泣着,长这么大他还从来没有这么哭过,将来也不会再这样哭。

这时,树丛中突然轻轻地咔嚓一声,把他从绝望中唤醒。他一跃而起,双手朝前瞎摸,一个热乎乎的东西朝他胸口猛地一撞,真是妙不可言——他又将那个梦寐以求的娇躯搂在了怀里。他喉咙里涌起一阵抽泣,他的整个存在化为剧烈的痉挛,他将这个高高的丰腴身体紧紧搂住,搂得那陌生而又缄默不语的嘴里发出一声呻吟。他感觉到,她在他的牛劲之下呻吟着,于是他第一次知道,他主宰了她,而不像昨天,也不像前天,他成了她忽阴忽晴的脾气的猎物;他心里生起一股欲望,要为他这上百个小时所受的痛苦而折磨她,要为她的桀骜不驯,为今天晚上她当着大家的面所说的那些鄙薄的话,为她生活中撒谎的花招而治治她。仇恨已经同炽热的爱情融为一体,因而这拥抱与其说是柔情缱绻的亲昵,还不如说是一场搏斗。他紧紧钳住她纤细的手腕,她整个气喘吁吁的身体也随之扭动,颤栗不已,随后他又将她拉进怀里,使劲搂住,搂得她动弹不得,只好一个劲儿低沉地呻吟,他不知道,这呻吟是出于快乐还是出于痛苦。尽管这样,他却依然无法逼她说出一个字来。现在他把自己的嘴唇贴在她的双唇上不住地吮吸,还想把这低沉的呻吟也封住。这时他感到她的唇上湿乎乎的,是血,是正在流淌的血,是她用牙齿使劲咬着嘴唇咬出来的。他就这般折磨着她,直到他突然感到自己的精力也已消耗殆尽,一股情欲的热浪涌上心头,两人这才胸贴着胸,喘息不止。熊熊烈焰一下就熄灭了,星星仿佛在他们眼前闪烁,一切都神经错乱了,他的思想转得更加疯狂,万物就只有一个名字:玛尔戈特。他心里烈焰腾腾,终于从心灵深处低沉地吐出了一个声音——是欢呼也是绝望,是渴望、仇恨、愤怒,也是爱情,这一切凝成一句话,一声呼喊,抑制着三天的痛苦的呼喊:玛尔戈特,玛尔戈特。对他来说,这几个字音里回荡着世间的音乐。

她全身像是遭了重重的一击似的。狂热的拥抱一下子僵住了,她拼命将他一推,她的喉咙里迸出一声哽咽,一声哭泣,她的动作又变得异常激烈,不过只是为了脱出身来,好摆脱这可恨的接触。他想出其不意地将她抓住,但她与他相搏,他俯首将脸挨近她的时候,感觉到愤怒的泪水正颤颤栗栗地从她脸颊上直往下流,她那窈窕的身体像蛇一样扭动着。突然,她使劲将他往后一推,就顺势逃之夭夭。树木间她的衣服白光闪烁,随即便在黑暗中消失。

他又孤零零地站在那里,神色慌张,茫然若失,就像是第一次那温暖的娇躯和狂热的春情猛地冲出他的怀抱一样。他的眼前,星星也像眼泪汪汪似的,热血自里往外在他的额头上钻出一些细小的火星。他究竟出了什么事?他摸索着走过由一棵棵分散的树木组成的行列,进入花园深处,他知道,那里有一口水流飞溅的小喷泉。他让喷泉的水抚摩着他的手,银白色的泉水向他喃喃细语,这时月亮正慢慢从云层中露出来,在月光的反射下,清泉在奇妙地熠熠闪亮。现在他的目光清晰多了,这时突然有一阵极度的哀伤向他袭来,多么奇妙啊,仿佛是温煦的微风从树丛中把这哀伤吹落下来的。滚滚热泪从他胸中喷涌而出,此时他比哆哆嗦嗦地搂抱的时刻更加强烈、更加清晰地感到,他是多么爱玛尔戈特啊!迄今所有的一切——占有的迷醉、颤栗和痉挛,以及探秘无果的愤怒全都烟消云散;只有那忧伤而甜蜜的爱情,那几乎没有一点渴望、但却无比强烈的爱情将他完完全全拥抱在怀里。

他为什么要这般折磨她?这三夜她给予他的东西不是多得不可悉数吗?自从她教他品味了绸缪的情意和剧烈震颤的爱情以来,他的人生不是突然从暗淡的朦胧中进到危险的、熠熠闪亮的光耀中去了吗？她是带着眼泪，怀着愤怒离开他的呀！这时他心里涌起一个无法抗拒的、温存的心愿，希望同她握手言欢，希望她说句温柔、熨帖的话，这个要求有点类似于一个欲望：将她静静地拥在怀里，没有任何索取，并对她说，他是多么感激她。是的，他甚至愿意到她那儿去，并低声下气地对她说，他对她的爱是多么纯洁，他永远不再叫她的名字，永远不再逼她回答她不愿启齿的问题。

泉水银光粼粼，汩汩流去，他不由得想起她的泪水。也许她现在一个人在独守空房，他继续思忖着，或许只有这絮絮低语的黑夜，这专门谛听大家的秘密而不给任何人安慰的黑夜听从她的话，他离她是咫尺天涯，看不到她秀发上的一丝闪光，也听不到她随风飘去的芳音所剩下的一言半语，可是两颗心灵却相互偎依，紧紧相缠——这一切对他来说都是难以忍受的痛苦。渴望呆在她身边，哪怕是像条狗似的躺在她的门口或者像乞丐似的站在她的窗下，这种渴望现在已经变得无法抗拒。

他怯生生地从黝黑的树林中蹑手蹑脚地走了出来，看见二楼的窗户里还亮着灯光。光线幽微，黄色的微光几乎连那棵大枫树的叶子都没有照亮。这棵枫树，它的枝桠像手一样想轻轻叩击窗户，在微风中朝前一伸，又往后一缩，简直是个在窃听的、黑黑的彪形大汉，伫立在这扇明亮的小玻璃窗前，谛听别人的隐秘。一想到玛尔戈特在这扇明亮的玻璃窗后尚未就寝，或许还在哭泣或者在想念他，这男孩就无比兴奋，以致他不得不倚在这棵大树上，免得身体摇晃，站立不住。

他像着了魔，呆呆地凝视着楼上的窗户。白色的窗帘晃来摆去，随风戏耍，一旦飘出暗处，在室内温暖灯光的映照下，就成暗金色，如果吹出窗外，染上从圆形树叶之间泻漏出来并晶晶闪耀的月光，马上就变成银白色。朝里开的玻璃窗反映出光与影不平静的流动，宛如在描画一块光线明暗相间的织物。可是这位正热昏了头的男孩子用火辣辣的眼睛呆呆地凝视着楼上，对他来说，这些天所发生的种种事情仿佛都用黑色的日耳曼古文字书写在玻璃板上了。那流动的暗影，这银色的闪光，像柔曼的烟云飘浮在铮亮的玻璃窗上。这些匆匆捕捉到的感觉激发起他的遐想，幻化成无数闪烁不定的图像。他看见了她，玛尔戈特，袅袅婷婷，俏丽动人，长发披散，噢，那头浓密的金发，她正怀着内心的躁动不安，在屋里走来走去，见她因情欲而发烧，因愤怒而抽泣。此刻，他透过巍巍高墙犹如透过玻璃一样，看到她每个最最细小的动作：双手颤抖，跌坐在沙发椅上，默默地、绝望地凝视着星光惨淡的夜空。有一会儿玻璃窗变得亮堂了，他甚至觉得认出了她的脸庞，她正怯生生地把脸探向窗前，俯视正在沉睡的花园，搜索他的踪影。这时他被强烈的感情所控驭，既克制又急切地向楼上呼唤她的名字：玛尔戈特！……玛尔戈特！

不是有个影子像白色轻纱一样忽闪一下飞快地从玻璃窗上越过吗？他觉得是看得清清楚楚的。他凝神谛听，可是毫无动静。身后，酣睡的树木在轻声呼吸，无精打采的风儿拂过，草丛中发出轻微的、绸缎似的窸窣声，这些声音变得越来越远，越来越响，汇成一个温暖的波涛，随后渐渐轻轻地平息下来。黑夜在静静地呼吸，窗户依然默默无声，银色的镜框里嵌着一幅加深颜色的画像。难道她没有听到他的呼唤？还是她不愿再听到他的声音？窗户上颤颤悠悠的亮光弄得他心烦意乱。他心里的欲望从胸口里跳了出来，往树皮上重重摔去，由于这股激情来得凶猛，树皮似乎也哆嗦起来了。他只知道，他现在必须见她，必须听到她说话，哪怕是大声喊她的名字，喊得大家寻声跑来，喊得大家从梦中惊醒，他也毫不反悔。此刻他预感到会出点什么事,最最荒唐的事对他来说正是他热切企求的,就好像在梦里什么事都易如反掌,唾手可得一样。这时他再次抬头往楼上的窗户张望,一下发现靠窗的那棵树伸出的枝桠像路标一样。刚一闪念,他的手就已经更加使劲地把树干抓住。突然间,他脑子开了窍:树干虽然粗大,但是摸着却柔软而有韧性,他得爬上去,爬到树上再喊她,那儿离她窗户只有一步之遥;他要在挨她很近的地方同她说话,不得到她的原谅,他就不下来。他未作丝毫考虑,只见窗户微微闪亮,在引诱他,感到身边这棵树又粗又大,在支托着他。他很快地攀了几下,又往上一纵,双手攀住一根枝桠,并将身子使劲往上拽。现在他攀到了树上,几乎到了树顶茂密的树叶中,下面的枝叶大为惊愕,便一起剧烈地晃动起来。每片树叶都窸窣作响,汇成一片波浪起伏、令人胆寒的哗哗声,伸出的那根枝桠弯得更加厉害,都碰到了窗户,仿佛要给那位一无所知的姑娘发出警告似的。爬在树上的男孩现在已经看见房里白色的屋顶及其正中灯火照映出来的金光灿灿的光圈。他激动得微微发抖,他深知,一会儿他就将见到她本人了,她不是痛哭流涕就是默默抽泣,再不就是身体陷于强烈的情欲之中难以自持。他的胳膊快没力气了,但是他又振作起精神。他慢慢地从那根伸向她窗户的枝桠上往下刺溜,膝盖磨出了血,手也划破了,但是他还在继续往前爬,几乎被近处窗户里的灯光照个正着。有一大簇浓密的树叶还挡着他的视线,挡住他梦寐以求的最后一眼,于是他就举起手,想去拨开这簇叶子,这时灯光正好在把他身上照得雪亮,他就朝前一弯,一阵颤抖,身子一晃,失去平衡,一个旋转摔了下来。

他栽在了草地上,落地的声音轻微而低沉,犹如掉下一颗沉沉的果子。楼上有个身影从窗户里探出身来,惊惶不安地俯视窗下,但是黑暗纹丝未动,寂静无声,就像将溺水者冲入深水之中的池塘。不一会儿楼上的灯火就熄灭了,在闪忽不定的朦胧月色下,花园里那些沉默不语的黑影中,似乎有许多影影绰绰的魑魅魍魉在大显神通。

几分钟以后,从树上摔到地上的男孩从昏迷中苏醒。他的目光陌生地朝上仰望片刻,暗淡的天空挂着几颗模糊的星星,在冷冰冰地凝视着他。随后他感到右脚非常之疼,疼得他猛一抽搐,他现在稍微一动,就痛得几乎要大声叫喊。这时他突然知道自己摔伤了。他也知道他不能在这里——玛尔戈特的窗下躺着,不能请人帮助,不能呼喊,也不能动得发出声响来。他的额头上滴着血,他摔下来的时候,准是碰在草地上的石块或者木头上了,他用手拭了一下血,以免它流到眼睛里去。接着他就把身子完全往左侧蜷缩着,试着用两只手深深地抠着泥土,慢慢往前移动。每次一碰到那条摔断的腿,或者只是震动一下,就会痛得一阵抽搐,他担心再次晕厥过去。然而他还是慢慢把身子一拖一拖地往前挪动,几乎花了半个小时才到台阶那儿,他感到两只胳膊已经麻木了。额头上的冷汗同直往下滴的鲜血流在了一起。现在还必须克服最后的严重困难:那道台阶。他忍着剧烈的疼痛,咬紧牙关,十分缓慢地往上爬去。现在他到了上面,哆哆嗦嗦地抓住了扶手,累得哼哧哼哧喘个不停。他又往上爬了几步,到了牌厅门口,听到里面说话的声音,看见亮着的灯光了。他扶着门把手,拼命站了起来,突然间像是被人摔了出去似的,他随着松开的门栽进灯火通明的大厅。

他看起来一定很吓人,他跌进来的时候,满脸是血,浑身是土,像一团粘粘糊糊的东西啪的一声立即摔倒在地。先生们霍的一下都跳了起来,乱成一团,椅子碰得砰砰直响,大家争先恐后地跑去救他,小心翼翼地把他抬到长沙发上。正巧这时他还能含含糊糊地喃喃说话。他说,他本想到花园里去,没想到从台阶上摔了下去,接着他眼前就突然落下一条条黑色披纱,来回颤动,把他缠得严严实实,动弹不得,以至于他失去知觉,不省人事。

马匹立即备好,有人骑马到最近的地方去请医生。王府里的人全都惊动了,直闹得天翻地覆:走廊里点起了像萤火虫似的、颤颤悠悠的灯火,有人从房门里朝外小声打听伤情,仆人畏畏缩缩、睡意朦胧地来了,七手八脚地总算把昏迷不醒的男孩抬进他楼上的卧室。

医生检查出一条腿骨折,让大家放心,并说伤者不会有危险,只不过得打上绷带长期卧床静养。大家把医生的话告诉男孩,他听了只是无力地一笑。这样对他来说并不难受,因为这样躺着倒很惬意:独自一人长期躺着,没有喧闹,没人打搅,躺在一间明亮、宽敞的房间里,要是想梦见自己心爱的姑娘,树梢就会轻轻把窗子摩挲得沙沙作响。这样安安静静地把什么事都仔细思考一遍,梦中与心上人邂逅,不受任何琐事俗务的干扰,独自同一个个情意脉脉的幻影亲密地呆在一起,只要片刻合上眼帘,幻影就会来到床边,这种感觉该是何等的甜美!看来,恋爱的时光恐怕不会比这些苍白朦胧的梦境时刻更宁静、更美丽。

头几天还疼得非常厉害。然而他觉得这疼痛中掺进了种种独特的销魂荡魄的快乐。他觉得,他是为了玛尔戈特,为了这位心爱的人而忍受痛苦的,想到这点,这男孩就有一种极其浪漫的、几乎是过甚其词的自信心。他暗自思忖,他真该脸上来个流着鲜血的伤口,这样他就可以经常露着这个伤口,就像骑士身上染着他所爱慕的贵妇人的颜色一样;再不就干脆别醒过来，摔得缺胳搏断腿地躺在楼底下她的窗前，这倒也很绝妙。想到这里，他就又做起梦来了，梦见她第二天早晨醒来，听见自己窗户底下人声嘈杂，彼此呼喊，她便好奇地探身朝下一望，看见了他，看见他肢残体碎地躺在她的窗下，为了她而命赴黄泉。他看见，她一声呼叫，栽倒在地；他耳朵里听到了这声尖叫，接着就看见她那绝望和苦闷的神态，看见她身穿黑色丧服，阴郁而严肃地度过她整个惘然若失的一生，若是有人问起她的痛苦，她嘴唇上便闪过一丝微微的抽搐。

就这样，他整天都沉迷在梦境中，起先只是在黑暗中才做梦，后来睁着眼睛也照样做，不久他就习惯于愉快地回忆那个可爱的形象，而且乐此不疲。对他来说已经不存在太亮太吵的时候了：光线最亮他也能够看见一个影子从墙边忽闪而过，她的形象就来到他的跟前；外面最吵，在他耳朵里，她的声音也绝不会被水滴从树叶上流下来的淅沥声和沙砾在烈日暴晒下发出的咝咝声所消解。他就这样同玛尔戈特说话，一说就是几个小时，要不就是梦见同她一起去旅行，一起乘车度过美妙的时光。但是有时他从梦中醒来，现出一副惊慌失措的样子。她果真会哀悼他吗？她会永远记着他吗？

当然，她有时候也来探望这位病人。往往是正当他在想象中同她说话，她亮丽的形象好似站在他面前的时候，正巧房门就开了，她走进了屋，真是亭亭玉立，光彩照人。不过同他梦中邂逅的那位姑娘却是判若两人。因为她并不脉脉含情，俯身亲他额头的时候也不像梦中的玛尔戈特那么激动，她只是坐在他的沙发椅里，问他身体怎么样，是不是痛，并讲一两件有趣的小事给他听。只要她在，他总感到甜甜的，心慌意乱，手足无措，连看都不敢看她；他往往合上眼皮，以便更好地聆听她的声音，将她说话的声调深深吸进自己心灵中去。这音调是他自己的音乐，它还将连着几小时在他周围回响和飘荡。对于她的问题，他的回答犹犹豫豫，因为他太喜欢沉默了，沉默中他可以只听见她的呼吸，在心灵深处感受到是单独同她相处在这空间，在这宇宙空间里。每当她起身往房门走去的时候，他就不顾疼痛，费劲地撑起身子，好再次将她灵巧的身段的每根线条描画在自己心里，在她重新坠入他虚无飘缈的梦幻现实中去之前，好再次活生生地将她拥抱。

玛尔戈特几乎每天都来看他。不过吉蒂和伊丽莎白，那位小伊丽莎白，不是也每天来吗？伊丽莎白甚至总是那么惊吓地望着他，用那么温柔体贴的声音问他，是否觉得好些。他姐姐和别的夫人们不也是天天都来看他吗，她们大家难道不是同样对他极其关切吗？她们不是也呆在他身边，给他讲述各种各样的故事吗？她们在他那儿呆的时间甚至太长，因为她们在那里就会将他的奇思遐想吓跑，把他从清静的沉思冥想中唤醒，让他跟她们东拉西扯，谈天说地。他真希望她们大家都别来，只是玛尔戈特一个人来，只呆一小时，仅仅几分钟，然后他又独自一人呆着，与她梦里相会，无人打搅，不受骚扰，轻松愉快，像驾着几片柔云，完全遁入自己的内心，与令人欣慰的他的爱情偶像欢会。

因此，有时他听到有人在转门把手的时候，就闭上眼睛，假装熟睡。于是来探视的人就踮着脚尖，蹑手蹑脚地走出房去，他听见门把手犹犹豫豫地关上了，就知道，现在他又可以重新跳进他温暖的梦幻之海中去游泳，让梦幻温柔地将他带向最迷人的远方。

有一次发生了这么件事：玛尔戈特已经来看过他，只呆了一会儿，然而她的头发却给他带来了花园里浓郁的芳香，盛开的茉莉所散发的醉人的香味，以及她眼睛里喷出的八月骄阳的白色的烈焰。他明白，今天不能指望她再来了。那么，这个下午将是漫长而明亮的，他将欢快地在甜蜜的梦境中度过，因为大家都骑马出去了，所以没有人会再来打搅他。这时又有人在迟疑不决地开门了，他便闭上眼睛，装出熟睡的样子。但是进来的那位并没有退出去，而是没有一点声响地关上门，以免把他吵醒，在这寂静无声的房间里这一切他听得十分清楚。现在进来的人小心翼翼，蹑手蹑脚，几乎脚不沾地，来到他跟前。他听到衣裙微微的窸窣声，并听到她坐在了他床边。他浑身发烫，透过紧闭的双眼，他感觉到她的目光在他脸上游移。

　　他的心开始惶恐不安地噗噗直跳。这是玛尔戈特吗？肯定是。他感觉到是她，可是他现在不睁开眼睛，只是凭感觉知道她在自己身边，这种刺激就更加甜蜜，更加剧烈，更加激动人心，也更加隐秘，更加撩人。她要干什么？他觉得，这几秒钟长得无穷无尽。她只是一直看着他，仔细观察他的睡眠，现在他毫无防卫能力，只好闭着眼睛由她去观察，他知道，若是他现在睁开眼睛，他的眼睛就会像一件大衣将玛尔戈特大惊失色的脸裹进他温情脉脉的眼神里。这种感觉虽不舒服，却令人陶醉，它像电流通过全身的毛孔，让人奇痒难当。但是他一动不动，只是压低由于胸口憋气而变得急躁不安、粗声喘气的呼吸，一门心思地等着，等着。

　　什么事情都没有发生。他只是觉得，她似乎更低地朝他俯下身子，他似乎感觉到那股清香，他熟悉的她双唇上溢出的那股湿润的紫丁香的清香离他的脸庞更近了。现在她把自己的手放在他的床上——他的血像一股热浪从他脸上流到全身——，隔着被子顺着他的手臂轻轻抚摩，动作不急不躁，小心翼翼，使他有种被磁铁所吸引的感觉，她的手摸到哪里，他的血便剧烈地流向哪里。这种轻轻抚爱的感觉真是妙不可言，既令人陶醉,又使人振奋。

她的手还一直顺着他的手臂在抚摩,动作缓慢,几乎颇有韵律。这时他贪婪的眼睛一眯,从眼皮缝中往上窥视。起初眼前朦朦胧胧,一片紫红,只看到摇曳不定的灯火映出的一片云雾,接着他看见身上盖的那条有深色斑点的被子,现在察觉到这只正在抚摩的手,它仿佛来自非常遥远的地方;他朦胧地,非常朦胧地看见了这只手,只是一束窄窄的白色光亮,像一片明亮的白云,飘过来,又缩回去。他将眼帘的缝隙不断张大一些。这时他清楚地辨认出了她像瓷器般洁白、鲜亮的手指,看到手指微曲,向前摩挲,接着又往回移动,虽有引逗调弄的意味,但却充满了内在的活力。手指像触角似的爬过来,又缩回去、在这瞬间,他感到这手也是某种特殊的东西,活的东西,就像一只依偎着衣服的猫,像一只缩着爪子、娇态十足、呼噜呼噜地挨近你的小白猫,倘若猫的眼睛突然开始炯炯发亮,他并不感到惊讶。果然:这白洁的手抚摩过来时,眼睛不是在熠熠闪光吗?不:那只是金属的光泽,是黄金的闪光。现在,这只手又在往前摩挲,他看清了这光泽,那是一块垂挂在手镯上微微颤动的金属牌牌,那块神秘的、露了行迹的牌牌,八角形,一便士硬币大小。这是玛尔戈特的手,正在亲热地抚摩他的胳膊。顿时他心里升起一股欲望,要把这只柔白、未戴戒指的裸手抓住,放在自己唇上来狂吻猛吮。但是这时他感觉到她的呼吸,感觉到玛尔戈特的脸挨他的脸很近,他再也忍不住继续低垂着眼帘了,他喜出望外,满面春风,睁开眼睛盯住这张挨得很近的脸庞。这一下吓得她魂飞魄散,猛不迭把脸缩回。

现在那张低俯的脸投下的影子已经消失,亮光洒向那激动的花容,他认出了伊丽莎白,玛尔戈特的妹妹,这位不同凡响的小伊丽莎白。这一发现使他全身猛然一震,犹如遭到重重的一击。是做梦吗？不是，他凝视着那张刷的一下变得绯红的脸庞，她只好怯生生地把眼睛移开：这是伊丽莎白。他一下子就意识到那个可怕的误会，他的目光急不可待地往下移动，集中在她手上，果真，手上挂着那块牌牌。

他眼前，轻纱开始飞旋。他同当时的感觉完全一样，同那次晕倒在地时的感觉完全一样，不过他咬紧牙齿，他不愿失去知觉。往事统统压缩在一分钟内，闪电似的从他眼前飞过：玛尔戈特的惊讶和高傲，伊丽莎白的微笑，这奇怪的目光，那像缄默不语的手在将他抚摩的目光——不，这不可能发生误会。

他心里升起唯一的一线希望。他注视着那块牌牌，说不定是玛尔戈特送给她的呢？是今天，或是昨天，或是以前所送。

这时伊丽莎白已经在跟他说话了。他方才这阵超强度的回忆准是把他的面容弄得很难看，因为她惶恐不安地在问他："你身上很痛是吗，波普？"

她俩的声音何其相似啊，他想。而对于她的所问，他只是心不在焉地回答道："啊，是啊……这叫作，不……我觉得很好！"

又是一阵沉默。可是那个想法像热浪一样在不断地涌来：这块牌牌也许只不过是玛尔戈特送她的。他知道，这不可能是真的，可是他还是非问不可。

"你这是块什么牌牌？"

"噢，这是一个美洲国家的一枚钱币，我也不知道是哪个国家的。这是罗伯特叔叔有次给我们带来的。"

"给我们？"

他屏住呼吸。现在她不得不说了。

"给玛尔戈特和我。吉蒂没有要。我不知道她为什么不要。"

他感到，他的眼睛一湿，眼泪快要涌出来了。他小心地将头别在一边，使伊丽莎白看不见他的眼泪。现在泪水一定已到眼皮底下，逼不回去了，正在慢慢、慢慢地从面颊上滚落下来。他想说点什么，但是又怕自己的声音由于啜泣得越来越厉害而变样。俩人都沉默着，互相都惴惴不安地窥视着对方。后来伊丽莎白站起来，说："我现在走了，波普。愿你早日康复。"他闭上眼睛，接着轻轻一响，门被带上了。

像一群受惊的鸽子，现在他和各种思想纷纷飞向高空。此时他才认识到这次误解所造成的严重后果，他对自己所干的蠢事感到羞愧和懊恼，但同时也感到剧烈的痛苦。他明白，他永远失去了玛尔戈特，但是他觉得，他对她的爱丝毫未变，这种爱现在也许还不是绝望的渴念，不是对于不可企及的东西所抱的那种绝望的渴念。而伊丽莎白呢——他像是在火头上，把她的形象从身边推开，因为她的倾心奉献也罢，她现在抑制着的情欲的烈焰也好，对于他来说，都远不及玛尔戈特的莞尔一笑或者她纤手曾经与他的轻轻相触。假如伊丽莎白当时让他看到了她的真容，他是会爱她的，因为在那些时刻里，他的激情还是天真无邪的，但是在经历了千万次梦境之后，现在玛尔戈特的名字已经深深地烙在他的心里，他已无法将这个名字从他的生活中抹掉。

他感到眼前一片昏暗，连续不断的思绪在泪水中渐渐模糊起来。他竭力想用魔法把玛尔戈特的身影变到他眼前来，就像在他因受伤卧床的那些日子里，在那些漫长的寂寞时刻里所做的那样，但是这次没有成功：伊丽莎白睁着一双深深渴望的眼睛，总是像影子一样挤进来，这么一来就全乱了套，他又得重新把事情的来龙去脉痛苦地回想一遍。每当他想起，他曾站在玛尔戈特的窗前，呼唤她的名字，他就感到汗颜无地，对于伊丽莎白这位文静的金发姑娘，他又深表同情，在那些日子里他从未对她说过一句好听的话，也从来没有正眼看过她，那时他对她的感激之情本该像火一样焕发出来的。

第二天早晨，玛尔戈特到他床边来呆了一会儿。有她在旁边，他浑身打起了寒战，也不敢看她的眼睛。她在跟他说什么？他几乎没有听见，他太阳穴里嗡嗡的响声比她的声音还大。直到她离去的时候，他才又以眷恋的目光将她整个身影紧紧搂抱。

下午伊丽莎白来了。有时她轻轻摸摸他的手，这时她的手上就传达出一种细微的亲密柔情，她的声音很轻，有点忧郁。说话的时候她心里总有点害怕，尽谈些无关紧要的事，好像她怕谈到自己或是谈到他的时候，会把秘密泄露出来似的。他真也说不清楚，他对她抱着什么感情。对于她，他心里有时像是同情，有时又像是对她的爱所怀的感激，但是他什么也不好对她说。他几乎不敢看她，深怕欺骗她。

现在她每天都来，呆的时间也长了些。仿佛从他们之间的秘密揭开的一刻起，那种忐忑不安的感觉也无影无踪了。可是他们还从来不敢谈起那件事，谈起在昏暗的花园中的那些时刻。

有一次，伊丽莎白又坐在他的靠背椅旁。外面是灿烂的阳光，摇曳的树梢投进屋里的一抹绿色的反光，在壁上颤颤抖动。此时此刻，她的头发红得像燃烧的云彩，她的肌肤白皙而透明，她整个儿显得亮丽娇媚，轻盈飘逸。他的枕头那儿有一片阴影，从那里看到她脸露微笑，近在咫尺，但是这张脸看起来又好似远在天边，因为她脸上有阳光照着，而这阳光却照不到他。见她出落得这般仪态万方，种种往事也就忘得一干二净了。她朝他俯下身子的时候，她的眼睛似乎变得更加深沉，好似两个黑陀螺在转进里面去,就在她身子往前伸的当间,他的胳膊就势将她身子一搂,让她的头俯在自己面前,吻着她那小巧、湿润的双唇。她浑身哆嗦得很厉害,但并未反抗,只是带着一丝淡淡的哀怨用手捋着他的头发,接着,她以极其微弱的声音说:"你可是只爱玛尔戈特呀!"声音里含着柔情脉脉的哀伤。他感到这无私奉献的声调,这毫不反抗的淡漠的绝望一直铭记在他的心头,而使他深受震撼的名字则一直烙刻在他的灵魂里。可是此刻他却不敢撒谎。他沉默着。

她再次轻轻地、几乎是姐妹般地吻他的嘴唇,随即便一声不吭地走出房间。

这是他们谈起这件事的唯一一次。几天以后,她们把这位康复的男孩领到楼下的花园里,最早掉落的黄叶已经在花园的路上互相追逐,早来的黄昏已经让人想起秋天的哀愁。又过了几天,他独自一人费劲地在枝桠交错、色彩艳丽的树丛之下漫步,也是今年最后一次到花园里来散步。阵阵秋风刮得树木在那里絮絮叨叨,声音比那三个温暖的夏夜里的声音更大,更不乐意。男孩忧伤地向那个地方走去。他觉得,这里似乎立起了一堵看不见的黑墙,墙的后面在朦胧中已经模糊不清,那儿是他的童年,他的前面则是另一片土地,既陌生又危险的土地。

晚上他去辞行,再次细细谛视了玛尔戈特的脸庞,仿佛他要将这张脸终身饮呓似的,他忐忑不安地把手伸给伊丽莎白,她的手热情而急切地握住他的手,他的眼光从吉蒂,从朋友们,从他姐姐脸上几乎只是一晃而过。他知道,他爱上一位姑娘,而另一位姑娘却爱慕着他。现在他的心灵里就满满地装着这种感觉。他的脸色非常苍白,他脸上的那种苦涩的特征使他看上去不再像个孩子。他第一次看起来像男子汉了。

可是,马拉着车子一启动,他就看见玛尔戈特淡漠地转身往台阶上走去,而伊丽莎白的眼睛里则突然闪过一道湿润的光亮,她紧紧地抓住台阶的扶手,这时新近的种种经验,一齐涌上心头,他像孩子一样放声大哭,哭得泪如雨下。

离王府越来越远了,马车一路扬起高高的尘土,透过滚滚黄尘,那昏暗的花园变得越来越小,原野的景色时时跃入他的眼帘,最后,他经历的一切都消失在他的视线之外,剩下的只有那些你争我夺、争先恐后的回忆。马车经过两小时的路程将他带到附近的火车站。第二天早晨他就到了伦敦。

又过了几年。现在他已不是孩子了,可是那个初次经历铭刻在他心里的印象太强烈,任何时候都不会消退。玛尔戈特和伊丽莎白两人都已结婚,但是他不愿再见到她们,因为有时回想起那些时刻就有排山倒海的力量向他袭来,使得他觉得他全部后来的生活同这段回忆的现实相比好似仅仅成了梦幻和假象。他变成了与对女人的爱情再也无缘的那种人;因为他在自己生活的一个瞬间把爱和被爱这两种感觉如此天衣无缝地合二为一,所以任何欲望都不会再促使他去寻找那么早就落入他那哆哆嗦嗦、惊惶不安和任凭摆布的孩子之手的东西了。他到过许多国家,是一个无可指摘、文质彬彬的英国人,许多人认为这种人毫无感情,因为他们如此沉默寡言,他们的目光对于女人的脸庞和她们的微笑总是视而不见,显得十分冷淡和无动于衷。谁能想到,他们内心都深藏着那些时刻吸住他们目光的形象,这些形象融进了他们的血液,他们的血液永远围着她们熊熊燃烧,像圣母马利亚像前的一盏长明灯一样?现在我也知道了,我是怎么想起这个故事来的。我今天下午看的那本书里也夹着一张明信片,这是一位朋友从加拿大寄给我的。那是我有次在旅途中认识的一位年轻的英国人,在漫漫长夜我常常同他一起聊天,他的话里对两个女人的回忆有时会神秘莫测地突然闪亮,犹如远方的立像,在一瞬间她们就永远同他们的青春联系在一起了。我同他的聊天已经是很久,很久以前的事了,当时的谈话我大概也已经忘记。但是今天当我收到这张明信片的时候,这个回忆又从我心里升起,并且同我自己的种种经历梦幻般地融合在一起,我觉得,这个故事我仿佛是在从我手里滑落的那本书里看到的,要不就是在梦里发现的。

  但是现在屋里变得多么黝暗,在这深沉朦胧的夜里你离我多么遥远呀!我猜想你的面容就在那里,但我只看到一片柔和、明亮的闪光,我不知道,他在微笑,还是在悲伤。我为那些只有点头之交的人编造了一些奇异的故事,梦想出各种不同的命运,然后再让他们重新安然回到他们的生活和他们的世界里去,你是为此而笑?这男孩与爱情失之交臂,他由于一时的沉迷便永远离开这座带着这个甜蜜的梦的花园,或者说你是因为这个男孩而悲伤?看,我并不希望这个故事染上忧郁而低沉的情调,我只想给你讲一个突然之间受到爱情袭击的男孩的故事——他自己的爱和另一位姑娘对他的爱。但是人们晚上讲的故事都是会走这条淡淡的忧郁之路的。朦胧的夜色降临在这些故事之上,给它们披上轻纱,栖息于晚间的种种悲伤汇成一个没有星星的穹窿,笼罩着这些故事,让黑暗渗进故事的血液,于是故事所具有的那些明快光亮、色彩斑斓的话语就带上了一种浑厚而沉重的音调,仿佛这些故事都来自于我们自己亲身经历过的生活似的。

灼人的秘密

韩耀成　高中甫译

伙　伴

　　机车沙哑地吼叫着，塞默林① 到了。黑色的列车在山上银白色灯光的照耀下停了一分钟，下来几个穿着五颜六色衣服的乘客，又上了几个人。到处是恼人的噪音。接着，前面的机车又沙哑地嘶鸣起来，扯动黑色的车链，嘎嘎地开了过去，冲进隧道的洞口。广漠的景色又纯净地展现出来了，清晰的背景，被湿润的风吹得分外明亮。

　　下车的人中有一位年轻人，他那考究的衣着，带有天然弹性的步履，给人以好感。他迅速地走在别人前边，叫了一辆去旅馆的马车。马儿不慌不忙地在上坡路上得得地走着。空气里充满春意，那只有五六月才特有的洁白而轻盈的浮云，像穿着白色衣裳的轻佻的小伙子，在蓝色的空中嬉戏奔跑，时而躲藏在高山背后，时而互相拥抱，又再度逃开，有时像手绢似的揉成一团，有时又散成丝片，末了又戏弄地给群山头上戴上白色

---

　　① 塞默林，奥地利境内阿尔卑斯山的一个隘口，在维也纳附近，海拔985米，铁路线在海拔893米的高度从隘口的隧道里通过。塞默林是奥地利著名的避暑胜地，又是从事冬季运动的场所。

的帽子。风在高空奔驰,狂暴不羁地摇动着细长的沐雨的树枝,直摇得根根枝丫咔咔作响,飞落下千百颗晶莹的水滴。有时仿佛从山里飘来清凉的雪的芬芳,随后又让人呼吸到一种又甜又冲鼻的气息。空中和地上的一切都在骚动,显得极度的烦躁不宁。马匹轻轻地喷着鼻息,往已是下坡的路上跑去。小铃铛在前边叮叮当当作响。

一到旅馆,这位年轻人就立即跑到旅客登记处,匆匆地稍一浏览,马上就失望了。"我干吗到这里来?"他开始烦躁不安地自忖,"光在这里的山上呆着,没有社交,这比在办公室还烦人。显然,我来得不是太早就是太晚,每逢假期,我的运气总是不好,登记本上没有一个熟悉的名字。哪怕有几个女人在这里也好,那就可以来次小小的、必要时甚至是真挚的调情,而不至于索然寡味地度过这个星期。"这位年轻人是个男爵,出身于名望不是那么太高的奥地利官僚贵族,现在总督府供职。他这次短短的休假并没有特别必要,只是因为他的同事都休过了一星期春假,而他又并不愿意把自己的一周假期送给国家。他虽然不乏才干,却具有一种喜爱社交的秉性,喜欢在各种人物的圈子里出头露面,并深知自己对于孤独是一筹莫展的。他从来不喜欢深居简出,尽可能地避免只身独处,因为他根本不愿意闭门反躬自省。他知道,他需要人的摩擦面,以便使他内在的才华,他心底的热情得以放纵,并燃起火光,而他一人独处时则是冷冰冰的,毫无用处,就像那装在匣子里的火柴。

他沮丧地在空无一人的前厅里踱来踱去,时而心不在焉地翻翻报纸,时而又在音乐室的钢琴上弹一曲华尔兹,不过手不由己,老是弹不出正确的旋律。后来他就烦躁地坐下,凝视着窗外。窗外夜幕正缓缓下垂,灰色的雾霭像蒸气一样从松林中升腾起来。他心烦意乱、百无聊赖地在那里呆了一个小时,就走进了餐厅。

餐厅里才只有几张桌子坐了人,他都匆匆地投以一瞥。毫无所获!只有那边的一位教练——他是在跑马场认识的——,漫不经心地招呼了他,还有一张面孔在环城路① 上见过,此外,什么也没有了。没有女人,没有任何能够引起一次——即便是短暂的也好——钟情的对象。他本来就沮丧的情绪变得更加烦躁。像他这样的年轻人,他们标致的面孔常使他们获得成功,他们心里总是在为一次新的相遇,一次新的经历作好准备,他们总是急不可待地憧憬那未知的艳遇,他们对任何看来意外的事情都不会吃惊,因为一切早就在他们预料之中了,他们的眼睛不会放过任何性爱的东西,因为他们投向每个女人的第一瞥目光,就是从肉欲上打量的,而且不管她是朋友的妻子,还是给他开门的女仆。如果以某种草率的鄙视态度把这些人称作追逐女人的能手,那么无意中就会使这个字眼包含多少由观察而得来的真理啊!因为在他们身上确实集中了狩猎者各种强烈的本能:侦察、兴奋和心灵的冷酷。他们的举止总是落落大方,时刻准备着,而且一心想寻花问柳,并穷追不舍,不达目的决不罢休。他们总是充满激情,但不是恋人那种高尚的激情,而是赌徒那种冷酷的、谋略的、危险的激情。他们当中有一些固执的人,他们不仅把青年时期,而且单是由于等待机缘就把整个一生变成无穷无尽的追逐冒险,他们把一天分解成几百次小的官能享乐——马路上的一瞥、一个瞬息即逝的微笑、对坐时轻轻触到的膝头——,把一年又分解为几百个这样的日子。对他们来说,官能享乐就是永远潺潺流动的、富于滋

---

① 维也纳市中心的一条繁华大街。

养的、充满刺激的生活的源泉。

然而这里却没有一个可供玩弄的对手,这一点,这位在用目光狩猎的人马上就看清了。宛如一个赌徒手里拿着牌,满怀信心地坐在绿色的赌桌旁,却等不到一个对手。对一个赌徒来说,任何刺激都没有这种刺激最使人恼火的了。男爵要了一份报纸,他的目光阴郁地在字行上移动,但思想却是麻木的,像是醉酒似的在这些铅字上磕磕绊绊。

忽然他听见背后有衣服的窸窣声和一个略为有点生气的装腔作势的声音:"Mais taistoi donc①,埃德加!"

一个穿着绸衣的女人走过他桌旁,衣服发出轻微的窸窣声,旁边投下高大而丰腴的身影,她后面跟着一个脸色苍白的小男孩,他穿着黑丝绒上装,目光好奇地扫了他一眼。这两个人在对面为他们留着的桌旁坐下,孩子显然竭力想使自己的举止合乎礼节,但是从他不安静的黑眼珠看来却又做不到。这位夫人——年轻男爵的注意力全在她身上——穿着十分整齐和优雅,他非常喜欢她这种类型,这是一个快要进入中年的犹太女人,身材显得稍为丰满了些,热情充沛,可又善于把自己的热情隐藏在高雅的伤感后面。起初他还不敢看她的眼睛,只是欣赏她那两道弯弯的、美丽的眉毛,在她那柔嫩的鼻子之上呈一弧形,那秀丽的鼻子虽然显示了她的种族,但这高贵的造型却也使她的轮廓显得分明和可爱。她的头发如同她丰满的身体上一切女性的东西一样,长得特别浓密。看来她对自己的美貌颇为自信,对于种种仰慕早已司空见惯。她轻声地点了饭菜,并教训正在叮叮当当玩叉子的男孩——做这一切的时候,她装出一副漫不经心的神态,对男爵小心翼翼投来的目光,装出不在

---

① 法文:别说话!

意的样子，而实际上正是由于他那目不转睛的眼光才迫使她这般拘束和小心的。

男爵阴沉的脸一下子变得豁然开朗起来。眉开眼笑，精神焕发，皱纹平整了，肌肉放开了，因此他的身材也一下子变得魁梧了，眼睛闪闪发光。他同那些需要男人在场才能焕发自己全部力量的女人完全一样，只有情欲的刺激才能把他的精力全部调动起来。潜伏在他心里的猎手嗅出了这里有猎物。他的目光挑战似的搜寻她的目光，要与之相遇。她的目光闪烁着犹豫的神态，有时在移动中与他的目光交叉，但却从不做什么明确的回答。他觉得她的嘴角有时也泛起一丝微笑。不过这一切都是那么模棱两可，而使他激动的，却正是这种不可捉摸的神情。唯一使他觉得有希望的，是她的目光常常在扫视，这意味着反抗和拘束，再加上她同孩子的谈话显得出奇的谨慎，这显然是做给一个观众看的。他感觉到，过分强调这种惹人注意的镇定正是用来掩饰她意马心猿的一种手法。他自己也激动了：这场戏已经开场了。他巧妙地拖长吃饭的时间，目光几乎不停地把这位夫人紧紧盯了半个小时，直到他默画了她脸上的每一根线条，能无形地触摸她丰腴身体的每个部位为止。外面天色更暗了，大片雨云向树林伸出灰色的双手，树林像孩子似的，因为恐怖而呻吟起来，挤入屋内的阴影也越来越浓了，沉默使屋里的人越加感到窘迫。他觉察到，在寂静的威胁下，母亲同孩子的谈话变得越来越勉强，越来越不自然，话快说完了。这时他决定进行一次试探：他第一个站起身来，经过她的身旁慢慢向门口走去，久久凝望着室外的景色。到了门口，他像是忘了什么东西似的，突然把头转过来，一下子就逮住了她：她活泼的目光正在望着他的背影呢。

这情景刺激了他，他在前厅里等待着。不一会儿她来了，拉着男孩。路过时顺手翻了翻几本杂志，给孩子看了几张图片。当男爵像是偶然地走到桌旁，装着去找本杂志，实际是为了再进一步窥视她那湿润晶莹的目光，或许有机会同她搭讪时，她就转过身子，轻轻拍着她儿子的肩膀说："Viens, 埃德加! Au lit!"① 说着就冷冷地从他身边走了过去。男爵略为有点扫兴地目送着她。本来他曾计划要在今天晚上结识她的，而她这毫不留情的态度使他失望了。但归根结底这抗拒之中包含着诱惑，而恰恰是这种让人捉摸不定的态度刺激了他的欲望。无论如何，他已经有了伙伴，这出戏可以演出了。

神速的友谊

第二天早晨，男爵走进大厅，他看见那位漂亮女人的孩子正在那儿和两位开电梯的仆人聊得起劲，孩子正给他们看卡尔·梅依② 的一本书里的插图。他妈妈不在，显然还在梳妆哩。男爵现在才仔细地观察这个男孩。这是个腼腆的孩子，发育得不太好，有点神经质，大约十二岁，手脚老是不停，有一双到处窥视的黑眼睛。如同这样年龄的孩子常有的那样，他显出无缘无故受到惊吓的样子，就像刚被叫醒又突然被置于陌生的环境中似的。他的面孔不算不好看，但是还没有定型，在他身上成人和儿童的斗争还刚刚开始，胜负未定；他脸上的一切好像是手捏出来的，尚未成型，线条轮廓很不分明，只是把苍白和不安糅合在一起。此外他正处于那种不利的年龄，这时他

---

① 法文：走吧，埃德加! 该睡了!
② 卡尔·梅依（1842—1912），德国作家，专写一些以印第安人为题材的惊险小说。

们的衣服总不合身，袖子和裤子在瘦削的肢体上松弛地晃动着，而他们也从没有去注意修饰外表，讲究穿着。

这男孩在这里犹豫不决地晃来晃去，样子怪可怜的。他站在这里老碍别人的事。门房被他用各种问题纠缠得烦死了，一会儿就把他推开，但是一会儿他又挡住了大门，显然他缺少友好的伙伴。孩子喜欢问东问西，因此就去找旅馆的伙役。要是他们正好有时间，就回答他，但当看见有人来了，或者有什么紧急的事要做，谈话就立即中断。男爵面带笑容，饶有兴味地注视着这个不幸的男孩，孩子对一切都好奇地打量着，但一切都不友好地躲开他。有一次男爵紧紧抓住了这个好奇的目光，但是那黑溜溜的眼睛一旦发现自己探索的眼光被抓住，就立即怯生生地将目光收了回去，躲在下垂的眼皮后面。男爵觉得这很有意思。他开始对男孩产生了兴趣，他自忖，这孩子仅仅是由于胆怯才这么腼腆的，能不能把他作为去接近那女人的最迅速的媒介呢？无论如何，他要试一试。男孩刚刚又跑到门外去了，他就悄悄地跟着。这孩子需要温柔与爱抚，只见他抚摸着白马的玫瑰色的鼻孔。可他真没运气，马车夫也相当粗暴地把他撵走了。现在他又伤心又无聊地荡来荡去，空虚的眼神里含着一丝儿悲哀。这时男爵就同他搭话了：

"喂，小家伙，你喜欢这儿吗？"他突如其来地说，竭力使他的口气平易近人，毫无架子。

孩子的脸涨得绯红，怯生生地在发愣。有点害怕似的用手按着心口，难为情地来回转着身子。一位陌生的先生和他谈话聊天，这在他的生活中还是第一次。

"谢谢，很喜欢。"他结结巴巴地说了这么一句，最后一个字只在喉咙里咕噜了一下，就咽了回去。

"我觉得很奇怪，"男爵笑着说，"这本来就是个很乏味的地方，尤其是对像你这样的年轻人。你整天干什么呢？"这男孩依然不知所措，不能爽快地回答。这位漂亮的陌生先生来找他这个无人过问的孩子聊天，这真可能吗？这使他既羞涩又骄傲。他费力地鼓足了勇气。

"我看书，然后我们散步，有时候我们也坐车，妈妈和我。我是来这里休养的，我生过病，大夫说我得多晒太阳。"

最后几句话他已经说得相当镇定了。孩子们对自己生病总感到很骄傲，因为危险使得他们在家人眼里显得倍加宝贵。

"是啊，太阳对于像你这样的年轻人非常必要，它一定会把你晒得黑黑的。但是你也不能整天坐着晒太阳，你应该到处跑跑，痛快地玩玩，也可以来点儿恶作剧。我觉得你太老实了。你看起来像是个整天呆在家里、手里捧着又厚又大的书本啃个不停的书呆子。我记得我在你这么大的时候简直是个淘气包，每晚回家时裤子都撕破了。你别太老实了。"

孩子下意识地笑了，这一笑可解除了他的恐惧心理。他本想也说几句，但觉得在一个如此友好亲切的陌生先生面前这样随便就显得太放肆了。别人说话他从来不插嘴，而且老是容易发窘；现在由于幸福和羞怯，他更不知所措。他很希望和这位先生的谈天继续下去，可是却什么话也想不出来。幸好这时旅馆的那条大黄狗走了过来，嗅了嗅他们俩人，并乖乖地摇着尾巴让人抚摸。

"你喜欢狗吗？"男爵问。

"噢，很喜欢。我祖母在巴登[①]的别墅里养了一条狗，我们在那里住的时候，它整天都跟着我。不过我们只是夏天才到那里去玩。"

[①] 巴登，这里指奥地利的巴登城，以风景秀丽和温泉浴场而出名。

"我家里,在我们庄园里,有二十多条狗,如果在这里你听话,我就送你一只狗,送你一只白耳朵的棕毛小狗。你要吗?"

孩子高兴得脸都红了。

"嗯,要的。"

这句话脱口而出,说得热切而贪婪,但接着又胆怯地、像吓着一样,吞吞吐吐地说出他的担心。

"可是妈妈不会同意的。她说她不能让人在家里养狗。狗太使人讨厌了。"

男爵不觉喜形于色,终于把话题转到了他妈妈身上。

"妈妈那么严厉吗?"

孩子思索着,对他注视了片刻,似乎在自问,对这位陌生的先生是否可以信赖。回答是谨慎的:

"不,妈妈并不严厉。因为我刚生了病,现在她什么都允许我的。甚至她也许会同意我养条狗呢。"

"要我为你说情吗?"

"要,请您给说说吧!"男孩高兴得叫了起来,"这样妈妈肯定会答应的。这条狗是什么样的?白耳朵,是吗?它会把捕获物找到叼回来吗?"

"会,它什么都会。"男爵如此迅速地就从男孩的眼里发现了闪烁着的热切的光辉,他为此粲然一笑。开始时的拘谨一下就消失了,由于害怕而收敛起来的热情一下子就喷涌而出。这个原来腼腆的、羞涩的孩子转瞬间就变成一个热情嬉闹的男孩子。男爵不由自主地想,要是那位母亲也是这样,在胆怯之后也这么热烈就好了。刚这么想,那男孩就蹦到他身上,向他提出了二十个问题:

"这只狗叫什么名字?"

"叫卡罗。"

"卡罗!"孩子欢天喜地地叫道。

大概他说每句话都在笑,都在欢叫,被这喜出望外的喜讯陶醉了。事情竟进展得出人预料地神速,连男爵本人都感到很吃惊。他决心趁热打铁。他邀请这孩子跟他一块散散步,而这可怜的孩子呢,几个星期以来就渴望着有人跟他一起玩玩,听了这个邀请,他简直欣喜若狂。这孩子被他的新朋友用一些像是偶然想到的问题所引诱,喋喋不休地把什么事都讲了出来。一会儿工夫,男爵对这个家庭的一切就一清二楚了,尤其是知道了埃德加是维也纳某律师的独生子,出身于一个富有的犹太资产阶级家庭。他通过巧妙的询问,马上就打听到,他母亲对塞默林完全不感兴趣,她曾抱怨这里没有谈得来的朋友,他甚至觉得,从埃德加回答他妈妈是不是喜欢他爸爸这个问题时的支支吾吾的神气,可以推测到关系准不那么妙。他对自己的做法几乎感到羞愧了,他轻而易举地就从这天真无邪的孩子嘴里把这些细微的家庭秘密套了出来。因为埃德加完全信任了他的新朋友,并为自己讲的事情居然能引起一个大人的兴趣而感到自豪。再加上散步时男爵曾把胳膊搭在他的肩上,大家都会看到他和一个大人的关系是多么亲密,埃德加那颗幼稚的心灵由于这种自豪感而剧烈地跳动起来,他渐渐忘了自己是个孩子,无拘无束地像同年龄相仿的人那样滔滔不绝地谈个不休。从他的谈吐中可以看出,埃德加很聪明,正如大多数病弱的孩子一样,由于跟成人在一起的时间比跟同学在一起的时间多而有些早熟,对于自己倾慕或敌视的人或事,反应出奇的激烈。他对任何事情都不能心平气和,谈到任何人或事时,不是特别喜爱,就是极端仇恨,甚至恨到脸都会扭曲得凶狠、难看。也许因为刚生了病的原因吧,他说话带点粗野和突如其来的味道,这使他的言谈如火样的炽热,看来他的笨拙只不过是对自己激情的一种恐惧,一种他费力加以压抑的恐惧而已。

男爵轻而易举地得到了他的信任。仅仅半个小时,他就掌握了这颗火热的不安地颤动着的童心。欺骗孩子,欺骗这些难得被人爱的天真无邪的孩子真是轻而易举的事。他只要把自己的身份忘掉就行了,这样同孩子说起话来就会自然而然,无拘无束,使孩子也觉得他是个小伙伴,于是几分钟之后两人之间任何感情上的距离也没有了。埃德加简直欣喜若狂。在这寂寞的地方突然找到了一位朋友,一位多好的朋友啊!他把维也纳的小男孩全都忘了,连同他们细声细气的声音和幼稚可笑的废话,他们的形象好像都让位给这位新的大朋友了。当这位大朋友告别时又一次邀请他明天上午再来的时候,当这位新朋友像大哥哥似的从老远向他招手的时候,他自豪得连心都要跳出来了。这一刻也许是他生活中最美好的时刻。欺骗孩子真是易如反掌。——男爵向这个跑着走开的孩子微笑着。现在他有了介绍人。他知道,孩子一定会去讲给他母亲听,一直要把他母亲折腾得精疲力尽方才罢休,他准要每句话都复述一遍——这时他怡然自得地想到,他在提到她的时候加了一些奉承话,譬如每次他都用埃德加的"漂亮的妈妈"这个词来称呼。这位健谈的孩子不把他妈妈和他引到一起是不会安静的。对这一点他确信无疑。他无需自己动手就可以缩小他和这位漂亮的女人之间的距离,现在他可以安安静静地做他的梦,眺望一番景色,因为他知道,一双热烈的小手就会为他筑起一座通向她的心扉的桥梁。

三 重 唱

　　几小时以后证实，这个计划是非常出色的，每个细节都获得了成功。当年轻的男爵故意稍稍晚些进入餐厅的时候，埃德加从椅子上一跃而起，急忙向他致意，面带幸福的微笑，向他招手。同时拉着他母亲的袖子，慌张而激动地在劝说她，一面以引人注目的手势指着男爵。他母亲不好意思地红着脸斥责孩子这些任性的举止，可是终究还是不能不往那边瞧瞧，以照顾孩子的意愿。男爵立即抓住这个机会恭恭敬敬地鞠了一躬。这样彼此就算认识了。她不得不回礼。但此后就把头埋得更低，只顾吃她的东西，整个用餐时间都小心翼翼地避免再往那边看。埃德加可不是这样，他不住地望着那边，有一次他甚至想和那边说话，这种放肆的行为立即遭到了他母亲的严厉责备。吃过晚饭以后他就该去睡觉了，这时他和妈妈悄悄说了好一阵子话，结果是他的热切请求得到允许，于是就走到另一张桌子去向他朋友道别。男爵对他说了几句亲切的话，这又使这孩子的眼睛里露出了光辉，他和他聊了几分钟。突然男爵巧妙地把话一转，站起来向另一张桌子转过身去，祝贺邻座那位有点不知所措的女士有这么个聪明伶俐的儿子，说他上午跟她儿子在一起十分愉快——埃德加站在旁边，快乐和骄傲使他的脸都红了——，又问起孩子健康，问得十分详细，提了许多具体问题，迫使母亲只好一一作答。这样他们就不可遏止地进行了一次较长的谈话，男孩对此感到非常幸福，并以一种敬畏的心情倾听着。男爵作了自我介绍，并相信觉察到他那响亮的名字对这位爱慕虚荣的女人产生了某种印象。总之，她对他非常彬彬有礼，尽管她丝毫未失自己的尊严，甚至还先向他提出告别，她抱歉地说，这是因为孩子的缘故。

孩子激烈反对，说他不困，愿意通宵不睡。可是他母亲已经向男爵伸出了手，他尊敬地吻了它。

这一夜埃德加睡得很不好。他心里像一团乱麻，既有极度的幸福，又有稚气的绝望。因为在他的生活里，今天发生了新的事情。他第一次进入了大人的行列之中。他半睡半醒，忘掉了自己的童年，似乎自己一下子长大了。直到现在，他一直孤单地受着教育，常常生病，没有几个朋友。他需要温暖爱抚，但是除了父母和仆人之外，别无一人，而父母亲也很少照看他。对于爱的威力，如果只是根据其起因，而不是根据它产生之前的张力，不是根据那空虚而黑暗的空间——这空间在心灵发生重大事件之前充满了失望和孤寂——来判断，就必定会判断错的。一种超重的、没有使用过的感情已在这里期待着，现在它伸开双臂向第一个似乎赢得它的人扑过去。埃德加在黑暗中躺着，心里快乐异常，思绪万千。他想笑，又想哭。因为他喜欢这个人，他还从未爱过一个朋友，没有爱过父亲和母亲，就连上帝也没有爱过哩。他少年时代全部幼稚的热情，现在紧紧地拥抱着这个人的形象。两小时前他连他的名字还不知道呢。

他很聪明，不会为这突如其来的、独特的新友谊而发窘。但使他感到十分惶惑不安的却是觉得自己微不足道，无足轻重。"我配得上做他的朋友吗？我，一个十二岁的孩子，还在上学，晚上总要比别人更早地被打发去睡觉。"这些想法在折磨着他。"我能为他做些什么呢？我能对他有些什么帮助呢？"他想以什么东西来表达自己的心意，却痛苦地感到力不从心。这使他很不愉快。往常，每当他喜欢某个同学，第一件事就是把他书桌里宝贵的小玩艺儿，像邮票、石头之类童年的财产分几样给这位同学，这些东西，他昨天还觉得非常了不起，魅力非凡，现在一下子就变得一钱不值、微不足道和不屑一顾了。那么他怎样才能给这位他连"你"字都不敢称呼的新朋友一些宝贵的东西呢？用什么办法才能表达自己的感情呢？他越来越因为自己的矮小，自己的半大不小、不成熟，为自己还是个十二岁的孩子而苦恼，他从来还没有因为自己是孩子而如此痛恨地诅咒过自己呢，也从来没有如此殷切地渴望长成他梦想的那样：高大、强壮，长成一个男子汉，一个像别人一样的大人！

这些惶惑不安的念头，很快就编织成了这个崭新的成人世界的色彩缤纷的美梦。埃德加终于带着微笑入睡，但他老想着明天的约会，这破坏了他的酣睡。他怕去晚了，所以第二天七点钟就惊醒了。他急急忙忙穿上衣服，到母亲房里去问了早安。这使他母亲十分惊讶，过去她总要费好大的气力才能把他从床上叫起来。还没等她发问，他就跑下楼去了。他一直焦急地晃荡到九点，连早饭都忘了，一心想着别让他的朋友为这次散步等得太久。

九点半，男爵终于潇洒地走了过来，他当然早就把这次约会忘在九霄云外。但是现在因为孩子热切地向他跑来，他也不得不对这股激情报以微笑，并表示准备遵守他的诺言。他又挎着孩子的胳膊，带着这个神采奕奕的孩子走上走下，只是委婉地、但是坚决地拒绝现在就一起去散步。他好像在等待什么，至少他那心神不定的、扫视着大门的目光说明了这点。突然他全身一振，埃德加的妈妈走进了前厅，一边回答他的问候，一边亲切地朝他俩走来。当她得知埃德加当作什么了不起的秘密瞒着她想和男爵一起散步的计划时，就微笑着同意了，并爽快地接受了男爵要她同去散步的邀请。

埃德加立即露出一副愁眉苦脸的样子，咬着嘴唇。多恼人,她偏偏现在走来了!这次散步本该只属于他一个人的,即使是他自己把他的朋友介绍给妈妈的,但这只不过是表示他的一种盛情而已,这并不表明他因此愿意和她共有这位朋友。当他看到男爵对母亲那股殷勤劲儿时,他心里就激起了某种妒意。

他们三人一起散步,由于他们两人都对他表示了出奇的关心,因而在孩子的心里更滋长了一种觉得自己很了不起的、突然身价百倍的危险感觉。埃德加几乎成了谈话的中心了。母亲有点假惺惺地对他苍白的脸色和他的神经质表示忧虑,而男爵却又笑嘻嘻地反对这种看法,并赞许他的"朋友"——他是这么称呼他的——的可爱。这是埃德加的最美好的时刻。他获得了他整个童年时期所没有得到的权利。他可以同大人一起说话而不立即受到申斥,要他住嘴,他甚至可以表示各种各样的冒失的要求,而这些他若在这以前提出来就准会挨上好一顿臭骂。自己认为业已长大成人了,当这种自欺欺人的感情在他的心里越来越自信地滋生起来时,孩子的这种情绪是毫不奇怪的。在他光明的梦境里,童年已经被远远地甩在了身后,就像抛掉一件不合身的衣服那样。

中午,男爵应越来越友好的埃德加的母亲之邀,坐在她的桌上。由 vis‑à‑vis① 到一起并坐,由认识变成了友谊。三重唱正在进行,女声、男声、童声这三种声音配合得十分协调。

---

① 法文:面对面。

进　攻

　　现在这位没有耐心的猎手觉得是时候了，是蹑手蹑脚地挨近他的猎物的时候了。在这种事情上他不喜欢老是这种亲热的三重唱。三个人在一起聊聊天，当然很惬意，但是归根结底聊天并非他的目的。他知道男女之间的情欲，如果成了戴假面具游戏的社交，就会耽误官能享受，就会使语言失去激情，使进攻缺乏火力。要使她透过谈话了解他的本意，至于这个本意是什么，他已经使她了解得一清二楚了，对此他是很有把握的。

　　他对这个女人所打的主意恐怕不至于徒劳无功，成事的或然率很大：她正当那种关键性的年龄，这时候一个女人对自己素来忠于一个不喜欢的丈夫开始感到后悔了，美貌正在消逝，风韵所余无多，在母性和女人之间她还不能作出刻不容缓的最后一次抉择。生活，好像早就已经有了答案的生活，此刻又一次成了疑问，意志的磁针最后一次在渴望官能享受和彻底断绝欲念之间颤动着。一个女人面临着一个危险的决断：是为了她自己的命运，还是为了孩子的命运，是做女人还是做母亲。男爵对这一切都一目了然，他感到他已经觉察到她的这种危险的动摇了。她谈话当中总是忘记提及她丈夫，实际上心里对她孩子也了解得非常之少。她杏仁般的双眸里有一种百无聊赖的影子，在伤感的面纱下，半遮半露地掩饰着她的情欲。男爵决定迅速采取行动，但同时又避免急不可待的样子。相反，像垂钓者引逗地抽回钩子一样，在他这方面，他又做出一副极其冷淡的样子，虽然实际上是他在追别人，但却要让别人来追他。他决定表现得高傲一些，竭力强调他们社会地位不同。他觉得只要突出他的高傲、显示他的外貌、强调他那响亮的贵族姓氏，以及做出冷冰冰的举止,就可以将这温柔、丰满、漂亮的肉体弄到手。这个想法撩拨得他心里奇痒难熬。

这场热烈的戏已使他兴奋异常。因此他强迫自己小心从事。他一下午都呆在自己房间里,美滋滋地相信她在找他,在惦记着他,但是,他未露面并未引起她的注意,她本来就想避开他的。可是这使可怜的孩子难受极了。整个下午埃德加都茫然困惑、若有所失;他以男孩子所特有的那种执拗的忠诚,在漫长的好几小时里始终痴心地等着他。他觉得走掉或者独自做点什么事都是一种罪过。他茫然无主地在过道里踱来踱去,天色越晚,他心里越是怏怏不乐。他心绪不宁,想入非非,他梦到一次事故,梦到不知不觉中受到的一次侮辱,由于焦急和恐惧他差点儿哭出声来。

男爵晚上去吃饭的时候,受到了热烈欢迎。埃德加不顾母亲告诫,叫了他,不理会别人的惊讶,朝他奔去,用他瘦削的双臂紧紧抱住他的胸部。"您在哪儿啦?您在哪儿呆着啦?"他匆忙地叫道,"我们到处找您。"母亲不高兴把自己扯进去,所以脸红了。她相当严厉地说:"Sois sage, Edgar. Assieds toi!"① (她总是和他说法语,虽然她的法语讲得并不自如,一碰到难表达的句子还感到很吃力。)埃德加顺从了,但还在向男爵刨根问底。"你别忘了,男爵先生可以做他愿意做的事。也许他讨厌我们跟他在一起呢。"这回她自己把自己扯进去了。男爵立刻就愉快地感到,这种责备正是为了恭维。

猎手兴奋起来了。他狂喜、激动,那么迅速地在这里找到了猎物的真正足迹,他感到它就在他的射程之内了。他的眼睛炯炯发光,神采飞扬,口若悬河,滔滔不绝,连他自己也不明

---

① 法语:听话,埃德加,坐下!

所以,他同每个情欲旺盛的人一样,当他知道讨得了女人欢心时,便风度飘逸,潇洒自如,就像有些演员,当他们知道面前的观众对他们着迷时,就劲头倍增。他在朋友们中间是个讲春宫故事的能手,而今天——这时他喝了几杯为庆祝这新友谊而要的香槟酒——就讲得更为出色。他自诩为一位地位很高的英国贵族朋友的客人,在印度打过猎。他很聪明地选了这个题目,那是因为这题材是轻松的,而且他可以从旁观察这些富有异国情调的轶事,这些她所无法企及的事情在这个女人身上所引起的激动。听了这个故事最最着迷的,首先还是埃德加,他的眼睛也由于兴奋而显得炯炯有神。他忘了吃,忘了喝,凝视着这位侃侃而谈的人。他从未希望真正能够见到一位有过亲身经历的人,讲述他只从书本上才读到过的那些惊人的险遇,什么猎虎啦、棕色人啦、印度人啦,以及把千百人研为齑粉的、可怕的 Dschagernat① 的轮子啦等等。直到现在他还从来不相信真的会有这样的人,正如他从来没把童话国当成真的国家一样。此刻,他心里突然第一次涌现出一个辽阔的世界。他目不转睛地盯着他的朋友,屏住呼吸,凝视着他面前那双曾经打死过一只老虎的手。他什么都不敢问,随后他说话的声音异常兴奋。在他驰骋的想象里,他的大朋友成了故事里的主角:他高高地骑在一只披着紫色象服的大象上,戴着贵重头巾的棕色皮肤的男人两边相随;突然他又看见丛林里跳出一只龇牙咧嘴的老虎,伸着前爪去抓大象的鼻子。现在男爵又讲起更为有趣的、关于怎样智捕大象的故事:用驯服的衰老动物把猛烈的、目空一切的幼象诱进木笼子里。孩子的眼睛迸发出炽热的光

---

① 即转轮王,为神话中的印度国王。

芒。这时妈妈看了一下表,突然说:"Neuf heures! Au lit!"①他觉得,这仿佛在他面前落下一把闪着寒光的刀。

埃德加吃了一惊,脸都吓白了。"带你上床!"这对所有孩子来说,都是一句可怕的话,因为他们觉得,这句话是在大人面前对他们的公然轻蔑,是一种自我招供,是童年和小孩需要多睡眠的一种标志。可是这种羞辱竟发生在这么有意思的时刻,使他听不到这些闻所未闻的故事,这真是太可怕了。

"只听完这一个,妈妈,这个捕象的故事,就让我听完这一个吧!"

他开始乞求了,但立即想起了他作为大人的新的尊严。而他母亲今天也严厉得出奇。"不行,已经很晚了,快上楼吧!Sois sage②,埃德加!男爵先生讲的故事明天我都详细地讲给你听。"

埃德加迟疑地站了起来,以前每次都是他母亲送他上床,可今天当着他朋友的面他不愿乞求,他那孩子气的骄傲使他起码还要做出自愿走开的样子。

"真的呀,妈妈,明天你全部讲给我听。全部!关于捕象的故事和其他的故事!"

"好,我的孩子!"

"马上,今天就要讲!"

"好,好,但是你现在去睡。走吧!"

埃德加自己也感到奇怪,他把手递给男爵和妈妈的时候,居然脸没有红,虽然喉咙里已经在呜咽了。男爵亲切地捋了捋孩子那浓密的头发,这使得孩子绷紧的脸上又露出了一丝笑

---

① 法语:九点了!该睡了!
② 法语:要听话。

容。接着他就赶快往门口跑去，否则他们就要看到大滴大滴的眼泪从他脸上滚下来了。

大　象

母亲和男爵又在桌旁坐了一会儿，但是他们不再谈象和打猎的事了。孩子离开他们之后，他们的谈话气氛有一点压抑，有一点微妙的不安的困窘。后来他们来到前厅，坐在一个角落里。男爵比任何时候都更加神采飞扬，而几杯香槟酒又使她兴味盎然，所以谈话很快就具有了危险性质。本来男爵谈不上漂亮，他只是因为年轻，头发剪得短短的，一张棕黑色的精力旺盛的娃娃脸，很有点男子气魄，他那灵活而几乎是调皮的动作撩得她意马心猿。现在她乐于从近处看他，也不害怕他的目光了。在他谈话之中，逐渐有了一种使她略感困惑的放肆，有某种类似抚摸她的身体的东西，有一种触及她的身体又迅速移开的东西，有某种捉摸不定的欲望，这使得她双颊绯红。随后他又轻快地笑着，无拘无束，像个孩子。这就使得这些细微、轻浮的欲念，好像是孩子闹着玩似的。有时她觉得该对他说句严厉的话。但是她生性喜欢卖弄风情，被这些淫猥的话儿撩拨得心痒难当，只想更多地消受。这种放肆的游戏使她感到销魂。后来她自己也模仿起来。她频送秋波，暗示允诺，完全沉湎在这绵绵情话和狎昵动作中，甚至容许他挨近。他的声音有时使她感觉到他那热乎乎的、颤栗的呼吸正喷在她的肩头上。像一切赌徒一样，他们也忘掉了时间，完全陶醉在销魂的谈话之中。到了午夜，前厅里开始熄灯的时候，他们才猛然一惊。

一惊之下，她立即一跃而起，猛然感到自己太放肆了，竟干出了这样的事。本来她也是个玩火的里手，但现在她那已被撩拨起来的本能业已感觉到,火已玩到这个危险的人身边了。她颤栗地发现,自己已不能再把握住自己,心里有什么东西开始在蠕动,看什么都很兴奋,宛如一个人在发高烧时的感觉一样。恐惧、酒和火热的话语在她头脑里回旋激荡,一种恼人的、莫名的恐惧攫住了她,她一生中这种恐惧在类似这样的危险时刻里曾经历过数次,但是都没有这一次那样令人头晕目眩,如此猛烈无情。"晚安,晚安。明早再见!"她急匆匆地说着,想逃遁而去。这倒不是为了逃脱,而是为了逃开此刻的危险,逃脱她自己心中一种新奇的、陌生的、欲推犹就的窘境。男爵轻轻抓住她告别时伸出来的手,吻着。不是通常的吻一次,而是用嘴唇从纤秀的手指尖一直到手腕,颤抖着吻了四五次。她感到他硬硬的胡须在她手背上戳得痒痒的,她起了一阵微微的哆嗦。某种温暖的、令人窒息的感情,从手背上随着血液流贯全身。恐惧甜蜜地袭来,她的太阳穴嘣嘣直跳,头在发热。恐惧,这莫名的恐惧现在使得她全身颤栗起来,她急忙从他手里抽回了自己的手。

"您再呆会儿嘛。"男爵悄悄地说。可是她已经仓惶失措地匆匆跑走了,这个动作使她的恐惧和慌乱暴露得一目了然。现在她心里很兴奋,这也正是男爵的意图。她觉得,她的感情越来越不能解释了。残酷得灼人的恐惧在追逐着她,把她抓住,但就在逃开的时候,她同时又为他没有这样做而感到惋惜。她多年来下意识渴望的事情,很可能会在这种时刻发生。从前这种艳事她总是在最后关头把它摆脱开了,可对它的气息她爱得如痴如醉,这种巨大的、危险的艳事,这种不是转瞬即逝的撩人的调情。可是男爵很骄傲,不去捕捉这个良机。他对自己的胜利满有把握,因而不想在这个女人酒意朦胧、不能自持的时候把她弄到手,正相反,只有神智清醒时的斗争和委身,才会激起这个手段光明正大的赌棍的兴趣。她是逃不出他的手心的。他看到,她血管里火辣辣的毒药使她颤栗了。

她在楼梯上停住脚步,用手按着气喘吁吁的心口。她得休息一分钟。她的神经已经受不住了。她从胸口发出一声叹息,这叹息,半是庆幸自己脱离了危险,半是惋惜;这一切都像一团乱麻,弄得人头晕目眩,六神无主。她半闭双眼,像喝醉了酒一样,在往她的房门那儿摸索,接着她深深地舒了一口气,因为她终于抓住了冰凉的门把手。这时她才感到安全了!

她轻轻推门进了房里,马上就吓得退了回来。房里,在里边暗处,有什么东西动了一下。她那兴奋的神经剧烈地战栗了。她正想呼救的当儿,从里面发出了一个轻轻的、睡意蒙眬的声音:"是你吗,妈妈?"

"上帝保佑,你在这里干吗?"说着她就直奔沙发床。埃德加正蜷缩成一团在上面躺着,刚刚醒来。她第一个念头就认为这孩子准是病了,或者是需要什么东西。

但是埃德加却仍带着睡意,用略带一点责备的口气说:"我等你好久,后来就睡着了。"

"干嘛等我?"

"为了大象。"

"什么大象?"

现在她才想起,她确实答应今天晚上就把打猎的故事和其他冒险故事全讲给他听的。因此孩子跑到她房间里来了。这单纯、幼稚的孩子,他深信不疑地等着她,等着等着,就睡着了。这种放肆的举动激怒了她,或许她本来是对自己发火,她想大喊大叫来掩饰自己的罪过和羞愧。"马上回自己床上去,你这没有教养的东西!"她对他嚷了起来。埃德加诧异地望着她。她为什么对他发那么大的火?他又没有做什么错事。但是他的惊讶却似火上加油。"马上到自己房里去!"她怒气冲冲地吼道,这时,她感到委屈他了。埃德加默默地走了。原来他已经疲倦极了,透过朦胧的睡意,他迟钝地感觉到,他母亲没有遵守自己的诺言,这样对待他是不公正的。但是他没有反抗。因为困倦,他觉得什么都是昏昏沉沉的,一切都是麻木迟钝的,随后他又生自己的气,竟在这里睡着了,没有醒着等妈妈。"完全像个孩子。"在重新入睡以前,他还在生自己的气。

因为从昨天起,他就恨自己的童年了。

前 哨 战

男爵没有睡好。一次调情中断之后就去睡觉总是危险的:一个不平静的、梦魇频扰之夜,使他不久就后悔没有把这一分钟紧紧抓住。当他早晨带着未消的睡意,怀着恶劣的心绪走下楼来时,孩子从躲藏的地方朝他蹦跳过来,热情地投入他的怀里,用千百个问题来折磨他。埃德加非常快乐,他又有一分钟可以独占他的大朋友,而不须和妈妈分享了。他的故事该只讲给他听,不再讲给妈妈听了。他向他提出许许多多问题,因为妈妈虽然答应给他讲,但还是没有把这种奇妙的故事讲给他听。这时,男爵吃了一惊,掩饰不住自己恶劣的心情,但埃德加却把成百个孩子气的、恼人的问题倾倒在他身上。此外,在提这些问题时还掺杂着种种亲昵的表示。他终于又和这位他找了好久、一大早就等着的朋友单独在一起,他真是快乐极了。

男爵粗声粗气地敷衍着。这孩子没完没了的叮梢、数不尽的幼稚的问题以及他那并不讨人喜欢的热情,所有这一切,都开始使他感到厌烦。天天同一个十二岁的孩子转来转去,跟他说些无聊的话,对此他感到厌烦了。现在他一心只想着如何趁热打铁，赶快把这位母亲掌握住，而孩子在场却使这事很棘手。由于他的不慎，唤起了孩子对自己的这种痴情，他对此开始感到不快。这使他心情抑郁，因为暂时他无法摆脱开这个热情得过分的朋友。

不过，无论如何总得设法摆脱他。一直到十点钟——他和孩子母亲约好去散步的时间，他心不在焉地敷衍着叽叽喳喳说个不停的孩子，只是偶尔插上一两句话，同时还翻阅着报纸。可当时钟的指针快成九十度角的时候，仿佛他忽然记起来似的，他请埃德加为他到另一家旅馆去一趟，问问他的表兄格伦特海姆伯爵到了没有。

真心实意的孩子真是高兴极了，终于可以为他的朋友办点事了，他对自己的使者身份很自豪，立即奔了出去，撒腿猛跑，惹得人们都奇怪地望着他的背影。可是他却一心想显示一下，把事情交给他办是多么可靠。那家旅馆的人对他说，伯爵还没有到，现在压根儿还没有人来打过招呼。他带着这个消息又狂奔了回来。但是男爵已经不在前厅里了。于是他就去敲男爵的房门——白敲了一阵！他怀着不安的心情跑遍了所有的场所，音乐室和咖啡室，然后激动地冲到他妈妈那里去打听个究竟。她也不在。最后他十分失望地去问门房，门房告诉他，几分钟之前他们俩人一起出去了！这消息惊得他目瞪口呆。

埃德加耐心地等待着，他天真无邪，根本不往任何坏事上想。他想他们大概只是出去一会儿，对此他是很有把握的，因为男爵还等着他的回话呢。但是好几个小时过去了，不安开始潜入他的心头。真的，打从这位陌生的、诱人的人进入了他幼小的天真无邪的生活那一天起，这孩子整天都处于紧张、激动和纷乱的状态之中。任何热情压在像小孩那么纤细的机体上，宛如压在柔软的石蜡上一样，都会留下它的痕迹。眼皮又神经质地颤抖起来,脸色变得更加苍白。埃德加等啊,等啊,起先是不耐烦,后来就激动不安,末了几乎要哭了。但他一直没有什么怨恨,他盲目地信赖这位出色的朋友。他想可能是个误会。隐隐的恐惧折磨着他,也许是自己把他托付的事理解错了。

他们终于回来了,两人愉快地聊着天,丝毫也没有什么惊讶的表示,这可真令人奇怪极了。看来他们根本就没有把他放在心上。"我们迎你去了,希望在路上碰见你。埃狄。"男爵说,并不问托付他办的事。他们居然没有在路上碰见他,这使孩子大为诧异。他向他们保证说他是从笔直的大马路上跑回来的,并想知道他们是从哪个方向去找他的。刚说到这里,妈妈就打断他的话:"行了,行了! 小孩子不要盘根问底,没完没了。"

埃德加脸都气红了,当着他的朋友的面这么卑鄙地来贬低他,这已经是第二次了。她为什么要这样做?他确信,他已不是孩子了,而她为什么总要把他当成孩子?显然她嫉妒他有个朋友,挖空心思想把他的朋友拉过去。对了,刚才肯定是她故意把男爵领错路的。但是他不愿任她欺侮,这一点她该明白。他要给她点颜色看。埃德加决定今天吃饭的时候只同他的朋友说话,跟她一句话也不说。

但是他们根本就没有注意到他的报复,甚至连他这个人也好像没有看见。这使他很难受,这完全出乎他的预料啊!昨天他们在一起的时候,他曾经是轴心啊! 现在他们两人谈笑风生,互相调侃,可是没有一句话与他相干,仿佛他掉到桌子底下去了。血涌上他的双颊,喉咙里像是塞了一团东西,卡住了呼吸。他越来越愤慨地意识到自己竟是那样的无足轻重。难道他就老老实实在这儿坐着,看着他母亲把他的朋友抢去,除了沉默之外不能进行什么反抗了吗？他想，他得站起来，用两个拳头出其不意地猛捶桌子。只有这样，才能把他们的注意力引到自己身上。但是他控制住了自己，只是放下刀叉，一口也不吃了。他们很久也没发现他不吃东西，只是到最后一道菜时，母亲才奇怪地注意到，问他是不是不舒服了。"可恶，"他心里想，"她想的只是我是不是病了，别的事情她都觉得无关紧要。"他冷冷地回答说，他不想吃，这她也就满意了。没有什么事，什么事也不会促使他们来理睬他的。男爵似乎已经完全把他忘了，至少他没有和他说过一句话。他眼里热乎乎的，泪水涌进了眼眶，他得想个法子，在乘人不注意的时候，迅速地拿起餐巾，好使这该死的幼稚的泪水不至于毫无顾忌地流下双颊。这顿饭结束的时候，他舒了一口气。

吃饭的时候，他母亲建议一起坐马车到玛丽娅·舒茨去玩一次。埃德加听着，用牙齿咬着嘴唇。她一分钟也不让他单独跟他的朋友在一起。现在她边站起来边对他说："埃德加，你要把功课全忘了，你得留在房里把功课补一补。"听到这话，他对她恨到了极点。他又一次把小拳头攥得紧紧的。她老想在他朋友面前侮辱他，总是当众提醒他，他还是孩子，还得上学，只有得到允许才可以同大人在一起。这回的用意可是一目了然的。他未做回答，立即把身子扭了过去。"噢，又不高兴了，"她笑着说，随后就对男爵说，"要是他做上一小时功课，真会那么影响他的健康吗？"

"喏，一两小时对身体绝不会有什么坏处，"男爵说。男爵，他一度把自己称为他的好朋友的男爵，曾经嘲笑他是书呆子的男爵，现在居然说这样的话，他感到浑身发凉，血液凝固。

这是默契吗？他们两人真的联合起来对付他了吗？孩子的

目光里闪烁着愤怒的火焰。"爸爸不让我在这里学习,爸爸要我在这里休养。"他一下把这句话甩了出来,带有一种对自己疾病的骄傲,绝望地死抱住父亲的话、父亲的威望不放。他把这句话当作是一种威胁说了出来。真是奇怪之至,看来这句话当真使得他们两人心里都不愉快。母亲把目光移开,只用手指烦躁不安地敲着桌子。他们之间出现一阵难堪的沉默。"随你吧,埃狄。"末了男爵强作笑容地说,"我又不用考试,我各门功课早就是不及格的。"

对这个玩笑,埃德加并没有笑,只是用审视的、锐利的目光打量着他,仿佛要深入到他的灵魂中去似的。发生了什么事呢?他们之间的关系起了变化。为什么?孩子并不清楚。他不安地移动着他的目光,一把小槌在他心里剧烈地敲打着:第一次猜疑。

灼人的秘密

"她怎么变得这样?"在滚动着的马车上孩子坐在他们对面沉思起来。为什么他们不像以前那样关心我了?为什么当我注视妈妈的时候,她总是避开我的目光?为什么他老是在我面前开玩笑,装疯卖傻?他们两人不再像昨天和前天那样跟我说话了,我仿佛觉得他们已经换了一副面孔。妈妈今天的嘴唇那么红,她准擦了口红。我从来没有见她这么打扮过。而他呢,老是蹙着眉头,好像我侮辱了他似的。我确实没有做过对不起他们的事啊,没说过一句让他们生气的话呀!不,不会是因为我的缘故,因为他们两人之间的关系和在这之前不一样了。他们两人好像干了什么事而又不敢说出来似的。他们不再像昨天那样谈笑风生、兴致勃勃了。他们很拘束、发窘,他们一定瞒着什么事。他们两人之间准有个什么秘密，不想让我知道。可我无论如何要把这个秘密弄个水落石出，不惜任何代价。我看出来了，就是那种不让我知道的秘密，这种秘密就是演戏时男人和女人伸开胳膊唱歌、互相拥抱又推开的那种秘密。这一定是同我的法语女教师的秘密一样的，爸爸同她相处得很不好，后来就把她辞掉了。所有这些事情都有关联，这我感觉到了，可就是不知道是怎么回事。噢，一定要知道这个秘密，彻底知道这个秘密，要抓住这把钥匙，抓住这把能打开所有大门的钥匙，那我就不再是孩子，不让他们再来搪塞和欺骗我了！不只现在，就是永远也不让人搪塞和欺骗！他们总把什么事都对孩子隐瞒起来。我要揭穿他们的这件事，揭穿这个可怕的秘密。

他的额头上起了一道深深的皱纹，他在严肃地苦思冥想，车厢外的景色他连望都不望。这个瘦弱的十二岁的孩子看起来几乎老了。窗外，四周色彩绚丽，山上的针叶林染着一片明净的绿色，山谷沐浴在暮春的柔和光泽里。他只是不住地盯着坐在他对面马车后座上的两个人，他灼热的目光好似一根钓竿要从他们眼睛深处把这个秘密钓出来似的。再没有什么比一条模糊不清的踪迹更能使未成熟的智力大显身手的了，有时候只有一扇很薄的门，就把孩子同我们称之为现实的世界隔开，而凑巧一阵风却会把这扇门给孩子们吹开。

埃德加蓦地感到他从来没有像现在这样挨近这个未知的巨大秘密，好像可以抓得着似的，他觉得这个秘密就在面前，虽然现在还是锁着的，谜底尚未揭开，但是很近，非常之近了。这种感觉鼓舞着他，使他显出突然郑重其事的严肃神情。因为他下意识地感到自己已经处在童年时代的边沿。

对面的两个人心里感到某种隐隐约约的障碍，但并没想到这障碍是来自孩子。三人同车使他俩感到处处受碍，很不自在，他们对面那双森然闪着火焰的眼睛打扰着他们。他们几乎不敢说，也不敢看。现在他们之间再也无法回到以前那种轻松的、社交场合的谈话了，而是很深地陷入语调亲昵、用词挑逗的阶段，常为轻佻的、偷偷的触摸而颤抖不已。他们的谈话常常接不下去。谈话中断了，想继续下去，但又不断地在孩子执拗的沉默影响下绊跤子。

他那固执的缄口不语，特别对于母亲来说是一大负担。她从侧面小心翼翼地打量着他，当她第一次突然发现这孩子咬着嘴唇的神情和她丈夫激怒或生气时的神情完全一样时，她大吃一惊。恰恰是现在，她有外遇时，想起她丈夫来，心里很不是滋味。她觉得，这孩子像是鬼怪，像是良心的卫士，在这马车里的一点点地方，在她对面只有十英寸的距离，滴溜溜滚动着的黑黝黝的眼睛在苍白的额下窥视着。这使她加倍地忍受不了。埃德加忽然抬头凝视有一秒钟之久。两人立即垂下了目光：他们感到生平第一次受到了窥伺。在此之前，母子两人亲密无间，但是现在两人之间，她和他之间，忽然有了什么东西，关系完全变了样。生平第一次，他们开始察觉到，他们两人的命运彼此分开了，两人已经相互暗暗地仇恨起来了，由于这种仇恨还刚产生，彼此都不敢承认。

当马匹又在旅馆前面停下的时候，三个人都舒了口气。这是一次不愉快的远游，这一点大家都感觉到了，可是谁都不敢说。埃德加第一个跳下马车。她母亲告罪说头痛，急忙上楼去了。她极为疲倦，想独自一人呆会儿。埃德加和男爵留了下来。男爵给马车夫付了钱，看了看表，径往前厅走去，毫不理睬孩子。孩子望着男爵那优雅、修长的背影，正迈着有节奏的、轻快飘逸的步履。这步履曾经使这孩子着迷，昨天他还悄悄对着镜子模仿哩。他走了，径直走了。显然他把这孩子忘了，让他在马车夫旁边，在马旁边站着，仿佛这孩子与他毫不相干。

埃德加看着他这样走掉，心里像有什么东西被撕成了两片。他，不管怎么他还始终狂热地爱着男爵。男爵就这样走开了，没有用大衣触他一下，没有向他这个知道自己确实毫无过错的孩子说一句话,他心里绝望了。费尽气力保持的镇静崩溃了，人为地加重了尊严的担子从他过于狭窄的肩头滑了下来，他又成了一个孩子，和昨天及以前一样渺小、恭顺。这违反他的本愿，催促他快步向前，他迈着哆嗦的步子，迅速跟着男爵，在男爵正要上楼梯的时候，他在前面拦住了他，带着难以忍住的眼泪，压低了声音说：

"我做了什么对不起您的事？您不理我了！为什么您现在老是对我那么疏远？为什么您总想把我支开？是您觉得我碍事，还是我做错了什么事？"

男爵吃了一惊。这声音里有一种东西扰乱了他的方寸，使他的情绪缓和下来。他对这个毫无恶意的孩子产生了同情心。"埃狄，你是个傻瓜！我只是今天情绪不好。你是个可爱的孩子，我真的很喜欢你。"说着他使劲地来回抚弄着他的头发，但却只是半转过脸来，以免看到孩子这双湿润的、恳求的大眼睛。他演的这出喜剧开始使他有点痛心。本来他对自己如此厚颜无耻地玩弄这个孩子的爱已经感到羞愧了，而这软弱无力的、颤动的、如泣如诉的声音更使他感到痛苦。"现在上楼去吧，埃狄，今天晚上我们又会处得很好的，你看吧！"他抚慰地说。

"但您别让我妈妈早早叫我上楼，好吗？"

"行，行，埃狄，我不让她叫你上楼。"男爵笑着说。"现在上楼去吧，我得去换吃晚餐的衣服。"

埃德加走了，此刻感到十分高兴。但不久心里的槌子又开始敲动起来。昨天以来他好像大了好几岁，猜疑，这位不速之客业已牢牢地盘踞在他的心里了。

　　他等待着。这是关键性的考验。他们一起围桌而坐。九点钟了，母亲还没叫他去睡觉。他已经感到有些不安了。为什么恰恰今天她让他在这里呆那么长时间，而以往她是一到时间就打发他走的呀？难道男爵把他的愿望和谈话告诉给她了？突然间他感到难以名状的后悔，今天真不该以完全信赖的心情去追他啊。到十点钟他母亲忽然站了起来，同男爵告别。奇怪的是，男爵对她过早告辞看来一点也没有感到惊奇，也没有像往常那样挽留她。孩子心里的槌子敲得越来越厉害了。

　　这是个尖锐的考验，他也装出一无所知的样子，二话没说就跟他母亲朝门口走去。但是走到那里时他突然用眼睛一扫，真的，在这瞬间他截获了一道含笑的目光，它越过他的头顶从她眼里正巧朝男爵送去，这是一道默契的目光，某种秘密的目光。这么说男爵把他出卖了，因此今天的早走是为了要他安静下来，好让他明天不再妨碍他们。

　　"坏蛋！"他咕哝了一句。

　　"你说什么？"母亲问道。

　　"没什么。"他从牙缝里迸出这几个字。现在他有了自己的秘密，它的名字叫作恨，对他们两人无边无际的恨。

沉　　默

　　埃德加内心的骚动业已过去。他终于享有了一种纯粹的、明净的感情：仇恨和公开的敌视。他现在确信自己是他俩的障碍，因此跟他俩呆在一起就成了他的一种复杂得出奇的乐趣。

他觉得破坏他们，用他积聚起来的全副力量去反对他们，是一件赏心悦目的快事。他先是对男爵表露出他的愠怒。早上男爵下楼遇见他时，亲切地向他打招呼说："早晨好，埃狄。"埃德加坐在靠背椅上纹丝不动，连眼睛都没抬一下，只是咕哝一下，生硬地回了他一句："好。""妈妈下来了吗？"埃德加两眼看着报纸说："我不知道。"

男爵感到惊愕。这一下子怎么啦？"埃狄，怎么啦？没睡好觉？"他本想像往常那样开个玩笑来缓和一下空气，可是埃德加依然轻蔑地冲口回了一个"不"字，随即又埋头看他的报纸。"蠢孩子，"男爵自言自语地喃喃说，耸耸肩膀，走开了，敌意已经公开了。

埃德加也以冷漠和彬彬有礼的态度对待他妈妈。一次她想打发他去网球场玩，对这样一个拙劣的企图，他平静地拒绝了。由于愤恨而轻轻滑动的冷笑紧贴在他的嘴唇上闪现出来，这表明他不再受骗了。"我宁愿跟你们一块去散步，妈妈，"他说这话带着一种虚假的亲热，并紧紧盯住她的两只眼睛。对她说来，这个回答显然是不受欢迎的。她迟疑了片刻，像是寻找什么东西似的。终于她打定了主意，说："在这儿等我，"于是就去用早点。

埃德加等待着。不信任感在他脑子里折腾着，忐忑不安地直感到他们的每句话里都能搜寻出一种秘密的、敌视的意图。现在这种猜疑经常能使他做出一种具有奇异洞察力的决断。妈妈要他在前厅里等，但他不在那里等，而宁愿站在马路上，那里不只能监视大门，而且能监视所有的门道。他心里有某种预感，觉得妈妈要了个骗局。这下他俩可再也溜不掉了。像在讲印第安人故事的书里学到的那样，他躲在马路旁的一堆木料后面。大约半个小时之后，他看到他妈妈真的从一个侧门出来了，手里拿着一束绚丽的玫瑰花，后面跟着男爵，那个叛徒。这时他满意地笑了。

两个人兴高采烈。他俩避开了他，光是为了自己的秘密，就可以舒口气了吗？他俩谈笑风生，正准备折向通往林中的小径。

现在是时候了，埃德加不慌不忙地，做得像是偶然到这里来似的，从木料后面踱了出来。他非常镇定地向他俩走来，以便有时间，有许多时间来充分欣赏他俩的惊诧表情。两个人一怔，交换一下惊奇的眼光。这孩子慢慢地，带着一种泰然的神情向他们走去，他那嘲弄的目光紧盯着他们。"啊，你在这儿，埃狄，我们在里面找过你了。"母亲终于开口说。"她撒谎撒得多不要脸啊！"孩子心里想，但是他的嘴唇却一动不动，把仇恨的秘密掩藏在牙齿的后面。

三个人犹豫不决地站在那儿，一个窥伺着另一个。"那我们走吧。"这个恼火的女人沮丧地说，顺手撕碎了一朵最鲜艳的玫瑰花。她的鼻翼在轻轻地翕动，这就暴露了她的愠怒。埃德加站在那里，仿佛这与他毫无关系，他望着蓝天，等待着。他俩要走的时候，他准备跟随他们，男爵又作了一次努力。他说："今天有网球联赛，你看过没有？"埃德加轻蔑地望了他一眼，对他根本就不予理睬，只是翘翘嘴唇，像是要吹口哨似的。这就是他的答复，明亮的牙齿显示了他的仇恨。

孩子突如其来的出现，像梦魇似的纠缠着两个人。罪犯跟在看守后面走着，暗暗攥紧了拳头。其实孩子并没有做什么，可是他俩却每分钟都无法忍受他那窥视的目光。孩子的眼睛里噙着愤怒的泪水，含着深深的阴郁，它对任何接近的尝试都愤怒地加以摈斥。"离远一点！"突然母亲狂怒地说道。孩子不断地偷听他们的谈话使她烦躁不安。"别老在我跟前跳来跳去，把人烦死了!"埃德加顺从地走开了,但是每走一两步就回过头来,一看到他俩落在后面,他就停在那儿等待着,像条黑狗用他那靡非斯特的目光①,纵横上下地织成一个仇恨的火网。他俩感到已被火网套住,无法脱身。

孩子恶狠狠的沉默像一种强酸腐蚀了他俩的兴致,他的目光使他们的谈话一到唇边就变得索然无味。男爵再也不敢说一句挑逗的话了,他愤怒地感觉到这个女人要从手上滑掉,她那好不容易才点燃的热情由于害怕这个令人厌恶的孩子又冷淡下来了。他俩总想设法交谈,却总是谈不下去。末了他们三人都默不作声,无精打采地走着,只听到树木摇曳碰撞发出的低语和他们自己扫兴的脚步声。这孩子把他俩的谈话窒息了。

现在三个人心里都充满了一触即发的敌意。这个被出卖的孩子快乐地感到,他们的愤怒是完全抵御不住他的被蔑视的存在的,但他却咬牙含恨地等着他们发作。他不时用狡黠的嘲弄的目光打量着男爵那气冲冲的面孔。他看到在男爵牙缝中滚动着骂人的话,而又不得不抑制自己,以免骂出口来。他同时也怀着一种魔鬼般的乐趣注意到他母亲的怒火正在呼呼上升;他看出他俩在寻找机会,向他扑过来,把他推倒,或者使他不能再妨碍他们。但是他不给他们这样的机会,他对自己的仇恨作了长时间的筹划,使它没有任何破绽可寻,没有任何漏洞可钻。

"我们回去吧!"他母亲突然说道。她觉得无法再控制自己了,她准会做出什么事来,至少会在这种刑罚下喊叫起来。

---

① 见歌德所著《浮士德》第一部。浮士德在复活节同他的学生瓦格纳出城散步时,魔鬼靡非斯特变成一条黑狗跟浮士德回到书斋。他那犀利的目光能洞察一切。

"多可惜,"埃德加平静地说,"这儿多美啊。"

他俩知道孩子在嘲弄他们。但是他俩什么也不敢说。这暴君在两天之内如此出色地学会了控制自己,不动声色,毫不泄露这是恶意的揶揄。他们一声不响地在漫长的路上往回走。当房间里只剩下母亲和孩子两人时,她仍然激怒不已。她悻悻地把阳伞和手套掷在一旁。埃德加立刻注意到她的神经在激动,火气需要发泄,但是他希望这次爆发,因此故意留在房间里,以便激怒她。她来回走动,又坐了下来,用手指敲弹着桌子,随后又跳了起来。"看你的头发乱成什么样子!你脏得太不像话了,这样子见人简直是丢脸。这么大了你不知道羞耻?"孩子一句顶撞的话也没说,走到一边去梳头。这种沉默,这固执而冷漠的沉默以及跳动在嘴唇上的嘲弄简直把她气得发狂,她真想狠狠地揍他一顿。"回自己房里去!"她冲着他叫了起来。埃德加微微一笑,随即走了出去。

现在她和男爵,他们两人见到孩子就发抖,在每次会面的时间,对孩子那无情而冷酷的目光都感到恐惧!他俩越是感到不自在,孩子的眼睛里就越是焕发出欢愉的光泽,他的喜悦就越有一种挑衅的味道。埃德加现在几乎在用孩子们的野兽般的残忍来折磨这对毫无抵御能力的人。男爵倒还能够压住他的怒火,因为他一直希望这是孩子的恶作剧,他只想着自己的目的。可是她,这个做妈妈的却一再控制不了自己。她觉得冲他大喊大叫一通自己会感到轻松些。"别玩弄叉子!"在餐桌上她冲着他喊叫起来,"你是个没教养的丑八怪,你还不配和大人坐在一起。"埃德加仅是微微一笑,把头稍微歪向一边。他知道这喊叫意味着绝望。看到她如此不加掩饰,他感到骄傲。他现在的目光非常镇定,镇定得像医生的目光。前段时间,为了惹他们生气,或许他是恶狠狠的,但人们在仇恨中学得很多、很快，现在他只是沉默！沉默！沉默！直到她在他沉默的压力下开始长吁短叹。

他母亲再也无法忍受了。现在当他们吃完饭站了起来，埃德加又以这种不言自明的神态准备尾随他们时，她一下子就发作了。她一切都不顾了，吐出了真话。她被他不时的窥视弄得坐卧不安，像一匹被牛虻折磨的马一样暴跳了起来。"你像三岁孩子那样老是跟着我转悠干什么？我不要你老呆在我跟前。孩子不要老缠着大人。记住！自己一个人去呆一小时。看看书，或者随便干点什么。让我安静安静！你老在我身边溜来溜去，那副讨厌的样子，真让人烦死了。"

终于把她的供词逼出来了！男爵和她这时显得十分尴尬，而埃德加却莞尔一笑。她转过身想走了。她对自己感到生气，刚才怎么好对孩子泄露自己不愉快的心情呢？但是埃德加只是冷冷地说："爸爸不让我一个人在这儿转来转去。我已经答应爸爸了，在这儿处处小心，老跟在您身边。"

他强调"爸爸"两个字，因为他早就注意到这两个字对他们两人有着某种使他们瘫痪的神秘作用。他父亲同这种炽热的秘密也准有某种瓜葛。爸爸一定具有某种支配他俩的隐秘的、他不知道的力量。因为一提到爸爸，好像就会使他俩感到恐惧和不快，就是这次，他们也未作反抗。他们放下了武器。母亲先走了，男爵也随后离去。在他俩之后是埃德加，但他不像仆人那样畏葸，而像一名看守那样强硬、严峻和无情。他抖动着无形的锁住他俩的铁链，他们摇晃着，但无法挣脱掉。仇恨锻炼了他那孩子式的力量。他，一个无知的人，却远比那两个被秘密铐住双手的人更为强大。

撒 谎 者

时间很紧迫。男爵只剩下很少几天可供利用了。他俩感到，去反抗这惹火了的孩子的执拗劲是没有用的，于是他俩只好采取最后的、也是最卑劣的一着：逃，摆脱开他的专横统治，哪怕是一两个钟头也好。

"把这封信送到邮局去寄挂号。"母亲对埃德加说。母子俩人站在前厅里，男爵在外边正和一驾出租马车的车夫谈话。

埃德加狐疑地拿着这封信。他想起来，过去都是有个仆役给母亲跑腿的。他们是不是在合谋算计他呢？

他犹豫不决。

"你在哪儿等我？"

"在这里。"

"一定？"

"是的。"

"你可不要走开呀！你在前厅这儿一直等到我回来？"由于他感到自己占了上风，所以同母亲说话时带着命令式的口吻。从前天起发生了多大的变化啊！

他拿着两封信走了。在门口他和男爵碰了个照面。埃德加同他搭话了。两天来这是第一次。

"我去发两封信。我妈妈在等着我，等到我回来。你们可不要先走掉啊。"

男爵急忙从旁边挤了过去。"好的，好的，我们等你。"

埃德加向邮局奔去。他得等着。他前面的一位先生提了一大堆无聊的问题。埃德加终于办完了他的事，拿着挂号单跑了回来。回来时正赶上看到他母亲和男爵坐着出租马车走了。

他气得发呆了，几乎想弯腰拾起一块石头向他俩掷去。他俩到底把他摆脱掉了，但是撒了一个多么下流、多么卑鄙的谎啊！他母亲说谎，这他昨天就知道了；但她居然能这样不要脸，说话不算数，这就把他对她的最后一点信任也摧毁了。他看到那些言辞只不过是些色彩缤纷的水泡，它们膨胀起来，一碎就化为乌有，而他从这些言辞后面揣摸到了事实真相。从此，他就不再能理解整个生活了。这会是一个什么可怕的秘密，居然使成年人欺骗他这么一个孩子，像罪犯似的偷偷溜走？在他读过的那些书里，人们为了得到金钱或者为了攫取权力和王国而进行谋杀和欺骗。可这儿却是为了什么？这两个人要干什么？为什么他俩要躲避他？他俩撒了上百个谎究竟想遮掩什么呀？他绞尽脑汁，穷思苦想。他隐约地感觉到，这项秘密就是童年的一把门闩，获得了这项秘密就意味着长成一个大人，长成一个男子汉了。噢，一定得掌握这个秘密！但他没法进一步清晰地去思考。他俩摆脱了他，这事燃起了他的愤怒，给他清澈的目光蒙上一层烟雾。

他跑进树林，恰好来得及躲入暗处，使别人都看不到他。这时他哭了起来，泪如泉涌。"撒谎、狗东西、骗子、流氓！"——他必须大声地把这些话喊出来，否则他会憋死的。愤怒、焦急、恼恨、好奇、一筹莫展和他俩这些天来的背叛都被压制在孩子气的斗争里，被禁锢在他把自己想象成大人的幻觉之中，现在一齐迸出胸膛，化成了泪水。这是他童年时代的最后一次哭泣，最后一次嚎啕大哭，他最后一次像女人一样，哭一阵就感到痛快些。他在这不能自制的愤怒时刻，把所有一切都一古脑儿哭了出来：信任、热爱、虔诚、尊敬——他的整个童年。

男孩回到旅馆之后，已经变成另一个人了。他十分冷静，办事谨慎而周密。他先回到自己的房间,把脸和眼睛细心地擦洗干净,不让他俩看到他有泪痕,不让他们享受胜利的喜悦。随后他就准备进行清算。他耐心地等候着,毫无不安的感觉。

当马车载着这两个逃亡者返回旅馆时,前厅里有很多的人。有几位先生在下棋,另一些人在看报纸,女人们在闲谈。在这群人中间,孩子一动不动地坐着,他面色显得有些苍白,目光颤抖。现在,他母亲和男爵进门突然看到了他,感到有些尴尬。男爵正要结结巴巴地讲他事先编好的谎话时,孩子挺直身子安详地朝他俩走去,挑衅地说道:"男爵先生,我有话同您谈。"

这使男爵感到不快。他有一种像被抓住了的感觉。"好的,好的,以后再说,以后吧!"

但是埃德加提高了嗓门,声音响亮而严峻,周围的人都听得清:"可是我想现在同您谈。您做得太卑鄙下流了。您骗了我。您是知道的,妈妈在等我,可您……"

"埃德加!"母亲喊了起来,向他扑过去,所有人的目光都朝她望去。

但是孩子现在却突然刺耳地叫了起来,因为他看到她要把他的话压下去:

"我当着大家的面再对您说一遍:你无耻地撒了谎,这是卑鄙的,这是下流的。"

男爵站在那里,面色苍白,人们都望着他,有几个人窃窃地笑了起来。

母亲抓住了激动得发抖的孩子:"马上到你房间里去,要不我就在众人面前揍你一顿。"她声音沙哑、结结巴巴地说道。

但是埃德加站在那里又恢复了平静。刚才这样冲动,他觉得遗憾。他不满意自己,因为本来他是想冷静地向男爵挑战的，只是到最后一刻，愤怒竟比他的意志更为厉害。他安详地从容不迫地向楼梯走去。

"请您原谅，男爵先生，原谅他的粗野。您知道，他是一个神经质的孩子。"她还在结结巴巴地说，周围的人都盯着她，目光里流露出有点幸灾乐祸的神情，这使她惶惑不安。世界上再没有比丑闻更使她感到可怕的了，她知道她必须保持镇定。她不是立刻就溜走，而是先到门房那里问问有没有她的信件以及说几句无关紧要的小事，随后才快步走上楼去，仿佛什么事情都没有发生似的。但是在她身后是一片窃窃私语和压低的笑声。

半路上她放慢了脚步。面对这种严重的处境她一点办法也没有，同时对这场争吵感到恐惧。她无法否认这是自己的过错。还有，她怕孩子的目光，害怕孩子这种新的、陌生和奇怪的目光，这目光使她瘫痪和惶恐不安。由于畏惧，她决定用温柔的办法来试一试。她知道，在这样一场斗争中这个被激怒了的孩子是强者。

她轻轻地拉开门。孩子在那里坐着，平静而冷淡，他望着她，眼里毫无惧色，也没露出任何好奇的神情。他显得泰然自若。

"埃德加，"她尽可能亲昵地开始说，"你怎么啦？我为你感到害臊啊。你怎么这样粗野，还是一个孩子就这样对待大人！你得马上去向男爵先生道歉。"

埃德加望着窗外。这个"不"字，他像是对着树木说的。他那镇定的神情使她感到惊奇、陌生。

"埃德加，你这是怎么啦？你怎么变得和往常大不一样了？我简直都认不出你来了。往日你是个聪明的乖孩子，人们都喜欢你。可你一下子变成这个样子，像是让魔鬼缠住了似的。你为什么那样恨男爵?以前你是非常喜欢他的。他对你一直是那么好啊。"

"是呀,因为他想认识你。"

她感到很不是味儿。"胡说!你想到哪去了。你怎么能这样想呢?"

这下孩子可光火了。

"他是撒谎的人,一个伪君子。他所做的都是为了自己,是卑鄙的。他想要认识你,才对我表示亲热,还答应送给我一只狗。我不知道他答应了你什么,为什么对你那么亲热,但是他也要从你身上得点什么,妈妈,这是肯定的。要不他不会这样客气友好的。他是一个坏人。他撒谎。你只要瞧一瞧他那样子,有多虚伪。啊,我恨他,恨这个卑鄙的骗子,这个流氓……"

"埃德加,你怎么能说这话呢?"她不知所措,也不知该怎么回答。她心里激起了一种感情,觉得孩子是对的。

"真的,他是个流氓,这我是不会看错的。你自己一定也会看出来的。他为什么怕我?他为什么躲避我?因为他知道我看透他了,我认识他,这个流氓!"

"你怎么能说这话呢,你怎么能说这话呢?"她脑海里已经枯竭了,只是用毫无血色的嘴唇结结巴巴地一再重复这两句话。现在她蓦地感到害怕了,但是并不知道是怕男爵呢,还是怕孩子。

埃德加看出他的告诫起了作用。把她拉到自己这一边,成为仇恨男爵、反对男爵的一个同志,这个思想在引诱着他。他温和地走到母亲身边,拥抱她。他的声调由于激动变得像在讨好似的。

"妈妈,"他说,"你一定会自己看出,他不会干什么好事的。他都把你变成另一个人了。不是我,而是你变了。他怂恿你来反对我,只是为了独个跟你好。他肯定会欺骗你的。我不知道他答应给你什么,可我知道他不会遵守诺言。你应当提防他。谁骗了一个人,那他也会骗另一个人。他是一个恶人,你不应该信任他。"

这声音充满感情,几乎是声泪俱下,像是出自她本人的心胸。她心里已经产生了一种不愉快的感觉,这种感觉告诉她的,与孩子所说的一样恳切、中肯。但是她不好意思向自己的孩子承认他是对的。她像许多人一样,常用一种粗暴的方式来拯救自己,使自己摆脱由于强烈感情的冲击所造成的狼狈处境。她愠怒地挺了挺身子。

"小孩子懂得什么!这些事不用你来多嘴。你应当有礼貌。就这些。"

埃德加的脸上又泛起一片冷意。"随你好了,"他生硬地说,"反正我警告过你了。"

"那么说你是不准备去道歉了?"

"不。"

他俩面对面站着,满脸怒气。她觉得这关系到她的威望。

"那你就在楼上用餐。一个人。在你没有道歉之前,不准到我们桌上来。我要教你懂得规矩。不得到我的许可,不准你离开房间,听懂了吗?"

埃德加微微一笑。这种不怀好意的微笑,像是与他的嘴唇长在一起的。在内心他却对自己发火。他多愚蠢,竟然又一次泄露了他的衷曲,而且还对她,这个撒谎的女人发出警告呢。

母亲快步走了出去,连一眼也没看他。她惧怕这双犀利的眼睛。自从感觉到孩子已经看出了一切,并告诉她这件她不想知道、也不想听到的事情后,这孩子就使她感到讨厌了。使她感到惊愕的是，她仿佛听到一个声音，她的良知离开了她的躯体，乔装成孩子，乔装成她亲生的孩子在她身旁走来走去，在警告她、嘲弄她。直到现在，这个孩子一直生活在她身边，是一件装饰品，一个玩物，是一种爱和信赖，有时也是一个累赘，但不论是什么，都总是同她生活在同一激流中、合着她生活的节拍。这孩子今天第一次放肆起来，反抗她的意志。现在在她对自己孩子的回忆中，总是夹着某种类似仇恨的东西。

不仅如此，现在当她稍感倦意地走下楼梯时，从她自己的心胸中响起了孩子的声音："你应当提防他。"——这个警告总是不肯缄默。这时她从一面闪亮的镜子前面走过，她询问般地向里望去，越望越深，越望越深，直到镜子里的嘴唇泛起一丝微笑，并围成圆形，像是要吐出一个危险的字眼似的，从她的内心深处还响着这种声音。但是她高高地耸耸肩膀，犹如要把所有这些看不见的思虑全都抖落下来似的，朝镜子里快乐地看了一眼，扯了扯衣服，带着一个赌棍把最后一枚金币叮当一声抛到赌台上去的那种果断的神态走下楼去。

月光中的踪迹

侍者把晚餐给埃德加送到房间里，随后就锁上了门。门上的锁在他身后嘎嘎地响着。孩子愤怒地跳了起来。很明显，这是受他母亲的指使，把他像一头凶狠的野兽似的关了起来。他心里产生了一个可怕的念头。

"把我关在这里，下面在干什么呢？现在他们两人在商量些什么？如果到头来这个秘密就在那儿，难道我就把它错过？噢，一旦我在大人们中间，我就能到处觉察到这个秘密，在夜里，大人们把门关起来，把这个秘密沉浸在轻言絮语中，要是我能偷偷地进到里面，这巨大的秘密就在面前；几天来我已经接近了它，可就是还一直没有把它抓住！从前，为了捉住它，我什么都干过！那时候我从爸爸的书桌里偷了些书出来，这些奇奇怪怪的事情书里都有，只是我不懂。这个秘密一定贴着个什么封条，要想找到它，得先把封条揭去，这封条也许是在我身上，也许是在别人身上。那时我问过别的女仆，求她把书里这些地方给我讲一讲，但是她把我嘲笑了一顿。做个孩子太可怕了，好奇心重，可是不许问别人，在大人面前总是显得很可笑，好像是些傻瓜和废物似的。但我会把这个秘密弄清楚的，我感到现在很快就会知道了。我已经掌握了一部分，不把它全部弄到手，决不罢休！"

他谛听是否有人来。外面，微风吹拂着树林，把枝条之间静如明镜一样的月光碎成无数摇曳不定的小片。

"他们俩想干的一定不会是什么好事，要不他们干吗要编造那么卑劣的谎言来把我支开。他俩现在肯定在嘲笑我。这两个该诅咒的到底把我甩开了，但是最后笑的是我。我真太蠢了，让人关在这里，而不去紧紧盯住他们，窥视他俩的一举一动，倒反让人关在这里。我知道，大人往往都不怎么谨慎，他俩一定会露出马脚的。他们总认为我们孩子还很小，晚上睡得死死的。可他们忘了，我们也会假装睡觉而去偷听，我们也能装傻，而实际上十分聪明。前不久，我的姑姑生了孩子，其实这事大人早就知道了，可是在我面前却装作惊奇的样子，仿佛感到很意外似的。但是我也是知道的，因为我听他们说过，那是几星期前一个晚上，他们以为我睡着了就谈论起来。这次我也要让他们惊讶一下。这两个卑鄙的家伙。噢，现在他俩一定自以为很保险，我要是能穿门而出，前去侦察，暗地里注视他俩，那该多好。现在我也许该按铃吧？这样女仆就会来开门，问我要什么东西。或者我吆喝骂人,摔碎餐具,那他们也会来开门的。这当儿我就可以溜走,去窃听他俩说话。不行,我不这样做。不能让别人看见他们对待我是如何卑鄙。我以此为骄傲。明天我再向他们算账。"

楼下传来一个女人的笑声。埃德加一怔,这可能是他母亲。她倒是有理由发笑,有理由嘲弄他,一个小孩,一个走投无路的人,要是他让人觉得累赘的话,就把他锁在房间里,像扔团湿衣服一样,往墙角一甩了事。他小心翼翼地把头探出窗外。不是,不是她,是一个他不认识的放肆的姑娘在和一个小伙子逗趣。

就在这时,他看到窗户离地面并不很高。不知不觉他起了一个念头:跳出去,现在他俩肯定自以为很保险,我正好去偷听。这个决定使他兴奋得全身发热,仿佛他已经把这个童年时代闪闪发光的、显得十分巨大的秘密掌握在手里了似的。"跳出去,跳出去!"他颤抖着。毫无危险,没有人从这里走过去。于是他就跳了下去。只有鹅卵石发出轻微的声响,没有一个人听到。

这两天,蹑手蹑脚和窥伺已经成了他生活中的一大乐趣。他轻轻提起脚步绕着旅馆走,小心翼翼地避开灯光的强烈反照。这时他有一种快感,这快感同因恐惧而引起的轻微颤栗混在一起。他先是谨慎地把面颊紧贴在餐厅的玻璃上向里张望。他俩常坐的位置上是空的。随后他逐个窥视各扇窗户。他不敢进旅馆去,因为怕在过道中间凑巧碰上他们。到处都找不到他俩。他感到绝望了。正在这时,他看到两个影子从门里闪了出来——他往回一缩,蹲在暗处——他母亲和那个形影不离的伴侣出来了。来得正是时候。他们在谈些什么?他无法了解。他们说得很轻,风在树林里变得不安起来。忽然飘来一阵十分清晰的笑声，这是他母亲的声音。这笑声他从来没有听见过，笑得少有的刺耳，像是被胳肢、被刺激引起的神经质的笑声。他感到这笑声很陌生，心里大为惊愕。她在笑。那就是说没有什么危险的事了，不是什么要对他隐瞒的大事，不是什么了不起的事。埃德加感到有些失望。

但是他们为什么要离开旅馆？现在夜都深了，他们到哪儿去呢？风在高空中挥动着巨大的翅膀，夜空刚才还很洁净，充溢着月光的清辉，现在变得昏暗了，无形的手撒开了黑色的幕布，有时把月亮包裹起来，使夜变得漆黑一团，几乎连路都难以辨认。当月亮重又露出来时，一切又都被洒上光辉。银色的月光冷冷地泻在周围的山川树木上。光和影之间进行着神秘莫测的游戏，像是一个女人，时而赤身裸体，时而裹着衣服在嬉戏，是那样的诱人。正在这时四周的景物又赤裸裸呈现出明亮的胴体：埃德加从侧面看到路上有两个移动着的黑色身影，或者不如说是一个身影，因为他俩贴得那么紧，仿佛两人心里害怕而紧紧挤在一起似的。可现在他们两个要去哪里？松树在呻吟，林中像是充满了忙碌和喧嚣，宛如在围捕野兽。"我跟着他们，"埃德加想，"风刮得这么紧，林中这样响，他俩不会听到我的脚步声。"在他们沿着下面宽广明亮的大路向前走去时，埃德加在上面的林中轻巧地从一棵树跳向另一棵树，从一个树影跃向另一个树影。他无情地紧紧跟踪他们。他感谢风儿，它使别人听不到他的脚步声；他咒骂风儿，它老是把他说的话刮到远处。要是他能听到他们的谈话就好了，哪怕是只听到一次，那他肯定就可以知道这个秘密。

下面的两个人信步走去，毫无所知。他俩陶醉在这广阔、昏乱的夜色之中，在不断增长的激动中忘却了自己。没有任何预感来警告他们：上面树叶浓密的暗处有人在跟踪着他们的每一个脚步,有两只眼睛死死地盯着他们,充满了仇恨和好奇。

突然他俩停住了。埃德加也立即停住了脚步,紧紧贴在一棵树上。一种剧烈的恐惧向他袭来。要是他俩现在往回走,比他先回到旅馆,要是他不能及时赶回自己的房间,母亲发现房间是空的,那该怎么办?这样一来一切都完了,他们会知道他暗地里窥视他们来着,他就再没有希望从他们那里索取这个秘密了。但是他们二人犹豫不决,显然在争论什么。幸好有月亮,他一切都看得清清楚楚。男爵指着一条昏黑狭窄的小路,这条小路通往下面的山谷,在那里月亮不像这条路上那样倾泻着它的全部光华,而只是透过密林渗出点滴的光亮和稀疏的光线。"他干吗要到下边去?"埃德加抽搐了一下。他母亲好像说"不",可是另一个却在说服她。埃德加从他的手势上看得出他是多么紧迫。孩子害怕了。这个人想向他母亲要什么?这个混蛋为什么要把她领到暗处去?突然他从自己所读过的那些书里——这些书就是他的整个世界——生动地记起了谋杀、拐骗和可怕的犯罪。一定的,他想谋杀她,正是为此他才摆脱开他,把她单独引到这里。他该呼救吗?杀人犯!呼救声刚要冲出喉咙,但是嘴角却发干,喊不出声来。他的神经由于激动绷得紧紧的,使他几乎站立不稳。由于害怕跌倒,他赶紧伸手去抓一个把手——这时咔嚓一声,他双手折断了一根树枝。

那两个人惊愕地转过身来,凝望着暗处。埃德加一声不响地靠在树上,胳膊紧紧贴在一起,矮小的身体深深地埋在树影之中。死一样的寂静。但他俩像是受惊了。"我们回去,"他听到他母亲说,声音显得畏葸胆怯。男爵本人显然也不安起来,他顺从了。两人慢慢地往回走,相互靠得紧紧的。他俩内心的惶恐就是埃德加的幸福。他用四肢在林中爬行,双手都被划出血来,到了森林的尽头,他就全速往回跑去,气喘吁吁,到了旅馆，三脚两步就蹦上了楼，锁门的钥匙幸好在门上插着，他开了门，冲进房里，躺到床上。他得休息几分钟，因为心在胸膛里剧烈地跳动着，像是钟舌在敲响的钟壁上那样跳动不已。

随后他胆子大了起来，靠在窗旁，等着他们两人的到来。好长时间过去了。他们一定走得很慢，很慢。他从窗框的暗影里小心地窥视着。现在他们慢慢地走来了，月光照着他们的衣服。在这绿光中他们看起来像幽灵似的。男爵真是杀人凶手吗？他刚才阻止了一件多么可怕的事啊，这个想法使他感到既慰藉又恐怖。他望着他们粉白色的脸，看得清清楚楚。母亲的脸上流露出一种欣喜的表情，这是他从没有见过的，但男爵却显得烦恼和不悦。很明显，这是因为他的意图落空了。

他俩紧紧挨在一起，一直到旅馆门前他俩的身体才互相分开。是不是他们会朝楼上看？没有，他俩谁也没有往上看。"他们把我忘记了，"孩子想。他怀着一股狂暴的怒气，同时又感到一种隐隐的胜利的喜悦，"我可没有忘记你们。你们以为我睡了，或者在这个世界上不存在了，但是你们会看到你们的错误，我要监视你们的一举一动，直到从他这个混蛋手中把这个秘密弄出来为止。这可怕的秘密，它使我无法入睡。我一定要粉碎你们的同盟。我不睡。"

那两个人慢慢地进了大门。现在当他俩一前一后往里走去时，两个投在地上的黑影又倏地纠缠在一起，变成了一条黑色的长带消逝在光亮的门内。楼前的空地在月光中洁白明亮，像铺满白雪的辽阔草地。

袭　　击

埃德加喘着粗气从窗户旁退了回来，恐怖在摇撼着他。在他的生活里还从没有这样接近过这样充满神秘莫测的东西。书本中那个激动不安的世界,紧张冒险的世界,充满凶杀和欺骗的世界,他原以为只能在童话中,在梦幻的后面,是不真实的,不可企及的。可现在他就像突然陷进了这个充满恐怖的世界之中,一经同它直接接触,他的整个身心就剧烈地震颤不已。这个男人,这个神秘的人,这个突然闯进她平静生活的男人究竟是谁?他光是一个杀人犯吗?为什么老是找偏僻的地方,要把他母亲拉往暗处?看来是要发生可怕的事了。他不知道该怎么办。明天他要给爸爸写信或发电报,这是肯定的。可是这坏事,这可怕的事,这谜一样的事会不会现在就发生,今天晚上就发生呢?他母亲还没有回到自己的房间,她还同那个可恨的陌生人在一起呢。

在内层门和外层门之间有可以轻易开启的暗门,里面有一个狭窄的空间,比一个衣柜大不了多少。他紧贴着身体挤进这巴掌大的暗处,以便窥视他们的脚步。他决意不让他俩有瞬间的机会单独在一起。现在是午夜时分,过道上空荡荡,只有唯一的一盏灯亮着,光线微弱黯淡。

他感到这几分钟的时间长得可怕——终于,他听到向楼上走来的轻微的脚步声。他全神贯注地谛听着。这不是像要回到自己房间去的那种疾步行走,而是一种拖沓、犹豫、非常缓慢的脚步,像是在攀登一条崎岖难行的陡峭山路似的。这中间老是一再的耳语和走走停停。埃德加激动得浑身发抖。他俩走到头了?怎么他还和她在一起?耳语声听不见,脚步声尽管还是迟疑不决,但越来越近了。现在他突然听到了男爵那可怕的声音,他嘶哑地轻轻地在说什么,可埃德加听不懂,随之是他母亲立即表示异议:"不,今天不!不!"

埃德加在发抖,他俩走近了,他什么都可以听清楚了。他们走向他的每一步，尽管是那么轻，仍使他的心胸感到痛苦。那种声音他感到极为可憎，这该死的家伙的声音里充满了贪婪，是多么令人厌恶！

"您不要这样残忍。您今天晚上多美啊！"

另一个声音说："不，我不应当，我不能够，您放开我。"

在他母亲的声音里流露出那么多的恐怖，使孩子大吃一惊。他还要她什么呢？为什么害怕呢？他俩越来越近了，大概现在已经到了他的门前。他浑身颤抖，现在他就站在他俩的身后，近在咫尺，只有一层薄布挡着。现在连他们的呼吸声都能听到了。

"您来吧，玛蒂尔德，您来吧！"他又听到母亲的喘气声，声音越来越脆弱，抗拒的力量瘫痪了。

这是怎么了？他俩又走到黑暗中去了。他母亲没有回自己的房间，竟是过门而不入！他要把她拖到哪儿去？她为什么不再说话了？难道他往她嘴里塞了团布？把她的喉咙卡住了？

这个想法使他狂怒了。他用颤抖的手把门开了一半。现在他看到他俩在昏暗的过道上，男爵用胳膊搂着他母亲的腰，领着她轻轻走去，看来她已经不再抗拒了。现在他在自己的房门前停住了。"他要把她弄走？"孩子惊慌起来，"现在他要下手作恶了。"

他猛地冲了出去，把门一关就向二人奔去。当他母亲看到突然有什么东西向她扑来时，她叫了起来，吓瘫了。男爵费了好大的劲才把她扶住。可就在这一刹那，他觉得一个软弱的小拳头打在自己脸上，打得他的嘴唇狠狠地碰在牙齿上，他周身像被猫抓了一样。他把那个受惊的女人放开，她立即疾步逃之夭夭。在他还不知道是谁打他之前，就胡乱地招架，用拳头回击起来。

孩子虽是个弱者，但他毫不屈服。早就渴望的时刻终于来到了，他可以把被出卖的爱，积聚起的仇恨一古脑儿激烈地发泄出来。他用自己的两只小拳头乱捶一气，紧咬嘴唇，怒火中烧，像发了疯一样。男爵现在也认出是他来了，他对这个密探满腔仇恨，几天来这孩子一直在触他的霉头，破坏他的好事，他狠狠地回击，不管打在什么地方。埃德加喘着粗气，但他毫不放松，也不呼救。午夜时分，他俩在过道上默默地、咬牙切齿地搏斗了一分钟之久，男爵才慢慢意识到他同一个尚未发育成熟的孩子打架是多么可笑。他紧紧抓住了他，想把他甩开。孩子这时感到身不由己，知道一会儿就要输了，就将挨打，暴怒中他朝着那只想来卡他脖子的手就咬。被咬的人下意识地发出一声低沉的叫喊，松了手，孩子就利用这一瞬间逃回自己的房里，把门闩上。

这场午夜的战斗只持续了一分钟。周围没有任何人听到。一切都寂静无声，仿佛都在沉睡。男爵用手帕擦了擦流血的手，不安地窥视着昏暗的四周。没有人窃听，只有顶棚上一盏电灯在不安地闪烁，他觉得这盏灯也在嘲弄他。

暴 风 雨

第二天早晨，当埃德加蓬松着头发从昏乱的恐惧中醒过来时，他自问道："难道这是梦，是一个凶恶的、危险的梦吗？"他的脑袋在嗡嗡作响，关节发木僵硬。现在，他往下一看，才发现自己还穿着衣服。他一跃而起，蹒跚到镜前，一望自己苍白、扭曲的面孔就惊得后退。他的额角上有一条红肿的血痕。他费力地集中思想，恐惧地回忆起一切：夜里过道上的那场战斗。他冲回房间，像发烧似的颤抖着，往床上一倒，还是穿着衣服，以便随时可以逃出去。他在那儿一觉睡了过去，沉入郁闷的、布满阴云的睡乡，那一切又在梦里再现了一次，所不同的只是更为可怕，还带有一股流着鲜血的潮湿味道。

楼下行走在鹅卵石上的脚步声沙沙作响，讲话声像看不见的鸟儿一样飘了上来，阳光照进了房间。一定很晚了，他吃惊地向时钟望去，可是时针还指着午夜，昨天激动之中他忘了上弦。失去了时间的凭依，这使他不安，到底发生了什么事？这种茫然若失的感觉更增强了这种不安。他迅速振作起精神，走下楼去，心中忐忑不安并感到有些内疚。

餐厅里他母亲一人坐在通常坐的那张桌子旁。埃德加松了一口气，他的敌人没有在，不会看到那张可憎的面孔了，昨天他在愤怒中曾用自己的拳头把那张面孔狠狠揍了一顿。可当他靠近那张桌子时，他感到慌乱了。"早晨好，"他问候母亲。

他母亲没有回答。她眼都没抬一下，而是用异常呆滞的瞳仁望着远处的景色。她显得非常苍白，眼圈留有淡淡的一层红晕，鼻翼神经质地抽搐着，显露出她的激动。埃德加咬紧嘴唇。这种沉默使他不知所措。他不知道昨天是不是把男爵伤得很重，也不清楚她是否知道夜里的那场殴打。这种茫然无知在折磨他。她的面孔仍是那样呆滞，这使他根本不敢望她一眼，害怕她现在低垂的眼睛会骤然从沉重的眼皮后面跳出来把他抓住。他变得安静极了，一点声响也不敢弄出来，他小心翼翼地拿起杯子，又把它放了回去，偷偷地望了一下母亲的手指。她非常烦躁地玩着汤匙，弯曲的手指显露出她内心的狂怒。就在这种透不过气的感觉中他坐了一刻钟，期待着什么，但它并没有到来。一句话也没有，没有一句话能使他从窘迫中解脱出来。他母亲站了起来，根本不理睬他。现在埃德加还不知道他该怎么做：独自留在桌旁，还是跟随她去？最后他还是站起身来，低声下气地跟在她的后面。她飞快地掠他一眼，同时感到他的尾随是多么可笑。埃德加把步子放得越来越小，以便跟她拉开一段距离，可她毫不注意他，径直回到自己的房间去了。当埃德加也走到门口时，房门已经紧紧锁上了。

这是怎么啦？他完全不得要领。对昨天发生的事他不再那么自信了。难道他昨天的袭击不对吗？他们是在准备对他进行惩罚还是新的侮辱？他感觉到一定要出事，很快就会发生可怕的事。处于他与他们之间的是一场即将到来的暴风雨前的闷热，是带电的两极所产生的电压，只有闪电才能把它释放掉。带着这种预感的重负，他孤独地熬过了四个钟头，在房间里走着，他那细长的颈背被看不见的重量压得抬不起来。中午，当他来到餐厅桌子前，已完全是一副忍气吞声的样子了。

"你好，妈妈。"他又说道。他得打破这种沉默，打破这种可怕的沉默，像一片阴云那样悬在他头上的沉默。

母亲仍不予回答，仍不理睬他。怀着一种新的惶恐，埃德加觉得她现在对他的怒火是深思熟虑的，是积蓄已久的，这种火气他生平还从没有遇到过。过去她发火总是只爆发一通了事，更多的是神经质的，而不是感情上的，并且一会儿就变成抚慰的笑容了。可这次他觉察出这是从她内心最深处迸发出的一种狂暴的感情，他对这个不小心招来的强大压力感到吃惊。他几乎无法进餐，在他的喉咙里翻腾着某种干枯的东西，使他感到窒息。他母亲像什么也没有看到。只是在她起身时，才像是漫不经心地转过身来说："呆会儿上楼来，埃德加，我有话同你说。"

这语气没有威胁的味道，却那样冷冰冰的，使埃德加悚然，就像有人突然把一副铁链套在他的脖子上。他的傲气消失了，像一条被痛打的狗一样，默默地随着她上楼，进入房内。

她有几分钟一声不响,用这种办法继续折磨他。这几分钟里,他听到钟的滴答声,他听到外面孩子的笑声,他听到自己的那颗心在胸膛里怦怦跳动。但是她也不是那么信心十足的样子,因为她现在对他讲话时,不是看着他而是背着他。

"我不想再谈你昨天的所作所为。这简直是闻所未闻,我一想到这事,就感到丢脸。这种后果是你自己造成的。我现在只想告诉你,你单独在大人中间这是最后一次了。我已经给你爸爸写了信,得给你找一个家庭教师或者送你去寄宿学校,好去学一些礼貌。我不想再为你烦恼了。"

埃德加垂着头站在那儿。他觉得这只是一个开场白,一个威吓罢了,正题还在后面,他不安地等待着。

"你现在立即去给男爵赔礼。"

埃德加一怔,但是她不让打断她的话。

"男爵今天已动身走了,你得给他寄封信,我口授你写。"

埃德加又是一怔,但他母亲的口气是坚定的。

"不许还嘴。那是纸和墨水,坐下。"

埃德加抬头望去,她的眼睛显出果断和坚定。他从没看到他母亲是这样严厉、专横。他害怕起来。他坐在那里,拿起钢笔,但是把脸深深伏在桌上。"上面写上日期。写了吗?称呼之前空一行!这样写:非常尊敬的男爵先生!惊叹号。再空一行。我十分遗憾地获悉——写了吗?——十分遗憾地获悉,您已离开了塞默林——塞默林是两个 m——因此我想到只能写信——写快一点,字不一定写得很讲究!——来请您原谅我昨天的鲁莽。正如我母亲告诉您的,我尚处在一次重病的康复时期,易受刺激。我经常把看到的事加以夸大,但随即就感到后悔……"

俯在桌上弓着的背脊倏地直了起来。埃德加转过身来,他的悖逆精神又苏醒了。

"这我不写，这不是真的！"

"埃德加！"

她用这声音来威胁他。

"这不是真的，我没有做什么可后悔的事。我没有做什么坏事，为什么要赔礼？我只是在你喊叫的时候来救你的！"

她的嘴唇变得毫无血色，鼻翼在翕动着。

"我呼救了？你疯了！"

埃德加火了。他猛的一下跳了起来。

"是的，你呼救过，在外面的过道上，昨天夜里，当他抓住你的时候。'您放开我，您放开我，'您这样喊的，声音很大，我在房间里都听见了。"

"你撒谎，我从没有同男爵在过道里呆过，他只是陪我走到楼梯……"

这种大胆的谎言使埃德加跳动的心为之一停。她的声音并未吓住他，他用晶亮的眼珠凝视着她。

"你……没有……在过道上？他……他没有把你抓住？没有用暴力搂住你？"

她笑了起来。一种冷酷的、干涩的笑。

"你在做梦。"

这对孩子来说太过分了。他现在知道大人会撒谎，会说些卑微的、大胆的遁词，会说狡猾的和模棱两可的话。但是，这种厚着脸皮的冷冰冰的否认，当面撒谎，可实在把他惹急了。

"那这伤痕也是我在做梦？"

"谁知道你同谁打了架？可我不要和你争论，你必须听话，去把信写完。坐那儿去，写！"

她瘫软无力，在用最后的力量支撑住自己。

但是现在埃德加内心却连最后一点信任的火花也熄灭了。人们竟然可以像踏灭一根燃着的火柴棍那样来践踏真理,这他想不通。他觉得身上冰冷,全身瑟缩。他所说的话都变得尖刻、恶毒和肆无忌惮:

"那么,我是在做梦?在过道里,还有这儿的伤痕都是做梦?你们两人昨天在那儿,在月光中闲逛,还有他要领你往下走,这难道也是做梦?你以为我会像娃娃那样让人锁在房间里!不!不!我才不像你们想的那么傻呢。我知道我所知道的事。"

他放肆地紧盯着她的脸,这下她的力量全垮了,她不敢去看自己孩子的脸,这就在眼前的、被仇恨弄得扭曲了的脸,她的愤怒狂暴地发作起来了。

"去,你必须马上写!要不……"

"要不怎么?……"现在他变得十分大胆,声音带着挑衅的味儿。

"要不我就要像打小孩似的打你。"

埃德加走近了一步,只是嘲弄地笑着。这时她伸手就打了他一记耳光。埃德加叫了起来,他像一个淹在水里的人用双手扑打着四周。又是一记,他耳朵里闷响起来,两眼冒金星,他盲目地挥舞着拳头,回击过去。他觉得他打着一块软东西,是打在脸上了,他听见一声叫喊……

这声叫喊使他恢复了常态。突然他看到了自己,他意识到这事不得了了:他打了自己的母亲,羞耻和震惊,剧烈的恐惧袭击着他,他感到非逃不可,钻到地里,逃啊,逃啊,只要不再看到这目光。他跑出门,冲下楼去,穿过房子来到大街上,逃啊,逃啊,像是后面有条疯狗在追他似的。

初 步 领 悟

  他跑得很远,后来在路边上停住了。他必须抓住一棵树,由于恐惧和激动,他的四肢还在剧烈地颤抖,大口地喘着粗气。他一手酿成的恐怖在后面追赶他,抓住了他的喉咙,把他摇来晃去,像发高烧似的。他现在该怎么办?逃到哪里去?这里,已经是镇外的森林中了,离他住的地方有一刻钟的路程,他有一种被遗弃的感觉。自从他孤立无援以来,这里的一切都好像变了样,显得更加充满敌意、更加令人憎恶。这些树木昨天还友好地对他沙沙作响,可现在却突然阴沉地咆哮起来,像是一种威胁。这一切,他眼前的一切还要变得更加陌生和疏远吗?面对着这广袤而生疏的世界,这种孤独感使孩子感到头晕目眩。不,他还不能承受这一切,他还不能单独承受这一切。可是他该逃到哪里去?回家去,他怕他父亲,他父亲很容易发火,很严厉,会立即把他送回来的。他不愿意回去,宁愿逃到危险的没有熟人的陌生地方去;他觉得他永远不能再见他母亲的面了,一见到就会想到他曾用拳头打过她。

  这时他想起了祖母,这个和蔼慈祥的老人,从他小时候起就溺爱他,每当他做了错事受到责骂时,她总是他的保护者。他想到巴登去躲在她那里,等到父母亲火气消了,再从那里给他们写一封信,向他们赔礼。在这一刻钟的时间里,他是如此沮丧,只身处在这世界上,有的只是一双软弱无力的手。他诅咒他的傲慢——被一个陌生人用谎言所激起的他那愚蠢的傲慢,想重新做一个从前那样的孩子,听话、忍耐、不自负;他现在已经感觉到这种自负夸张到了多么可笑的程度。

  可是怎么到巴登去?怎么翻过这山川河谷?他急忙用手掏

了掏总是随身带着的钱包。上帝保佑,那个崭新的、二十克朗的金币还在熠熠闪亮,这是他生日的礼物。他一直舍不得把它花掉,几乎每天都要看看它是否还在。望着它他感到愉快,觉得自己很有钱,随后总是怀着一种温柔的心情用手帕把它擦得亮亮的,像个小太阳在闪光。但是这点钱够用吗?这个骤然袭来的念头使他感到惊慌。在他的生活中他经常乘坐火车,可从来没想过坐火车得付钱,也没想过要花多少钱,是一个克朗还是一百个克朗。他初次感受到,生活里有许多事过去想都没想过,他周围各种各样的事都有一种固有的价值,一种特殊的重量。他在一小时之前还自以为什么都懂,现在感到,在他不知不觉之中,千百个秘密和问题从他身旁溜了过去。他感到羞愧的是他那贫乏的智慧在他步入生活的第一个台阶时就无能为力了。他越来越胆怯。他往下面的车站走去,步子越来越小,越来越犹豫。他经常梦想过这样的逃遁,想进入生活干番大事业,成为皇帝或国王,英雄或诗人。而现在他畏葸地望着那儿的一座明亮的小房子,心里想的只是一件事,那就是到祖母那里去这二十个克朗够不够。路轨闪着光亮通向远处,火车站空空荡荡,冷冷清清。埃德加胆怯地走近售票处,为了不让别人听到他的话,悄声地问,到巴登去的车票要多少钱。一张惊奇的脸从昏暗的隔板后往外望了望,两只眼睛在眼镜后面朝这个怯生生的孩子微笑着。

"一张整票?"

"对,"埃德加结结巴巴地说。一点也不傲慢了,直怕钱不够。

"六个克朗!"

"要一张!"

他轻松地把他所钟爱的那枚光滑的金币递了上去,多余的钱找了回来。埃德加一下子觉得自己又十分富有了，他现在手上有了这张能够保证他的自由的棕色车票，而他口袋里的银币则在发出沉浊的乐声。

　　从行车时刻表上他知道火车再过二十分钟就到了。埃德加躲到一个角落里。有几个人悠闲自在地站在站台上。可在这个不安的孩子看来，仿佛所有的人都在注视着他，似乎大家都感到奇怪，怎么这么小的一个孩子独自乘火车；他越来越往角落里缩，仿佛他的额头上明显地贴着逃跑和罪行这两条标记似的。他终于听到了火车从远处发出的长鸣声，随后就隆隆地驶近，这时他松了一口气。这列车将把他带入世界。上车时他才发现，他买的是三等车厢的票。过去，他从来都是坐头等车厢。他又觉得，这里的情形不一样，他遇到了各种各样的事。他周围的乘客都和以前的不一样，他的正对面是几个意大利工人，手很粗糙，声音沙哑，手里拿着铁锤和铲子，他们用迟钝而愁苦的眼睛望着前面。显而易见，他们在路上干了不少累活，因为几个人十分疲倦，在隆隆的列车上睡着了，张着嘴，倚在又脏又硬的靠板上。埃德加想，他们为了挣钱而去做工，但不知他们能挣多少钱。他又一次感到，钱不是一种常有的东西，得想办法去挣来。现在他第一次意识到，他以往理所当然地习惯的是舒适的气氛，而他生活的两旁，左边和右边，却是黑洞洞的、看不到底的深渊。这是他的目光过去从没有觉察到的。他第一次知道了有各种职业，有各种规定，他周围有各种秘密，离他很近，可就从来没有注意过。自从埃德加单独一个人以来，这一小时他就学到了许多东西，他开始将目光透过这狭窄的车厢的窗户，瞭望外面的大千世界。在他那晦暝的恐惧之中有某种东西正开始在悄悄地滋长，这虽然还不是幸福，但却是对丰富多彩的生活的一种惊叹。在每一瞬间，他都感觉到,他的出逃是由于恐惧和怯懦,但这是他第一次独立行动,从现实中来体验以往从他身边一掠而过的一切。他也许第一次成了他父母亲的秘密,正如这个世界从前对他是个秘密一样。他用另一种目光望着窗外。他觉得仿佛第一次看到这现实中的一切,仿佛事物外面罩着的轻纱抖落了,向他展示了一切,展示了事物意向的内蕴、它们活动的秘密神经。路旁的房舍像被风刮走似的飞驶而过,他不由得想到了住在里面的那些人,不论他们是穷是富,幸或不幸,不论他们是不是像他一样渴望知道一切,也不论那儿有没有像他一样把什么事都当作游戏的孩子。他第一次觉得,站在路旁挥动小旗的护路工人并非是活动木偶和没有生命的玩具,并非可以任意搁置的物件,而他从前却是这样想的;他懂了,他的命运就是同生活作斗争。车轮滚得越来越快,现在列车沿蛇形线冲下山去,群山变得越来越矮小,越来越遥远,车已进入了平原地带。他再次回头瞭望,群山与蓝天渐渐交融,只是依稀可辨,遥不可及。埃德加觉得,他的童年就要慢慢消散在那雾蒙蒙的天际了。

纷扰的晦暝

列车停了下来,巴登到了,埃德加独自上了站台。这时华灯初上,信号灯向远方闪着绿的、红的光。看到这色彩缤纷的灯光,不觉想起夜已临近,心里骤然产生一种恐惧。要是白天倒还好,因为四周都是人,他可以休息,坐在椅子上,或者看看商店的橱窗。可是现在人都回家了,每个人都有一张床,闲谈一番,然后度过一个恬静的夜,而这时他却怀着负疚之感孤单地踯躅街头,孤寂而又生疏,这他怎能忍受得了。啊,要赶快找一个蔽身之处,一分钟也不要呆在空旷而陌生的天幕下面，这是他唯一明晰的念头。

　　他沿着那条熟悉的路匆匆走着，无暇左顾右盼，一直走到他祖母的寓所。这所房子坐落在一条宽阔的大街上，但不是那么显眼，前面是一个拾掇得很好的花园，长着各种蔓生植物和常青藤，在这片绿阴的后面，一座洁白的、令人感到亲切的老式房子在闪着光辉。埃德加像个生人似的从栏栅外往里面窥望。里面什么动静也没有，窗户都关着，显然大家都同客人到后面花园里去了。当他的手刚接触到门铃时，发生了一件奇怪的事情：他突然感到，他两个钟头一直想得那么容易、那么理所当然的事却是不可能的。他该怎样进去，怎么向他们打招呼，怎样承受那些问题，怎么回答他们？当他不得不说他是从母亲那里偷着逃出来的时候，怎样去忍受他们的第一瞥目光？怎么去解释他闯下的大祸，他自己都无法理解的行动？这当儿里面有一扇门开了，突然，一种愚蠢的恐惧攫住了他：马上要有人出来了。他拔腿就跑，也不辨东南西北。

　　跑到公园前他停住脚步，因为那儿一片黑暗，他猜想不会有什么人能看见他。也许他可以在那里坐下来，安静地思考思考，好好休息休息，弄清楚他的遭遇。他畏葸地走了进去。前面有几盏灯亮着，照得嫩叶闪耀出阴森的水光，呈现出晶莹剔透的碧绿；往后，走下山丘，那儿的一切像一堆郁闷的、黑色的发酵物似的团聚在早春之夜的晦暝里。埃德加怯生生地从一些人身边溜了进去，他们都坐在电灯光下聊天或看书。他要独自呆着。可是，就是在没有灯光的甬道暗处也不宁静。这里的一切都是怕光的，声音微弱，都在喁喁私语，其中更混杂着风吹树叶的沙沙声，远处脚步的拖沓声，压低嗓门的耳语声和某种欢愉的、呻吟的、充满恐惧的喘息声，这些声音是人和动物以及不肯安睡的大自然同时发出来的。这是一种危险的不安，

217

一种压抑的、隐蔽的、令人畏惧的谜一样的不安。林中地下也有某种声音,这也许是同春天连在一起的蛰动声。这个无依无靠的孩子害怕得要命。

在昏黑的暗处,他蜷缩在一条椅子上,在考虑他到家后该讲些什么。可是,每当他要集中思想时,它就从身旁滑了过去。他不由自主地老在谛听黑暗中低沉的响动,神秘的声音。这黑暗是多么可怕呀,可又是多么迷惘、神秘的美啊!把所有这些窸窣声、沙沙声、嗡嗡声都混在一起的是动物还是人,或者仅仅是风的魔手?他谛听着。是风,它不安静地在林中穿行,但也是人——现在他看清楚了——是相互搂抱着的对对情侣,他们从山下灯光通明的城市走上来,他们谜一般地在这里出现,使黑暗也活跃起来。他们要干什么?他无法理解。他们彼此不说话,因为他听不到说话声,只有脚踩在鹅卵石上发出的沙沙声。他时而看到他们的身形在光亮处像影子一样地一掠而过,都是紧紧地搂得像一个人似的,这和先时他看到他母亲同男爵的情形一样。这个秘密,这个巨大的、闪光的和充满不祥的秘密,这里也有啊。现在他听到越来越近的脚步声和一种压低了的笑声。他感到恐惧,怕走近来的人在这儿发现他,于是他又往暗处缩了缩。这时从不辨五指的黑暗中有两个人摸索着往山上走,并没有看见他。他们搂抱着走了过去,埃德加松了一口气,可是他们突然停了下来,就站在他的椅子跟前。他们把脸贴在一起,埃德加什么也看不清楚,他只听到从女人嘴里发出来的喘气声,男的则喃喃着一种火热的、荒唐的话语。他打了个欢愉的寒颤,恐惧之中有一种压抑的预感。他俩停了一分钟,随后鹅卵石在他们脚下发出沙沙的声音,脚步不久就在黑暗中消失了。

埃德加一阵颤抖。现在血又在血管里翻腾起来,比以前任何时候都更加炽热。在这纷扰的黑暗之中他突然感到寂寞难忍。不可遏止的需求主宰了他,他需要亲切的声音,需要拥抱,需要明亮的房间和他所爱的人。他觉得,这纷扰的夜晚的全部黑暗仿佛都沉到了他的心灵深处,进出他的胸膛。他跳了起来。回家,回家,回到家里,什么地方都行,在温暖、明亮的房间里,与亲人在一起。他们对他能怎么样呢?打也好,骂也好,自从他感受到了这种黑暗的滋味和寂寞的恐惧以来,他什么都不怕了。

这种想法驱使他往前走去,不知不觉他突然站在祖母寓所的门前了,手又重新摸着冰冷的门铃。他看到,现在窗户透过绿阴闪着光亮,在想象中,看到每扇明亮的玻璃后面的熟悉的房间里都有人在里面。这种亲昵感使他感到幸福,这种乍到的安适感使他与他所爱的人靠近了。如果说他还在犹豫的话,那只是为了更亲切地享受这种预感。

这时在他身后响起一声刺耳的尖叫:

"埃德加,他在这儿!"

祖母的女仆看见了他,向他扑来,抓住他的手。里面的门开了,一只狗跳到他面前汪汪直叫,屋里的人拿着灯走了出来,他听到欢叫声和惊叹声,呼喊和脚步混成一片的嘈杂声,越来越近。现在他认出来了,最前面的是祖母,她张开了胳膊,在她后面竟是他的母亲,他以为自己是在做梦。他的眼睛哭肿了,他颤抖着,畏葸地处在这激动的感情中间,他无所措手足,不知该做什么,该说什么,甚至连他感觉到什么也不清楚:是恐惧还是幸福。

最后的梦

事情原来是这样的:他们早就在这儿找他、等他很长时间了。他母亲尽管在气头上,却也对这激动的孩子破门而出感到惊慌,她叫人在塞默林到处寻找。正当大家都激动不安,纷纷作出各种危险的猜测时,有位先生带来消息说,他三点钟前后在车站售票处见到过这孩子。人们很快从车站得知埃德加买了一张去巴登的车票。她毫不迟疑地立即去追赶他,并事先电告巴登和维也纳他父亲处。一片忙乱和激动,两个钟头以来,一切都为寻找这个逃亡者而忙乱着。

现在他们牢牢地抓住了他,但并不是用暴力。他怀着一种受到抑制的胜利感被领进房间里。可是使他奇怪的是,他没有受到他们的严厉斥责,他在他们眼里看到的是欢欣和爱抚。就算是斥责吧,这种假装的生气,也只是一转眼的工夫。随后祖母又含泪搂抱着他,没有人再说他的过错了,他感到围绕他的是一种奇怪的关怀。这时女仆脱下他的上衣,给他拿来一件暖和的。祖母问他饿不饿,需要些什么。他们都很关心地挤过来围着他,但是当他们看到他的窘态时,就不再问他什么了。他快意地重新感觉到了那种曾受他藐视但却是不可缺少的孩子的感情。他对自己近来的自负傲慢感到羞愧难当,现在他得到的特殊宠爱,是他用自己的孤独所赢得的虚假快乐换来的啊!

隔壁房间里的电话铃响了,他听到他母亲在接电话,听到她说的几个字:"埃德加……回来了……到这儿来……坐末班车。"埃德加感到奇怪的是,她不再对他火冒三丈,只是搂抱着他,用奇怪的、欲言又止的目光望着他。他越来越懊悔,最好能避开这里祖母、姑妈的悉心关怀,进去请她原谅,十分恭

顺地、单独一个人对她说,他要重新成为一个听话的孩子。可当他轻轻站起来时,祖母稍感惊慌地问道:

"你要到哪儿去?"

他羞愧地站着。他只要一动,他们就为他感到害怕。他把他们大家都给吓怕了,怕他再度逃走。他们怎么能够理解,对这次逃跑,他自己比任何人都感到后悔呢!

饭桌摆好了,给他端来一份赶做的晚饭。祖母坐在他身边,两眼一直不离开他。她和姑妈以及女仆静静地把他围住,他在这种温暖的气氛里感到十分安适。只有母亲没有进来,这使他惶惑。要是她知道他现在是多么低声下气的话,那她准会来的!

这时从外面传来辚辚的车声,随即在门前停了下来。其他人都惊讶起来,埃德加也感到不安。祖母走了出去,黑暗中,各种声音传来传去,他突然知道他父亲来了。埃德加羞怯地发觉,他现在又是一个人独自在房间里。即使是这短暂的孤独也使他感到慌乱。他父亲是严厉的,他是他唯一真正害怕的人。埃德加细心地谛听,他父亲好像很激动,说话声音很高,很恼火。这中间,听见他祖母和他母亲的令人宽慰的声音,显然她俩要他说话温和些。但是父亲的声音一直是生硬的,像他正在走来的脚步声一样,这脚步越来越近,已经到了旁边的一个房间,来到门前,现在门打开了。

他父亲个子很高,埃德加此刻在父亲面前觉得说不出的渺小。他走了进来,满脸火气,看来确实正在气头上。

"这是怎么回事,你这小子竟然逃跑了?你怎么能这样使你母亲担惊受怕?"

他的声音很愤怒,双手急剧地摆动着。现在他母亲轻轻走了进来,脸上罩了一层暗影。

埃德加没有回答。他想必须为自己辩解，可是他该怎么讲他被骗被打的事呢？父亲会理解吗？

"咦，你不会说话？是怎么回事？你可以慢慢地说！你有什么不对的地方？你逃跑总得有个理由嘛！有人委屈了你？"埃德加在犹豫。回忆使他又愤恨起来，差点儿要说了。这时他看到他母亲在父亲背后做了个奇怪的动作，他的心静了下来。母亲的这种动作开头他并不理解，可现在她在看着他，眼里流露出乞求的神情。她轻轻地、非常轻地把手指放在嘴上，做了个不要说的动作。

孩子感到，突然间一种温暖的感情，一种巨大的狂喜流过他的全身。他明白了她要他保守秘密，他觉得他那小小的嘴唇可以决定一个人的命运。她信赖他，他全身浸透着骄傲。猝然之间，他产生了一种自我牺牲的勇气，他要加重自己的过错，为了表明自己是多么值得信赖，自己是一个好汉。他鼓起勇气说：

"没有，没有……没有什么理由。妈妈对我非常好，可是我淘气，是我自己做错了……我……我逃跑了，因为我害怕。"

他父亲愕然地望着他。他一切都料到了，唯独没有料到这么个供词。他的愤怒无从发作。

"咦，你承认了错误，这很好。那我今天就不再谈这件事了。我想你得找个时间好好想想！不许再发生这样的事情。"

他站在那儿望着他，现在他的声音温和得多了。

"你脸色多么苍白啊。可是我觉得你又长高了一截。我希望你不要再耍小孩脾气了，你已经不是一个毛孩子，该懂得些事体了！"

埃德加一直都在望着他母亲。他觉得她的眼里闪着亮光，或许这是灯光的反射？不，那是湿润而晶莹的泪花，她的嘴上泛起一丝微笑,表明她对他的感激。他们现在把他带去睡觉,可他不再因为他们让他孤零零一个人在那里而感到悲哀了。他有多少东西,有多少丰富多彩的东西要思索啊。近日来在他生活中初次感受到的巨大的痛苦消失得无影无踪,他预感到未来的生活是神秘的,他有点陶醉了。在漆黑的夜里,窗外的树木在窸窣作响,但他不再感到恐惧。自从他知道生活是多么丰富以来,他对它就不再感到焦躁不安。他仿佛觉得今天是头一次看到赤裸裸的现实,这现实不再被童年的千百个谎言所遮蔽,而是呈现出它全部难以想象的、危险的未来。他从来没有想到,多姿多彩的生活中痛苦和欢乐竟然到处可以相互转换。而一想到他面前还有许多这样的时光,生活还深藏不露地等待着他惊喜地去揭开它的面纱时,他就感到快乐。现实生活的绚丽多彩,和对于多姿多彩的现实生活的朦胧预感的突然袭来,使他第一次相信他理解了人的本质,即使他们彼此充满敌意,他们也都相互需求,被他们所爱又是多么甜蜜啊。让他带着仇恨去想某件事,某个人,这是不可能的,他对什么都不悔恨,就是对男爵,那个勾引者,他的势不两立的敌人也不怨恨,他对他有了一种新的感激之情,因为他给他打开了通向感情世界的大门。

在黑暗中去想这一切是甜蜜的,令人神往的。他昏昏欲睡,从迷梦中轻轻浮现出各种模糊不清的景象。这时他觉得门突然开了,好像有人轻轻走了进来。开头他不大相信,他太困了,怎么也睁不开眼睛。这时他觉得有人喘着气,用自己的脸柔和地、温暖地、甜蜜地揉擦着他的脸。他知道这是他母亲,她现在在吻他,用手在抚摩他的头发。他感到了亲吻,他感觉到她的泪水。他温柔地回答了母亲的爱抚,把这当作是和解,当作是对他的沉默的答谢。直到以后,多年以后他才认识到这泪水是一个老之将至的人的誓言。从现在起,她只属于他,属于她的孩子,这意味着她放弃风流生涯,意味着她与自己的欲念诀别。他不知道她也感激他,是他把她从一种无益的艳遇中拯救了出来;她就用这种拥抱把爱的既苦又甜的重负留给了他,像是一笔遗产。此刻,孩子对这一切还不理解,但是他觉得能这样被爱是太幸福了,他感到这种爱又把他同世界上最伟大的秘密交织在一起。

她从他身上松开了手,她的嘴唇离开了他的嘴唇,身影轻轻消失了,却留下一片温暖,他的嘴唇上还留有一股气息。一种甜蜜的欲望使他渴望温柔嘴唇的再度轻吻和亲切的拥抱,但是这种令人渴求的秘密的遐思美想业已被睡眠的阴影笼罩。几个小时以来的景象,又一次五彩缤纷地飞掠而过,他青年时代的书本又一次诱惑地翻了开来。随后孩子沉入睡乡,他生活中更为深沉的梦开始了。

夏天的故事

韩耀成译

去年夏天的八月，我是在卡德纳比亚度过的，那是科莫湖①畔的一个小地方，白色的别墅和黝暗的森林相互掩映，景色宜人。在热闹的春日，贝拉焦和梅纳焦的旅行者熙熙攘攘挤满了狭窄的湖滨，而卡德纳比亚这座小镇却仍旧宁静和安谧。在这几个星期，它沉浸在芳香弥漫、风和日丽之中。这家旅馆几乎是孤零零的：稀稀拉拉的几个客人，每人都对别人居然也选择这么个偏僻地方来消夏感到有点奇怪，而每天早晨竟发现别人还没有走，大家都对此惊讶不已。最使我感到惊奇的是一位高雅的、修养有素的年岁较大的先生。从外表看，他是介于得体的英国政治家和巴黎的好色之徒之间的一种类型；他并不从事任何水上运动来打发时间，而是整天若有所思地凝视着香烟的烟雾在空中飘散，或者间或翻一翻书。下了两天雨，寂寞难当，外加他又随和热情，所以我们一认识马上就很亲密，年龄上的差别也就不成其为障碍了。论籍贯，他是利服尼

---

① 科莫湖，在意大利北部阿尔卑斯山上，面积146平方公里。这里气候温暖，风景优美，是疗养胜地。小说中提到的贝拉焦、梅纳焦等地，就是湖区著名的风景点、疗养地。

亚人①,先在法国,后来又在英国受的教育,从未有过职业,这些年来一直没有固定的住地,是高雅意义上的无家可归的人,像威金人②和掠夺美女的海盗,积攒了世界各地的许多奇珍异宝。他对各种艺术都一鳞半爪地懂得一点,他对献身于艺术的鄙视远远超过了对艺术的爱好:他以千百个美好的小时欣赏艺术,却没有下过一个小时的苦功来搞搞创作。他的生活显得闲散,因为不受任何集体的约束,生活中由千百种宝贵的经历所积聚起来的财富,随着最后的一口气也就烟消云散,无影无踪了。

一天黄昏,晚餐之后我们坐在旅馆门前,望着明亮的科莫湖在我们眼前渐渐变得朦胧起来,这时我向他谈起了前面这些想法。他笑着说:"也许您并非没有道理,虽然我不相信回忆:经历过的事情,在它离开我们的瞬间就结束了。再说诗吧:二十、五十、一百年之后不是同样也烟消云散了吗?但是今天我要告诉您一件事,我相信这是一篇很好的小说素材。您来!这事最好是边走边谈。"

于是我们就沿着美丽的湖滨道漫步,古老的柏树和枝繁叶茂的栗树把它们的阴影投在小路上,树木的枝丫侧映在湖里,湖水不安地闪烁着。湖那边贝拉焦一片雪白,像飘浮的白云,已经下山的太阳给它染上了柔和的艳丽色彩。在那高高的、黝暗的山岗上,塞贝尼别墅的围墙顶上抹着金刚石般的落日余辉,熠熠闪光。天气有点闷热,但并不使人感到憋气;温暖的空气像女人温柔的胳膊,温存地偎依在树影身上,她的呼吸里

---

① 利服尼亚在波罗的海地区。
② 威金人,即诺曼人(Normannen),8—11世纪时经常劫掠欧洲西海岸的日耳曼航海者。

充满看不见的鲜花的芳香。

　　他开始说:"开头就得坦白。我去年就已经来过这里,来过卡德纳比亚了,是和现在同一时节,住在同一旅馆,这我一直没有告诉您。我对您说过,我这个人一向不愿意生活的重复,因此您对我今年又到这家旅馆来这件事一定会更加感到奇怪的吧。那就请您听我说! 那次当然也和这次一样的寂寞。那位先生整天抓鱼,晚上又把鱼放掉,第二天早晨再抓的,他来自米兰,去年也在这里;去年还有两位英国老太太,她们默默无闻的生活几乎引不起任何人的注意,此外还有一位漂亮的小伙子带了一位可爱而苍白的姑娘,我至今仍不相信她是他的妻子,因为他俩显得过分的亲昵。最后还有一家德国人,是典型的德国北方人,一位年纪大些的妇人,头发淡黄,骨骼突兀,动作笨拙而难看,她像钢钎一样,显得咄咄逼人,她那张爱吵架的嘴像是用刀削过的,十分锋利。跟她一起的是她的一个妹妹,这绝不会认错,因为她们俩人的面貌完全一样,只不过妹妹的面容要舒展些,松软的脸上布满了皱纹。姊妹两人成天在一起,可是从不交谈,时时刻刻都在织东西,在编织她们空虚的思想,像是无情的命运女神① 在编织这百无聊赖、狭隘短浅的世界。她俩中间坐着一位年轻姑娘,大约十六岁左右,是她们两个之中某一位的女儿;我不知道是哪一位的女儿,她的脸颊尚未成熟,但已经呈现出些许女性的圆润。她并不算好看,体形太纤细,尚未成熟,此外穿着打扮当然也显得土气,但是她那茫然的神韵中却有着某种动人的东西。她的眸子很大,充满朦胧之光,但是她的眼睛总是困惑地躲开别人的视

---

　　① 希腊罗马神话中的命运女神共有三位,一位纺织生命之线,一位决定生命之线的长短,第三位负责切断生命之线。

线，一阵眨巴就掩饰了眼睛的光芒。她也老是带着编织活计，但她两只手的动作却常常很缓慢，手指头不时停下来，静静地坐在那里，以一种梦幻般的、纹丝不动的目光凝视着湖面。不知为什么，我一见此景，似乎就有什么东西奇怪地把我攫住了。攫住我的难道是看到那位容貌凋谢的母亲和她青春焕发的女儿，看到身躯后面的影子而产生的庸俗的、却是不可避免的遐想，是想到每张脸庞上已经悄悄爬上了皱纹，笑声里默默显出了疲惫，梦境里已悄悄藏着失望而产生的伤感吗，还是在姑娘身上处处显露出来的那种狂热的、突发性的、毫无目的的憧憬，是她们生活中那绝无仅有的、奇妙的瞬间？这一瞬间她们的目光热切地注视着宇宙，因为她们还没有得到那独一无二的东西，还没有可以紧紧抓住的东西，可以依附其上，就像藻类依附于漂浮在水面的木头一样。观察着姑娘，望着她那梦幻般的、湿润的目光，看着她对每一只猫和狗所表现出来的狂热而激烈的爱抚的姿态，瞧着她干干这，干干那，但什么事也不能做到头的不安神情，我心里充满了难以言状的激动。再就是晚上她心绪不定地浏览旅馆图书室里的几本不怎么像样的书或者翻阅她自带的两本翻烂了的歌德和鲍姆巴赫①的诗集的匆忙神态……您干吗笑呀？"

我向他表示抱歉："把歌德和鲍姆巴赫凑在一起了。"

"噢，是这样！当然这是可笑的。但却又不可笑。您可以相信，年轻姑娘到这年龄，无论读的是好诗还是歪诗，是感情纯真的诗还是骗人的诗，她们都不在乎。对她们来说，诗只不过是解渴之杯罢了，她们根本不注意酒的本身，酒还没喝，她们的心就已经醉了。这位姑娘就是这种情景，她的憧憬已经装

---

① 鲍姆巴赫（1840—1905），德国诗人，以写作学生饮酒歌和叙事著名。

满了杯子，使她的眼睛也发出了光彩，指尖在桌上微颤，走起路来步履显得奇特、笨拙，但却又很轻快，带着一种飞跑和恐惧的风韵。看来她渴望同人说话，倾诉她充溢胸中的一切。但是这里没有人，只有寂寞，只有毛线针左右碰击的单调声音，只有这两位妇人冷冰冰的、多疑的目光。一种无限同情之心在我身上油然而生。可是我又不能接近她，这是因为，首先，在女孩子此刻的心目中一个上了年纪的人是没有吸引力的，其次，我讨厌跟全家结交，尤其讨厌跟上了年纪的家庭妇女结交，这就排除了我去接近这位姑娘的任何可能性。于是我就试着做了一件奇怪的事。我想：这位年轻姑娘还没有开始独立生活，阅历不深，大概是初次到意大利——在德国，意大利被看作是浪漫主义爱情之国，是那些罗密欧们之国，那里，背地里在谈情说爱、扇子落在地上，还有那些寒光闪闪的匕首、假面具、少女的伴娘和温存多情的书信。那是由于受了英国人莎士比亚的影响，其实莎氏自己从未到过意大利。她一定在做着风流艳梦，但又有谁懂得少女的梦呢？这些梦如飘浮的白云，毫无目的地在蔚蓝的苍穹里浮移。这些如云的梦，黄昏时分总是染上灼热的色彩，先是紫色，随后又燃成火红。她觉得这里任何事情都是可能的，都不会使她感到意外。于是我就决定给她虚构一个神秘莫测的情侣。

"当天晚上我就写了一封缠绵的长信，既谦恭又尊敬，用了许多奇特的暗示，信没有签名。信里没有提什么要求，也没有作什么许诺，既热情奔放，又含蓄有度，一句话，像是从诗剧里抄来的一封浪漫主义情书。我知道，她因为心潮激荡，所以每天总是第一个去吃早饭，于是我就把这封信叠在餐巾里。到了第二天早晨，我从花园里对她进行观察：只见她猛吃一惊，大为诧异，她那苍白的脸颊上泛起了红晕，一直红到脖子。她困惑地环顾四周,全身震颤,以小偷似的动作把信藏了起来,随后就神情不安、激动烦躁地坐着,早点几乎连碰都没有碰就走了出去,走到外面那浓荫覆盖的、很少有人涉足的小路上揣摩这封神秘莫测的信去了……您想说什么?"

刚才我下意识地做了一个动作,因此得解释一下。"我觉得这很冒失。您难道没有想过,她可能会去查问或者——这最简单——去问跑堂的,餐巾里怎么会有封信?或者她不会把信交给她妈妈吗?"

"这我当然想过。可是假若您见过这位姑娘,这位怯懦而可爱的造物,连说话声音大了点都要怯生生地向周围瞧瞧,那么您就什么顾忌也没有了。有的少女很害羞,您可以对她们大胆妄为,因为她们束手无策,宁愿吃哑巴亏,也不去告诉别人。我笑嘻嘻地从后面看着她,为自己开的这个玩笑取得了成功而暗自欣喜。这时她又回来了,我突然感到血液在太阳穴里砰砰直跳:这姑娘完全变了,脚步也变了。她方寸纷乱,思绪不宁地走来了,脸上泛着红晕,一种甜蜜的窘态使她显出笨手笨脚的样子。一整天她都是这样。她的视线射向每一面窗户,仿佛在那里可以把这个秘密抓获似的;她的目光盘绕在每个过往行人的身上,有一次也落到了我的身上,我小心翼翼地避开了它,免得眼睛一眨露出马脚;但是就在这飞逝的瞬间我感到她的疑问像一团火,这使我大吃一惊,多年以来我又感觉到,往一个少女的眼睛里洒进第一个火星,这比开什么玩笑都更加危险,更加诱人,更会毁掉一个人。后来我见她坐在两位德国太太中间,手指没精打采地织着毛线活,有时匆匆往衣服上触摸一下,我肯定,那里准藏着那封信。这场游戏吸引着我。当天晚上我给她写了第二封信,以后又接连几天给她写了信:在我这些信里体会一个恋火中烧的青年男子的感受,并虚构出越烧越炽烈的恋火,这成了吸引我的一种奇特而激动的神奇力量,成了令我着迷的癖好,仿佛猎人在安放圈套或把野兽诱到他的枪口上来的时候所具有的那股劲头。我取得的成果简直无法描述,几乎是可怕的,要不是这场游戏使我如此着迷的话,我早想停止了。她走路的步子变得轻快而杂乱,像跳舞一样,她的脸庞微微发烧,现出一种奇特的美丽;她夜里准是睡不着,在期待着早晨的情书,因为一大早她的眼眶发黑,眼里闪烁着一团火。她开始注意自己的打扮了,头发上插着花,她的手轻轻抚摸着一切东西,显出无比的温柔;她的眼光里总含着一个疑问,这是因为从我这些信里所提到的千百件生活琐事里,她感觉到写信人一定就在她的近处,像是缥缈的精灵爱丽尔①,奏着音乐,在她身边飘荡,窥视着她最最隐秘的活动,但又不愿让人看见。她显得如此之快乐,这个变化就连两位迟钝的太太的眼睛也没有逃过,她们有时以慈祥而好奇的目光盯着她那匆匆走过的身影和花朵般绽开的面颊,然后就含着隐隐的微笑打量着。她的声音变得优美动听,变得响亮、清脆而大胆,她的喉咙常常有点发抖、发胀,仿佛突然要用升高的颤音欢呼般地唱出来,仿佛……但您又在笑了!"

"没有,没有,请您继续讲下去。我觉得您讲得非常好,您很有——请原谅——天才,您一定可以把这故事讲得很好,同我们的小说家不相上下。"

"您这话当然是客气而婉转地说我讲得同你们德国的小说家一样,就是说过分地抒情,铺枝蔓叶,多情善感,索然无

---

① 爱丽尔,传说中的气精,虚无缥缈,无影无踪。在有些作家的笔下,爱丽尔是个善于变化,神通广大的精灵。莎士比亚在《暴风雨》中,歌德在《浮士德》中都写了爱丽尔这个精灵。

味。好，我现在讲得简短一点！木偶在跳舞，而我用手提着线，早已胸有成竹。为了转移她对我的任何怀疑——因为有时候我感觉到，她的目光在盯着我的视线打量——我就让她感到，可能写信人不在这里，而是住在附近的一处疗养地，是每天坐小船或汽艇过湖来的。此后每当驶来的船只靠岸响起铃声的时候，我就见她找个借口，摆脱母亲的守护，猛冲出去，在码头的一角屏住呼吸，打量着每一个到来的人。

有一次——这是一个阴沉的下午，对她进行观察真是妙不可言的事——一件奇怪的事情发生了。旅客中有一位漂亮的年轻人，穿着意大利青年极其讲究的服装，他的目光探寻地朝此地扫视着。这时这位姑娘无望地搜寻的、探询的、干渴的目光引起了他的注意。姑娘脉脉含笑，脸上立即泛起一阵羞涩的红晕。年轻人愣住了，注意起来了——一个人要是触到别人投来这么热烈的、含有千层意味的目光，这是容易理解的——含着笑跟她走去。姑娘逃开了，心里断定，这就是自己找了很久的人；她又往前跑去，但又回过头来看看，这就是那种又乐意又害怕、又渴求又害臊的永恒的游戏，这场游戏中姑娘终归还是乐意让他追上的。他虽然感到有点诧异，但显然受到了鼓励，于是就在后面追赶，眼看快追上她了，这时我吓了一跳，以为这一下可要乱套了——这时两位太太正顺路走来了。姑娘像一只惊弓之鸟朝她们奔了过去，这位年轻人则谨慎地退了回来，但是他们又回头对视了一回，彼此热烈地吮吸着对方的目光。这件事首先提醒我该结束这场游戏了，但是诱惑力又太强了，我决定随心所欲地利用这次巧合，当晚就给她写了一封特别长的信，要让她的推测得到证实。现在要同时摆弄两个人，这事对我有着强烈的诱惑力。

"第二天早晨，姑娘脸上笼罩着一层颤抖的迷惘神情，我感到大为吃惊。她荡漾着的美丽风韵消失了,脸上挂着一种令我感到莫名其妙的愠怒神色,她的眼睛哭红了,还噙着泪水,显然她的内心深处感到极度痛楚。她的沉默不语似乎是在渴求一阵狂喊乱叫,她的额头上积聚着一片愁云,目光里露出一种忧郁、辛酸的绝望,而我这回却正期待着看到她很开心的样子。我心里有点胆怯。从未有过的事第一次出现了,木偶不听摆布了,我要她这样跳,她却偏偏那样舞。我苦思冥想,始终找不出一个办法来。我对我的游戏开始感到恐惧了,为了避开她眼神里的那种悲戚的怨诉,天黑以前我没有回旅馆去。待我回来以后,一切全明白了。那张餐桌空了,这一家人走了。她不得不离去,连一句话都没能对他说。她的心此刻深深地牵萦着那唯一的一天,牵萦着那珍贵的一刻,但她不能对她的亲人们吐露:她被人从一个甜蜜的梦境里拖走,拖到一座鄙陋的小城镇去了。这件事我已经忘了,但我现在还感觉到她那最后的、如怨如诉的目光,感觉到我投进她生活里去的——有谁能知道她心灵的创伤多么深重——愤怒、折磨、绝望和最最辛酸的痛苦具有多么可怕的威力啊。"

他沉默了。在我们散步过程中,夜渐渐深沉。云层挡着的月亮发出一种奇特的、颤动的光华。树丛中间像挂满了月光和星星,湖面呈现一片苍白色。我们一言不发,继续朝前走。后来,我同行的伙伴终于打破了沉寂。"这就是那则故事。这是不是一篇小说?"

"我不知道,无论如何我要把这个故事同其他故事一起牢记心间,您给我讲了这故事,我得谢谢您。一篇小说?也许这是一个能够吸引我的美丽的序篇。因为这几个人还闪忽不定,他们还没有完全把握住自己,他们的命运才开了个头,还并不是命运的本身,得把这个开头写到结束才好。"

"我懂得您的意思。您是说,这位年轻姑娘的生活,她回到了小镇,碌碌生活的可怕的悲剧……"

"不,不完全是这个。这位姑娘以后的事我不感兴趣。年轻女子无论她们自以为如何古怪,也总是索然无味的,因为她们的经历全都是消极的,所以太过于相似了。我们谈的那位姑娘,只要时机一到,就会嫁给一个诚实的男人,在这里的那件艳遇就将永远成为她回忆中最美丽的一页。这位姑娘以后的事我不感兴趣。"

"这倒很奇怪。我不知道,您在那位年轻人身上能够发现些什么。那样的目光,像一时喷射出来的一团烈火,这是每个人在青春时期都会捕捉到的,不过大多数人压根儿没有觉察而已,有的人则很快就把这样的目光忘了。人老了才会懂得,这恰恰是一个能够获得的最珍贵、最深沉的东西,青春的最神圣的特权。"

"我感兴趣的也根本不是那个年轻人……"

"而是?"

"我倒想把那位年纪较大的先生,那位写信的人,拿来加加工,把他的事写到头。我认为,一个人无论是多大年纪,他要是写出这么炽热的信,在梦境里进入爱情之中,那他绝不会不受惩罚,绝不会无动于衷的。我倒想写一写事情是如何弄假成真的,写出他如何以为掌握着这场游戏,而实际上却是游戏掌握了他。他误认为姑娘蓓蕾绽开的美貌只是他以观察者的身份看到的,但实际上这美貌却深深地吸引和攫住了他。突然,这一切都从他手里滑掉了,这一瞬间他心里产生了一种强烈的渴望,感到需要这场游戏和玩具。吸引我的是爱情翻了个个儿,把一个老人的情火弄得跟一个男孩子的情火差不多,因为这一点双方都没有充分感受到。我要让老人忧虑和期待,我要让他心神不定,让他为了要见到她而跟着追到她那里去,但最后一瞬间又使他不敢去接近她,我要让他重新回到原地来,心里怀着再见到她的希望,怀着有神灵助他创造一次巧遇的希望,而这次巧遇后来又是十分残酷的。我的小说想要顺着这条线去构思,后来小说会是……"

"骗人,胡说,不可能!"

我惊得抬起头来,他打断了我的话,声音僵硬、嘶哑、颤抖,带有威胁的意味。我还从来没见他那么激动过。一闪念我感觉到,刚才不小心触到了他的痛处。他急忙站住了,弄得我很狼狈,我见他的白发在闪亮。

我想马上转个话题。但是他又在说了,现在他的声音平静、亲切、低沉、柔和,略微有点伤感,因而显得很优美。"或许您是有道理的。这事确实很有意思。我记得巴尔扎克把他最最动人的故事中的一篇叫做《L'amour coûte cher aux vieillards》①,用这个题目还可以写许多故事。但是那些最最谙悉其中隐秘的老人们,他们只愿讲自己的成功,不愿讲他们的弱点。有些事情只不过类似不断摆动的钟摆罢了,但他们却很害怕,在这些事情上显得极其可笑。您当真相信卡萨诺伐②的回忆录恰巧'丢失'了那些写他年迈时期的章节是偶然的吗?那时这只公鸡已经成了戴绿帽子的乌龟,骗子成了受骗的人。也许他觉得手太沉重了,心太狭窄了。"他向我伸出了手。这时他的声音又变得冷淡、平静,安之若素。"晚安!我看,

---

① 法文,意为《老年人的爱情更珍贵》。
② 卡萨诺伐(1725—1798),意大利教士、作家、间谍、冒险家和外交官,他的生活放荡不羁,以冒险家和"浪荡公子"而为世人所知。他最主要的著作是6卷自传《我的生平》。

夏夜给年轻人讲故事是很危险的，这很容易使他们产生许多愚蠢的想法和做着各种各样不必要的梦。晚安！"他迈着灵活的、但是由于年岁关系已经变得缓慢的步子回到黑暗中去了。时间已经很晚了。通常，像这样软绵绵的温暖的夜晚，困乏早就向我袭来了，而今天，倦意却被血液里翻腾作响的激动驱散了。当一个人遇到一件怪事，或者一刹那之间像自己的事一样经历着别人的事的时候，这样的激动是常常会有的。于是，我就沿着寂静黝黑的道路一直走到卡尔洛塔别墅。大理石台阶从别墅一直通到下面的湖里，我在冰凉的石阶上坐了下来。夜，多么奇妙的夜！贝拉焦的灯火以前像萤火虫一样在就近的树林里闪烁，现在则闪射在水上，显得遥远无垠。这些灯火慢慢地、一个接一个熄灭了，大地笼罩在一片沉重的黑暗里。科莫湖默默地躺着，光洁得宛如一块乌黑的宝石，可是边上闪烁着纷乱的火光。微波一上一下轻轻地击拍着石阶，像是白嫩的手在轻按琴键。远处的天穹显得高远无垠，天空里千万颗星星在闪烁。它们眨巴着眼睛，宁静而沉默，只是不时就有一颗星星猛然离开金刚石似的牢固的范围，坠进夏天的夜空，坠进黑暗之中，坠到山沟、峡谷里，坠到山上或远处的水里，不知不觉中被盲目的力量甩了出来，就像一个生命被甩进莫名的命运的深渊。

桎 梏

黄湘舲译

　　太太还在酣睡，发出圆润而大声的呼吸。她微张着嘴，似乎要笑或说什么，她年轻、丰满的胸脯在被子下面柔软地起伏着。窗外晨曦初现，可是冬天的早晨朦朦胧胧，万物沉睡在半明半暗之中，轮廓模糊依稀。

　　斐迪南轻轻地起了床，他自己也不知道为什么。现在他经常这样：工作当中突然拿起帽子，匆匆走出家门，跑到田野里，他越跑越快，越跑越快，直跑得精疲力尽，突然在一个陌生的地方停住，双膝颤抖，太阳穴直跳；或者在热烈的交谈中突然瞪着眼睛，不知所云，答非所问，必须强制自己才能恢复常态；或者晚上脱衣服的时候一阵糊涂，手里提着脱下的鞋子恍恍惚惚坐在床沿上发呆，直到他妻子叫他，或者长统靴砰的一声掉在地板上，才会把他惊醒过来。

　　此刻他从有点闷热的卧室走到阳台上，他感到一阵凉意，不由自主地将双肘压着腹部，好暖和些。他眼前的景色还完全笼罩在晨雾之中。往常从他坐落在高处的小屋子眺望，苏黎士湖宛如一面明镜，湖里倒映出天空中匆匆驰去的朵朵白云。今天苏黎士湖上，乳白色的浓雾在滚滚翻动。他目光所及，手所触摸之处，一切都很潮湿、昏黑、粘滑和灰暗，树上滴着水珠，阳台上一片潮气。正在升起来的世界像一个刚从洪水中逃出来、身上还淋着串串水珠的人。透过雾霭传来说话的声音，但是咕咕噜噜，模糊不清，犹如溺水者嗓子里噜噜的哮喘声。有时也有锤击声和从远方传来的教堂钟声。这种声音往常是清脆的，现在听来却显得潮湿，像生了锈一样。他和他周围世界之间笼罩着一片阴湿。

他感到阵阵凉意，可是却站着不走，两手深深插在口袋里，等着雾气消散，以便放眼远眺。雾像一张灰纸，开始慢慢地从下面卷起。对于这可爱的景色，他心头涌起一种强烈的眷恋，他知道，下面的景物井然有序，只不过是被晨雾遮掩起来了，而往常那景色的明晰的线条会使他感到精神焕发，神采奕奕。平时心烦意乱的时候，他总是走到窗前，眼底的景色使他赏心悦目，心情也就平静下来了；湖的对岸房屋鳞次栉比，一艘汽艇轻巧地划开湛蓝的湖水，海鸥快乐地麇集在湖岸上，缕缕炊烟呈银色螺旋状从红色烟囱里袅袅升起，飘入回响着正午钟声的天空——显然这一切都在告诉他：多么升平的世界！而他呢，虽然他明知这个世界是疯狂的，也竟相信了这些美好的标志，因为有了这个他所挑选的地方而把自己的祖国忘掉了若干时辰。几个月前，他为了躲避时代和周围的人，从正在打仗的国家来到瑞士，他感到，他那饱经风霜忧患的、被恐惧和惊吓啮碎了的心灵，在这里得到了平静和慰藉，愈合了创伤。这里的风景使他心旷神怡，明净的线条和色彩唤起了他艺术创作的欲望。正因为此，每当像今天这个大雾迷漫的早晨，视野模糊，景色暗淡的时候，他总有一种被疏远和被遗弃的感觉。这时候他对下面笼罩在朦胧中的一切，对他祖国的、也是对沉沦在远方的人民油然生出一种无限的同情，渴望与他们同呼吸共命运。

迷雾中从教堂钟楼上传来四下钟声，随后八下清脆的报时钟声响彻在三月的清晨。他觉得自己像在塔尖上似的,感到无可名状的孤独。世界在他面前,妻子在他身后,还在昏暗中酣睡。他的内心深处萌生一种欲望,真想把这堵迷雾的软墙捣毁,随便在什么地方感受一下苏醒的信息和可靠的生活。当他放眼远望,觉得在那边下面灰蒙蒙的地方,亦即村子的尽头,有条蜿蜒曲折的爬山险道通往这里的山岗,那里似乎有什么东西在往上蠕动,不是人就是动物。隐约之中,那小东西在往上走来,他先是感到一阵高兴,因为睡醒了的不只是他,此时他还夹杂着一种急不可待的、病态的好奇心。在通向那灰色的东西正在移动的地方,是个岔路口,一条路通往邻近的村子,一条路通向这儿山岗上。那灰东西好像在那里深深吸了口气,迟疑片刻,接着就顺着狭窄的山路蹒跚地往山上攀登。

　　一阵不安向斐迪南袭来。"上来的这个陌生人是谁?"他自己问自己,"是什么事迫使他离开他昏暗、温暖的卧室,像我一样,一大早就跑到外头来呢?他要到我这里来?他来找我干吗呢?"近处的雾气比较稀薄,现在他认出他来了:是邮差。每天清晨,八下钟声一响,他就爬山到这里来,斐迪南对他很熟悉,呆板的脸上蓄着红色水手胡须,两鬓已经斑白,鼻梁上架着一副蓝色的眼镜。他叫"胡桃树"①。由于他动作硬梆梆的,再加上他把信件郑重其事地交给人家之前,总是先把他那黑色的大皮包往右边一甩的那副庄严神气,他就管他叫"胡桃夹子"。斐迪南见他把邮包甩到左边,一步一蹭地走着,以及由于腿短,步子走得不伦不类的姿态,就不由自主地好笑。

　　可是他突然觉得自己双膝在颤抖。在眼睛上搭着凉棚的双手也像瘫痪了似的掉了下来。今天、昨天、这些个星期以来的

---

① 邮差姓努斯鲍姆,这个姓还有"胡桃树"的意思。

不安，现在一下子又袭来了。他心里感觉到，这个人是一步一步朝他走来，是专门来找他的。他下意识地把门打开，蹑手蹑脚地走过还在酣睡的妻子，急忙下了楼，来到两侧都是篱笆的小路上，以迎候来人。在花园门口，他碰上了他。"您……您有……"他接连说了三次才说出来，"您有我的信件吗？"

邮递员把蒙着湿气的眼镜抬了抬，目光盯着他说："有，有。"他猛地把黑邮包甩到右边，用被雾冻得又红又湿、像大蚯蚓一样的手指在信堆里翻找着。斐迪南直哆嗦。终于他拣出来一封信。褐色的大信封上宽宽地盖着"公事"两个字，下面就是他的姓名。"得签字。"邮差说着，舔湿复写笔，把登记本递给了他。由于激动，斐迪南签的字很难认，而且把登记本都划破了。

随后斐迪南从邮递员那又肥又红的手中接过信，可是他的手指竟如此僵硬不灵，以致信从手中滑了下来，掉到地上，掉到了湿土和湿树叶上。他俯身去捡信时，一股难闻的霉味扑鼻而来。

这就是那件事情，现在他完全明白，几个星期来阴森森地扰乱他的平静的，就是这封信，这封他不愿要，但却等待着的信。信是从丧失了理智和礼仪的远方寄来的，要找的是他。它那打字机打出的呆板语句攫取了他温暖的生活和他的自由。他曾经感到这封信从什么地方寄来了，犹如一个在茂密的森林中巡逻的骑兵，感觉到有一支看不见的冷冰冰的枪管在瞄准他，枪管里装着一颗小铅丸，要射进他的肌体。他进行了反击，但是毫无用处。多少个夜晚他想的全是这些事，现在终于找上门来了。那还是不到八个月的事，当时他光着身子，在边界那边站在一位军医面前，寒冷和厌恶使他浑身哆嗦。那军医像马贩子似的抓着他胳膊上的肌肉，他知道，这种对人格的侮辱就是当代对人的尊严的卑视和那在欧洲蔓延的奴役。在一片乌烟瘴气的爱国滥调中生活两个月，他还可以忍受，但是他慢慢就感到憋气了，每当他周围的人启口说话的时候，他就看出全是信口雌黄，令人不胜厌恶。看到妇女们提着盛土豆的空口袋，天色微明就冷得瑟缩着身体坐在市场的台阶上，他的心都要碎了。他紧攥拳头，悄悄地走来走去，怒不可遏，恨得痒痒，但是自己的愤怒又无济于事，他为此而生自己的闷气。后来他托了情，才和他的妻子一起来到瑞士。当他跨过边界，突然感到热血涌上面颊，跟跟跄跄，不得不紧紧抓着柱子。人、生活、事业、意志、力量，他感到再一次获得了这一切。他敞开胸怀，尽情地呼吸自由的空气。祖国现在对他来说，只不过意味着监狱与桎梏，外国则是世界故乡，欧洲是人类集中的地方。

然而好景不长，这种轻松愉快的感觉并没有维持很久；接着恐惧又重新来临了。他觉得后面他的名字好像还被挂在血淋淋的丛林中似的。他感到有个什么东西，他对它既不了解，也不认识，而它却很了解他，而且不肯放过他；有一只彻夜不眠的冷酷的眼睛正在从一个看不见的地方窥视着他。于是他便深居简出，蛰居起来，报也不读，唯恐看到军人召集令。他变换住址，以销声匿迹，他让把信件都寄给他妻子，都写上留局待取。他不与人来往，以免人家寻根问底。他从不进城，画布和颜料都让他妻子去买。他隐姓埋名，在苏黎士湖畔的这个小村子里向农民租了一幢小房子蛰居起来。然而他时时都清楚：在某个抽屉里，在成千上万页材料中保存着一张纸。他知道有朝一日，不知在什么地方和什么时间，这抽屉将会打开——他听到有人在拉抽屉，听见打字机滴滴答答打下他的名字，他知道这封信将转来转去，直到最终找到他为止。

此刻信在他手里窸窣作响，他感到身子发冷。斐迪南竭力使自己保持镇静。这张纸片关我什么事！他自言自语：明天，后天这些小树上会长出千张、万张、十万张纸片来的，每张纸片都跟这张一样，都与我无关。什么叫"公事"？我干吗要看它？现在我在这些人中间没有担任什么职务，因而没有任何职务可以管住我。这就是我的名字——就是我本人啦？谁能强迫我说，这张纸片就是我，谁能强迫我来看那上面所写的东西？如果不看这张纸片就把它撕毁，那么碎片就会一直飘落到湖里，我什么也不知道，别人什么也不知道，世界依然是老样子，我也依然如故！这么一张纸片，这么一张只有我愿意才去了解其内容的纸片，怎么会弄得我心神不宁？我不要它，除了我的自由，我什么都不要。

　　他伸开手指，准备把这个硬信封撕掉，把它撕成碎片。可是奇怪：肌肉一点也不听他使唤。他自己的手上有某种东西在违抗他的意志，因为他的手不听他使唤了。本来他一心想把信撕碎的，但是手却小心翼翼地启开了信封，哆哆嗦嗦地展开了那张白纸。信的内容本是他已经知道的："F34．729号。据M地区司令部规定，务请阁下至晚于三月廿二日前往M地区司令部八号房间重新进行兵役体检。此军函由苏黎士领事馆转交，务请阁下前往该领事馆面洽此事为荷。"

　　一小时以后，斐迪南重新走进房间，他妻子笑眯眯地朝他走来，手里捧着一束零散的春花。她面庞光彩照人，无忧无虑。"瞧，"她说，"我找到了什么！屋子后面草地上的花已经开了，而树阴下面却还有积雪呢。"为了讨她喜欢，他接过花束，把脸深深地俯埋在花枝中，以免看见他心爱的人那双无忧无虑的眼睛，随后便匆匆上楼躲进那间作为他的画室的顶楼。

然而他却没法进行工作。刚把那块空白的画布放在面前，画布上就突然出现了那封信上用打字机打的字句。调色板上的颜色，在他眼前变成了污泥浊血。他不由得想到脓包和伤口。他的自画像立在半阴的地方，他看到颏下带着军队的领章。"胡闹！胡闹！"他大声地嚷叫起来，跺着脚，想驱散脑袋里这些乱七八糟的图像。然而他双手发抖，脚下的地板在晃动。他快要倒下去了，于是赶紧往小矮凳上坐下，缩成一团，一直到他太太叫他去吃午饭才起来。

每口饭他都哽塞难咽。嗓子眼里有一种苦东西，先得把这东西咽下去，可一咽下就又泛了上来。他弯着腰，默默地坐着，发现他太太在端详他。忽然他感到她的手轻轻地放在了他的手上。"你怎么啦，斐迪南？"他没有回答。"你是不是得到不祥的消息了？"他只是点了点头，喉咙哽塞了。"军事当局来的吗？"他又点了点头。她沉默不语，他也默不作声。对这件事的思考一下子占据了整个房间，把其他东西都推到一边去了。这种思想粘粘糊糊，囫囵地盖住了只吃了一点点的饭菜。这种思想像是一只湿腻腻的蜗牛，爬在他们的脊梁上，使他们直打寒颤。他们彼此都不敢看一眼，只是弯着腰默默地坐着，思想的千斤重担压在他们身上，很难经受得住。

"他们约你到领事馆去吗？"她终于问道，声音显得有些破碎。"是的！"——"那你去吗？"他哆嗦着。"我不知道，不过我还得去。"——"为什么一定要去？你现在在瑞士，他们不能对你发号施令。在这里你是自由的。"他从紧咬的牙缝中进出几句话来："自由！今天究竟谁还有自由？"——"每个希望自由的人，尤其是你。这是什么？"她轻蔑地一把抓起他面前的那封信。"这张破纸，一个潦倒的小文书乱涂了几笔的破纸，居然对你，对你这个活人，对你这个自由人具有那么大的力量?它会把你怎么样?"——"这封信倒不会把我怎么样,然而寄这封信的人可是惹不起的啊!"——"信是谁寄的?什么人?是一架机器,那架巨大的杀人机器。可是机器却抓不着你。"——"它已经抓住好几百万人了,为什么偏偏抓不到我?"——"因为你不愿意。"——"那几百万人也是不愿意的呀。"——"但是他们失去了自由。他们是在枪口威逼下才去的,没有一个人是自愿的。谁也不会愿意从瑞士再回到那个地狱里去。"

她看到他很痛苦,就控制着自己的激动。像是对一个孩子似的,怜悯之心在她身上油然而生。"斐迪南,"说着,她便靠在他的身上,"现在好好想一想。你是给吓傻了,我明白,这只凶恶的野兽突如其来扑向你的时候,是会使人惊慌失措的。你想一想,这封信是我们早就预料到的。我们已上百次估计到了这种可能性,我为你感到骄傲,我知道,你会把这封信撕成碎片,你决不会去干杀人的勾当的,你不明白吗?"——"我明白,保拉,我明白,但是……"——"现在不要讲,"她硬是不让他说。"你被什么迷住了心窍。想一想我们的谈话,想想你写的那份稿子——就在写字桌左边的抽屉里——你在稿子里声明永远不拿武器。你是非常坚决的……"斐迪南却提出了异议。"我从来都不坚决!从来都没有把握。这一切都是谎话,只不过是为了掩饰自己的恐惧。这些话是我用来陶醉自己的。只有我自由了,这一切才会是真的,我一直很明白,他们一叫我,我就非常软弱。你以为我会在他们面前发抖吗?只要在我心里没有把他们当真,他们就是虚无的,要不就是空气、语言,一种虚无的东西。然而我却在我自己面前打颤,因为我一直很明白,他们一叫我,我就会走的。"——"斐迪南,你愿意去吗?"——"不,不,不,"他跺着脚,"我不愿意,我不愿意，我心里不愿意。可我还是会违背自己的意愿去的。这正是他们力量的可怕之处，人们不得不违背自己的意愿，违背自己的信念去为他们效劳。假如人还有意志的话——这样的人几乎没有，手里接到这样一封信，那他的意志也就烟消云散了，变得顺从了，成了小学生：老师一叫，马上就站起来，战战兢兢。"——"可是，斐迪南，那么谁在召唤呢？是祖国？是一个文书！一个无聊的刀笔小吏！再说，就说是国家，它也无权强迫一个人去杀人，无权……"——"我知道，我知道！现在我来引一段托尔斯泰的话！我了解全部论据，你不理解，我根本不相信他们有召唤我的权力，我不相信我有服从他们的义务。我只知道一种义务，那就是做一个人，并且干工作。离开了人类就没有我的祖国，我没有杀人的虚荣心，我什么都知道，保拉，我跟你一样，对一切都看得清清楚楚——不过，他们已召唤我了，他们现在正在召唤我，我知道，无论如何我是要去的。"——"为什么？为什么？我问你：为什么？"他叹息着："我不知道。也许是因为当今这个世界上疯狂胜过理智。也许因为我不是英雄，因此不敢逃避……这是无法讲得清楚的。我觉得有种什么桎梏：我无法砸断这已经绞杀了二千万人的锁链。我无能为力。"

他用手捂着脸，时钟，这位时间哨所的哨兵，在他们头上高一步、低一步地走着。她微微颤抖。"现在有人在召唤你，这我知道，虽然我对这件事并不理解。可是难道你没有听到这里也在呼唤你吗？难道这里没有什么可以使你留恋的吗？"他霍地站了起来。"我的画？我的工作？不！我不能再画了。这一点我今天就感觉到了。我现在就已经生活在那边，而不是在这里。现在那边的世界正在走向毁灭，这时候还为自己工作，这简直是犯罪。不能再为自己着想，为自己生活了！"

她站了起来，转过身去。"我不相信，你是为你自己一人生活的。我相信……我相信对你来说，我也是世界的一部分。"她说不下去了，眼泪簌簌直往下掉。他想安慰她，可是她眼泪后面闪射出一种恼怒，这把他吓住了。"走。"她说，"你走好了！在你心目中我算什么？还不如一张破纸片。你想走，就走好了。"

"说真的，我不愿意，"他紧攥拳头，怒火直冒，无可奈何地捶着。"我是不愿去，可是他们要我！他们是强者，我是弱者。他们的意志经过几千年的锤炼。他们组织严密，奸诈狡猾，他们早已准备就绪，像迅雷一样，一下就落到我们头上。他们有的是意志力，而我只有神经。这是一次力量悬殊的战斗。人是奈何不了一架机器的。若是人，那倒还可以较量较量。然而那是一架机器，一架杀人机器，一台没有灵魂、没有心脏和理智的工具。你能拿它怎么样！"

"可以，只要坚决，就可以跟它斗！"现在她像疯子似的大声叫嚷着，"如果你不行，我行！你软弱你的，我可不。我决不对一张废纸卑躬屈节。我决不用生命去换取一句话。只要我能管着你，你就别想走。我可以发誓，你病了，你神经不正常。盘子当啷一声，也会把你吓瘫的。这一点是任何一位大夫都可以看出来的。你就在这里检查身体吧，我和你一起去，我会把一切都告诉大夫的。他们肯定不会让你服兵役的。人得自己保卫自己，咬紧牙关，意志坚决。你想一想你那位巴黎的朋友让诺：他被关在疯人院里观察了三个月，用种种检查折磨他，但他坚持下来了，最后人家还是把他放了。一个人不愿干，就必须态度鲜明，不能逆来顺受。这事可关系到全局呀，别忘了，人家要夺走你的生活，你的自由，你的一切。因此得起来反抗。"

"反抗！怎么反抗法？他们比所有人都厉害，是全世界最厉害的人。"

"这话不对！只有世界上的人心甘情愿的时候，他们才是强大的。一个个的人总要比概念强大，但他必须保持自己的个性，自己的意志。他只要明白，他是个人，将来还要做个人，那么现在他耳朵边那些用来麻醉人的词藻，什么祖国啊，责任啊，英雄主义啊，就统统成了空话，成了散发血腥味的，散发热的、活人的血腥味的空话。你说真话，对你来说你的祖国真像你的生活一样重要吗？你觉得一个正在更迭君主陛下的省分如同你用来画画的右手那么可爱吗？除了那看不见的、用我们的思想和热血筑在我们心里的正义之外，你还相信另一种正义吗？不相信，这我知道，不相信！因此，如果你要去的话，那就是自己欺骗自己……"

"我真的不想……"

"你的意志力真差劲！你压根儿就没有意志力了。你一味任人摆布，你这是犯罪。你自己正沉湎于那些你自己所厌恶的东西里，并豁出命去干。为什么不宁愿为你所信仰的事业去献身呢？把鲜血献给自己的思想——很好！为什么要为那异端思想去卖命？斐迪南，别忘了，要自由，就得意志坚强，那边的那帮家伙是什么东西？是些凶恶的傻瓜！要是你意志薄弱，让他们把你弄到手，那么你自己就是个傻瓜。你总是对我说……"

"是的，我说过，这些话我都说过，唠叨来唠叨去，为的是给自己壮胆。我是在说大话，就像小孩在黝暗的森林中由于害怕而唱歌壮胆一样。这一切都是谎言，这一点我现在已经十分清楚地感觉到了。因为我一直很明白，他们召唤我，我就会去的……"

"你要去？斐迪南！斐迪南！"

"不是我！不是我！而是我内心有什么东西要去——而且已经走了。我告诉你吧，在我心里有个东西站了起来，就像是小学生站在老师面前，战战兢兢，唯命是从！这中间你讲的，我都听着，我知道这些话是千真万确的，合乎人情的，是十分必要的——这是我应当做并且必须做的唯一的一件事——我对此很清楚，很清楚。因此，如果我去，那是非常卑鄙的事。可是我要去，我是鬼迷心窍了！你鄙视我吧！我自己也看不起自己。可我实在无可奈何，没有别的办法！"

他双拳捶着面前的桌子，眼睛里射出迟钝的、兽性的、囚犯式的光芒。她不敢看他。她非常爱他，因而害怕自己看不起他。桌上的饭菜还没撤掉，桌上有一盆肉，已经冰冷，像腐尸似的。面包是黑的，掰成了细屑屑，像炉渣似的。房间里充满了饭菜冒出的热气。她感到嗓子里一阵恶心，对一切都感到恶心。她推开窗户，空气吹进来；她微微颤抖的肩膀上空出现了蔚蓝的三月天穹，白云从她头顶飘过。

"看，"她轻声地说，"往外看！只看一眼好了，我求你。也许我讲的这些并不都对。语言总是不容易表达清楚。可是我现在看到的却是真的，这不会骗人。下边有个农民在扶犁，他多年轻、壮实啊。为什么他没遭屠杀？因为他的国家没有打仗，因为他的田地离那边只有咫尺之遥，法律就管不着他。你现在也在这个国家，所以法律也管不着你。一项法律，一项看不见的法律，它只能管到几块路牌之内，这几块路牌的那一边它就管不着了，这难道不是真的吗？你看一看这里的这番和平景象，难道不感到那项法律是毫无意义的吗？斐迪南，你瞧，湖的上空是多么澄净。你看那色彩，多让人高兴啊！你到窗户跟前来，再对我说一遍，你愿意去……"

"我真的不愿去！我真的不愿去！这你是知道的！你要我看这些干吗呢？我对一切，一切都很清楚！你只是在折磨我！你说的每句话都使我很痛苦，任何东西都帮不了我的忙！"

她看到他那样痛苦，心就软了下来。怜悯心使她失去了力量。她悄悄地转过了身。

"那什么时候……斐迪南……叫你什么时候去领事馆？"

"明天！本来昨天就该去的，可是那封信还没有送到我这里，今天才把我找到。明天我得到那里。"

"要是你明天不去呢？让他们去等吧。在这里他们奈何你不得。我们不用那么着急。让他们等上八天。我给他们写封信，就说你卧病在床，我的弟弟也是这么干的，他赢得了十四天时间。最糟的情况无非是他们不相信，从领事馆派个大夫来这里。和这位大夫也许能谈得来，没有穿军装的人多数总还是人，也许他看看你的画，会认为这样的人是不该上前线的。即使帮不了忙，那至少总争取了八天时间。"

他沉默不语，她感到这种沉默是对她的反抗。

"斐迪南，答应我，你明天不去！让他们去等吧。我们得心里有所准备。你现在精神恍惚，他们就可以随意摆布你。明天他们就是强者，而八天以后你就是强者了。那以后我们的日子将会多好，你想一想。斐迪南，斐迪南，你听见没有？"

她摇着他的身子，他茫然若失地凝视着她。在这迟钝而若有所失的目光里，对她的一席话没有丝毫反应。他眼睛里流露出来的只是他心灵深处的恐惧和不安，她过去从未见过的恐惧和不安。慢慢地他才镇定下来。

"你说得对，"他终于开了口。"你说得对。的确不必那么着忙。他们会把我怎么样？你说得对。我明天肯定不去。后天也不去。你说得对。这封信就一定会找到我？我不会正好外出旅行了吗？难道我就不会在生病吗？不——我已经给邮差签了字。这也不要紧。你说得对。得好好考虑一下。你说得对！你说得对！"

他站了起来，开始在房间里踱来踱去。"你说得对，你说得对！"他机械地重复着，然而话里却缺乏信念。"你说得对，你说得对！"——他心不在焉地、呆头呆脑地老是重复这句话。她觉察到，他的思想已经跑到别的地方去了，到离这里很远的地方去了，已在他们那边了，已经交了厄运了。"你说得对，你说得对。"这句没完没了的话，这句只是在他嘴唇皮上打了个滚的话，她再也听不下去了。她悄悄地走了出去。可是她听到他在房间里来回踱了好几个小时，像个牢房里的囚犯一样。

晚上他也一口饭没吃，现出呆滞的、心不在焉的神情。那天夜里她才感到他内心的恐惧；他紧紧抱住她柔软、温暖的身体，仿佛要躲到她身上去似的。他那滚烫的、颤抖的身体紧紧贴着她。然而她明白，这不是爱情，而是逃遁。一阵痉挛，他吻她的时候，她感到了一滴眼泪，又涩又咸。随后他又一声不吭地躺着。有时她听到他在叹息，于是她把手递过去，他就紧紧地抓着她，仿佛好把自己支撑住似的。他们两人都不作声；只有一次，她听到他在啜泣，就想安慰安慰他。"还有八天时间呢，别去想这事了。"她劝他去想些别的，对此她自己也感到羞愧，因为他的手冰冷，心脏剧烈地跳动着，由此她感觉到，只有这一种思想占据着他，支配着他。她知道，决没有什么法宝，能使他从这个思想中解脱出来。

在这所房子里，沉默和昏暗从来也没有如此沉重。整个世界上的阴森恐怖都集中在这所房子里了。只有时钟，这个铁制的时间哨兵，还依然一步上一步下地继续不停地走着自己的路程。她知道，时间每走一步，她心爱的人就离她远了一步。她再也无法忍受了,从床上跳了起来,使钟摆停止了摆动。现在时间没有了,剩下的只是恐惧和沉默。他们俩并肩挨着,默默地躺在床上,心里波澜起伏,睁着眼睛直到天亮。

　　冬日晨曦朦胧,浓重的霜雾笼罩在湖上。他起了床,匆匆穿好衣服,犹豫不决地、慌里慌张地从这间屋子走到那间屋子,来回数次。后来他突然拿起帽子和大衣,悄悄开了门。后来他还常常想起当时的情景:他的手碰到冰冷的门闩时抖个不停,怯生生地回头看看是否有人盯着他。真的,那条狗像朝着一个蹑手蹑脚的小偷那样向他扑了过来,然而它认出了他,他在它身上抚摸了几下,狗就温顺地缩了下去,不住地摇着尾巴,想要跟着他。但是他用手把它赶了回去——他不敢出声。随后他就突然从山上的羊肠小路跑了下去,连他自己也不知道为什么这么慌张。有时候他还停下来,回头看看那座渐渐消失在迷雾中的房子,随即又跑开了,一路被石头磕磕绊绊的,仿佛有人在后面追他,一直向山下的车站奔去,到了那里才停下来,衣服都湿了,冒着热气,额头上汗水淋淋。

　　车站上站着几个农民和默默无言的普通人,他们都认识他,都向他打招呼,有的人看来情绪不坏,想跟他攀谈攀谈,可他避开了他们,现在和别人说话他感到又羞愧又害怕,但是站在湿漉漉的铁轨前空等着,又使他感到很难受。他不知干什么才好,于是往一台磅秤上一站,掷进一枚硬币,望着指针上面小镜子里他那张苍白的、冒着汗气的脸发呆,他跨下磅秤,钱币卡啦一声掉了下去,这时他才发觉他忘了看数字。"我疯了,完全疯了。"他轻声地喃喃自语。他对自己都感到恐惧了。他在一条长凳上坐下,想强迫自己把一切事情再明确考虑一遍。可这时他旁边的信号钟敲响了,他猛地站了起来。机车已经在远处长鸣。火车呼啸而来；他跳上一节车厢。地上有一张脏报纸，他捡了起来，呆呆望着这张报纸，自己也不知道看了些什么，他只是望着自己的手，那双拿着报纸不住颤抖的手。

　　火车停了下来。苏黎士到了。他摇摇晃晃地走下火车，他知道自己将会被弄到哪里去，他感到这是违背他自己的意愿的，然而自己的意愿很软弱，而且越来越软弱。有时他还想试一试自己的力量。他站在一块广告牌前面，强迫自己从上读到下，以证明自己是可以自由地控制自己的。"我不必那么匆忙，"他说出了声，话刚在嘴边咕噜了一下，他又继续往前走了。他焦躁不安，心烦意乱，像有一台马达在推动他朝前走似的。他束手无策，环顾四周，想找辆汽车。他双腿在颤抖。一辆汽车从他身边驶过，他叫住了车子——像个投河自杀的人跳进河里，说了声："到领事馆街。"

　　汽车疾驶。他背靠着椅座，闭上眼睛。他觉得自己像是在奔向一个万丈深渊，汽车飞驶，把他带到他自己的命运中去，然而他从汽车的高速度中却感到一阵快意。听天由命吧，这反而使他心里好受一点。汽车停了下来，他下了车，付了钱，就乘上电梯，电梯一开，机械地把他送到楼上，他又从中感到了一阵快乐。仿佛做这一切的并不是他自己，而是权力，是那强迫他的、从未见过的、不可捉摸的权力。

　　领事馆的门还紧闭着，他按了按门铃，没有回音。他感到浑身灼热如焚：回去，快走，下楼去！但他又按了按门铃。里面传来了缓慢的脚步声，一个仆役笨手笨脚地开了门。他的穿着寒酸，手里拿着一块抹布，显然正在打扫办公室。"您有何贵干？……"他粗声粗气对斐迪南嚷道。"是约我……我……到领事馆……馆来的。"他结结巴巴地回答。见了一位仆役都结结巴巴的，他自己也感到羞愧，因而准备回头跑了。

仆人傲慢无礼地转过身去。"下面牌子上写着：'办公时间：十点至十二点'，你不认识字吗？"不等他回答，就砰的一声关上了门。

斐迪南站在那里，全身一阵痉挛，心里感到无比羞愧。他看了看表，才七点十分。"疯了！我真是疯了。"他结结巴巴地自语着，像个老人一样颤颤巍巍地走下楼去。

两个半小时——这段时间无事可做，真是可怕，因为他感到每等一分钟，他都要失去一份力量。刚才他曾振作起精神，作了准备，斟字酌句，胸有成竹，把整个场面在心里作了预演，然而现在在他和他积蓄的精力之间落下了一道两个小时的铁幕。他吃惊地感到，自己心里的全部热情都化成了烟，要说的话，在神经质的逃遁中相互践踏、碰撞，一句句都从他的记忆中消失了。

他曾经这样设想过：当他到了领事馆，立刻通报给了军事科科长，他和这位科长曾有一面之交。他是有一回在朋友家认识他的，和他一般地寒暄了几句。他知道他这位对手是个贵族，英俊潇洒，八面玲珑，温文尔雅，自命不凡。他喜欢表现得宽宏大量，关心别人，而不以官员的面目出现。这种虚荣心是他们人人都有的，都希望别人把他们看作外交官，看作可以自己做主的重要人物，所以斐迪南在这里打算这样做：先通报进去，客气有礼，先一般地寒暄，然后就问起他的夫人。那位科长一定会给他让座，并递给他一支香烟，等他的话一停，科长就会客气地问道："有什么事要我为您效劳吗？"科长一定会这样问他的，这一点很重要，不能忘了。随后他得冷冰冰地，漠不关心地回答说："我接到一封信，我想去那边到 M 区去了解一下。一定是弄错了。那时候曾特别宣布我是不适合服兵役的。"这些话要说得非常轻描淡写，让人马上觉得他对这件事是毫不在乎的。这时科长就会拿出那封信来——他那副懒洋洋的样子他是熟悉的——向他解释说，这是一次新体检，他一定早已在报上看到过这项要求了吧，即过去退役的现在必须重新报名。听了这话，他依然非常轻描淡写地马上耸耸肩膀说："原来是这样！我是不看报的，我没那份时间。我得工作。"那位科长一定马上就会看出，他对整个战争是漠不关心的，他是自由自在、独立不羁的。当然，科长会向他解释，他必须服从这个要求，对他个人来说是很遗憾的，可是军事当局以及其他……这时候态度该厉害点了。"我理解，"他得这样说。"可是现在我不能中断我的工作。我已经与别人谈好，举行一次我个人全部作品的展览会，不能不讲信用。我已经向人家作了保证。"随后他就向科长建议，或者给他把期限延长，或者由这里领事馆的大夫给他重新作次检查。

到此为止，一切都很有把握。但从这里开始事情就会出岔了。要么那位科长一口同意，那么无论如何总算赢得了时间。但是，假如他彬彬有礼地、以那种冷冰冰的敷衍了事的态度，突然打起官腔来，客客气气地对他解释，说这样做就超越了他的权限，是不允许的。这时候，他就要表现得果断。他先要站起来，走近桌子，以坚定的声音，用非常坚定的、不屈不挠的、发自内心的果断的声音说："这我已经知道了。请记录在案：由于经济方面的责任，我不能立即应召，要推迟三个星期，以尽到我道义上的责任；由此引起的一切后果都由我个人承担。当然，我并不想逃避我对祖国的义务。"他挖空心思想出了这些措辞，感到十分得意。什么"记录在案"，什么"经济方面的责任"，听起来煞有介事，冠冕堂皇。如果科长还要提请他注意这件事情的法律后果的话，那这时语调就得更尖锐些，并冷冷地将这件事情收场："我懂得法律，知道此事的法律后果。但是我刚才说的话就是我的最高法律,为了履行自己的诺言,我甘愿承担任何风险。"说着匆匆鞠了一躬,中止了这场谈话,向房门走去!领事馆的人一定会看出,他不是工人或学徒,要等别人让走才走,而他却不一样,谈话该什么时候结束,这是由他自己来决定的。

他走来走去,把这场谈话背诵了三遍。整个构思以及语调他都非常满意。他焦急地等待着这一时刻的来到,就好像演员眼巴巴地等着别人的提词,好把他的台词接着说下去一样。只有一个地方他觉得说得还不太妥帖,那就是"当然,我并不想逃避我对祖国的义务"这句话。谈话当中无论如何得有点爱国之类的辞令,无论如何得有一点,以便让人看到,他不是悖逆不道,但也并非心甘情愿。虽然他承认——当然仅仅是在他们面前承认而已——其必要性,但并不认为对他是必要的。"对祖国的义务"——这话太没有文彩,耳朵都听腻了。他想了一下,也许这样:"我知道,祖国需要我。"不,这话很可笑。或者这样说会好些:"我并不打算逃避祖国的召唤。"这样是好了一点,但对这句话他还是不满意,它太卑躬屈膝了,犹如鞠躬时腰多弯了几个厘米。他继续推敲着。最好还是直截了当些:"我知道什么是我的义务。"——好,这样讲最确切。这句话可以向里拐,也可以向外拐,可以理解,也可以误解。这话听起来简单明了,说的时候口气可以很蛮横:"我知道,什么是我的义务。"——简直有点威胁的味道。现在一切都就绪了。可是:他又神经质地看了一下表。时间似乎不愿往前走。现在才八点。

他面前街道纵横,真不知道该往何处去。于是他信步走进一家咖啡馆,想看看报纸,然而那些字句使他心烦意乱,报上到处都是祖国和义务。这些陈词滥调扰乱了他的计划。他喝了一杯法国白兰地，接着又喝第二杯，想去一去嗓子眼里的一股苦味。他苦苦地思考，怎样抢在时间前面，同时把这场虚构的谈话的各个零零散散的部分一次又一次地牢牢记在心里。突然，他摸了摸自己的面颊："没刮脸，我还没刮脸！"他赶忙跑进对面的理发馆，把头发理了理，洗了洗，这样就打发了半小时的等候时间。后来又想到，得打扮得像样一点，这在领事馆里是很重要的。那里的人对穷鬼总是摆出一副趾高气扬的神气，而且大声斥责。但是如果你仪表堂堂，应对自如，风度潇洒，那么他们对你马上就是另一副面孔。这个想法使他感到陶醉。于是他让人把外套刷了刷，就去买手套。在挑选手套的时候，他着实费了一番斟酌。黄的，有点锋芒毕露，而且显得太浮华；珠灰色不显眼，这比较好。买了手套之后，他又在街上游来荡去。他在一家缝衣铺的穿衣镜前端详了一番，把领带扶正。手里还太空，他突然想起需要一根手杖，去那儿的时候，可给人一种顺路而来、随随便便的感觉。于是他匆匆跑到马路对面，挑了一根手杖，他从店里出来的时候，钟楼上的钟正敲九点三刻。他把准备好的那些话又背了一遍。太妙了！"我知道，什么是我的义务"这句新措辞现在是最有力的一句。他满有把握地迈着坚定的步子走上楼去，轻快得像个孩童。

一分钟后，仆役刚把门打开，他心里就一愣，感到自己的算盘打错了。他指望的事并没有出现。他问仆役，科长在不在，仆役告诉他，秘书先生正在会客。他得等着。仆役不太客气地随手向一排椅子中间的一张一指，让他坐下，那排椅子上已经坐了三个人，脸色都很阴郁。他勉强坐了下来，他心怀敌意地感觉到，在这里他只不过相当于一桩事情，一份材料，没有自己的人格。他旁边的人正在相互诉说自己不幸的命运；其中一个带着快要哭出来的可怜的声音说，他在法国被监禁了两年，而这里又不愿意发给他回家的路费；另一位诉说，无人肯帮他找个职位，可是他有三个孩子。斐迪南不由心里气得发抖——真是岂有此理，竟让他和乞丐坐在一条板凳上！他发现，这些卑贱的人，他们那种沮丧而牢骚满腹的样子搅得他心烦意乱。他想把那席谈话再回忆一遍，可是这些家伙，他们那讨厌的唠叨却打乱了他的思绪。他真想对他们大吼一声："别说了，贱货！"或者从口袋里掏出钱来，送他们回家，然而他的意志完全瘫痪了，跟他们一样，手里拿着帽子，跟他们坐在一起。另外，那里人来人往不断，这也弄得他不知所措。他真怕有熟人看见他同乞丐坐在一条凳子上。他心里作了准备，一开门他就立即跳起来，离开这里。可是他仍旧只是失望地低着脑袋坐在那里。他越来越意识到，趁现在精力还未消耗殆尽的时候，必须赶快离开这个地方。有一次他振作精神，站了起来，对站在他旁边的门岗模样的仆役说："我明天再来吧。"可是那位仆役却宽他的心，说："秘书先生很快就有空了。"于是他又屈膝坐了下来。他在这里好像是被人抓了起来，毫无反抗。

　　终于，随着衣服的窸窣声，一位太太微笑着，洋洋得意地走了出来，高傲地朝那些等候的人扫了一眼，这时仆役喊道："秘书先生现在空了。"斐迪南站起身来。他的手杖和手套在窗台上放着，可是他发现得太晚了，门已经打开，他不能再转回去拿了。他半回头看着，被这些事弄得糊里糊涂，就在这种精神状态下走了进去。科长正坐在写字桌旁看材料，此刻匆匆抬起眼睛，朝他点了点头，也没请这位久等的人坐下，就客气而又冷冰冰地说："啊，我们的美术硕士。马上就来，马上就来。"说着他起身朝隔壁房间里叫道："请把斐迪南·R……的卷宗拿来，是前天办好的，您知道，征召令已转寄给你了。"

他说着又坐了下来。"您又要离开我们了！好吧，希望您在瑞士这段时间是美好的。再说，您的气色棒极了。"说着，他就匆匆翻阅文书给他送来的卷宗。"是在 M 地区参军的……对，对……一切都办好了……我已经让人把表格填好了……您不用申请路费吧？"斐迪南站也站不稳，只听得自己的嘴唇结结巴巴地说："不用……不用。"科长在介绍信上签了字，递给了他。"本来您明天就该去了，不过也不必如此匆忙，您先让最后一张杰作的油墨干一干吧。如果您需要一两天的时间处理一下自己的事务，这事由我负责，这对国家的关系不大。"斐迪南感到，这是句令人发笑的玩笑，而他只是客气地撅了一撅嘴唇，这使他自己的内心里真正感到十分惊愕。说几句，现在我得说几句——他心里盘算着——不能像木棍似的呆呆地站着。他终于迸出了这么几句来："有了征兵书够了吧……其他，还要……通行证吗？"——"不用了，不用了，"科长笑着说，"边境上不会麻烦您的。再说那里已经得到了关于您的通报。好吧，祝您一路平安！"他向斐迪南伸出手来。斐迪南感到，这意思是让他走了。他眼前一阵漆黑，赶紧扶住了门，一种厌恶的心情使他透不过气来。"往右，请往右走，"科长在背后叫他。他走错了门，科长挂着一丝微笑——这时虽然他神志不清，但觉得自己还是看到了科长的笑——给他打开他出去的门。"多谢，多谢……请不必劳神了。"他还讷讷地说着。对这种多余的客套，他自己也感到生气。刚走到外面，仆役就把手杖和手套递给了他。"经济方面的责任……请记录在案"等等词句这时又在他的脑海里涌现出来了。竟还向他道谢，客客气气地向他道谢！他这辈子从来没有感到这么羞愧过。然而他并没有再怒火中烧。他有气无力地走下楼梯，感到现在走着的并不是自己，感到那种势力，那种陌生的、冷酷无情的势力，已经把他,把这整个世界踩在它的脚底下了。

　　他下午很晚才回家。他感到脚后跟疼得很,他漫无目的地游荡了几小时,三次到自己的家门口又缩了回来;最后他想从后面穿过葡萄园,从一条掩蔽的小路溜回家。然而,那条忠实的狗发现了他,它狂吠着向他扑来,亲热地对他摇着尾巴。门口站着他的妻子,他第一眼就看出,她什么都知道了。他默默无语地跟着她,羞愧得无地自容。

　　可是她并不严厉,也不看他,显然她避免再使他痛苦。她端出一些冷肉放在桌子上。他顺从地坐了下来,她走到他身边。"斐迪南,"她说道,声音哆嗦得很厉害,"你病了。现在不能和你说话。我也不想责备你,你现在的所作所为并非出于自己的意愿,我感到你很痛苦。不过你答应我一条:关于这件事情,要是事先没有和我商量,你再也别采取什么行动了。"

　　他沉默不语,她的声音激动起来了。

　　"我从来没有干涉过你个人的事情,我从来都让你在决定你自己的事情上有充分的自由,我并为此感到自豪。但是你现在处理这件事不仅关系到你的生活,而且也关系着我的生活呀。我们的幸福是我们多年建立起来的,我不能像你似的随随便便地去断送给国家,断送给谋杀,断送给你的虚荣心和软弱。我们的幸福我谁也不给,你听着,谁也不给!你在他们面前窝窝囊囊,我可不。我知道这件事的分量。我决不屈服。"

　　他仍一直不吭声,他那卑躬的、由于感到内疚而表现出来的沉默渐渐激怒了她。"我决不让一张废纸就从我这里拿走什么东西,我不承认以杀人为终结的法律。我决不在权势面前折腰。你们男人现在都被意识形态毁了,你们考虑政治和伦理,而我们女人,我们是凭直觉办事的。我也知道,祖国意味着什么，但我也明白，今天祖国又意味着什么：杀人和奴役！一个人可以属于祖国的人民，但是一旦这些人都疯了，那他就不该跟他们同流合污。在他们眼里，你不过是一个数字，号码，工具和炮灰，可是我却感到你是个活生生的人，因此我决不把你交给他们，我决不把你交出去。我从来没有擅自替你做主，但是我现在的责任就是保护你；在这以前你还是个头脑清醒的成年人，懂得自己该干什么事，可是现在你已经跟外边几百万牺牲者一样，意志被扼杀，成了失去常态的、听命于人的破机器。他们为了得到你，已经牢牢地控制了你的神经，可是他们却把我忘了，我从来没有像现在这样坚强。"

斐迪南依然抑郁地沉默不语，他心里没有反抗，既不反抗别的事，也不反抗她。

她霍地站了起来，显出一副吵架的气势。她的声音是强硬、严厉而绷得紧紧的。

"在领事馆他们对你说了些什么？我想知道。"这简直是一道命令。他疲惫地拿出那张纸，递给了她。她双眉紧蹙，咬着嘴唇，看了那张介绍信，随后就轻蔑地把它往桌子上一扔。

"这帮老爷倒挺急！明天就要你走！而你呢，你对他们大概还感恩戴德吧，脚跟咔的一声，一个立正，就完全俯首帖耳了。'明天就去报到。'报到！不如说是唯命是从。不行，事情还没到这个地步。还远远没有到这个地步！"

斐迪南站了起来。他脸色苍白，扶在椅子上的手在抽搐。"保拉，我们不要再欺骗自己了。木已成舟，已经无可挽回了。我曾试图反抗来着，但办不到。我就等于是这张纸了。我就是把纸撕掉，还依然是它。你不要再给我添麻烦了。在这里也没有自由啊。每时每刻我似乎都感到，那边在召唤我，在摸索我，在拉我拽我。到那里我反而会感到轻松些；在监狱里反而倒还有一点自由。只要在外面，就总觉得是在逃命，这倒反而不自由。再说，干吗把事情想得那么糟糕？第一次他们已经放我回来了，为什么这次就不会放我回来？也许他们不给我武器，我甚至有把握会弄份轻松的差事干。干吗把事情想得那么糟？也许根本就没有那么危险，也许我会交上好运呢。"

她仍然很严厉。"事情现在已经不在于这些问题了，斐迪南，不在于他们给你轻活或重活，而在于你是否应该去为你所厌恶的人效劳，你是否愿意违背自己的信念，去参与世界上最大的犯罪活动。因为谁不拒绝，谁就是帮凶，而你是能拒绝他们的，因此你必须这样做。"

"我能够拒绝他们？我无能为力！已经不行了！对这些荒谬绝伦的东西的厌恶，憎恨和愤慨，过去曾使我意志坚强，可现在却把我压得喘不过气来了。别再折磨我了，我求求你，别再折磨我了，别跟我再说这些了。"

"不是我说这些，而是得由你自己说，他们没有权利支配一个活生生的人。"

"权利！好一个权利！现在世界上哪里还有权利？权利已经被人扼杀了。每个人都有他的权利，可是他们，他们有权力，而权力就是一切。"

"为什么他们有权力？正因为是你们给他们的。只要你们老是胆小，他们就永远有权力。现在人们称之为庞然大物的东西，是由全世界十个意志坚强的人组成的，十个人就可以把它摧毁。一个人，一个敢于否定他们的活生生的人，他就是在摧毁这种权力。可是如果你们不敢挺起腰来，而总是想：也许我能过关，如果你们以曲求伸，心存侥幸，不去击其要害，如果你们甘当奴隶，命运依旧，他们就永远拥有权力。男子汉大丈夫就不该屈服；大家必须说：'不，这是当今唯一的责任，而不是去任人宰割。'"

"可是保拉,你是怎么想的……我该……"

"你该说'不',如果你心里也想的是'不'。你要知道,我爱你的生活,爱你的自由,爱你的工作。但如果你今天对我说,你要到那边去跟左轮手枪讲权利,如果我知道你要这样做的话,那我就要对你说:走!但如果你出于懦弱和神经过敏或者心存侥幸,以为能保住性命,因此受了一种连你自己也不相信的欺骗就走的话,那我就看不起你,是的,我看不起你!如果你是为了人类,为了你的信仰而去,那我决不阻拦你。但是到野兽中去当野兽,到奴隶中去当奴隶,那我坚决反对。人应该为自己的思想去献身,而不是为别人的癫狂去送死。如果有人以为是为祖国而死的……"

"保拉!"他下意识地站了起来。

"难道你觉得我的话太唐突了吗?恐怕是觉得背后班长的军棍在抽你了吧!别害怕!我们还在瑞士。你是想要我沉默或对你说:你会平安无事的。现在已经没有时间来多愁善感了。现在事情关系到我和你,关系到我们整个命运。"

"保拉!"他再次想打断她的话。

"不,我再也不同情你了。我选择你,爱你是个自由的人,我瞧不起懦夫和自己欺骗自己的人。干吗我要有同情心?在你眼里,我算什么?一个小小的中士乱涂了一张破通知书,竟然使你抛弃我,而跟着他跑。可是我决不任人抛弃以后再捡起来;现在你选择吧!要他们还是要我!鄙视他们还是鄙视我!我明白,如果你留在这里,沉重的打击会落在我们头上,我将再也见不着我的父母和兄弟姐妹了,他们不会让我们回去的,但是如果你跟我在一起,那我什么都认了。可是假如你现在要使我们分开,那就永远分到底。"

他只是唉声叹气。可是她却怒气冲天,正在劲头上。

"我还是他们,第三种选择是没有的!斐迪南,现在还有时间,你好好想想。过去我常常为我们没有孩子而苦恼。现在我第一次为此而感到高兴。我不愿替懦夫生孩子,更不愿抚养一个战争孤儿。我与你相爱,从来没有像现在这样相亲相爱过,而现在我却弄得你很痛苦。但是我告诉你:这不是走去试一试,这是离别。你要是离开我去参军,去追随那些穿着制服的杀人犯,那你就不会回来了。我不和罪犯们共命运。我跟人,而不跟国家这个吸血鬼共命运。是国家还是我——你现在必须作出抉择。"

她走出屋门,砰的一声把门撞上,而斐迪南还站在那里哆嗦。撞门的响声使他的腿都软了。他不得不坐下来,垂头丧气,一筹莫展。他的头耷拉着,埋在两只紧捏着的拳头之中。终于,他心里忍不住了:他像小孩似的号啕大哭。

整个下午她都没回屋,但他感到她的意志就站在门口,含着敌意和戒心。可是同时他还感到另一个意志,它犹如安在他胸腔里的铁飞轮,推动他向前。有时候他想把事情一桩桩再思索一番,然而思想不翼而飞了。他坐着发呆,而看起来好像正在思考问题,这时一阵神经质的烦躁不安袭来,把他最后的一点平静都一扫而光。他感到,他的生命两侧都被超人的力量抓住,拽着,他只有一个希望:把自己从中间撕成两半。

为了找些事干,他在桌子的抽屉里翻寻了一阵,撕毁信件,眼睛呆呆地盯着其他东西,一言不发,在房间里踱来踱去,随后就坐下来,一会儿心烦意乱,就又站了起来,但是疲惫不堪又使他坐了下去。当他收拾行装,从沙发下面把背囊拖出来的时候,他突然攥紧自己的双手,紧紧凝视着这双未受自己意志的支配，而在有条不紊地做着这一切的双手。等到后来把打好的背囊突然往桌上一放，他又哆嗦起来了，感到肩头沉重，似乎他把时代的全部重量都压在自己的肩上了。

门开了，他妻子手持煤油灯走了进来。她把灯往桌上一搁，圆形的灯光不住地在背囊上跳动。房间骤然照亮了。这使原来隐藏在黑暗中的羞辱之感又涌上了他的心头。"这是为了应付万一……其实时间还很宽裕……我……"他结结巴巴地说，然而他那呆滞的、铁石般的、虚饰的目光却道出了真情，把自己的话碾得粉碎。她用牙齿紧咬嘴唇，十分严峻地凝视他好几分钟。她一动不动地站着，后来好像由于昏厥而微微摇晃起来，目光紧紧盯着他。她嘴角上紧张的神情也缓和下来了。她肩头颤抖，转过身，头也不回，离开他走了。

几分钟后，女佣人来了，端来他一个人的饭菜。他身旁的位置空了，他心里充满了犹疑不定的感情，他抬头一看，就发现了那个残酷的象征：椅子上放着那只背囊。他感到，自己似乎已经离去，已经走了，对这所房子来说已经死掉了：四壁黑黝黝的，油灯的光圈已经照不到墙壁上了，外面，在生疏的灯光之后，燥热的黑夜笼罩着大地。远处万籁俱寂，高远的苍穹罩着无垠的大地，这更增添了寂寞之感。他感到他周围的一切——房子，风景，作品和妻子——在他心里都一样样死了，感到自己丰茂的生命突然干枯了，他那跳动着的心被压得喘不过气来。这时他迫切感到需要爱情，需要温暖和亲切的话语。他准备接受一切鼓励和安慰，只要能重新回到过去的生活。忧伤压过了惴惴不安，此时他孩子气地渴望得到些微温存，这种渴望使得崇高的离愁别绪消散了。

他走到门前，轻轻地转动门把，可是转不动，门锁上了。他怯生生地敲敲门。没有回答。他又敲了敲。他的心也一起怦怦直跳。一切都寂静无声。现在他明白：一切都完了。他感到一阵寒颤。他吹灭了灯，和衣倒在沙发上，裹上被子。此刻他心里真希望一切都坠毁和忘却。他又仔细听了一次，仿佛听到近处有什么声音。他把耳朵贴在门上悉心地听。门外依然静悄悄的，什么声音也没有。他又重新垂下了头。

这时脚下有什么东西轻轻触着了他，他吓得猛地站了起来，不过惊吓马上就变成了感动。原来是那条狗，原先随女仆溜进房里，躺在沙发底下，此时正在挨近他，用温暖的舌头舔主人的手。这只狗的无知的爱使他感到莫大的欣慰，因为这爱是来自业已死去的世界，还因为它是他以往的生活中现在仍然属于他的最后的东西。他俯下身子，抱人似的把它抱住。他感到：世界上居然还有东西爱着我，而且没有看不起我，对它来说我还不是机器，不是杀人工具，不是任人驱使的懦弱的人，而是一个可以用爱来亲近的人。他的手不断轻轻地抚摸着它柔软的毛。狗则更紧地挨着他，仿佛它懂得主人的寂寞。主人和狗都轻轻地呼吸着，渐渐进入了睡梦。

他一觉醒来，感到精力充沛，窗户外面已经晨光熹微；燥热的风把黑暗一扫而光，湖面上闪耀着，映出远山的白色轮廓。斐迪南一跃而起，虽然由于睡过了头而感到有点眩晕，然而却完全醒了，这时他一眼就看到那已捆好的背囊。一下子，一切都又重新浮现在他的脑海里，不过现在是白天，他心里感到轻松多了。

"干吗要收拾行装呢？"他自己问自己。"干吗？我确实想出去旅行。现在开春了，我要画画。其实用不着那么急。是他亲口对我说的，还可以有几天时间。不要像牲畜上屠宰场似的。我妻子说的对：这是对她、对我、对所有人的犯罪行为。

到头来不会有什么大不了的事。假如我晚一点去服兵役,也许会关我几星期禁闭,可是服役何尝不等于坐监狱?我这人没有什么虚荣心,但我觉得现在这个时候不对奴役表示顺从,倒是一种光荣。我不再考虑出门旅行了,我就留在这里。首先我要把这里的风景画下来,这样将来就可知道,我以前在这儿多么幸福,不完成这张画,不等事情到了万不得已,我就不走。我不能让人像赶牛似的在后面赶我。"

他拿起背囊,举得高高的晃了晃,往角落里一掷。从这个动作中他感到自己很有力量,因而满心欢喜。由于精力充沛,他突然想试试自己的意志。他从信夹里取出那张准备撕碎的纸条,把它展开。

可是奇怪得很,军事措辞像是具有神奇的力量,又重新将他征服。他开始念道:"您务必……"那句话紧紧地抓住了他的心,这是一道命令,不允许提出任何异议。他感到有点摇晃。那种莫名其妙的东西又在他心里上升了。他的手开始发颤,力气全消失了。不知从哪里袭来一阵冷风,像过堂风在劲吹,不安又滋长起来了,在他内心,外来意志的铁钟又开始走动了,他每根神经都绷得紧紧的,直至每个关节里好像都安上了弹簧。他不由自主地看了看钟。"还有时间,"他喃喃地说,然而他自己也不明白他指的是什么,是开往边界的早班火车呢,还是他自己定的出发日期。这时他心里又出现了那股要拉他走的神秘莫测的力量,那冲毁一切的退去的潮水,由于要对付他最后的反抗,因此来得比以前更为猛烈,同时也产生了恐惧,那怕被压垮的茫然无措的恐惧。他明白,如果现在没人抓着他,那他就完了。

他摸索到他的妻子房间的门,好奇地贴耳细听。房间里毫无动静。他怯生生地用指节骨叩了叩门。还是沉寂无声。他又敲了敲，还是一片寂静。于是他就小心翼翼地扭动门把。门开了，可是房间里是空的，床上也是空的，但很乱。他吃了一惊，便轻轻喊她的名字，可是没有回答。他越发不安，又喊着："保拉！"最后他好像遭到了突然袭击，在整个屋子里大声叫喊："保拉！保拉！保拉！"依然毫无动静。他摸进厨房。厨房也是空的。一种惘然的可怕的感情使他哆嗦起来，他踉跄着上了顶楼的画室，自己也不知道要干什么，是告别，还是留下不走。然而那里也没有人，连那条忠实的狗也毫无踪迹。全都把他抛弃了，孤独猛烈地向他袭来，摧毁了他最后的一丝力量。

他穿过空荡荡的屋子回到自己的房间，拿起背囊。他觉得，屈从于桎梏，反倒轻松了。"这是她的过错，"他自言自语道，"是她一个人的过错，她为什么走开？她得把我留住呀，这是她的责任。她本来是能够救我的，可是她不愿。她看不起我，她已经不爱我了，她把我摔了下来：现在我正在跌下来。这是她造成的！这是她的过错，不是我的，是她一个人的过错。"

他在房子前面，又一次转过身去，想听听，也许会从什么地方传来一声呼唤，一句爱情的话语呢。也许有什么东西能用拳头击碎他内心那台顺从的铁机器。然而依然无人说话，无人呼唤，毫无动静。一切都离开了他，他感到自己跌进了无底深渊。这时他心里起了一个念头；往前再走十步就到湖边了，从桥上往下一跳，去那永恒的和平安宁的世界，岂不更好。

教堂尖塔的钟声响了，严酷而沉重。往日那么可爱的明朗的天空传来这严酷的召唤，像鞭子抽打在他身上，催他动身。还有十分钟火车就到了，那时一切都完了，彻底完了，无可挽救了。还有十分钟，可是他不再感到这十分钟是自由的了，好像后面有人在追赶一样,他向前奔去,跟跟跄跄,跑跑停停,气喘吁吁,生怕误了火车。他越跑越快,越跑越急,直跑到月台前面,差点儿与一个站在铁路栏杆前的人撞个满怀,这时他才停下来。

他吓了一跳,背囊从他哆哆嗦嗦的手里掉了下来。站在他面前的是他的妻子。她脸色苍白,由于睡眠不足而显得精神疲乏,她那严肃而又忧伤的目光责备地注视着他。

"我知道你会来的,三天前我就料到了。但是我不想离开你。一清早,从第一趟列车起,我就在这里等你,准备在这里一直等到最后一趟车。只要我还有一口气,他们就不会把你抓住。斐迪南,你好好想想!你自己说过,时间还充裕呢,你干吗要那么急?"

他没有把握地望着她。

"这只是……我已接到通知……他们在等着我……"

"谁等你?或许是奴役和死亡,除此以外,谁都没在等你!该清醒了,斐迪南,你要明白,你是自由的,是完全自由的,谁也无权支配你,谁也不能对你发号施令,你听着,你是自由的,你是自由的,你是自由的!我要对你说上一千遍,一万遍,每时每刻都不停地说,直到你自己也意识到为止。你是自由的!你是自由的!你是自由的!"

当两个过路的农民好奇地转过身来的时候,他轻声说:"我求求你,别这样大声嚷嚷,人家在看着呢……"

"人家!人家,"她怒气冲冲地嚷道,"人家关我什么事?要是你中弹躺在地上或瘸着腿回家,他们会帮我什么忙?这些人瞧都不值得瞧一眼,什么同情、爱怜、感激,统统见鬼去吧!——我要你是一个人,一个自由的、活生生的人。我要你像一个堂堂正正的人那样,是自由的,不要你去当炮灰……"

"保拉!"他想设法使狂怒的妻子平静下来。可是她推开了他。

"你那些胆小、愚蠢的恐惧,给我见鬼去吧!我在自由的国家,我想说什么就说什么。我不是奴仆,也不让你去受奴役!斐迪南,你若要走,我就躺在机车前面……"

"保拉!"他又抓着她。然而她的表情突然变得很痛苦。"不,"她说,"我不爱说谎。也许我也会变得太胆小的。千百万女人的胆子都太小,她们的丈夫,她们的孩子被人拉走的时候,本来是应该起来反抗的,但是她们之中却没有一个人这样做。你们的懦弱也毒害了我们。假如你走了,我会怎么做?号啕大哭,呼天唤地,跑到教堂里去祈求上帝派给你一个轻松的差事。也许还会嘲笑那些没有走的人。在这种时候,一切都是可能的。"

"保拉,"他拉着她的手,"倘若事情不得不如此,你为什么还要使我这样难过。"

"要我让你轻松一点吗?不,要叫你难过,没完没了的难过,我要尽我所能叫你难过。我就站在这里,你得用强力,用你的拳头把我赶走,你得用你的脚来踩我。反正我决不放你走。"

信号钟响了。他猛地站了起来,脸色苍白,非常激动。他伸手去拿背囊,可是她已把背囊拉过去了,并迎面挡着他。"拿来,"他痛苦地哼了一句。"不给!不给!"她一边气呼呼地说,一边使劲跟他夺背囊。周围的农民都围拢来,哈哈大笑。人们在喝彩,给他们火上加油,正在玩耍的孩子也跑过来了。他俩却还在怒不可遏地各自使出全身力气,像争夺生命似的争夺那只背囊。

正在这时,车头隆隆,列车呼啸着驶进了站。突然他放开背囊,撒腿就跑,头也不回,慌里慌张地跌跌撞撞越过铁轨,朝列车奔去,纵身跳上一节车厢。周围爆发出一阵响亮的笑声,那些农民都兴高采烈地狂叫起来,他们大声嚷嚷:"快跳,要抓住你了。""快跳,快跳,她要追上你了。"他们跟着他往前跑,在他身后爆发出一阵耻笑他的响亮的笑声。此时火车已经开动了。

她在那里站着,手里拿着背囊,人们对她劈头盖脑地倾泻他们的嘲笑。她凝望着列车,列车驶得越来越快,马上就在远处消失了。车厢的窗口里没有传来一句告别的话语,任何表示都没有。突然眼泪夺眶而出,模糊了她的视线,她什么也看不见了。

他低头坐在角落里,现在火车行驶速度越来越快,但他还不敢朝窗外看一眼。外面的一切飞速地向后退去,景色被列车行驶的高速度撕成千百块碎片。他所有的一切——山丘上的小房子连同他的画、桌子、椅子、床,还有妻子、狗和多少幸福的日子——现在全完了,他经常兴致勃勃地欣赏的开阔的景色,他的自由和他的整个生活也都烟消云散了,仿佛他的生命已从所有的血管里流尽淌光,除了那张白纸,那张在他口袋里窸窣作响的白纸,他已经一无所有,现在他带着这张纸,任凭厄运的驱使,四处飘流。

他对自己所发生的一切,只是感到模糊而迷惘。列车员要他出示车票,他没有票,他像梦游者似的,说他的目的地是边界,他毫无意识地又换了另一次列车。这一切都是他心里的那台机器做的,他已不再感到痛苦。在瑞士边境站,检查人员向他索取证件,他给了他们:除了那一纸空文,他身边一无所有了。有时候那种业已失去的东西还在轻轻地提醒他,像在梦里一样,从心灵深处发出喃喃的声音:"回去!你还是自由的!你不该去。"然而他血液里的那架机器,它不说话,却强有力地拨动着他的神经和肢体,用"你必须去"这个无声的命令顽固地推着他往前去。

他站在通往他祖国的过境车站的月台上。在黯淡的光线中可以清楚地看到那边有一座桥横跨在河上:这就是边界。他闲暇无事的思绪试图理解这个字眼的含义。在这一边,人们还可以生活、呼吸、自由地说话,按自己的意志行事,从事严肃的工作;可是从那座桥向前走八百步,在那里,人的意志已经从身上取掉了,就像从动物身上取出了内脏一样,他们必须听命于陌生人,并把刀子捅进别的陌生人的胸膛。这一切就是这里的这座小桥,这座两根大梁上架着一百几十根木头的小桥的全部含义。因此有两个士兵穿着颜色不同的莫名其妙的服装,持枪站在那里守卫。此刻他心里郁闷难当,感到自己再也无法清楚地思考了,而他的思潮却在滚滚翻腾,浮想联翩。他们在那根木头旁边守卫什么呢?是不让人从一个国家跑到另一个国家去,是不让人从一个割去了人的意志的国家逃跑到另一边那个国家去?可是他自己却愿意到那边去,是的,不过是另一种意义,是从自由走向……

他想不下去了。关于边界的思考像是对他施行了催眠术,自从他亲眼看到边界确确实实由两名令人生厌的公民身着士兵制服在守卫着,他心里对有些事就弄不太明白了。他竭力追思往事:这是在打仗啊。不过战事只在那边那个国家里进行,战争离这里还有一公里远,或者说战争正在那边进行,实际上离这里是一公里差二百米远。他忽然想到:也许还要近十米,那就是一千八百米差十米①。他心中忽然萌生一种荒唐的想法，想了解在最后十米的土地上还有没有战争。这个滑稽可笑的念头倒使他兴致勃勃。什么地方一定有一条线，有一条分界线。要是有人走到边界上，一只脚踩在桥上，另一只脚还踩在地上，那他算什么呢——还是自由的或者已经是士兵了？或你得一只脚穿着老百姓的靴子，另只脚穿军靴。他的这些想法越来越幼稚可笑，不时在他脑袋里搅和着。往桥上一站，这就已经到了那边，要是又跑了回来，那算不算是逃兵？那么水呢？是战争的还是和平的？那河底下是不是也有一条按两国国旗的颜色从中间分开的线？那么鱼呢，是否可以游到那边战争区去？连动物也都是这样！他想到了他那条狗，如果它也来了，也许会被动员起来，要它去拉机关枪或者到枪林弹雨中去搜寻伤员的。感谢上帝，它留在了家里……

感谢上帝！他被自己这个思想吓了一跳，使自己震醒过来。自从他实地看到了这条边界——这座介于生与死之间的桥——他就感到心里开始动起来了，动的不是那台机器，而是一种意识，一种反抗，在他身上要开始觉醒了。在另一条铁轨上，他来时坐的那列火车还停着，只不过在这期间机车已调了头，那巨大的玻璃眼现在正朝另一方向凝视，准备把各节车厢重新拉回瑞士。这使他想起，现在可能还来得及，他那根渴念自己失掉的家的神经，本来已经死了，现在又痛苦地活动起来了，他感到在他心里，以前的那个他又开始恢复其本来面目了。他看到桥的那一边站着个士兵，身着外国制服，腰束皮带，肩上沉沉地挎着一条步枪，看到他漫无目的地踱来踱去，他从这个陌生人这面镜子里照见了自己。现在他才恍然大悟，

---

① 原文如此。按上文文意，似应为八百米差十米。

明白自己的命运。自从他明白了这一点，他就在自己的命运中看到了毁灭。他的灵魂中现在发出了生命的呼唤。

此时信号钟敲响了，那沉重的响声打碎了他那尚未稳定的感觉，现在他知道，一切都完了。如果他坐上这列火车，三分钟，火车就驶完两公里路程到了桥边，并开过桥去。他知道，他可能会搭这列火车的。不过还有一刻钟，他可能会得救。他如痴如醉地站在那里。

然而火车不是从他紧紧注视着的远方驶来的，而是从那边经过这座桥，缓慢地朝这边隆隆驶来。顿时，大厅里骚动起来了，人们从候车室里蜂拥而出，妇女们叫嚷着冲出来，拼命往前挤，瑞士士兵赶忙列队。此时忽然奏起了音乐——他仔细一听，不禁大吃一惊，简直不相信自己的耳朵。可是这音乐高昂激越，绝不会听错，是马赛曲。对一列从德国开来的火车竟奏起敌人的国歌来了！

火车隆隆驶近，嘘嘘地放着气，停了下来。所有的人都已一拥而上，车厢的门都打开了，伸出一张张苍白的脸，明亮的眼里流露出极度的喜悦——穿着军服的法国人，受伤的法国人，都是敌人！敌人！几秒钟的时间他像是在梦里一样，过了这阵他才弄清楚，这列火车上全是交换的受伤的战俘，在这里获得释放，他们从疯狂的战争中得救了。这一点他们都体会到、了解到和感受到了；他们挥着手，他们呼唤，他们欢笑，虽然有些人的笑声里还含着痛苦！有一个伤兵，拐着假腿，跟跟跄跄，绊绊跌跌地走了出来，扶着一根柱子大声喊道："瑞士到了！瑞士到了！上帝保佑！"妇女啜泣着奔向一个车窗又一个车窗，直到找到自己要找的人和亲爱的人，呼唤，哭泣，叫喊，各种声音混乱嘈杂，不过一切都汇成了一片高昂的欢呼声。音乐停止了。几分钟之内听到的只是喧嚷和呼唤——这击拍在人们头上的汹涌澎湃的感情的波涛。

渐渐地平静下来了。到处围成了一拨拨的人群，大家都沉浸在幸福的欢乐之中，热烈地交谈着。有几个妇女还在惘然地来回呼喊着，护士送来饮料和礼物，重伤员用担架抬了出来，裹着白纱布，脸色苍白，受到了亲切而悉心的照料。从他们身体的外形上充分表明了他们的苦难遭遇：有的截去了手臂，衣袖空空地搭拉着，有的形容憔悴，或者严重烧伤，他们的青春几乎荡然无存，个个蓬头垢面，无比苍老。但是每个人的眼睛都安详地仰望着天空：他们都感到朝圣已经到了终点。

斐迪南瘫了似的站在这些他不期而遇的人群之中。揣着那张纸条的胸口下面，他的心又重新剧烈地跳动起来了。他看到，在人群边上孤零零地停着一副担架，无人过问。他迈着缓慢而犹豫的步子走到那个被异国的欢乐所遗忘的人的身边。这个伤员脸色灰白，胡子蓬松，他那只打坏的手瘫残地从担架上搭拉下来。他双目紧闭，嘴唇毫无血色。斐迪南颤抖着。他轻轻地把这只垂着的手抬起来，小心翼翼地放在那受难者的胸前。这时候，这个陌生人睁开了眼睛，看着他，从那无限遥远的痛苦中泛起一丝感激的笑容，并向他致意。

这件事像一道闪电从正在颤抖的斐迪南心里划过。该这样去残害人，不把人类视作兄弟，而代之以仇恨吗？甘愿去参与这桩滔天罪行吗？感情的真理以磅礴的气势涌上他的心头，摧毁了他心里的那台机器，崇高而伟大的自由冉冉升起，它战胜了顺从。"决不去干！决不去干！"一种气吞山河的、从未有过的声音在他心里高喊，并猛烈地冲击着他。他呜咽着在担架前昏倒了。

人们跑到他跟前，以为他羊痫疯发作了，医生也赶来了。然而他却自己慢慢地站了起来，也不要别人扶，神情安详而愉快。他伸手从信夹中取出最后一张钞票,放在伤员的担架上;随后他拿出那张纸条,又慢慢地、专心致志地读了一遍,随即把它撕成碎片扔在车站上。大家望着他,以为他是疯子。他现在可不再感到什么羞耻了,倒觉得自己已经复原。这时又响起了音乐。然而他心里响亮的奏鸣盖过了所有的声音。

夜里很晚他回到了家。屋子一片漆黑,像口棺材似的关闭着。他敲了敲门。里面一阵脚步拖地走路的声音:他妻子打开了门。当她看到是他时,不禁深为惊讶。然而他却温柔地抓着她,领她进了门。他们没有说话,俩人都由于幸福而震颤。他走进房间,看到他的画全部竖放在那里。这是她从画室里搬下来的,为的是好一看到他的作品就感到时刻跟他在一起。从他妻子的这个举动中,他感到无限的爱,同时他也明白自己幸免了多少灾难。他默默地捏着她的手。那条狗从厨房里冲了出来,直往他身上跳:一切都在等着他,他感到,真正的他从来也没有离开过这里,不过他感到自己像是一个死而复生的人似的。

他们俩还一直没有说话。但是她温柔地拉着他来到窗前:外面是永恒的大千世界,它对一个一时糊涂的人自寻苦恼根本无动于衷,世界为他闪着光,在无垠的太空中,繁星灿烂。他仰望天空,感触万千,现在他懂得,适用于地球上的人类的,只有一条法则:除了相亲相爱,任何东西都不能把一个人真正束缚住。他妻子挨着他的嘴唇幸福地呼吸着,有时两人的身子由于极度欢快而挨在一起微微颤抖。但是他们沉默着,他们的心在万物永恒的自由中自由地翱翔,超脱了混乱的词汇和人类的法规。

恐　惧

关惠文译

　　依莱娜太太离开她情人的住所，迈步下楼时，那无名的恐惧又猛然揪住了她的心。一个像陀螺似的黑色的东西忽然在她眼前旋转着，嗡嗡地响起来，两个膝盖冷得硬梆梆的，她不得不赶快抓住栏杆，免得一头栽下去。她壮着胆子来做这种十分危险的会面，已经不是头一次了，这突然袭来的震颤，她一点儿也不觉得陌生；尽管每次回家时她都竭力抵御，但每次她都在那荒唐可笑的恐惧如此毫无来由的袭击面前败下阵来。来会面时，不用说，一路上要轻松得多了。那时，她让车子在街拐角停住，快步走来，头也不抬，几步就到了楼门口，然后匆匆上楼，她知道他正在屋里刚刚急速打开的门后等着她呢，然而这第一阵恐惧，这确实也包含着急不可耐的心情的恐惧，却在见面时热烈的拥抱里消散了。但没过多久，她想要回家时，那神秘的恐怖便涌上心头，使她直打寒战，这里掺杂着深感内疚的惶恐不安和这样一种痴呆的幻觉：似乎街上每一个陌生的目光都能从她的神态上看出她是从哪儿来的，并且对她慌乱的举止毫无礼貌地微微一笑。这种预感引起的时时增长的不安，在她偎依在情人身边的最后几分钟就盘踞着她整个的心灵了。要走的时候，她的两手由于精神紧张而哆哆嗦嗦颤抖起来，她心不在焉地听着他的话，急切地制止他的热情在临别时爆发出来；走开，但愿她心中的一切也跟着永远走开，离开他的寓所，离开他住的楼房，离开这冒险的爱情生活，回到自己安静的市民小天地里去。她几乎不敢朝镜子里看，因为她怕看见自己目光中的狐疑神情，然而却很有必要检点一下，看是否由于慌张会在她的服装上留下什么痕迹，把这欢乐的时刻泄露出去。接着又是那些离别前白费唇舌的安慰人心的话语，由于激动她几乎一句也没听进去，那几秒钟她正藏在门后窃听有没有上楼下楼的声音。但外面已经潜伏着恐惧了，它焦躁地抓住她，粗暴地使她的心停止了跳动，她只好上气不接下气地走下几级楼梯，直到她感到那神经质地积聚起来的力量完全用尽了才停下来。

于是，她闭着眼睛站了一分钟，贪婪地吸了吸半明半暗的前厅里凉爽的空气。这时，楼上有一扇房门砰地关上了。她吃惊地震动了一下，赶快走下楼梯，两只发抖的手往下拉了拉那块厚厚的面纱。现在，那最后的可怕时刻又在威胁着她，使她不敢穿过楼门走上大街，说不定会碰上路过的熟人劈面问她从哪儿来，也许会陷入谎言的混乱和危险中：她像一个准备助跑的跳远运动员一样低下头，突然下了决心朝着半开的大门急跑过去。

到了门口，她跟一个刚好想进来的女人撞了个满怀。"对不起，"她惶惑不安地说，打算赶紧从她身旁走过去。但那个女人迎面拦住了门，闪着恶意嘲弄的目光，气冲冲地盯着她。"这回我可把您当场逮住了，"她毫无顾忌地扯着粗野的嗓门喊道。"当然啰，一个规规矩矩的太太，所谓的规规矩矩！她有丈夫，有钱，什么都有，但还不知足，还要变着法儿从一个可怜的姑娘手里把她的情人夺走……"

"天哪……您怎么了……您弄错了……"依莱娜太太断断

续续地说，笨手笨脚地想要逃跑，但那个女人用她粗壮的身体严严实实地将门堵住，冲着她尖声大骂："不，我没有搞错……我认得您……您是从我的朋友艾都阿德那儿来……现在我终于把您逮住了，现在我才知道，为什么他近来跟我在一起的时间这么少了……原来是因为您的缘故……您这个下贱的……"

"发发慈悲吧，"依莱娜太太用勉强听得见的声音打断她的话，"请您不要这么大声嚷嚷好不好。"她无意中又退回到楼道里。那女人讥诮地望着她。看到依莱娜吓得发抖，看到她这样明显的一筹莫展，她觉得心中有说不出的快乐，因为她现在正面带自以为是的、因嘲弄人而洋洋得意的微笑打量着她的牺牲者。由于心怀恶意的怡然自得，她的声音变得很宽，相当得意。

"这么看来，那些偷汉的女人，她们原来都是结了婚的太太，一些又高贵又讲究的太太。蒙着面纱，当然要蒙着面纱啦，好让人在事过之后还可以到处都装扮成这种正经女人……"

"什么……您到底想跟我要什么？……我根本就不认识您……我得走了……"

"走……那是当然的啦……到您丈夫那儿去，走进那个温暖的小房间，装扮成高贵的太太，让仆人给脱大衣……但像我们这样的人谁管你是不是像狗一样的饿死，当然这跟您这样的高贵的太太是不相干的……就是对我们这样的人，她们那些规规矩矩的夫人也要把她最后的一点东西偷走……"

依莱娜猛地打定主意，在一种暧昧的启示下屈服了，她把手伸到钱包里，使劲地抓了一把钞票。"这儿，这是给您的……但您现在要放我走……我决不会再来的……我向您发誓。"

那女人恶狠狠地瞪着她,把钱接过去。"没廉耻的东西,"她同时嘟哝道。依莱娜太太听到这句话,不禁吓得一颤,但她看见对方给她让开了门,便急忙冲了出去,活像一个自杀的人从塔顶噗的一声落在地上,急促地喘着气。她向前奔跑着,觉得一个个面孔就像变了形的鬼脸似的从眼前晃过去,她两眼昏花,拼命挣扎着跑到停在拐角的一辆汽车里。像扔一个沉重的包袱似的,她把自己的身体甩在靠垫上,随后她心中的一切就全僵化不动了,当司机终于吃惊地问这位古怪的乘客要到什么地方去的时候,她木然地朝他望了好一会儿,她那神志恍惚的大脑才最后明白了他的话。"到南站,"她慌忙顺口说道,可是想到那个女人说不定会跟踪她,便又说,"快,快,请您快点开!"

汽车走在路上,她才明白这次相遇使她多么震惊。她轻轻地动了动自己又僵又冷的像麻木的东西垂在身边的双手,忽然周身战栗起来,好像打寒颤似的。喉头有苦丝丝的东西往上涌,她觉得恶心,同时产生一种无名的憋人的愤怒,像抽筋一样抓她的心搔她的肝。最好让她大喊一阵,或者让她挥拳大闹一番,以便摆脱这种像钓钩扎在大脑里的回忆所引起的恐怖感;那副带着嘲讽笑意的粗野的面孔,那股从那个穷女人恶浊呼吸中发出的卑鄙龌龊的气息,那张充满仇恨紧对她脸一个劲儿往外喷下流话的放荡的嘴,那个举得高高的威胁过她的像要革谁命的拳头,时时浮现在她的脑际。这种厌恶感越来越强烈,在她的咽喉里越爬越高,此外,那迅速滚动的汽车在马路上摇来摇去,当她及早想起她手头的钱也许不够付车费的时候,她才让司机减慢车速,因为她把所有的钞票都给了那个敲竹杠的女人。她赶快示意停车,倏地跳出车去,又把司机吓了一大跳。幸而她剩下的钱够用了。但她不一会儿就发现自己懵懵懵懂懂地闯到另一个区里来了，来到终日忙碌的人群之中，他们的每句话、每一瞥目光都使她的肉体感到痛苦不堪。这时，她的膝盖好像由于恐惧而变得瘫软了似的，不想往前迈步了，但她必须回家。于是她便拿出全身的力气，以一种非凡的毅力，跌跌撞撞地从一条胡同走到另一条胡同，好像跋涉在沼泽地或没膝的雪里一样。终于她到了家，冲上楼梯，起初有些慌张，但为了避免因烦躁不安而惹人注意，她立刻克制住了自己。

现在，年轻的女仆帮她脱下大衣，她听见隔壁房间里她的男孩跟小妹妹吵吵嚷嚷地玩耍，安详的目光看到处处都是自己的一切，又亲切又可靠，她的脸上才又恢复了泰然自若的神情，同时那秘密的心潮也就从她那痛苦而紧张的胸膛滚动过去了。她取下面纱，装出若无其事的样子，满面春风地走进餐室，她丈夫正坐在准备用晚餐的桌子旁边看报。

"晚了，晚了，亲爱的依莱娜，"他一面用温和的责备口吻说，一面站起身来，吻了吻她的面颊，这不由得在她心里唤起一种说不出的羞愧感。他们在餐桌旁边坐下，他一边看着报纸，一边漫不经心地问："你到哪儿去了这么久？"

"我去……去……阿麦丽那儿了……她需要去办点事……我陪她走了一趟。"她补充说，可是已经对自己这么欠考虑、说谎说得这么糟生气了。从前她总是预先准备好一套细心想出、经得起任何询问的谎话；可今天这恐惧竟使她忘了这一点，被逼得只好笨嘴拙舌地临时编造。她突然想到：如果她丈夫像他们最近在剧院里看过的那个剧里的人物一样打电话去探问呢？……

"你怎么了？……我觉得你好像有点精神恍惚……你为什么还不把帽子摘下来呀？"她丈夫问。她不禁吓得一哆嗦，因为她又产生了刚才被当场抓住的那种狼狈不堪的感觉。她赶忙站起来，走进她的房间，摘掉帽子，顺便对着镜子朝那不安的眼睛瞧了好久，一直到她觉得这目光重新变得坚定而又自信的时候，她才回到餐室里来。

女仆端来了晚饭；像往常一样度过了一个夜晚，也许比以前话说得更少，气氛显得更寂寞，那天晚上的谈话都是乏味的、懒洋洋的、往往颠三倒四的。她的思绪不停地飘回原路，每当她想到那个时刻，心惊胆战地接近那个敲竹杠的女人，她的思想便一直惊恐不安地向后躲闪；这当儿，她总是抬起目光，才觉得安全，她柔情地逐件望着那些象征友谊的物品，要知道，每件物品都是为了回忆和纪念才摆到这几间屋子里来的，于是她的心便渐渐轻松、平静下来。墙上的挂钟以钢铁般的步履从容地打破沉寂，又人不知鬼不觉地在她心上增添了一些均匀的、无忧无虑的安然节奏。

第二天早上，她丈夫到自己的办事处去，孩子们出去散步，最后只剩下她一个人呆在家里，在明媚的晨光中，那次吓人的相遇事后细究起来已经失去了许多令人焦虑的成分。依莱娜太太首先想起的是她的面纱很厚，因此那个女人不可能看清她的脸部特征，也不能再认出她来。现在，她冷静地权衡着一切预防措施。她决不能再到他的住所看她的情人了，这样一来，说不定也就铲除了那恐惧再度袭来的可能性。虽然跟那个女人偶然相遇的危险依旧存在，但这在一个二百万人口的城市里又是多么不大可能啊，因为她坐在汽车里逃掉了，那个女人是不可能跟踪她的。名字和住所她全然不知道，不必担心那个女人根据不清晰的面影会像通常那样满有把握地认出她来。但依莱娜太太对这种极特殊的情况也要有所准备。于是她就摆脱恐惧，立刻这样决定：保持安静的态度，什么也不承认，冷静地说那是一种误解，因为除了借机敲诈她的那个女人当场指责过她以外，对于她的那次会面谁也提不出任何证据。依莱娜太太真不愧是首都最著名的一个辩护律师的夫人，她从她丈夫跟他的同行朋友的谈话中知道得很清楚，各种敲诈勾当都可能由于极端无情而立刻改变行情，因为被勒索的人表现出来的任何犹豫、任何刹那间的不安都只会促使他的对手提高价码。

她采取的第一个对策是给她的情人写了一封短信，说她明天不能按约定的钟点来，而且最近几天也都不行。重读时，她觉得她头一次用伪装笔体写的这张便条仿佛语气有点冷冰冰的，她本想把这些令人不快的语句改成亲切的话语，这时她回想起了昨天的那次相遇，突然私下里火冒三丈，这恼恨便不知不觉地酿成了字里行间的这种冷若冰霜的语气。她痛心地发现，她情人的宠爱只不过是把她变成了这么一个低贱的主动者而已，她觉得自己的骄傲受了伤害，现在，她心怀敌意地思量着这些话，正因想到这种报复方式而得意：那便是字条上冷漠的语气说明来不来会面在某种程度上完全取决于她愿意不愿意。

这个年轻人，一个有名的钢琴家，她是在一次偶然参加的晚会上认识的，当然那是个小型聚会，然而她却想都没想过，甚至不明白是怎么回事，很快就成了他的情人。他其实一点儿也没有激发起她的热情，而在她的身上也没有丝毫性感的东西和精神的魅力吸引着他；她委身于他，并不是需要他，也不是渴望得到他，而是出于对抗他的意志的某种惰性，出于一种抑制不住的好奇心理。她既没有由于婚姻幸福而完全满足的心理，也没有那种女人身上常见的精神兴趣衰退的感觉，在她心里没有任何东西促使她产生找一个情人的需求；从一般社会眼光来看，她确实很幸福，因为她有一个富有的、智力胜她一筹的丈夫，还有两个孩子，懒散而满意地过着她那舒适、平庸、安静的日子。但这里存在着一种松弛的气氛，它在感官上正如闷热和风暴，形成了一种平稳的幸福状态，这状态比不幸更富于刺激性，而且对于许多女人说来，由于她们一无所求才正像由于绝望而长期得不到满足一样致人以死命。饱人的贪欲不见得比饿人的小，正是这种生活上的闲适、安逸使她产生了一种追求风流韵事的好奇心理。在她的生活中，哪里也没有阻力。她处处碰到的都是柔情蜜意，处处显现的都是安稳，温情，冷漠的爱，家庭的尊敬，她没有想到这样适度的生活从来也不能从表面来衡量，它总是一种内心空虚的反映，她觉得这种安逸不知怎么竟骗去了她的真正生活。

　　她少女时期对伟大爱情的朦胧梦想，对陶醉在新婚初年亲切友好的平静生活和做年轻母亲的有趣诱惑中那种喜悦的朦胧梦想，如今在她将近三十岁的时候，又开始苏醒了，而且像每个女人一样在内心滋生出一种应付巨大热情的能力，但并没有同时产生决计体验这热情的勇气，为这种风流韵事付出应有代价、赴汤蹈火的勇气。就在她觉得无力增添新色彩的一种称心如意的时刻，这个年轻人怀着毫不掩饰的强烈欲望跟她接近，带着艺术的罗曼蒂克神秘气氛走进了她的安谧的小天地。在这里，那些男人通常只是说几句平淡无奇的笑话，献点小殷勤，毕恭毕敬地称赞"美丽的夫人"，却不曾当真把她看成女人。而今，她的内心深处又感受到她长大成人以来头一次领略过的那种激情。在她看来，他本人身上也许一点儿迷人之处也没有，只有一层淡淡的哀愁罩在他那怪惹人注目的脸上，对这层悲愁的阴影她竟辨认不清，因为它本来就像他的演奏技巧和那种黯然伤感的沉思一样全是装出来的，他正是在这种沉思中进行（早已事先准备好的）即兴演奏。对她这样一个生活在不愁温饱的人们周围的人说来，这种忧伤意味着对更高级生活的向往，这种生活曾经从许多书中五彩缤纷地跃入她的眼帘，充满浪漫主义色彩，出现在许多剧本中。于是，她便无意中被拖出她的日常感情界限之外来观察这新的生活现象了。但是，一个女人的好奇心总是不自觉地跟性感联在一起的。一声赞扬使他从钢琴上抬起头来瞥了这位太太一眼，从这声喝彩里反映出来的对艺术家感染力的印象比一般礼貌性的表示也许更富有热情，而这第一瞥目光一下子就拨动了她的春心。她大吃一惊，同时感到一种充满一切恐惧的欢乐：在一次谈话中仿佛一切都被这种神秘的情火照得透亮，烧得通红，这次谈话使她那不可按捺的好奇心得到了鼓励，变得更强烈，以致她在一次公开举办的音乐会上也不回避跟他再次相见。接着，他们便经常会面，很快就不再单靠偶然机遇相会了。她至今为止很少想到她对音乐的品评会有什么价值，她一直理直气壮地否认她的艺术感会有什么意义，可是现在，正像他对她一再强调的那样，她在很多方面都成了他这个真正艺术家的知音和顾问，就是能以这样的身份出现的虚荣心，促使她几周之后就轻率地相信了他的提议：他想在家里给她，只给她一个人演奏他最新的作品。可能他心里有一半这样的善良意图，但到了一起就接起吻来，最后她竟不胜惊讶地把自己的身体也给了他。她的第一个感觉便是对这意想不到的肉欲的冲动感到震惊；起先由那蒙着神秘色彩的关系引起的精神上的战栗，突然不见了。由于有了要装出全然自愿的这种虚荣心作怪，由于以为是自己第一次下决心脱离她生活在其中的那个安谧的小天地的想法，那种对这并非出自本心通奸的罪恶感，也就部分地减轻了。就这样，她的虚荣心竟然把她对那种在最初几天里深感不安的丑行的畏惧变成了一种新的骄傲。但这种种神秘的情绪的激动,也只是在最初的时日里才经常出现。私下里,她本能地防范着这个人,大都是防卫他心中产生新的东西,也就是最初挑起她好奇心的那种异样的东西。他的奇装异服,他家中的流浪人习气,他那永远摇摆在挥霍和困窘之间的经济状况的杂乱无章,从她的资产阶级眼光来看,是令人反感的;像大多数女人一样,她们希望艺术家一眼望去就很浪漫,在个人交往方面很文明,是一只狂怒的猛兽,但必须关在道德的铁笼子里。使她陶醉在他的演奏里的那股热情,在偎依在他怀里的时候,完全平静下来;她的确不喜欢这种突如其来的疯狂的拥抱,她往往不自觉地把这拥抱的纯属个人意志的不顾一切跟她丈夫的那多年后仍然羞答答的、充满敬意的激情相比较。但现在失足一次以后,她便一而再、再而三地到他那里去,不觉得幸福,也不觉得失望,只是出于某种尽义务的感情和一种习以为常的惰性。她这样的女人,在轻佻的女人甚至在妓女中间也并不少见,而内在的市民习性却十分顽固,甚至在有外遇的情况下也要亲自维持一种正常的秩序,在放荡的生活中也要保持一种居家过日子的方式,在日常生活里尽量装出少有的十分耐心的样子。没过几个星期,她便使这个年轻人,她的情人,在一些细小的地方也适应了她的生活习惯,像对待公婆一样,也规定了一周有一天来看他,但她并没有因为有了这层新的关系而放弃自己旧日的生活秩序,而是在某种意义上为自己的生活增添了一点新的东西。很快,她的情人就成了为她的存在而装备精良的机器,他像第三个孩子或一辆汽车似的,成了她平淡的幸福生活的某种扩充物,不久,她便觉得这冒险的爱情生活像合法的享乐一样毫无意义了。

然而,第一次,当她本应为这奇遇付出真正的代价,也就是担着风险的时候,她就开始打小算盘,考虑值得不值得了。她天生任性,娇生惯养,因有像样的财产而毫无他求,对于不能容忍的第一次不快她就觉得似乎太多了。她不愿意立刻舍弃哪怕一点点自己内心的安宁,但也几乎从未想过为自己的安逸而抛弃她的情人。

她情人的回音,一封像一个人从梦中惊醒,因神经受刺激而断断续续写出的信,下午就由信差递到了,满篇都是精神恍惚的恳求、哀怨和悲诉,这使她想结束这种不正当关系的决心又有些动摇了。她的情人用最恳切的语言请求她至少跟他见一面,如果他不知因为什么伤了她的感情,也好让他请求她的宽恕。现在,这套新把戏惹得她对他更为不满,她想不分青红皂白地回绝了事,让他明白她要高贵得多。于是她便约他到临时想起的一个咖啡馆里去会面,还是做姑娘的时候她就在那里跟一个男演员会过面,当然这件事现在在她看来是幼稚可笑的了,因为那个演员是又恭敬又不在意的样子。她心里偷偷地笑着想,这种浪漫事儿在她的生活中是很稀奇的,这种事在她婚后这些年月里已经枯竭了,现在却又繁盛起来。她几乎对昨天与那个女人的唐突相遇感到一种内心的喜悦了,在这次相遇中,她又如此强烈、如此兴奋地体验到长久以来就有的一种真正的感情,她平素相当容易松弛下来的神经因此又神秘地震颤起来。

为了防备万一遇见那个女人,被认出来,这回她穿了一身暗色的不显眼的衣服,戴了另一顶帽子。为了不让人看清她的容貌,面纱她也准备好了,但一个突然涌上心头的固执想法使她把它放到了一边。难道像她这样一个可尊敬的有身份的女人竟能因为害怕见到一个根本不相识的女人而不敢上街吗?

一瞬间的恐惧感只在她走上街头的一刹那才掠过她的心

头，那是一种如同人们投身波涛前把脚伸进水里试探时因为觉得冷突然出现的神经性的战栗。但这凉气一秒钟就从她身上飞过去了，接着便是一种稀有的愉快而自得的情绪突然在她心中冉冉地升起来。她高高兴兴地，轻捷、有力、颤悠悠地向前走去，步子拉得紧，腿也抬得高，她觉得自己从来不曾迈着这样的步伐走过路。那个咖啡馆离得这么近，甚至她也感到遗憾了，因为此刻有一种意愿正驱使她有节奏地向前走，一直走进这爱情生活的神秘的磁石般的吸引圈。但她为这次会面规定的时间太紧了，不过，她非常放心，确信她的情人早就在等她了。果真不假，他正在角落里坐着呢。她一进来，他便心情激动地跳了起来，她觉得他的情绪激动，又感人又讨厌。她不得不劝他压低声音，他由于内心过分激动，像旋涡猛卷一般，朝她连连质问和抱怨。她呢，根本不说明她不来践约的真正原因，一味玩弄隐晦的词句，这些话因为含混不清使他更加恼火。这一次，她虽然没有满足他的愿望，但对自己说过的话还是有些犹疑了，因为她觉得这回突然的不可测的逃避和拒绝相见对他的刺激太大了……可是当她经过半小时最紧张的谈话离开他的时候，她在感情方面对他既没有最起码的表示，也没有丝毫的暗示，她内心中燃烧着一种只在少女时代才有的奇异的情感。她觉得仿佛有一个闪闪发光的小火花深藏在心底，只等一阵风吹来使它变成火焰，燃遍她的全身。她大步走过来，同时急急地捕捉着整条街向她射出的目光，很多男人这种赞赏的目光产生了一种意想不到的结果，强烈地撩拨着她想看看自己面容的好奇心，于是她便在一个花店陈列品的镜子前面突然停住脚步，好在红玫瑰和露珠晶莹的紫罗兰的镜框里瞧一瞧自己的美貌。自她少女时代以来，她还从来没有过这样轻松愉快的感觉，全身的每一个感官也从来没有这样充满过活力，婚后最初的日子里也好，跟她情人拥抱时也好，在她身体里都不曾闪现过半点这样的火星；现在只能把所有这一切甜蜜的如醉如痴的热情消耗在少得可怜的被限定的时刻里，这种想法在她已经变得不可忍受了。她心情烦恼地继续向前走去。到了家门口，她又迟疑地站住了，为的是再舒展胸怀深深地吸上一口这炎热醉人的空气，把此时此刻迷乱的心绪压入心底，为的是在内心深处再体味一下它——这冒险爱情生活的渐渐平息下来的最后一个浪花。

这时，有一个人拍了拍她的肩头。她转过身去。"您到底又想干……干什么？"突然看见那张可憎的脸，她像吓掉了魂似的结结巴巴地说，使她更吃惊的是听见自己说了这么一句致命的话。她本来早就打定了主意，如果什么时候再碰到那个女人，就说不认识，否认一切，要面对面朝着那敲诈钱财的女人走过去……现在太晚了。

"我在这儿已经等您半个小时了，瓦格纳夫人。"

依莱娜吓得一颤。原来这个女人知道她的名字和住处。现在一切都完了，只好听天由命任她摆布了。

"我等了半个小时，瓦格纳夫人。"这个女人像责备她似的咄咄逼人地重复着她的话。

"您想干什么……您究竟想跟我要什么……"

"您是知道的，瓦格纳夫人，"——依莱娜听到这个名字又吓得一阵痉挛——"您知道得很清楚，我为什么来。"

"我根本没有再见到过他……你不要缠着我了……我再也不会去看他了……再也不……"

那个女人静静地等着。一直等到依莱娜由于情绪激动说不下去了，她才像对待下属似的粗暴地说：

"您不要说谎！我一直在您身后跟到咖啡店，"她见依莱娜在往后退缩，又嘲讽地补充说，"我反正没什么事情可做。他们把我从公司解雇了，照他们的说法，是因为没有那么多工作，因为赶上了经济萧条时期。喏，干吗不好好利用这个空闲时间呢。像我们这样的人也要出来散散步……跟那些规规矩矩的太太们完全一样。"

她说这些话时用的是一种刺痛依莱娜心窝的冷酷无情、恶意中伤的语言。面对这种卑劣言行所表现出来的赤裸裸的冷酷无情，她觉得完全失去了抵抗的能力，她的心越抖越凶，害怕那个女人现在又大声说话，或者她丈夫经过这里，那样一来，一切可就全完了。她赶快把手伸进皮手筒，拽出银丝编织的钱包，把她手指触到的所有的钱都掏了出来。

但这一回，那只无耻的手触到钱的时候，却没有像上次那样顺从地慢慢拳起来，而是伸着巴掌在空中摆动着，那张开的手活像一只野兽的利爪。

"那个银丝钱包也干脆给我吧，免得我把钱丢了！"她嘲弄地撇着嘴，似乎露出了一丝满意的微笑，补充说。

依莱娜凝视着她的眼睛，但只一秒钟而已。这样狂妄的、卑劣的讽刺真叫人无法容忍。像产生了一种钻心的疼痛似的，她觉得有一阵厌恶感穿透了全身。只好走开，走开，不再看这张脸！她掉过脸去，动作迅速地把那个贵重的钱包塞给她，随即跑上楼梯，好像身后有什么恐怖的东西在追赶她似的。

她丈夫还没有回家，于是，她便一头栽倒在沙发里。仿佛被打了一锤，她一动不动地躺在那里。她听见她丈夫从外面回来的声音时，才强打起精神，拖着缓慢的步子来到另外一个房间，每个动作都是那样的无意识，每个感官都是那样的没有知觉。

现在，恐怖伴着她留在这所房子里，没有一点离开这些房间的意思。在这么多空虚的时刻里，那次可怕的相遇的每个细节都像滚滚波涛似的冲进她的记忆；她的处境已经毫无希望，这一点她是心明如镜的。这个女人知道她的名字和住处——怎么会如此，简直不可思议——，因为她最初的几次尝试干得这么出色，无疑，她会不择手段地利用她的知情身份无尽无休地敲诈勒索下去。她的生活恐怕要像压了一座阿尔卑斯山，不知要压多少年，怎么努力，包括最大的努力，也甩不掉这个重负。尽管依莱娜太太有钱，尽管她是一个富有的丈夫的妻子，她也不可能瞒着她丈夫筹措到那么大一笔钱，一劳永逸地把自己从那个敲竹杠女人的手中解放出来。另外，她从她丈夫的偶然谈话和他的诉讼中得知，那些刁钻无耻之徒的具结和诺言全都一文不值。她盘算着，一个月，或许两个月，这个厄运还可以躲过去，随后她家庭幸福的这座外表威严的大厦可就非坍塌不可了，叫人略感宽慰的是她确信她很可能把那个敲诈钱财的女人也同时拖进这崩溃的深渊。

厄运是不可避免的，逃避是不可能的，这一点她觉得非常明确。但是会发生什么事呢？从早到晚她都被这个问题纠缠着。说不定会有一天寄来一封写给她丈夫的信，她看见他走进屋来，脸色苍白，目光阴沉，一把抓住她的胳膊问她……但以后……以后又会怎么样呢？他会怎么办呢？想到这里，这些画面便突然全都消逝了，消逝在充满混乱而恐怖的黑暗之中。她想不下去了，所有这一切猜想都摇摇晃晃地陷入无底的深渊。但经过这样的冥思苦想，有一点她是再清楚不过的：原来她是多么不了解她的丈夫，因此她就预料不到他会干出什么事来。她是遵照父母的意愿嫁给他的，但她并无不乐意的表示，而且还怀着一种几年后一直未曾淡漠的对他的好感，现在已经在他身边度过了八年舒适愉快、静谧幸福的生活，为他生了两个孩子，有了一个家，还有数不清的肉体温存的时刻，但是现在，当她问自己他会采取什么态度时，她才清楚，他在她眼里是多么陌生，她对他是多么不了解。现在她才开始从那些能够说明他的性格的个别特征来估量他的全部生活。为了找到打开他的心灵密室的钥匙，现在她正心怀恐惧、小心翼翼地搜索着每个细小的回忆。

　　因为他说的话从不泄露自己内心的秘密，她只好用探询的目光在他脸上扫来扫去，这时他正坐在安乐椅里读书，周遭闪耀着明亮的电灯光。她看着他的脸，就好像看的是一张陌生的面孔，想试着用那些熟悉的、然而忽然又变得陌生的面部特征来说明这个她在八年夫妻生活中因不在意而不曾发现的性格。前额光亮而气度轩昂，仿佛里面蕴藏着一股巨大的精神力量，嘴却显得很严厉，遇事决不相让。一切都表现着典型男子的威严特点，精神抖擞，充满力量；令人惊异的是在这张脸上居然发现了一种美，她怀着一种敬佩的心理静静地观察着他这种若有所思的严肃神态，这种明显的坚强神情。而眼睛呢，里边肯定隐藏着那真正的秘密，却一直注视着书本，躲起来不让她看。这样，她只能始终疑惑地凝视着他的侧影，似乎那富有生气的轮廓意味着这么一句话：宽恕或者诅咒。这个陌生侧影的顽强性使她很吃惊，但这个侧影的坚定性又使她第一次意识到一种奇异的美。她突然明白了，她是正在用羡慕的神态打量着他，心里是又愉快又自豪。这时，他的目光离开书本，抬起头来。她赶快走回浓重的暗影里，以防她那充满焦虑的目光引起他的怀疑。

　　三天她都没离开这座房子了。她早就心情不快地发现，她当前突然坚守的生活方式已经引起了别人的注意，因为一般说来，根据她那爱交际的天性，一连好几个钟头或整天呆在家里，确实罕见。

最早注意到这种变化的，是她的两个孩子，特别是那个最大的男孩，他见妈妈老是这么久地呆在家里，十分明显地现出了天真可爱的诧异神情，而仆人们总在小声议论，还跟家庭女教师相互交换他们的种种猜测。她极力找各种各样的、部分是碰巧想出来的非做不可的事来做，想证明她如此惹人注目地留在家里是有正当理由的，但是全然无济于事，她想在哪里帮忙，就把哪里搞得一团糟，她在哪里插一脚，便在哪里引起怀疑。同时她又缺乏老练的才干，不能用理智克制自己，譬如安静地留在一个房间里看看书、做点什么事，好让人家看不出她自愿软禁在家的这种奇怪举动。那内心的恐惧，在她身上如同每一个强烈的感觉，变成了一种神经质的东西，不断地把她从一个房间赶到另一个房间。每当听见电话铃响，每当听见门铃的声音，她都要吓得一颤；由于这样神经过敏，她心中预感到整个生活已被打得粉碎。像坐牢一样呆在房间里的这三天，她觉得比她婚后的八年还要长。

可是第三天晚上，她接受了一个几周以来不曾有过的陪同丈夫赴宴的请柬，对此她现在竟忽然找不到充分的理由拒绝了。最后，为了不毁掉自己，至今在她生活四周筑起的那些看不见的恐怖的栅栏，也就必须打断了。她需要跟人接触，脱离单人独处的状态，脱离这恐惧造成的慢性自杀的孤独心境，休息几个小时。确实，除了到陌生的房子里在朋友身边躲一阵子以外，还有什么更好的地方呢？在她常走的道路周围总有那个人暗地跟踪的情况下，有什么地方会更安全？走出家门，她只颤抖了一秒钟，短短的一秒钟，这还是她跟那个女人在门口相遇以后第一次走上街头呢。她情不自禁地抓住她丈夫的胳膊，闭上眼睛，紧走了几步，穿过人行道奔向停在那里的小汽车，只是当她埋身靠在她丈夫的一侧，坐在车里经过夜间孤寂的街道时，她心里的一块石头才算落了地，而当她迈步登上那所陌生房屋的楼梯时，她才觉得脱了险。她现在可以像以往那漫长的岁月一样呆几个小时了：无忧无虑，欢天喜地，不同的是还怀有从监狱来到阳光下的那种越来越清醒的喜悦心情。这里是防御一切追击的壁垒，仇恨是钻不进来的。这里只有爱她、尊敬她、崇拜她的人。一些优雅的、时髦的人，他们全在那里谈天说地，热情洋溢，一种给人以享乐的轮舞终于把她卷了进去。因为她一走进来，她便感到别人向她投去的目光似乎在说"她真美"，由于有了这种自我意识到的长时间缺乏的感情，她显得更美了。

隔壁的音乐吸引着她，深深地刺入了她灼热的皮肉。跳舞开始了，还没明白过来，她已置身在那嘈杂而又拥挤的人群之中了。有生以来，她从来没有这样跳过舞。这样绕场不停的旋转把她心中一切沉重的负担都甩了出去，那音乐的旋律激荡着她的四肢，使她那激烈活动着的身体充满了朝气。只要音乐停息片刻，这寂静便给她带来痛苦，因为在寂静中，人可以思想，可以回忆，回忆起"那件事"。内心不安的火花在她颤抖的四肢上噗噗地向上蹿动；就像进了游泳池，浸在勉强受得住的使人镇静的冷水里，她又投入了那旋转不停的舞蹈。往常，她只不过是一个平平常常的舞伴，一举一动太庄重、太冷静、太无情、太小心，但这回陶醉在毫无拘束的欢乐中，身体上的一切拘谨表现全都消失了。她觉得自己在消融，在不断地、无休止地、愉快地消融。她感觉有两只胳膊、两只手搂着自己，时而接触在一起，时而又离开一点，她感觉到了对方说话时的呼吸，使人心醉的笑声，在浑身血液里颤动不停的音乐。她全身紧张，紧张得不得了，觉得衣服箍在身上火烧火燎的热，恨不得不知不觉地把一切罩在身上的东西都扯下来，好去赤裸裸地体味这深深的自我陶醉之情。

"侬莱娜，你怎么了？"——她转过身去，跟跟跄跄地走着，眨着笑盈盈的眼睛，情绪还完全像同她的舞伴搂在一起那样热烈。这时，她丈夫那惊讶、呆滞的目光冷酷地穿透了她的心。她吃了一惊。刚才她是不是太疯狂了呢？她的狂热举止是不是把什么暴露出来了呢？

"什么……你说什么，弗里茨？"她结结巴巴地说，因突然碰到他的目光而惶惑不安。这目光似乎越来越深地射向她的心中，她现在已经完全从内在感觉上，完全从她的心灵上体验到了它。在这双眼睛死死的逼视下，她真想大叫一声。

"真稀奇，"他终于喃喃地说道。在他的语声里隐藏着一种困惑不解的心理。她不敢问他干吗要这么说。但是，当他无言地转身走开，她看见他的两肩又宽又挺又大，使劲儿向那个硬梆梆的颈项端着的时候，一阵寒战不禁穿过她的肢体。像遇到一个凶手似的，这寒战倏地经过她的额头飞过去，有如闪电，一闪即逝。她好像第一次看见他——自己的丈夫，现在才感到心中充满了恐怖，因为他是强大而危险的。

音乐又响起来。一位先生走过来，她机械地扶着他的胳膊。但现在，她心中的一切都变得沉重起来，那快乐的曲调再也不能鼓舞她抬起自己僵硬的双腿了。一种郁闷的沉重感从内心深处传到了双脚，每迈一步都使她感到很痛苦。她不得不请求她的舞伴放开她。她在往回走的时候不由得左顾右盼，看看她丈夫是不是就在左近。她吓得全身打了一个寒战。他正好站在她身后，好像在等着她，他那咄咄逼人的目光直勾勾地望着她的眼睛。他想干什么？他知道了什么？她不自觉地往上扯了一下上衣，好像怕他看见那袒露的胸背似的。他的沉默是倔强的，他的目光也一样。

"咱们走吧？"她怯生生地问。

"好。"他的声音显得那样生硬，那样无情。他先走了。她又看见了那宽宽的、吓人的颈项。人们帮她披上大衣，但她还是觉得冷。他们默默地并排坐在车里。她一句话也不敢说。她模模糊糊地感到正面临着一种新的危险。现在她遭到了内外夹攻。

这天夜里，她做了一个恶梦。一种陌生的音乐响起来，一个客厅又明亮又高大，她走了进去，许多人和各种颜色跟她的动作混杂在一起。这时，有一个年轻人冲到她跟前，拉起她的胳膊，于是她便跟他一起跳起舞来；这个年轻人她觉得认识，可又没完全看出是谁。她感到很舒畅，很轻快，一种独特的音乐掀起的波涛把她举了起来，她觉得两脚离开了地面，就这样飘飘荡荡地跳着穿过了很多大厅。每个大厅里的金色的灯架挂得高高的，像烛光似的闪耀着微弱的火苗，墙挨墙有许多面镜子在没完没了的反射中把自己的笑脸抛过来又带到远处去。舞跳得越来越热烈，音乐奏得越来越灼人心窝。她发觉那青年跟她挨得更紧了，他的手埋藏在她的裸露的臂膀里，她不免因这充满痛苦的欢乐而悲叹，现在，她跟他四目相对了，这才觉得认出了他。他使她想起一个演员，还是小姑娘的时候她就暗暗地狂热地爱过他；她刚想高高兴兴地说出他的名字，但他用一个热烈的吻堵住了她的低声呼唤。就这样，嘴唇胶合在一起，相互拥抱着宛如变成了一体，他们像被一阵幸运的风托起来了似的，飞过那些大厅。一面面墙像急流般掠过，她不再感到有那浮在空中的顶棚,此时此刻,她身心感到有一种说不出的轻松,仿佛手脚上的锁链全被砸碎了一般。就在这时,突然间有一个人扳了一下她的肩膀。她蓦地停住脚步,音乐也随之戛然而止,灯火熄灭了,黑魆魆的墙壁紧逼过来,那个舞伴不见了。"把他给我,你这个女扒手!"那个可怕的女人喊道,——一点不错,就是她!她的喊声震得四壁发出刺耳的轰鸣,而那冰冷的手指又紧紧地扣住她的手腕不放。依莱娜奋力反抗,同时听到自己在叫喊,是一声惊恐中慌乱的尖叫,但那个女人更有劲,撕下了她的珍珠项链,同时把她的上衣撕下了半边,使她的胸脯和臂膀全都裸露出来,上面只搭着向下垂挂的撕碎的布片。忽然,人们又来了,他们在不断增长的喧闹声中从所有的大厅里涌到这里来,呆呆地面带讥笑地望着她这个半裸体的妇女和那个正在尖声喊叫的女人。那女人喊着:"她从我这儿把他偷走了,这娼妇,这婊子。"依莱娜不知道身子往哪里藏,眼光往哪里看,因为那些人越走越近,充满好奇的嘴脸一下子就被她裸露的上身吸引住了,而现在,当她游移不定的渴求救援的目光避开他们时,她突然看见她丈夫站在暗处的门框里,右手藏在背后。她大叫一声,从他眼前逃开,跑过几个房间,看得眼红的人群在她身后横冲直撞,她觉得她的上衣向下滑得越来越厉害,她几乎都拉不住了。这时,一扇门在她面前砰地开了,她迫不及待地冲下楼去,想脱身,但在楼下又是那个卑鄙的女人穿着毛料裙子张牙舞爪地等在那里。她跳到一边,像疯了似的朝远处跑去,但那个女人从她身后猛扑过来,她俩就这样在夜色中沿着长长的寂静的街道追逐着,连路灯都弯下腰来讥笑地向她们眨眼。她听见身后老有那个女人的木板鞋格格地响着,但每当她来到一个街拐角,那里就跳出那个女人来,在下一条街拐角还是照样,她埋伏在所有的房子后边,墙左墙右。她总是先一步守在那里,简直是多得不得了,无法超越,她总是从前面跳出来追捕她,依莱娜已经感到两膝不听使唤了。不过终于到了家,她直奔过去,但当她一把拉开门的时候,她丈夫却手里握着一把刀站在那里用威胁的目光凝视着她。"你到哪儿去了?"他瓮声瓮气地问。"哪儿也没有去,"她听见自己说道,可马上又听到身边发出一声尖笑。"我看见了!我看见了!"那个女人突然又站在她身边了,她狂笑着,讥讽地喊道。她丈夫把那把刀举了起来。"救命啊!"她喊出声来。"救命啊!"……

她两眼发直,那惊恐的目光跟她丈夫的目光碰在一起了。什么……这是怎么回事?她在自己的房间里,吊灯闪着黯淡的光,她在家里躺在自己的床上,原来她是做了一个梦。但她的丈夫干吗坐在她床边,像对待一个病人似的瞪眼瞧着她呢?是谁把灯打开了?他为什么这样严肃、一动不动地坐在这儿呢?她吓得要死。她不禁朝他的手看了一眼:没有,手里没有刀。她慢慢地从昏沉沉的睡梦中醒来,梦中的景象仿佛无声的雷电不见了。她想必是做了一个梦,大声说过梦话,把他惊醒了。但他为什么这样严肃,这样钻心,这样无比严厉地看着她呢?

她强作笑脸,说:"怎么,究竟怎么了?你为什么这样瞅着我?我觉得,我是做了一个噩梦。"——"是的,你大声喊过。我是从那间屋子里听到的。"

我喊什么了,我泄露了什么呢?她心里怕得很,他知道了什么呢?她几乎连抬眼再看看他的目光都不敢。但他却低头异常安详、严肃地看着她。

"你怎么了,依莱娜?你有什么心事吧。这几天你完全变样了。你的生活好像发热病似的,疯疯癫癫,心神不宁,在睡梦里还大喊救命。"她又勉强地微微一笑。"不,"他坚持说下去，"你好像有什么事瞒着我。你有什么忧虑，还是有什么事给你带来了痛苦？家里所有的人都看出你变了。你应该信赖我才是，依莱娜。"

他悄悄地向她身边挪了挪，她感觉到他的手指在轻轻抚摸她那裸露的胳膊向她讨好，他的眼睛里射出一道奇异的光。她心中突然产生了一种要求：现在就紧贴到他那健壮的身子上，紧紧地抱住他，把一切都坦白出来，他不宽恕她，就不放开他，就趁眼前他看出她的心在受折磨的时刻。

但那盏吊灯在闪着微弱的光，照亮她的脸，于是，她害羞了。她怕说出那句话。

"不必担心，弗里茨，"她努力微微一笑，她的身体却从头到脚都在发颤。"我只不过是有点神经过敏。很快就会过去的。"

她蓦地把搂着他的手撤了回来。她望了望他，周身抖动了一下，因为他的脸色在电灯光下显得很苍白，他的眉头皱得很紧，好像心里有什么犯愁的事。他缓缓地站起身来。

"我说不清，只觉得，好像你会把这些天的事情都跟我讲的。一件只跟你我有关的事。现在就只有我们两个人，依莱娜。"

她躺在那里，一动也不动，好像在这严厉而又模糊的目光下进入了昏昏欲睡的状态。她想，现在一切都会好起来的，只是有一句话她需要说出来，就是这么一句简单的话："宽恕我吧。"他不会问为什么的。但是，灯光为什么亮着呢，那大胆的、无礼的、好奇的灯光？在黑暗里她倒会说出来的，她感觉到了这一点。但这灯光却使她失去了勇气。

"噢，真的什么也没有？你根本没有什么要跟我讲吗？"

这诱惑多么可怕，他的声音多么柔和啊！她从来没有听他这样说过话。但这灯光，这吊灯，这昏黄的贪婪的光，叫人有什么办法呢！

她振作了一下精神。"你想到哪儿去了，"她嘿嘿地笑着，对自己的尖声细语也大吃一惊。"难道因为我觉睡得不好就有什么秘密不成？到头来是什么风流韵事吧？"

这话听起来多么荒谬，多么不真实，她自己心里也不免微微发抖了。她对自己怕到了极点，于是，她不知不觉地移开了目光。

"那么，你好好睡吧。"他极快地说了这么一句话，相当尖刻，声音都完全变了，像一声恐吓，或者说像恶意的、危险的嘲笑。

随后，她熄了灯。她看见他那白色的身影消逝在门框那里，无声的，惨然的，活像一个夜间的魔怪。门关上了，她觉得好像是一个棺材封了盖。她感到所有的生灵都死尽了，只在她那空洞而麻木的身体里有一颗心嘣嘣地猛烈地冲击着她的胸膛，每一跳动，都疼上加疼。

第二天，他们正一起坐在那里吃午饭——孩子们刚刚打过架，被申斥了一顿才好不容易安静下来——，使女拿来一封信。是写给尊贵的夫人的，人还在等着回音呢。她不胜惊异地细看了一下生疏的笔迹，急急忙忙拆开了信封，刚看个开头，脸色就刷地变得煞白。她一跃而起，等到从别人诧异的神情上看到她的慌张会成为泄露机密的轻率行为时，她就更害怕了。

信很短。一共三行字："请您立刻给送信人一百克朗。"没有签名，没有日期，全是明显伪装的笔体，只有这么一个令人胆战心惊的命令。依莱娜太太跑到她的房间里去取钱，但她把钥匙放在柜橱里忘了地方，她心急手忙地拉开所有的抽屉来回乱翻，最后终于找到了它。她索索发抖地把钞票折叠起来装进信封，亲自到门口交给了等候回音的仆人。她完全是下意识地做着这一切，好像在梦游，根本不容有半点犹疑的余地。过了一会儿——她离开还不到两分钟——她就又回到那间屋子里去了。

所有的人都不作声。她羞怯不安地坐下来，正想临时找一个什么借口，却惊恐万状地发现：她好像遭了雷击，被这意外事件搞昏了头脑，竟把那封展开的信搁在她的盘子旁边了，这时，她的手抖动得特别厉害，她不得不赶快把举起来的杯子放下。偷偷地一伸手，她把那张便条揉做一团，但当她顺手把它塞进衣袋时，她抬眼碰到了她丈夫那恨不得钻透人心的、严厉而又痛苦的目光，这样的目光她还从来没见他有过。现在才几天他就用这种目光多次突如其来地狐疑地瞪着她，这使她感到内心深处都在战栗，不知怎么应付才好。那回跳舞的时候他就用这样的目光盯视过她，这目光跟昨夜睡梦中那把钢刀闪烁的光芒一模一样。她想寻找一句话，打破这紧张的沉默，这时，一个早已忘却了的回忆突然浮现在她的脑际。那就是她丈夫曾经说过：作为律师，面对一个预审法官，他的诀窍就是在审讯过程中装作眼睛近视，埋头查阅案卷，以便随后在听到真正关键性的问题时闪电般地抬起眼睛，目光就像举起的一把匕首刺入被告人的突然惊缩的心窝，而那被告人也就在这注意力集中的有如耀眼闪电照射的目光逼视下失去自制，使那精心编造的谎言彻底破产。难道现在他要亲自来试一试这种危险的诀窍吗？她知道，因为职业的关系，他心里蕴藏着极大的心理学家的热情，这热情是远远超出了法学要求的，想到这里，她不禁吓得直发抖，而且越抖越凶。一个刑事案件的侦破、审理和宣判，他做起来就像别人赌博和情爱一样着迷，在进行心理感觉跟踪的这几天里,他整个内心都是热情洋溢的。一种灼人的焦躁不安,促使他夜间常常搜寻到种种被遗忘了的事,使他外表上渐渐变得铁面无情。他吃得少,喝得也不多,只是一个劲儿地吸烟,话语也尽量节省,仿佛留待法庭上用。她曾在法庭上他发表辩护演说时见过他的这副神情,后来再没见过,那时她真被他那阴森可怖的激情,他讲话时恶毒的语气和他脸上那种郁闷、悲苦的神色惊呆了。她觉得现在在他凛然皱起的眉宇间那直勾勾的目光里又突然发现了那种脸部表情。

所有这些被遗忘了的记忆都在这一秒钟时间内涌现,妨碍她说出越来越难于流到嘴边的话。她一声不响,她感到这沉默是很危险的,于是就变得更加心慌意乱。幸而午饭很快就吃完了,孩子们跳起来,快活地大声喊叫着冲进侧室,那纵情的欢叫家庭女教师怎么也压不下去。她丈夫也站起身来,迈着沉重的脚步,目不转睛地走进侧室。

好容易只剩她一个人了,她又掏出那封充满不祥之兆的信,迅速扫了一眼那几行字:"请您立刻给送信人一百克朗。"然后,她就用手把它撕成一条一条的。她把这些碎纸片团成一团,想扔到纸篓里去,但她猛然想起,说不定会有什么人把这些碎纸片拼在一起呢!沉吟片刻,她弯腰凑近壁炉,把那个纸团抛进哗哗作响的壁炉里去了。那白色的火舌向上一跳,贪婪地把这威胁人的东西吞吃了,她这才镇定下来。

就在此刻,她听到她丈夫返身回来的脚步声已经到了门口。她飞快地跃身而起,由于火焰的反光和措手不及,满脸涨得通红。炉门还泄密般地开着,她笨手笨脚地想用身子挡住它。但他似乎懒洋洋地走到桌边,划着一根火柴点香烟,当火苗移近他的面孔时,她似乎看见了他的鼻翼正在颤抖,他一生气就这样。这时,他安详地朝这边看着,说:"我只想提醒你注意,你用不着把你的信拿给我看。如果你希望对我严守秘密,那你完全有这个自由。"她一声不哼,也不敢抬头看他。他等了一会儿,然后像深呼吸一样从胸腔的最底层吐出一口烟气来,就拖着沉重的步子离开了这个房间。

她现在什么也不愿意想,只打算浑浑噩噩地多活几天,把全副精力都放在空洞而无意义的活动上去。这所房子她再也不能忍受下去了,她觉得她必须走上街头,到人群里去,才不致因恐怖而发狂。用这一百克朗总可以从那个敲诈钱财的女人那里买到短短的几天自由吧,这是她的愿望。她决定再冒险出去散散步,更何况还要购买各种各样东西呢,特别是在家里还得设法掩饰自己一反常态的惹人注目的举止行为。她现在可以采取某种逃避的方式了。她从家门走出来,像双眼一闭离开起跳板一样,冲进大街上熙熙攘攘的人流。总算踏上了坚硬的石砌路面,周围是热烘烘的人流,她以不失太太体面的速度东躲西闪地昂奋地紧走,毫不引人注意地盲目地向前奔去,两眼呆呆地盯着地面,可以理解,她是生怕再碰到那威逼的目光。如果有人偷偷看她,她起码可以装不知道。确实,她觉得她什么也没想,可是每当有人偶然从她旁边擦身而过时,她还是不免吓得一哆嗦。每当听见一个声音,每当身后传来脚步声,每当一个身影从旁掠过,她的每根神经都觉得很痛苦;只有坐在汽车里或呆在别人家里,她才能正常地呼吸。

一位先生问她好。抬头一看,她认出这是自己家里从前的一个朋友,一个好说话的可爱的白发老人,从前她总躲着他,因为他会拿他身上的也许只是想象出来的小毛病跟人家纠缠一个钟头。但是她现在只答了他一声谢谢而没有约他同行,实在感到很后悔,因为有一个熟识的男人在身边说不定真能防止那个敲竹杠的女人意外地凑过来攀谈。她踌躇了一下,想回过身去再追补一句;这时,她觉得有人从身后快步向她走来,她连想都没想,便本能地继续向前奔去。但因为心怀恐惧,她变得十分敏感,她觉得背后的人好像越来越近了,她便越跑越快,虽然她知道到头来是甩不掉人家的跟踪的。她发觉脚步声越来越近,预感到那只手眨眼之间就要搭在她身上,她的两肩都吓得颤抖起来了。她越想加快步子,她的双膝就变得越沉重。现在她觉得那跟踪的人已经靠近了,而且听到一个又激动又轻柔地喊着"依莱娜!"的声音,她才不得不捉摸一下这个语声,明白这并不是那个令人惧怕的声音,不是那恐怖的给人带来灾难的女人。她舒了一口气,转过身来一看:原来是她的情人。他突然一纵身使她停住了脚步,他差点儿跌到她的怀里。他面孔很苍白,显得很慌乱,露出万分激动的神色,现在见到她的惊慌失措的眼神,又觉得难为情了。他迟疑地举起手来想跟她握手,但见她没有把手伸给他,就又把手放下。她只是呆呆地望着他,一秒钟,两秒钟,她觉得他出现得太突然了。在这些充满恐惧的日子里,她偏偏把他给忘了。但现在当她就近看着他那苍白而困惑的面孔时,见他脸上带着茫然若失的神态,眼神里现出种种捉摸不定的感情,她的心头不禁怒火猛起。她的嘴唇直打哆嗦,想要说句什么,她脸上的激动情绪是那样明显,竟吓得他只能结结巴巴地说着她的名字:"依——依莱娜,你怎么了?"可是,当他见到她那不耐烦的样子,就又知罪地添补了一句,"我究竟有什么对不起你的呢?"

她呆呆地望着他,难以压制心头的怒火。"您有什么对不起我的地方?"她嘲讽地笑了笑。"没有!压根儿就没有!只有好处!只有愉快!"

他吓得目瞪口呆,那模样使他的表情显得更天真更可笑。

"可是，依莱娜……依莱娜！"

"您不要在这儿叫人看热闹好不好！"她粗暴地斥责他。"也不要跟我做戏了。不用说，她又在左近埋伏着呢，您的那个宝贝的女朋友，一会儿她就又要来攻击我了……"

"谁？……究竟是谁？"

她真想朝他的脸，朝这张呆傻的扭歪的脸揍一拳。她觉得她的手使劲儿握了一下那把伞。她从来没有这样瞧不起、这样恨过一个人。

"可是，依莱娜……依莱娜，"他不连贯地说着，越来越慌乱。"我究竟有什么对你不起呢？……你突然就不来了……我白天黑夜都在等你……今天我在你家门口站了整整一天，等着跟你说几句话。"

"你在等我……原来这样……也有你。"她觉得她都气糊涂了。要是能朝他面门揍一拳，那该多好！但她控制住了自己，又不胜厌恶地望了望他，好像是在考虑她该不该把整个淤积在心的愤怒发泄出来，当着他的面痛骂一顿。过了一会儿，她突然转过身去，头也不回地钻进了拥挤的人群。他一动不动地站在那里，依然恳切地伸着一只手，直到大街上拥来挤去的人群也把他裹住，像汹涌的波涛推着一块正在下沉的木板，那木板摇晃着，旋转着，拼命抵抗，但最终仍不由自主地被冲走了。

但令人忧虑的是，她不能抱什么好转的希望了。就在第二天，又来了一张便条，又来了一皮鞭，惊醒了她那已经减弱了的恐惧。这一回是要二百克朗，她乖乖地给了人家。在她看来，敲诈的钱数这样猛增，是很可怕的，她也感到财力上应付不了了，因为即使是生活在一个富有的家庭里，她也没有办法私下里弄到大笔的现钱。那么，以后可怎么办呢？她知道，明天可能就要四百克朗，很快就是一千，她给的越多，对方要的也越多，到最后她的财源枯竭了，还会送来类似的信，那可就彻底垮台了。她所买的仅仅是时间，一段喘息的时间，休息那么两三天，也许是一星期，但这是一种充满痛苦和紧张心情的毫无用处的时间。她读不下书，什么事情也不能做，像着了魔似的经受着内心恐惧的追击。她觉得自己真的生病了。有时她不得不突然坐下来，因为心跳得太厉害，一种深沉的忧虑好像铅水一样灌满了她的身体。她感到又痛苦又疲倦，尽管这样，她还是不能安眠。虽然每根神经都在震颤，她还得面带微笑，装作愉快，谁也想象不出她为装出这副高兴的样子作了多大的努力，这是天天如此徒劳无益地克制自己情感的壮举。

在她周围所有的人当中只有一个人——她这样想——好像从她内心产生的可怕的情绪上看出了一点什么，而这个人所以会这样，只是因为他一直在窥视着她。她觉得她丈夫在不停地研究她的心理，像她对他所做的一样，这样一想，她便不得不加倍小心了。他们日夜都在相互窥测，好像在相互兜圈子，为的是彼此窥探出对方的隐秘，而把各自的秘密隐藏在背后。最近，她丈夫也完全变了。最初审讯般的那几天里他那吓人的严厉已经让位于他的一种独特的亲切关怀，这使她情不自禁地想起新婚的岁月。他待她像照料一个病人，是那样的无微不至，竟使她感到很窘。当她看到他怎样时不时地就帮她补上那么一句使她摆脱困境的话，他怎样向她说明"承认"是多么轻松愉快的时候，她的心似乎都停止了跳动。她明白他的心意，感谢他的爱怜，心情变得愉快起来。但她也觉察到了：随着爱慕心理的滋长，她在他面前的羞愧感也在增强，由于有了这种羞愧感，她的口反而比以前她不信任他时更严了。

在这些日子里，有一天，他跟她面对面相当露骨地谈了一次话。她回到家，走进前厅就听到了震耳的声音，那是她丈夫的声音，又尖锐又果断，还有家庭女教师的吵吵嚷嚷的唠叨声，而且夹杂着哭泣和抽噎的声音。她的第一个感觉就是大吃一惊。每当她听到高声说话或发现家里有人情绪激动时，她都要吓得浑身一哆嗦。这是害怕要她回答一切的感觉，特别是极怕又来了那样一封信，揭穿了秘密。她打开门的时候，总是先用询问的目光看一看每个人的脸，查考她不在时是不是什么事也没有发生，她离开以后灾难是不是并没有降临。她弄明白了，这次只是孩子们吵了架，正在进行一次小规模的法庭审讯，便很快镇定下来。一个姑妈几天前给男孩带来一件玩具，是一匹小花马，小妹很生气，因为她得到的是差一等的礼物。她企图为自己争得同等的权利，而且是那样的迫不及待，结果白费心思，反而使得男孩一口回绝了她，说他的玩具连碰也不让她碰，这最先是引起那个女孩公然的愤怒，接着她便不再做声了，她满腹愁闷，显得无可奈何，但又相当倔强。但第二天早上，小马忽然不见了，连点踪迹都没有，怎么找也找不着，最后才偶然在炉子里发现。那丢失了的小花马，已经被剪得稀碎，木头骨架折断了，花色的毛皮撕掉了，塞在肚子里的东西也被掏出来了。嫌疑自然是落到了小女孩的头上；男孩又哭又嚷地去找父亲告发那个可恶的小女孩，于是就开始了审讯。

这次小小的法庭审讯很快就作出了判决。那个小女孩起先拒不承认，当然是羞愧地垂着目光，心虚得声音发颤。家庭女教师出面证明她有错；她曾经听小女孩在气头上威胁过人家，说要把小马扔到窗外去，女孩拼命否认也没有用。她绝望地哭着喊着闹了好一阵子。依莱娜目不转睛地望着她丈夫；她觉得，他好像不是在审问孩子，而是在审问她自己，因为说不定明天她就可能这样站在他面前，声音同样的颤抖和一样的结结巴巴。起先，她丈夫目光很严厉，只要孩子硬是不说实话，他就一句句地逼着她放弃反抗，而在她每说一句不承认的话时他却从不生气。后来，遇到沉着脸顽固地否认时，他却好心好意地劝说她了。他直截了当地向她表示，说这种行为从心理上看是有它的必然性的，她最初一气之下轻率地干出这样一件见不得人的事，根本没考虑这么做会真的伤她哥哥的心，是可以原谅的。他亲口向她保证，说一切都可以得到谅解，那样温和、那样令人信服地对这个变得越来越没主见的孩子解释：她的行为尽管是可以理解的，但又是应该受到谴责的，这样一来，那女孩终于忍不住泪流满面，哇的一声大哭起来。不一会儿，她哭得像个泪人似的，断断续续地吐口承认了。

依莱娜急忙奔过去，想搂住那个哭得满脸泪水的孩子，但那小女孩却气哼哼地推开了她。她丈夫以劝告的口气责备她不该这样过急地表示怜悯，因为他不想一点惩罚不给就了结这件事；因此，他决定不准小妹明天去参加她盼了好几个星期的娱乐活动，这虽然是无足轻重的，但对小妹说来却是很严厉的惩罚。女孩听了他的判词，呜呜地哭了起来；男孩喜出望外，大声叫好，但这样过早的恶意讥笑立刻也把他卷进了这项惩罚之中，因为他幸灾乐祸，也取消了他去参加那个儿童娱乐活动的权利。两个孩子都很悲哀，只是因共同受了惩罚而各有安慰。最后他们离开了房间，依莱娜单独跟她丈夫留在了那里。

现在，她突然觉得机会终于来了，可以借谈孩子的过错和认错来谈谈她自己的事了。如果他现在能宽宏大量地接受她为孩子说情，她知道，她也许就有可能大胆地为自己说话了。"告诉我，弗里茨，"她开口说道，"你真的不想让孩子们明天到那儿去了吗？他们会大为扫兴的，特别是小妹。她干的事，根本没有那么严重。为什么要给她这么严的惩罚呢？难道你不同情小妹她吗?"

他朝她望了一眼。

"你问我是不是可怜她？嗳，我说：今天不能了。事实上是她受了惩罚以后，现在刚刚感到心情轻松了。昨天她把那个可怜的小马撕碎了塞到炉子里，全家人都东寻西找，而她一天到晚都怕人家可能或必定发现它，那才是大为扫兴呢！恐惧比惩罚还要坏，因为惩罚总算有了结局，不管怎么说，总比悬在那儿、比那种神经紧张的无尽无休的恐惧要好。一个罪人一旦受到了惩罚，他的心情就会变得很轻松。千万不要让哭泣把你给搞糊涂了：现在已经都说出来了。从前是埋在心里。埋在心里比说出来还要坏。"

她抬头看了看。她觉得，好像他的每句话都是针对她说的。但他仿佛对她根本没有注意：

"事实上就是这么回事，你相信我没错。我是从法庭上和多次审讯中了解到这种情形的。被告人大多数都是由于百般隐瞒真相，由于迫不得已编造谎言来对付千百次隐蔽的小规模攻心，不得不忍受痛苦折磨的。被告人怎样闪烁其词，怎样装死、躺下，看起来是很可怕的，因为人们要让他说出个'是'字，就得像一把钩子往外拉才行。有时，这个'是'字已经到了嗓子眼，有一种不可抗拒的力量从里边往上顶它。他们被憋得透不过气来，几乎就要说出来了。这时，那股邪恶的力量，那不可思议的顽抗和恐惧的感觉，突然向他们袭来，他们就又把它吞了下去。于是，斗争又重新开始。在这种情况下，法官有时比那些被告人还要痛苦。然而，被告人总还是把他看作仇敌，其实他是他们的帮手。我作为他们的律师、辩护人，确实应该警告我的诉讼人，让他们撒谎撒到底，别改口，但我从内心里常常不敢这么做，因为他们不招认比招认和受罚要痛苦得多。我一直都不明白这是怎么回事，一个人明知有危险也能去干那桩事，可是后来却没有勇气承认，这样没骨气地否认，我认为比任何犯罪行为都可悲可叹。"

"你认为……一直是……一直只是恐惧在妨碍着人们吗？难道不可能……不可能是羞愧吗……因在所有局外人面前说出心里话，因揭穿自己而感到羞愧吗？"

他惊奇地抬起头来看了看。他向来不习惯从她那里接受答案。这句话却扣住了他的心弦。

"羞愧，你说的……这……这自然也只能是一种恐惧……但这是一种较好的……不是怕惩罚，而是……是啊，我懂……"

他站起身来，显然很激动，来回踱着步。这个想法好像在他心里击中了什么似的，他不禁心头一颤，变得十分不安。他突然站住了。

"我承认……羞愧，那是当着人们的面，当着生人的面，在那些像吃黄油面包似的从报上饱餐别人不幸遭遇的贱民面前……但至少总可以向那些关系亲密的人供认嘛……"

"也许，"——她不得不掉过脸去，因为他是那样死死地盯着她，她觉得自己的声音都有些颤抖了——"也许……这种羞愧……在那些自认最亲近的人面前……最厉害。"

他又站住了，好像被内心中一种巨大的力量抓住了似的。

"那么，你是说……你是说……"他的声音一下子就变了，变得非常柔和、低沉——"……你是说……海莱娜①……可能对别的什么人更容易承认她的过错……也许是对那个家庭女教师……她会……"

---

① 他们女儿的名字。

"这一点我完全确信……她恰恰是只对你才抗拒得这么顽强……因为……因为你的判决对她是最重要的……因为……因为……她……最爱你……"

他又站住不动了。

"你……你也许是对的……简直可以说是百分之百的对……真奇怪……我怎么就从未想到呢!但你是对的,我希望你别以为我不会宽恕她……我不愿意这样做……正是为了你我才不愿意这样做,依莱娜……"

他望着她,她感到自己在他的注视下脸红了。他是故意这么说呢,还是偶然碰巧,一种阴险狡诈的偶然巧合?她一直觉得非常难以确定。

"这个判决已经撤销了,"——现在仿佛有一种说不出的快乐涌上他的心头——"海莱娜自由了,我亲自去通知她,现在你对我满意了吧?或者说,你还有什么愿望……你呀……你看……你看我今天性情够温和的了吧……也许是因为我及时认识了一个错误,心情愉快的缘故。这种情形总是叫人感到轻松的,依莱娜,总是……"

她仿佛心里明白了他强调这句话是什么意思了。不知不觉地,她走近他的身边,她感到那句话都要从她心里蹦出来了,他也向前挪动了几步,好像他想要急忙从她手里接过什么东西似的,这举动竟如此明显地使她感到一种内心的压力。这时,她的目光跟他那渴望对方供认的贪婪的目光相遇了,她的全部勇气立刻化为乌有。她的手疲惫地放了下来,她转过脸去。她感到那是徒劳的,她根本不能说出那句话,那句使人获得自由的话,就是它在心中燃烧着,吞没了她的安宁。这警告像近处的雷声在滚动,但她知道,她是不可能逃脱这场风暴的。她的最隐秘的愿望是极想见到那至今使她胆战心寒的扫荡一切的闪电：把真理暴露出来。

看来，她的愿望就要实现了，真是比她预想的还要快。现在这个斗争已经延续了十四天，而依莱娜也感到精疲力尽了。这时，那个人已经四天没来叫人通禀了，可是如此渗透她全身的，如此使她心神不宁的，依然是恐惧，门铃一响，她总是一跃而起，想赶在仆人前面亲口及时查问清楚是不是那个敲诈钱财的女人的信息。是的，每付一次款，她就买到一个夜晚的安宁，跟孩子静心相处的几个小时，一次户外的散心。

这回听到了铃声，她便离开屋子赶到房门前；她打开门，头一眼就惊奇地看到了一个陌生的女人，接着便吓得往后一缩，因为她认出了那个服饰一新、头戴时髦帽子的敲竹杠女人的可憎的脸。

"噢，是您本人啊，瓦格纳夫人，这真叫我高兴。我有重要的事找您谈。"不等这位用发抖的手扶着门把手的惊恐的女主人答话，她就走了进来，把伞放下，那是一把鲜艳的红色的阳伞，显然是她以诈骗的方式多次掠夺的第一件赃物。她的动作显得非常自信，好像在自己的住宅里一样，又心满意足又仿佛镇定自若地观察着室内豪华的陈设，什么请求也不提，就继续朝着通向会客室的半开半闭的门走去。"从这儿进，对不对？"她用一种克制的讥讽口吻问。那惊恐的女主人想阻拦她，还一直没找到适当的话，她又沉着地补充说："如果您觉得不痛快，我们可以很快地把事情办完。"

依莱娜跟着她走，一句反驳的话也不说。一想到这个敲竹杠的女人呆在她的住宅里，这样的胆大妄为，完全不顾她的种种最可怕的忧虑，她便觉得头昏脑胀。她觉得，这一切好像都在梦中一样。

"您在这儿日子过得很美啊，太美了，"那个女人坐下来时，带着明显的舒适感赞叹着。"啊，坐在这儿多舒服！还有这么多画。到这儿来一看，才知道像我们这样的人是多穷困了。您的生活真好，太好了，瓦格纳夫人。"

她在人家自己家里这么喜出望外地望着那个有罪的女主人，那个受折磨的女主人忍无可忍，终于冒火了。"您究竟想干什么，您这个诈骗犯！您竟然跑到我家里来迫害我了。但我决不会让您把我折磨死的。我要……"

"您不要这么大声嚷嚷嘛，"那个女人打断了她的话，现出一副侮辱人的秘密神态。"门可是开着呢，仆人会听见您的话的。这可怪不得我呀。我什么也不否认，上帝保佑，归根结底，现在过着这种像我们这类人过的肮脏的生活，我觉得还不如坐牢好呢。但是您，瓦格纳夫人，可要谨慎些呀。如果您实在忍不住要发怒的话，我想不妨先把门关上。但我要同时告诉您，吵骂我是不在乎的。"

依莱娜太太的力量，由于愤怒曾经加强了那么一瞬间，现在见这个女人如此坚定，又明显地衰微下来。她站在那里，像一个孩子等着听老师口头提问一般，真是又谦卑又不安。

"那么，瓦格纳夫人，我不想兜圈子。我的境况很糟，这您是知道的。我早就跟您说过了。现在我需要钱拿去付房租。我已经拖欠好久了，而且还有别的花销。我想总得把生活弄得像个样子。所以我就到您这儿来了，您现在只好援助我，——喏，四百克朗就够了。"

"我不能，"依莱娜结结巴巴地说，被这个数目吓呆了，她确实没有这么多现钱了。"我现在手头真的没有这么多钱。这个月我已经给您三百克朗了。要我到哪儿弄钱去呢？"

"唉，会有办法的，您好好想一想。像您这样一个有钱的夫人还不是要多少钱就有多少钱。就看您愿意不愿意了。"

"可我真的没有钱。我倒是很愿意给的。但这么多我的确没有。我可以给您一些……也许有一百克朗吧……"

"我需要四百克朗,我已经说过了。"像被这非分要求伤害了似的,她粗暴地冒出了这么一句话。

"但我没有那么多呀。"依莱娜绝望地喊道。这时她想:要是她丈夫现在闯进来不就糟糕了吗,他随时都可能来的。"我向您发誓,我没有这么多钱……"

"还是请您尽量筹措一下,肯定会有人借给您的。"

"我不能。"

那个女人从头到脚仔细地打量着她,好像在盘算她的身上有什么值钱东西似的。

"喏……比方说这枚戒指……把它当出去,不就结了。当然对首饰我并不怎么在行……我从来就一件首饰也没有……但四百克朗,我相信是可以抵押到的……"

"当戒指?"依莱娜太太突然尖叫一声。这是她的订婚戒指,她唯一不曾摘下来的戒指,上面镶着一枚很值钱的珍贵而美丽的宝石。

"喏,到底为什么不行呢?我把当票给您送来,您什么时候想赎就什么时候把它赎回来。您不是又把它弄到手了吗。我不会把它留在手里的。像我这样一个穷女人要这么一个贵重的戒指有什么用呢?"

"为什么您要跟踪我?为什么您要折磨我?我不能……我不能。这一点您必须理解……您看到我已经尽我的可能做了。这一点您可必须理解。您可怜可怜我吧!"

"还没有一个人可怜过我呢。我差一点儿没饿死。为什么偏偏要我来怜悯您这样一个有钱的夫人呢?"

依莱娜想要狠狠地回击她一下。恰在此刻,她听到外面有人关门,——她的血液都凝结了。这肯定是她丈夫从办公处回来了。她连想都没想,就从手指上把那枚戒指抹下来,塞给在跟前等着的那个女人,那个女人飞快地把它藏了起来。

"您不要害怕。我走了,"那个女人点了点头,同时,她满意地发现依莱娜产生了一种无名的恐惧,正心情紧张地朝前厅侧耳细听,从那里果然清楚地传来了男人的脚步声。她开开门,向走进屋来的依莱娜的丈夫问了声好,就走掉了;他呢,抬眼看了她一小会儿,仿佛对她并不特别注意似的。

"一位太太,是来打听事的,"那个女人走出去,门一关上,依莱娜就有气无力地解释道。最严重的一刹那总算平安地过去了。她的丈夫没有应声,他安详地走进摆好午饭的那个房间。

依莱娜觉得,她手指上那个一向有凉丝丝的指环保护着的地方好像空气在燃烧似的,似乎每个人都必定要像看一块烙痕般朝她手指上那个光秃秃的地方望去。在吃饭的时候,她老是掩藏那只手;她一边这么做,一边讥笑自己那种非常敏锐的感觉,那就是她丈夫的目光不停地对着她的手扫视,手挪到哪里视线也跟到哪里。她千方百计地想引开他的注意力,不间断地提问题,力图使谈话滔滔不绝地继续下去。她说呀说的,一会儿对他,一会儿对孩子们,一会儿又对家庭女教师,她一再用微弱易燃的火花点燃谈话的火焰,但气总不够用,胸中一再出现憋气的现象。她试着装出高兴得忘乎所以的样子,想诱引别人也都欢欣雀跃起来,她挑逗着孩子,煽动他们相互斗殴,但他们并没有打起来,也没有笑;她自己有这样的感觉,想必在她的快活举止里有什么不对头的东西使别人不由得感到诧异。她越尽力做去,她的尝试便越不见成效。最后她疲倦了,也就一声不响了。

别人也都沉默不语；她只听得见盘子的叮当声和越来越明显的恐惧的心跳声。这时，她丈夫突然说道："今天你把戒指弄到哪儿去了？"

她吓得周身一颤。心里冒出一句话，像用相当大的声音说：完了！但她还本能地防守着。她觉得，现在应该把一切力量都集中起来。只是为了找出一句话，一个词。只是为了再找到一个谎言，最后的一个谎言。

"我……我把它送到外面擦洗去了。"

好像是为了加强这句假话，她果断地补充说："后天我就把它取回来。"后天。现在她把自己的手脚捆住了。如果她取不回来，这个谎非破产不可，她自己也不能幸免。现在是她自己给自己提出的期限，所有这些乱糟糟的恐惧心理现在突然使人产生了一种新的感觉，一种因意识到事情很快就要结束而产生的愉快感觉。后天：现在她知道她的期限了，感到从这既定事实里产生了一种奇特的压倒了恐惧的安宁。从内心深处升起一种东西，一种新的力量，求生的力量和寻死的力量。

她坚信事情很快就要完结，便感到心中的一切都意想不到地豁亮起来。心慌意乱奇妙地让位于清醒的思维，恐惧让位于一种她本人业已陌生的清澈的安宁，多亏这样她才一眼看清了自己生活中的一切事体和它们的真正价值。她估量自己的生活，觉得它毕竟没有完全失去意义，如果她要保持这种生活，而且使它在新的高度上变得更有意义，这一点她是在这些充满恐惧的日子里认识到的，如果还能够没有污点、没有恐惧、没有谎言地重新开始生活，她是很愿意的。但是要以离了婚的女人、丑行昭著的荡妇的身份生活下去，对此她却实在没有这种气力了，同时对继续干那种花钱购买时间有限的安宁的冒险勾当也完全厌倦了。她觉得，反抗嘛，现在已经是不能设想的了，结局临近了，被她丈夫、被她的孩子们、被她周围的一切包括她自己所抛弃，已经迫在眉睫了。从一个随时都会出现的敌手眼皮底下逃走，是不可能的。可靠的出路是承认。但她决不能，这她现在很明白。只有一条道路是畅通的，但一踏上这条路就永远也回不来了。

第二天上午，她把信件全烧了，按部就班地干起各种琐事来，但她却尽量避免见到孩子们，乃至她所喜爱的一切。她现在一心想的是，生活千万不要再用寻欢作乐来诱惑她，千万不要使她空犹豫，破坏她的既定决心。于是，她便又走上街头，想最后碰一碰运气，现在她竟愿意，简直是渴望碰到那个敲竹杠的女人了。她又一步不停地穿过一条条大街，但再也没有以前那种提心吊胆的感觉了。她已经从内心里懒得抗争了，她走呀走的，像履行职责似的走了两个小时。什么地方也见不着那个女人。但失望不再使她感到痛苦了。她是这样的浑身无力，简直不再想见到她了。她仔细地瞅着人们的脸，她觉得所有的人都是陌生的，所有的人都是无用的，可以说是没有生命的。所有这一切不知怎么已经变得遥远了，消逝了，不再属于她了。

现在，她计算了一下到晚上还有几个小时，结果不禁大吃一惊，多么奇怪：还剩这么多时间呢，一个人为了与世永别本来只要很少一点时间就够了。当你知道你什么也带不走时，一切也就显得没有多大价值了。一种睡意向她袭来。她又机械地走上那条大街，漫无目的地走着，什么也不想，什么也不看。走到一个十字路口，一个马车夫在危急的刹那勒住马，她才看见车辕已经紧贴她的前胸了。车夫骂了一句难听的话，而她还没转过身来就想到了:这可能就是得救或迁延时间的征兆。来一次车祸,她就不必下那个决心了。她疲惫地继续向前走去:这样什么也不想,只是心中有一种乱糟糟的死之将临的阴暗感觉,觉得有一层雾轻轻地向下飘来,遮住了一切,倒也使人感到很舒适。

她偶然抬头看了一眼街名,结果吓得全身颤抖起来:她信步走来,已经快走到她以前情人的家门口了。难道这是一种预兆不成?他也许还能帮她一把,因为他肯定知道那个女人的住址。她几乎高兴得全身都在抖动。她怎么就没想到这一层,没想到这最简单不过的事呢?他现在就一定会跟她一起到那个坏女人家里去,把事情彻底了结了。他一定会逼着她停止敲诈,甚至可能给她一大笔钱,让她离开这个城市。现在,她想到近来对这个可怜的人这么不好,感到很后悔,但他会帮助她,这一点她是完全相信的。多么奇妙:这个救星现在才来临,就在现在这最后的时刻!

她匆匆跑到楼上去按门铃。没人开门。她听了听:觉得好像听到了门后有蹑手蹑脚的脚步声。她又按了一次门铃。又是一阵静寂。从里边又传来了轻轻的响声。这时,她实在忍耐不下去了:她不停地按起铃来,要知道,对她说来,这是生命攸关的呀。

里边终于有人走过来,门锁咔哒一响,开了一道门缝。"是我,"她赶忙小声说。

这时,他开开了门,好像很尴尬。"是你……噢是您……尊贵的夫人,"他结结巴巴地说,显得很窘。"我本来……请您原谅……我本来……对此毫无精神准备……对您的来访……请您原谅我这个装束。"说着,他指了指他的衬衫袖子。他的衬衫半敞着怀,没有系领带。

"我有急事要跟您谈……您必须帮助我,"她激动地说,因为他像对待一个乞丐似的一直让她在走廊里站着。"莫非您不愿意让我进来,听我说一分钟话?"她愤愤地补充说。

"请——",他困惑地讷讷道,斜瞟了一眼,"只是我现在……我不很方便……"

"您非听我说不可。这是您的过错呀。您有义务帮助我……您必须把那个戒指给我要回来。您责无旁贷。要么,您起码得把地址告诉我……她一直不让我安宁,可是现在她不见了……您是责无旁贷的,您听见了吗,您责无旁贷。"

他木然凝视着她。这时她才发觉,她气喘吁吁地说的这些话是很不连贯的。

"唉,是这么回事……您不知道……就是您的情人,您以前的情人,这个混账东西有一次看见我从您这儿走出去,从那个时候起她就跟踪我,敲诈我……她都要把我逼死了……现在她拿走了我的戒指,可这枚戒指我不能没有。今天晚上以前我必须把它弄回来,您知道了吧,在今天晚上以前……您帮我找那个女人去要,好吗?"

"但是……但是我……"

"您愿意,还是不愿意?"

"但我的的确确不知道您说的是谁。我从来没跟女诈骗犯打过交道。"他近乎粗暴地说。

"原来如此……您不认识她。那么说,她是凭空捏造了。可她知道您的名字和我的住址。这样说来,她敲诈我也不是真的了。我呢,也是只不过做了这么一场梦罢了。"

她尖声笑起来。他觉得很不舒服。霎时,他脑子里闪过这么一个念头:她可能是疯了,她眼里射出的光就是癫狂的嘛。她的举止很不正常,说的这些话也毫无意义。他胆怯地环顾了一下四周。

"请您镇静镇静……尊贵的夫人……我敢肯定,您弄错了。这根本不可能,这想必是……不,我自己也弄不清是怎么回事。我不认识这类女人……我可以向您保证,这肯定是一个误会……"

"那么,您是不愿意帮助我了?"

"不不……只要我办得到。"

"那好……您来。咱们一起到她那儿去……"

"到谁那儿去……究竟到谁那儿去?"见她现在抓住了他的胳膊,他又心惊胆战地想:莫非她疯了?

"到她那儿去……您是愿意,还是不愿意?"

"当然……当然愿意,"——他疑心她是精神失常了,因为她这样迫不及待地催逼他,他便越来越相信这个想法是对的了。——"当然……当然愿意……"

"那您倒走呀……这可是跟我生死攸关的呀!"

他强忍着不笑出来。接着,他突然变成了一本正经的样子。

"对不起,尊贵的夫人……我此刻不行……我有钢琴课,现在我不能中断……"

"原来这样……这样……"她直冲着他的脸尖声地笑起来,"您就这样上钢琴课呀……光穿一件衬衫……您不是骗人是什么!"突然心里闪过一个念头,她朝屋里冲过去。他想拦住她。"那么说,她,那个女骗子,现在是在您这儿?原来你们是唱的双簧啊。说不定你们是平分你们从我那儿勒索来的一切东西。但我要亲手抓住她,现在我什么也不怕了。"她大声嚷着。他拉住她不放,但她跟他扭斗了几下,挣脱了身子,便朝着他卧室的门奔去。

一个身影向后紧退,那个人显然是在门边偷听来着。依莱娜失神地凝视着站在稍嫌凌乱的盥洗室里的一个陌生女人,那个女人急忙把脸掉了过去。她的情人从后面扑过来,想拉住他认为精神失常了的依莱娜,想阻止不幸事件的发生,但她又从那个房间走出来了。"请您原谅,"她喃喃地说。她的脑子嗡的一声全乱了。她给搞糊涂了,只感到憎恶,无限的憎恶和疲倦。

"请您原谅,"当她看见他在身后不安地望着她时,她又说了一遍。"明天……明天您就会什么都明白了……就是说……我……我自己也一点儿都不明白了……"她对他说,像对一个陌生人似的。没有一点东西能使她想起她曾经委身于这个人,她几乎感觉不到自己的躯体还存在了。现在,一切都比先前要乱得多,她只知道,肯定是哪里有人扯了谎。但是她太疲倦了,不能想了,太疲倦了,不能看了。她闭上眼睛,走下楼梯,像一个被判处绞刑的罪人。

她从楼里走出来,大街上已经昏黑了。她转念想到,也许那个女刽子手现在正在街对面等着呢,也许现在到了最后的时刻还会得救吧。她觉得,她似乎应该合起掌来向被遗忘了的上帝祈祷。啊,要是再能买到几个月的时光,夏日到来前的几个月时光,该多好啊!等夏天一来,就到某地去过一阵宁静的日子,让那个女骗子找都找不着,生活在草原和田野之间,只要一个夏天就行。她放心大胆地张望着已经隐没在黑暗中的街道。她似乎看到有一个人守候在街对面一个人家的房门口,但现在她走近时,那个人却向后远远地退到走廊里去了。有那么一瞬间,她觉得那个人很像她的丈夫。今天她这是第二次产生怕在街上突然见到他和他的目光的恐惧心理了。为了看得真切些，她迟疑地站了一会儿。但那个人消失在黑暗里了。她心神不宁地继续向前走，心情紧张得出奇，总觉得好像后边有一道逼人的目光看着她的颈项。她又转过身来，但那里连个人影都没有了。

不远就是药房。微微颤抖了一下，她就走了进去。药剂师助手拿起药方，准备取药。就在这一分钟里她便把一切东西都看在眼里了，光亮的天平，小巧的砝码，不大的标签，还有柜子上边那些标着形体生疏的拉丁文名称的小药瓶。她下意识地随着目光拼读着这些药名。她听见钟在滴答滴答地走着，她闻到特殊的香味，各种药品散发出来的那种腻人的甜味，于是，她突然想起童年时代她母亲总是要她去买这类药，因为她喜欢闻这种药味，喜欢看那许多闪着奇光异彩的小瓶小罐。这时，她猛然记起，她有一次出门忘了跟母亲说一声，她可怜的老母亲对她多么挂念。依莱娜惊恐地想，她当时是多么害怕呀……但药房的店员已经在数那些从一个大肚瓶往一个小蓝瓶里滴的明亮的水滴了。她目不转睛地看着，仿佛是死神从这个大肚瓶进到了那个小瓶里，很快它就要从这个小瓶流入她的血管，她不禁感到有一股寒气咝咝地通过了全身。她麻木地，如同昏昏欲睡般呆望着他的手指，那几个手指现在正在把瓶塞塞在装满了药水的小玻璃瓶的瓶口上，在那潜伏着危险的圆瓶上包了一张纸。可怕的思想一露头，她的一切感官就都被钳制住了，完全麻木了。

"您给两克朗吧，"那个店员说。她从沉思中醒来，出神地环视了一下四周。然后，她机械地把手伸到钱包里去掏钱。她心里觉得还像做梦一样，她瞧着那些硬币，就是不能立刻辨认出大小，不自觉地拖延了付款。

就在此刻，她觉得她的胳膊冷不防被人推到了一边，听到硬币落到玻璃盘子里的响声。一只手从她身边伸过来,抓住了那个小瓶子。

她不由得转过身来。她的目光忽然呆愣愣地不动了。原来是她的丈夫紧闭着双唇站在那里。他的脸很苍白,脑门上冒出了汗珠。

她觉得自己就要昏过去了,只好用力扶住桌子。突然她明白了,刚才在那家房门口窥伺的就是他呀;她心里早就预感到是他在那里,在那一瞬间她的思想就全乱了。

"走吧,"他用沉闷、哽塞的声音说。她呆呆地望了望他,因在自己内心深处最秘密的角落意识到要服从他而谅讶不已。她身不由己地移动脚步跟着他走。

他们并排沿大街走着,彼此谁也不看谁。他手里一直拿着那个小瓶子。有一回,他站住擦了擦额头的汗。她也不知不觉地放慢了脚步。但她不敢朝他那边看。谁也不说一句话,街上的喧闹声在他们之间起伏波动。

到了楼梯口,他让她走在前面。他一不在她身边走了,她的步履立刻摇摆起来。她停住脚步,镇定了一下。他一把扶住她的胳膊。这一碰反而把她吓得一哆嗦,她赶紧加快步伐,走完最后几级楼梯,来到楼上。

她走进屋。他随她进来。四壁漆黑,几乎什么也看不清。他们一直没说一句话。他把包瓶子的纸撕下来,打开小瓶,倒掉药水,然后就使劲把它扔到一个墙角里去了。听到啪啦的一声响动,她吓得周身一颤。

他们沉默不语,一声不响。不朝他看,她也感觉到了他是在克制着自己的情感。终于他向她走了过去。近了,现在就要到她跟前了。她都能感到他粗重的呼吸了,她瞪着呆滞的像蒙了一层云雾似的眼睛,看到他两眼射出的光一闪一闪地从房间的黑暗里向前移动。她等着听他大发雷霆,她怕他的手猛力一把把她抓住,她吓得四肢僵硬,全身发抖。依莱娜的心停止了跳动,只有每根神经像绷得紧紧的琴弦在震颤;一切都在等待着惩罚,甚至可以说,她是盼他发怒了。但他始终都不作声,她不胜惊奇地感到他走到身边来竟是那样的温柔。"依莱娜,"他说,他的声音显得格外柔和。"你我还要彼此折磨多久呢?"

这时,犹如一种野兽的下意识的哀号,突然间,像抽风似的,以极大的冲力从她心里爆发了,终于冲出来了这几周以来一直闷在胸膛、压在心底的抽泣。仿佛有一只愤怒的手揪住她的心拼命地摇动,她像喝醉了酒似的摇晃起来,要不是她丈夫一把扶住了她,她就摔倒了。

"依莱娜,"他抚慰着她,"依莱娜,依莱娜,"他声音越来越低、越来越温和地叫着她的名字,好像他用这越来越轻柔的语调就能使她那痉挛神经的绝望的骚动平息下来似的。但是回答他的,只是抽泣;狂乱的骚动,痛苦的心潮滚过她的整个躯体。他托住她的不住颤栗的身体,把她抱到沙发上,让她躺在那里。但抽泣并没有停止。像触电一般,她边哭边抽搐,全身都在耸动,仿佛有无数因恐惧和寒冷而产生的波缓缓地流遍这受折磨的肉体。全部神经,几周以来就在紧张地等待着这最难忍受的一刻,现在已经被撕得粉碎;巨大的痛苦肆无忌惮地折磨着这毫无知觉的躯体。

他极其不安地靠住她那筛糠般抖动的身体,抓着她冰冷的手,先是镇静地,然后便怀着恐惧和激情,发狂地吻着她的上衣,她的脖颈,但她那蜷缩的身躯依然像被撕裂似的不停地颤抖,那抽泣像一泻千里的翻卷的波涛从她的内心滚滚地上升。他触到了她的脸,脸是凉的,像泪洗的一般,而且还感到了她太阳穴那里的血管在嘭嘭地跳动。一种难以形容的恐惧向他袭来。他跪下了,想凑近她的脸去说话。

"依莱娜,"他不停地抚摸着她说,"你哭什么呀……现在……现在一切都过去了……干吗你还要折磨自己呢……你不必再害怕了……她再也不会来了,再也不会……"

她的身体又抽搐起来,但他用双手按住了她。他不停地吻着她,东一句西一句断断续续地说着,表示道歉:

"不会了……再也不会了……我向你发誓……我真没想到你会吓成这个样子……我只不过想向你大喝一声……唤你回来尽你的义务……只是要你离开他……永远离开……回到我们中间来……我偶然听说了这件事的时候,我确实没有别的好选择……我又不能对你直说……我想……我总认为,你会回头的……因此我就委派她,那个可怜的女人,追逐你。她是一个可怜的人,一个女演员,一个被解雇了的……她当然也不愿意干这种事,是我想要这么做的……我看出,这是不对的……但我的确是想要把你拉回来……难道你没有看出我愿意宽恕你吗?但你并不理解我呀。但是……我可没想把你逼到这个地步……看到这一切,我自己心里更难过了……我步步严密地监视过你……都是为了孩子,你知道,为了孩子我不得不逼着你……但现在一切都过去了……现在一切都会好起来的……"

说话的声音很近,但她听起来好像很远很远,模模糊糊的,并没有听懂。一种哗哗的声音在她心中震荡,把一切声音都压了下去,每个感觉都消逝在各种感官的躁动不安之中。她感到有人触动她的皮肤,一次又一次地吻她,抚摸她,感到自己变冷了的眼泪,但身内的血液却在鸣响着,充满一种沉闷的吓人的闹声,这声响猛烈地膨胀起来,现在竟像急剧的钟声一样在轰鸣。接着,她便陷入了昏迷状态。在昏迷中她模模糊糊地感觉到有人给她脱衣服,她像透过一层层云雾似的看见了她丈夫的面孔,那张面孔现出又亲切又关心的神情。然后她便坠入了黑暗的深渊,进入长时间未有过的、黑沉沉的、无梦的睡眠中。

第二天早上,她睁开眼,屋里已经全亮了。她觉得心里也豁然开朗了,她的血液像被暴雨洗净了一般,变得清清亮亮的了。她试图回想一下她所经历的,但她仍然觉得一切都好像是一场梦。一切都是不真实的,轻飘飘的,没有拘束的,就像在梦中飘飘摇摇地穿过一个又一个厅堂,她想起了那次憋得要死的感觉;为了证实醒来的经历是真实的,她试探着摸了摸自己的手。

突然,她吃惊地全身一颤:那枚戒指在她手指上闪着微光。她猛然间完全醒过来了。她在半昏迷状态中听到了又好像没听见的那些杂乱无章的话,一种使她不敢想也不敢猜疑的充满不祥之兆的忧郁的感觉,现在突然使人清楚地看到了它们之间的内在联系。她霎时间什么都明白了,明白了她丈夫提的那些问题,明白了她的情人为什么那样吃惊;所有的人都潮水般地涌现出来了,她看见了那个把她缠了进去的罗网。她很愤怒,也很羞愧。每根神经又颤抖起来,她几乎后悔不该从那无梦的、没有恐惧的睡眠中醒来了。

这时,从隔壁房间传来了笑声。孩子们起床了,像清晨刚刚醒过来的鸟雀叽叽喳喳地叫着。她清楚地辨出了男孩的声音,初次惊奇地感到他的声音真是太像他父亲了。她双唇微微一动,露出一丝微笑,那微笑一直静静地留在她的嘴边。她闭上眼睛躺在那里,为的是更深地体味体味她过去的生活情景,还有她现在的幸福境遇。心中不免仍然有些隐隐作痛,但这是有益于身心的痛苦,灼人而又温和,就像伤口完全愈合之前那样钻心的痒痛。

热带癫狂症患者

罗 炜译

一九一二年三月,一艘远洋巨轮抵达那不勒斯港,在乘客们纷纷上岸之际,出了一起奇怪的事故,对此各家报纸均有广泛报道,只是想象的成分多于事实。这件非同寻常的事情发生在夜幕低垂、正值轮船装煤和卸货的时候。我,还有"太平洋"号上的其他乘客,为了免受嘈杂之苦,全都涌进岸上的咖啡馆或戏院里消磨时光去了,因而错过了亲眼目睹的机会。但我始终认为,从我当时没有公开表露的一些猜测之中,可以找到对那次轰动一时事件的真正解释。现在,事情已过去很久,我可以利用当时的一次推心置腹的谈话来加以说明了。因为,那罕见的一幕就是直接在这次谈话之后发生的。

我去设在加尔各答的轮船代办处,打算为自己返回欧洲预订一张"太平洋"号船票,不料,工作人员却遗憾地对我耸起了肩膀。他说,他还不能保证能订到。因为,雨季即将来临,该船的舱位总是在澳大利亚便售光了,他得等到新加坡方面发来电报之后才可以给我答复。第二天,我高兴地得知,他能够为我预订一个舱位,只是在轮船中部的甲板下面,所以不太舒适。我早已归心似箭,于是就将票订下。

那位工作人员的确没有骗我。该轮爆满,那间船舱十分差劲,是个狭小拥挤、离轮机舱不远的长方形角落,仅靠通过圆形玻璃透射进来的昏暗光线照明。混浊的空气里充满着油味和霉味,一刻也离不了电风扇,它像只发了疯的铁蝙蝠在你的额头上方嗡嗡旋转。机器的轰鸣如同持续攀登同一条台阶的运煤工人发出的喘息,从脚底下传来,头顶上不断传来的则是甲板上散步的人走来走去的脚步声,踢踢嗒嗒响个不停。因此,我赶紧把箱子往这间用横梁支撑、散发着霉臭的坟墓里一塞,就转身逃了出来,重新站到甲板上,心中满怀走出地狱般的轻松,像喝甘露那样,深深地吮吸着掠过海浪、从陆地吹来的甜丝丝的微风。

然而,甲板上也拥挤和嘈杂不堪:这里人头攒动,人声鼎沸,人们一边聊天,一边在船上走来走去,因困在水上无所事事而焦躁不安;女人们浪声浪气地调情,甲板狭窄的过道上有人在不停地遛弯,一群人叽里呱啦在椅子前一拥而过,那种摩肩接踵的情形真令我有些头疼。我发现了一个崭新的世界,各种画面在疯狂的追逐之中交错重叠,被我一览无余。我很想对它们进行思考、分解和整理,并把这种尽收眼底的拥挤不堪的情景描摹下来。可是,在这拥挤不堪的过道上没有一分钟安闲的时候。书中的字句在人们聊着天走过时投下的匆匆人影中变成了模糊一片。要想独自一人在这条没有林阴的行走的水上胡同里待一会儿,实属奢望。

在长达三天的时间里,我一直试图独自安静地待一会儿。然而,无奈最终只有站在一旁眺望大海。大海仍是一副往日的模样,蔚蓝而空旷,只有在夕阳西下时,才突然变得色彩缤纷。经历过七十二小时之后,我已熟识了船上所有的人。每张面孔熟得令我生厌,女人们的尖声怪笑也不再让我烦躁,对相邻的两个荷兰军官的大声吵骂,我也见多不怪了。看来,唯一的办法就是逃避。但船舱闷热,而大厅里又总少不了几个英国女孩拙劣地在钢琴上演奏不连贯的华尔兹舞曲。最后,我下定决心,彻底改变作息时间,几杯啤酒喝得晕晕乎乎的,下午就钻进舱房,以便在沉睡中躲过晚饭和跳舞晚会。

我一觉醒来,棺材似的小舱房里已是一片昏黑。我早就把电扇关掉,所以太阳穴上汗淋淋的,油腻而潮湿。我昏昏沉沉的,需要花上几分钟的时间才能重新确定时间和方位。不管怎么说,肯定已经过了午夜,因为我既听不见音乐,也听不见连续不断的脚步声,只有轮机这巨兽跳动的心脏,气喘吁吁地推动着轮船吱咯作响的躯体驶向茫茫远方。

我蹑手蹑脚地摸上了空空荡荡的甲板。我抬头仰望黑乎乎的塔式烟囱和鬼影憧憧地闪光的桅杆,忽然,我觉得自己的眼前魔术般地一亮。原来,天空在闪亮。虽然,同那些晶晶闪耀的星星相比,它是黑暗的,但是,它的确在闪耀,仿佛那里有一张天鹅绒大幕,遮住了无以数计的光明。而闪耀的群星,仿佛是透射出难以描绘的光亮来的天窗和缝隙。我从未见过像那晚那样的天空,如此光彩夺目,如此碧蓝,月亮和群星泻下来的光辉,好似神秘的天穹深处燃烧的火焰。月光中,轮船的边线似乎涂上了一层白漆,在黑丝绒似的大海映衬下,闪着微光。缆绳、横桁和所有的东西都同这流动的光辉融为一体。茫茫黑暗之中,桅杆上的灯和瞭望台上的圆灯仿佛是悬挂在高空里的,这是璀璨天空中的人间昏黄的星星。

我的头顶上方刚巧悬浮着充满魔力的南十字星座,像是用闪闪发光的钻石钉子钉在缥缈的天空。天空好似在飘动,那是轮船在动,轻轻地颠簸,船身上下起伏,恰似一位劈波斩浪的游泳巨人。我驻足仰望,觉得仿佛在沐浴,温水从头淋下,只不过这是温暖而皎洁的光,它冲洒着我的双手和双肩,柔和地洒在我的头上，似乎要沁入我的心扉。因为，我内心的阴暗顷刻之间已被照亮。一股喜悦涌上心头，我轻松地吮吸着唇边柔和的空气，它就像一杯香醇的清纯饮料，既有水果的气味，又散发着来自远方岛屿的芬芳，令人不免飘飘欲仙。登船以来，我还是头一次体会到这种神圣的梦的快感以及另外那种更为肉欲的冲动，我真愿像女人那样，把自己的身体奉献给四周的温柔。我本想躺下来，仰望那些白色的象形文字。然而，躺椅和凳子全都收拾起来了，空荡荡的甲板上找不到一处可以静下心来做梦的地方。

　　于是，就朝前摸索，慢慢地到了船的前部。那儿，光线十分刺眼，从物体反射来的光越来越强烈。这种刺眼的白色星光，简直让我难受。我只盼着赶快躲进某个阴暗的角落，四脚朝天地往垫子上一躺，身上照不到光亮，它只在我的上方，照射在其他物体上，就像在一间黑暗的屋子里看外面的风景一样。我跌跌撞撞地跨过缆绳，绕过绞盘，最后来到船的龙骨部位，我往下一看，只见船头迎着黑黝黝的海水在前进，犹如一把铁犁，将融入海水的月光劈成两半，推向左右两边，掀起层层浪花。轮船在黑潮涌动的大海里破浪前进。在这场星光点点的游戏之中，我体验到了那被征服的海水的全部痛苦，也体验到了尘世力量的全部乐趣。时光在俯视中流逝。我如此驻足已有一小时，或者只有几分钟。劈波斩浪的轮船好似一只巨大的摇篮，不住地来回晃动，使我忘却了时间的存在。我只觉得，疲惫如同快感一般地向我袭来。我很想沉入梦乡，但又不愿离开这块魔地，走回我那棺材里去。我的脚无意之间触到了一捆缆绳。我坐下来，紧闭双眼，但并未完全陷入黑暗，因为我的眼睛上，我的身上，都洒满了银色的星光。我的脚下，海水轻声吟唱，我的头上，这个星球的白色光流默默流淌。渐渐地我感到，自己的血液也在作响，我不再感到自我的存在，我不知道，是自己在呼吸还是轮船的心脏在跳动，我也汇入了午夜世界那永无休止的声响之中。

就在我渐入朦胧的梦境之时，耳边响起一声轻微的干咳，使我猛然惊醒。我睁开一直紧闭的双眼，迎着刺目的星光四下搜寻。就在我正对面船舷的阴影里，有镜片的反光，随即，又从烟斗里闪现出圆形的火星。当我坐下来全神贯注地俯视利刃般劈波斩浪的船头并抬头专心致志地仰望南十字星座的时候，我显然并未留意眼前这位邻居的存在。他肯定一直纹丝不动地早就坐在这里了。仍未完全清醒的我，下意识地用德语说道："对不起！"——"噢，没关系……"那人在黑暗里用德语答道。

同一个素不相识的人在黑暗之中默默无语地一起并坐，那种异样和毛骨悚然的感觉我无法用语言来表达。我不禁觉得这人好像也在凝视我，正如我在凝视他一样。然而，我们头上如水倾泻的皎洁的星光是如此强烈，以至于我们谁也看不清谁，只能看清彼此处于黑暗之中的轮廓。我觉得，我能听到的只有他的呼吸和抽烟斗的咕噜声。

这种沉默令人难以忍受。我真想马上走开，但又觉得这样做似乎显得太冒昧、太唐突。尴尬之余，我拿出一支烟来，划着了火柴，小小的火苗在这狭窄的空间里，颤抖了一下，我看到镜片后面一张陌生的脸，不论是在吃饭的时候，还是在散步的时候，我从未在船上见过。也许是突然的火光刺疼了我的眼睛，或者是幻觉之使然，这张扭曲的脸显得十分恐怖和阴森，像精灵似的。但是，我还没来得及看清他的面貌，黑暗便又重新吞没了他脸上被短暂地照亮的那几根线条，我只看见了一个大致的轮廓和偶尔闪烁的那个圆形火星。我们谁都不说话,这种沉默就像热带的空气,令人感到沉闷和压抑。

我终于无法忍受下去了。我站起身来,彬彬有礼地说了声"晚安。"

"晚安。"一个沙哑、生硬而僵化的声音在黑暗中答道。

我跟跟跄跄地穿过木柱旁的索具,艰难地往前走去。这时,我听见身后有脚步跟来,匆忙而犹豫。显然,来人就是刚才坐在我旁边的那位。我不由自主地停下脚步。他离我并不是很近,黑暗中,我从他走路的步态中觉察到他心里有某种恐惧和压抑。

"请您原谅,"他匆匆地说道:"我有一事相求。我……我……"——由于尴尬,他竟结结巴巴地不能一下把话说完——"我……我躲在这里,纯属个人……纯属个人的原因……有件伤心事……我不想船上有人撞见我……我指的不是您……不,不……我只想求您……如果您不把在此见过我这件事告诉船上的任何人,我将十分感激您……那是……就是些个人的原因,使我现在还不能在船上公开露面……是的……现在……如果您对人说起有人晚上在此……我……那会令我十分难堪的……"他一时不知该说什么才好。我立即向他保证,一定照他的希望去做,以打消他的顾虑。我们互相握手。随后我就回到自己的船舱,昏昏沉沉地睡去,做了一大堆荒诞古怪、乱七八糟的怪梦。

我遵守自己的诺言,没向船上任何人透露过那次奇遇,尽管这并不是一件十分容易做到的事。因为,在海上的旅程中,地平线上的一只帆船,跃出水面的一只海豚,一次新发现的偷情,一句随便的玩笑,凡此种种微不足道的小事,都可以成为一件大事。我想对这位非同寻常的乘客进行更多的了解，这种欲望时刻在折磨着我。我翻遍乘客名册，以期找出可能是他的名字，尽管我不放过船上的每位客人，但终未如愿。我整整一天都显得十分焦躁。只盼着晚上快快到来，好有机会再次与他相遇。谜一般的心理现象，威力巨大，简直让我坐立不安。我一心想把他弄个水落石出，这个强烈的愿望刺激着我，使我热血沸腾。一看到古怪的人，我心里就会燃起一股激情，想去探寻他们灵魂的奥秘。这种激情之强烈，绝不亚于对一个女人的占有欲。对我而言，漫长的白天就这样白白地消磨掉了。我早早地上床躺下。我知道，午夜时分我会醒来，心里放着的事会叫醒我的。

事实正是如此，在与昨夜分秒不差的同一时刻，我醒来了。在我那块夜光表的表盘上，时针和分针合并为一条发光的线。我急忙走出闷热的船舱，没入更加闷热的黑夜。

群星灿烂如昨夜，把皎洁的光华倾泻在颤动的船上，明亮的南十字星座临空高照。一切同昨日一样，同我们居住地区的白天和夜晚相比，热带的白天和夜晚更像一对双胞胎——只是我心里已没有昨夜那种轻柔的、流动的、梦幻般的摇晃的感觉了。似乎有什么东西在牵引着我，使我迷惑，我知道自己想要去哪里。我要到船头铁绞盘那儿去，看看那位神秘人物是否重又坐在黑暗中。船顶上响起了钟声。我在它的召唤下迈开步伐。虽然心里有些不情愿，但我还是屈服了，一步一步朝目标走去。在我前面不远的地方，我便望见那里有火光猛然一闪，好似一只通红的眼睛。啊，正是那个烟斗。就是说，他还是坐在那里。

我不禁吓了一跳，后退了几步。就在我准备离开之际，那黑暗之处开始有了动静，有人站起来走了两步。突然，我的耳边响起了他那礼貌而低沉的声音。

"请您原谅，"他说道，"您显然想回到您原先的位置上去，我觉得，您是因为看见我才要走开的。请您只管坐好了，我这就走。"

我连忙对他说："您尽可以呆在这里，我之所以走开，只是为了不打搅您。""您并没有打扰我，"他用苦涩的口吻说道，"相反，能有一个人做伴我非常高兴。我已经十天没有说过一句话了……实际上已是数年没有……也许正是因为我把什么都埋在心里，人都快要憋死了，所以才这么难受……我再也没法呆在船舱里，在这个……这个棺材里……我再也呆不住了……这帮人叫我也没法再忍受下去了，他们成天嘻嘻哈哈地笑个不停……这让我目前无法忍受……笑声传进我的船舱，我只好把耳朵堵上……当然，他们并不知道……可不，他们就是不知道，再说，这关别人什么事……"

他再次欲言又止。过了一会儿，他十分突然而急切地说道："但我并不想烦您……请您原谅我的唠叨！"

他向我鞠个躬，想离开了。我急忙让他别走。"您根本没有烦我。能在这里静静地说说话，我也感到很高兴……您要来支烟吗？"

他拿了一支。我点着火。随着跳动的火光，他的脸从黑暗中显现出来了，并正同我面对着。他戴着眼镜，镜片后面的一双眼睛饥渴而迷惘地打量着我的脸。一阵恐惧掠过我的心头。直觉告诉我，眼前的这个人有话要说，而且非说不可。我也清楚，为了帮助他，我必须保持沉默。

我们又重新坐下。那里有两把椅子，都是他从甲板上拿过来的。他把其中的一把让给我坐。我们抽着香烟，火星一闪一闪，黑暗中，他那只烟斗的火星不安地颤动着。我由此断定，他的手在发抖。然而，我们谁也没开口。稍后，他突然轻声地问道："您很累吗？"

"不，一点也不累。"

那个从黑暗中发出来的声音又一次犹豫起来。"我很想问问您……也就是说，我想告诉您一件事。我明白，我十分明白，刚碰到一个人，就把这件事讲给他听，该有多么荒唐。可是……我……我现在的心理状况糟糕透了……我到了非要和人谈谈不可的地步……否则，我就完了……这一点您会理解的。如果我……是的，如果我告诉您的话……我知道，您帮不上我的忙……但我就快憋出病来了……在旁人眼里，病人总是可笑的……"

我打断他的话，请他千万不要折磨自己，只管告诉我好了……我还说，我虽然不能向他许诺什么，但却有义务尽力而为。当别人内心苦恼的时候，自然有义务给予帮助……

"义务……尽力而为……有义务设法给予帮助……原来，您认为，您也认为，人人都有义务……有义务尽力而为啊。"

这句话他重复了三遍。这种麻木而固执的重复使我感到害怕。难道这人疯了吗？喝醉了？

然而，他好像听见了我心中的疑问似的，猛地用与先前截然不同的声音说道："您也许会以为我疯了或是醉了。不，我没有——还没有。只是您刚才所说的那个词奇怪地触动了我……之所以奇怪，就是因为让我现在倍受折磨的正是这个问题：我们有没有义务……义务……"

他又开始结巴了。随后，他稍作停顿，突然又接着说：

"我是医生。从事这一职业的人常常碰到那种病例，那种有严重后果的病例……也就是说，它是边缘病例吧。这种时候，人们往往并不清楚自己是否有义务……也就是说，不只是对别人的义务,而且还有对自己、对国家、对科学的义务……我们当然应该帮助他人,我们就是为此而活着的……不过,这类信条永远只能是纸上谈兵……帮助别人究竟应该帮到多大程度?……您在这里是陌生人,我不认识您,但我请您不要让别人知道您见过我……很好,您保持了沉默,您尽到了自己的义务……现在,我又请您和我说说话,因为我快憋死了……您愿意听我说话……很好……可是,这事做起来很简单……如果我请您把我抓起来扔到海里去……那可就不好尽力而为了,到了一定的限度就行不通了……在面临自己的生命和要个人负责时肯定行不通了……超过一定的限度义务就得中止……难道在医生身上义务就不该中止吗?难道仅仅因为他拿了一张拉丁文毕业证书,他就非得是包治百病的救世主吗?如果某个女人……某个人跑来,希望他高贵、助人和善良,难道他就真的必须置自己的生命于不顾,为别人去呕心沥血吗?不错,到了一定极限义务就要中止……这个极限就是在人无能为力的地方……"

他又作了一次停顿并猛然抬起头来。

"请您原谅……我讲得太激动了……但我并没有醉……还没有醉……我坦率向您承认,处于这种地狱般的孤独里,我现在常常喝醉……您想想,在这七年里,我几乎只同当地的土著人和动物朝夕相处……连平心静气地说话都忘了。只要有机会张口,便滔滔不绝……不过,您等等……好了,我想起来了……我想问问您,想给您讲一个病例,并就此来探讨一下。在这种情况下,是否有义务帮助别人……像天使一样纯洁地帮助别人,是否……但我担心说话的时间很长。您真的不累吗?"

"不,一点也不。"

"我……我谢谢您……您喝不喝?"

在黑暗中他向自己身后摸索了几下。随即叮当一响。一个,两个,反正有好几个酒瓶,他将它们拿到身旁放好。他递给我一杯威士忌,我随便抿了一口,他则把自己的那杯一饮而尽。接下来,我们之间出现了片刻的沉默。这时,钟声响了:十二点半。

"是这样……我想向您讲述一件事情。您不妨设想一下。在一座……一座小小的城市里……其实就挨着农村……一个医生,他……一个医生,他……"

他又开始语塞。随后,他猛地把椅子往我跟前拖了拖。"这样不行。我得把一切从头到尾、直截了当地讲给您听,否则您不会明白的……这件事光是把它作为例证,作为理论来讲是说不清楚的……我将要讲给您听的是我亲身经历的一件事。这没有什么不好意思,也不需要掩饰……我治病时,很多人在我面前脱得一丝不挂,给我看他们身上的疱疹、尿液和排泄物……如果人们希望得到帮助,说话就该坦率,不可支支吾吾,不可隐瞒……所以,我在这里将要向您讲述的并不是一个传奇医生的故事……我把自己脱个精光,我还要说:我……在这可怕的孤寂中,在这可诅可咒的国家里,我已忘记了何谓羞耻,我的灵魂已被掏空,我的精气已经耗尽。"

想必是我做了个什么动作吧,否则他绝对不会住口的。

"啊,您抗议了……您喜欢印度,喜欢那里的庙宇和棕榈树,无法忘怀两个月印度之旅的全部罗曼蒂克,这个我能理解。不错,对乘坐火车、汽车及人力车的游客来说,这种热带风光的确令人神往。七年前,我头一次来到这里的时候,我也怀有同样的感觉。那时,我什么梦没有做过啊!我想学习当地的语言,用原文阅读那些经书,研究热带病,进行科学研究,探寻土著人的心理——像我们欧洲人的口头禅所说的,成为人道和文明的传教士。所有来到这里的人都抱有同样的梦想。然而，这座看不见的玻璃暖房很快便令人精疲力竭，浑身高烧，无论吞服多少奎宁也无济于事。一旦发起高烧，人就变得倦怠慵困，无精打采，像个水母似的。反正，欧洲人走出大城市，进到这片该死的沼泽地，都或多或少地丧失其作为欧洲人的真正品质。经过或长或短的一段时间之后，人人都会饱尝精神上的痛苦，有的酗酒，有的抽鸦片，还有的打架斗殴，变成了畜生——每个人多多少少都显得有些愚蠢可笑。他们思念欧洲，梦想有朝一日能重新在宽阔的马路上散步，坐在砖石建筑的亮堂的屋子里，成为白人中的一员。他们年复一年地梦想着，而一旦假期真的来临，整个人却已懒得不愿走动了。他们心里清楚，他们早已被那边的人遗忘，他们已经变成了外人，他们在那里只不过是大海里的一只人人踩踏的贝壳罢了。于是，他们便留在这片炎热而潮湿的森林里，堕落、沉沦。那真是个该死的日子，就在那一天，我把自己卖到了这个鬼地方……

"需要说明的是，这种卖身也并非完全出于自愿。我大学毕业之后做了一名真正的医生，一名好医生。不瞒您说，我的工作单位乃是莱比锡医院。记不得是哪一年了，当时，我首次推出一种新型的注射方法，引起了各家医学杂志的大肆宣扬。随即便是一段罗曼史接踵而至。我在医院里结识了一个女人。她的情人被她折磨得发了疯，甚至向她开枪。不久以后，我也变得跟那位情人一样疯狂了。她那种高傲和冷漠使我十分恼怒——尽管我总是在专横放肆的女人面前败下阵来，但却没有料到，这个女人竟让我付出了极为惨痛的代价。她要我做什么，我就做什么，我——我现在为什么不可以说呢，反正事情已经过了八年……为她去偷了医院出纳处的钱。东窗事发之后，我便大难临头了。我的一位叔叔出钱替我为医院弥补了损失，我个人的前途就算完了。我当时正好听说，荷兰政府在招募医生去殖民地工作并预付一笔定金。我于是马上想到，既然预付定金，那肯定不是什么好差事。我以前就曾听人讲过，在那些热病肆虐的种植园里，坟墓上的十字架以相当于我们这里三倍的速度飞快增长，但年轻人总不相信，发烧和死亡会落到自己的头上，再说，自己眼下也没有多少可以选择的余地。于是，我乘车去鹿特丹签了十年的合同，拿到一大叠钞票，我把其中的一半寄回家给了我的那位叔叔，另一半则被当地港区的一个女人骗走，仅仅因为她同前面所讲的那只母猫极为相像，我就把自己的一切都给了她。然后，我坐上了驶离欧洲的轮船，没有钱，没有手表，也没有幻想。当我们出港的时候，我并未感到特别的悲伤。我就跟您现在这样，坐在甲板上，仰望南十字星座，眺望棕榈树，我的心豁然开朗——啊，森林，孤独，宁静，我曾对你们朝思暮想。现在——我的孤独之梦就快要实现了。我没有被派往巴塔维亚或泗水等有人、有俱乐部、有高尔夫球、有书籍和报刊的城市，而是——那个地方叫什么名字并不重要——分配到了某个垦殖站，从这里去最近的城市也要两天的路程。同我做伴的只有几个枯燥乏味的官员和几个混血儿。此外，便是一望无际的森林、种植园、丛林和沼泽。

"开始时，我还勉强可以忍受。毕竟我是在从事科学研究。一次，副总督在考察途中因翻车而折断了一条腿，我在没有助手的情况下独自为他做了手术，一时间被传为佳话。我还收集当地土著人的毒药和武器，我忙于各种繁琐的事务，并使自己保持清醒的头脑。不过，这一切之所以还能够得以进行，是因为我的体内还积蓄着从欧洲带来的力量。不久以后，我便委顿了。那几个欧洲人令我感到无聊，我断绝了同他们的来往，独自一人借酒浇愁、想入非非。我只剩下三年了，三年以后，我就可以获得自由,告老还乡,从头开始新的生活。实际上,我要做的只是等待,静卧和等待。如果不是她,恐怕我今天还在那里坐着……如果这件事情没有发生的话。"

他的声音在黑暗中戛然而止。烟斗的火星也不再闪烁。四周一片寂静,使我又一次听到了船头劈波斩浪的声音和轮机低沉的心跳。我很想点一支烟抽,但又怕火柴划出的刺激性白光会反射到他的脸上。他沉默不语。我不知道,他是说完了,还是在打盹或者睡着了,他沉默着,没有一丝声息。

这时,船上的大钟重重地响了一下:一点整。他吓了一跳。我又听见了玻璃瓶发出的响声。他的手显然在向下摸索威士忌。他轻轻地咕嘟了一口——随即便响起了他的声音,但比起先头来,这一次显得既紧张又热切。

"是这样……您等等……是这样,事情是这样的。我坐在我那可恨的狗窝里,像只网中的蜘蛛,一动不动地待了好几个月。恰逢雨季刚过,在此之前的好几个星期大雨不断,砸在屋顶上噼啪作响,没有人来,没有一个欧洲人来,我在屋里坐了一天又一天,只有几个黄种女人和可爱的威士忌与我做伴。恰巧是在那时,我的情绪非常低落,十分想念欧洲。只要我在某本小说里读到描写明亮的大街和白人妇女的文字,我的手指就会发抖。我无法完整地向您描述那种状态,就像是一种热带病,是一种猛烈的热切的但却又是软弱无力的怀乡病,人有时爱得这种病。我当时就这样坐着,眼睛俯视着地图,脑子里做着各种旅行的美梦。这时,急切的敲门声传来,我开门一看,只见一个男仆和一个女仆站在门口。他们两人的眼睛瞪得圆圆的,用手势比划着告诉我:有位太太,有位夫人,有位白人女士来访。

"我惊诧地站起身来,因为我并未听见汽车开过来的声音,也未听见马达的声音。在这荒郊野地竟然会有白人女士来访?

"我很想亲自下楼去看看,但旋即还是收回了刚刚迈出的脚步。我照了一下镜子,急匆匆地整理了一下。我的心情显得焦躁不安,一种不愉快的预感折磨着我,因为我深知,在这个世界上,没有人会以朋友的身份来探望我。最后,我终于走下楼去。

"前厅有位女士在等候,见我之后,便匆匆迎了过来,她脸上罩着一条厚厚的挡风头巾。我正想对她表示欢迎,不料她却抢在我的前面开了口。'您好,大夫。'她十分流利地用英语说道。因为她说得过于流利,就跟事先训练过似的。'请原谅我的突然来访。不过,我们是路过,我们的车停在那边。'这时,我的脑子里猛地闪过这个念头:她为什么不把车开到门口来?她接着说:'我突然想起您就住在这儿。我已经听很多人谈起过您,您用回春的妙手给副总督动了手术,他的腿恢复得好极了。他现在打起高尔夫球来跟从前没有什么两样。哦,对了,我们那里的人至今还在谈论这件事呢。假如您能上我们那儿去,我们大伙全都愿意把我们那几位整天牢骚满腹的外科医生连同另外两位一起请走。不过,您为什么从不露面,您的生活就跟瑜伽教派的信徒一样……'

"她如此这般不停地说着,而且速度越来越快,根本不让我有机会开口。她在喋喋不休之中,流露出了某种焦躁与慌张。我自己也因此而不安起来。我扪心自问,她为什么有这么多话可说,为什么不自我介绍一下,为什么不把面纱拿下来?难道她发烧了?病了?疯了?我心里愈发烦躁。我觉得,这样一言不发地站在她的面前,听她劈头盖脸的一通唠叨,显得十分可笑。她终于停顿了一小会儿,我这才得空请她上楼。她做了个手势,要那男仆留下,自己则走在我的前面上楼梯。

"'您这里很不错。'她边说边在我的房间里四下环顾。'啊,多漂亮的书啊!我真想把它们都读遍!'她走到书架旁细看书名。这是她在我们见面之后首次表现出来的片刻沉默。

"'您喝茶吗?'我问道。

"她只顾看书名,连头也不回一下。'不,谢谢。大夫……我们马上又得上路……我没有很多时间……这只是一次小小的郊游……哦,您也有福楼拜的书,我可爱看他的书了……美妙无比,太美妙无比了。《情感教育》……我发现,您也读法文……您真是什么都会……可不,德国人在学校里什么都学……真是太伟大了,会这么多种语言……副总督对您深信不疑,老说,您是独自一人给他开刀的……我们的那个外科医生也就只配打打桥牌……另外,您知道'——她仍然背对着我——'我今天想起来,我该向您咨询一下……我们碰巧路过这里,我想……您现在怕是没空吧……我最好另外再来一趟!'

"'你彻底摊牌吧!'我的心里猛地冒出这个念头。但我还是不露声色地向她保证说,随时为她效劳。这只会使我感到荣幸。

"'算不上是什么严重的问题,'她说着,身子便朝我这边转了九十度,同时还拿起书架上的一本书翻看,'不是什么严重的问题……微不足道的小事……妇女病……头晕,昏厥。今天早上汽车转弯的时候,我突然摔倒了,失去了知觉……男仆不得不在汽车里扶着我,并拿水来给我喝……也许是司机开得太快了……您说呢,大夫?'

"'我还不能就此下结论。您经常出现类似的昏厥吗?'

"'不……这是……最近一段时间里……也就是前一段时间……对……才出现昏厥和恶心。'

"此时,她已重新站到书柜前并把书放了进去,同时又拿出另外一本来翻看。奇怪,她为什么老是这样……这样神经质似的翻书看,为什么总不把她那罩着面纱的头抬起来?我故意不答话,让她等待。终于,她重又无所顾忌地喋喋不休开来。

"'不是吗,大夫,这不算什么值得担忧的事吧?不是热带病……不是什么危险的病……'

"'我首先得看看您发烧了没有。请允许我把一下您的脉……'

"我向她走了过去。她把身子朝一旁闪了闪。

"'不,不,我没有发烧……肯定,肯定没有……我每天都自己量体温,自从……自从出现昏厥之后。每次都很正常,水银柱总是准确无误地指在三十六度四的位置上。我的胃也很健康。'

"我犹豫了片刻。心中随即布满了疑云:我有一种预感,眼前的这个女人肯定找我有事。否则,谁会跑到这穷乡僻壤来大谈福楼拜呢。我让她等了一分钟,两分钟。'请您原谅,'然后,我直截了当地说道,'我可以开诚布公地对您提几个问题吗?'

"'当然,大夫!您是医生呀。'她答道,却又侧过身去把玩起那些书籍,只留下背影给我。

"'您生过孩子吗?'

"'是的,有个儿子。'

"'您有……您以前有……我是指当时……您当时有过类似的反应吗?'

"'有过。'

"她的声音完全变了。十分清楚,十分确定,不再喋喋不休,不再神经质了。'有没有可能,您……请原谅我提这个问

题……您现在又处于同样情况中了呢?'

"'是的。'

"她斩钉截铁地说出了这两个字。她那背对着我的头纹丝不动。

"'尊贵的夫人,我看还是进行一次常规检查吧……我可不可以劳驾您到……到那边的那间屋里去一下?'

"这时,她猛地转过身来。我只觉得一道坚定而冷漠的目光透过面纱射到了我的脸上。

"'不……这没必要……我对自己的身体状况十分清楚。'"

他的声音犹豫了一下。那只装满酒的杯子又在黑暗中闪了一下。

"您在听吧……不过,请您首先设法思考一下这件事情。正当一个人在孤独中打发生命的时候,闯进来一个女人,这是多年来踏进那屋子的第一个白种女人……我忽然觉得屋子里蛰伏着某种邪恶和危险。我浑身上下不寒而栗:这女人闯进来就喋喋不休,然后又突然提出要求,就像拔出一把刀子一样。她那钢铁般的果敢使我禁不住毛骨悚然。因为,她要我做的事我心里清楚,我心里马上便清楚了——这样的情况我并非头一次遇到,很多女人都为这种事情来找过我,但她们完全是以另一种态度而来的,或羞怯恳求,或哭泣起誓。可眼前的这位却摆出一副……不错,一副男人才有的钢铁般果敢的架式来……从见面的第一秒钟起,我就预感到,这个女人比我强……她可以随心所欲地强迫我服从她的意志……然而……然而……我的内心也隐藏着某种邪恶……在我心中的那个男子汉感到一股怨恨,在进行抵抗,因为……我已经说过……从第一秒钟起,是的,还在我未曾看见这个女人之前,我便已把她当作敌人对待了。

"我先是沉默。顽强而愤怒地沉默。我觉得她躲在面纱的后面看我——直愣愣的目光富于挑战性,似乎要强迫我开口说话。但我是不会如此轻易地让步的。我开始说话,但……支支吾吾地……我竟然也下意识地模仿起她的那种既喋喋不休又满不在乎的方式来了。我装出一副没听懂的样子,因为——我不知道您对此是否有同感——我想迫使她把话挑明,我不愿意自己主动提出,而是希望……人家求我……她来求我,因为她是如此的盛气凌人……还因为我心里明白,自己在这类高傲冷漠的女人面前会是多么的软弱和无能。

"我于是闪烁其词地说道,这种情况完全不必担忧,这样的昏厥纯属正常现象,相反,它很有可能预示着一种良好的趋势。我引用了医学杂志上的一些病例……我滔滔不绝地说着,漫不经心地说着,似乎这种事情在我看来是再寻常不过了……我始终在等她来打断我的话。因为我知道,她是不会容忍下去的。

"果然,她插话了,她的手一挥,仿佛把我刚才那些话全给挥跑了似的。

"'大夫,我并不为此感到不安。我怀我的儿子的时候,身体状况比现在好……可现在我觉得不那么正常了……我的心脏不太好……'

"'哦,心脏不太好,'我重复着她的话,做出不安的样子,'那我更要马上检查一下了。'我佯装着起身去拿听诊器。

"但她赶紧开口阻止了我。她的语气现在变得十分强硬和肯定——好像指挥官似的。

"'我的心脏不太好,大夫,我不得不请您相信我对您所说的话。我不想在检查上浪费时间——你能不能,我是说,对我

多一分信任。我这方面对您可是十分信任的。'

"这简直就是挑战,公开的挑战。我接受了这一挑战。

"'坦诚,毫无保留的坦诚乃是信任的基础。请您有话直说,我是医生。首先请撩起您的面纱,坐到这里来,放下手中的书本,别再拐弯抹角了。有谁罩着面纱去看病呀。'

"她用傲慢的目光直视着我。她犹豫了片刻。然后,她坐下来撩开了面纱。我看见了一张脸,正是我害怕见到的那张脸,一张令人捉摸不透的脸,冷峻,克制,露出永恒的青春美,上面嵌着一双英国人的褐色眼睛,外表看似宁静,实际上在这双眸子背后可以让人穷尽各种情欲的美梦。两片薄唇紧闭,不随便泄露丝毫的隐秘。我们相互对视了片刻——一种铁石般的冷酷从她那双饱含着命令和询问的眼里透射出来,使我因无法忍受而本能地把目光移向一旁。

"她用手指在桌子上轻轻地敲击。她心里其实也很紧张。随后,她忽然急促地说道:'大夫,您知道我来找您干什么吗,或者您并不知道?'

"'我想我知道。不过,我们最好还是把话挑明。您想结束您现在的身体状况……您想让我……让我为您解除这种状况,从而使您不再昏厥和恶心。我说的对吗?'

"'对。'

"此言一出无异于刑斧落地。

"'您恐怕不会不知道,这样的尝试是很危险的……对双方……?'

"'知道。'

"'您知道我这样做是违法的吗?'

"'有些情况是不违法的,甚至是允许的。'

"'但这需要医生的诊断书。'

"'您会搞到这样的诊断书的。您是医生。'

"我们进行这番对话的时候,她用那双清澈的眼睛一动不动地凝视着我。这是一道命令,我这个软弱无能的家伙在惊叹她的意志有如此盛气凌人的魔力之余,也感到浑身上下的阵阵颤栗。但我仍未低头,我不愿叫她发现我已被她击败了。'只是别太仓促了!'绕些弯子!迫使她求我,某种心血来潮的念头在我脑海中一闪而过。

"'这事并不总是取决于医生的意愿。不过,我准备和医院的一个同事……'

"'我可不要您的同事……我找的是您。'

"'我可以问一下您为什么偏要找我呢?'

"她用冰冷的目光扫视着我。

"'我并不怕把实情告诉您。因为您的住所偏僻,因为您不认识我——因为您是一个好医生,还因为您……'——说到这里,她头一回犹豫起来——'可能不会再在这个地方久呆下去,尤其是当您……当您能够带上一大笔钱回家的时候。'

"我感到浑身一阵凉意。她就像一个不折不扣的商人,算盘打得一清二楚,我不禁目瞪口呆。直到此刻,她仍未开口求我——可事前却把什么都算计妥了,先摸清楚我的行踪,然后就找上门来。我只觉得她那可怕的意志闯进了我的心里,我倾尽全部的愤怒进行自卫。我再次迫使自己采取客观甚至是近乎嘲讽的态度。

"'这一大笔钱您……您想给我……'

"'作为对您的帮助的酬谢,也是为了让您离开此地。'

"'您知不知道,我会因此而失去我的退休金?'

"'我会对您进行补偿的。'

"'您说得很清楚了……但我还想知道得更清楚一点。您打

算付多少酬金给我?'

"'一万二千荷兰盾,在阿姆斯特丹用支票的方式付款.'

"我……我开始发抖……我因愤怒而发抖……是的,也因佩服。钱的数目,逼迫我动身启程的付款方式,一切她早就谋划好了,她估算出我的价值,把我购买下来,尽管她并不了解我,但她意志的预感已经在支配我了。我真恨不得给她一耳光……可当我颤抖着站起身来——她也站了起来——目不转睛地与她对视的时候,当我看着那张绝不求饶的紧闭的嘴和那绝不屈服的高傲的额头的时候,我的体内忽然生出……一种……一种强暴的欲望。她肯定也有所察觉,因为她的眉毛高高竖起,就跟要撵走什么讨厌的人似的:我们之间的仇恨一下子暴露无遗。我知道,她恨我,因为她需要我,而我也恨她,因为……因为她不愿意求我。我们两人在这瞬间的沉默之中首次进行了彻底而坦诚的交流。随后,我的脑海里突然冒出一个念头,我对她说……我对她说……

"不过,请您等一下,否则您会误解我所做的事……我所说的话……我首先必须向您解释一下,我怎么……怎么会生出这样一个疯狂的念头的……"

黑暗中玻璃杯又轻微碰了一下。他的声音变得愈发激动起来。

"我并不想原谅自己,替自己辩解,证明自己清白……但如不这样,您便不会明白……我不知道我以前能否算得上是个好人,但……我想,我还是乐于助人的……在那里我的生活鄙俗无聊,能够用自己肚子里的一点科学知识延续别人的生命,那是我唯一的快乐……神仙一样的快乐……要是某个黄皮肤的小伙子拖着被蛇咬伤、肿得老高的脚跑来找我,脸色因恐惧而变得灰白,还声嘶力竭地嚷着不让锯断他的腿,而在这种情况下我仍旧挽救了他的性命,真的,那是我最美好的时刻。如果某位妇女发高烧卧床不起,我便会开几个小时的车跑去给她治病——早在欧洲那家医院供职的时候,我就曾帮过妇女的忙,为她们做过现在这位女士要我做的事。这样的时候,你起码还可以获得一种人家需要你的感觉,这时你知道,你可以把别人从死亡线上或从绝望中拯救过来——你恰恰也需要以此作为自慰,有一种别人需要你的感觉。

"然而,眼前的这个女人——我不知道能否向您描述清楚——她令我生气,从她看似悠闲地走进门来的那一刻起,她的高傲就促使我进行反抗,她把我心里的一切都刺激起来了——我该怎么说呢……她把我心中一切压抑的隐藏的恶毒的东西都刺激起来了。她摆出一副贵妇人的模样,用拒人于千里之外的冷漠策划了一笔事关生死的交易,简直都快把我弄疯了……此外……此外……反正打高尔夫球是不会让人怀孕的……我明白……这就是说……我忽然——这就是当时闪过的那个念头——极其明确地回忆起,在我以提防……甚至排斥的眼光打量面前这个淡漠、高傲、冷冰冰的女人时,她的眉毛就倒竖在钢一般的双眼之上,可是就是这个女人在两三个月之前脱得跟动物似的一丝不挂,在床上同一个男人翻云覆雨,或许还发出阵阵满足的淫声,两具肉体如那两片嘴唇一般紧紧地贴在一起……这便是我心中突然冒出的那个焦灼的念头,而她此时却以高傲和无法接近的冷淡的目光扫视着我,俨然是个英国官员……而这时……这时,我心骤然绷紧……我只有一个要征服她的念头……从这一刻起,我的目光透过衣服,看见了她那赤裸的胴体……从这一刻起,我只活在一个意念之中,我要占有她,从她那倔强的嘴唇里挤出呻吟,就像另外那个,那个我不认识的男人一样,在颠鸾倒凤的快乐中来体验这个高傲和冷酷的女人的肉体。有一点……有一点我要向您说明……即使我再怎么堕落,我也从没想利用医生的职业去占女人的便宜……而且,这次也不是因为淫火、因为性欲,真的不是……否则我会承认的……仅仅只是一种要征服她傲气的欲望所使然……作为男人去征服她……我想,我已经告诉过您,高傲的、看似冷漠的女人从一开始就能击败我……更何况在这里所呆的七年之中没有见过一个白种女人,我一点反抗力都没有了……因为,这里的女孩子都跟会唱歌的玲珑的小鸟似的,只会在她们的白人老爷面前吓得发抖……她们毕恭毕敬,来者不拒,时刻准备用她们的低吟浅笑为你效劳……不过,恰恰是这种服从、这种奴性令人感到恶心、败兴……您现在明白了吧,您明白是怎么一回事了吧,一个露着高傲、怀着仇恨、拒人于千里之外的女人突然从天而降,头上罩着神秘的光环,怀中积淀着往日的情欲,这对我是多么巨大的刺激……当这样一个孤独而饥渴得如猛兽的男人看见这样一个女人放肆地闯入禁锢他的笼子的时候……我说这个……说这个只是想让您理解另外一件事情……我现在就讲这件事情。于是……我的心中涌动着某种邪恶的欲望,我的脑海里浮现出她一丝不挂、性感和忘乎所以的情形,我的欲火积聚起来了,但我装作无所谓的样子。我冷冷地说道:'一万二千荷兰盾?……不,我不会干的。'

"她看着我,脸色有些苍白。她大概也已意识到,这一拒绝的原因并不在于对金钱的贪婪。但她仍然问道:

"'那您想要什么?'

"我放弃了那种冰冷的语气。'我们还是把牌亮出来吧!我不是商人……我也不是《罗密欧与朱丽叶》里的那位贫穷的为了赚取昧着良心的金钱而出售毒药的药剂师……我也许同商人

正好相反……您用这种方法是不会达到目的的。'

"'这就是说,您不愿意干?'

"'不为钱干。'

"我们双方全都沉默了片刻。四周是那样的宁静,静得我第一次听见了她的呼吸。

"'那您到底想要什么?'

"我终于忍不住了。

"'我首先希望,您……您在说话的时候,把我当人而不是当小商小贩来看待。如果您需要帮助,就别……别动辄拿出您那可耻的金钱来吓人……而应该请求、请求……我这个人去帮助作为人的您……我并不只是医生,并不只是给人诊病……我还有别的工作……也许您就是冲着这样的工作而来的……'

"她沉默了片刻。她的嘴微微咧了一下,随即便用发颤的声音急切地说道:

"'那么,假如我请求您……您会干吗?'

"'您瞧,您又想做交易了——您只愿在听到我的许诺之后再来求我。但只有在听到您的请求之后,我才会给您一个答复。'她像一匹固执的烈马,高高地把头仰起,一道愤怒的目光向我射来。

"'不——我不会求您的。宁为玉碎,不为瓦全!'

"一股无名怒火蹿上心头,我的脸因此而涨得通红。

"'如果您不愿主动求我,那我就对您提出要求。我想,我用不着先把话挑明——您知道,我渴望从您那儿得到什么。那样的话……那样的话,我将会帮助您。'

"她凝视了我片刻。然后……哦,我无法,我无法用语言来描绘那种可怕的程度,然后她的面部肌肉绷紧,再后来……再后来她忽然纵声大笑……一种不可言表的鄙视伴随着笑声冲我扑面而来……那是一种彻头彻尾的鄙视……它同时也使我迷醉……这鄙视的大笑好似一阵突如其来的惊雷,被巨大的力引发的惊雷,我……老实说,我只恨不能跪倒在地,去吻她的脚。它只持续了短暂的片刻……它如同一道闪电,我浑身热血沸腾……而她这时则已转身朝门口走去。

"我不由自主地想追上前去请她原谅……恳求她留下……但我已经精疲力竭……这时,她再次转过身来说道……不,是命令道:

"'请您不要斗胆跟踪我……否则,您会为此后悔的。'
"门随之'砰'的一声关上了。"

又是一阵犹豫。又是一阵沉默……又只听到那哗哗的水声,仿佛月光如水流淌。随后他又开了口。

"门关上了……但我站在原地一动不动……那道命令似乎对我施了魔法……我听见她下楼、关上大门……我听见了一切,我的全部意志都随她而去……她……我不知道该做什么……叫她回来,或揍她一顿,或掐死她……无论如何要去追她……追她……可我动不了。我的四肢好像遭到电击一般麻木了……她那闪电式的专横目光击中了我的肉体乃至灵魂……我知道,那是一种无法解释、不可言传的感觉……这听起来也许很可笑,但我原地不动地站着……我需要时间,也许五分钟,也许十分钟,我才能把脚从地上抬起来……

"我全身躁动,急急忙忙抬脚……转眼飞奔下楼……她只可能顺着这条路去垦殖站……我冲向车棚去取自行车,到了门口却发现自己忘了带钥匙,我猛力扳门,竹子的碎片四处飞落……我跨上自行车向她疾驶而去……我必须……必须赶在她上车之前追上她……我必须和她说话……

"马路上尘土飞扬……我这才意识到，自己肯定在楼上傻站了很长时间……在那里……在树林拐弯处离垦殖站不远的地方，我看见她正由男仆陪同，脚步僵直地匆匆赶路……不过，想必她也发现了我，因为她对男仆说了几句之后便继续独自往前走去，而那男仆则留了下来……她要干什么？她为什么一个人走？……难道她想和我说话但又不愿让男仆在一旁听见？我猛踩脚踏……突然，一个人影从旁边横跨过来挡住了去路……是那男仆……我连忙将龙头一歪，就摔倒了……

"我骂骂咧咧地站了起来……不由分说，便挥起拳头去教训那个浑蛋，他却往旁边一闪躲了过去……我蹬着脚踏准备重新上车……不想那混蛋跳到前面抓住自行车并用蹩脚的英语说道：'请您留在这里。'

"您没在热带生活过……您不知道这有多么放肆，这样一个黄种无赖竟敢抓住白人'老爷'的自行车，并命令他停下。我二话没说，挥拳朝他脸上砸去……他踉跄了几下，但仍抓住自行车不放……一双小眼瞪得大大的，露出奴性的惊恐……可他就是抓住车把死不松手……'请您留在这里。'他又结结巴巴地重复了一遍。幸亏我没带手枪，不然的话，我会一枪把他给崩了。'滚开，你这无赖！'我使劲地叫着。他的两眼可怜巴巴地看着我，但手抓住车把就是不放。我照他的脑袋又是一拳，他仍旧不松手。此时，我怒火中烧……我明白，她已经走远，没准已经跑掉了……于是，我对着他的下巴颏狠狠地打了一拳，他这才摇摇晃晃地倒了下去。这样，我又夺回了自己的车……跳上座椅后却怎么也踩不动……原来，由于争夺时用力过猛，车的钢丝已被拧弯了……我想赶紧用紧张不安的手将其拉直……没用……于是，我把车对准那个站在马路上淌血的浑蛋横推过去，他见状连忙往路边躲闪……随后——不，您根本体会不到,发生在众目睽睽之下的那一幕该有多么可笑,一个欧洲人……反正,我也搞不清自己都做了些什么……我当时只有一个念头:跟着她,赶上她……我沿马路疯狂奔跑,引得一群黄种无赖从路边一排排的木棚屋里钻出来看热闹,看我这位大夫、这个白种人在那儿奔跑。

"我满头大汗地跑到了目的地……我张口便问:汽车在哪里?……刚刚开走……人们用惊讶的目光打量我:他们见我浑身湿透、满脸灰土地跑来,人未站稳便开口提出这样的问题,肯定以为我是个疯子……我看到下边的公路上那辆汽车卷起一股白烟……她得逞了……得逞了,正如她所有的算计、残酷的算计一定能够得逞那样。

"不过,逃之夭夭丝毫无助于她……在这片热带地区的欧洲人中是守不住秘密的……大家彼此都很熟悉,一点小事就可以闹得满城风雨……她的司机没在垦殖站办公所的楼房里白站一小时……几分钟后一切我都知道了……我知道她是谁……她住在下边——住在省城,从这儿坐火车要八小时……她——不妨这样说吧,是一个大商人的妻子,极其富有,非常高贵,本人是英国人……我知道,她丈夫已在美洲呆了五个月,据说过几天要来把她带回欧洲去……但她——我抑制不住内心的这个念头——她现在身体上出现的这些反应最多也只有两到三个月的时间……"

"迄今为止发生的所有事情我尚能对您讲清楚……也许因为直到此时我还能理解自己的行为……作为医生,我还能对自己的状况作出诊断。然而,自那一刻起,我的体内好像发起了高烧……我失去了自控能力……这就是说,我很清楚自己所做的一切是毫无意义的,但我已不再能够把握自己了……我甚至也不再理解自己了……我只知道往前跑,一心一意地追逐着自己的目标……您等一下……也许我还可以对您讲述清楚的……您知道什么是热带癫狂症吗?"

"热带癫狂症?……我想我记得……是一种流行在马来人中间的迷醉状态……"

"这不只是迷醉状态……这是疯狂,一种表现在人身上的狂犬病……是丧失理智并充满杀机的偏执狂的发作,任何别的酒精中毒均无法与之相比……我曾在那段时间里亲自研究过这样的一些病例——在看别人的时候大家总是很聪明很客观的——但却未能找出其可怕的发病秘密……不过肯定同气候有关,同闷热的大气有关,它像暴风骤雨压迫着人的神经,使得它们有一天终于彻底崩溃……这就是热带癫狂症……不错,热带癫狂症就是这么一回事:一个极普通、脾气也温和的马来人,正专心致志地往肚子里灌着自己酿的酒……他坐在那里,一副麻木不仁、无精打采的样子……跟我独坐在自己屋子里的情形相同……突然,他跳了起来,手里握着匕首往外面的马路上冲去……径直地、一个弯儿都不绕地冲去……也不知道要去哪儿……凡是挡他去路的人或动物都被他用蛇形弯剑刺倒,横飞的鲜血只会使他更加疯狂……他一面奔跑,一面口吐白沫,跟疯子似的嚎叫……然而,他不停地跑啊,跑啊,跑啊,既不向左看,也不向右看,只顾向那可怕的前方奔跑,口里发出刺耳的尖叫,手中紧握带血的弯剑……村里的人都知道,没有什么力量可以阻止癫狂症病人……因此,当他出现的时候,他们赶紧预先相互大声警告:'热带癫狂症!热带癫狂症!'大伙随即四处逃窜……而他还在奔跑,什么也不听,什么也不看,碰到什么就拿剑捅……最后,不是人家用枪把他像疯狗一样的射死,就是他自己口吐白沫倒地而亡。

"这种情景我曾在所住平房的窗户前目睹过一次……的确令人感到十分恐怖……但也正是由于亲眼目睹,我才理解自己那几天的所作所为……因为,我就是这样不顾一切地径直冲出门去的,我的目光同样十分可怕,我既不左顾也不右盼……我对那个女人穷追不舍……我不再清楚自己都是怎么做的,一切均在如此疯狂的奔跑,如此非同寻常的速度中掠过……十分钟,不,五分钟,不,两分钟……在我得知了有关那个女人姓名、住址及命运的全部情况之后,我便迅速骑上借来的自行车,飞奔着返回家中,抓起一两套衣服扔进箱子,往口袋里塞了点钱,便马不停蹄地驾车赶往火车站……我开车走的时候,连声招呼也没给垦殖站的官员打……我也顾不上安排谁来顶替自己的工作,房子敞开着丢在那儿……仆役们围住我,几个女佣人惊讶地问我,我一概不予理睬,头也不回地走了……我赶到火车站,坐下一班火车进了城……从这个女人跨进我的住处到现在,仅仅一个小时,我已经置自己的生存于不顾,像个热带癫狂症患者一样,朝着那空幻的目标奔跑着……

"我笔直地向前跑,碰得头破血流也义无返顾……晚上六点我到了城里……六点十分我进了她的住宅,并让仆人向她通报我的到来……我所能够做的这些……您会理解的……真是天下最无意义和最荒唐的事情……然而,热带癫狂症患者是不管奔跑的方向的,他两眼茫然……几分钟后仆人回来了……礼貌而冰冷地说……夫人身体不适,不能会客……

"我踉踉跄跄往门口走去……我还围着这幢房子悄悄地转悠了一个小时,不切实际地幻想着,她也许会出来找我……最后,我才无望地到海滨饭店登记住宿,并要了两瓶威士忌回房……借助酒力和双倍剂量的安眠药……我终于得以入眠……这场烂醉如泥的昏睡是那场生死赛跑中唯一的休息。"

轮船的钟声响了两下，清脆而饱满的余音在温柔、静谧的夜空里震颤，最后融入船首下方不断陪伴着情绪激昂的谈话和海水飞溅的哗哗声之中。黑暗中，我对面那人肯定受到了惊吓，因为他忽然停止了说话。我又听见他伸手去探摸酒瓶的声音，我又听见他那轻轻的咕嘟咕嘟喝酒的声音。随后，他似乎平静下来了，声音更为坚定地继续他的故事。

"此后的时日我简直无法对您启齿。今天以为，我当时一定在发烧，不管怎么说，我反正受到了某种强烈的刺激，濒临疯狂的边缘——正如我对您说过的那样，我成了一个热带癫狂症患者。可您别忘了，我是在星期二晚上到的，而据说星期六——我此间得到了这一消息——她丈夫就要乘'伊比利亚半岛及东方航运公司'的轮船从横滨来，也就是说只有三天，短短三天的时间去作决定和帮助她了。请您理解这一点：虽然我心里十分清楚，我必须马上帮助她，但我却无法同她说上一句话。而我恰恰又需要她原谅自己可笑和癫狂的行为，这一愿望驱使我继续努力。我深知每一瞬间的宝贵，我明白，这对她生死攸关，但我却找不到接近她的任何机会，哪怕是对她耳语几句或做个手势，也不可能。因为，正是我对她的这种猛烈而莽撞的追逐把她给吓坏了。那就像……您等等……那就像是一个人追另一个人，为了警告他提防凶手，而这另一个人却把他当成了凶手，于是他就继续往前跑，直至毁灭……她只把我视作为了玷辱她才去追逐她的热带癫狂症患者，可我……这真是荒谬之极……我根本就没再想那个……我已经彻底垮了，我只想帮助她，为她服务……为了帮助她，我甚至不惜杀人犯法……可她，她根本不知道。我第二天早上一醒，就又马上跑到她的寓所去，站在门口的仍是那一个被我劈头盖脑打过一顿的男仆,当他从远处发现了我之后——他肯定一直在等我——就赶紧进到了门里边。也许他这样做只是为了悄悄通报我的到来……也许……啊,真是弄不清楚,这把我折磨得好苦啊……也许已经作好了接待我的准备了……可我一见这个男仆,心中便回想起自己所受的耻辱,于是,我不敢再次去拜访了……我的双膝抖个不停。我在快要触到门槛的地方转过身来,我再次走掉了……我走掉了,而她说不定也在类似的痛苦的煎熬中期待着我呢。

"此时,在这座熊熊热焰一般炙烤着我双脚的陌生城市里,我不知道还能够做些什么……突然,某个念头在脑海中闪现,我赶紧叫了辆车,向那位曾在垦殖站里被我救治过的副总督的宅邸驶去,我让仆人通报了我的来访……我的外表看起来想必有些令人感到诧异,因为从他打量我的目光中似乎流露出惊恐,而他的客套里也夹杂着些许不安……也许他已经认出了我是热带癫狂症患者……我直截了当地告诉他说,我请求调到这座城里来,我在自己原来的工作岗位上一分钟也呆不下去了……我必须马上搬过来……他看着我……我无法向您描述他打量我时的那种神情……就跟医生察看病人一样……'这是神经崩溃,亲爱的大夫。'随后说道,'我对此可是太理解了。好吧,这件事我让他们安排一下。但您需要等段时间……四个星期怎么样……我先得找到接替的人。'——'我不能等了,一天也不行。'我回答道。他再次投来奇怪的目光。'只能这样,大夫。'他严肃地说道,'站里可是不允许没有医生的。但我答应您,我今天就着手解决。'我咬紧牙关,一动不动地站在那里。我头一次清醒地感到,自己只是一个被出卖的人,一个奴隶而已。就在我准备竭尽全力进行反抗的时候,他这个滑头却抢先开了口:'您很孤独,大夫,时间长了会憋出病来的。我们大家都很奇怪,您从不到城里,从不休假。您需要更多的交际、更多的刺激。我们今天有个官方的招待会,请您晚上光临,千万不要拒绝,全体侨民都会到场,他们之中有些人早就希望认识您,并经常打听您的情况,盼着您的到来.'

"最后这句话令我目瞪口呆。打听过我?那会是她吗?我忽然间变成了另外一个人。我连忙彬彬有礼地对他的邀请表示感谢,还保证准时出席。而我也的确准时,简直是太准时了。我先要告诉您,我心里再也忍不住了,是默默走进总督府大厅的第一位客人,四周均是赤着脚来回忙碌的黄种仆役,他们还——正如我于神志恍惚之中所感觉的那样——在背后嘲笑我。在他们悄无声息地进行准备的一刻钟时间里,我是唯一的欧洲人,我是如此的形单影只,我甚至听见自己背心口袋里的怀表发出的滴答声。终于,几个政府官员带着他们的家属出现了,最后总督也来了,他跟我聊了好一阵子,在……在我因一种神秘的神经质袭来而突然失去了刚才应对自如的神态并开始结巴之前,我自以为我对他的回答是热忱而得体的。虽然我背对着大厅的门,但我一下子就感觉到她进来了,我觉得她肯定在场。我简直没法向您描述,那种突如其来的确信是如何令我迷乱的,然而,当我还在同总督说话,耳朵里还响着他的声音的时候,我却感到她就在我背后的某个地方。所幸的是,总督很快便结束了这次谈话——否则,我想我会不顾一切地转过身去,因为,我的神经在神秘地极其猛烈地抽动,以至于我被欲望撩拨得浑身躁热。我一转过身去便真的看见她就站在我于无意识之中所感觉到的那个位置。她穿一件黄色跳舞服,瘦削而洁白的肩膀被衬托得如同淡淡发光的象牙,她正和一群人在闲聊。她微笑着,但在我看来,她的脸色似乎有些紧张。我走上前去——她看不见我或者说不愿看见我——把视线投到那张笑脸上,只见那两片薄薄的嘴唇礼貌而令人高兴地颤抖起来。这种微笑重又使我陶醉,因为它……这样说吧,因为我知道,那是谎言,是艺术或者技术,是巧妙无比的伪装。今天是星期三,我脑子里忽然闪过一个念头,她丈夫乘坐的船星期六到……她怎么还能笑得出来,笑得这样……这样胸有成竹,这样无忧无虑,一只手还漫不经心地把玩着扇子,而不是惊恐地把它撕碎?我……我这个外人……我两天来一直在为那一时刻颤抖……我这个外人,竭尽自己的情感之所能及,为她分担着惊恐……而她却笑容满面、笑容满面、笑容满面地参加舞会……

"音乐声从身后响起。舞会开始了。一位上了年纪的军官请她跳舞,她用一句'对不起'离开了一同闲聊的人群,挽着那位男士的胳膊从我身边走过,步入另外的大厅。当她瞥见我的时候,她脸上的神情骤然紧张起来——但只持续了片刻,随即便用一种偶遇熟人式的礼貌抢在我还来不及决定对她问候与否之前向我点头示意:'晚上好,大夫,'人就一晃而过了。无人能够觉察出隐含在那灰绿色目光中的东西,就是我自己也不得而知。她为什么问候……她此刻为什么一下子接受了我?……是防御、接近,还是仅仅出于猝不及防所带来的难堪?我现在无法对您描述我当时的激动,我心潮起伏,浑身躁热,我看她被那位军官搂着漫不经心地跳华尔兹,额头上闪着无忧无虑的沉着的光泽,可我明白,她……她和我一样,都只想着那……那件事……这里就我们两人共同拥有一个可怕的秘密……她跳着华尔兹……在这数秒钟之内,我的担心,我的欲望和我的钦佩汇聚成为一股从未有过的激情。我不知道是否有人观察过我,但我通过自身的行为所显露出来的心迹肯定要远远胜过她对自我的掩盖——我就是不能朝别的方向看,我必须……是的,我必须看她,我从远处呒吸并拉扯她那张不露真情的脸,我要看看，那张面具是否会掉下来片刻。我凝视的目光肯定让她感到不自在。当她挽着舞伴的胳膊回来的时候，她飞快地瞟了我一眼，目光中透出严厉的命令，仿佛要把我赶走，她额头上再次恶狠狠地紧紧绷着那道早已为我熟知、代表高傲和愤怒的细小皱纹。

"然而……然而……我告诉过您的……热带癫狂症在我身上发作，我既不向左看，也不向右看。我立刻明白了她的意思——这目光意味着：别太现眼！克制一点！——我知道，她……我该怎么说才好呢？……她希望我在这种公开场合里举止谨慎……我心里清楚，如果我现在回去，那么，等我明天去找她时，她肯定会接见我的……她现在一心一意只想回避我对她的亲近，以免招引旁人注意，她——完全有理由——担心我会干出蠢事来……您瞧，我什么都知道，我明白发布这道命令的阴沉目光是什么意思，然而……我内心的意志却压倒了一切，我必须找她说话。于是，我摇摇晃晃地走向同她一起聊天的那群人，慢慢地——尽管我只认识其中的一两个——靠拢这个松散的圈子并加入进去，我只是渴望听到她说话的声音，可每当她冰冷的目光从我身上掠过的时候，我总像挨了打的狗似的，胆怯地低下头来，仿佛我是我挨着的一条亚麻布窗帘，或是那轻轻吹拂的风。但我站在那里，渴望着她本该对我说的每一句话和认可的表示，我站在这群闲聊的人里，两眼发直，犹如一具僵尸。我的这副模样肯定引起了旁人的注意，肯定的，因为谁也不和我说一句话，而我可笑的样子想必令她倍受折磨。

"我这样在那儿站了多久，我现在已记不得了……也许是很久吧……我就是无法摆脱意志的这种魔力。令我感到麻木的恰恰是我那顽固的愤怒……然而，她一分钟也忍受不下去了……她突然用她那种与生俱来的轻盈转过身去，背对那帮先生们说道:'我有点累了……我今天想早点上床休息……晚安!'……话音未落就赶紧以截然不同于社交礼仪的方式把头冲我一点,飘然而去……我起初还可以看见她额头上那道高高竖起的皱纹,接着便只剩下那个雪白、冷漠而裸露的脊背了。我费了一会儿功夫才明白,她走了……我在这能够救命的最后一晚再也不可能见到她并同她说话了……我又在那里站了片刻才回过神来……然后……然后……

"不过,您等等……您等等……否则您便不能理解我的行为所包含的无意义和荒唐性……我首先得把这个地方向您描述一下……它是总督府大楼的大厅,灯火通明,偌大一个厅却显得空荡荡的……成双成对的都去跳舞了,男士们则赌钱去了……只有三两群人聚在角落里聊天……也就是说,大厅是空的,每个动作都很惹眼,都能在强光下被人看见……她双肩耸起,缓慢而轻盈地穿过这座宽敞的大厅,并不时地用她那难以形容的姿态回答别人的问候……她的这种宁静、美妙、高贵和冷峻的气质令我心醉神迷……我……我仍旧站在那儿,我告诉过您,在我明白她走了之前,我似乎已经麻木了……当我清楚地意识到这一点的时候,她已走到大厅另一头靠门很近的地方了……这时……哦,一想到此,我至今仍深感羞愧……这时,我忽然觉得一股力量攫住了我,我奔跑起来,——您听好:我奔跑起来……我不是走,而是横穿大厅向她跑去,脚上的鞋子发出很大的回响……我听得见自己的脚步,我看见所有的人都向我投来惊异的目光……我真是羞得无地自容……还在奔跑的时候,我便已意识到自己在发狂……可我不能……再也不能退回去了……我在门口赶上了她……她转过身来……她的两眼寒光闪闪,犹如刺进我心中的利刃,她的鼻翼由于愤怒而颤抖……我正想结结巴巴地开口……这时……这时……她突然大笑起来……这发自心底的笑声清脆响亮，无忧无虑，她随即大声地说话……声音大得人人都能听见：'啊，大夫，您现在才想起给我的仆人开的处方来……可不，搞科学的男人们……'几个站在附近的人也善意地跟着笑了起来……我理解她的意图，她高超的应变能力令我倾倒……我拿出皮夹，从便条本上撕下一张什么都没写的空纸片，她漫不经心地接了过去，随即她便……再次带着一种感激但却十分冰冷的微笑……走了……我感到了片刻的轻松……我看到，我的疯狂通过她的巧妙得以纠正，局面挽回了……但我随即也明白过来，我的一切都完了，我那愚蠢的冲动使得这个女人仇恨我……胜过仇恨死亡……哪怕我今天踏破铁鞋上门求见，她也会将我像狗一样的拒之门外的。

"我神情恍惚地穿过大厅……我发现别人都在看我……我的外表一定显得非常怪异……我走到吧台边，一口气喝了四杯白兰地……这样我才不至于倒下……我的神经系统已经失灵了，它们似乎已彻底崩溃……然后，我从侧门溜出去，偷偷摸摸地像个罪犯……即使给我一个公国，我也不愿再次穿过那座依然回荡着她刺耳笑声的大厅了……我走着……我自己也说不清要去哪里……我在几家小酒馆里喝得烂醉……来麻醉自己，就像一个不愿让自己的头脑有片刻清醒的人那样……可是……我的感官并不因此而迟钝……那笑声刺在我的心上，尖刻而恶毒……那笑声，那该死的笑声，我无法将它麻醉……接着，我还在码头附近乱转了一气……我把左轮手枪放在家里了，否则我早就给了自己一枪。我别的什么都不想，回去的路上，脑子里装的也全是这个念头……我只想着抽屉左边的匣子里放着的左轮手枪……我只有这一个念头。

"至于我终究没有开枪自杀……我向您发誓，这并不是因为胆怯……我只要扣动一下冰凉的扳机便可获得解脱……可我该如何对您解释才好呢……我仍然觉得自己有义务……是的,帮助他人的义务,该死的义务……一想到她可能还需要我,她真的需要我,我便失去了理智……我回去的时候已是星期四清晨,而星期六……我曾对您说过的……那船星期六到,这个女人,这个矜持、傲慢的女人将免不了在其丈夫及世人面前出丑,这点我很清楚……啊,想到宝贵的时间被白白浪费,自己由于急躁冒失而错过了每一次及时提供帮助的机会,我就倍感痛苦……我向您发誓,我真的在房间里来回走了好几个小时,为如何接近她,如何弥补失去的一切,如何才能帮助她,我的脑袋都快想破了……因为我敢肯定,她绝对不会再让我走进她的房子……我的每根神经仍旧可以感到她的笑声和她鼻翼四周愤怒的颤动……真的,好几个小时了,在这间三米长的狭小屋子里,我都是这样焦急地走来走去……天已经大亮,已经是上午时分了……

"不知怎么,我猛的一下冲到桌边……我抽出一叠信纸,开始给她写信……写出所有的一切……信中充满了卑微的乞求,我请她原谅,我把自己称作疯子和罪犯……我恳求她相信我……我发誓,我下个小时就从这座城市,从这个侨民区消失,如果她愿意,就从这个世界上消失……只是她应该原谅我,相信我,并允许我在这最后的时刻帮助她……我如此这般一口气写了二十页……这封信的疯狂程度难以形容,它肯定是满篇胡言乱语,因为当我从桌旁站起来的时候,我浑身都被汗水湿透了……房子在我的眼中开始摇晃起来,我不得不喝了杯水……随后我才尝试着把信再从头到尾浏览一遍,可刚看了几个字,人便感到一阵阵的恐惧……我颤抖着把信叠好,伸手拿了一个信封……这时,我心里忽然闪出一个念头。我一下子找到了那句真实而关键的话。我再次提笔在最后一页上写道：'我在海滨饭店期待着一句原谅的话。如果七点钟还得不到答复，我就开枪自杀。'

"然后，我拿起信，摇铃叫来一位男仆，让他把信送过去。我终于把所有的话都说出来了——所有的话！"

什么东西在我们身边滚动，而且叮当作响。他动作过猛，将威士忌酒瓶撞倒了；我听见他的手在地板上摸索并猛的一下抓起了瓶子；他挥臂把这只空瓶子扔出甲板以外老远。他沉默了几分钟，接着又重新开始讲述起来，情绪比先前更加激动，速度也比先前快了。

"我已不再是个虔诚的基督徒了……对我而言，既没有天堂，也没有地狱……就是有地狱的话，我也不害怕，因为它不可能比那天从上午至傍晚长达数小时的经历更要我的命……您想想吧，烈日曝晒下的狭小房间，到了中午更是酷暑难耐……狭小的房间里只有桌子、椅子和床……桌上除了一块手表和一支手枪之外别无他物，桌前则站着一个人……一个什么事都不做，只知道望着桌上手表的秒针发呆的人……一个不吃不喝不抽烟一动不动的人……他从始至终只……您听着：从始至终啊，三个小时之久呀……只是目不转睛地凝视表盘上那圈白色的数字和那枚滴滴答答环绕数字旋转的小指针……我就是这样……这样……度过那天的，我一个劲儿地等啊，等啊，等啊……这种等待就跟……就跟热带癫狂症患者的行为一样，毫无意义，充满兽性和疯狂的执拗。

"现在……我不给你讲这几个钟头里的情形了……而且也没法讲得清楚……我甚至自己都搞不懂，有过这样经历的人怎么会不……不发疯……情况是这样的……在三点二十二分的时候……我记得很清楚,因为我当时一直在看表……突然有人敲门……我跳了起来……就像猛虎扑食那样,一个箭步跨到门边,猛地把门拉开……门口站着一个胆怯而矮小的中国男孩,手里拿着一张折好的纸条,我刚急切地伸手取过纸条来,他就转身一溜烟地跑掉了。

"我打开纸条来看……却无法看下去……我只觉得眼前一片红色,在晃动……您想象一下那种折磨吧,我终于、终于得到了她的回话……它们此刻就在我的瞳孔前颤抖、跳动……我把头浸到水里……我现在清醒多了……我再次拿起纸条来看:'太晚了!不过,请您呆在家里等着!我也许还会找您的。'

"这张已被揉得皱皱巴巴的纸片也不知是从哪个旧广告上撕下来的,上面没有落款……虽然用铅笔草书于忙乱之间,但字迹却很稳健……我不知道,这张字条何以如此使我震撼……这上面带着某种恐怖和秘密,好像是在逃跑的路上写的,是站在窗台上,或是坐在行驶的车里写的……这张神秘字条所传递的某种莫名的忧虑、匆忙和惊恐令我从骨子里感到阵阵寒意……即便如此……即便如此,我也是幸福的:她给我写了回信,我还用不着去死,她允许我帮助她……也许……我可以……哦,我完全沉湎于最最虚妄的推测和希望之中……我成百上千遍地阅读和亲吻这张小小的纸片,生怕忘掉和漏过任何一个字眼……我的梦境越来越深邃,越来越迷乱,那是睁着两眼睡觉的幻想状态……一种麻木的、完全迟钝的可又是活动的状态,介于睡眠与清醒之间,它也许持续了一刻钟,也许几个小时……

"我忽然一惊而起……是不是有人敲门?……我屏住呼吸……一分钟,两分钟,死一般的沉寂……随后又是一声非常轻微、如老鼠咬食般轻微但却有力的敲击……我迷迷糊糊地跳起来,一把将门拉开——门外站着她的那个男仆,正是那个曾被我用拳头打破嘴巴的男仆……他那张棕色的脸显得苍白,不知所措的眼神预示着不幸……我立即感到毛骨悚然……'发生了什么……什么事?'我尚能结结巴巴地发问。'快来',他说道……没有再说别的话……我赶紧飞奔下楼,他跟在我身后……外面有辆小车等在那里,我们上了车……'发生了什么?'我问他……他看着我发抖,咬紧嘴唇不吱声……我又问了一遍——他就是不开口……我真恨不得再用拳头砸他的脸,但……恰恰是他对她像狗一般的忠诚感动了我……于是我不再发问……小车在拥挤的马路上疾驶,引得行人一边躲闪一边破口大骂。我们离开了位于海滨的欧洲侨民区,穿过贫民区,再继续向前来到人声嘈杂的中国城……最后,我们开进一条十分偏僻而狭窄的胡同……车在一栋低矮的房屋前停下……这房子肮脏而拥挤,前面是个小店,点着蜡烛……跟那类背地里开的烟馆、妓院或贼窝没有什么不同……她的男仆急切地敲了敲门……门缝后面传来一个悄声问了又问……我再也无法忍受下去了,便从车座上跳起来,撞开那扇虚掩着的门……一个华人老太婆尖叫着缩了回去……那男仆也跟着进来并领我穿过过道……另一扇门吱呀一声开了……这扇门通向里屋,那里黑乎乎的,散发着令人恶心的烧酒味和已经凝固了的血液的气味……里面好像有什么人在呻吟……我摸索着走了过去……"

他的声音又停了下来。我随后听到的,与其说是讲述,倒不如说是抽泣。

"我……我摸索着走过去……那边……那边有张脏兮兮的垫子……上面是个疼得缩作一团……不住痛苦呻吟的人……她躺在那里……

"黑暗中我无法看清她的脸……我的眼睛还不适应……于是,我只有慢慢地去摸……她的手……很热……热得烫人……她在发烧,发高烧……我感到一阵寒栗……我马上明白了一切……她是为逃避我而到这里来的……让个肮脏的华人妇女来肢解自己,只因她希望在此得以更好地保守秘密……她宁肯死在魔鬼般的巫婆手里,也不给我以丝毫的信任……就因为我这个疯子……因为我没有体谅她的自尊,没有立即帮助她……因为她怕我胜过怕死……

"我喊着拿灯来。那男仆一跃而起,那个可恶的华人妇女用发抖的双手拿来一盏冒着黑烟的煤油灯……我必须极力克制自己才不至于冲上前去把这个黄种无赖掐死……他们把灯放在桌上……黄色的灯光照亮了她那倍受折磨的躯体……猛然间……猛然间,所有的愚蠢、愤怒,所有积蓄已久的污秽情欲,一切的一切,都离我而去……我仅仅只是一个医生,一个帮助他人、有感觉、有知识的人……我忘掉了自己……我用清醒的理智去同这可怕的现实搏斗……那曾令我在梦中无数次渴望过的裸体,我只将它当作……我该怎么说呢……当作物质,当作有机物……我所感觉的不再是她,而只是同死神抗争的生命和在极度痛苦中缩成一团的人……我的双手沾满了她的鲜血,她的神圣的热血,可我对它的感觉既不是淫乐,也不是恐怖……我只是个纯粹的医生……我看见的只有痛苦……我发现……

"我立即发现,一切都无济于事了,除非产生奇迹……那只笨拙的罪恶之手把她弄伤,使她因大出血而奄奄一息……可在这座连清水都没有、臭气熏天的地狱里,我找不出任何办法为她止血……我所触及的每一件东西都脏得要命……

"'我们必须立刻去医院。'我说。但我话音未落,那受尽折磨的躯体就抽搐着撑了起来。'不……不……宁可死……也不

能让人知道……不能让人知道……回家……回家……'

"我明白了……她还在一心为她的秘密、她的荣誉挣扎……却不为她的生命……于是——我服从了……男仆叫来一顶轿子……我们把她抬了进去……就……就像抬着一具尸体,她发着高烧,我们抬着她穿过夜幕……回家……为了避开仆人们的惊恐和疑惑……我们像贼似的把她抬进她的房间并将门锁上……然后……然后便开始了同死神进行的漫长的战斗……"

一只手突然使劲地抓住了我的胳膊,由于惊恐和疼痛,我差点叫出声来。黑暗中,那张脸因为离我很近而一下子显得十分丑陋,我看见他那突然大发雷霆时露出的洁白的牙齿,还看见他的眼镜在微弱的月光反射下犹如两只晶莹的大猫眼。此时,他不再说话——而是愤怒地哭喊:

"您这位陌生人,悠闲地坐在甲板的这张椅子上,到世界各地漫游,可您知道,看着一个人慢慢死去,那是怎样的一种滋味吗?您遇到过这样的事情吗?您亲眼看见过吗,她的身体扭曲,指甲发青,四处乱抓,喉咙因呼吸困难而咕噜咕噜作响,四肢和十指都在竭力阻止着那可怕的结局的到来,眼里闪烁着无法用言语形容的恐怖?您这个悠闲自得漫游世界的人,您这个视帮助别人为自己的义务的人,您亲身经历过这样的情形吗?作为医生,我对此是屡见不鲜的,我把它当作……病例,当作事实来看待……也就是说,我对此作过研究——可设身处地地去亲身经历死亡,在我还只有那晚的一次……在那个恐怖的夜晚,我坐在那里绞尽脑汁,想找出和发明一点止血和退烧的办法,鲜血在不停地流淌,高烧当着我的面把她焚毁……死神愈来愈近,我想将它从她的床上赶走,可我无能为力。你可明白,作为懂得诊治百病的医生——正如您的睿智之言所说的那样,有义务帮助别人——却要眼睁睁地坐在一旁看着这个女人死去,然而却无能为力,束手无策,这意味着什么……心里十分清楚这事之可怕:即使甘愿划破自己体内的每根血管也无济于事……眼看着一个被你爱过的肉体在痛苦地流尽鲜血、遭受疼痛的折磨,手摸着那飞速跳动的微弱的脉搏……那在你的手指下飞逝的脉搏……作为大夫却一筹莫展,一无所知……只会干坐着,像个跪在教堂里的老太婆,先胡乱地祈祷一通,然后又握紧拳头对着那个明知实际上并不存在的仁慈的上帝……您理解这点吗?您理解这点吗?……我……我只有一点不明白,人……别人在这样的时刻怎么可以做到不跟着一同死去……第二天早上醒来的时候照旧刷牙、打领带……我感觉到,我为之奋斗和拼搏并竭尽我心灵的全部力量想要挽留住的第一个人……她的呼吸正在我的手下消逝……如何一分钟一分钟地、越来越快地向某个地方飘逝,而我昏沉沉的大脑根本想不出任何挽留住这个人的办法来。我不明白,别人体验了我所体验的这一切之后,他怎么照旧能够继续地活着。

"而令我更为痛苦的还有……当我坐在她的床边的时候——我给她打了点吗啡以缓解疼痛,我看着她躺在那里,面颊滚烫,滚烫而惨白——是的……当我这样坐着的时候,我始终感到背后有一双眼睛正极度不安地盯着我……那男仆蹲在那边的地板上,喃喃自语地轻声祈祷着什么……如果我的目光同他的目光相遇,那么……不,我没法描述……那么他顺从的目光中便流露出乞求和感激的神情,同时,他还向我举起双手,仿佛要求我去救她……您可明白:他就像对上帝那样,对我、对我……对我……这个昏庸无能的懦夫举起双手,而我却知道一切都无法挽回了……我觉得自己坐在这里就如同一只在地上乱爬的蚂蚁,显得十分的多余……啊,这种令我倍受折磨的目光,这对我的医术所寄予的过分狂热的希望……他让我如此痛苦,我真想冲他大喊一声并飞起脚……然而,我感到,对她共同的爱……那个秘密把我们两人联结起来……他犹如一个焦急期盼着的动物,呆作一团,就蜷缩在距我身后不远的地方……一旦我需要什么,他便会一跃而起,赤着脚默默地用颤抖的双手给我递来……他是那样地满怀希望,似乎这就是灵丹妙药……就是救命的东西……我知道,只要能够帮助她,他甚至不惜割断自己的血管……这就是那个女人对别人具有的魔力……而我……我却没有力量留住一滴血……哦,那个介于生死之间的夜晚,可怕的夜晚,漫长的夜晚!

"约摸清晨的时候,她再次醒来……她睁开双眼……此刻已不再高傲和冷漠……当她打量这间似乎变得陌生的屋子时,发烧的眼睛泪水模糊……然后,她仔细地看着我:她好像在沉思,想要努力回忆起我的脸来……突然……我发现……她想起来了……因为某种惊吓、某种戒备和恐怖的神情……某种敌意呈现在她的脸上……她挥动双臂,像要逃跑似的……躲开、躲开、躲开我……我看出来了,她想的就是这个……她想到了当时那个时刻……但她随即陷入沉思……她看着我,比先前平静了一些,只是呼吸困难……我觉察到,她想说话,想说点什么……她的双手重新开始用力……她想坐起来,可她太虚弱了……我俯下身去安慰她……她则以痛苦的目光长久地凝视着我……她的双唇轻微地颤动……最终言不成声地说道……

"'不会有人知道吧?……不会有人吧?'

"'不会。'我使出内心全部的信念对她说道,'我向您保证。'

"然而,她的眼神仍显得十分不安……她抖动滚烫的嘴唇,含含糊糊地挤出几个字来。'您向我发誓,没人知道……发誓!'我像发誓那样举起手来。她凝视着我……用一种……一种无法形容的目光……它是温柔的、充满感激……是的,真的,真的充满了感激……她还想说点什么,但这对她来说,简直太困难了。她长时间地躺在那里,由于刚才的劳累而变得十分虚弱,两眼紧闭。随后,那恐怖的一幕降临了……那恐怖的一幕……她仍然垂死挣扎了一小时之久,直到早晨才断气……"

他沉默了很长时间,直到甲板中部三下重重的钟声划破夜的宁静——三点钟了,我方才觉察到他一直没说话。月光变得暗淡一些,空中已另外有黄色亮光若隐若现,海风不时轻轻吹来。再过半小时,只消半小时,天就亮了,这个恐怖的夜晚就会在光天化日下销声匿迹。他的表情我现在可以看得清楚一些了,因为黑色的夜幕已不再将我们所在的角落包裹得那样严实了——他摘下帽子露出光光的脑袋,这样一来,他的那张充满痛苦的脸便显得更加可怕。不过,他闪闪发光的眼镜已再次转向了我,他伸展了一下四肢,他的语气这次带着嘲讽和尖刻的意味。

"她算是一了百了了——可我没有。我独自一人陪伴着她的尸体——而且是独自一人在一座陌生的房子里,独自一人在一座容不下任何秘密的城市里,但我……我必须保守这个秘密……是的,您只想想事情的全部经过吧:侨民区上流社会的一位完全健康的夫人,晚上还在总督府舞会上跳过舞,没过多久却突然死在她自家的床上……现在正有个陌生的大夫在她那里,听说是她的仆人叫去的……他是什么时候,从何而来,这幢房子里无人知道,有人在深夜用轿子把她抬进屋并随即锁上房门……早上她就死了……仆人们随后才被叫来,顷刻间房子里爆发出一片惊叫……顷刻间邻居乃至全城的人都得知了此事……而在场的只有一个人,他应该把这一切解释清楚……那个陌生人就是我这个来自偏僻小垦殖站的医生……这种处境真让人喜悦,不是吗?……

"我知道,我面临的是什么。值得庆幸的是,还有那个男仆,那个可以读懂我每个眼神的温驯青年同我在一起——这个迟钝的黄种人心里同样也明白,这里还将不可避免地发生一场恶战。我只对他说:'夫人希望,不让任何人知道发生的事情。'他用他那因忠诚而变得湿润但却依然坚定的目光盯着我的眼睛答道:'是,先生。'并不多说一个字。不过,他却洗掉了地板上的血迹,把一切都收拾得非常整齐——正是他的果敢使我重新坚定了自己的决心。

"有一点我现在十分清楚,我那是生平第一次积聚起全部精力,在我一生类似的情形将不会再有。当一个人什么都失去了的时候,他就会为最后一线希望作垂死的挣扎——而这最后的一线希望便是她的遗愿,她的秘密。我十分平静地接待每一位来宾,把编出的同一个故事讲给他们听,说她让那个男仆去找医生,路上偶然碰上我。然而,就在我看似平静地叙说、等待的过程中……我一直在等待那关键时刻的到来……我在等待验尸官……其实,他必须在我们将她和她的秘密一道入殓之前到来……您可别忘了,那是星期四,而她丈夫星期六到……

"九点钟的时候我终于听见仆人通报官方医生来了。是我让人把他请来的——他就是我的顶头上司,同时也是我的竞争对手,这位曾为她不屑一顾的大夫显然已经得知了我要调动工作的愿望。从他看我的第一眼起,我就感觉到:他敌视我。但这也正好使我振作起来。

"他在前厅里就开始发问:'……夫人'——他提及她的名

字——'是什么时候死的?'

"'早上六点。'

"'她何时派人去找您的?'

"'晚上十一点。'

"'您知道我是她的大夫吗?'

"'知道,但当时情况十分紧急……再说……死者本人非要找我不可。她不让请别的大夫。'

"他两眼一动不动地瞪着我。他那略显肥胖并且毫无血色的脸一阵发红,我觉得,他十分恼火。但这正是我所需要的——为了迅速了断,我使出了浑身的解数,因为感到自己的神经不能长时间地坚持下去了。他打算对我进行驳斥,于是漫不经心地说道:'就算您认为我是多余的,那我也应尽到一个官方医生的义务,检查一下死因……看是什么原因造成的。'

"我没有回答,只是让他走在前面。然后,我退回来把门锁上,将钥匙放在桌上。他惊讶地瞪大眼睛:'这是什么意思?'

"我平静地走到他的面前,然后说道:'这里涉及的问题不是确定死因,而是——找出另外一个原因。这位夫人把我叫来是因为一次失败的手术造成了诸多不良的后果……我没能将她救活,但我却答应过她,为她挽救名誉,我将要履行自己的这一诺言。我请您帮助我!'

"他的两眼由于吃惊而瞪得溜圆。'您该不是想说,'他随即变得结巴起来,'我,作为官方医生,在这里有义务掩盖一桩罪行吗?'

"'不错,这正是我所希望的。'

"'我有义务为您的罪行……'

"'我已对您说了,我没碰过这个女人,否则……否则,我就不会站在您的面前,否则我早就自杀了。她已因为自己的过失——随便您怎么说好了——受到惩罚,世人对此没有知道的必要。如果现在还有人无端地玷污这位夫人的名誉,我将不会容忍。'

"我语气坚定,这反而令他更加气愤。'您将不会容忍……是这样……那好吧,您倒成了我的上司……或者您以为自己就是我的上司……您只管对我下命令好了……事情一发生,我就想到了,把您从荒山野岭里找来,这里面肯定有什么不清不白的事……您在这里治的第一位病人,干得很漂亮,这是您做的一个出色的样品……但现在,我,我,要进行调查,您可以放心,一份由我签名的备忘录将准确无误地记录事实。我不会为谎言签字的。'

"我表现得极为平静。

"'不错——但这一次您别无选择。不然的话,您休想提前离开这个房间一步。'

"与此同时,我把手伸进口袋——其实我的左轮手枪并没带在身上。但他却吓了一跳。我朝他跨过一步并用两眼直视着他。

"您听着,为了预防万一……我有话对您说。我自己的性命……别人的性命,我都不在乎——反正我现在已经到了这分田地——我唯一关心的是兑现我的诺言,永远替这位死者保守秘密……您听着,我以自己的名誉向您保证,这位夫人是死于——这样说吧,死于一次偶然的事故,请您就此出具一份书面证明并署上自己的名字,此外,我还将在本周内离开这座城市,离开印度……您如果要求,我就拿起自己的手枪自杀,我会这么做的,只要棺材入土,而我又有把握地知道,无人……您可听明白了,无人——能够再继续追查。这样您该满意了吧

——这样肯定让您满意。'

"我的语气里一定含有某种威胁和危险的意味,因为当我不知不觉地向他靠拢的时候,他却惊恐地瞪大眼睛往后退缩,就像……就像众人逃避手持弓形短剑狂奔而来的热带癫狂症患者那样……他猛地变成了另外一副模样……显得畏惧和麻木……他强硬的态度被瓦解了。他口中喃喃地进行了最后一次十分软弱的反抗:'这还是我平生第一次在一份虚假证明上签字……无论如何,总会找到一种办法的……我也知道结果怎样……但我不能毫不考虑地草率从事……'

"'您当然不能,'我随声附和着给他打气——('赶快!赶快!'我太阳穴上的青筋在不停地跳动)——'不过,您既然已经知道,您要是不这样,就只会让活人伤心,令死者受到可怕的伤害,那您肯定是不会犹豫的。'

"他点了点头。我们走到桌旁。几分钟后,医生证明完成了(不久便在报纸上发表,其有关心脏麻痹的陈述令人信服)。然后,他站起身来看着我:

"'您本周就走,是吗?'

"'我以名誉保证。'

"他再次注视我。我发觉,他想使自己显得严肃和客观。'我马上买一具棺材来。'他说道,以此掩饰他的尴尬。可是,我心里痛苦……痛苦不堪——他突然伸出一只手来和我热烈握手。'希望您好好挺过去。'他说道——我不知道他指的是什么。难道我生病了?难道我……发疯了?我陪他走到门口,打开门——在他出门之后我使出浑身最后一点气力把门关上。随后,我太阳穴上的青筋重又开始狂蹦乱跳,眼前的一切都在颠簸旋转,我刚好昏倒在她的床前……这……这就像热带癫狂症患者,他奔跑到尽头,神经崩裂,昏倒在此。"

"他又一次停止了叙述。我只觉得浑身发冷。难道这是习习晨风从船头吹来的第一阵寒栗？不过，那张痛苦的脸——它已部分地被黎明的反光照亮——重又紧绷起来。

"我现在也不知道，自己当时这样在垫子上躺了多久。后来有人摇晃我。我一下子惊醒了。叫我的是那个男仆，他恭顺而胆怯地站在我面前，眼睛不安地同我对视。

"'有人想进来……想看她……'

"'谁也不许进来。'

"'是……不过……'

"他的两眼显得十分惊恐。他想要说什么，却又不敢。这个忠诚的人儿不知在忍受着什么样的痛苦折磨。

"'是谁？'

"他看着我，全身发抖，好像怕我打他似的。过了一会儿，他开口了——他没有提名字……这个愚蠢的家伙怎么一下子变得如此晓事，像他这类如此迟钝的人怎么有时候会在几秒钟之内能对别人那么体谅？……过了一会儿，他开口说……非常、非常胆怯地说……'是他。'

"我先是吃了一惊，随即便明白过来，我立刻就想知道，或者说迫不及待地想知道，这个陌生人是谁。您瞧，多奇怪呀……我在种种痛苦之中，交织着强烈的渴求、恐惧和焦虑，竟然把'他'忘在了脑后……我忘了，这场游戏中还有一个男人……那个曾被这位夫人爱过的男人，她满怀激情地把拒绝给我的东西奉献给了他……倘若是在十二小时和二十四小时之前，我还会恨这个男人，我还会冲上去把他撕碎……而现在……我无法，无法向您描述，我是多么急切地想见到他……爱……他，因为她爱过他。

"我几步奔至门口。那里站着一位年轻的,十分年轻的金发军官,举止笨拙,很瘦,也很苍白。他看上去像个孩子,很年轻……非常年轻……见他竭力做出一副男子汉的样子,保持镇定……以掩饰内心的激动,我立刻感到一种不可言状的震撼……当他去摘头上的帽子的时候,我一眼就发现,他的双手在颤抖……我真想跑上前去拥抱他……因为他就是我心目中那个令这位夫人倾心的男人……他不是勾引者,也不是个傲气的人……不,只是个半大的孩子,是她自己委身给这位温柔而纯洁的年轻人的。

"这个年轻人站在我面前,显得十分拘谨。我急切的目光和表现出的热情更令他迷惑不解。他嘴唇上的一小撮胡子不停地抽搐,流露了真情……这个年青的军官,这个孩子极力克制了自己,才没有哭出声来。

"'对不起,'他过了好一会儿才终于开口说道,'我很想……很想再见……夫人一面。'

"我不由自主地把自己的手搭在这个陌生人肩上,如同领着一位病人那样,把他扶进屋里。他惊异地看着我,目光中充满了无尽的温暖和感激……在这样的瞬间,我们双方已经有了某种共同的理解……我们向死者走去……她躺在那里,毫无血色,身上覆盖着洁白的亚麻布——我发觉自己呆在一旁令他感到压抑……于是,我退了出去,好让他单独同她在一起。他移动着……移动着颤抖得厉害的脚步慢慢地向她靠拢……我可以从他的双肩看出,他心如刀绞,意如乱麻……他走路的姿势就好像……好像迎着一股狂风似的……突然,他跪倒在床前……就跟我先前倒下时一模一样。

"我赶紧跑过去扶他起来,并把他搀到一张沙发椅上。他不再感到羞怯,开始抽抽泣泣地倾泻自己内心的痛苦。我无言以对——只有本能地用手去抚摸他那孩子般柔软的金发。他……非常温柔，同时又十分胆怯地……抓住我的手，我猛地感到他凝视我的目光……

"'您把真相告诉我吧，大夫。'他结结巴巴地说道，'她是自杀的吗？'

"'不是。'我说道。

"'那么……我是说……什么……什么人对她的死负有责任呢？'

"'没有人。'我又说了一遍，尽管我恨不得冲他大喊：'我！我！我！……还有你！……我们两人！还有她的倔犟，她那可悲的倔犟！'但我竭力克制住自己，把到嘴边的话又咽了回去。我再次重复道：'没有人……没有人对此负有责任……这是厄运一手造成！'

"'这我不能相信。'他呻吟着，'这我不能相信。她前天还去参加了舞会，她还向我微笑示意。这怎么可能，怎么会出这样的事呢？'

"我撒了一个弥天大谎。我也没有向他泄露她的秘密。这几天里，我们互相倾诉，如亲兄弟，两人似乎都沉浸在那份把我们联结起来的情感里……虽然我们彼此并没有吐露各自的秘密，但我们却能感到，我们整个生命都与这个女人紧密相连……有时我真想一吐为快，但我最终还是咬紧了牙关——他一直不知道，她怀了他的孩子……她让我把那孩子、他的孩子除掉，哪知和这个孩子一起跌入了深渊。然而，我们两人这几天里只谈她，我在此期间躲在他的家里……因为——我忘了告诉您——有人在四处找我……她的丈夫在盖棺之后才回来……他不相信那份医生证明……人们背地里议论纷纷……他到处找我……可我不能容忍同他这样的人见面，因为我知道，使她备受痛苦的人正是他……我藏了起来……四天之内,我足不出户,我们两人没有离开房间一步……她的情人用假名替我搞到一张船票,好让我能够逃离此地……为了不让人认出我来,我在深更半夜里像个小偷似的溜上了甲板……属于我的东西一件也没带走……我的房子和自己七年来的全部工作,我的财产,所有的一切,谁愿意要就拿去好了……政府部门的那帮先生恐怕已经把我的名字划掉了,因为我擅自离开自己的工作岗位……然而,我再也无法在那幢房子里,在这座城市里……在这个时时处处令我想起她的世界里生活下去了……我在夜深人静的时候像个小偷似的出逃了……只是为了避开她……只是为了忘却……

"可是……当我……在夜里……在午夜走上甲板的时候……我的朋友陪着我……就见……就见……他们正用起重机往船上吊什么东西……长方形的,黑色的……是她的棺材……您听好……是她的棺材……当初是我对她穷追不舍,现在轮到她这样对我了……我不得不装出陌生人的样子,站在一旁,因为他,她的丈夫,也在场……他陪同灵柩前往英国……也许他想在那里请人做尸体解剖……他又把她夺回自己身边……她现在又属于他了……而不再属于我们……属于我们两人……可我还没走……我将与之相随至最后一刻……他永远也不会知道那件事情的真相……为了维护她的秘密,我懂得如何去挫败每一个企图……如何去对付这个流氓,她就是因为怕他才走向死亡的……他将一无所知……她的秘密属于我,只属于我一人……

"您现在该明白了吧……您现在该明白了吧……我为什么不能看见那帮人……不能听见他们狂笑……他们打情骂俏、在床上酣战时的淫笑……因为她的灵柩就停放在他们身下……在装满成包的茶叶和巴西果的货仓里……我无法可想,因为货仓被封起来了……但我心里十分清楚,我无时无刻不在惦念着它……即使他们在这里跳华尔兹和探戈……这么做的确很傻,大海不知淹死过多少人,我们脚下的每一寸土地都散发着尸臭……然而,我仍旧无法忍受他们在那里跳假面舞、狂笑,我无法忍受……这位死者,我感到她的存在,我也知道,她要我干什么……我知道,我还有个义务……我的事情还未办完……她的秘密还没有得救……她还不能放开我……"

一阵踢嗒的脚步伴随劈啪的声响从船的中部传来:水手们开始擦甲板了。他吓了一跳,好像被人当场捉住似的;他那紧张过度的脸上显出一丝惊恐。他站起身来喃喃地说道:"我该走了……我该走了。"

看到他这副模样,真让人心里难受:他的目光暗淡,他的眼睛由于喝酒和哭泣而浮肿发红。他回避我的同情:他低下头来。我觉得,他在为把自己的内心世界泄露给了我和这个夜晚而感到羞愧,感到无尽的羞愧。我情不自禁地说道:

"我下午也许可以到您的船舱去看您……"

他看着我——嘴角一撇,现出一丝嘲讽、冷酷和痛苦的神情,所说的每一句话里也隐含着某种恶意。

"噢……这就是您所谓的漂亮的帮助别人的义务……噢……您的确成功地用这一信条让我很是喋喋不休了一阵。但请您不要来找我,我的先生,我对此表示感谢。您可别以为,我在您面前掏心掏肺,就差没把肠子里的屎掏出来了,别以为我这样就会感到轻松一点。谁也没有办法再把我这破败的一生缝合起来……我为尊敬的荷兰政府所效之力就算是白搭了……退休金泡汤了,我将作为穷光蛋返回欧洲……我是一条跟在棺材后面哀吠的狗……患热带癫狂症的人是不会逍遥很长时间的,他最终会倒地而亡。我希望,我的末日马上来临……不,谢谢,我的先生,谢谢您好心的拜访……我在船舱里已有伴儿了……几瓶优质的陈年威士忌时常慰藉着我,另外,我当年的那位朋友,我那听话的勃朗宁也在,只可惜我没有及时找它帮助,它的作用终究胜过所有喋喋不休的言谈……请您别费心了……一个人永远拥有的唯一权利便是:随心所欲地死掉……而且不受任何外来帮助的干扰。"

他又不无嘲讽地……可以说是挑战性地看了我一眼,但我却感到:他只是羞愧,无穷无尽的羞愧。他随后垂下肩膀,转过身去,一声招呼也不打,就沿着已经变亮的甲板向船舱走去,身体奇怪地歪斜着,脚底发出踢踢嗒嗒的声音。从此我再也没有见过他。当夜和第二天夜晚,我又跑到老地方去找他,可都是白费功夫。他不见了,若不是在此期间一个手臂上戴着黑纱、别人证实其妻正是死于某种热带病的荷兰巨商引起了我的注意,我还以为自己做了个梦或在胡思乱想呢。我发现他时常一个人严肃而痛苦地走来走去,一想到自己了解他内心深处最为隐秘的哀愁,我便感到一种神秘的胆怯:每当他迎面走来的时候,我总是往旁边一闪,以免他从我的眼神里觉察出我对他的命运的了解胜过他自己。

时隔不久,那不勒斯港便发生了那起奇怪的事故。我认为个中原由可以从这位陌生人的谈话中找到相关的解释。绝大部分乘客都在傍晚时下了船,我自己也上岸去看歌剧,然后又在罗马街的一间灯火通明的咖啡馆消遣。当我们乘坐划子返回的时候,我发现,已有好几只打着火把和乙炔灯的小船正围着我们的巨轮搜寻着什么,而在轮船漆黑的甲板上,宪兵们神秘地来回走动。我向一位水手打听发生了什么事情。看他支支吾吾的样子，我立即明白，上面有命令，不得乱说。第二天，轮船重新若无其事地启航驶向热那亚，乘客们仍然一无所知。有关那桩发生在那不勒斯港的所谓事故的奇闻，我是后来在意大利的各家报纸上读到的。据说，为了避免引起乘客的骚动，在那个夜深人静的时刻，那只装有一位来自荷兰侨民区贵妇遗体的棺材沿绳梯放下，从轮船甲板卸到一条小船上，整个工作都是在她丈夫监督下进行的。这时，一重物从高处的甲板上落下，将棺材连同其丈夫及抬棺材的人一起砸进大海。有家报纸声称，有个疯子从舷梯纵身跳至绳梯上，另一家报纸则掩饰说，绳梯是因承受力过重而自动断裂的。总之，轮船公司为掩盖事实真相似乎倾注了全力。人们划着小船，费了不少气力才把搬运工和死者的丈夫从水里救上岸来，然而，那口铅棺材却直落海底，再也无法打捞了。与此同时，另有一条简讯报道说，在港口的岸边漂浮着一具年纪大约四十岁的男尸，但公众似乎并未将此同那件为传媒大肆渲染的事故联系起来。我却不然，那行字刚印入我的眼帘，我便猛地产生一种感觉，仿佛这张纸片的后面有一张惨白的脸，架着一副闪闪发光的眼镜，又一次阴森森地在向我凝视。

月 光 巷

韩耀成译

　　轮船为风暴所耽搁,很晚才在法国海港小城靠岸,因而未赶上开往德国的夜班火车。这样,未曾想到,竟在这个陌生的地方呆了一天,晚上,除了在市郊一家娱乐中心听听女子乐队演奏的忧伤音乐或同几位萍水相逢的旅伴乏味地闲聊一阵之外,就别无其他有吸引力的活动了。旅店的小餐厅里烟雾弥漫,连空气都是油腻腻的,真让人难以忍受,何况纯净的海风在我唇上留下的一抹咸丝丝的清凉尚未消退,所以我更是备感这里空气之污浊。于是我便走出旅店,沿着灯光明亮的宽阔的大街,信步走向有国民自卫军在演奏的广场,重新置身于懒洋洋地向前涌动的散步者的浪涛之中。起初,我觉得在这些对周围漠不关心、衣着外省色彩颇浓的人的洪流中,晃晃悠悠地随波逐流倒是颇为惬意,但是过不多久,我对于那种涌动的陌生人的浪涛,他们断断续续的笑声,那些紧盯着我的惊奇、陌生或者讥笑的目光,那种摩肩擦背的、不知不觉地推我往前的情景,那些从千百个小窗户里射来的灯光,以及刷刷不停的脚步声就无法忍受了。海上航行颠晃得厉害,我的血液里现在还骚动着一种晕乎乎、醉醺醺的感觉:脚下好似还在滑动和摇晃,大地似乎在喘息起伏,道路像在晃晃悠悠地飘上天空。这种喧闹嘈杂一下子弄得我头晕目眩,为了摆脱这种状况,我就拐进一条小街，连街名都没有看。从那里，我又拐进一条小巷，那无名的喧嚣这才渐渐平息下来。随后，我又漫无目地继续走进那些血管似的纵横交错的小巷，进入这座迷宫。我离中心广场越远，这些小巷就越黑。这里已经没有大型弧光灯——宽阔的林阴大道上的月亮——的照耀了，透过微弱的灯光，我终于又能看见星星和披着黑幕的天空了。

我现在所处的位置大概离港口不远，在海员住宅区，因为我闻到了腐臭的鱼腥，闻到了被海浪冲上岸来的藻类散发出的甜丝丝的腐烂味，还有那种污浊的空气和密不通风的房间所特有的霉气，它潮湿地弥漫在各个角落里，一直要等到一场猛烈的暴风雨来临，才能让它们喘一口气。这捉摸不定的黑暗和意想不到的寂寞令我陶然，于是我便放慢脚步，仔细观察一条条各不相同的小巷：有的寂静无声，有的卖弄风情，但是所有的小巷全是黑黑的，都飘散着低沉的音乐声和说话声。这声音是从看不见的地方，是从屋宇里如此神秘地发出来的，以至于几乎猜不出隐秘的发声处，因为所有的房子都门窗紧闭，只有红色或黄色的灯光在闪烁。

我喜欢异国城市里的这些小巷，这个情欲泛滥的肮脏的市场，这些秘密地麇集着勾引海员的种种风情的场所。海员在陌生而危险的海上度过了许多寂寞之夜以后，来到这里过上一夜，在一小时之内就把他们许许多多销魂的春梦变为现实。这些小巷不得不藏在这座大城市的阴暗的一隅，因为它们厚颜无耻和令人难堪地说出了在那些玻璃窗擦得雪亮的灯火辉煌的屋子里，那些戴着各式各样假面具的体面人干的是些什么勾当。屋子的小房间里传出诱人的音乐，放映机映出刺眼的广告，预告即将上映的辉煌巨片，悬挂在大门门楣之下的小方灯眨巴着眼睛在亲切地向你问候，明明白白地邀你入内，透过半开的门户可以窥见戴着镀金饰物的一丝不挂的肉体在闪烁。咖啡馆里醉汉们大吵大嚷，赌徒们又喊又骂。海员们相遇都咧嘴一笑，他们呆滞的目光因即将享受的肉欲之欢而变得炯炯有神，因为这里什么都有：女人和赌博，佳酿和演出，肮脏的和高雅的风流艳遇。可是这一切都是羞答答的，奸诈地躲在假惺惺地垂下的百叶窗后面，全是在里面进行的，这种虚假的封闭性因其隐蔽和进出方便这双重诱惑而更加撩人。这些街道与汉堡、科伦坡、哈瓦那的街道差不多，就像大都市里的豪华大街都彼此相仿一样，因为上层和下层的生活，其形式各地都是相同的。这些不是老百姓的街道，是纵情声色、肉欲横流的畸形世界最后的奇妙的残余，是一片黝暗的情欲漫溢的森林和灌木丛，麇集着许多春情勃发的野兽。这些街道以其展露的东西使你想入非非，以其隐藏的东西让你神魂颠倒。你可以在梦里去造访这些街道。

这条小巷也是如此，进了这条小巷我感到一下就被它俘获了。于是我就跟在两个穿胸铠的骑兵后面去碰碰运气，他们挂在腰上的马刀碰在高低不平的路面上发出叮当的响声。几个女人在一家啤酒馆里喊他们，骑兵哈哈大笑，大声对她们开着粗鲁的玩笑。一个骑兵敲了敲窗户，随即就遭来一阵谩骂；骑兵继续往前走去，笑声也越来越远，一会儿我就听不见了。小巷里又没有了声息，几扇窗户在雾蒙蒙的黯淡的月光下闪着朦胧的灯光。我停下脚步，深深吸呞着夜的宁静。我觉得这宁静很奇怪，因为在它的后面有某种秘密、淫荡和危险的东西在微微作响。我清楚地感觉到，这种宁静是个骗局，在这条雾蒙蒙的黯暗的小巷里正弥散着世界上某种腐败之气。我站在那儿，倾听这空虚的世界。我已经感觉不到这座城市，这条小巷，以及它们的名称和我自己的名字，我只觉得，在这里我是外国人，已经奇妙地融进了一种我不知晓的东西之中,我没有打算,没有信息,也没有一点关系,可是我却充分感觉到我周围的黑暗生活,就像感觉到自己皮肤下面的血液一样。我只有这么种感觉:这一切都不是为我生发的,可是却又都属于我。这是一种最幸福的感觉,是由于漠不关心而得到的最深刻、最真切的体验所产生的,它是我内心生机勃勃的源泉,总让我莫名其妙地感到一种快意。正当我站在这条寂寞的小巷里聆听的时候,我仿佛期待着将会发生什么事似的,好把自己从患夜游症似的窃听人家隐私的感觉中推出来。这时我突然听见不知何处有人在忧郁地唱一首德国歌曲,《自由射手》①中那段朴素的圆舞曲:"少女那美丽的、绿色的花冠。"由于距离远或是被墙挡着的缘故,歌声很低,歌是女声唱的,唱得很蹩脚,可是这毕竟是德国曲调,在这里,在这世界上陌生的一隅听到用德文唱的这首歌,感到分外亲切。歌声不知是从何处飘来的,然而我却觉得它像一声问候,是几星期来我听到的第一句乡音。我不禁自问:谁在这里说我的母语?在这偏僻、荒凉的小巷里,谁的内心的回忆重新从心底唤起了这支凄凉的歌?我挨着一座座半睡的房子顺着歌声摸索着寻去。这些房子的百叶窗都垂落着,然而窗户后面却厚颜无耻地闪烁着灯光,有时还闪现出正在招客的手。墙外贴着一张张醒目的纸条,写着淡啤酒、威士忌、啤酒等饮料的名称,尽是些自吹自擂的广告,这说明,这里是一家隐蔽的酒吧,但是所有的房子的大门都紧闭着,既拒人于门外,又邀你光顾。这时远处响起了脚步声,不过歌声一直未停,现在正用响亮的颤音唱着歌词的叠句,而且歌声越来越近:我找到了飘出歌声来的那所房子。我犹豫了片刻,随后便

---

① 《自由射手》,三幕歌剧,德国作曲家韦伯作。

朝严严地垂着白色门帘的里门走去。我正决意躬身进去的时候，走廊的暗影中突然有什么东西一动，是人影，显然正紧贴在玻璃窗上窥视，这时被吓了一大跳。此人的脸上虽然映着吊灯的红光，但还是被吓得刷白。这是个男人，他睁大眼睛盯着我，嘴里嘟哝着，像是说了句表示歉意的话，随即便在灯光昏暗的小巷里消失了。这种打招呼的方式也真怪。我朝他的背影望去，在光线微弱的小巷里，他的身影似乎还在挪动着，但是已经很模糊。屋里歌声依旧，我觉得甚至更响了。我被歌声所吸引，于是便按动门把手开了门，快步走了进去。

像被一刀切断了似的，歌的最后一个字落了下来。我大吃一惊，觉得前面一片空虚，有一种含有敌意的沉默，仿佛我打碎了什么东西似的。渐渐地，我的目光才适应，发现这房间几乎是空空的，只有一张吧台和一张桌子，显然这里只是通往后面那些房间的前厅。后面的房间房门都半开着，灯光昏暗，床铺得整整齐齐，单就这点，对于这些房间的原本用场就一目了然了。桌子前面，一位浓妆艳抹、面带倦容的姑娘支着胳膊，背倚桌子，吧台后面站着臃肿肥胖、脏兮兮黑乎乎的老板娘，她身边还有一位还算标致的姑娘。一进屋，我就向她们问了好，声音显得有点生硬，过了好一会儿才听到一句有气无力的回答。来到这空空的屋子，碰到如此紧张而冷淡的沉默，我感到很不舒服，真想立刻转身就走，可是我虽然尴尬，却又找不到什么借口，只好将就着在前面桌旁坐下。那姑娘这时才想起自己的职责，问我想喝点什么；听到她那生硬的法语，我马上就知道她是德国人。我要了啤酒，她拖着懒洋洋的步子去拿了啤酒来，这步子比她那浅薄的眼光更显得漠然和冷淡；她的眼睛有气无力地在眼皮底下微微闪着浊光，宛如行将熄灭的一对蜡烛。她按照这类酒吧的习惯，完全机械地在我的酒杯旁又为她自己放了一只杯子。她举杯为我祝酒时,她的目光空空地在我身上掠过:我这才有机会将她细细端详。她的脸倒还算漂亮,五官端正,但是好像是内心的疲惫使这张脸与面具相似,变得俗不可耐,面部憔悴,眼睑沉重,头发散乱;面颊被劣质化妆品弄得斑斑点点,已经开始凹陷,宽宽的皱痕一直伸到嘴角。衣服也是随随便便地披在身上,过量的烟酒使嗓音变得干涩而沙哑。总而言之,我感到这是一个疲惫不堪、麻木不仁、只是由于习惯才活着的人。我怀着拘谨而恐惧的心情向她提了一个问题。她回答的时候看都没看我,一副漫不经心的样子,毫无表情,几乎连嘴唇都没有动一下。我感到自己是不受欢迎的。老板娘在我身后打着哈欠,另一位姑娘坐在一角,眼睛朝这儿瞅着,似乎在等我叫她。我本想马上离开的,但我浑身发沉,另外好奇和恐惧心也把我吸引住了,使我像喝得醉醺醺的海员似的坐在这浑浊、闷热的空气里,因为淡漠也具有某种刺激性。

这时,我被身旁突然发出的一阵刺耳的笑声吓了一跳。与此同时,蜡烛的火苗也颤悠起来了:吹来一阵过堂风,我感觉到背后有人把门打开了。"你又来啦?"我旁边的女人用德语尖刻地嘲笑道。"你又绕着房子爬了,你这吝啬鬼?好吧,进来吧,我又不会揍你。"

她这样尖叫着打招呼,仿佛从胸中喷出一股火焰。我转过身来,先是朝她、随后又朝门口望了望。门还没有全开,我就认出了这颤颤悠悠的身影,认出了此人那唯唯诺诺的目光,他就是刚才像是贴在门上的那个人。他像个乞丐,怯生生地手里拿着帽子,被这刺耳的问候和哈哈大笑吓得直打哆嗦。这笑声犹如一阵痉挛,一下子把她笨重的身体都震得晃悠起来了,同时后面吧台那儿老板娘匆匆向她耳语了几句。

"坐那边,坐在法朗索瓦丝那里!"当这可怜人怯生生地拖着踢踢嗒嗒的步子走近她时,她大声呵斥道。"你没见我有客人吗!"

她用德语对他大声嚷嚷。老板娘和另一位姑娘听了都哈哈大笑,虽然她们什么也没听懂,不过看来她们是认识这位客人的。

"法朗索瓦丝,给他香槟,要贵的,给一瓶!"她笑着朝那边喊道,随后又冲他嘲讽地说,"要是嫌贵,那就去外面呆着,你这可怜的吝啬鬼!你是想来白看我的吧,我知道,你是想来白捡便宜的。"

在这阵恶毒的笑声中,他长长的身躯好像融化了,背也驼了起来,一副忍气吞声的样子,仿佛要把这张脸藏起来似的,他伸手去拿酒瓶的时候,手抖得厉害,倒酒时把酒也洒到了桌上。他竭力想抬眼看看她的面孔,但是目光怎么也无法离开地面,一直盯着地上贴的瓷砖打转。现在,在灯光下我才看清他那张形容枯槁的面孔:疲惫不堪,毫无血色;潮湿、稀疏的头发贴在瘦骨嶙峋的头颅上;手腕松弛,像折断了似的——整个是一副有气无力的可怜相,但却心怀怨恨。他身上的一切都不对劲,都挪了位,而且蜷缩了。他的目光抬了一下,但马上又惊恐地垂了下去,眼睛里交织着一股恶狠狠的光。

"你别去理他!"姑娘以专横的口气用法语对我说,并紧紧抓住我的胳膊,像是想要将我拉转身来似的。"这是我和他之间的旧账,不是今天的事。"随后她又龇着亮晶晶的牙齿,像要咬人似的冲他大声吆喝道:"尽管来偷听好了,你这老狐狸!你不是想听我说的话吗?我是说:我宁愿跳海,也不跟你走。"

老板娘和另一位姑娘又发出一阵哈哈大笑,笑得喘不过气来。看样子,对她们来说,这是一种寻常的逗乐,每天的笑料。可是，这时另一位姑娘突然做出温柔多情的样子，往他身上靠，并对他大献殷勤，发动攻势，他却吓得直打哆嗦，连拒绝的勇气都没有。看到这一切，我真有点毛骨悚然。每当他迷惘的目光以颇为愧赧又竭力讨好的神态看我的时候，我就感到心悸。我身边那个女人突然从松弛状态中惊醒过来，眼露凶光，连手都在颤抖，看到这副架势我很害怕。我把钱往桌上一扔，想走了，但是钱她没有拿。"要是他打扰你，我就把他，把这条狗撵出去。他必须照办。来，再跟我喝一杯。来！"她突然娇滴滴地做出一副媚态，紧紧倚在我身上，我立即就看出，这只不过是为了折磨别人而演的戏。她每做出一个狎昵的动作，就望那边瞧上一眼。我看到，她只要对我做出一个风骚的姿势，他全身就是一阵抽搐，仿佛在他身上放了一块烧红的烙铁似的。看到这种情景，真让人作呕。我不去理睬她，而是紧紧盯着他，现在气愤、恼怒、嫉妒和贪欲在他心里滋生，可是只要她一转过头来，他就赶忙弯下腰去，见此情景，我也感到不寒而栗。她紧紧地往我身上贴，我感觉到了她的身体，她那由于在这场恶毒的游戏中获得的乐趣而颤抖的身体，她那散发着劣质脂粉味的刺眼的脸和她那松软的肉体的难闻的气味令我感到恐惧。为了避开她，我便拿出一支雪茄。正当我的目光在桌上寻找火柴时，她就向他发了话："把火拿来！"

对她的这个厚颜无耻、蛮不讲理的命令，他竟百依百顺，这倒使我比他更为吃惊。见此情景，我就急忙自己找了火柴。可是，她的话竟像鞭子一样，啪的一下抽在了他身上。他拖着趔趄的脚步，蹒跚地走过来，把他的打火机放在桌上，动作非常之快，仿佛手碰了桌子就会被烧着似的。这瞬间，我的目光与他的相交叉，我看到，他的眼睛里隐含着无限的羞愧和切齿的愤恨。这卑躬屈节的目光刺痛了我这个男子汉和他的兄弟的心。我感到受了这女人的侮辱,也同他一起羞愧难当。

"非常感谢您,"我用德语说——她抽搐了一下——"本来就不该麻烦您的。"说着,我便向他伸出手去。他犹豫好一会儿之后,我才感到他湿润而骨瘦的手指,突然间,他痉挛般地使劲握了握我的手,以表达他的感激之情。这瞬间,他的眼睛闪闪发亮,直视我的眼睛,但随即又低垂到松弛的眼睑下面去了。出于对那女人的反抗心理,我想请他坐到我们这边来。我的手大概流露出了邀请的姿势,因为这时她急忙冲他吼道:"你还是坐那儿去,别在这儿打扰!"

她那尖刻的声音和折磨人的恶行令我深恶痛绝。这烟味很浓的下等酒吧,这令人恶心的娼妓,这弱智的男人,这弥漫着啤酒、烟雾和劣质香水的气味对我有什么用?我渴望呼吸新鲜空气。我把钱推到她面前,正当她娇里娇气地挨近我的时候,我就站起身来,毅然拂袖而去。我对参与这种侮辱人的缺德勾当极其厌恶,我以断然拒绝的态度清楚地表明,她的色相诱惑不了我。这时,她满脸怒容,嘴角起了一道皱褶,现出行将发作的神色,但她忍住没把话说出来,而心中的仇恨却一目了然。她猛地朝他转过身去,他见她这副横眉怒目的样子,被她的淫威吓得魂飞魄散,赶忙把手伸进口袋,哆哆嗦嗦地用手指头掏出一个钱包。匆忙之中他连钱包上的带子结都解不开,显然,现在他害怕单独同她呆在一起。这是一只编织小包,上面嵌有玻璃珠珠,是农民和小老百姓用的。一眼就可看出,他不习惯乱花钱,不像那些把手伸进叮当作响的口袋,掏出一大把钱来往桌上一摔的海员;显然,他习惯于仔仔细细地点数,还要把钱用手指头夹着掂量一番。"瞧他为了这几个宝贝角子都抖成了什么样子!不觉得太慢了吗?你就等着吧!"她挖苦道,并往前逼进一步。他吓得直往后退,而她见他这副丧魂落魄的样子，便把肩膀一耸，眼里含着极其厌恶的神情说道："我不拿你一分钱，你的钱让我恶心。我知道，你的几个宝贝小钱都是有数的，一个子儿也舍不得多花。只不过，"——她突然拍了拍他的胸脯——"别让人把你缝在这儿的票子偷了去啊！"

果真，就像正在发作的心脏病患者突然抓住胸口一样，他那苍白而颤抖的手紧紧抓住外衣上的那个地方，他的手指下意识地在那儿摸了摸那个秘密的藏钱之处，这才放心地把手放下。"吝啬鬼！"说着，她啐了一口吐沫。这时，那备受折磨的人突然满脸通红，猛地把钱包摔给了另一位姑娘，从她身边冲出大门，像是从大火中逃了出来似的。那姑娘先是吓得大叫一声，随即便哈哈大笑。

她气得火冒三丈，眼露凶光，先还直愣愣地站了一会儿，随后就又松弛地耷拉下眼皮，精疲力尽地弯下松弛下来的身体。在这一分钟里她看上去显得又老又疲倦。她现在投向我的目光里压抑着某种犹豫不决、茫然若失的神情。她站在这里，满脸羞愧，迟钝麻木，像个喝得烂醉醒过来的醉妇。"到了外面他会为他失去的钱而心痛的，也许会跑去报警，说我偷了他的钱。不过明天他又会到这儿来的。然而他休想得到我。谁都可以得到我，只有他不能！"

她走到吧台前，扔下几个硬币，咕噜噜一口气吞下一杯烈酒。她的眼里又露出了凶光，但很浑浊，像是蒙了一层愤怒和羞辱的泪水。看到她我感到十分恶心，对她没有丝毫同情。我道了声"晚安！"就走了。老板娘回了句"Bonsoir"[①]。那女人没有回过头来，只是发出一阵刺耳的、讥讽的大笑。

我出得门来，外面只有黑夜和天空，到处笼罩着闷热的昏

[①] 法语，此处为"再见"的意思。

暗，漠漠云层遮掩着无限遥远的月光。我贪婪地吸着微热的、但却沁人肺腑的空气，我为森罗万象的人生际遇感到无比惊奇，那种恐怖的感觉消散了。我又感到，每扇玻璃窗后面总在上演一出命运剧，每扇大门都展示着一场风流韵事，这个世界上的事真是千姿百态，无所不在，即便在这最最肮脏的一角也像在萤火虫闪烁不灭的光照下映现出种种窃玉偷香的悲剧。这是一种会使我无比陶醉，乃至流下眼泪的感觉。方才见到的那些令人厌恶的情景已经远去，紧张的情绪变成了舒心适意的倦意，渴望把这种种经历过的事情变成更美的梦。我的目光下意识地朝周围寻觅了一番，想在这纵横交错的迷宫似的小巷中找到回旅店的路。这时，一个人影趔趄着脚步，到了我身边，他准是悄没声地先走近来了。

"请您原谅，"——我立刻就听出了这低三下四的声音——"我想，您找不到路了。能允许我……允许我给您指路吗？这位老爷是住在……？"

我说了旅店的名字。

"我陪您去……要是您允许的话，"他马上谦恭地加了一句。

恐惧又袭上我的心头。在我身边，蹑手蹑足、幽灵似的脚步在移动，虽然几乎听不见，但却紧紧地跟在我身边，还有这条海员巷的黝暗和对刚才所经历的事情的回忆，这一切渐渐为一种梦幻般的紊乱的感觉所代替，既无判断，也无反抗。我没有看到他的眼睛，但却感觉到他低三下四的目光，我还觉察到他的嘴唇在颤动；我知道，他想跟我说话，可是我既没有表示同意，也没有表示反对，我的感觉正处于昏昏沉沉的状态之中，我的好奇心同身体迷迷糊糊的感觉一起一伏地融合在一起。他轻轻地咳了好几次，我发觉，他的话被嗓子眼里的什么东西堵住了,那女人的残忍竟神秘莫测地转到了我身上,所以见他的羞耻感同急于要倾吐的心情在搏斗,我就感到暗自欣喜:我没有助他一臂之力,而是让沉默又厚又重地挡在我们之间,只听见我们杂乱的脚步声:他的脚轻轻地趿拉着,像老人一样,我的脚步故意踩得又重又响,仿佛要逃离这肮脏的世界似的。我感到我们之间的紧张气氛越来越强烈:这沉默充满了内心的尖声呼喊,好似一根绷得过紧的弦,后来他终于打破沉默,先是极其胆怯地说道:

"您……您……我的老爷……您在那屋里见到了蹊跷的一幕……请原谅……请原谅我又提起这件事……您一定觉得她很奇怪……觉得我很可笑……这女人……就是……"

他的话又停住了。他的喉咙像被什么东西紧紧哽住了。随后,他的声音变得很小,匆匆地悄声说道:"这女人……就是我的老婆。"这话一定使我惊得跳了起来,因为他很抱歉似的连忙说:"就是说……以前是我的老婆……五年,是四年前……在我的老家黑森的格拉茨海姆……老爷,我不希望您把她想得很坏……她成了这样,也许是我的过错。以前她并不总是这样……是我……是我把她折磨成现在这样的……虽然她很穷,穷得连衣服都没有,她什么东西都没有,我还是娶了她……我呢,我很有钱……就是说颇有资产……不算很有钱……或者说至少那时……您知道,我的老爷……她说得对,我以前也许很节俭……但这是以前的事了,还在不幸发生之前,我诅咒这件事……我的父母亲都很节俭,大家都这样……每一分钱都是我拼命工作挣来的……她却过得很轻松,她喜欢漂亮的高档东西……但她很穷,为此我一再责骂她……我本不该这样的,现在我才知道,我的老爷,因为她骄傲自大,目空一切……您别以为她那副样子是真的,不,她是装出来的……是为了给人看的,她自己内心也很痛苦……她这样做只是……只是为了伤害我,为了折磨我……因为,因为她感到羞愧……或许她真的变坏了,但是我……我并不相信……因为,我的老爷,她这人以前是很好,很好的……"

他擦了擦眼泪,心情十分激动,便停了下来。我不由得看了他一眼,突然间,我不再觉得他可笑了,就连"我的老爷"这个在德国只有下等人才用的奇怪的、低三下四的称呼也不再觉得刺耳了。由于费劲说出了心里话,他的面孔显得十分舒展,现在他又迈着沉重的脚步跟跟跄跄地继续往前走去,但却目不转睛地盯着石铺的路面,仿佛在摇曳的灯光下费劲地读着从痉挛的喉咙里痛苦地吐出来刻在路面上的话。

"是的,我的老爷,"现在他深深地吸了口气,声音低沉,与刚才完全不同,就像发自一个较为温和的内心世界一样,"她原来非常好……对我也很好,我使她摆脱了贫困,她很感激……我也知道,她很感激……但是……我……乐意听感恩的话……一次又一次……一次又一次地听感恩的话……听到感恩的话,我心里很舒服……我的老爷,我感到自己比她强,心里就美滋滋的,舒坦极了……要是我知道,我是个坏人……为了不断听到她对我说感恩的话,我真愿把所有的钱都拿出来……她非常傲气,她发觉我要她感恩时,反而说得越来越少了……所以……也仅仅是这个原因,我的老爷,我就总是让她来求我……我从不主动给她钱……她要买件衣服,买条带子都得来向我乞求,我心里感到很惬意……我就这样折磨了她三年,而且越来越厉害……可是,我的老爷,这仅仅是因为我爱她……我喜欢她的傲气,可是我又总想打掉她的傲气,我真是个疯子,她一要什么东西,我就火冒三丈……但是,我的老爷,我这并不是真的……只要有机会侮辱她,我就快活得要命,因为……

因为我根本就不知道，我是多么爱她……"

他又不说了。他蹒跚地走着。显然，他把我忘了。他不由自主地说着，像在梦里似的，而且声音越来越大。

"这事……这事我那时……在那个晦气的日子才明白……那天，她为她母亲要一点钱，只是很少、很少一点，我没有答应她……实际上钱我已经准备好了，但是我想让她再来……再来求我一次……啊，我说什么啦？……是的，那天晚上我回到家里，她已经走了，只在桌上留了一张字条，这时我才明白过来……'你就留着你那些该死的钱吧，你的一个子儿我也不要了。'……字条上就写了这些，再没有一句别的话……老爷，三天三夜我就像发了疯一样。我请人到河里去找，到树林里去寻，给了警察好几百个马克……所有的邻居家我都去了，但是他们对我只是嘲笑和挖苦……一丝形迹都没发现……后来，另一个村的人告诉我，说他曾经见她在火车上同一个士兵在一起……她到柏林去了……当天我就赶了去……我放弃了我的收入……损失了几千马克……大家都偷我的东西，我的仆人、管家，大家都偷……但是，我向您起誓，我的老爷，我觉得这些都无所谓……我在柏林住了一个星期，终于在这个人流的旋涡里找到了她……我到了她那里……"他重重地吸了口气。

"我向您起誓，我的老爷……我没有对她说一句重话……我哭了……我跪了下来……我答应把钱……把我的全部财产都拿出来，让她掌管，因为那时我已经知道……没有她我就活不了。我爱她身上的每一根毛发……她的嘴……她的身体，爱她的一切……是我，是我一个人把她推下火坑的呀……我走进屋里时，她的脸一下变得刷白，像死人一样……我买通她的女房东，一个拉皮条的下流女人……她靠在墙上，脸色像墙上的白灰……她仔细地听着我说。老爷，我觉得……她，是的，她见到我几乎很高兴……可是我谈到钱的时候……我所以谈到钱,我向您起誓,只不过是为了向她表明,钱我已经不再考虑了……这时她却啐了一口……接着就……因为我一直还不想走……这时她就把她的情夫叫来,他们一起把我取笑了一通……可是,我的老爷,我还是老去那儿,每天都去。那儿的人把一切都告诉了我,我得知,那无赖把她扔了,她的生活非常困难,于是我又去那儿一次……一次又一次,老爷,可是她把我骂了一顿,并把我偷偷搁在桌上的钞票撕得粉碎,我再去那儿时,她已经走了……为了再找到她,我的老爷,我真是竭尽了全力!整整一年,这我可向您起誓,我不是在生活,而只是不停地在打听,我还雇了几个侦探,后来终于打探出,她到了那边,在阿根廷……流落……流落青楼……"他犹豫了片刻。说最后这个词的时候就像要断气一样。他的声音变得更低沉了。

"起初,我吓了一跳……但是后来我思忖,是我,就只是我,把她推下深渊的……我想,她受了多少苦啊,这可怜的女人……主要是因为她太傲……我找了我的律师,他给领事写了信,寄了钱去……没让她知道是谁寄的……只是要她回来。我接到电报,说一切都办得很顺利……我知道了她回来时坐的轮船……我就在阿姆斯特丹等着……我提前三天到了那里,真是心急如焚……轮船终于到了,才见到地平线上轮船冒出的烟,我就乐不可支,我觉得我简直无法等到轮船慢慢地、慢慢地驶近并靠岸了,船开得很慢,很慢,随后旅客从跳板上过来了,她终于,终于……我没有立即认出她……她的样子变了……脸上涂了脂粉,就是……就是这样,您所见的那副模样……她见我在等她……她的脸色变得煞白……幸好有两名海员把她扶住,要不然她就从跳板上摔下去了……她一上岸,我就走到她身边……我什么也没有说……我的喉咙像是卡住了……她也没有说话……也不看我……挑夫挑着行李走在前面，我们走着，走着……突然，她停住脚步，说……老爷，她说的话……让我心痛，听了真让人伤心……'你还愿意让我做你的老婆？现在也还愿意吗？'……我握着她的手……她哆嗦着，但没有说话。可是我感觉到，现在一切又言归于好了……老爷，我是多么幸福啊！我把她领进房间以后，我就像个孩子似的围着她跳，还伏在她脚下……我一定说了些愚蠢透顶的话……因为她含着眼泪在微笑，并爱抚着我……当然是怯生生的……可是，老爷，我感到好适意啊……我的心融化了。我从楼梯上跑上跑下，在旅店里订了午餐……我们的婚宴……我帮她穿好结婚礼服……我们下楼，喝酒吃饭，好不快乐……噢，她快活得像个孩子，那么亲热和温厚，她谈论着我们的家……谈到我们要重新添置的各种东西……这时……"他突然粗着嗓门说，并且做了个手势，仿佛要把谁砸烂似的。"这时……这时来了一个茶房……一个卑鄙的小人……他以为我喝醉了，因为我发了疯似的，跳啊，笑啊，还笑着在地上打滚……我只是因为太高兴了啊……噢，高兴得不知所以，这时……我付了账，他少找我二十法郎……我把他斥责了一顿，并要他把钱补给我……他很尴尬，便搁下那枚金币……这时……这时她突然尖声大笑……我愣愣地盯着她，她的面孔已经变了样……一下子变得嘲讽、严厉和凶狠……'你还是老样子……甚至在我们结婚的日子也一点没变！'她冷冷地说，语气那么锋利，那么……伤心。我心里感到惶恐，诅咒自己那么斤斤计较……我设法重新笑了起来……但是她的快乐情绪已经没有了……已经消失殆尽……她自己单独要了房间……对于她我没有什么东西舍不得的……夜里我独自躺在床上，心里盘算着第二天早上给她买些什么东西……作为礼物送给她……我要向她表明，我这人并不小气……再也不违背她的心意了。第二天一大早我就出去，给她买了手镯，然而，我回来走进她的房间……房里已经空了……同上次完全一样。我知道，桌上准留了字条……我走开了，向上帝祈祷，希望这次不是真的……但是……但是……桌上果真留了字条……上面写着……"他犹豫了。我下意识地停住脚步，望着他。他耷拉着脑袋，过了一会儿，他以嘶哑的声音低声说道：

"上面写着……'让我安静吧。你让我感到恶心……'"

我们到了港口，突然，近处波涛拍岸的轰鸣打破了黑夜的沉寂。停泊在近处和远处的海轮宛如一只只黑色巨兽，都睁着亮晶晶的眼睛，不知从何处传来了歌声。什么东西都看不清楚，但却感觉到许多东西，一座人口稠密的城市正在沉睡，正在做着可怕的梦。在我身边，我感觉到这个人的影子，它幽灵似的在我脚前颤动，在摇曳的昏暗灯光中，时而拉长，时而缩短。我一句话也说不出，既想不出话来安慰他，也没有什么问题要问他，但是我感到他的沉默粘在了我身上，粘得很紧，使我感到压抑。突然，他颤颤栗栗地抓住我的手臂。

"可是，没有她我是不会离开这儿的……我找了几个月才重新找到她……她在折磨我，但是，我会百折不挠地坚持下去的……我的老爷，我求您，请您跟她谈谈……我不能没有她，请把这话告诉她……我的话她不听……我再也不能这样活着了……我再也不能看着男人上她那儿去了……我再也不能在门口守着他们重新走出来……一个个喝得醉醺醺地哈哈大笑……这条巷里的人都认识我……他们只要看见我在那儿等着，就哈哈大笑……快把我弄疯了……可是，每天晚上我还是照样站在那儿……我的老爷。求求您……请您跟她谈谈……我是不认识您，但是，看在仁慈的上帝分上，请您跟她谈谈……"

我下意识地想从他手中把胳膊脱出来。我感到心里发毛。

可是他却觉得我对他的不幸无动于衷,于是突然跪在街心,把我的脚抱住。

"我恳求您,我的老爷……您一定得跟她谈谈……您一定得……要不然定会发生可怕的事的……为了找她,我花掉了所有的钱,我不会让她留在这里……不会让她活着留在这里。我已经买了一把刀……我买了一把刀,我的老爷……我决不让她留在这里……决不让她活着留在这里……我受不了……请您跟她谈谈,我的老爷……"他像发了疯似的在我面前直打滚。就在这时,街上有两个警察朝这儿走来。我一把将他拉起。他直愣愣地盯着我看了一会儿,随后便用完全陌生的、干巴巴的声音说:

"顺着这条巷子,您在那儿拐进去,就到您住的旅店了。"他又一次愣愣地看着我,瞳孔好像融化了,白白的,空洞洞的,很是吓人。接着他就离开了。

我紧紧裹着大衣。我冷得发抖。我只感到疲倦,觉得醉醺醺的,昏沉而麻木,好似梦游一般,同时我又有一种不祥的预感。我想好好想一想,把这些事情思考一番,可是那疲倦却时时从我心头翻起黑浪,将我卷走。我摸索着回到旅店,往床上一倒,睡得沉沉的,像头牲畜。

第二天早晨,这件事情中到底哪些是梦幻,哪些是真的,我也弄不清了,而且我心中也有什么东西不让我去弄清楚。我醒得很晚,我是这座陌生城市里的陌生人。我去参观一座教堂,它的古代镶嵌艺术据说很有名。但是我的眼睛望着教堂,什么也没有看进去,昨天夜里所遇之事又浮现在我眼前,越来越清晰,而且轻而易举地推我去寻找这条小巷和那所房子。可是这些奇怪的小巷只有夜里才有生气,白天都戴着灰色的、冷冰冰的面具,只有熟悉的人才能认出面具下面的条条小巷来。

我怎么找也没找到那条小巷。我又失望又疲惫地回到住处，脑子里总也摆脱不了那种种图像，不知是妄想中的还是回忆中的那些图像。

我乘坐的火车晚上九点开。我怀着遗憾的心情离开这座城市。挑夫扛起我的行李，在我前面朝车站走去。在一个十字路口，突然有什么东西使我转过头来：我认出了通向那座房子去的那条横着的小巷。我让挑夫等一下，就走过去再朝那条烟花巷看了一眼，挑夫先是有点吃惊，随后就调皮而会心地笑了。

巷子里黑黑的，同昨天一样，在淡淡的月光下我看见那座房子的玻璃门在闪闪发亮。我还想再走近一点，这时黑暗中出来一个身影，发出簌簌的声响。我感到不寒而栗。我认出了那个人，他正蹲在门槛上向我招手。我想走近一点，但是我心里发憷，所以赶紧逃走，怕被缠在这里，误了火车。

但是，后来在拐角处我正要转身时，又回头望了望。我的目光与他相遇时，他猛地一使劲，站了起来，朝大门撞去。他手里金属的亮光一闪，因为这时他飞快地打开了门，我从远处看不清他手里拿的到底是金币还是刀子，反正在月色中他手指缝里有亮晶晶的闪光……

雨 润 心 田[①]

韩耀成译

去年夏天,天气奇热,久旱未雨,致使全国庄稼歉收,多年以后人们对此还记忆犹新,心有余悸。六七月里只有个别干旱地区的地里下了点阵雨,八月以来就滴雨未见。我和别人一样,原以为在蒂罗尔[②]的山谷里会凉快些,哪晓得就连这里高山上的空气也被火焰和尘埃染成了番红花般的颜色,热得灼人。一大早,黄色的太阳像高烧病人的眼睛,从空漠的苍穹里迟钝地盯着毫无生气的原野。几小时以后,晌午的黄铜蒸锅里缓缓腾起一片淡白的、闷热的蒸汽,弥漫在整个山谷里。远方,白云石山[③]巍然耸立,上面白雪皑皑,纯洁明净,但只有眼睛才能从中感觉到白雪闪耀的清凉,而在这蒸锅似的山谷里,白天黑夜都弥漫着一股热气,它那千百片嘴唇贪婪地把人们身上的一点水分吮干吸尽。这种时候,要是眷恋地望着白云石山,想着白云石山上此刻也许正在呼呼吹拂的清风,那是很让人痛苦的。在这正在沉沦的世界上,植物枯萎,树叶凋零,

---

① 本篇原名《女人和景物》。
② 蒂罗尔,奥地利的一个州,首府在因斯布鲁克。
③ 白云石山,即多洛米蒂山,是意大利北部阿尔卑斯山脉东段的群山,山体由浅色白云质石灰岩构成,其最高峰马莫拉塔山海拔3,342米。

溪流干涸，就是在人的内心，一切有生气的运动也渐渐停滞了，时间变得无聊而懒散。我和别人一样，这些没尽头的日子几乎都是在房间里打发过去的，半裸着身子，拉上窗帘，无可奈何地等待天气的变化，等待凉气的降临，没精打采、软绵绵地做着下雨的梦，做着下大雨的梦。不久，连这个愿望，这种思绪，也变得模糊郁闷和无可奈何了，就像热切盼望雨水的小草的心愿和默然不动、雾气弥漫的树林的压抑的梦一样。

　　天气一天比一天热，而雨还一直没有下。从早到晚太阳晒得大地灼热如焚，它那折磨人的黄色目光还渐渐染上了神经病人的那种迟钝的执拗。整个生命仿佛都要停滞了，一切都是静悄悄的，连牲畜也不叫了，从白闪闪的地里传来的只是浮荡着的暑气的轻声歌唱——这沸热的世界的嗡嗡的蒸腾声，除此之外什么声音也没有。我本想到树林里去，在绿叶颤动的阴影里一躺，以躲避那太阳的执拗的黄色的目光；可是就连这几步路我也懒得走。于是我就在旅馆门前找了把藤椅坐下；华盖似的屋檐在砂砾上投下一条细长的阴影，我躲进阴影里，一坐就是一两个小时。薄薄的四角形阴影渐渐缩小，太阳爬到了我的手上，我挪动一下位置，随后又往椅子上一靠，呆呆地望着迟钝的阳光出神，没有时间感觉，没有期待，没有意愿。时间在这可怕的闷热中熔化了，在沸烫的、失去理智的梦里煮烂了，融解了。在外面，空气灼烫着我的毛孔，在我体内，扑腾扑腾跳动着的血液在猛烈地捶打，我能感觉到的就是这些。

　　突然，大自然里仿佛飘过一丝呼吸，很轻很轻，仿佛是从某处发出来的热切的、憧憬的叹息。我当即一跃而起。这不是风？当时的情景我已经记不得了。枯萎的肺叶已经许久没有饮过这种清凉剂了，所以我并没有感觉到风已经挨近了我，我还蜷缩在那屋顶投下的一隅阴影之中；但是那边山坡上的树木一定感到某种异常的东西来到了,因为它们一下子都轻轻地晃了起来,似乎彼此在喁喁细语。树木之间的影子也晃荡起来了,像是一种活的、激动的东西来回忽闪。突然,远方响起了一个低沉而震荡的声音。果然,起风了,习习的、哗哗的风声俄而变成了低沉的呼啸,现在则是狂风咆哮了。突然间,一团团烟雾似的尘土惊恐万状,越街穿巷,都朝同一方向席卷而去;原先栖息在浓荫深处的小鸟,现在也飞在空中吱吱乱叫,马在那里鼻喷白沫,远处的山谷里牛羊在咩咩直叫。一定是什么威力无比的东西苏醒了,而且临近了,大地已经知道,树林和动物也已经感觉到了,天空里已经蒙上了一层灰色的轻纱。

我兴奋得浑身颤抖。我的血液受了酷暑的刺激在涌流,我的神经绷得紧紧的,在吱吱作响;对于风的欢乐和雷雨的怡然的喜悦,我过去从来没有像现在这样了解得深切。雷雨快来了,已经临近了,天空乌云密布,雷声隆隆。风把一团团白云慢慢推了过来,山的背后气喘吁吁,仿佛有人在滚动着千斤重的东西。有时这吁吁的喘气声似乎倦了,暂时停歇下来。随后枞树颤动得越来越轻了,似乎它们也想谛听一下,我的心也在跟着颤动。极目望去,各处的大自然同我的心情一样,也都在盼雨。地上那些长长的龟裂,犹如张开的一张张干渴的小嘴巴。我感觉到自己身上的毛孔也一个个张开了,在紧张地寻找凉爽,寻找雨水带来的凉冰冰的、让人哆嗦的欢快。我的手指下意识地紧紧握了起来,好像会把云层抓住,迅速扯到这干旱的世界上来。

云层真来了,懒散地、黑压压地来了,像许多圆圆的、鼓鼓囊囊的口袋,由无形的手推了过来。这都是些沉甸甸的、带雨的乌云,它们互相碰撞的时候,像坚硬的东西发出隆隆巨响,有时从乌云的表面打过一道微弱的闪电,像是嚓的一下划亮一根火柴。后来云层现出了蓝色的亮光，显得异常险峻。云层越堆越厚，越来越黑。铅灰色的天空，像剧院的防火帏幕在徐徐下垂。现在整个天穹都蒙了一层乌黑，闷人的溽热空气都被压缩在一起，最后的一次期待现在默默地、可怖地开始了。一切都被从天穹上垂下来的沉甸甸的乌云窒息了，鸟儿也不再吱吱鸣叫，树木站立着，气都不呵一声，就连小草也不敢颤动一下；天穹像一口金属棺材，罩着这炎热的世界，世界上的一切都因为盼着第一道闪电而凝固起来。我屏住呼吸在这里站着，双手互相交叉套扣着，浑身紧缩，感到一种奇特的、甜蜜的恐怖，因此我一动也不动。我听到身后人们在四处奔跑，他们从树林里，从旅馆的大门里出来，四面八方都有人在奔跑躲避；侍女放下卷帘式百叶窗，吱吱格格关上窗户。突然间，一切都呈现出忙乱、兴奋，人们都在搬东西，作准备，时间紧迫。只有我纹丝不动地站着，神经极其兴奋，缄口不语，我整个身心都憋着一声呼喊，见到第一次闪电时的一声喜悦的呼喊，这声呼喊已经升到我的嗓子眼了。

　　这时我突然听到紧挨我身后发出了一声叹息。那是从痛苦的内心里突发出来的。在这声叹息里还交织着一句热切的话，好似在哀求："但愿马上就下雨吧！"这声音是如此强烈粗犷，威力无比，它是从压抑的感情里迸发出来的，仿佛是干旱的土地，是在铅一般沉重的天穹的压力下被折磨、被窒息的原野，用它裂开的嘴唇自己喊出的。我转过身。背后站着一位姑娘，这话显然出自她之口，因为她的嘴唇，她那苍白的、微微噘起的嘴唇，还干渴地张启着，她倚在门上的胳膊在微微颤动。她的话不是对我说的，也不是对其他任何人说的。她俯着身子，好像在深渊之上，她的眼睛毫无光泽，望着外边垂挂在枞树上的暗影呆呆地出神。她的目光黑而空，像无底深渊，呆板地朝深远的天空凝望。她贪婪的目光聚精会神地注视着高空，注视着团团云层，以及悬在云层上面的雷阵雨，她的目光根本就没有触到我的身上。因此我可以从容不迫地打量这位陌生的女子。我看见她那隆起的胸脯，看见梗塞着她咽喉的东西在往上挪动，看见她敞开的衣服里裸露着的柔嫩的脖子在打颤，最后连嘴唇也动了，干渴得张开了，又说了这句话："但愿马上就下雨吧！"我又一次感到，这是整个郁热的世界发出来的叹息。她那雕像般的体态上，她那松弛的眼光里有种夜游症和梦幻般的神情。她站在那里，白色的衣服衬托着铅灰色的天空，我觉得她本身就是干渴的化身，体现了整个干旱的大自然的期望。

  我身旁的草丛里发出了轻轻的窸窣声。屋子的飞檐上有什么东西在敲打。滚烫的砂砾上响起了轻微的沙沙声。突然间，到处都响起了窸窸窣窣的声音。我突然意识到，感觉到，这是沉甸甸地落到地上的雨点，初下的、落下就蒸发的雨点，是一场清凉的倾盆大雨的幸运的使者。啊，下了！已经下了。我幸福地陶醉了，失去了自制。我还从来没有像现在这样精神振奋过。我跳到前面，用手接了一个雨点。雨点沉甸甸、凉冰冰地打在我的手指上。我摘掉帽子，要好好体验一下雨点打在头发上的乐趣。我焦急得发抖了，我要让雨水把我淋个透，我要在我灼热的、窸窣干裂的皮肤上，在张开的毛孔里，一直到兴奋的血液中来感受一下雨水的滋味。噼噼啪啪的雨点还很稀疏，但我已经预感到倾盆大雨将要到来，我仿佛已经听到了雨水哗哗而降，像开了闸一样，仿佛已经感觉到老天爷在把幸福的甘露往树林上，往这郁闷的、烤焦的世界上倾泼。

  可奇怪的是雨点没有更快地落下来。掉下的几颗雨点寥寥可数。雨一滴、一滴、一滴地下着，发出噼噼啪啪的声音，丝丝的声音，周围还有微微的呼啸声，但是这些声音并不愿合在一起,奏出一支雨水哗哗的大型乐章。雨怯生生地下着,节奏非但没有加速,反而放慢了,而且越来越慢,最后居然一下停止了。这就像钟的秒针突然停止了滴答声一样,时间凝固了。我这颗因焦急而燃烧起来的心,一下子就冷了下来。我等啊,等啊,但是雨并没有下。天空中突兀着灰黑色的云头,黑黝黝、呆愣愣地朝下凝望,几分钟之内万籁俱寂,但随后天幕上仿佛划过一道微弱的、讥讽的光亮。天空先从西边开朗起来,云墙慢慢散去,但云层继续滚动着,发出微微的隆隆声。莫测深厚的乌云越来越浅,越来越薄,正在悉心倾听的原野看到地平线上正在发亮,于是陷入一种无能为力的、没有得到满足的失望之中。树木怒火中烧,气得发着最后的、微微的颤抖,它们俯下曲枝,刚才贪婪地伸长脖子的树叶,又有气无力地缩了回去,像死了一样。云层越来越透明,毫无防御能力的世界上空,现出了凶恶而危险的明亮。雨没有下来,雷阵雨消散了。

我浑身颤抖。我感到愤怒,感到一种无意义的、束手无策的愤怒,失望的愤怒,被出卖的愤怒。我真想狂呼怒骂一阵,这时我心里起了一种砸东西的欲望,一种做坏事和冒险的欲望,一种想报复的、无意义的冲动。我在自己心里体验了整个被出卖了的大自然的痛苦,感觉到小草的热切的期望,马路的炽热,树林蒸发的雾气,石灰石的灼烫,整个被欺骗的世界的干渴。我的神经像铁丝一样烧红了:我的神经像通了电似的颤了一下,一直传到带电的空气里,在我绷紧的皮肤下,神经像许许多多小火苗在燃烧。一切都使我感到痛苦,所有的响声都像长了锋利的尖尖,锥刺着我,一切都好像被细小的火焰围了起来,极目所见,一切的一切都在燃烧。我内心深处十分激动,我觉得许多意识往常都默默地在郁闷的脑子里沉睡,现在像许许多多小鼻孔,一个个都张开了,我感到每个鼻孔里都有一团烈火。我也弄不清楚，这里面哪些激动是属于我自己的，哪些是属于世界的。世界与我之间存在的一层感情的薄膜业已撕破，一切东西都激起了共同的失望。我晕晕乎乎地凝视着，下面山谷里慢慢亮起了灯光，我觉得每一盏灯都照进了我的心扉，每一颗星星都在我的血液里燃烧。外部世界和内心世界都充满了同样极度狂热的激动，在痛苦的魔术中，我觉得在我周围膨胀起来的一切东西都好像压进了我的心里，并在那里生长、燃烧。我觉得，那个包含在千姿百态之中的神秘莫测、生气勃勃的内核，仿佛在我的内心深处燃烧起来了，我感觉到一切，在神奇的真实意识中，我感觉到每一片树叶的愤怒，感觉到那只耷拉着尾巴绕着几扇门蹿来蹿去的狗的迟钝的目光，一切我都感觉到了，而我所感觉到的一切都使我痛苦。我的身体几乎也开始燃烧了，当我现在用手指去抓木门的时候，手指下面像有导线，发出噼噼啪啪的声响，带着点干焦味。

晚餐的锣声响了。铜锣的声音深深地印在我的心上，这声音也充满了痛苦。我转过身。这里的人都到哪里去了，那些起先惊吓地、激动地从这里跑过去的人都到哪里去了呢？他们在哪里，那些怀着热切的祈望在这里站着的人在哪里呢？在失望、迷惘的几分钟里我把他们忘到九霄云外去了。一切都消失了。我孤零零独自一人站在这沉默不语的天地里。我又用目光把高空和远方扫视一次。天空里现在空荡荡的了，但并不澄清。星星上面蒙着一层浅绿色的薄纱，正在升起的月亮闪烁着猫眼似的凶光。天空的一切都是苍白的、嘲讽式的、危险的，但在这看不见的球体下面，现在正是夜色朦胧，磷火点点，像是热带海洋，飘荡着一个失望的妇人的痛苦而淫荡的呼吸。天空中还有最后一抹亮光，明朗而带着嘲讽的意味，地上笼罩着郁闷的黑暗，感到疲惫和累赘，万物之间相互各怀敌意，天和地之间正在展开一场可怕的无声的战斗。我深深呼吸着，饮进腹中去的只是激动。我伸手抓了一把草，草像木头一样是干的，在我手指间窸窣作响。

锣声又响了。我真讨厌这死亡的声音。我一点也不饿，也不想到别人那里去凑热闹，但是这外面的寂寞又太可怕了。整个沉重的苍穹默默无语地压在我的胸口，我觉得再也经受不住铅一般沉重的苍穹的重压了。我走进餐厅。小桌子已经坐满了。人们在轻声交谈，可我还觉得声音太响。嘴唇的轻微的呷啜声、餐具的叮当声、碟子的嘎嘎声，每一个手势、每一次呼吸、每一道目光——这一切触着我激动的神经的东西都使我感到烦恼。这一切都震颤着我，使我感到痛苦。我抑制住自己，以免行动有失检点，因为我从自己的脉搏上感觉到，我所有的感官都烧得冒烟了。我又没法不看见这些人，而当我见他们恬静地坐在那里，吃得津津有味、悠闲自得的神气，我就火冒三丈，这时我恨他们每一个人。他们吃饱喝足，在那里憩歇，对世界的痛苦漠不关心，快要渴死的大地的胸腔里无声的癫狂正在激荡，而他们对此却无动于衷，因此某种嫉妒袭上我的心头。我的视线向所有的人扫了一遍，想看一看是否有人和大地有同样的感觉，但是所有的人好像都没精打采，无动于衷。这里全都是恬静安逸的人，呼吸着的人，清醒的人，没有感觉的人，健康的人，只有我一个病人，一个正在发着世界的高烧的病人。侍者给我端了饭菜来。我试着吃了一口，但又不愿下咽。一碰到饭食，就会使我讨厌。我的心里充满了郁闷、烟雾，和苦痛的、患病的、备受折磨的大自然的难闻的热气。

我旁边的一张椅子挪动了。我怔了一下，直起身子。现在我听到任何声响都好像是烧红的铁熨在我身上一样难受。我朝那边瞧了瞧，全是陌生人，是新来的，我都不认识。一位老先生及其夫人很是文静,他们来自市民阶层,眼睛圆圆的,镇定自若,面颊随咀嚼而一动一动地伸缩着。他们对面是一位年轻姑娘,半背着我,显然是这两位老人的女儿。我只看到她的颈项,白皙而细嫩,往上就是一头黑黑的,几乎是黑里透蓝的头发,像是一顶钢盔。她坐着一动不动,从她那呆呆的神情,我认出她就是在下雨之前热切地张启着嘴唇,像朵干枯的白花,站在高坎上的那位姑娘。她小小的、过于纤细的手指在烦躁地玩弄着餐具,但并没有弄出叮当的响声;她周围的这片寂静使我感到很舒坦。她也一口没吃,只有一次,她的手匆匆地、贪婪地拿起杯子。啊,她也感觉到了,感觉到这世界在发烧,她那干渴地拿起杯子的动作使我感到无比欣喜,我把充满友善和同情的目光,柔和地投到她的颈项上。现在我发现了一个人,唯一的一个人,她没有与大自然隔绝,在酷热如焚的世界上她也在燃烧,我想让她知道我的情谊。我真想大声对她说:"你想想我呀!想想我呀!我也和你一样,是清醒的,我也在痛苦呀!你想想我呀!想想我呀!"我的心愿像强烈的磁场,把她围了起来。我望着她的背影,远远地赞赏她的头发,我的眼睛盯着她,我用嘴唇向她呼喊,我紧紧地盯着她,我凝视着,凝视着,把我的全部热情都投了过去,好让她感觉到。但是她并没有转过身来。她呆呆地坐着,像尊雕像,冷淡而显得有点异常。没有人帮我的忙。她也没有感觉到我。啊,这世界在她心里也没有反映。我只是独自一人在燃烧。

啊,这外部和内心的郁闷,我简直无法再忍受了。饭菜既油腻,又带点甜味,还冒着热气,真让人恶心,任何声响都在往我的神经里钻。我觉得浑身血液沸腾,眼冒金花,快要晕倒了。我心里盼望的是凉爽和远方;这里的人那种亲近感,那种沉闷的亲近感,快把我憋死了。我旁边有一扇窗子,我忙把它推开，推得大开。啊，真是妙极了：外面又变得神秘莫测了，我血液里闪烁着的火焰完全融化在无垠的夜空里了。天上的月亮像一只发炎的眼睛，带着一个红红的蒸气圈，闪耀着白里带黄的光华，一片淡白的热气幽灵似的在田野上空飘去。蟋蟀拼命唧唧地叫个不停；空气里仿佛绷着许多金属的琴弦，奏出刺耳的尖声，其间有时还加进癞蛤蟆的一片鼓噪声，狗也叫开了，汪汪的吠声非常之响；远方，牲畜在叫。我想起，黑夜发着这样的高烧会使奶牛的奶中毒的。大自然病了，大自然也愤怒得无声地癫狂了；我从窗子里往外凝视，好像在照一面感情的镜子。我整个身心都飞了出去，我的郁闷和大自然的郁闷互相交融，彼此默默地、湿漉漉地搂抱在一起。

我旁边的椅子又挪动起来，我又一怔。晚餐结束了，人们喧哗着站了起来：我的邻座也站起来，打我身边走过。父亲在最前面，吃得饱饱的，显得悠然自得，眼含愉快的微笑；其次是母亲，女儿在最后。现在我才看到她的面孔。她的面颊苍白，有点发黄，像外面的月亮一样，也是那种黯淡和病态的颜色，嘴唇和先前一样，还一直半启着。她无声地走着，可是并不轻快。她身上流露出某种松弛和疲乏的神情，这事奇怪地提醒我注意自己的感情。我感觉到她走近了，我心里忐忑不安。我很想与她搭上亲密的关系，我希望她的白色衣衫能触到我，或者在她走过的时候能闻到她头发的香味。就在这时候，她朝我望着，她暗淡的目光呆滞地、紧紧地、吮吸地盯着我，直透我的心里，我只感觉到她的视线，却看不见她白皙的面庞，我唯一感觉到的，就是面前的一片忧郁的昏暗，我像坠入万丈深渊似的跌进了这片黑暗之中。她又往前走了一步，但是视线并没有离开我，而是像长矛一样戳在我的身上，我感到她的目光在我身上越扎越深。现在矛尖已经碰到我的心了。周围静悄悄的。就这样,她的视线在我身上停了两三秒钟,而我呢,我屏住几秒钟的呼吸,这几秒钟里我感到软弱无力,被黑黝黝的瞳孔的磁铁吸了过去。随后她从我身边走过。我立即感到自己的血液好像从裂口喷了出来,在全身涌流。

什么——这是怎么回事?我像死而复苏一样,这事把我搞得那么迷糊,是我发烧了,以致身边走过的女郎匆匆一瞥就把我弄得神魂颠倒?不过当时我觉得,在她的凝视中我仿佛感到了那种同样无声的癫狂,那憔悴的、失去理智的、快要渴死的欲望,这些现在在一切东西上都在表现出来:在红月亮的目光中,在大地热切期望的嘴唇上,在牲畜的痛苦的嚎叫中,它与我心里闪烁和颤动着的那种欲望完全一样。啊,在这奇妙、闷热的夜晚,一切都乱了套,一切都融化在期待和焦急的感情中了!难道是我神经错乱了,或者是这个世界神经错乱了?我很激动,希望知道这个问题的答案,于是我就随她进了前厅。在那里她挨她父母亲坐了下来,悄悄靠在沙发椅上。她危险的目光被眼睑遮盖着,看不见了。她在看一本书,可我不信她能看得下去。可以肯定地说,如果她的感觉同我一样,如果她对这神志不清的、闷热的世界的折磨感到痛苦的话,那她就不可能在安闲的阅读中得到憩息,这不过是为了隐蔽,为了掩饰未曾有过的好奇心而已。我在她对面坐下,凝视着她,紧张地等待她那曾使我着迷的眼神,说不定它又会投过来并向我揭开其秘密呢。但她动也没动。她的手漫不经心地一页页翻着书,目光还一直被遮挡着。我在她对面等着,等得越来越不耐烦,全身滋生出某种谜一般的意志力,一心要把这装模作样的东西砸个粉碎。大厅里人们安逸地聊天、抽烟、玩牌,在这些人当中,现在一场无声的搏斗开始了。我感到,她不肯,她不愿抬起头来看一看,可是她越是不愿意,我却非要她抬起头来不可,而且我的力量非常之大，因为整个渴求的大地的期望，整个失望的世界干渴的炽热全在我的心里。夜晚的湿腻腻的闷热还在不停地侵袭我的毛孔，我的意志也在对她的意志步步进逼，我知道，她马上就会向我投来一瞥的，她一定会这样做的。后厅里有人在弹钢琴。清脆悦耳的声音轻轻飘送过来，有时只有几个简短的音阶，那边的一堆人被一个毫无意义的玩笑弄得哈哈大笑，这一切我都听到，感到了，一分钟也没放过。我现在一面在心里大声地一秒一秒地数着时间，同时我的视线在她的眼皮上移动着，吮吸着，想从远处用这种意志催眠术来使她倔强地俯着的头抬起来。时间一分一分地过去——这期间清脆悦耳的琴声还在从那边飘过来——，我已经感到我的力量渐渐不支了。这时她突然忽的一下站了起来，望着我，正面直愣愣地望着我。又是那同样的、没有尽头的目光，是黑黝黝的、可怕的、吮吸的、虚无的目光，是干渴的目光，这目光在将我吮吸，没遇到一点抵抗。我愣愣地盯着她的瞳孔，像盯着照相机镜头的黑窟窿似的，同时我感到，这架照相机倒是先把我拉到这生疏的血液里去了，我的灵魂出窍了；地板在我脚下消失了，我体验到了眩晕突起的全部甜蜜滋味。在我的上空我还听到不时有银铃般的琴声滚来，但是已经弄不清自己是在哪里了。我的血都流掉了，我的呼吸停止了。我感到，我的喉咙哽塞了，在这分钟或这秒钟，或是永远哽塞了——这时她的眼皮又合上了。我像个快要淹毙的人从水里浮了上来，快冻僵了，还因发烧和危险而浑身哆嗦着。

我朝自己周围看了看。我对面坐着的还是这位秀气的年轻姑娘，在人群中她埋头看书，雕像似的一动不动，只有膝盖在很薄的衣衫下轻轻地颤动着。我的手也颤抖了。我知道，期待和抗拒之间一场极其欢愉的游戏现在又要开始了，还得要等紧张的几分钟,那目光才会重新把我置于它黝黑的火焰之中。我的太阳穴有点湿润,我浑身血液沸腾。我无法再忍受了。我站起来,径直走了出去。

在灯光闪耀的屋子前面,黑夜广袤无垠。山谷好像沉下去了,天空湿漉漉、黑黝黝地闪着光,宛如潮湿的苔藓。这里也没有凉爽,还一直没有;这里也到处充满了干渴和醉意,我感到自己血液里也是这样。田野上笼罩着一股像是高烧病人呼出来的气味,病态而潮湿,渐渐变成乳白色的雾霭;远处火光闪动,忽隐忽现地透过沉浊的空气;月亮周围绕着一个黄圈,使月光呈现出一副恶意。我感到非常困倦。这里有一张白天留下的藤椅,我就在椅子上坐下。我的四肢像散了架一样,我一动不动地直直地躺着。身子沉在椅子里,紧紧靠在椅背上,这时我忽然感到这郁闷非常奇妙。它不再使我感到难受了,它紧紧挨着我,温柔而淫荡,我并没推拒。我只是闭上眼睛,这样可以什么都不看,可以更强烈地感受到大自然,感受到包围着我的活生生的东西。像水蛭一样,现在有一种软绵绵、滑腻腻、吮吸着的东西聚集在我的周围,黑夜用千百张嘴唇在触着我。我躺着,任凭摆弄,把整个身心都给了那搂着我,偎着我,围着我,饮着我的血的东西;在这闷热的搂抱中我第一次得到了一种官能上的感受,像一个陶醉在温柔之乡的女人一样。我感到一阵甜蜜的恐惧,一下子就毫无反抗地把自己的身子给了世界,真是奇妙啊,这看不见的东西柔媚地触摸着我的皮肤,渐渐钻到皮肤底下,松开了我的四肢,我的感官任凭摆弄,我没有丝毫反抗。我让自己在新的感受中驰骋,我只是朦胧地、梦幻地感到,黑夜和先前那目光,女郎和大自然,其实是两位一体的,在这两位一体的结合中忘却自己,那是一种甜蜜。有时我觉得,这黑夜仿佛就是她,而那撩拨我四肢的炎热就是她的肉体，和我的身子一样，她的肉体也融化在黑夜里了。我在梦里感觉着她，不一会儿，我就带着官能的快感渐渐消融在忘却的黑色的热浪中了。

不知是什么东西把我惊醒了。我全神贯注地摸摸自己，但又找不到自己。后来我才看见，才明白，我靠在这里的椅子上睡着了，可能已经睡了一个小时，也许是几个小时，因为旅馆前厅里的灯光已经熄灭，大家早就睡觉去了。我的头发湿腻腻地沾在太阳穴上，这美妙的无梦的昏睡仿佛像一颗灼热的露珠从我身上掉了下来。我的思绪紊乱，我站了起来，回到屋里。我心情郁闷，思绪像一团乱麻。远处传来隆隆声，有时亮光划过天穹。空气都带有火焰和电花的气味，山后不时打着闪亮，回忆和预感则像磷火似的在我心里闪烁。我呆着沉思了一会儿，并享受一下这神秘的环境和气氛；时间太晚了，我走进了旅馆。

前厅里已经空无一人，只有唯一的一盏灯亮着。在苍白的灯光下，椅子被挪得七零八落。椅子没有人坐，空荡荡的显得阴森可怕。我下意识地将一把椅子想象成那个古怪女郎的柔媚的形象。她的目光曾把我撩拨得神魂颠倒；她的目光现在还深深印在我的心坎里。这目光拨动着我的心，在黑暗中把我照亮。我有一种神秘的预感，深信她一定在某个房间里，而且还醒着，她的目光所作的许诺，像磷火一样在我血液中游动。天气仍然是那么闷热！一合上眼，就感到眼皮后面紫色火星直冒。灼热的白天还在我心里闪闪发光，这震颤的、湿漉漉的、闪光的、神奇的夜晚还在我心里动荡。

但是我不能呆在走廊里啊，这里一切都笼罩在黑暗中，显得零落不堪。于是我就走上楼梯，但我又不想上去。我心里滋生起一种自己无法加以制服的反抗。我很疲乏，睡觉吧，又觉得太早。某种神秘莫测、明晰清新的预感使我深信一定还会碰到某种离奇的事，我全神贯注地竭力想把活生生、热乎乎的东西搜索出来。我的神思出了窍，像长了无数细小而灵敏的触角，来到楼道里，触摸每个房间。如同先前我的心完全飞进了外面的大自然一样，现在我把全部身心都放在了这座房子里。我感到人们在睡眠，感到许多人的从容的呼吸，他们黑而稠的血液在掀着沉重的、无梦的波澜，我感到他们单纯的宁静，但是也感到某种力的磁性吸引力。我预感到有什么东西也和我一样是清醒的。难道这就是那目光，是那搞得我迷离恍惚的大自然吗？透过墙壁我觉到有个柔软的东西；不安的火苗在我心里颤动，在血液里引逗，还没有燃完。我勉强顺着楼梯往上走，但在每一级楼梯上都停下谛听一会儿，不只是用耳朵，而是用全部身心。我觉得先前的事什么都不足为奇，我心里还在等待着异乎寻常的、稀奇古怪的事，因为我深知，没有奇妙的事，黑夜不会结束，没有闪电，闷热就不会消退。当我站在楼梯上倾听的时候，我再次和正处在晕厥状态的、并在呼唤着暴风雨的外部世界合二为一了。但是一点儿动静也没有。只有轻微的呼吸穿过这没有一点风的屋子。我疲惫而失望地走上最后几级楼梯，在自己寂寞的房间前站着，就像站在一口棺材前面一样，感到恐惧不安。

房门的把手在黑暗中隐隐地闪烁着，一抓把手就感到湿漉漉、热乎乎的。我开了门。房间后面的窗户开着，现出一块四角形的黑夜的阴影，窗户外面是树林子的密密的枞树梢，中间是一片布满云层的天空。里面和外面，世界和屋子到处一片昏暗，只有窗框旁边有个瘦长而挺直的东西，像一道孤独的月光在闪着亮。这是什么？真是蹊跷，无法解释。我惊奇地上前一步，想把在这月色朦胧的夜里闪亮的东西看个究竟。我走近了些,仍然毫无动静。我感到惊异,可并不害怕,因为今夜我心里奇怪地充满了奇妙的感觉,先前一切都想到过,像梦里一样清清楚楚。无论碰到什么事我都不会感到意外,眼前的事更是微不足道。果然:那里站着的是她,是她,是我下意识地思念着的,每上一级楼梯、在这座沉睡的屋子里每走一步都思念着的她,我的官能透过过道和门窗感到她是醒着的。我只见到她的脸上有一抹闪光,白色的夜服像一抹薄雾似的围绕在她的身上。她倚着窗子,她的心灵跑到外面的大自然里去了,被楼下月色闪亮的反光所吸引,神秘莫测地漫游在自己的命运之中,很有点童话色彩,像奥菲利娅① 在池塘上面一样。

我走近了一些,又胆怯又激动。她一定听到响声了,所以转过身来。她的脸是背亮的。我弄不清,她是否真的看见了我,是否听见了我,因为她的动作丝毫没有显出突然和惊恐,也没有一丝反抗的意味。我们的周围,一切都异常寂静。墙上的小挂钟在滴答作响。周围依旧十分寂静,后来她突然轻声地、出乎意料地说:"我真怕。"

她是对谁说的?她认出了我?她是对我说的?这声音和今天下午对着又低又近的云层哆哆嗦嗦地说话的声音一模一样,颤抖的声调也完全一样,那时她的目光还一点没有察觉到我呢。这事真是有点蹊跷,可是我并没有惊异,并没有不知所措。我走到她面前,叫她放心,并抓着她的手。她的手摸上去烫而干,我把她柔软的手指捏在我的手心里。她一声不吭地让

---

① 奥菲利娅,莎士比亚名剧《哈姆雷特》中的人物,与哈姆雷特热烈相爱。她的父亲波洛涅斯是个趋炎附势、专会阿谀奉承的人物,他出谋划策,帮助克劳狄斯毒死自己的哥哥(即哈姆雷特的父亲)从而篡夺了王位,因而被哈姆雷特杀死,奥菲利娅因此精神失常,投水自尽。请参见《哈姆雷特》第四幕。

我捏着。她身上的一切都是松弛的，没有感觉，毫无反抗。只有从她的嘴唇上又发出了悄声低语，像是从远处传来的："我真怕！我真怕。"随后一声叹息，声音渐渐减弱，好似被窒息了一样："啊，多闷啊！"这声音是从远处传来的，可又像我俩在轻声诉说一桩秘密。尽管如此，我还是感到：她并不是对我说的。

　　我抓着她的胳膊，她只是微微颤抖，就像下午雷雨之前的树木，但是并没有反抗。我紧紧地抓着她：她顺从了。她的肩膀软软地、毫无反抗地倒在我的身上，宛如一股奔泻的热流。现在我和她贴得很近，连她皮肤的闷热和头发上的湿气都能呼吸到。我一动不动，她也默不作声。这一切都很奇怪，我的好奇心油然而生。我渐渐耐不住了。我把嘴唇贴着她的头发——她并没有拒绝。随后我就捧过她的嘴唇。她的嘴唇又干又烫，当我吻它的时候，它突然张开，来吮吸我的嘴唇，但并不是迫不及待的，也不狂热，它只是像小孩一样悄悄地、无力地、贪婪地吮吸着。我感到她是个正在枯萎的人，同她的嘴唇一样，她那苗条的、在薄薄的衣衫下面一起一伏的热乎乎的身体就像先前外面的黑夜，紧紧地将我吸附，虽然没有气力，但充满了悄悄的、沉醉的贪欲。我扶着她——我的方寸仍然乱成一团——，觉得挨在我身上的是湿热的土地，犹如今天外面那灼热的、有气无力的大自然，渴望下场雷阵雨，好痛痛快快地舒展一下。我将她吻了又吻，仿佛在她身上享受了这巨大、闷热、期待的世界，仿佛她脸颊上散发出来的热就是地里的热气，仿佛这震颤的大地正在从她柔软、温暖的乳房里呼吸。

　　可是正当我的嘴唇想从她的嘴唇移到眼睛上去的时候——她眼睛里黑黝黝的火焰曾使我感到不寒而栗——，正当我抬起头来看她的脸并打算尽情欣赏一会儿的时候，看见她的眼皮是紧紧合着的，这使我十分惊讶。她闭着眼睛，昏迷地躺着，宛如一尊希腊的石头面具，像是死去的奥菲利娅，飘浮在水上，从黝暗的水流里抬起她那苍白的、毫无感觉的面颊。我大吃一惊。在这次奇遇中我第一次感觉到了现实。我不禁浑身哆嗦，我知道我扶着的是一位没有知觉的女郎，喝醉的、病态的女郎；我胳膊上抱着的是一个梦游女郎，她像危险的红月亮，带给我的只是黑夜的闷热；我抱着的是一个女人，可她连自己在干什么都不知道，也许她并不喜欢我。我大吃一惊，我感到她在我胳膊上沉甸甸的。我想把这位没有知觉的姑娘轻轻放在沙发椅上，放在床上，以免因神志晕眩而贪欢，做出什么她本人也许并不愿意、而只是她身上的那个恶魔所喜欢的事来，这个恶魔主宰着她全身的血液。但是她几乎还没有感到我在把手松开，就开始低声呻吟了："别松开！别松开！"她恳求着，她的嘴唇更加热烈地吮吸着，身子紧紧地压着我。她双眼紧闭，脸上露出痛苦的神情，我打着寒颤，觉察到她想醒来，但又醒不了，她酩酊的感官想从昏迷状态中大声呼叫，想要清醒过来。在她那昏昏沉睡的面具之下有种东西在争斗，想从迷惑状态中摆脱出来，正是这东西，对我具有危险的诱惑力，使得我要将她唤醒。我的神经耐不住了，急不可待地要看看清醒时的她，说着话的她，作为真正的人的她，而不是只看到作为梦游者的她，无论如何我要在她沉睡的身上看到这个真情。我把她拉到我身上，使劲摇晃她，用牙齿紧紧卡着她的嘴唇，用手指卡着她的胳膊，想使她最终睁开眼睛，神志清醒地表现出种种风韵和妩媚，而这些，方才她的春心只是在抑郁状态下领受的。但是她只是一个劲地弯着身子，一边痛苦地紧紧抱着我，一边呻吟着。"再抱紧些！再抱紧些！"她以一种热情，一种没有理智的热情喃喃地说。这种热情使我激动不已，弄得我自己也失去了理智。我感到她已经快要清醒了，她紧闭的眼睛想睁开来了，因为她的眼皮已经在不安地颤动了。我抓着她，挨她更近，把脑袋深深地埋在她的身上。突然，我感觉到一颗泪珠从脸颊上滚了下来，流到嘴里，略带咸味。我贴她越紧，她的胸脯就起伏得越厉害。她呻吟着，她的四肢在抽搐，仿佛要炸掉什么可怕的东西，绷开她用昏睡裹着的一个箍似的；突然——犹如闪电划过雷声隆隆的天空——她的心碎了，全身的重量一下子又压在了我的胳膊上，她的嘴唇离开了我，双手垂下。我让她躺下，她一动不动，像死了一样。我大吃一惊。我下意识地摸摸她，触触她的胳膊和脸颊。她的胳膊和脸颊全凉了，僵硬了，变得像石头一样。只有太阳穴上血液还在一颤一颤地微微搏动。她躺着，像一尊大理石雕像，泪水湿润了她的面颊，呼吸的时候鼻孔微微翕动着。有时她还起一阵痉挛，这是兴奋的血液渐渐平静下来的余波，可是她胸脯的起伏却越来越轻微了。她越来越像一幅画像。她的面貌变得越来越有人性，越来越孩子气，越来越明亮和轻松。痉挛过去了。她昏昏欲睡。她沉沉地睡着了。

我坐在床沿上，颤抖着朝她弯下身子。她躺着，像个恬静的孩子，她双眼紧闭，嘴露微笑，内心的梦使她脸上显得富有生气。我俯下身去，挨她很近很近，看到了她脸上的每一根线条，脸颊上感到有她的呼气。我看着她，挨她越近，反而觉得离她越远、越神秘。她躺着，像石雕一样，是闷热的黑夜的炎热的气流把她驱到我这个陌生人这里来的，就像海水把一个死人冲到沙滩上，可是她的神志现在究竟在何处？躺在我手上的这位姑娘是谁，她从哪儿来的，是谁家的呢？她的情况我一点也不知道，只是感觉到我和她之间没有什么关系。我注视着她，这几分钟非常寂寞，只有墙上的挂钟匆忙地滴滴答答走个不停，我想从她无言的面庞上来了解她，可是对她的一切都毫无所知。我想把她从这异乎寻常的沉睡中唤醒，从我身边，从我房间里，从我生活的旁边唤醒，可是我又怕她醒来，怕她神志清醒时的第一眼。于是我就坐着，默默地坐着，俯身凝视着这沉睡的素昧平生的女子，凝视了一小时，也许是两小时。我渐渐觉得，仿佛这并不是女人，这个奇怪地来到我身边的并不是人，而是黑夜本身，是渴望的、备受折磨的自然在我心里所显示的奥秘。我觉得，这里躺在我手上的仿佛是整个炎暑的世界，但其神志却是清爽的，我觉得，大地仿佛被煎熬得拱起了腰，而她正是从这奇异、美妙的黑夜那里派来的使者。

  我背后格楞一响。我像罪犯似的心里一怔。窗户又格楞响了一次，仿佛有个巨大的拳头在窗户上摇动。我一跃而起。窗前和方才大不一样了：夜变了，变得险峻、黑黢和狂颠乱动。那边狂风劲吹，发出可怕的呼啸，云层在空中堆起黑色楼阁，风从黑夜里朝我迎面吹来，冷冰、湿润、势头猛烈。大风以移山倒海之势跳出黑暗，抡起拳头捶打窗户、擂打屋子。天上、地下一片黑暗，犹如可怕的深渊。云层席卷而来，转瞬之间一堵堵黑墙高耸，天地之间狂飙疾驰。这一阵气流把闷热的暑气一扫而光，一切都在奔流，都在扩展，都在激动，从天空的一头向另一头狂奔乱窜，牢牢扎根在土壤里的树木在呼啸的狂风的无形的鞭打之下痛苦地呻吟。突然，白光一闪，这一切都被撕成了两半：一道闪电从天空划到地下。闪电之后便是嘎啦一声巨雷，好像整个云层都裂开了。我的后面什么东西动了一下。她已经忽地站起来了。闪电扯掉了她眼睛上的睡意。她迷惘地呆望着自己。"怎么回事？"她说，"我在哪儿？"声音和先前大不一样。声音里虽然还流露出恐惧，但现在的音调听来甚为爽朗，像新鲜空气，清晰而纯净。又是一道闪电，把大自然的镜框撕开了：我一下子看清了在狂风摇撼下的枞树的雪亮的轮廓，云层像飞奔的野兽在空中疾驰，房间被照得雪白，比她苍白的脸还白。她一跃而起，其动作一下子变得从容自如，这我还从来没有在她身上见到过。她在黑暗中凝望着我。我感到她的目光现在已经清醒了，眼里含着无边的仇恨。随着一阵雷声，黑暗又笼罩了我们，黑暗里我想抓着她，安慰她，向她解释一下，但是没有成功，她挣脱了。又打了一道闪电，把房门给她照亮，她猛地把门推开，冲了出去。房门又自动关上了，这时嘎啦一声巨响，又打了一个雷，仿佛天整个儿掉到了地上。

接着外面发出哗哗声响，天像开了闸的河，滂沱大雨像瀑布似的从万丈高空倾泻而下，宛如无数根湿绳子被狂风吹得噼噼啪啪地来回直晃荡。有时大风把冰凉的雨水和甜丝丝、香喷喷的空气一束束地投进窗户里边我站着凝望的地方，我的头发全被打湿了，冰冷的水珠一滴一滴往下掉。但是我能感受到这纯洁的元素，心里感到幸运，我觉得这一下仿佛我的闷热也在闪电中消散了。我快活得真想高声大叫。又可以呼吸了，又清新凉爽了，我简直狂喜之极，也就把一切都忘了。我像大地一样往自己体内吮吸着清凉：我感到有一种像荡秋千时那种快乐的战栗，就像被雨水的湿鞭抽打得窸窣摆动的树木一样。天与地的欢娱的争斗真是妙不可言，像是狂喜的新婚之夜，我也分享了它的欢乐。电光一闪，天就直往下插，一声巨雷轰鸣，天就摔倒在战战兢兢的地上，在这充满了呻吟的黑暗里，天和地互相迅速沉落插叠在一起，宛如两性之间的媾合。树木快活得喘着粗气，越来越亮的闪电把远方织合在一起，天上滚烫的血管敞开着，水珠喷洒，并掺和着一道道潺潺细流。黑夜和世界，一切都打碎了，倒坍了——一种活的生命力，混合着田野的芳香与天空火热的气息的生命力,渗进了我的身心,使我感到凉爽。持续了三星期的酷热在这场斗争中退却了,我的心里也感到轻松。我觉得雨水仿佛哗哗地流进了我的毛孔,狂风仿佛在我胸前呼啸,令人神清志爽,我觉得我自己和我的生活已不再是单个的了,不再是有生命的了,我是世界,是狂风,是雷雨,是生物,是显示自然本色的黑夜。后来一切又渐渐平静下来,电光只是蓝蓝地、微微地划过天边,隆隆的雷声也变成了严父般的告诫声了,随着势头正在减弱的狂风,雨水的淅沥声也变得有节奏了,这时困意和疲倦也在向我袭来,我感到我颤动的神经像音乐似的在奏鸣,四肢有种软绵绵的舒松感。啊,现在和大自然一起睡吧,然后再和它一起苏醒!我脱了衣服,躺到床上。床上还保留着软软的、陌生的身体压下的印窝。我感觉到了这个无声的身体的印窝,这次奇怪的韵事还会引起回味,但是我再也不能理解它了。外面还在淅淅沥沥地下着雨,雨水冲洗了我的思想。我觉得,这一切不过是个梦而已。我总还想追忆先前所发生的事,但是雨在淅淅沥沥地下着,这柔和、奏鸣的黑夜是一只奇妙的摇篮,我躺在摇篮里,在夜的催眠曲中沉入了梦乡。

第二天早晨,我走到窗边,看见世界完全变了样。在灿烂的阳光下,大地显得清新,轮廓分明,也更加辽阔;大地的上空,那天地相交的穹隆处,像一面平静光亮的镜子,显得湛蓝而遥远。天地之间界限分明,天显得高远莫测,而它昨天却低垂在田野上,把大地折磨得痛苦不堪。但是现在天非常遥远,与地没有一点纠缠,没有一处地方再接触到这芬芳的、呼吸着的、已经解了渴的大地——它的妻子。天地之间有一个蓝色的深渊,在闪闪发光;天空和原野,他们彼此生疏地相对而望,都没有要求和愿望。

我下楼走进大厅。大家都已在那里了。他们的心情也和那几个可怕的、闷热的星期天不一样了。大厅里气氛热烈,情绪高昂,笑声爽朗,言语悦耳、铿锵,妨碍他们的沉闷的气氛已经一扫而光,缠绕他们的郁闷的束带已经脱落。我在他们之中坐下,心里的敌意也全消了,由于某种好奇心,我也在寻找另一个人,她的形象几乎被睡眠从我手里夺了去。果真,我所寻找的她正坐在那边侧面桌子上她爸爸妈妈中间。她很快乐,肩膀很轻松,我听到她在笑,银铃般的笑声无忧无虑。我好奇地用目光盯着她。她没有觉察到我。她正在讲什么使她很高兴的事,讲的中间不时夹杂着珠落玉盘似的稚气的笑声。后来她间或也朝我这边看看,她的视线匆匆掠过的时候,那笑声也就下意识地停止了。她的目光锐利地盯着我。好像有什么事使她感到诧异,她双眉紧蹙,她的眼睛严厉而紧张地在盘问我,她的脸上渐渐现出一种紧张而痛苦的表情,仿佛想要追思什么事,可又想不起来似的。我正面与她对视着,心里满怀希望,说不定她会做个激动或羞愧的样子来向我致意呢,可是她又把视线移开了。过了一分钟她的目光又朝我这里投了过来,好像要把事情弄个清楚。她的眼睛又一次打量着我的脸。只有一秒钟,很长的、紧张的一秒钟,我感到她的目光像坚硬、锋利的金属探针似的深深扎进了我的心房;随后她的眼睛又安详地从我身上移开了。从她无拘无束的、明亮的目光中,从她轻快地、快乐地转动着脑袋的样子,我感觉到,她在清醒的时候已经完全记不起我来了,我们的相遇已经随着神奇的黑夜沉没了。我们彼此又像天和地那么生疏和遥远。她同爸爸妈妈说着话,无忧无虑地摇晃着她那苗条的、少女的肩膀。她笑的时候,小嘴唇下面的牙齿在快活地闪光,而就在数小时之前,我还从她的嘴唇上饮下了整个世界的干渴和闷热呢。

奇妙的夜

关惠文译

弗里德里希·米夏埃尔·封·R男爵,是奥地利一个龙骑兵团的预备役中尉,一九一四年秋在拉瓦鲁斯卡战役中阵亡,后来在他的写字台里发现的以下笔录,当时是被封成一个小包……家里人只匆匆翻阅了一下,便根据标题推断这是他们的亲人男爵的一篇文学习作。他们把这些笔录交给我审阅,并委托我决定是否发表。我个人认为,这份文稿根本不是一篇虚构的小说,而是这位阵亡者的一次细节确凿的真实经历,现隐其名,不作任何改动和增补,把他的内心自白公之于世。

今天早上,我突发奇想,要把我在那个美丽夜晚的经历写下来,以便依其自然的顺序有条不紊地通观整个事件。自从产生这一闪念起,我便感到有一种莫名其妙的心理压力,非要为我自己把那次奇遇描述出来不可,尽管我怀疑自己是否有能力哪怕大致地描写出整个过程的奇情异景。人们所说的艺术才华我一点也没有,我也没有任何文学创作的训练,除了在特雷西亚中学写过几篇幽默小品,我从未作过写作的尝试。譬如,我压根儿就不知道,是否有一种特别可以学到手的技巧,能让人恰如其分地处理连续出现的外部事物和它们在内心的反映;我也自问,我是否有能力运用恰当的词语表意,把恰当的思想灌注在语言里，获得我在阅读任何一个真正小说家的作品时一向不自觉地感受到的那种平衡。但我写出这些文字，仅仅是为了我自己，它们未必能使别人明白连我本人都无法解释的东西。这些文字仅仅是尝试着在某种意义上把某件使我念念不忘而又使我越发痛苦不安的事作个了结，只是尝试着把它确定下来，使它展现在我面前，让我从各方面把握它。

这件事我没有跟我的任何一位朋友讲过，那正是由于感觉到我无法使他们理解事情的本质，此外还由于我感到有些羞怯，生怕人家笑话我竟被这么一件偶然的事情弄得神魂颠倒，魂牵梦萦。因为，这全部，确实只不过是一次微不足道的经历。但当我现在写出"微不足道"这个词时，我便觉察到：在写作时恰当地选词造句，对一个未经训练的人来说，是多么困难；就是这么一个简单的词也难免模棱两可，容易引起误解。我把我的经历称作"微不足道的"，自然只是根据相对的意义，也就是跟那些关系到各个民族及其命运的重大的充满戏剧性的事件相比而言；另一方面，是根据时间的意义，因为整个故事只发生在不到六小时的短暂时间里。但对我来说，这个——一般而言微不足道的、不重要的、无重大意义的——经历，却包含无限的意义，直到今天，在那个美丽夜晚的四个月以后，我还对它充满激情，必须竭尽我全部的心力，才能把它保存在我的心里。每日每时我都在重温它所有的细节，因为它在一定程度上已成为我整个生活的支点，我所做所说的一切全都不自觉地由它决定，我的思想的唯一忙碌的活动便是一而再、再而三地重温它的突然发生，并通过这样的重温把它据为己有。现在我突然明白过来，我落笔前的十分钟没有意识到的究竟是什么：我所以现在动笔写我的这段经历，只是为了以确凿的事实把它固定在我面前，再一次从感觉上体味它，同时从精神上理解它。我在前面说过,我想把它记录下来,以此作一结束,那是完全错误的,完全不真实的,相反,我是想把这次转瞬即逝的生活经历更为逼真地保存下来,让它带着体温和呼吸在我身边活动。哦,我并不担心会忘记那个闷热的下午,那个美丽夜晚的一时一刻,我不需要任何标记和路牌,就能在记忆中一步一步地回头去走那几个钟头的路:像一个梦游者,无论白昼还是黑夜我每时每刻都能重新找到走进那个境地的路,在那里我能清楚地看见每个细节,但认识它的只有我的心,而不是我的衰弱的记忆力。在这里,我能如此生动地把那个春天绿树成荫的风景描绘下来,就是如今在秋天,我也还能亲切地感觉到那栗树花烟尘般飞飘的淡淡的清香。我再次描写这几个钟头,不是害怕忘记它,而是高兴找回它。如果我现在依照准确的顺序描述那一夜的变化,那么,我就必须为了次序的缘故克制自己,因为这时我心里总产生一阵狂喜,总感到一阵陶醉,几乎使我无法去想那些细节。于是,我只好挡住这些回忆的画面,免得它们相互交错,乱作一团,像一个五色斑斓的梦。我现在仍然以火热的激情体验这经历,体验一九一三年六月七日那一天,当天中午我叫了一辆出租马车……

　　但我觉得,我必须再一次中断片刻,因为我又惊异地觉察到了一个词语的模棱两可和多层含义。现在,当我要第一次把事情联在一起叙述时,我才发现,把那种意味着一切生动事物的活动结成一体,是多么困难。我刚刚动笔来写"我",我说过,在一九一三年六月七日中午,我叫了一辆出租马车。但这句话恐怕已经毫无意义了,因为我早已不是六月七日的那个"我"了,虽然从那时算起才过去四个月,虽然我住在那时的"我"的房子里,用他的笔和他本人的手在他的写字台上写。我,就是那个时候的这个人,恰恰由于有了那次经历,我现在与他完全分离，像生人般从外面冷眼看着他，于是我才能像写一个游伴、一个同志、一个朋友那样写他，对他的很多事和主要的事我都很了解，但这个人已完全不再是我本人了。我可以谈论他、责备他或批判他，压根儿就感觉不到他曾是我本人。

　　曾经是我的那个人，作为少数，现在从里到外都有别于他本阶级的大多数。特别是在我们维也纳，人们把这个阶级称为"上流社会"，倒不是因为特别骄傲，而是认为这很自然。我已年满三十六岁。我的父母早亡，他们在我快成年时给我留下一份足够的财产，使我从此不必去考虑挣钱和发迹。于是，我突然作出一个当时使我非常不安的决定。刚好我完成大学学业，面临选择未来的职业。由于我的家庭关系和我早年就特别向往平稳上升和静观内省的生活，我本来很可能选择公务员的职业。但我是我父母财产的唯一继承人，有了这笔财产，即使我突然失业也能独立生活，就是过高的非分的愿望也能实现。而功名心又从来不曾困扰我，所以我便决定对生活先看几年等几年，直到它最终诱使我找到一个能发挥我的才干的工作。这样，生活就停在这种观望等待的状态了。因为我没有任何特殊的追求，我便在我不多的愿望范围内得到了满足。维也纳这座柔情的淫逸的城市，以其独特的风格干脆把逍遥自在的散步、游手好闲的观光和附庸风雅培养成一种艺术的完美，一种生活的目的，使我完全忘却从事实际工作的意图。身为一个文明、高贵、富有、英俊而又淡泊功名的青年，我说不出有多么满意。我在没有危险的紧张气氛中赌博和打猎，经常变着法子旅行和郊游，不久我便以内行的认真态度和艺术家的情趣来充实我这安逸的生活。我收集稀有的玻璃器皿，与其说是出于内心的激情，不如说是由于高兴在一种不费气力的活动中达到完善，求得知识。我用风格特殊的意大利巴罗克铜版画和卡纳莱托① 风格的风景画装饰我的寓所，这些画都是从旧货商那里搜罗来或在拍卖行怀着一种虽属追逐却并不危险的紧张心情好不容易买到的。我做各种事都是出于一种爱好，而且永远出于一种兴趣，好的音乐会、当代画家的画展，我很少缺席。在女人堆里，我也不乏成功之举，在这里我也以隐秘的收藏家绝不动心的癖性为自己累积了许许多多值得回忆的宝贵的经历，而且渐渐从一个单纯的享乐者上升为行家里手。总的说来，我有很多经历，这些经历使我的日子充满愉快，使我感到生活充实，于是我开始更加热爱这种使青春勃发但又不使青春震惊的温暖舒适的气氛，几乎不再有别的想望，因为在我的这种风平浪静的日子里，很少有什么东西发展成为一种欢乐。选中一条领带甚至能使我感到快乐，一本美妙的书、一次乘车郊游或同一个女人共处一个小时都能使我感到非常幸福。特别使我感到惬意的是，我的这种生活方式，完全像一件十分合宜的英国外衣一样，绝不会引起社会的注意。我相信，人们都认为我是一个受欢迎的人，他们喜爱我，愿意跟我接触，因此，认识我的大多数人都说我是一个幸福的人。

我现在也说不清，我力求在想象中复原的那个人，是否跟别人一样，也把自己看成一个幸福的人：因为现在当我要求从那感情各异的经历中找到一种更完整更丰富的意义时，我觉得，对每件往事都作出评价简直是不可能的。不过我能肯定地说，那时我绝没有感到不幸福，因为我的愿望几乎没有不实现的，我对生活的要求也几乎没有得不到满足的。但是我已经习惯于从命运中接受我所要的一切，此外从不向命运索取什么，就是这种习性渐渐使我相当缺乏压力，连生活也没有朝气。那

---

① 卡纳莱托（1697—1768），意大利风景画家，作品感情丰富，色彩和谐。

时在我半似醒悟的时刻里不自觉地在心中跃动的渴望,并非真实的愿望,而只是对愿望的希望,是更强烈、更放纵、更雄心勃勃而又永不知足地加以追求的要求,对更多的生活,也许更多的痛苦的要求。我运用非常高明的策略从我的生活中排除所有的阻力,然而一经没有了这些阻力,我的生命活力也就减弱了。我发现,我的渴求越来越少,越来越弱,我的感情麻木了,也许这样表达最好:我在忍受着精神上萎靡不振的折磨,忍受着无力获得生活热情的痛苦熬煎。首先,我从微小的征兆上看出了这种不足。我感到奇怪的是,我极少去剧院,极少参加比较重大的社交活动,我订购不少我喜爱的书,但又让这些书周复一周地躺在写字台上,裁都不裁;尽管我不假思索地继续收集心爱的器物,购买玻璃器皿和古希腊罗马的艺术作品,但买到手以后却不去整理,后来即使意外获得一件搜寻已久的稀有物品我也不特别高兴了。

　　我真的意识到我的心力暂时略有衰退,那是在一个特定的时刻里,这一时刻还清楚地浮现在我的脑海中。那年夏天——因为产生了那种对任何新鲜事物都不感兴趣的惰性的缘故——我住在维也纳。我突然接到一个女人从一个休养胜地寄来的一封信,我跟她已有三年亲密无间的关系,我甚至可以坦率地说:我爱她。她给我写了一封长达十四页的心情激动的信,说她在这几周内在那里认识了一个男人,此人已在很多方面属于她,甚至完全成了她的人,她将在秋天跟他结婚,而我们之间的那种关系必须结束。她回想起跟我一起度过的时光,一点也不后悔,甚至感到幸福,对我的这种思绪将作为她昔日生活中最美好的部分陪她进入她新的婚姻生活里去,她希望我能原谅她的这个突如其来的决定。在通知了这件事之后,这封心情激动的信才开始提出真正感人的恳求,她希望我不要生她的气,不要因为她突然收回承诺而太痛苦，要我别试图用暴力把她拉回去，或者做戕害我自己的蠢事。信里的字行更加激昂地疾驰下去：让我在一个更好的女人那里求得安慰，要我立即给她写信，因为她很惦念我接到这个通知后的情况。作为补充，接着又用铅笔匆匆写道："别做任何丧失理智的事，你要理解我，原谅我！"我读这封信时，起初还对这消息感到惊奇；看完一遍以后，又读第二遍时，心中不免多少有些羞愧，这羞愧又自然而然地迅速转化为一种内心的惊恐。因为，我的情人认为必然会出现的那种强烈的出自本性的心情，我心里连个影子都没有。得到她的通知，我没有感到痛苦，我也没生她的气，而且压根儿就没想到用暴力方式反对她或摧残我自己。我心里的这种感情冷漠现在变得极为古怪，连我自己都感到惊愕。一个女人曾陪伴我生活了好几年，她温热的身体那么有弹性地紧贴着我的身体，在多少漫漫的长夜里她的呼吸消失在我的呼吸里，现在她背弃了我，我却无动于衷，不去阻止，不设法把她夺回来。这个女人单凭本能设想的一个真正的人理应具有的那种感情，在我心里一点也没有产生。此时此刻，我第一次意识到，我的心灵麻木已经发展到多么严重的地步。我恰似飘在闪光的流水里，没有攀附也没有根基。我清楚地知道，这种冷漠便是死亡，便是僵尸，尽管还没有发出腐烂的臭气，但也是不可救药的呆滞和冷漠无情，——这是真正的死亡、肉体的死亡之前的征兆，是外表可见的衰亡之前的征兆。

　　自从有了那个生活插曲，我便开始像一个病人观察自己的疾病一样仔细观察我自己，观察我心里的这种奇特的心灵僵化。此后不久，我的一个朋友去世了，我走在他的棺材后面，这时我静静地谛听我的内心是否真的悲痛，我的意识里是否感觉到永远失去了这个童年时代的挚友。但这一类的情感一点儿也没有。我觉得我像一个不透明的玻璃制品一样,这些东西照上来只能折射回去,我的内心任何光线都照不进。在这种时候和许多类似的情况下尽管我努力去感觉,甚至以种种理性的理由想去说服感觉,也不能从这僵化的心灵里唤起任何反应。人们离开了我,女人们来来去去,我感觉到这无异于一个人坐在屋子里隔窗观雨,在我和直接对象之间隔着一堵玻璃墙,我无力用意志把这堵墙拆除。

虽然我现在清楚地感觉到了这一点,但是这种认识并没有使我不安,因为我曾说过,就是那些涉及到我本人的事我也全不在意。我对痛苦再也没有什么感觉了。可以聊以自慰的是,这种心灵上的缺损,表面是觉察不到的,这有点像男人的阳痿,只在亲昵的一刻才暴露出来。在社交中,当我意识到我过分冷漠过分麻木时,我便卖弄一下假装出来的哗众取宠的热情,夸张地做出一时激动的样子。从表面上看,我继续过着我昔日舒适而无拘无束的生活,没有改变生活的方向;每周每月的时光轻松地流逝过去,慢慢地不知不觉地度过了数年。一天早晨,我照镜子,看见鬓角有一绺灰白的头发,才感觉到我的青春正慢慢地步入另一个世界。但别人称为青春的,在我心里早已过去了。因此告别青春于我并不十分痛苦,因为我也不怎么爱我的青春。我那倔强的感情对我自己也置之不理。

由于这种内心的无动于衷,我的日子越来越千篇一律,尽管有各种不同的事情和活动,日子一天接着一天毫无起伏地排列过去,像树上的叶子生长又枯黄。我现在想再为自己描述的那个独一无二的日子,像往常一样,也是一点也不特别,毫无征兆地开始的。一九一三年六月七日那天,我起得很晚,心里回荡着儿时和学生时代的礼拜天的感觉,洗了澡,读了报,又读了读书。然后由于受到关切地闯进我房间里来的温暖的夏日的诱引,我出外散步,习惯地横穿渠岸林阴道,在熟人和友朋相互致意下跟他们寒暄几句,就在朋友家里吃午饭。下午,我避开了任何约定,因为我非常喜欢在星期天度过几个没有安排的自由自在的钟点,让这几个小时完全由我的兴之所至、我的疏懒习性和某种一时冲动任意排遣。后来,我从朋友家回来,横穿环城马路时,我欣悦地感受到阳光灿烂的城市的艳丽,为它初夏的盛装而心花怒放。看上去,所有的人都很快活,全沉浸在多彩街道的礼拜天气氛中,许多个别的东西使我感到新奇,首先是茂密的树木直起腰来用它们萌发的青枝绿叶从上边遮没了柏油马路。虽然我几乎每天都从这里经过,但我像发现奇迹一样突然看见这礼拜日熙熙攘攘的人群,于是我不自觉地产生一种对浓绿、明丽和多彩的渴望。我有点好奇地回想起普拉特游乐场,在那里,在此春末夏初之际,那些又高又粗的树,像高大的绿衣仆人站在车辆行驶而过的林阴大道两侧,一动不动地把它们白色的花冠伸向那些装扮入时的人群。我也立时产生一个急切的愿望,习惯地招呼头一辆来到我面前路上的出租马车,告诉车夫要去普拉特游乐场。"去看赛马是不是,男爵先生?"他谦恭地应声道。我这才想起,原来今天是非常时兴的赛马日,一年一度的赛马预赛,维也纳整个上流社会都在那里聚会。在上车的时候我想,要是在几年前我耽误或忘记了这一天,那才怪呢!就像一个病人一活动便感觉到自己的伤口,从这种忘性上我感觉到我已深陷其中的那种冷漠的整个僵化状态。

  当我们到达那里时,林阴大道上几乎空无一人。想必赛马早就开始了,因为上坡路上一向车马嘈杂的热闹景象已经不见,只有稀稀拉拉的几辆出租马车,蹄声哒哒地匆忙驶过,好像要追回被耽误的时间。车夫在座位上转过身来问,要不要快跑；但我命他让马静静地走，因为我根本不在乎迟到。我看过的赛马太多了，那些参加赛马的人我也见得太经常，我不再把准时到达看得多么重要了。这样子像站在船的甲板上观海一般，坐在马车的轻轻摇晃的软座上感受蓝色的微风拂面，这样更安静地观赏枝繁叶茂的美丽的栗树，才更适合我的懒散习性。这些栗树不时把几绺花絮交给温暖宜人的风去玩耍，那风随即把花絮拾起来旋转，然后又刮到林阴大道上，形成白花花的一片。就这样在车里摇来晃去，闭着眼睛想象着春天，毫不紧张地体味飘飘欲仙的快意，真是再舒坦不过了。遗憾的是，马车到达快活苑就停在门口了。我真想再往回走，照旧在这柔和的初夏的日子里任凭车子把我摇来晃去。不过，已经太晚了，马车已停在赛马场前边。沉闷的咆哮声迎面传来。那声音像一片汪洋轰轰隆隆地在逐阶上升的看台上膨胀起来，我看不清密集地发出这声音的活动的人群，于是我不由得想起了比利时的海滨浴场奥斯登德，那时人们从低地的城市登上通往海滨大道的窄小的侧街，便感觉到海风带着咸味在头上尖声呼号，听到一种低沉的轰鸣，然后才把目光投向波涛轰轰作响的翻滚着灰色泡沫的辽阔的海平面。一定是一场赛马正在进行中，但在我和有赛马疾驰的草坪之间竖着一道五颜六色的、嗡嗡作响的、像被一阵内心的暴风雨摇来摇去的浓烟，那是黑压压的观众和赌徒。我看不见跑道，但我能在不断增长的热情的反照中领悟到赛马的每一阶段。骑手肯定早已出发，混乱地分成一团一团，有几个骑手一起争夺领先，因为从那个密切注视着赛马活动的人群里传来了叫喊声和激动的呼唤声，而那赛马的场面我是看不见的。顺着他们转头的方向，我猜得出骑手和马此刻已经到达椭圆形草坪的弯道，因为喧闹的人群，像转动一个伸长的共同的脖子一样，越来越一致地、越来越联合地把目光投向一个我看不见的视点，从这个扯开的喉咙里以千百种搓碎的声音发出怪声叫喊和汩汩的声响，犹如越来越高的泡沫飞溅的汹涌波涛。而这波涛在增长，在膨胀，充满整个空间，一直冲向那冷漠的蓝天。我注视几个人的面孔。好像因为身体内部发生了痉挛，这些面孔都变了形，眼睛出神地凝视着，闪着微光，嘴唇紧咬，下巴贪婪地前伸，鼻翼像马那样翕动。如此冷静地观察这些放纵的陶醉者，我感到可笑而又可怕。我身旁一张椅子上站着一个男人，他穿着讲究，有一张本来很顺眼的面孔，但此刻却在狂呼乱叫，好像有一个看不见的妖魔附在他身上一样，他向一无所有的空气里挥动他的手杖，犹如朝前鞭打着什么东西，他的整个身体——在别人看来真是说不出有多可笑——狂热地随着疾驰如飞的赛马动作一颠一颠地不停地颤动。如同蹬在马镫上，他跷着脚后跟，在椅子上不停地上下跷动。右手一再向空中挥舞着，就像甩鞭子一般，左手则痉挛地把一张白色彩票攥得皱巴巴的。四下里出现越来越多随风飘摆的白色彩票，就像泡沫喷射器，在轰轰膨胀起来的灰色洪峰上面喷洒出的泡沫。现在，在拐弯处，几匹马一定是紧紧挨在一起了；喊两个、三个、四个人名字的连续不断的轰鸣声震耳欲聋，分散各处的小组人群一再地呼唤和吼叫，仿佛交战时的喊杀声。这叫喊宛如是他们走火入魔的发泄。

我冷静地站在这轰鸣的癫狂中，犹如一堵绝壁立在隆隆作响的大海里，就是在今天我也还能准确地说出我在那一时刻的感觉。首先，感到所有这些滑稽的手势和表情都很可笑，其次对粗俗的感情爆发报以嘲讽和鄙视，但也还有些别的东西，这一点我还不大愿意承认呢——那就是对这种激情，对这种爱的冲动，对这种狂放生活的某种微弱的嫉妒。我在想，是发生了什么事，我才这样激动，这样热狂，以致我的身体如此灼热，我的声音一反我的意愿脱口而出？我想不会有任何一笔巨款，占有它就能使我高兴，不会有一个女人使我这样着迷，没有什么能使我脱离我的麻木不仁，使我产生这样火热的激情，没有什么，什么也没有！在一支突然扣了扳机的手枪前，我虽然可能惊呆一刹那，但我的心却不会如此剧烈地跳动，就像围在我四周的成千上万的人为了一大笔钱而打赌一样激动。但是，此刻，想必是有一匹马已接近终点，因为在上千人异口同声的越来越尖利的叫喊里，从混乱中响起一个人的名字，犹如一根绷紧的琴弦发出尖锐的声音后就要突然挣断一样。音乐奏响了，人群突然溃散了。一局赛马结束了，一场战斗解决了，紧张的情绪融化在一种令人晕眩、余兴未尽的激动中。众人刚才还是热情的一团，现在分散成许多边漫步边说笑的小股人群，从酒神狂女激情假面具后边露出安静的面孔；成千的人曾被竞赛的混乱融成唯一的火热的整体，现在从这混乱中又依社会阶层分成小组，时而聚集时而分开，认识我的人向我致意，陌生的人相互冷漠而客气地打量和观察。女人相互观察各自新制的盛装，男人投以贪婪的目光，那种时新人的好奇心是无所事事者的真正职业，现在正好开始施展它的才能，人们在相互寻找，相互计数，相互检查是否到场，是否衣着讲究。这里所有的人刚刚从眩晕中苏醒，就再也不知道，他们社交聚合的目的究竟是这种闲逛的幕间表演，还是竞赛本身。

  我从缓缓流动的拥挤的人群中间走过去，时不时地问候和回谢，舒适地呼吸着——尽管是我的生活环境的——香水和高雅的气味，这香味在这万花筒般的混杂场合四下飘浮。微风从普拉特游乐场那边，从夏日烤热的树林里吹来，更快地吹向人群，像喜欢美色似的触摸女人白色的纱衣。几个熟人想同我攀谈，美丽的女演员狄安娜从包厢里向我点头相邀，但我没有到任何人身边去。今天，我没有兴致跟任何一个上流社会的人交谈，我觉得，在他们这面镜子里照见我自己，实在无聊。我只想把握这幕戏，把握这飘飘然一时隐秘的性爱兴奋（因为别人的激动在冷漠人的眼里恰恰是最令人愉快的一幕戏）。几个漂亮的女人走了过去，我毫无顾忌地看着她们，她们每走一步，薄纱下的乳房便一颤动，对此我毫不动心。她们感到被别人如此肉欲地打量着，像被肆无忌惮地脱光了衣服似的，对自己的窘态半是尴尬，半是快活，每当这时我就在心里感到好笑。事实上并没有一个人让我着迷，我在她们面前这样做，只是感到某种满足而已。心怀这种念头的这幕戏，揣度她们心理活动的这场游戏，使我欢乐，我喜欢用眼睛触摸她们的身体，用眼睛来感觉这诱人的颤动；因为，像对每一个内心冷漠的人一样，在别人温热的身子里引起不安，而不是使自己萌生激情，这对我也是真正性感的享受。我只喜欢感受那些性感女人的温热，我指的不是真正的温热，只不过是给予刺激，而不是诱发激情。这一回我就是这样穿过散步的场地，接受她们的目光，像打羽毛球似的把目光送回去，对女人只欣赏而不攫取，触摸而不动感情，只不过是用不冷不热的淫逸的游戏略微增加点热气而已。

但这种游戏很快便使我厌倦了。总是原来那些人从面前走过去，她们的面孔和她们的姿态我都能默记下来了。附近有一把椅子。我就坐了上去。周围各组人群里，开始出现一阵新的令人目眩的活动，那些从面前经过的人更不安地相互杂乱地摇动和冲撞。显然是又开始了一局马赛。我对赛马全不放在心上，我坐在软垫上，悠然自得地叼着香烟吞云吐雾，那小小的烟圈打着白色的卷儿朝天空飞升，然后越来越淡，像一缕白云消失在春日的蓝天里。就在这一时刻，开始了那桩罕见的事，那次至今还左右我生活的奇特的经历。我能极为准确地说出那是几点几分，因为当时我偶然看了一眼表：指针正好交叉，我怀着无事人的好奇心理盯着它们，看它们怎样重合一秒之久。那是一九一三年六月七日那个下午的三点十六分。我手里夹着香烟，看着白色的表盘，正全神贯注地作这种幼稚可笑的观察时，听到紧靠我背后一个女人在大笑，那是我在女人身边喜欢听到的那种尖声的兴奋的笑，是从性感的热丛中迸发出来的大惊小怪的热烈的笑。她那不加掩饰的性感这样放荡地闯进我无忧无虑的梦境，像一块白色的闪光的石头投进一个霉味扑鼻的烂泥塘。我真想转过头去看她一眼——我立刻控制住了自己。一种精神游戏的奇特的乐趣，一种没有危险的心理试验的小游乐，时时袭上我的心头，现在却让我罢手。我还不想去看这个高声大笑的女人，只想先用一种愉快的方式捉摸这个女人的形象，在我的想象中把她的脸，她的嘴，她的喉，她的颈项，她的胸脯，总之把一个这样发笑的活生生的女人一清二楚地勾勒出来。

　　显然，她是紧挨着我身后站着。笑声一落，又开始谈话。我好奇地听着。她说话略带匈牙利语腔调，语速极快，很悦耳，像唱歌一样把元音拖得很长。用她的话语虚构她这个人，脑子里尽可能大胆地塑造她的形象，我觉得很开心。我想象中的她有一头黑发，一对乌黑的眼睛，一个宽大、有曲线的性感的嘴，满口洁白坚固的牙齿，一个细长的小鼻子，但略往上翘的鼻孔却在不停地翕动。我让她左颊上印着一颗美人痣，手里拿着一根马鞭，大笑时她用马鞭轻轻敲打着大腿。她说呀说的，不停地说。而她说的每一句话，都给我闪电般对她产生的想象增添一个细部：一个狭窄的少女的胸脯，一件深绿色的连衣裙上边斜插着一个钻石别针，一顶插了一根白色苍鹭羽毛的浅色帽子。那形象越来越清晰，我觉得我已经看到了这个陌生的女人，她不可见地站在我背后，犹如站在我的瞳孔的曝光底片上。但我不想转身，我让这想象中的游戏继续发展。任何一个微小的快感都会干扰我心猿意马的梦幻，于是我闭上双眼。当然，假如我睁开眼转向她，我这内心的形象肯定会跟她外在的形象完全重合。

就在这一刹那，她走到前面来了。我心不由己地睁开眼睛。但我很生气。我完全怔在那里了，一切都是另一个样子，甚至像恶作剧般与我想象中的形象相反。她穿的连衣裙不是绿的，而是白的，不是身材修长的，而是丰满的，胯骨宽大，在富态的脸颊上任何地方也没有我梦想中的美人痣，头发是金红色，而不是黑色，还戴了一顶盔形帽。我想象中的特征没有一样跟她的真实形象相同，但这个女人很美。尽管由于我沾沾自喜的愚蠢的好胜心受到了伤害，我拒绝承认她的美，她还是美得令人动心。我几乎怀着敌意抬眼看她，但就连我这颗保持抵抗的心也受到来自这女人的强烈性感的诱惑，感觉到一种色欲，一种由她的坚实而柔软的肉体挑逗诱发出来的兽性。这时，她又大声笑起来，露出她坚硬雪白的牙齿，我不得不对自己说，这种热烈的性感的笑与她本人的丰满诱人是和谐一致的；她身上的一切——那隆起的胸，那笑时向前伸的下巴，那敏锐的目光，那弯弯的鼻子，那使劲朝地面挂着伞的手，都那么充满激情，那么有挑逗性。这里是女性的元素，是原始力，是有意的、缠绵的诱惑，是肉欲的欢乐的火炬。她身旁站着一个文雅的军官，那军官正在执著地规劝她什么。她认真地听他说话，时而微笑，时而大笑，时而反驳，但所有这一切都是附带的，因为她的目光同时扫来扫去，她的鼻翼朝着四周翕动，好像注意着一切人：她在收集每个走过去的观众的注意力、微笑和目光所向，如同从周围所有的男子那里收集这一切。她的目光不停地移动着，这目光有时沿着看台搜寻，以便随后在愉快地辨认出某人时突然回以致意，有时在微笑着装作认真听他说话的时候，一会儿扫向右、一会儿扫向左。只是我虽然处在她的视野之内，但由于被她的陪伴者遮挡，还没有被她的目光触及到。这使我很恼火。我站起来——她还是没看见我。我往前挤了挤，——现在她又朝上去瞧看台。于是，我决心向她走去，对她的陪伴者微微脱帽致意，请她坐我的椅子。她惊奇地望了望我，眼睛里飞过一道微笑的闪光，她讨好地撇了撇嘴唇，挤出一丝微笑。接着她道了声谢，把椅子挪过去，却没有坐下来。她只温情地把那只丰满的、一直裸露到上臂的胳膊拄在椅背上，微微弯起她的身躯，让人清楚地看见她的身姿。

　　对我的错误的心理分析的恼怒，在我胸中已荡然无存，跟这个女人的嬉戏吸引着我。我稍往后退了退，退到看台后壁的附近，在这里我可以自由自在、不为人知地细看她，我拄着手杖，用眼睛搜寻她的目光。她发现了我，略微朝我观察的部位转了转身体，但这个动作好像完全是偶然的，不阻止我看她，有时还无拘无束地回应我。她的眼睛不停地转动，它们触摸一切，但什么也不紧紧抓住——她在偶遇时露出的一丝捉摸不透的微笑，只对着我，还是对着每一个人？这是很难区分的，不过正是这种无从确定性弄得我烦躁不安。在赛间休息时，她的目光像闪光灯一样朝我闪了一下，那目光中仿佛充满了许诺和希望，但她也用同样闪光的瞳孔毫无选择地对待任何人向她飞过去的目光，只不过完全出于逢场作戏的卖弄风情的欢乐心理，同时，又首先一秒钟也不耽误她倾听她的陪伴者说话。在这一系列性感的卖弄中，存在着某种明显的肆无忌惮的东西，有一种挑逗卖俏的高超技巧或一种突然爆发的过剩的性爱要求。我身不由己地向前迈了一步：她那种冷漠的放肆举动也感染了我。我不再去看她的眼睛，而是以内行的态度由上到下打量她，用目光撕开她的衣裙，并在感觉中静观她的裸体。她跟着我的目光转，不觉得受到什么伤害，她撇着嘴角对正在侃侃而谈的那位军官微笑，但我发现，这会意的微笑是对我的愿望的反应。当我去看她那只露在白色衣裙下的纤巧可爱的小脚时，她用目光随随便便地朝下扫了一眼她的裙子。紧接着，她出人意外地抬起腿来，把她的脚放在那把请她坐的椅子的第一根横木上，这样我便可以从那镂空的裙子看见延至膝盖以上的长丝袜，与此同时，她对她的陪伴者的微笑也变得颇有嘲讽或存心不良的意味。很明显，她跟我戏耍，像我跟她戏耍一样不动感情。我不禁满怀仇恨地欣赏她肆无忌惮的精湛技巧，因为当她以不正当的诡秘心理展示她身体的性感时，她同时讨好地跟她的陪伴者低语，在一个人身上又给予又收取，二者只是游戏。我真的被激怒了，我恰恰憎恨别人的这种冷淡的恶意的工于心计的情欲，因为在我的这种没有感情的状态中，我觉得这情欲活像兄妹之间的乱伦。但我很激动，说不定憎恨多于淫欲。我色迷迷地向前走了走，用目光野蛮地捉住她。"我想要你，你这美人儿，"我的表情好像毫无掩饰地对她这样说，我的嘴唇一定不自觉地掀动了一下，因为她略显鄙视地微笑着，扭过头去不再看我，她使劲把晚礼服下摆甩在裸露在外的小脚上。但一刹那之后，那乌黑的眸子又朝我闪过来，很快又转过去。很清楚，她的冷淡完全像我而且还超过我，我们俩都是用一种有分寸的激情在戏耍，这种激情本身只不过是画出来的火焰，但毕竟好看，毕竟是一个阴郁的日子里的欢乐的戏耍。

突然，她脸上的紧张情绪不见了，不停闪烁的光亮消失了，一条恼怒的褶皱爬上她刚才还在微笑的嘴角。我跟随她目光的方向看去：一位矮胖的绅士急急忙忙向她走来，一身皱皱巴巴的衣服使他显得十分臃肿，那张脸和他神神颠颠地用手帕擦拭着的前额，由于激动，全都汗津津的。匆忙中斜扣在头顶上的帽子，让人从侧面看到从上往下延伸的秃头（我不由得感觉到，要是他摘下帽子，那头顶上肯定布满了豆粒大的汗珠，我觉得这个人很讨厌）。在他戴了戒指的手上攥着一大把彩票。看得出，他兴奋得直喘粗气，他高声地用匈牙利语跟那个军官说话，对他的夫人看都不看一眼。我立刻认出这是一个赛马赌徒，细加分类是一个马贩子，赛马是他唯一的娱乐，崇高事业的别称。显然，他夫人此刻肯定是向他提出了什么告诫（他的在场显然是妨碍了、搅扰了她最起码的安宁），因为他好像照她的意思正了正帽子，朝她和蔼可亲地笑了笑，温存地拍了拍她的肩膀。她愤怒地抬起眼睑，对这种夫妻间的亲昵十分反感；在那个军官面前，也许包括在我面前，这样的亲热使她很难堪。他仿佛表示了歉意，用匈牙利语又跟那个军官说了几句话，对方则露出满意的微笑作答；随后他便温情地略显逢迎地挎起她的胳膊。我感到，他当着我们的面做出的这种爱抚举动，弄得她满面含羞。我心怀嘲笑和厌恶欣赏着她的俯首听命。但她又镇定下来，当她亲热地挽住他胳膊时，向我投来一瞥讽刺的目光，好像是说："你瞧呀，占有我的是他，而不是你。"我很生气，同时觉得很讨厌。我真想转身就走，叫她看明白，对这样一个粗俗的矮胖子的妻子我是不感兴趣的。但她的诱惑力太强了。我呆在那里没有动。

就在这时，赛马开始的信号尖声地响了，整个呆滞的，无精打采的，闲聊的人群像被摇动了一下似的，又突然乱哄哄地向前面的栅栏拥去。我需要使出很大的气力，才能不被卷走，因为我正想在混乱中留在她身边。说不定这时会有机会投去决定性的一瞥，下一次手，干一次我当时也说不清的出于本能的荒唐勾当。不过，在人们急急忙忙往前拥时，我坚持不动，正好被挤到她身边去了。就在这当儿，那个矮胖的丈夫偏巧挤过来了，显然他是想在看台边抢到一个好的位置，于是我们俩便迅猛地撞来撞去，谁都想奋力把对方甩到一边去，这样一来，他那顶虚戴在头上的帽子就飞到了地上，那些彩票由于攥得太松而飞了出去，在空中划了一个大弧形，像红、蓝、黄、白色的蝴蝶飞落到地上。他瞪了我一眼。我本不假思索地就要道歉，但一种恶念锁住了我的嘴唇，相反，我以一种略微无礼而粗野的挑衅态度冷漠地看着他。他的目光不安地闪烁了一秒钟，那是由不断上涨而又小心压抑着的愤怒引起的，但这目光在遇到我的目光后却胆怯地退避了。那胆怯是令人难忘，甚至令人感动的。他又这样凝视了我一秒钟，然后转身离去；仿佛突然想起了他的彩票，就弯下腰到地上去捡彩票和那顶帽子。那位夫人沉着地挎着他的胳膊用眼睛瞪着我，她激动得满脸通红，现出不加掩饰的愤怒；我则怀着一种极大的喜悦看着，真恨不得让她打我一顿。但我十分冷漠，毫不在意地站在那里不动，非但不去帮忙，反而笑眯眯地看着那个超肥的小个子丈夫哼哧哼哧地弯着腰，在我的脚前爬来爬去拾他的那些彩票。领子在弯腰时撅得很高，活像老母鸡竖起的羽毛，挺宽的胖褶子在憋得通红的大脖子后边向上挤在一起，他每活动一下便大口地喘着粗气。我看见他这样喘息，便不自觉地产生一个有伤风化的令人恶心的思想：我想象着他和他的妻子同房的情景，我简直放纵地沉浸在这种想象中，还面对她那难以控制的愤怒发笑呢。她站在那里，此刻面色苍白，焦躁而不能自制——我终于从她那里夺得一份真正的、毫不掺假的感情：憎恨，难以遏制的愤怒！我真想让这恶作剧的场景无限地延长下去；我心怀冷酷的狂喜看到，为一张一张地拾起他的彩票他受了多么大的罪。一个稀奇古怪的恶魔塞在我的咽喉里，他一直在哧哧地笑，很想爆发出一阵大笑——我真想把他笑出来，或者用一根棍子给这块发痒的肉团稍稍解解痒。我实在记不得曾几何时我这样邪念钻心，像现在这样得意扬扬地侮辱这个调情卖俏的女人。不过现在，这个倒霉蛋似乎终于把他的彩票都皱皱巴巴地拾起来了，只有一张蓝的飞得稍远，最后竟落在我跟前。他气喘吁吁地转过身来，用他的近视眼搜寻着——那夹鼻眼镜都滑到他汗津津的鼻尖上去了——，我的故意捣蛋的恶意就利用这一秒钟要延长他的可笑的费劲找寻彩票的时间：我无意中依着学童时的挑逗心理，赶快往前一挪脚用鞋底压住那张彩票，只要我不想让他找到，他就怎么费劲也找不着。而他找啊找啊，百折不挠地找，同时把那些彩色的胶版纸片数了又数：很明显还缺一张，我脚底下的这一张，他还想在步步移近的杂沓声中开始寻找，这时他的夫人以一种乖戾的表情极力避开我嘲弄的斜视目光，再也控制不住她的愤懑和焦躁。"拉尤斯！"她以主人的口吻突然朝他喊了一声，他像一匹听到军号声的战马一样惊起，又向地上寻觅似的看了一眼。我觉得，脚底下的那张彩票好像使我发痒，我几乎忍不住要笑出声来——然后他顺从地转向他的夫人，她急匆匆地把他从我这里拉到越来越激动的混乱的人群中去。

我站在原地没动，根本不想跟着这两个人走。这段插曲对我来说已经结束，那种情欲紧张的感觉令人舒坦地消融在欢乐中，一切激动的心情都从我心中溜走，除了那突然冒出来的恶意得到了极大的满足，除了对这恶作剧得到胜利的一种厚颜无耻的，近乎放纵的自我满足，什么也没有留下。前面，人们紧紧地挤在一起，激情像波涛一样激荡，一种唯一的，肮脏的，黑色的波浪开始向看台拥去,但我压根儿就不往那边看,这种事已经使我厌倦了。我心想,是到克里奥草地去呢,还是乘车回家。但我刚刚不自觉地把脚往前挪出一步,我便注意到躺在地上的那张蓝色的彩票。我把它捡起来,夹在手指间玩弄着,不知该怎样处理它。我模模糊糊的想法是,把它交还那个"拉尤斯",这可能成为跟他夫人相识的最好的机会;我发现,她已对我不再感兴趣了,而由这次艳遇飞向我的一股性激情已经在我旧日冷漠的心里变冷。除了双方目光在搏斗和要求中的一来一往,我对这位拉尤斯的妻子别无他求——那个矮胖子太叫我讨厌了,怎么能跟他共有一个女人呢——我的神经颤抖起来,这时我只感到心灰意冷,紧张的精神舒松下来。

那把椅子还立在那里,孤孤单单,全被忘却。我悠然自得地坐在上面,点燃一支香烟。那激情又在我面前喧闹起来,我甚至连听都不去听,因为没有新花样的重复对我没有诱惑力。我一心看着缭绕上升的烟,想着疗养胜地梅兰的林阴道,两个月前我还坐在那里俯瞰轰轰飞溅的瀑布。那里跟这里很相似:在那里也有一个不断增强的呼啸声,既不使人感到温暖,也不使人感到冷漠,那里也有一种毫无意义的喧嚣声直冲蓝天。现在赛马的热情渐渐强烈地表现出来,阳伞、帽子、叫喊和手帕组成的浪花又在波涛般汹涌的黑压压的人群上空挥舞,各种声音又混杂在一起,从人群的巨大的口里发出一声叫喊,但现在它的音色不同。我听到一个名字,被千次万次地欢呼,被尖声地、狂喜地拼命地喊叫:"克莱希!克莱希!克莱希!"这声音又像一根绷紧的琴弦,忽然断了(重复连激情也会变得单调!)。开始奏乐,人群四散。写着赢家号码的显示板被拉到上边来。我下意识地朝那里望去。在第一位闪着一个"七"。我机械地看了一眼那张蓝色的彩票,我几乎忘了它还夹在我的手指间。这上面也有一个"七"。

我不由得笑了起来。这张彩票中了,拉尤斯这家伙押对了。这么说来,我的恶作剧竟使这个胖丈夫破点财了:突然,我的狂妄情绪又来了,此刻我感兴趣的,是要知道我的妒忌行为究竟骗了他多少钱。我头一次仔细地看这张蓝色的胶版纸:那是一张二十克朗的彩票,拉尤斯押的是"七"。这恐怕是一笔相当可观的款子。我没有往下想,只是跟着好奇心的感觉走,我便被匆忙奔跑的人群顺带着向通往票房的方向挤去。我被压进一个长蛇阵里,把那张彩票递上去,两只瘦瘦的手匆忙地立刻触摸了它一下,我根本看不见窗口后面那人的脸,那人把九张二十克朗的票子推到大理石窗台上。

就在有人把那钱,真正的钱,蓝色的钞票推给我的一刹那,笑声梗住我的咽喉。我立刻产生一种很不舒服的感觉。我不自觉地把手抽回来,以免碰到那些别人的钱。我宁肯让那些蓝色的钞票留在窗台上;但人们从我后边拥过来,急不可耐地要拿到他们赢得的钱。于是我不得不用感到厌恶的手指尖痛苦地把那些钞票拿起来:它们像蓝色的火焰在我的手心里燃烧。我不由得张开这只手,好像这只拿着钱的手不是我的。我立刻估计到了这恼人的处境。本来只是开开玩笑,结果却演变成一个正派人、一个绅士、一个预备役军官不该做的丑事,真是完全违背了我的意志。就是面对自己我也犹犹豫豫不肯说出真名实姓。因为这不是隐匿的钱,而是诈骗的钱,是偷来的钱。

我周围人声鼎沸,嘈杂喧闹声响个不停。人们连挤带撞,或从票房前挤出来,或向票房拥过去。我依然伸着手,站在那里不动。我该怎么办呢?首先我想到,最自然不过的是:寻找真正的赢家,向他道歉,把钱归还他。但这是行不通的,至少在那位军官的眼前不成。而且,我是一个预备役中尉,一旦供认，就会立刻丢掉军衔。因为即使这彩票是我拾到的，已经收了钱就是一种不正当的行为。我也想到，让我手指间的自然颤动再厉害一些，把钞票攥成一团抛出去，但这样做，在混杂的人群中是很容易被发现的，随后就要受到怀疑。我绝不想把这笔别人的钱在我手里握上一分钟，或把它装到皮夹里去，以便日后送给什么人；从小我就有穿干净衬衣的洁癖，因此即使随便碰一碰这些票子我也感到恶心。扔掉，只能把这笔钱扔掉！我真是心急如焚，扔掉，随便扔到哪儿去！我下意识地四下张望。当我无计可施地在周围察看是否有什么隐蔽处，是否有不会被注意的机会时，我突然注意到人们又开始向票房挤去，但现在是手里拿着钞票。我想，这下子我可得救了。我在这恶作剧的偶然机会中得到的钱，可以再抛回那贪食的咽喉，那窗口像咽喉一样正在把新的赌注，把银币和纸币，同样贪婪地吞下去——对，这么做就对了，这是真正的解脱。

我疾走，简直是跑了过去，挤过蜂拥而上的人群。只有两个先到一步的男人在我前面，那第一个人已经站在赛马赌注收款处前面，这时我突然想起我还说不出要押哪匹马呢。我贪婪地倾听我周围人的谈话。"您押拉瓦克尔吗？"一个人问。"当然押拉瓦克尔，"他的同伴回答他说。"您以为泰迪也会赢吗？""泰迪？看不出赢的迹象。它在初赛中就完全不灵了。它是个样子货。"

我像一个饥渴的人把这些话都吞了下去。那么说，泰迪是不行的了。泰迪说不定非输不可。我立刻决定，就押泰迪。我把钱推进去，说出刚才听到的名字泰迪，押它赢，一只手把彩票甩给了我。我手里一下子就有九张红白胶版彩票了，而不是一张。仍然还有一种不痛快的感觉；但毕竟不像攥着皱皱巴巴的现金那样不是滋味，那样感到有失身份了。

我又感到轻松，甚至无忧无虑了：现在已经把钱甩出去了，这次奇遇的不愉快也了结了，事情又变成了玩笑，像开始的时候一样。我懒散地坐在我的椅子上，点燃一枝香烟，从容不迫地把烟吐在面前。这种状态我并未保持很久，我站起来，来回踱了踱步，然后又坐下去。奇怪的是：令人浑身舒服的梦也随之过去了。某种神经质的东西沙沙响着刺进我的肢体。起初，我想，在这么多擦身而过的人当中碰到拉尤斯和他的妻子，那才晦气呢！转念自问：他们怎么会想到那些新的彩票本应属于他们呢？人群的嘈杂并没有干扰我，相反，我仔细地进行观察，看他们是否又在开始向前拥挤，我甚至突然被吸引住了，我一再站起来，去看那边赛马开始时升起来的旗帜。就这样焦躁不安，真是等得我心如火焚，但愿赛马快开始吧，愿这件讨厌的事永远完结吧！

一个小伙子跑过来，手里拿着一张赛马报。我把他挡住，买了一张，我反复地看那些用行话写的不可理解的词句和暗语，直到我终于找出泰迪，它的职业骑师的名字，那个马厩的所有者和红白毛色。这为什么使我如此感兴趣呢？我满腔愤怒地把这张小报揉成一团抛了出去，站起身来，然后又坐在椅子上。我突然觉得全身发热，不得不用手帕擦擦渗出汗珠的前额，衣领有点卡我的脖子。赛马起跑的号令可能一直没有发出。

铃声终于响了，人们潮水般涌过去，而在这一秒钟，我不禁大吃一惊，这铃声如同闹钟一般使我从睡梦中惊醒。我猛地从椅子上跳起来，连椅子都给碰倒了，于是我手里紧紧攥着那些彩票，急急忙忙地快步走——不，我是跑着——贪婪地朝前面奔去，钻进人群，生怕去晚了，耽误了什么重要的事。我粗野地把别人撞到一边，挤到前边的横木前，不顾一切地把一位太太正要去坐的一把椅子拉到我身边来。我立刻从她的目光中意识到我的行为是多么不得体，多么荒诞不经——这位太太是一个老熟人，R伯爵夫人，我清楚地看见她愤怒地耸起眉毛——但由于羞愧和固执，我冷冰冰地从她身边移开我的目光，跳到椅子上，去看赛马跑道。

在那边很远的地方，一小群马紧挨在一起站在绿草地的起跑线上，被职业骑师吃力地拉在起跑线以外，这些骑师看上去像是木偶戏里五颜六色的丑角。我立刻在那里辨认我押的那个骑师，但我的眼睛对此很不熟练，我觉得在我眼前闪烁的光线那么热那么奇特，弄得我在那么多斑斑块块的颜色里根本区分不出那红白色标志来。就在这一时刻，第二次铃声响了，那些马像从弓上射出的七支彩色的箭似的飞驰到绿色的跑道里。安静地充满美感地观看这一幕场景，真是无比的美妙，那些马几乎是蹄不擦地飞过草坪；但我对这一切什么感觉也没有，我只是绝望地试着认出我的马和我的骑师，我抱怨我自己为何不带一个野战望远镜来。不管我怎样弯腰伸脖子，但除了四五个小虫子模模糊糊地飞作一团以外，我什么也没看见；现在我只看见那队形渐渐起了变化，那虚飘飘的马群在拐弯处延长成楔形，几匹马往后一退，有一匹马嗖地飞到前头。赛马到了白热化的程度：分散为三五成群的马，像彩色的纸条，扁扁地紧紧挨在一起，一会儿这匹马冲在前，一会儿另一匹马又猛冲出一头。我不由自主地伸展开我的全身，好像通过这种模仿飞驰的热情紧张的动作我能提高它们的速度，能跟它们一道飞跑。

我周围人群的热情在高涨。几个行家在弯道上认出了自己押的颜色标志，因为一些名字像尖声叫着的火箭从嘈杂的人群中喷射出来。我身旁站着一个人，狂热地伸出双手，当一个马头钻在前头时，他便跺着脚用讨厌的尖叫声和胜利的欢呼声大喊："拉瓦克尔！拉瓦克尔！"我看到，一个身着蓝色服装的骑师真的一闪一闪地在飞奔，我气得要死，因为那跑在前头的不是我的马。我身旁那个讨厌鬼发出的"拉瓦克尔！拉瓦克尔！"的刺耳的吼声，惹得我怒不可遏；我气得暴跳如雷，恨不得一拳打进他那张大嘴巴叫喊着的黑窟窿里去。我简直气得全身发抖，满面发烧，我觉得我每时每刻都可能干出丧失理智的蠢事来。但这时又有一匹马紧贴着第一匹马齐头并进。说不定这就是泰迪，很可能，很可能是——这种希望重新燃起我的热情。我真的觉得有一只胳膊高举在马鞍上面，有什么东西嗖嗖地落在马屁股上，是红色，很可能就是那个骑师，必定是他，肯定无疑是他！但他为什么不赶到前面去呢，这混账？再给一鞭子！再来一下！这时，就在这时，他已接近了第一名！现在，只差一拃远了。为什么是拉瓦克尔？哼，拉瓦克尔？不，不是拉瓦克尔！不是拉瓦克尔！泰迪！泰迪！前进！泰迪，泰迪！

骤然间，我醒悟了。什么？——这是什么？谁在这里这么喊？谁在这里狂吼"泰迪！泰迪！"原来是我自己在喊泰迪呀。我对我的这种狂热行为大为震惊。我想稳住自己，控制住自己，在我的发烧般的行为中，一种突然涌上心头的羞愧使我痛苦难熬。但我仍然目不转睛地观看，因为在那里两匹马几乎重合在一起了，那肯定是泰迪，他紧挨着拉瓦克尔，紧挨着那匹该死的我恨透了的拉瓦克尔。这时我周围响起了另外一些人更高更多的尖声叫喊："泰迪！泰迪！"这阵叫喊又把刚刚清醒一霎时的我硬扯进狂热中去。他应该赢，他必然赢，真的就在此刻，此刻他已经超过身后飞跑的马一头了，只要再加把劲，现在已经超过两头，现在我已经看到脖子了，——就在此刻，铃声静静地响了，唯一的一声欢呼、绝望、愤怒的喊声爆发出来。在一秒钟内，那个渴盼的名字冲上蓝天，响彻云霄。随后，这喊声落了下去，不知什么地方奏起了音乐。

一腔热血，浑身汗透，心脏还在怦怦跳动，我就从椅子上跨步下来。我必须坐一会儿，由于激动和兴奋，我的心十分慌乱。一阵狂喜，一阵我从未经历过的狂喜，涌过我全身，这是一种快乐，一种能使事情的发展完全听从我的意志的快乐；我试图装出不希望这匹马得胜的样子，但没有成功，我原本是希望看着把这钱输掉的。不过，现在我连自己都不敢相信了，我已经感到有一种野蛮的牵引力进入了我的肢体，它像磁石一样牵扯着我，现在我知道它要把我驱赶到什么地方去：我原来是想看见"赢"，想感觉到"赢"，抓住这个"赢"，想在我的手指间感觉到钱，许多许多钱，许多蓝色的沙沙响的钞票，想感觉这股暖流在我的血管里上升。一种完全陌生的不怀好意的喜悦攫住了我的心，再也没有一点羞愧阻挡我向这喜悦屈服了。我一站起来，就急急地走，就快步跑向票房，我是那么粗暴无礼，竟横起臂肘在窗口前的人群中撞来撞去，急躁地把别人推到一边，只不过是为了钱，为了亲眼看到钱。"急死鬼！"我身后的一个被挤出去的人嘟哝了一声。话我虽听见了，但我不想跟他斗嘴，在不可理解的病态的焦躁中我甚至全身都在颤抖。终于轮到了我，我的双手贪婪地抓住一小摞蓝色的钞票。我手指抖动着数起钱来，同时高兴到了极点。一共是六百四十克朗。

我心情激动地把钞票塞进腰包。我的第一个想法便是：现在继续赌，多赢，多多地赢。可我的赛报哪里去了？哦，在兴奋中扔掉了。我环顾四周，看能不能买一张新的。这当儿，我发现我心中突然产生一种莫名的恐惧，周围所有的人一下子都散开了，潮水般涌向出口，因为票房已经关门，迎风招展的旗帜已降了下来。赛马结束了。这是最后一局赛马。我呆呆地站了一秒钟。我不禁大为恼火，好像这对我很不公正似的。我简直不能忍受，这时我的每根神经都紧张起来，全身震颤，血液多年来都没有像今天这样突突地在我血管里滚动了，一切都完了。但硬要自欺欺人地死抱住希望不放，是于事无补的，这只能是一个错误，因为五颜六色拥挤的人群越来越分流，在稀稀拉拉留在那里的看客之间已经看到被践踏的草坪泛着绿光了。我渐渐感觉到我如此心情紧张地停留在那里十分可笑，于是我拿起帽子，向出口走去，而手杖我刚刚由于兴奋放在活动栅栏旁边了。一个仆役卑屈地摘下便帽，朝我跑过来，我对他说出我的马车的号码，他把手卷成喇叭口向停车场一喊，那架车的马便得得地迅速跑了过来。我嘱咐车夫慢慢地沿着林阴大道往下走。因为恰在此时，狂热正开始舒舒服服地减弱，我迫切希望在头脑里重新过一过这整个场景。

这时，另一辆马车赶到了前面。我心不由己地看了一眼，然后又自觉地收回目光。这是那位太太同她那位肥胖丈夫的马车。他们没有发现我。但我立刻感到有一种讨厌的东西掐住我的喉咙，好像我在做什么坏事时当场被人捉住一般。我恨不得喊车夫快马加鞭，赶快从他们身边跑过去。

出租马车借助有弹性的胶皮车轮，一颤一颤地在其他许多车辆中间滑过去，那些马车就像许多花船，载着五光十色的女人向栗树林阴大道的绿色河岸摇摆过去。空气轻柔而甜美；从第一阵夜晚的凉气里，不时穿过灰尘吹过来一股微弱的风。但先前那种舒心的梦幻般的感觉却没有再出现：撞见那个被欺骗的男人，使我无比痛苦。一股冷风像穿过一道缝隙一样，突然钻进我荒唐的激情中来。这时我又一次冷静地想了想那全部场景，我再也理解不了我自己了：我，一个绅士，上流社会的一员，预备役军官，受尊敬的人，竟然轻而易举地去拿那笔意外的钱,把它塞进腰包,而且还心怀贪婪的喜悦干这种事,这无论如何也是不能宽恕的。我,一小时以前还是一个规矩的完美的人,后来竟然偷东西了。我成了小偷了。为了使我自己有所震惊,在马车疾行时我用半个嗓音对自己宣布判决,我下意识地随着马蹄踏地的节奏说:"小——偷!小——偷!小——偷!小——偷!"

可是,很奇怪,我怎样描写才好呢,眼下发生的事,无比奇特,简直无法解释。不过我知道,我一点也没有虚构附会。在那个时刻里我每秒钟的感觉,我头脑中的每一个闪念,我现在甚至都觉得异常的清晰。我三十六年的生涯中从来没有这样的经历,因此我也不敢说我对我的感情的这些荒谬绝伦的表现和这些令人愕然的摇摆已经一清二楚,我甚至不知道有哪一位诗人哪一位心理学家能把这一切描写得完全合乎逻辑。我只能记录一下程序,完全忠于它的不可思议的闪光点。话又说回来:我是在对自己说着"小偷,小偷,小偷"。随后,出现了非常奇特的完全空白的一瞬间,在这一瞬间里什么也没发生,在这一瞬间里我只是——哦,想表达它是多么难啊——我只是在倾听,倾听我内心的声音。我想象着:我传唤自己了,我控告自己了,现在这个被告人该回答法官的质问了。我又侧耳细听,原来什么也没发生。我是等待着"小偷"这个词对我的鞭挞,这个词将使我惊醒,使我随之陷入一种莫名的悔恨的羞愧境地,但是什么也没有唤醒。我耐心地等了几分钟,我屈身更仔细地反省我自己——我好像感到,在这种执著的沉默中,有什么东西在活动——于是我又倾听,心中怀着一种热切的期望,期望迟迟不到的反响,期望听到随着自我控诉必然出现的恶心、愤怒、绝望的叫喊。又是什么也没有发生。没有任何回答。我又对自己说着"小偷,小偷",现在声音很大,想以此在我心中唤醒又重听又麻木的良知。又是没有任何回答。突然间——在意识的一次刺眼的闪光里,像是突然划着一根火柴,把它举在朦胧的内心深处——我意识到,我只是想要感到羞愧,但并不真的羞愧,甚至在内心深处我还因这次愚蠢透顶的行为感到某种神秘莫测的骄傲,乃至愉快呢。

这怎么可能呢?我抗拒着,现在真的害怕我自己了,我对抗着这意想不到的认识。但从我心中产生的这种感觉不断膨胀,迅速起伏波动。不,这不是羞愧,不是愤怒,不是自我厌弃,在我血液中的热烘烘的东西是欢乐,醉意的欢乐,这欢乐在我心里燃烧,甚至闪着纵情的明亮火光,因为我感觉到,我在那几分钟里是多年后第一次成了活生生的人,我的感觉麻木了,但还没有衰亡;我感觉到,在我冷漠的沙层下面的什么地方依然有激情的热泉神秘地喷涌,而现在,被偶然遇到的魔杖一触动,这热泉竟直喷我的心田。在我的心里,在有生命的宇宙中这个人的心里,一切人间神秘火山的岩心还在燃烧,这岩心在情欲的旋转不停的冲动下有时会喷发,与此相同,我也还活着,我还是一个活蹦乱跳的人,是一个心怀恶欲和热望的人。心扉被这激情的风暴吹开了,一种深奥的东西进入我的内心,而我则在快乐的眩晕中呆呆地凝视我心中的这个使我又惊又喜的不熟识的东西。慢慢地——当马车懒散地带着我梦境中的身体穿过市民阶级的世界时——我一级一级地往下走,走进我心中那人性的深处,同时无比孤独地默默地迈着脚步,只是因为高兴地举着我被意外点燃的意识的刺眼的火炬,我才又升到现实中来。我周围是千百人此起彼伏的欢声笑语,我在心中寻找着我自己,那个失去的人,我在魔术般移动的思索里寻找那些岁月。完全忘怀的种种事情,忽然从我生活的那面落满灰尘,模糊不清的镜子里映现。我记得,还在读小学的时候,我就偷过一个同学的小刀,而我则心怀同样恶魔般的欢乐冷眼观察他怎样到处寻找,到处询问,费尽气力。我突然明白了许多性生活时刻神秘的疾风暴雨行为,明白了我的激情是完全失去了生活乐趣的,是被社会的妄想即绅士盛气凌人的理想扭曲了,践踏了,——但在我心里,在内心深处,在最深的心底,那股生活的热流仍然像别人一样在被掩埋的泉眼和管道里滚动。哦,我总算是生活过,只是不曾大胆地生活,我是把自己捆了起来,逃避自我;然而现在,这被压抑的力量迸发出来了,生活,丰富的生活,力量巨大的生活征服了我。现在我才知道,我仍然离不开它;就像妇人第一次感觉到胎动那样极度惊喜,我也感觉到了真实的东西——我怎么能有别的说法呢——那种真正的东西,那种不掺假的生活种子在我心里发芽。我觉得——我羞于写出这样的话——我这个死了的人突然又生机盎然了,鲜红的血在我的血管里不安地流动,感情在我温热的身体里悄悄地展开,我长成或甜或苦的无名果。我的这个汤豪泽式的奇迹①,竟然出现在一个赛马场的光天化日之下,在几千个悠闲的人的喧闹声中:我又开始有感觉了,枯黄的树干又吐新绿,又发嫩芽了。

一位先生从一辆行驶过去的马车里跟我打招呼,又喊我的名字——显然,他第一次跟我打招呼我没看见。我很不高兴地站起身来,一脸的怒气,因为我甜滋滋的自我内心享受,受到了干扰,我所经历的最深沉的梦被打断了。但朝打招呼的人一

---

① 汤豪泽式的奇迹:汤豪泽(约1200—约1270),德国抒情诗人。传说汤豪泽被诱到维也纳宫廷,过着花天酒地的生活,不久就深感后悔,遂前往罗马朝圣,请求宽恕他的罪衍。教皇对他说,由于他的朝圣杖再也长不出叶子,他的罪衍也就不能饶恕。他再次返回维也纳宫廷,可是不久,他那被弃置的手杖却开始长出绿叶。教皇派使者来找他,但再也未能见到。

看，我便完全摆脱了我的梦境：原来是我的朋友阿尔封斯，一个亲密的小学同学，现在是检察官。我忽然想到：这个亲如兄弟一般跟你招呼的人，现在可以第一次向你行使权力了。一旦他了解了你的过失，你就落到他手心里了。一旦他了解了你，知道你的所作所为，他非把你从车里拽出去不可，一定会把你赶出整个温暖的有产阶级的生活圈子，并且把你投进阴暗的牢房，叫你跟那些生活垃圾、跟其他被贫困之鞭赶进肮脏囚室的窃贼在一起苦熬三年五载。但只有一瞬间，一股恐惧的冷气攫住我颤抖的双手的每个关节，只有一瞬间这恐惧使我的心脏停止了跳动——接着，这个思想也就又变成了热烈的感情，变成了一种难以置信的厚颜无耻的骄傲，我这时就是这样自鸣得意地近乎嘲讽地打量着我周围的人。我想，你们现在面带亲切的微笑，像对你们自己人一样跟我打招呼，如果你们了解了我的实情，你们的这种微笑怎么能不冻结在你们的嘴角上呢！你们将会像拂掉一粒脏东西一样轻蔑而恼怒地把我的问候拂到一边。但在你们把我赶走以前，我就已经把你们赶走了：今天下午我就已经从你们那冷冰冰的完全僵化的世界中冲出来了，在那个世界里我只是一个轮子，在一架大机器上默默工作着的轮子，这架机器在活塞推动下冷漠地滚动，沾沾自喜地自转。我跌进了一个我不认识的深渊，但我在这一小时里比在你们圈子里那些纸醉金迷的年月里更有生气。我不再属于你们，不再是你们中的一员，我现在是在外面某个或高或低之处，永远也不再站在你们有产阶级安逸生活的平坦的海滩上。人类出于善与出自恶所做的一切我都初次感受到了，但你们永远也不会知道我在哪里，你们永远也不会认出我：你们哪会知道我的秘密！

　　我这么一个衣着时髦的绅士，表情冷淡地边打招呼边致谢意，从车流里急驶而过，那一刻的一切感受我怎样才能表述出来！因为当我的假面具，这个外表上从前的我，还能感觉和认识各式各样的人时，我内心里便轻轻响起那样一种如痴如醉的乐曲，使得我不得不压制自己，以免在这种乱哄哄的场面喊出声来。我充满了这样的感觉：这澎湃的心潮折磨着我全身，我不得不像一个将要窒息的人使劲把手压在胸口上，在那里我的心正在痛苦地骚动。但是，痛苦，欢乐，恐惧，惊吓或惋惜，这一切单独存在的心态我一点儿也没有感受到。所有这一切都融合在一起了，我只感觉到我活着，我在呼吸，我有感觉。而这个最简单的东西，这个原始的感情，多年来我已感受不到，现在却使我陶醉了。而在我三十六年的生涯里，连一秒钟也没有感受到像在这飘飘然的一小时里那样欣喜若狂，那样生气勃勃。

　　马车轻轻一震，停了下来：车夫拉住马，从坐位上转过身来，问我要不要往回家的路上走。我迷迷糊糊地从梦幻中醒来，抬起目光望了望林阴大道：我这才惊愕地发现，我已做了多久的梦，醉意朦胧状态已延续了几个小时。天已经黑了，一缕温柔的风在树冠里起伏波动，栗树花在凉爽的空气中吐着晚香。树梢后面月亮已洒下了朦胧的银光。够了，该是够了。但不是现在就回家去，不要回到我习惯的世界去！我给车夫付了款。当我掏出钱包，数钱准备付款时，我手上的关节直至指尖都像触了电一般：我心里总有点什么东西醒着，那是那个深感羞愧的旧我。那已濒临衰亡的绅士的良心还在颤动，但我的手又十分愉快地翻动那些偷来的钱，由于快乐我变得很慷慨。看到车夫千恩万谢的样子，我忍不住微笑：若是你知道实情的话！马拉紧了套，车走了。我目送着它，就像一个人从船上再次回头去看他曾经幸福地生活过的海滩。

　　在笑语嘈杂、乐声大作的人群中，我像在梦境中一样，六神无主地站了片刻：大约有七点钟了，我不自觉地拐到那边，走向萨赫公园。往常从普拉特游乐场回来，我总要在那里跟朋友们一起吃饭，车夫也知道把我撂在附近。但我刚刚碰到高级花园酒家的栅栏门把手，便突然缩回手，克制住自己：不，我还不想回到我的世界里去，不想让人们的闲谈冲走那神秘地充塞我内心的奇迹般的骚动不安，不想让那捆绑了我数小时的这次奇遇的闪闪发光的魔力离开我。

从什么地方传来了沉闷混杂的音乐，我不由得循声走去，因为今天一切都对我有吸引力，我觉得，完全听凭偶然来摆布，也不失为乐事，而且这样糊里糊涂地被赶到如微波荡漾的人群中，也是一种妙不可言的刺激。在这像一锅粥似的热情的人群里，我的血液激荡起来：我的精神突然振作了，人们的呼吸、灰尘、汗水和烟草混杂在一起的淹渍气味和雾腾腾的烟气刺激着我所有的感官，使我毫无睡意。所有这一切，此前，甚至就在昨天，还使我当作粗俗下流和没有教养而十分反感，我作为一个衣着考究的绅士有生以来就唯恐避之不及，现在却像磁铁般吸引着我的新本能，我好像第一次感觉到动物本能的、情欲冲动的、卑劣下流的东西同我有亲缘关系。在这些城市的渣滓中，在这些士兵、侍女和流浪汉中间，我自己也不知道为什么竟然感到如鱼得水：我贪婪地吮吸着这淹渍的气味；在三五成堆的人群中挤来撞去，我觉得很愉快；我怀着津津有味的好奇心等待着，看这时光究竟把这个意志薄弱的人冲向何方。从丑角游艺场传来的刺耳的铙钹声和铜管乐声，越来越近。管风琴狂热而单调地奏出不成调的波尔卡舞曲和杂乱的华尔兹舞曲，其间还夹杂着从小货摊发出的劈劈啪啪的沉闷的敲击声、咻咻的笑声和醉汉的狂呼乱叫。现在我眼花缭乱地看见，我童年时代坐过的旋转木马在树木间旋转。我在广场中间停住脚步，让整个喧闹声浪拍击我的心灵，让我的眼睛和耳朵任其冲刷：这喧嚣的声浪，这令人难以忍受的混乱场面，使我感到很畅快，因为在这种纷乱中有一种能麻醉我的心潮的灵丹妙药。我目不转睛地看着：侍女坐在秋千上荡到空中，裙子被吹得鼓了起来，咯咯地发出做爱时的那种尖叫声；肉铺伙计哈哈大笑，把沉重的铁锤哐的一声扔在磅秤上；小贩做着猴子似的动作，沙哑的喊叫盖过了管风琴的喧闹声，晃晃悠悠地走过去；所有这一切与笑语喧哗的不断活动的人群混合在一起——铜管乐的拙劣演奏、灯光的摇曳闪烁以及他们欢聚在一起的那种快乐之情，使他们如痴如醉。自从我自己清醒过来以后，我突然感觉到了他人的生活，感觉到百万人城市的情欲冲动，感觉到这种冲动怎样热烈而集中地注入星期天的这几个小时里，以及这冲动怎样在自己种种思绪的激发下变成一种模模糊糊的、动物的、然而又可说是健康的本能享受。从跟他们暖热的欲念强烈的身体不间断的摩擦和接触，我渐渐感觉到他们的温暖的情感冲动传到了我的全身：我的每根神经都绷得很紧，被这刺鼻的气味熏得昏昏沉沉，从我的内心出发，我的所有感官都在眩晕状态中与这喧闹声嬉戏，而且感觉到与各种强烈的狂喜不可避免地掺杂在一起的那种纷乱的麻醉。多年来，也可以说是自我有生以来，我还是头一次感觉到这些黎民百姓，我觉得人是一种力量，欲望就是从他们那里传入我这个与世隔绝的人的身上的；一道堤坝溃裂了，这种感觉从我的血管里流进这个世界，又有节奏地流了回来。这时，一种全新的欲望袭上我的心头，我要把我和他们之间的那层最后的硬壳熔化掉。这是一种热切的要求：想跟这个热情的陌生的拥挤的人群结合在一起。我怀着一种男人的快感投进这个热烘烘的巨大身体的激情喷涌的胸怀，我怀着一种女人的喜悦体验了每一个接触，每一声呼喊，每一次诱惑，每一回拥抱——现在我知道，我心中蕴藏着爱和对爱的渴求，像在我朦胧的童年时期一样。哦，进去吧，进入生机勃勃之中，无论怎样也要同别人的这种颤抖的、欢笑的、轻松的激情结合在一起，只管涌入和流进他们的血管里去，在喧嚷的人群中变得微不足道，变成人间垃圾里的一条纤毛虫，变成有无数生物的小水池里的一个乐得发抖的闪光的生命——但只管投入到丰富多彩的生活中去，投入到滚滚的旋流里去，像一支箭一样把我从自己绷紧的弓弦射进不相识的世界，射进共有的天空。

现在我知道了；我当时是醉了。在我的血液里，一切都咆哮起来了，这里有旋转木马上的铃铛的敲击声，在男人抓摸下发出的女人细脆的欢笑声，混杂无序的音乐声，忽隐忽现的衣裙的窸窣声。每种单个的声音都针扎似的刺进我的心里，然后又红光一闪，颤抖着从我的太阳穴经过，我以一种（像晕船似的）不可言状的神经刺激感觉到每一次触摸，每一个目光，但一切又共同结合在一种眩晕的状态中。我无法用语言表达我的复杂心态，也许打个比方是最容易说清的：比如说，噪声、喧闹和感情充塞我的胸膛。我像一个烧得过热的机车，带着所有的车轮疯狂地奔跑，要泄掉巨大的压力，不然一会儿蒸汽锅炉就会爆炸。滚烫的血液在我的手指尖上颤抖，在我的太阳穴里跳动，在我喉咙里挤压，最后堵塞在额角——从多年的感情冷漠，我一下子跌进了使我全身燃烧的狂热之中。我觉得，我现在应该敞开我的心扉，从我的心底用一句话和一个目光，披沥衷曲，表露感情，抛开自我，献出身心，把我变成普通人，完全融在群体里，——总之，我应该摆脱使我与温暖、沸腾、活跃的现实隔绝开来的沉默的外壳。几个小时我都没有说话了，没有和任何人握过手，没有感到一瞥探询和同情的目光。在这些变化出现以后,这种反对沉默的激动心情便有增无已。我从来没有像现在这样想同人交谈,想同人接触,因为我正在成千上万人中间飘来荡去,周围充满温暖和话语,千万人的血液周流的血管紧紧地把我缠住。我简直就像飘浮在海上的一个渴得要死的人。我看见——越看越痛苦——左右两边每时每刻都有陌生的人偶一接触便结伴而行,就像水银珠游戏般的融合在一起。我很嫉妒,每当我看到年轻小伙走过时和陌生的少女搭讪,刚说完一句话就挽起她们的手臂,每当我看到所有的人怎样结识和组合:在旋转木马上打一个招呼,交臂而过时投出一瞥目光,也就足够了,跟陌生人谈谈话,也许几分钟后就分离,但这是联系,结合,交流,这正是我的整个心灵所热切向往的。尽管我在社交中那么善于辞令,是一个受人欢迎的健谈者,而且举止沉稳,但我还是十分胆小怕事,不好意思同任何一个臀部丰满的侍女攀谈,生怕她会笑话我,甚至有人偶然看我一眼,我也要低下眼睛,然而我内心里却十分渴望说话。想要从别人那里得到什么,连我自己也不清楚,我再也不能单独呆下去忍受我的激情的熬煎了。所有的人都从我面前走过去了,每一个目光都从我身上掠过,没有一个人觉察到我。一个男孩子走到我身边来,他大约十二岁光景,身穿破烂的衣衫:他的目光在灯光的反射下显得出奇的亮,他那么充满渴望地呆呆地望着那些飘摆转动的木马。他那薄薄的小嘴大张着,像在热切地企盼:显然他没有钱去跟大伙一起骑木马,他只是从别人的喊叫和笑声中啜饮欢乐。我使劲挤到他身边问——但不知为什么我的声音发颤,而且特别刺耳?——"你不想一块儿骑一骑木马吗?"他怔怔地望了望我,有些惊恐——为什么?为什么呢?——刷的一下脸红了,一句话也没有说转身就跑。就连一个赤脚的孩子也不愿意接受我的热心帮助:我觉得,也许在我身上有什么陌生的东西使我哪儿也不能搀和进去，总是使我在这密集的人群中游离漂浮，就像一滴油浮在活动的水上一样。

但我没有松劲儿：我不能再一个人呆下去了。我的双脚在布满尘土的漆皮皮鞋里发烧，喉咙因过分激动而生了锈。我环顾四周：在人流夹道的左右两侧矗立着不少绿色的小岛，那是饮食店，都铺着红色的桌布，摆着不上漆的木板凳，木板凳上坐着一些小市民，他们面前是一杯啤酒，手里夹着节日才吸的弗基尼亚香烟。这个景象吸引了我：在这里，都是陌生的人坐在一起，无拘无束地谈话；在混乱的热狂中，这里的气氛比较安静。我走进饮食店，四下里看了看，找到一张桌子，那里正围坐着一个市民的家庭，一个矮胖粗壮的手工业工人带着他的妻子，两个活泼愉快的女孩和一个小男孩。他们随着音乐的节拍摇头晃脑，说着笑话，他们那满意的逍遥自在的目光我看了感到十分惬意。我很客气地跟他们招呼，走近一把椅子，问可否坐在这里。他们的笑声戛然而止，沉默了一会儿（好像每个人都在等着别人表示同意），然后那女人似乎颇为惊愕地说："请吧！请！"我坐下来，立刻感觉到，他们的无拘无束的情绪随着我的落坐全然被破坏了，因为环绕着桌子立刻出现了一阵令人不快的沉默。我的目光没敢从那红方格桌布上抬起来，那桌布上腻糊糊地洒了好些盐和胡椒粉，但我觉得他们正在惊诧地观察我。我立刻想到——但也太晚了——我的赛马运动服，巴黎的大礼帽，青灰色领带上的珍珠饰物，在这个下等人的饭馆里，过分高雅了，这高级香水在这里也立刻使我周围出现一种充满敌意和困惑不解的气氛。五个人的这阵沉默压得我越来越喘不过气来，我怀着无可奈何的绝望心情数着桌布上的红方格，羞涩束缚着我，即使忽然挣扎一下也还是害怕抬起那折磨人的目光。直到堂倌过来,把一个沉甸甸的啤酒杯放在我面前,我才得到解救。这时我才终于能活动活动一只手了,在喝酒时畏缩地从杯口朝他们瞟了一眼:真的,所有五个人都在观察我,虽说没有恶意,却也怀着一种无言的惊愕。他们知道这是闯到他们的浑噩的世界里来的人,他们以其憨直的阶级本性感觉到,我是想要在这里得到点什么,在这里寻找不属于我的世界的东西。他们感觉到:把我驱赶到他们那里去的,不是爱情,不是倾慕,也不是单纯地喜欢华尔兹、啤酒和星期天的静坐,而是某种他们不理解而且为他们所怀疑的欲望,就像站在旋转木马前的那个小男孩不相信我的馈赠,就像外面纷乱拥挤的千百个不知姓名的人怀着下意识的敌意回避我的文明高雅和长于世故的姿态。然而我却觉得:如果我现在能找到一句无恶意的、普通的、诚恳的、真正通情达理的话,开始跟他们说话,那位父亲或母亲就会回答我的问话,两个女儿就会亲切地对我微笑,我会带着那男孩跑到那边小铺子里去玩射击,跟他一起做儿童游戏。五分钟以后,十分钟以后,我就会摆脱旧我,进入市民谈话的欢快的气氛,亲密得随声附和,甚至相互吹捧——但这种谈话的简单的字句,连头一句开头的话,我却始终找不到,一种虚假的、愚蠢的却又极强烈的羞愧卡住了我的咽喉,于是我低下目光,像一个罪犯似的坐在这些普通人的桌旁。使我痛苦的,是因我的强行到来搅扰了他们星期天的最后时光。我就这样难堪地坐在那里,为以往冷漠骄傲的所有年月忏悔。在那些年月里我曾在千百个这样的桌旁,在千千万万市民的身边,看都不看一眼就走了过去,只知道得意扬扬地周旋在上等人的小圈子里;我觉得,与他们沟通的那条笔直的路,那种没有偏见的语言,现在当我被排斥在上等人之外需要它们时,却都被砌在我内心的一隅了。

我这个一向逍遥自在的人，就这样坐在那里低头沉思，一次又一次地去数桌布上的红方格，直到最后堂倌经过这里。我喊住他，付了钱，推开那杯刚刚喝了几口的啤酒，站起身来，客客气气地跟他们打招呼。他们友好而惊愕地向我回谢；我知道，我还没转身离去，只当我的背对着他们时，他们就又活跃起来，只要我这个异类一被排除，他们谈话的亲热氛围就会形成。

我又回身投入人流的漩涡，但心里更加充满渴望，更热情，也更失望。这时，在黑影遮天的大树下，拥挤的人群要松动多了；人们也不像先前那样密，那样后浪推前浪般往旋转木马的光圈里挤了，更多的人则影影绰绰地在广场最靠外的边上疾走。就是人群中那喧闹的、低沉的、像在尽情享受欢乐的声浪所分解成的许多小的嘈杂声，也总是立刻被音乐声压倒。不知哪儿奏起了强劲粗犷的音乐，好像要把逃遁的人群再拉回来似的。现在出现了另外一种情形：孩子们带着他们的气球和彩色纸屑回家去了，四处涌来过星期天的一家一家的人也都悄悄离去。现在看到的是怪叫的醉汉，颓废堕落的小伙子迈着闲散的、但却踯躅的步子从侧面的林阴道走出来：在我硬着头皮坐在陌生人桌上的那一个小时以后，这奇异的世界越发滑向了低下的境地。但正是这种狂放而危险的闪着磷光的气氛比从前有产阶级的节日气氛更使我欣喜。我心里被激发的本能，在这里嗅到了类似的迫切的企盼；不管怎样，在这些形迹可疑的人即这些被社会抛弃的人兴冲冲的游荡中，我觉得看见了自己的影子：在这里，他们也怀着一种不安的企望在追逐火光闪烁的冒险，追逐飞快产生的激情，就连那些衣衫褴褛的小伙子我也嫉妒，因为他们能坦率地、自由地荡来荡去；我站到一个旋转木马的柱子跟前，屏着呼吸，心急如焚地想把沉默的压力和痛苦从心里排出，但我却不能动一下，喊一声，说一句话。我只站着，呆望着被旋转灯的闪闪的反光照得通明的广场。我站着，从我的光岛望着黑暗，愚蠢地充满期望地望着每一个人，希望有人被刺眼的光所吸引，转过身来看我一眼。但每一个人的目光无不是冷冷地从我的身上滑过。没有一个人理睬我，没有一个人解救我。

我，一个社会上有教养的绅士，富有，不受约束，在一个百万人的城市里与最杰出的人交友，在那一夜整整一个小时里，站在咕隆咕隆直响的、不停地摇摆的旋转木马的柱子前；二十次、四十次、上百次地让同一个跌跌绊绊的波尔卡舞曲和同一个拖拖沓沓的华尔兹舞曲伴随着同一些彩绘的蠢笨的木马头，从我面前旋转过去；而且出于顽固的脾性，出于一种想要强迫命运服从自己意志的不可思议的感情，我站在原地动也没动——我知道，想要把这一切描述或解释给别人听，纯属妄想。我知道，我在那个小时里的行动是毫无意义的，但在这毫无意义的坚持中，我的感觉十分紧张，每一块肌肉都僵硬犹如钢铁，平时人们也许只在从高空向下坠落时或弥留之际才有这种感觉；我整个虚度的生活突然像落潮般倒退回来，在我心中直堆到我的喉咙。尽管我受着我这毫无意义的妄想的痛苦熬煎，停在那里幻想着有谁的一句话、一瞥目光能救助我，但我却觉得体验这种折磨也是一种享受。我站在柱子旁边，好像要赎什么罪，不是为了那次偷窃，而是为了我往日生活的沉郁、冷漠和空虚：我发誓，在我看到命运使我解除约束的征兆出现以前，我不走开。

那时刻越往前推移，夜便越逼近。货摊一个接着一个熄灭了灯，随后黑暗便像上涨的潮水涌到眼前，吞食草坪上的光斑；我站在上面的这个明亮的岛变得越来越孤单。我索索发抖,看了看表。再有一刻钟,那些斑斑点点的木马就会停下来。那些蠢笨的木马的脑门上红红绿绿的白炽灯将会摘下,奏得正欢的管风琴将停下来。随后,我将完全沉浸在黑暗中,孤独一人待在这静得只有树叶沙沙的夜里,彻底被排斥,完全被遗弃。我越来越不安地望着夜幕下的广场,那里只偶尔有一对退场回家的情侣匆匆闪过,或踉踉跄跄地走过几个喝得醉醺醺的小伙子;但广场那边仍有隐秘的生命在颤动,那样的不安,那样的诱人。要是有两三个男人经过,就会听到轻轻的口哨声或咂舌的声响。在这种招呼的诱惑下,他们拐弯隐入黑暗,于是阴影中便会发出女人的喁喁低语,有时风又会吹来丝丝的尖笑声。在黑暗的边缘,正对着被照亮的广场的光柱那儿,一切都变得更加放肆,一旦在过路人当中发现巡警的尖顶头盔在路灯照射下的反光,他们便立刻再退回黑暗中去。但当警察刚一过去,那魔怪般的影子就又出现了。这时,潮水般的人流已经消失,我已经能看清他们的轮廓了,他们离灯光那么近,那是夜世界的最后的垃圾,残留下来的渣滓:几个妓女,那些最贫穷的、被社会抛弃的人,她们连床铺都没有,白天睡在床垫上,晚上不停地游荡,她们为了几个小钱就在这黑暗中随便什么地方把自己被凌辱被折磨得骨瘦如柴的身体出卖给任何人,她们时时受到警察的追踪,遭到饥饿和恶棍的驱赶,永远在黑暗中闲荡,既追别人,同时又被人所追。她们像饿狗一样慢慢蹭到有亮光的广场,嗅着男人的气味,嗅着被遗忘的落在后面的人。她们完全可以给他欢乐,从他那儿赚得一两个克朗,好去大众咖啡馆买一杯烫热的红酒,维持她们黯淡的残生,这生命之火反正很快就会在医院或监狱里熄灭的。这是垃圾,是星期日人们发泄高涨性欲的最后的污物——我心怀莫大的恐惧看见这些饥饿的形体像鬼魂一样在黑暗中游荡。但即使在这种恐惧中，仍然有一种充满魔力的欢快，因为就在这面污秽的镜子里，我又认出了已经淡忘、感到模糊的东西：在这里，是一个深不可测的沼泽地般的世界，这个世界多年前我已大步穿过，现在又诱人地向我的感官闪耀着鬼火。这个迷人的夜突然把什么带给了我，它使我这个与世隔绝者突然清楚地看到，我过去最黑暗的东西，我的行为的最大秘密都在我心中展露无遗，这真是不可思议！我模模糊糊地记得那是童年时期刚刚过去的时候，羞怯的目光被好奇地吸引过去，胆怯地心慌意乱地盯在这样的形体上，我回想起那一时刻，我第一次踏着吱吱作响的潮湿的楼梯跟着一个女人走上去，上了她的床——忽然，好像闪电划破夜空，我真切地看到了那被遗忘的时刻的每个细节，看见在床上面乏味的油画，看见套在她脖子上的护身符，我感受到当时的每一根肌肉纤维，那模糊的性欲冲动，厌恶的心理和少年的第一次骄傲。所有这一切突然穿过我全身，使我心里起伏跌宕。一种不可估量的洞察力涌进我的心田——我怎么说好呢，这是无穷无尽的东西！——我一下子明白了，是什么使我这样急切地同情她们，正因为她们是生活的最后的沉渣。先前的犯罪行为刺激了我的本能，我从心底感觉到这饥饿的追求，这追求同我在这奇妙之夜的追求是这样的相似，那时我恰恰是怀着犯罪的心理随时准备去接受每一次接触，去满足每一次陌生的初涉的欲望。当我终于觉察到那边的生物，那边的人，那温柔的能呼吸会说话的人时，这冲动便像磁石般把我吸引过去。那个人是想从别人那里，说不定也从我这里，从我这个正等待着献身、为甘愿效劳而急切寻找人的男子这里得到点什么。我突然明白了，把男人赶到这种人这里来的，绝不是本能的冲动，不是胀满胸怀的欲念，这主要是对孤独的恐惧，对可怕的陌生感的恐惧。平时这恐惧就在我们之间越积越多了，只不过我的被点燃的感情今天才第一次觉察到它而已。我回想起我最近一次产生这种模糊感觉的时候：那是在英国，在钢铁城市曼彻斯特。这些城市像地下铁道一样在无光的天空中喧闹轰响，同时又弥漫着一种冷得刺骨的孤寂。我在那里的亲戚家里住了三个星期，晚上总是一个人信步走向酒吧和俱乐部，一再走进灯光闪烁的杂耍剧场，仅仅是为了感觉一下人的温暖。一天晚上，我碰到这样一个女人，她的俚俗英语我一点儿也听不懂，我们俩突然进入一个房间，各自从陌生的口中贪婪地啜饮着欢笑，那是一个温暖的身体，透着人间的柔情蜜意，蓦地，像电影的影像那样，她隐化了，这冰冷黑暗的城市隐化了，这昏暗嘈杂的孤独的空间也隐化了，只剩下了一个我不认识的人，她站在那里等待着每个走来的人，然后使他放松，把一切冰冷消融；于是，他又可以自由地呼吸，在钢铁的牢房里也感受到生活的微光。孤独的人们，被人世隔离的人们自己心里知道，预感到他们的恐惧总还有可以紧紧抓住的解救之物，这有多么美妙啊！尽管她被许多人抓摸得过分肮脏，由于青春不再而两眼呆滞，被有毒的锈病所腐蚀。而这一点，恰恰是这一点，我在最深沉的孤寂时刻竟忘得一干二净，这个夜晚我踉踉跄跄地从孤独中走出来时，竟然忘了在最后的一个角落总有最后一些人在等待接纳每一个献身者，让一切孤寂在她们的呼吸中得到排遣，为了几个小钱平息每一股欲火；她们把她们永远准备着的东西，把她们作为人的最大礼品献出来。对于这样惊人的奉献不管给多少钱，永远都嫌太少。

在我身旁，旋转木马的铜管乐又响了起来。这是最后一轮，是旋转灯光投入黑暗的最后的铜号吹奏曲，然后星期日便将消失在沉闷的一周里。但没有一个人再走来，那些木马疯狂地转着圈空跑。那位过度疲惫的售票处的女士把钞票拢到一起，合计一天的营业收入，而那个小听差带着钩子来了，随时准备在最后一轮以后咔啦咔啦地把卷帘百叶窗拉下来遮住简易木房。只有我，独自一人，一直站在那里，靠在木桩上，看着空荡荡的广场。那里只有一些像蝙蝠一样飘动着的身影掠过，像我一样在寻找，像我一样在等待，我们之间隔着穿不过去的陌生的空间。但就在这当儿，她们之中的一个人肯定发现了我，因为她缓慢地向我蹭过来，离我近在咫尺我才在低垂的目光下看见她：原来是一个患过佝偻病的畸形的小东西，没戴帽子，身穿很俗气的廉价轻便女装，裙子下摆露出一双穿旧了的舞鞋。所有这一切大概都是女摊贩或旧货商一件件收购来又廉价抛售出来的，全都皱了，不是被雨淋的，就是在哪儿草地上的一次艳遇中压的。她讨好地走过来，在我身边站住，目光像钓钩一样犀利地投向我，从焦黄发黑的坏牙上露出一种诱人的微笑。我几乎停止了呼吸。我不能动，不能看她，但也没被她迷住：我觉得好像处在一种被催眠的状态，那里有一个人色迷迷地围着我转，在招引我，最后我只要说上一句话，只要做出一个手势，便能把这可憎的孤独，这令人痛苦的被人唾弃状态一扫而光。但我一动也不能动，像我依靠的木桩一样僵直，僵在一种昏昏然的淫欲中——这时旋转木马的曲调已疲惫不堪地踉踉跄跄远去——我意识到这近在身边的存在，这追求我的意愿，于是我闭了一会儿眼睛，为了让这来自人间黑暗所在的磁石般的某种人性的吸引力传遍我全身。

旋转木马不动了，华尔兹舞曲以最后的一个延长音停顿下来。我睁开眼睛，恰好看见我身边的那个女人摇摇摆摆地离去。很明显，在一个木桩般的东西旁边等待，她感到太无聊了。我很吃惊。我的心骤然间变凉了。我为什么让她走了呢？她可是我在这个迷人之夜里发现的唯一迎面向我走来的人啊。

我身后的灯全熄了,卷帘百叶窗吱吱嘎嘎、哗哗啦啦地落下来。一切都结束了。

于是,突然间——我该怎样称谓和描写这个陡然跃起的思想浪花呢?——突然间,它来得这么突然,这么热,这么红,好像一根血管在胸中爆裂——突然,从我心中,从我这个完全被禁锢在冷漠的社会尊严里的骄傲自大者的胸中,像一个无言的祈求,像一阵痉挛,像一声叫喊,爆发出这样一个幼稚的、在我却是巨大的愿望:但愿这个矮小的、肮脏的、患佝偻病的妓女能再回一次头,我好跟她说说话。我没有跟她走,不是因为我太骄傲——我的骄傲已被全新的感情踏碎、蹂躏、冲走——而是因为我太软弱,太无决断了。我就这样站在那里,全身颤抖,心乱如麻,独自一人站在黑暗的刑讯柱旁等待着。自我童年起从未这样等待过,只有一次,在日暮时分,我曾站在窗前这样等待过,看着一个陌生女人开始慢慢地脱衣服,她总是犹豫、迟延,直到不知不觉地脱得一丝不挂,——现在,我站着,用一种连我自己都感到陌生的声音呼唤上帝创造奇迹,但愿这个有残疾的小东西,这个人类最后的垃圾再试探我一次,再回头瞅我一眼。

终于——她转过身来,再一次全然机械地回头望了望我。但我心中的震颤却那样猛烈,我紧张的感情在这一瞥中的跃动却那样有力,以致她停住脚步仔细观察。她踮起脚又一次半侧过身来,透过黑暗望着我,微笑着点头招呼我到广场对面的阴影中去。最后,我觉察到我心中的木然呆滞的巨大魔力消逝了,我又能动弹了,我向她点头表示同意。

无形的协议达成了。现在,她先穿过半明半暗的广场,她不时地回顾,看我跟她去了没有。我跟在后面:我的腿不像灌了铅那样沉重了,我的双脚又能活动了。像有磁铁继续吸住我，我不是自觉地走，而好像被一种神秘的力所牵引，跟在她后边走去。走到两边都是货摊的黑暗的巷子里，她才放慢了脚步。现在我站到了她身旁。

她盯住我审视地不信任地望了片刻：好像有点什么东西使她感到不安全。显然，见我无比羞涩地站在那里，再拿这场合和我的高雅一相比，她总觉得有几分可疑。她一次又一次地左顾右盼，犹豫不决。然后，她指着那条胡同的延伸部，那像矿坑一样黑洞洞的地方说："我们到那边去吧。马戏场后边漆黑漆黑的。"

我回答不出一个字。这次相遇的惊人的鄙俗，弄得我整个感觉都麻木了。我恨不得马上想法脱身，拿一块钱，找一个借口，买一个自由，但我已经失去了自我控制的意志力。我觉得如同坐在一个雪橇上，以极快的速度飞到一个弯道，从陡峭的雪坡上往下滑去；怕死的感觉，竟带着某种舒畅，随着速度的急剧加快不断增长；这时，不是去煞住，而是以一种迷迷糊糊却又全部意识到的软弱，顺从地甘心向下跌去。我不能再回头了，我也许根本不愿意回头了，现在，当她亲热地向我逼近时，我无意中抓起她的胳膊。那是一只瘦得皮包骨的胳膊，那不是女人的胳膊，而像是一个身患瘰疬病而停止发育的孩子的胳膊，在这个夜里，这可怜的被践踏的生命朝我冲来，我刚刚隔着薄薄的小大衣接触到这胳膊，在我的紧张的感觉中就对她产生了一种温柔的不安的同情。我的手指不知不觉地抚摸这瘦弱病态的关节，心情如此纯真，如此敬畏，好像我从未触摸过女人。

我们横穿过一条灯光惨淡的街道，走进一个小树林，在那里巨大的树冠紧紧裹着一片气味难闻的郁闷的黑暗。此刻虽然看不清轮廓了，但我发现她十分小心地扶着我的胳膊往后看了看,走了几步又看了一次。奇怪的是:当我也同样在一种麻醉状态中向着这肮脏的艳事里滑进去时,我的感官却闪着火花,可怕地清醒,我的目光十分敏锐,什么都看得见,它能警觉地捕捉到每一个动静;这时我看见,在刚刚横穿过来的小路边有一个影子尾随着我们,我仿佛听到了一种潜行的脚步声。突然,就像一道白色的闪电刷地划过大地一样,我预感到了一切,我明白了一切:我在这里被诱进了一个圈套,那些靠妓女过活的男人正在我们身后蹲伏守候,而她是在领着我走进黑暗中一个约定的地点,在那里我将成为他们的猎获物。带着只在生死紧要关头才有的非凡的清醒,我看清了一切,我在思考各种各样的可能性。还有时间逃脱,大街肯定就在附近,因为我听到了有轨电车在那里撞击铁轨发出的哐啷哐啷的声响,一声叫喊,一声口哨就能把人唤来:种种逃跑的方案顿时图像清晰地闪现在我的心里。

但奇怪的是,这个令人吃惊的醒悟非但不使人清醒,反而使人头脑发热。今天,在一个秋高气爽的日子里,在清醒的时刻,我简直无法解释我的行为的荒谬可笑:我知道,我立刻以我身体的每根纤维知道,我没有必要去冒险,但这预感却像一个美妙的狂想缓缓流经我的每根神经。我预感到这是一种令人厌恶的事情,说不定就是死亡。我因厌恶而全身发抖,在这里无论如何是被挤进一种犯罪,一种可恶的肮脏的经历中了,但是为了这从不知晓、从未预料到的令我麻醉的生活沉迷,就是死也可以满足一种阴暗的好奇心理。有一种东西推动我往前走,这是羞于露出恐惧,还是一种软弱?它诱使我下到生活的最后一道阴沟,在短短的一天里把我的整个过去输光耗尽,一种鲁莽的精神上的欢乐掺合在这次艳遇的下流的喜悦中。虽然我的全部神经都使我预感到这种危险,我的感官,我的智力使我清楚地理解这种危险,我还是继续挎着这个肮脏的普拉特游艺场妓女的胳膊往小树林里走,与其说她的肉体吸引着我,不如说她的肉体令我反感,她使我知道,她仅仅是为了她的同谋才把我引到这里来的。但我不能后退。下午在赛马场的艳遇中就附着在我身上的犯罪者的万有引力扯着我一步步下沉。我只感到更加陶醉,只感到有一种要跌入新的深渊的天旋地转,也许是跌进最后的深渊:跌进死亡。

又走了几步,她站住了。她的目光又不安地向四周瞟了瞟。然后她带着期待的神态看着我说:

"喏——你送我什么?"

哦,原来如此。我倒把这事给忘了。但这个问题并没有使我的头脑清醒过来。正好相反。我很高兴赠送、给与、耗费我之所有。我急忙用手摸口袋,把银币和几张揉皱的钞票全抖到她张开的手里。现在有点不可思议的事发生了:我觉得今天我的血还是热的,我在想:或者是这个小东西对这么多的钱感到惊异了——她平时已习惯于从她那肮脏的效劳中只获得几个小钱——,或者在我的赠与的方式中,在这愉快的、迅速的、几乎是使人感到幸福的赠与中,她觉得有某种不同寻常的东西,某种新的东西,要不然她为什么后退呢;而我透过那浓重的、气味难闻的黑暗察觉到,她的目光露出极大的惊讶在搜寻着我。我终于认识到这个晚上长时间缺少的东西:有人关心我,有人寻找我,我第一次为这个世界的某一个人活着。这个被远远逐出世外的女子,她像带一件商品似的拖着她被耗损的可怜的身子走进黑暗,对我这个买主看都不看一眼,就径直向我身边挤过来,她睁大眼睛盯着我看,她是在关心我这个人——这一切都增强了我的奇异的陶醉。这种陶醉既清清楚楚又模模糊糊,既是意识到的,又被溶化在一种神秘的晦暗状态中。现在，这个陌生的小东西已经挤到我身边来了，但不是为了按照你买我卖的规矩来尽义务，而是为了某种不自觉的感谢，我体察到这里边有一种愿意与人亲近的女人天性。我轻轻抓起她的胳膊，一只患佝偻病的细瘦的胳膊，我感觉到了她那瘦小的畸形发育的身躯，此外我还猛然看到了她的全部生活：郊区旅馆里租下的油污的床铺，在一群陌生的坏孩子中间从早上睡到中午，我看见了那个扼住她咽喉的蓄妓者，看见那些在黑暗中打着嗝扑向她的醉鬼，看见人们把她送进去的那个医院里的特殊部门，看见那个把她的病瘦的裸体放在年轻的粗鲁无礼的大学生面前当作教学模型的大教室，最终的结局是人们把她送到家乡某个地方，丢在那里，让她像一只猫狗似的死去。对她，对所有人的无限同情涌上我的心头，这是某种温暖的东西，某种柔情，但决不是情欲。我一再抚摩她的瘦小的胳膊。然后我俯下身去，亲吻这个惊愕的小女子。

此刻，我身后传来风吹枯枝的声音。是一个粗树枝咔嚓一声折断了。我向后跳去。听到一个男人很宽的粗俗的声音在笑。"现在我可逮住了。这我早就料到了。"

还没看见他们，我就知道他们是谁了。就在我整个精神恍惚中间，我一秒钟也没有忘记有人暗中窥视着我，我甚至怀着神秘而清醒的好奇心在等待他们。一个人现在从树丛中移到前边来，他后边又出现第二个人：那是一些狂放不羁的小伙子，他们粗野无礼地站在那里。又传来粗俗的笑声。"这么龌龊，在这儿干猪狗的勾当。还是一个绅士呢！不过我们现在把他抓住了。"我一动不动地站在那里。血汨汨地涌向我的太阳穴。我一点儿也不害怕。我只等待着，看会发生什么事。现在我终于落入深渊了，卑劣行为的最后的深渊。现在，不得不碰撞了，不得不撞个鱼死网破了，我半清醒地迎上去的结局不可避免地来到了。

那姑娘从我身边跳开了,但没有朝他们那边跑去。不知怎么的,她站到了中间:好像她不怎么喜欢这种早有准备的袭击。那两个小伙子又恼火了,因为我一直没有动。他们你看看我,我看看你,显然是在等待我的反抗、请求或恐惧的表现。"啊哈,他一声不吭,"其中一个终于威胁着说。另一个朝我走来,命令我:"您必须跟我们一起去警察局。"

我还是什么也不回答。这时,其中一个把手臂放在我肩头上,轻轻地往前推我。"往前走,"他说。

我走着。我不反抗,因为我不想反抗:这闻所未闻的事,这卑鄙下流的事,这环境的危险,使我感到麻木。我的头脑却很清醒;我知道,这两个小伙子比我更怕警察,我可能用几个克朗赎回我自己——但我愿意体味这丑行的深意,我要以清醒的昏迷的状态经受这环境的可怕的侮辱。我不慌不忙,十分机械地按照他们推我去的方向走。

我这样默默无语,这样耐着性子对着灯光走,恰恰是这种表现好像使这两个小伙子糊涂起来了。他们小声议论。然后,他们又开始故意相互高声说话。"让他走吧,"其中的一个人(一个满脸麻子的小个子)说;但另一个假意严厉地回答:"不,这不行。要是他是一个跟我们一样的连块面包都没有的穷光蛋,就得让他坐牢。但他是一个高贵的先生——只能罚款了。"每个字我都听得真切,我听出话里有他们并不明智的请求,我想跟他们谈判;我心里的犯罪者理解他们心里的犯罪者,我明白他们是想用恐吓来折磨我,那我就用我的宽容来折磨他们。这是我们二者之间的一场沉默的战斗,——我,这一夜是多么丰富多彩啊!——我意识到我处在死的危险中间,在这里是处在普拉特草原发着恶臭的小树丛里,在恶棍和一个妓女之间，十二小时以来我第二次体验到赌博的疯狂的魔力，而现在则是下了最大的赌注，押上了整个有产阶级的尊严，甚至押上了我的生命。我投身到这巨大的赌博里去，投身到这偶然的闪光的魔法里去，使出了我颤抖的、紧张得几乎要拉断的神经的全部力量。

"啊哈，那里有警察，"我身后的一个声音说，"他肯定不会有好果子吃，那个绅士，他得被拘留一星期。"这话听起来很凶，很吓人，但我从语声里听出他很心虚。我泰然地对着灯光走去，那里确实有一个警察的尖顶头盔在闪闪发光。再走二十步，我就一定会站在他的面前了。在我身后，那两个小伙子不再说话了；我发现，他们走得更慢了；我知道，一会儿他们必定会胆怯地退隐到黑暗中去，退隐到他们的世界里去，由于对恶作剧的失败十分恼火，说不定会把他们的愤怒发泄在那个可怜的小女人身上呢。赌博结束了：我今天又一次，第二次赢了，又一次摧毁了另一个古怪的、不相识者的恶劣的欲望。那边路灯的惨白的光环已在闪动，当我转过身来时，我第一次看清了那两个青年的脸：一脸怒气，在他们不安的眼神里现出一种认输的羞涩。他们停住了脚步，显得又苦恼又失望，准备迅速跑回黑暗中去。因为他们的淫威已经不存在了：现在，是他们怕我了。

这时，好像内心的骚动炸毁了我胸中的所有夹板，我心中突然产生了对这两个人亲如兄弟的无限同情。这感情热乎乎地流进我的血液里。他们究竟想从我这儿得到什么，他们，这两个贫穷饥饿、衣衫褴褛的青年，想从我这个饱食终日的寄生虫这里得到什么？不过是几个克朗，几个可怜巴巴的克朗吧。他们本来可以在那个黑暗地方掐住我的喉咙，掠夺我，杀死我，可是他们没有这么做，他们只是妄图以一种不熟练的笨拙的方式威胁我,为了散装在我口袋里的这几个小钱。我,这个突然心血来潮的小偷,不知羞耻的窃贼,神经亢奋的罪犯,怎么还敢折磨他们,折磨这两个穷鬼?我的无限同情里涌入了无限的羞愧,因为我为了自己高兴还拿他们的恐惧,拿他们的焦躁情绪开心呢。我振作起来:现在,恰在此时,我安全了,因为附近街道的灯光保护着我。现在,我应该顺着他们的愿望,消除他们痛苦、饥饿的目光里的失望了。

我突然转身,朝一个人走去。"您为什么要告发我呢?"我说,极力让恐惧解除的叹息淹没在我的声音里,"您想我从这里得到什么?也许我要坐牢,也许不会。但这对您并没有什么好处。您为什么要毁了我的生活?"

那两个人狼狈地愣在那里。他们现在是在等待着一切,等待冲着他们的叫喊,等待一声使他们像猎吠的狗一样跑掉的威胁,就是未曾指望这样的宽容。最后,那个人不是带着威胁的而是带着道歉的口吻说:"那是为了正义。我们只是尽我们的责任。"

这显然是为了应付这种情境的生搬硬套的话,听起来无论如何都是假的。两个人当中,谁也不敢正眼看我。他们在等待着。我知道他们期望着什么。也许我会哀求怜悯。也许我会给他们钱。

我现在还记得那几秒钟的一切。我记得在我身上每根活动着的神经,我记得在我太阳穴后边震颤着的每个思想。我还记得,我的恶劣的情绪那时首先想到的是什么:让他们等着,让他们多受一会儿折磨,让他们尝够被晾在一边等待的滋味。但我很快控制住了我自己,我现在开始表示恳求了,因为我知道,我必须使这两个人摆脱恐惧。我开始演出一场表示恐惧的喜剧,我请求他们怜悯,请他们不要声张,别让我遭到不幸。

我发现他们变得很窘迫,这两个半瓶醋的敲诈者。我们之间好像保持着一种很有感情的沉默。

这时,我终于,终于说出了他们渴望已久的话。"我……我给你们……一百克朗。"

三个人一怔,面面相觑。这么多钱他们简直不曾想过,更何况现在他们本以为一切都落空了呢。最后,其中的一个人,就是那个目光慌乱的麻子,镇静下来了。他第二次又要说话。但话卡在喉咙里说不出来。过了一会儿,他说:"二百克朗吧。"我觉得他说这话时显得很难为情。

"住嘴吧,"那姑娘突然插嘴说,"只要他给你们一点儿,你们就该知足了。他压根儿什么都没干,他连碰都没碰我一下。这真是太过分了。"

她当真是愤怒地朝他们喊的。我的心怦怦直跳。有人同情我,有人为我说好话,丑恶中升起善良,讹诈里出现某种对正义的模糊的渴望。这多么使人愉快,这是对我不平静的心怎样的回报呀!不,现在不能再拿这些人开心了,不要再用恐惧和羞耻折磨他们了:够了!够了!

"好的,那就二百克朗。"

他们三人都没做声。我掏出钱包。我当着他们的面慢慢把它打开。他们完全可以从我手里一把抢走它,逃到黑暗里去。但他们却羞答答地扭过头去不看。现在在他们和我之间已是一种秘密的制约关系,不再是斗争和赌赛,而是一种天理和信任,一种人性的关系。我从偷来的一叠钱里抽出两张钞票递给其中的一个人。

"谢谢,"他无意中说着,转身走去。显然,为了敲诈来的钱表示感谢,他本人也觉得可笑。他感到很难为情——哦,这一夜我是什么都感受到了,各种姿态都在我面前暴露无遗——

他的这种难为情使我感到压抑。我不希望一个人在我面前感到害臊。哼，在我这个他的同类面前，在像他一样的小偷面前，要知道，我的软弱、胆怯和意志薄弱和他没有两样！他的低声下气使我感到痛苦，我想使他摆脱这种窘态。于是，我不让他谢我。

"应该是我感谢你们，"我说，同时对自己的声音里迸发出那么多真实的热情感到惊奇。"如果你们告发了我，我可就彻底完蛋了。那样一来，我就非自杀不可了，而你们却从中什么也得不到。现在这样，还是比较好。我现在往右边走，你们也许往另一边走吧。再见。"

他们又沉默了一会儿。随后，一个人说："再见，"然后是另一个人，最后是那个完全隐没在阴暗处的小妓女。那声音听起来十分温暖，十分亲切，像一声真心的祝愿。从他们的声音里我感觉到，在他们本性的某个深藏的暗角，他们是爱我的，他们永远也不会忘记这特殊的时刻。就是在监牢或医院里，他们也会再想到这一时刻的：我给了他们某种东西，我心中的某种东西将继续活在他们心里，我心中充满这种给与的愉快，这种感觉我还从未有过呢。

我独自在夜色中向普拉特游乐场的出口处走去。一切重负都从我心头卸了下去，我感觉到，我这个失落的人在一向不相识的充实中正涌进一个无限的世界。我感到，一切都好像为我一个人活着，我又跟一切汇流在一起。大树黑黝黝地立在我周围，沙沙地对我低语，我喜欢它们。星星从天空向下照耀，我呼吸着它们银光闪闪的问候。各种声音歌唱般从某处传来，我觉得它们是在为我歌唱。自从我把围在我心胸周围的硬皮层捣碎，突然一切就都属于我了。我心中充满了施予和挥霍的快乐。哦，我觉得，使别人快乐，从而自己也获得快乐，这是何等容易：人们只需把自己的心敞开，那活的激流就会从人向人流去，从高处跌落到低处，再冒着泡沫从深处上升到无限。

　　在普拉特游乐场出口处的停车场旁边，我看见一个女摊贩面带倦意地弯腰面向她的零星杂货。她有各种糕点，上面已有灰尘，还有一点儿水果。她从一早就这样坐在那里，俯身看着那不值几个赫勒①的东西，累得连腰都直不起来。我想，既然我高兴，你为什么不该高兴呢？我买了一小块甜点心，给她撂下一张钞票。她马上想找零钱给我，但我已经往前走了，只见她高兴得吃了一惊，她那皱缩的身子忽然挺直了，只有那惊呆的口里冒着沫子向我千恩万谢。我手指夹着甜点心，朝那匹疲倦地驾着辕的马走去，但现在它转过头来，对着我友好地打着响鼻。我摸了摸它粉红色的鼻孔，把点心塞到它嘴里，它用阴郁的目光表示感谢。我刚喂完马，就产生了更多的渴望：还要制造更多的欢乐，还要更多地体会人们怎样靠几个银币、几张彩色的纸片解除忧虑，消除不安，唤起欢乐。这里为什么没有一个乞丐？为什么没有渴望得到气球的孩子？那里有一个愁眉苦脸的白发瘸子带着一大把拴在很多条线上的气球，正在一瘸一拐地往家里走，因为在漫长的一个大热天里做着不景气的买卖而大失所望。我朝他走去。"把气球给我吧。""十赫勒一个，"他疑惑地说，这位高雅的游手好闲者在半夜时分要这些彩色气球干什么呢？"请您把所有的气球都给我吧，"我说，给他一张十克朗的钞票。他蹒跚地走过来，像花了眼似的看着我，然后他颤抖着把拴着整把气球的那根带子交给了我。我感到那带子直挺挺地在我手指间往外拉扯：气球想挣脱，想获得自由，想往天空飞。那就去吧，随便到哪儿去，飞吧，愿意飞到哪儿就飞到

---

　　① 赫勒，旧银币或铜币，在奥地利当时等于百分之一克朗。

哪儿,你们自由了!我松开那些拴着气球的绳,于是,它们就像许多五光十色的月亮突然飞升了。人们从四面八方跑过来,哈哈地笑着,那一对对情侣也从暗处走出来,车夫把鞭子甩得啪啪直响,相互喊着用手指着,告诉人们现在这些自由的球体越过了树梢,正向那些房子和屋顶飘去。所有的人都愉快地相互望着,都因为我的这种微醉的愚蠢之举而感到开心。

为什么我过去从来就不知道,使别人欢乐是多么简单,多么美好!忽然,我钱包里的钞票又发烫了,它们像刚才那根拴气球的绳一样在我手指间震颤:它们也想飞走,从我这里飞到陌生人那里去。于是,我掏出钞票,这些偷拉尤斯的彩票换来的钱和我自己的钱——这里有何区别或有何罪过我一点儿也感觉不到了——我把钱拿在手里,准备把它们散发给想要的人。我向街那边的一个清道夫走去,他正在厌烦地清扫冷冷清清的普拉特游乐场的大街。他以为我想问他哪个小巷,愁眉苦脸地抬头看我。我对他笑笑,把一张二十克朗的钞票递给他。他呆望着,不明白是怎么回事,后来他把钱接过去了,又等着看我要求他做什么。但我只对他一笑说:"拿去买点什么好东西吧,"说完便继续往前走。我一直东张西望,看有没有人对我有什么要求。没人来,我就送上去:我给了一个向我攀谈的妓女一张票子,给了一个点路灯的人两张钞票,往一个地下面包房开着的天窗掷进去一张,我就这样往前走着,我身后留下一长串大为惊诧的人,他们是又感谢又高兴。最后我把钞票一张一张地揉成团抛向空荡荡的大街,或抛向教堂的台阶,我高兴地想着:如同那些小女人做早祷时发现成百的克朗,并感谢上苍一样,一个大学生,一个使女,一个工人也会惊诧而愉快地在路上发现这些钱,就像我在今夜这样惊诧而愉快地发现了我自己。

我再也说不出我把所有的钞票和我自己的银币都怎样撒出去和撒到哪里了。我感到一阵醉意，好像向女人体内射精；当我让最后几张纸币飘走时，我感到轻松了，就好像我也能飞一样，我觉得有一种我从未体验过的自由。街道，天空，房屋，我觉得这一切都汇集在一起了，我心中萌生一种拥有它们、跟它们休戚与共的全新感觉。就是在我生活的最火热的时刻，我也从未有过这样强烈的感受：所有这些东西都是真实的存在，他们生活着，我生活着，他们的生活和我的生活完全一样，这种伟大的强有力的生活，这种永远享受不尽的快乐生活，只有爱才能理解它，只有献身者才能拥抱它。

随后，还出现了最后一个黑暗的瞬间，那是我喜滋滋地漫步回到家，把钥匙插进锁孔，打开通向我房间的黑洞洞的走道门的时候。那时，我骤然产生了一阵恐惧：如果我踏进直到此刻一直是我的那个住房，躺到我的那张床上，如果我再拾起我今晚妥善扯断的、联系那一切的纽带，那么我就又回到我往日的旧生活里去了。不，不能再成为我过去那样的人，不能再成为昨天和昔日的那种无可指摘的、冷酷无情的、与世隔绝的绅士。我宁可跌落到犯罪和恐怖的深渊，但却进入了生活的现实中！我疲倦，说不出的疲倦，但我害怕睡眠会压倒我，害怕睡眠会用它黑色的泥浆又把今夜在我心中燃起的一切热情的、火热的和活生生的东西冲走，我害怕这整个经历会如此短暂，把握不住，像一场幻梦。

但第二天，我醒来时又快活地进入一个新的早晨，没有丝毫东西从那波涛起伏的感情中流逝。从那时起已经过去了四个月，往日的僵化生活并没有回来，我依旧生气勃勃地进入每一天。在当时那种着了魔的陶醉中，我脚下突然失去了我那个世界的立足之地，跌进了不相识的境界；在跌入这奇异的深渊时，我感到了那跌落速度和整个生活深度昏昏然混合在一起的眩晕。这种潮热自然已经过去了，但从那一时刻起，我就感觉到我自己的热血随着呼吸翻滚，我感觉到这热血随着日新月异的欢乐流动。我知道，我已经变成另一个人了，现在思想不同了，兴奋点不同了，而我更自觉了。诚然，我不敢说我变成了一个更完美的人：我只知道我成了一个更幸福的人，因为我为我的完全冷却下来的生活找到了某种意义，我找不到什么字眼来说明这种意义，只好还用生活这个词儿。从此我再无任何禁忌，因为我认识到我那个社会的准则和礼仪都是空洞的东西，不管面对他人还是面对自己我都问心无愧。什么声誉，犯罪，缺德，这些词都突然带上了一种冰冷的铁皮一样刺耳的音响，一说起这些我就毛骨悚然。我生活着，我靠着当时第一次如此神奇地感觉到的那股力量生活着。不去问它把我赶到哪里去：也许是朝着一个新的深渊，陷入他人称为邪恶的境地，或是使我成为一个高尚的人。我不知道那是什么，我也不想知道那是什么。因为我相信，只有把自己的命运当作一种秘密去爱的人，他才是真正活着。

　　但是我从来也没有更热烈地爱过生活，这我最清楚不过。我现在知道了，谁对纷繁的生活冷漠，他就是犯罪（唯一的罪过！）。自从我开始理解我自己以来，我便理解了无数别的事物：站在橱窗前的一个贪婪者的目光，会使我的心震动；一条狗的蹦跳，会使我兴奋。我突然注意起一切来了，对什么都不再冷漠。我天天从报上读到上百条令我激动的新闻（往常我读报只翻看一下娱乐和拍卖栏目），以前使我厌倦的书也忽然在我面前展开了。最奇怪的是：除了人们所说的那种交谈，我也突然能跟人攀谈了。那个跟了我七年之久的仆人，也使我感兴趣了，我常常跟他闲谈。那个总管，平时我总是毫不在意地从他身边走过去,好像他是一个能活动的木头桩子,最近他也跟我讲述了他小女儿的死,这事比莎士比亚的悲剧还使我感动。虽然为了不暴露自己,我表面上继续生活在那文雅乏味的圈子里,但是这个变化还是逐渐显露出来了。很多人忽然跟我热情起来;这个星期,街上陌生的狗,竟有三次向我跑来。朋友们跟我说话,就好像跟一个战胜疾病的人说话一样,显得那么愉快,他们说我变得年轻了。

更年轻了?我只知道,我现在才开始过真正的生活。每个人都误以为,一切往事永远只是错误和准备,这恐怕是一般的偏见。我知道,把一支冰冷的羽毛笔拿在我有生气的温暖的手里,在干爽的纸上写出"一个人过着真正的生活",也确是不自量力。如果说这也是一种偏见,那它也是第一个使我感到幸福的偏见,第一个使我的血变热的、使我的感官焕然一新的偏见。如果说我在这里写下我的觉醒的奇迹,那也只是为了我自己。关于所有这一切,这些字句所能告诉人们的,远远不如我自己理解得更为深刻。这件事我从未对任何一个朋友说过;他们想象不到,我早已是个活死人,他们也不会想到,我现在活得多么充满生机。倘若死神进入我的活跃的生命中来,倘若这些文字落入他人之手,那么,这种可能性也绝不会使我恐惧,使我痛苦。无论是谁,只要从未体味过这样一个时刻的魔力,他就会像我半年前一样,不能理解为什么一个夜晚的几个转瞬即逝的、貌似毫无联系的小事,竟如此奇妙地点燃了我的已如死灰的天命。在这样的人面前,我不感觉羞愧,因为他不理解我。不过,谁知道这里的联系,他也不要去下断言,不要骄傲。在他面前,我不羞愧,因为他理解我。谁一旦发现了自己,他在这个世界上就什么也不会失去。谁一旦在自己的身上理解了人,谁也就理解了所有的人。

一个陌生女人的来信

韩耀成译

著名小说家 R 到山上去休息了三天，今天一清早就回到维也纳。他在车站上买了一份报纸，刚刚瞥了一眼报上的日期，就记起今天是他的生日。他马上想到，已经四十一岁了。他对此并不感到高兴，也没觉得难过。他漫不经心地窸窸窣窣翻了一会儿报纸，便叫了一辆小汽车回到寓所。仆人告诉他，在他外出期间曾有两人来访，还有他的几个电话，随后便把积攒的信件用盘子端来交给他。他随随便便地看了看，有几封信的寄信人引起他的兴趣，他就把信封拆开；有一封信的字迹很陌生，写了厚厚一叠，他就先把它推在一边。这时茶端来了，于是他就舒舒服服地往安乐椅上一靠，再次翻了翻报纸和几份印刷品；然后点上一支雪茄，这才拿起方才搁下的那封信。

这封信约莫有二十多页，是个陌生女人的笔迹，写得龙飞凤舞，潦潦草草，与其说是封信，还不如说是份手稿。他不由自主地再次把信封捏了捏，看看有什么附件落在里面没有。但是信封里是空的，无论信封上还是信纸上都没有寄信人的地址，也没有签名。"奇怪，"他想，又把信拿在手里。"你，与我素昧平生的你！"信的上头写了这句话作为称呼，作为标题。他的目光十分惊讶地停住了：这是指的他，还是指的一位臆想的主人公呢？突然，他的好奇心大发，开始念道：

我的孩子昨天去世了——为挽救这个幼小娇嫩的生命,我同死神足足搏斗了三天三夜,他得了流感,可怜的身子烧得滚烫,我在他床边坐了四十个小时。我用冷水浸过的毛巾,敷在他烧得灼手的额头上。白天黑夜都握着他那双抽搐的小手。第三天晚上我全垮了。我的眼睛再也抬不起来了,眼皮合上了,连我自己也不知道。我在硬椅子上坐着睡了三四个小时,就在这中间,死神夺去了他的生命。这逗人喜爱的可怜的孩子,此刻就在那儿躺着,躺在他自己的小床上,就和他死的时候一样;只是把他的眼睛,把他那聪明的黑眼睛合上了,把他的两只手交叉着放在白衬衫上,床的四个角上高高点燃着四支蜡烛。我不敢看一下,也不敢动一动,因为烛光一晃,他脸上和紧闭的嘴上就影影绰绰的,看起来就仿佛他的面颊在蠕动,我就会以为他没有死,以为他还会醒来,还会用他银铃似的声音对我说些甜蜜而稚气的话语。但是我知道,他死了,我不愿意再往床上看,以免再次怀着希望,也免得再次失望。我知道,我知道,我的孩子昨天死了——在这个世界上我现在只有你,只有你了,而你对我却一无所知,此刻你完全感觉不到,正在嬉戏取闹,或者正在跟什么人寻欢作乐,调情狎昵呢。我现在只有你,只有与我素昧平生的你,我始终爱着的你。

我拿了第五支蜡烛放在这里的桌子上,我就在这张桌上给你写信。因为我不能孤零零地一个人守着我那死去的孩子,而不倾诉我的衷肠。在这可怕的时刻要是我不对你诉说,那该对谁去诉说!你过去是我的一切,现在也是我的一切!也许我无法跟你完全讲清楚,也许你不了解我——我的脑袋现在沉甸甸的,太阳穴不停地在抽搐,像有槌子在擂打,四肢感到酸痛。我想,我发烧了,说不定也染上了流感。现在流感挨家挨户地蔓延，这倒好，这下我可以跟我的孩子一起去了，也省得我自己来了结我的残生。有时我眼前一片漆黑，也许这封信我都写不完——但是我要振作起全部精力，来向你诉说一次，只诉说这一次，你，我的亲爱的，与我素昧平生的你。

我想同你单独谈谈，第一次把一切都告诉你，向你倾吐；我的整个一生都要让你知道，我的一生始终都是属于你的，而对我的一生你却始终毫无所知。可是只有当我死了，你再也不用答复我了，现在我的四肢忽冷忽热，如果这病魔真正意味着我生命的终结，这时我才让你知道我的秘密。假如我会活下来，那我就要把这封信撕掉，并且像我过去一直把它埋在心里一样，我将继续保持沉默。但是如果你手里拿到了这封信，那么你就知道，那是一个已经死了的女人在这里向你诉说她的一生，诉说她那属于你的一生，从她开始懂事的时候起，一直到她生命的最后一刻。作为一个死者，她再也别无所求了，她不要求爱情，也不要求怜悯和慰藉。我要求你的只有一件事，那就是请你相信我这颗痛苦的心匆匆向你吐露的一切。请你相信我讲的一切，我要求你的就只有这一件事：一个人在其独生子去世的时刻是不说谎的。

我要向你吐露我的整个的一生，我的一生确实是从我认识你的那一天才开始的。在此之前我的生活郁郁寡欢、杂乱无章，它像一个蒙着灰尘、布满蛛网、散发着霉味的地窖，对它里面的人和事，我的心里早已忘却。你来的时候，我十三岁，就住在你现在住的那所房子里，现在你就在这所房子里，手里拿着这封信——我生命的最后一丝气息。我也住在那层楼上，正好在你对门。你一定记不得我们了，记不得那个贫苦的会计师的寡妇（她总是穿着孝服）和那个尚未完全发育的瘦小的孩子了——我们深居简出，不声不响地过着我们小市民的穷酸生活——，你或许从来没有听到过我们的名字，因为我们房间的门上没有挂牌子，没有人来，也没有人来打听我们。何况事情已经过去很久了，过了十五六年了，不，你一定什么也不知道，我亲爱的，可是我呢，啊，我激情满怀地想起了每一件事，我第一次听说你，第一次见到你的那一天，不，是那一刻，我现在还记得很清楚，仿佛是今天的事。我怎么会不记得呢，因为对我来说世界从那时才开始。请耐心，亲爱的，我要向你从头诉说这一切，我求你听我谈一刻钟，不要疲倦，我爱了你一辈子也没有感到疲倦啊！

你搬进我们这所房子来以前，你的屋子里住的那家人又丑又凶，又爱吵架。他们自己穷愁潦倒，但却最恨邻居的贫困，也就是恨我们的穷困，因为我们不愿跟他们那种破落无产阶级的粗野行为沆瀣一气。这家男人是个酒鬼，常打老婆；哐啷哐啷摔椅子、砸盘子的响声常常在半夜里把我们吵醒，有一回那女人被打得头破血流，披头散发地逃到楼梯上，那个喝得酩酊大醉的男人跟在她后面狂呼乱叫，直到大家都从屋里出来，警告那汉子，再这么闹就要去叫警察了，这场戏才算收场。我母亲一开始就避免和这家人有任何交往，也不让我跟他们的孩子说话，为此，这帮孩子一有机会就对我进行报复。要是他们在街上碰见我，就跟在我后边喊脏话，有一回还用硬实的雪球砸我，打得我额头上鲜血直流。全楼的人大家都本能地恨这家人。突然有一次出了事——我想，那汉子因为偷东西给逮走了——，那女人不得不收拾起她那点七零八碎的东西搬走，这下我们大家都松了口气。楼门口的墙上贴出了出租房间的条子，贴了几天就拿掉了，消息很快从清洁工那儿传开，说是一位作家，一位文静的单身先生租了这套房间。那时我第一次听到你的名字。

这套房间给原住户弄得油腻不堪,几天之后油漆工、粉刷工、清洁工、裱糊匠就来拾掇房间了,敲敲锤锤,又拖地、又刮墙,但我母亲对此倒很满意,她说,这下对门又脏又乱的那一家终于走了。而你本人在搬来的时候我还没有见到你的面:全部搬家工作都由你的仆人照料,那个个子矮小、神情严肃、头发灰白的管事的仆人,他轻声细语地、一板一眼地以居高临下的神气指挥着一切。他使我们大家都很感动,首先,因为一位管事的仆人在我们这所郊区楼房里,是件很新奇的事,其次他对所有的人都非常客气,但并不因此而降格把自己等同于一个普通仆人,和他们好朋友似的山南海北地谈天。从第一天起他就把我母亲看作太太,恭恭敬敬地向她打招呼,甚至对我这个丑丫头,也总是既亲切又严肃。每逢他提到你的名字,他总带着某种崇敬,带着一种特殊的尊敬——大家马上就看出,他对你的关系远远超出了普通仆人的程度。为此我多么喜欢他、多么喜欢这个善良的老约翰啊!虽然我忌妒他时时可以在你身边侍候你。

我把一切都告诉你,亲爱的,把所有这些鸡毛蒜皮的、简直是可笑的小事都告诉你,为的是让你了解,从一开始你对我这个又腼腆、又胆怯的孩子就具有那样的魔力。在你本人还没有闯入我的生活之前,你身上就围上了一圈灵光,一道富贵、奇特和神秘的光华——我们所有住在这幢郊区小楼里的人(这些生活天地非常狭小的人,对自己门前发生的一切新鲜事总是十分好奇的),都在焦躁地等着你搬进来。一天下午放学回家,看到楼前停着搬家具的车,这时对你的好奇心才在我心里猛增。家具大都是笨重的大件,搬运工已经抬到楼上去了,现在正在把零星小件拿上去;我站在门口望着,对一切都感到很惊奇,因为你所有的东西都那样稀奇,我还从来没有见过;有印度神像，意大利雕塑，色彩鲜艳的巨幅绘画，最后是书，那么多、那么好看的书，以前我连想都没有想到过。这些书都堆在门口，仆人在那里一本本拿起来用小棍和撢帚仔仔细细地撢掉书上的灰尘。我好奇地围着那越堆越高的书堆蹑手蹑脚地走着，你的仆人并没有叫我走开，但也没有鼓励我呆在那里；所以我一本书也不敢碰，虽然我很想摸一摸有些书的软皮封面。我只好从旁边怯生生地看看书名：有法文书、英文书，还有些书的文字我不认识。我想，我会看上几个小时的；这时我母亲把我叫进去了。

整个晚上我都没法不想你；而这还是在我认识你之前呀。我自己只有十来本便宜的、破硬纸板装订的书，这几本书我爱不释手，一读再读。这时我在冥思苦索：这个人会是什么样子呢？有那么多漂亮的书，而且都看过了，还懂得所有这些文字，他还那么有钱，同时又那么有学问。想到那么多书，我心里就滋生起一种超脱凡俗的敬畏之情。我在心里设想着你的模样：你是个老人，戴了副眼镜，留着长长的白胡子，有点像我们的地理教员，只是善良得多，漂亮得多，温和得多——我不知道，为什么我那时就肯定你是漂亮的，因为当时我还把你想象成一个老人呢。就在那天夜里，我还不认识你，我就第一次梦见了你。

第二天你搬来了，但是无论我怎么窥伺，还是没能见你的面——这又更加激起了我的好奇心。终于在第三天我看见了你，真是万万没有想到，你完全是另一副模样，和我孩子气的想象中的天父般的形象毫无共同之处。我梦见的是一位戴眼镜的慈祥的老人，现在你来了——你，你的样子还是和今天一样，你，岁月不知不觉地在你身上流逝，但你却丝毫没有变化！你穿了一件浅灰色的迷人的运动服，上楼梯的时候总是以你那种无比轻快的、孩子般的姿态,老是一步跨两级。你手里拿着帽子,我以无法描述的惊讶望着你那表情生动的脸,脸上显得英姿勃发,一头秀美光泽的头发:真的,我惊讶得吓了一跳,你是多么年轻、多么漂亮、多么修长笔挺、多么标致潇洒。这事不是很奇怪吗?在这第一秒钟里,我就十分清楚地感觉到,你是非常独特的,我和所有别的人都意想不到地在你身上一再感觉到:你是一个具有双重人格的人,是个热情洋溢、逍遥自在、沉湎于玩乐和寻花问柳的年轻人,同时你在事业上又是一个十分严肃、责任心强、学识渊博、修养有素的人。我无意中感觉到后来每个人都在你身上感觉到的印象,那就是你过着一种双重生活,它既有光明的、公开面向世界的一面,也有阴暗的、只有你一人知道的一面——这个最最隐蔽的两面性,你一生的秘密,我,这个着了魔似的被你吸引住的十三岁的姑娘,第一眼就感觉到了。

现在你明白了吧,亲爱的,当时对我这个孩子来说,你是一个多大的奇迹,一个多么诱人的谜呀!一个大家对他怀着敬畏的人,因为他写过书,因为他在那另一个大世界里颇有名气,现在突然发现他是个英俊潇洒、像孩子一样快乐的二十五岁的年轻人!我还要对你说吗,从这天起,在我们这所楼里,在我整个可怜的儿童天地里,没有什么比你更使我感兴趣的了,我把一个十三岁的姑娘的全部犟劲,全部缠住不放的执拗劲一古脑儿都用来窥视你的生活,窥视你的起居了。我观察你,观察你的习惯,观察到你这儿来的人,这一切非但没有减少,反而更增加了我对你本人的好奇心,因为来看望你的客人形形色色,三教九流,这就反映了你性格上的两重性。到你这里来的有年轻人,你的同学,一帮衣衫褴褛的大学生,你跟他们有说有笑,忘乎所以,有时又有一些坐小汽车来的太太,有一回歌剧院的经理、那位伟大的乐队指挥来了，过去我只是怀着崇敬的心情远远地见到过他站在乐谱架前，到你这里来的人再就是些还在商业学校上学的小姑娘，她们扭扭捏捏地倏的一下就溜进了门去。总而言之，来的人里女人很多，很多。这一方面我没有什么特别的想法，就是一天早晨我去上学的时候，看见一位太太头上蒙着面纱从你屋里出来，我也并不觉得这有什么特别——我才十三岁呀，我以狂热的好奇心来探听和窥伺你的行动，这在孩子的心目中还并不知道，这种好奇心已经是爱情了。

但是，我亲爱的，那一天，那一刻，我整个地、永远地爱上你的那一天、那一刻，现在我还记得清清楚楚。我和一个女同学散了一会儿步，就站在大门口闲聊。这时开来一辆小汽车，车一停，你就以你那焦躁、敏捷的姿态——这姿态至今还使我对你倾心——，从踏板上跳了下来，要进门去。一种下意识逼着自己为你打开了门，这样我就挡了你的道，我们两人差点撞个满怀，你以那种温暖、柔和、多情的眼光望着我，这眼光就像是脉脉含情的表示，你还向我微微一笑——是的，我不能说是别的，只好说：向我脉脉含情地微微一笑，并用一种极轻的、几乎是亲昵的声音说："多谢啦，小姐！"

事情的经过就是这样，亲爱的；可是从此刻起，从我感到了那柔和的、脉脉含情的目光以来，我就属于你了。后来不久我就知道，对每个从你身边走过的女人，对每个卖给你东西的女店员，对每个给你开门的侍女，你一概投以你那拥抱式的、具有吸引力的、既脉脉含情又撩人销魂的目光，你那天生的诱惑者的目光。我还知道，在你身上这目光并不是有意识地表示心意和爱慕，而是因为你对女人所表现的脉脉含情，所以你看她们的时候，不知不觉之中就使你的眼光变得柔和而温暖了。

但是我这个十三岁的孩子却对此毫无所感:我心里像团烈火在燃烧。我以为你的柔情只是给我的,只是给我一人的,在这瞬间,我这个尚未成年的丫头的心里,已经感到是个女人,而这个女人永远属于你了。

"这个人是谁?"我的女友问道。我不能马上回答她。我不能把你的名字说出来:就在这一秒钟里,这唯一的一秒钟里,我觉得你的名字是神圣的,它成了我的秘密。"噢,一位先生,住在我们这座楼里。"我结结巴巴、笨嘴笨舌地说。"那他看你的时候你干吗要脸红啊?"我的女朋友使出了一个爱打听的孩子的全部恶毒劲冷嘲热讽地说。正因为我感到她的嘲讽触到了我的秘密,血就一下子升到我的脸颊,感到更加火烧火燎。我狼狈之至,态度变得甚为粗鲁。"傻丫头!"我气冲冲地说。我真恨不得把她勒死。但是她却笑得更响,嘲弄得更加厉害,直到我感到盛怒之下泪水都流下来了。我就把她甩下,独自跑上楼去。

从这一秒钟起,我就爱上了你。我知道,许多女人对你这个宠惯了的人常常说这句话。但是我相信,没有一个女人像我这样盲目地、忘我地爱过你,我对你永远忠贞不渝,因为世界上任何东西都比不上孩子暗地里悄悄所怀的爱情,因为这种爱情如此希望渺茫,曲意逢迎,卑躬屈节,低声下气,热情奔放,它与成年妇女那种欲火中烧的、本能地挑逗性的爱情并不一样。只有孤独的孩子才能将他们的全部热情集中起来:其余的人在社交活动中滥用自己的感情,在卿卿我我中把自己的感情消磨殆尽,他们听说过很多关于爱情的事,读过许多关于爱情的书。他们知道,爱情是人们的共同命运。他们玩弄爱情,就像玩弄一个玩具,他们夸耀爱情,就像男孩子夸耀他们抽了第一支香烟。但是我,我没有一个可以向他诉说我的心事的人,没有人开导我,没有人告诫我,我没有人生阅历,什么也不懂:我一下栽进了我的命运之中,就像跌入万丈深渊。在我心里生长、迸放的就只有你,我在梦里见到你,把你当作知音:我父亲早就故世了,我母亲总是郁郁寡欢,悲悲戚戚,她靠吃养老金过活,生性懦怯,掉片树叶还生怕砸了脑袋,所以我和她并不十分相投;那些开始沾上了行为不端这坏毛病的女同学又使我感到厌恶,因为她们轻佻地玩弄那在我心目中视为最高的激情的东西——因此我把原先散乱的全部激情,把我那颗压缩在一起而一再急不可待地想喷涌出来的整个心都一古脑儿向你掷去。在我的心里你就是——我该怎么对你说呢?任何比喻都不为过分——,你就是一切,是我整个生命。人间万物所以存在,只是因为都和你有关系,我生活中的一切,只有和你相连才有意义。你使我整个生活变了个样。原先我在学校里学习并不太认真,成绩也是中等,现在突然成了第一名,我读了上千本书,往往每天读到深夜,因为我知道,你是喜欢书的;突然我以近乎有点顽固的劲头坚持不懈地练起钢琴来了,使我母亲大为惊讶,因为我想,你是喜欢音乐的。我把自己的衣服刷得干干净净,缝得整整齐齐,好在你面前显得干净利索,让你喜欢;我那条旧学生裙(是我母亲的一件家常便服改的)的左侧打了一个四方的补钉,我感到难看极了。我怕你会看见这个补钉,因而瞧不起我;所以我上楼的时候,总是把书包压在那个补钉上,我吓得直哆嗦,生怕被你看出来。但是这是多傻啊:你后来再也没有,几乎是再也没有看过我一眼。

再说我,我整天都在等着你,窥伺你的行踪,除此之外可以说是什么也没做。我们家的门上有一个小小的黄铜窥视孔,从这个小圆孔里可以看到对面你的房门。这个窥视孔——不,别笑我,亲爱的,就是今天,就是今天,我对那些时刻也并不感到羞愧!——这个窥视孔是我张望世界的眼睛,那几个月,那几年,我手里拿了本书,整个下午整个下午地坐在那里,坐在前屋里恭候你,生怕妈妈疑心,我的心像琴弦一样绷得紧紧的,你一出现,它就不住地奏鸣。我时刻为了你,时刻处于紧张和激动之中,可是你对此却毫无感觉,就像你对口袋里装着的绷得紧紧的怀表的发条没有一丝感觉一样。怀表的发条耐心地在暗中数着你的钟点,量着你的时间,用听不见的心跳伴着你的行踪,而在它滴答滴答的几百万秒之中,你只有一次向它匆匆瞥了一眼。我知道你的一切,了解你的每一个习惯,认得你的每一条领带、每一件衣服,不久就认识并且能够一个个区分你那些朋友,还把他们分成我喜欢的和我讨厌的两类:我从十三岁到十六岁,每一小时都是生活在你的身上的。啊,我干了多少傻事!我去吻你的手摸过的门把手,捡了一个你进门之前扔掉的雪茄烟头,在我心目中它是神圣的,因为你的嘴唇在上面接触过。晚上我上百次借故跑到下面的胡同里,去看看你那一间屋子亮着灯,这样虽然看不见你,但是清清楚楚地感觉到你在那里。你出门去的那几个星期——我每次见那善良的约翰把你的黄旅行袋提下楼去,我的心便吓得停止了跳动——,那几个星期我活着像死了一样,毫无意义。我满脸愁云,百无聊赖,茫然若失,不过我得时时小心,别让母亲从我哭肿了的眼睛上看出我心头的绝望。

我知道,我现在告诉你的,全是些怪可笑的感情波澜,孩子气的蠢事。我该为这些事而害臊,但是我并不感到羞愧,因为我对你的爱情从来没有像在这种天真的激情中更为纯洁,更为热烈的了。我可以对你说上几小时,说上好几天,告诉你,我当时是怎么同你一起生活的,而你呢,连我的面貌还不认识,因为每当我在楼梯上碰到你,而又躲不开的时候,由于怕你那灼人的眼光,我就低头打你身边跑走,就像一个人为了不被烈火烧着,而纵身跳进水里一样。我可以对你说上几小时,说上好几天,告诉你那些你早已忘怀的岁月,给你展开你生活的全部日历;但是我不愿使你厌倦,不愿折磨你。我要讲给你听的,只有我童年时期最最美好的那次经历,我请你不要嘲笑我,因为这是一件微乎其微的小事,但是对我这个孩子来说,这可是件天大的大事。一定是个星期天。你出门去了,你的仆人打开房门,把那几条他已经拍打干净的、沉重的地毯拽进屋去。他,这个好人,干得非常吃力,我一时胆大包天,走到他跟前,问他要不要我帮他一把。他很惊讶,但还是让我帮了他,这样我就看见了你的寓所的内部,你的天地,你常常坐的书桌,桌上的一个蓝水晶花瓶里插着几朵鲜花,看见了你的柜子,你的画,你的书——我只能告诉你,我当时怀着多么大的崇敬,甚至虔诚的仰慕之情啊!对你的生活我只是匆匆地偷望了一眼,因为约翰,你那忠实的仆人,是一定不会让我仔细观看的,可是就是这么看了一眼,我就把整个气氛吸进了胸里,这就有了入梦的营养,就能无休止地梦见你,无论醒着还是睡着。

这,这飞快的一分钟,它是我童年时代最最幸福的时刻。我要把这时刻讲给你听,好让你这个并不认识我的人终于能开始感觉到有一个生命在依恋着你,并为你而消殒。这个最最幸福的时刻我要告诉你,还有那个时刻,那个最最可怕的时刻也要告诉你,可惜这两个时刻是互相紧挨着的。为了你的缘故——我刚才已经对你说过——我把一切都忘掉了,我没有注意我的母亲,对任何人都不关心。我没有注意到,一位年纪稍长的先生,一位因斯布鲁克的商人,我母亲的远亲,常常到我们家里来,每回都呆得很久,是的,这倒使我感到很高兴,因为他有时带我母亲去看戏,这样我便可以独自呆在家里,想着你,守候着你,这可是我的最大最大的、我的唯一的幸福!一天,母亲郑重其事地把我叫到她房间里,说要跟我一本正经地谈一谈。我的脸都吓白了,听到自己的心突然怦怦直跳:她会不会感觉到什么,看出了什么苗头?我马上想到的就是你,就是这个秘密,这个把我和世界联系在一起的秘密。但是妈妈自己却感到不好意思,她温柔地吻了我一两下(她平素是从来不吻我的),把我拉到沙发上挨她坐着,然后吞吞吐吐、羞怯地开始说,她的亲戚是个鳏夫,向她求婚,而她呢,主要是为了我,就决定答应他的要求。一股热血涌到我的心头:我内心里只有一个念头,我的全部心思都在你的身上。"我们还住在这儿吧?"我结结巴巴地勉强说出这句话来。"不,我们要搬到因斯布鲁克去,斐迪南在那里有座漂亮的别墅。"别的话我什么也没有听见。我觉得眼前发黑。后来我知道,当时我晕倒了;我听见母亲对等候在门后的继父悄声说话,我突然伸开双手往后一仰,随后就像块铅似的摔倒了。以后这几天里发生的事情,我,一个不能自己做主的孩子,是如何反抗她那说一不二的意志的,这些我都无法向你描述了:就是现在,一想到这件事,我正在写信的手还发抖呢。我真正的秘密是不能泄露的,因此我的反抗就显得纯粹是耍牛脾气,故意作对,成心别扭。谁也不再跟我说了,一切都在暗地里进行。他们利用我上学的时间搬运行李:等我回到家里,总是不是少了这样,就是卖了那件。我看着我们的屋子,我的生活变得零落了,有一次我回家吃午饭的时候,搬家具的人正在包装东西,把什么都搬走了。空空荡荡的屋子里放着收拾好了的箱子,以及母亲和我各人一张行军床:我们还要在这里睡一夜,最后一夜,明天就动身到因斯布鲁克去。

在这最后的一天，我怀着一种突然的果断心情感觉到，没有你在身边，我是不能活的。除了你，我想不出别的什么解救办法。我当时心里是怎么想的，在那绝望的时刻我究竟能不能头脑清楚地进行思考，这些我永远也说不出来，可是我突然站了起来，身上穿着学生装——我母亲不在家——走到对门你那里去。不，我不是走去的：我两腿发僵，全身哆嗦着，被一种磁石一般的力量吸到你的门口。我已经对你说过，我自己也不知道，我想干什么：跪在你的脚下，求你收留我做个女仆，做个奴隶，我怕你会对一个十五岁的姑娘的这种纯真无邪的狂热感到好笑的，但是——亲爱的，要是你知道，我当时如何站在冰冷的楼道里，由于恐惧而全身僵硬，可是又被一种捉摸不到的力量推着朝前走；我又是如何把我的胳膊，那颤抖着的胳膊，可以说是硬从自己身上扯开，抬起手来——这场搏斗虽只经历了可怕的几秒钟，但却像是永恒的——，用手指去按你门铃的电钮，要是你知道了这一切，你就不会再笑了。那刺耳的铃声至今还在我的耳朵里回响，随之而来的是沉寂，之后——这时我的心脏停止了跳动，我全身的血液凝固了——我只是竖起耳朵听着，你是不是来开门。

但是你没有来。谁也没有来。那天下午你显然出去了，约翰可能是为你办事去了；于是我就蹒跚地——单调刺耳的门铃声还在我的耳边震响——回到我们满目凄凉、空空如也的屋子里，精疲力尽地一头倒在一条花呢旅行毯上，这四步路走得我疲乏之至，仿佛在深深的雪地里走了好几个小时似的，虽然疲惫不堪，可是他们把我拉走之前我要见到你、跟你说话的决心依然在燃烧，并未熄灭。我向你发誓，这里面并没有一丝情欲的念头，我当时还不懂，除了你之外，我什么都不想：我只想见到你，只还想见一次，紧紧地抱着你。于是整整一夜，这漫长的、可怕的整整一夜，亲爱的，我都在等待着你。母亲刚一上床睡着，我就蹑手蹑脚地溜到前屋里，侧耳倾听，你什么时候回家。整整一夜我都在等待着，而这可是一个冰冷的一月之夜啊！我疲惫不堪，四肢疼痛，想坐一坐，可是屋里连张椅子都没有了，于是我就平躺在冷冰冰的地板上，从房门底下的缝隙里嗖嗖地吹进股股寒风。我的衣服穿得很单薄，又没有拿毯子，躺在冰冷的地板上，浑身骨节眼里都感到刺痛；我倒是不想要暖和，生怕一暖和就会睡着，就听不到你的脚步声了。这是很难受的，我的两只脚痉挛了，紧紧蜷缩在一起，我的胳膊颤抖着：我只好一次又一次地站起来，在这漆黑的夜里，可真把人冻死了。但是我等待着，等待着，等待着你，宛如等待着我的命运。

终于——大概已经是凌晨两三点钟了吧——我听见下面开大门的声音，接着就有上楼梯的脚步声。顿时我身上的寒意全然消失，一股热流在我心头激荡，我轻轻地开了房门，准备冲到你面前，伏在你的脚下……啊，我真不知道，我这个傻姑娘当时会干出什么事来。脚步声越来越近。烛光忽闪忽闪地照到了楼上。我抖抖索索地握着房门的把手。来的人果真是你吗？

是，是你，亲爱的——但你不是独自一人。我听到一阵挑逗性的轻笑，绸衣服拖在地上发出的窸窣声和你低声细语的说话声——你是带了一个女人回家来的……

我不知道，我是如何捱过这一夜的。第二天早晨八点钟，他们就把我拖往因斯布鲁克；我已经没有一丝力气来反抗了。

我的孩子已在昨天夜里去世了——如果我当真还要继续活下去的话，那我又将是孤苦伶仃的一个人了。明天要来人了，那些陌生的、黑炭似的大个儿笨汉子，他们将抬一口棺材来，收殓我那可怜的、我那唯一的孩子。也许朋友们也会来,送来花圈,但是鲜花放在棺材上又顶什么用?他们会来安慰我,对我说几句,说几句话;但是他们又能帮得了我些什么呢?我知道,这以后我又是孤零零一个人了。再也没有什么东西比在人群之中感到孤独更可怕的了。这一点我那时就体会到了,在因斯布鲁克度过的没有尽头的两年岁月里,即从我十六岁到十八岁的时候,像个囚犯,像个被摈弃的人似的生活在家里的两年时间里,就体会到了这一点。继父是个生性平和、寡言少语的人,对我很好;我母亲好像为了弥补她无意之中所犯的过失,所以对我的一切要求总是全部给予满足,年轻人围着我献殷勤,但是我都斩钉截铁地对他们一概加以拒绝。不和你在一起,我就不想幸福地、惬意地生活,我把自己埋进一个晦暗的、寂寞的世界里,自己折磨自己。他们给我买的新花衣服我不穿,我不肯去听音乐会,不肯去看戏,或者跟大家一起兴高采烈地去郊游。我几乎连胡同都不出:你会相信吗,亲爱的,我在这座小城里住了两年,认识的街道还不上十条?我悲伤,我要悲伤,看不见你,我就强迫自己过着清淡的生活,并且还以此为乐。再有,我怀着一股热情,只希望生活在你的心里,我不愿让别的事情来转移这种热情。我独自一人坐在家里,一坐就是几小时,就是一整天,什么也不做,只是想着你,一次一次地、反反复复地重温对你的数百件细小的回忆,每次见你啦,每次等你啦,就像在剧院里似的,让这些细小的插曲一幕幕从我的心里闪过。因为我把往日的每一秒钟都回味了无数次,因此我的整个童年时期还都历历在目,那些逝去的岁月的每一分钟我都感到如此灼热和新鲜,仿佛是昨天在我身上发生的事。

那时我的整个身心全都用在了你的身上。你写的书我全都买了；要是报上登有你的名字，那这天就像节日一样。你相信吗，你的书里每一行我都能背下来，我一遍又一遍地把你的书读得滚瓜烂熟？要是有人半夜里把我从睡梦中叫醒，从你的书里抽出一行来念给我听，今天，隔了十三年，今天我还能接着念下去，就像在梦里一样：你的每一句话，对我来说都是福音书和祷告文。整个世界，只是和你有关，它才存在；我在维也纳的报纸上翻阅音乐会和首演的广告，心里只有一个想法，那就是哪些演出会使你感兴趣；一到黄昏，我就在远方陪伴着你：现在他进了剧场大厅，现在他坐下来了。这事我梦见过千百次，因为我曾经有一次，唯一的一次，在一次音乐会上见过你。

可是我说这些干什么呢，说一个被遗弃的孩子的这些疯狂的、自己糟蹋自己的，这些如此悲惨、如此绝望的狂热干什么呢？把这些告诉一个对此一无所感、毫无所知的人干什么呢？那时我确实不还是个孩子吗？我长到十七岁，十八岁了——年轻人开始在街上转过头来看我了，可是他们只能使我火冒三丈。因为想着和别人，而不是和你谈恋爱，即使只是拿恋爱开个玩笑，我也觉得简直是闻所未闻、难以理解的，在我看来，受勾引本身就已经犯了罪。我对你的激情始终犹如当年，只是随着我身体的发育和性欲的萌发而变得更加炽烈、更加肉感、更加女性罢了。当时在那个女孩子，那个去按你的门铃的女孩子的朦胧无知的意识中没能预感到的东西，现在成了我的唯一的思想：把自己献给你，完全委身于你。

我周围的人认为我腼腆，都说我怕羞（我紧咬牙关，关于我的秘密，一个字也不露出来）。但是在我心里却滋长了钢铁般的意志。我的全部心思都集中在一点上：回到维也纳，回到你的身边去。我费了好大的劲，终于实现了自己的愿望，在别人看来，我的这个愿望也许是荒谬的，不可理解的。我的继父颇有资财，他把我当作他的亲生女。我直闹着要自己挣钱来养活自己，后来终于达到了这个目的。我来到维也纳的一个亲戚家，在一家服装店里当职员。

在一个雾蒙蒙的秋日，我终于，终于来到了维也纳！难道还要我告诉你，我到维也纳以后第一程路是往哪儿去的吗？我把箱子存放在火车站，跳上一辆电车——我觉得电车开得多慢呀，每停一站都使我感到恼火——，一直奔到那座楼房前面。你的窗户亮着灯，我的整个心灵发出了动听的声音。这座城市，这座曾经如此陌生、如此毫无意义地在我四周喧嚣嘈杂的城市，现在才有了生气，我现在才重新复活，因为我感觉到你就在近旁，你，我那永恒的梦。我并没有感觉到，无论隔着多少峡谷、高山、河流，或是在你和我闪着喜悦光芒的目光之间只隔着一层透明的薄玻璃，我对于你的意识来说，实际上都是一样遥远的。我抬头仰望，仰望：这儿有灯光，这儿是楼房，你就在这儿，这儿就是我的世界。对于这一时刻，我已经做了两年的梦了，现在总算赐给了我，这个漫长的、柔和的、云遮雾漫的夜晚，我在你的窗前站了很久，直到你房里的灯熄灭以后，我才去寻找我的住处。

这以后，我每天晚上都这样站在你的房前。我在店里干活一直干到六点钟才结束，活计很重，很累，但我很喜欢，因为工作很杂乱，我对自己内心的不宁也就不那么感到痛楚了。等到卷帘式铁百叶窗在我身后哐当一声落了下来，我就直奔我心爱的目的地。只要看你一眼，只想碰见你一次，只想用我的目光远远地再次抚摸你的脸庞——这就是我唯一的心愿。大约一个星期之后，我终于遇见了你，而且恰恰在我没有预料到的那一瞬间：我正抬头朝你的窗户张望的时候，你横穿马路过来了。突然,我又变成了那个小姑娘,那个十三岁的小姑娘,我感到热血涌上我的面颊;违背我渴望看见你的眼睛的内心冲动,我下意识地低下了头,像是有人在追我似的,从你身边一溜烟似的跑了过去。后来我为自己这种女学生似的胆怯的逃遁而感到羞愧,因为现在我的目的是一清二楚的:我想遇见你,我在找你,过了那么多渴望的、难熬的岁月,我希望你能认出我来,希望你注意到我,希望你爱上我。

但是你好长时间都没有注意到我,虽然每天晚上,无论是纷飞的大雪,还是维也纳凛冽刺骨的寒风,我都站在你那条胡同里,我往往白等几小时,有时候等了半天以后,你终于在朋友的陪伴下从屋里走了出来,有两次我还看见你和女人在一起,当我看见一位陌生女人同你紧挽胳膊一起走的时候,我感觉到了自己的成人意识,我的心突然颤了一下,把我的灵魂也撕裂了,这时我感觉到对你有一种新的、异样的感情。我并没有吃惊,我在儿童时代就已经知道女人是陪伴你的常客,可是现在却使我突然感到有种肉体上的痛苦,我心里那根感情之弦绷得紧紧的,对你跟另一个女人的这种明显的、这种肉体上的亲昵感到非常敌视,同时自己也很想得到。我当时有种孩子气的自尊心,也许今天也还保留着,所以一整天没有到你的屋子跟前去:但是这个抗拒和愤恨的空虚的夜晚是多么可怕呀!第二天晚上,我又低声下气地站在你的房子跟前,等呀等,就像我的整个命运,都站在你那关闭的生活之前似的。

一天晚上,你终于注意到我了。我已经看见你远远地过来了,我就振作起自己的意志,别又躲开你。说也凑巧,有辆货车停在街上要卸货,因而把马路堵得很窄,你就只好紧挨着我的身边走过去。你那心不在焉的目光下意识地扫了我一眼,它刚遇到我全神贯注的目光,就立即变成了——回忆起心里的往事，使我猛然一惊！——你那种勾引女人的目光，变成了那温存的、既脉脉含情又撩人销魂的、那拥抱式的、盯住不放的目光，这目光从前曾把我这个小姑娘唤醒，使我第一次成了女人，成了正在恋爱的女人。有一两秒钟之久，你的目光就这样凝视着我的目光，而我的目光却不能，也不愿意离开你的目光——随后你就从我身边走了过去。我的心怦怦直跳；我下意识地放慢了脚步，出于一种无法抑制的好奇心，我转过头来，看见你停住了，正在回头看我。从你好奇地、饶有兴趣地注视着我的神态里，我立刻就知道：你没有认出我来。

你没有认出我来，那时候没有，永远，你永远也没有认出我来。亲爱的，我怎么来向你描述那一瞬间的失望呢——当时我是第一次遭受到没有被你认出来的命运啊，这种命运贯穿在我的一生中，并且还带着它离开人世；没有被你认出来，一直还没有被你认出来。我怎么来向你描述这种失望呢！因为你看，在因斯布鲁克的两年中，我时刻都想着你，什么也不做，只是想象我们在维也纳的第一次重逢，根据自己的情绪状态，做着最幸福的和最可怕的梦。如果可以这么说的话，一切我都在梦里想过了；在我心情阴郁的时候，我设想过，你会拒我于门外，你会鄙视我，因为我太卑微，太丑陋，太不顾羞耻。你各种各样的怨恨、冷酷、淡漠，这一切我在热烈的幻象中都经历过了——可是这一点，这最最可怕的一点，就是在我心情最阴郁、自卑感最严重的时候，也没有敢去考虑过：你根本丝毫没有注意到我的存在。今天我懂得了——啊，那是你教我懂得的！——少女和女人的脸在男人眼里一定是变化无常的，因为脸通常只是一面镜子，时而是热情的镜子，时而是天真烂漫的镜子，时而又是疲惫的镜子，镜子中的形象极易流逝，所以一个男人也就更加容易忘记一个女人的容貌，因为年龄就在这面镜子里带着光和影逐渐流逝,因为服装会把一个女人的脸一下打扮成这样,等会儿又变成那样。那些听天由命的人,她们才是真正的智者。可是当时我这个少女,我对你的健忘还不能理解,因为由于我自己毫无节制、时刻不停地想着你,所以就产生了一种幻景,以为你也一定常常想着我,在等着我;如果我知道,你的心里并没有我,压根儿连想都没有想过我,那我活着还有什么意思!你的目光使我清醒了,你的目光表示,你一点也不认识我了,关于你的生活和我的生活之间,你竟连一根蛛丝那样的些微记忆也没有了。面对这样的目光,我如梦初醒,第一次跌到了现实之中,第一次预感到了自己的命运。

你那时没有认出我来。两天以后我们又再次相遇,你的目光带着点亲昵的神情周身打量着我,这时你依旧没有认出我就是曾经爱过你的、是被你唤醒的那个姑娘,你只认出我是那个漂亮的、十八岁的姑娘,两天以前曾在同一地点同你迎面相逢。你亲切而惊讶地看着我,嘴角挂着一丝轻柔的微笑。你又从我的身边走过去,马上又放慢了脚步:我颤抖,我狂喜,我祈祷,但愿你来跟我打招呼。我感到,我第一次为你而充满了活力;我也放慢了脚步,没有躲开你。突然,我没有回头便感觉到你在我的身后,我知道,这回我可以第一次听到你对我说话的可爱的声音了。这种期待的心情几乎使我软瘫了,我担心自己可能不得不停下来,心里像有十五个吊桶,七上八下——这时你走到我旁边来了。你用你特有的那种轻松愉快的神情跟我攀谈,仿佛我们是早就认识的老朋友了——啊,你没有感觉出我这个人,你也从来没有感觉出我的生活!——你跟我说话的神态是那么富有魅力,那么泰然自若,甚至我也能够跟你答话了。我们一起走了一条胡同,这时你问我,是否愿意我们一起去吃饭。我说:"行。"我怎敢拒绝你呢?

我们一起在一家小饭馆里吃饭——你还记得这家饭馆在哪里吗？啊，不，你一定跟其他这样的晚餐分不清了，因为在你心目中，我算得了什么？只不过是数万个女人中的一个，许许多多不胜枚举的风流艳遇中的一桩罢了。你有什么好想起我来的：我说得很少，因为在你身边，听你跟我说话，我就感到无限幸福了。我不愿意由于一个问题，一句愚蠢的话而白白浪费一秒钟。我永远不会忘记感谢你的这个时刻，你的心里满满地盛着我的热情的崇敬，你的举止如此温存风雅，轻松愉快，识体知礼，毫无迫不及待的妄为，没有匆忙的谄媚讨好的表示，从第一个瞬间起，就亲切自重，如逢知己，即使并没有早就把自己的整个身心都献给你，那么单凭这一点，你也会赢得我的心的。啊，你可不知道，我傻乎乎地等了你五年，你没有使我失望，你简直使我高兴得忘乎所以了！

　　天已经很晚了，我们起身离去。走到饭馆门口，你问我是否忙着回家，是否还有点时间。我怎么能瞒着你，怎么能不告诉你我乐意听从你的意愿呢！我说，我还有时间。随后，你稍稍迟疑了一下，就问，我是否愿意上你那里去聊一会儿。"好啊！"我自然而然地脱口而出，随后我立即发现，你对我如此迅速的允诺，感到有点儿难堪或者高兴，反正显然感到十分意外。今天我明白了你的这种惊异；我知道，一个女人，即使她心里火烧火燎的，想委身于人，但是她们通常总要否认自己有这种打算，还要装出一副惊恐万状或者怒不可遏的样子，非等男人再三恳求，说一通弥天大谎，赌咒发誓和作出种种许诺；这才愿意平息下来。我知道，也许只有那些吃爱情饭的妓女，或是幼稚天真、年未及笄的小姑娘才会兴高采烈地满口答应那样的邀请。但是在我心里，这件事只不过是——你怎么能料想得到呢——化成了语言的心愿，千百个白天黑夜所凝聚、而现在突然迸发的相思而已。总之，当时你很吃一惊，我开始使你对我发生兴趣了。我觉察到，我们一起走的时候，你一边说着话，一边带着某种惊异的神情从侧面打量着我。你的感觉，你那对于一切人性的东西具有魔术般的十拿九稳的感觉，在这里你立即在这位漂亮的、柔顺的姑娘身上嗅出了一种不同寻常的东西，嗅出了一个秘密。于是，你好奇心大发，我觉察到，你想从一连串拐弯抹角的、试探性的问题着手，来摸清这个秘密。可是我避开了你：我宁可显得傻里傻气的样子，也不愿对你泄露我的秘密。

　　我们上楼到你屋里。请原谅，亲爱的，要是我对你说，你不可能明白，这楼道，这楼梯对我来说意味着什么，当时我的心里充满了何等样的陶醉，何等样的迷乱，何等样的疯狂、痛苦、几乎是致命的幸福啊！我现在想起这些，还不禁泪湿衣襟，然而我已经没有眼泪了。你想一想吧，那里每一件东西都好像渗透了我的激情，每一样东西都是我童年时代、是我的憧憬的象征：那大门，我在前面等过你千百次的大门；那楼梯，我在那里倾听你的脚步声，并在那儿第一次看见你的楼梯；那窥视孔，通过这个小孔我看得神魂颠倒；你房门口铺的小地毯，有次我曾在上面跪过；那钥匙的响声，每回一听到这声音，我总是从我潜伏的地方猛地一跃而起。我的整个童年，我的全部激情都寄托在这几米大的空间里了，我的生命就在这里，而现在命运像暴风雨似的降落到我的头上来了，因为一切，一切都如愿以偿了，我和你在一起走，我和你在你的在我们的房子里走着。你想想吧——这话听起来毫无意思，可我不知道怎么用别的话来说——，一直到你房门口为止，一切都是现实，都是一辈子沉闷的、日常的世界，从那儿起，孩子的仙境，阿拉丁[①]的王国就开始了；你想一想，这房门我曾急不可待地盯过千百回，如今我飘飘然地走了进去，你将会预料到——但仅仅是预料到，永远也不会完全知道，我亲爱的！——这转瞬即逝的一分钟从我的生活里带走了什么。

那个晚上，我在你身边整整呆了一夜。你可没有想到，在这以前还从来没有一个男人触摸过我，没有一个男人紧贴着或者看见过我的身子哩。但是亲爱的，你又怎么会想到呢，因为我对你毫没反抗，我压制了因羞怯而产生的忸怩，只是为了使你无法猜到我对你的爱情的秘密，要是你猜了出来，准会把你吓一大跳的——因为你喜欢的只是轻松自在，嬉戏玩耍，怡然自得，你深怕干预别人的命运。你喜欢对所有的女人，像蜜蜂采花似的对世界滥施爱情，而不愿作出任何牺牲。假如我现在对你说，亲爱的，我对你委身的时候还是个处女，那么我求求你：不要误解我！我不埋怨你，你并没有引诱我，欺骗我，勾引我——是我，是我自己硬凑到你跟前、投入你的怀抱、栽进自己的命运中去的。我永远，永远不会埋怨你，不，我只有永远感谢你，因为对我说来那一夜是至极的欢乐，闪光的喜悦，飘飘欲仙的幸福。那天夜里我一睁开眼，感到你在我的身边，总是感到奇怪，星星怎么没有在我头上闪烁，因为我真觉得自己到了天上了——不，我从来没有后悔，我亲爱的，从来没有因为那一刻而后悔。我还记得：你睡着了，我听见你的呼吸，贴着你的身子，感到自己挨你那么近，在黑暗中我流出了幸福

[①] 阿拉丁，《一千零一夜》中的人物。巫师叫阿拉丁从井里取出一盏神灯，只要把灯一蹭，立即就有一位神灵来到你的跟前，可以满足你的一切要求。阿拉丁发现这个秘密后，就拿走了这盏灯，并娶了一个公主为妻，巫师想了各种办法还是没有得到神灯。

的泪水。

  第二天一大早我就急着要走。我得到店里去，也想在仆人来到之前就走，可不能让他看见。当我穿好衣服站在你面前，你就把我搂在怀里，久久端视着我；莫非在你心里激荡着某个模糊而遥远的回忆，或者你只是觉得我当时神采飞扬，容貌美丽呢？然后你在我嘴上吻了一下。我轻轻从你手里挣脱，想走掉。这时你问我："你带几朵花去，好吗？"我说好吧。你就在书桌上的蓝水晶花瓶里（啊，这只花瓶我是认识的，小时候我曾偷看过一眼）取出四朵洁白的玫瑰给了我。连着几天我还不住地吻着这几朵玫瑰哩。

  我们事前约好在另一个晚上见面。我去了，那晚又是那么美妙。你还赐给了我第三夜。后来你就对我说，你要出门了——噢，我从小就恨你的这种旅行！——你答应我，一回来就立即通知我。我给了你一个留局待取的地址——我不愿把我的姓名告诉你。我保守着自己的秘密。你又给了我几朵玫瑰作为临别纪念——作为临别纪念。

  这两个月里我每天都去问……唉，算了，向你描述这种期待和绝望的极度痛苦干什么呢！我不埋怨你，我爱你，爱的就是这个你：感情炽烈，生性健忘，一见倾心，爱不忠诚。我爱你这个人就是这个样，只是这个样，你过去一直是这个样，现在还是这个样。你早就回来了，从你亮着灯的窗户我断定你回来了，你没有给我写信。在我生命的最后时刻，我也没有收到你的一行字，你的一行字，而我却把自己的生命都给了你。我等着，绝望地等着。你没有叫我，没有给我写一行字……没有写一行字……

  我的孩子昨天死去了——他也是你的孩子呀。他也是你的孩子，亲爱的，这是那如胶如漆的三夜所凝结的孩子，这一点我向你发誓，人之将死，其言也真，我快踏上黄泉路了，是不会撒谎的。这是我们的孩子，我向你发誓，因为从我委身于你的那一刻起，到这孩子从我肚子里生出来这一段时间里，没有任何男人接触过我的身子。我的身子任你紧紧贴过之后，我就有了一种神圣的感觉：我怎么能把自己既给你，又给别人呢？你是我的一切，而别人只不过是从我生命边上轻轻擦过的路人。他是我们的孩子，亲爱的，是我那专一不二的爱情和你那漫不经心的、毫不在乎的、几乎是无意识的柔情蜜意所凝成的孩子，他是我俩的孩子，我俩的儿子，我俩唯一的孩子。那么你一定要问——也许吓一大跳，也许只是不胜惊愕——，那么你一定要问，我的亲爱的，问我在这么多年的漫长岁月里，为什么不把这个孩子告诉你，一直到今天他躺在这里，躺在这里的黑暗里的时候才谈到他，而此刻他已准备去了，永远不再回来了，永远不再回来了！可是我又怎么能告诉你关于孩子的事呢！我这个与你素昧平生的女人，我这个心甘情愿地跟你过了销魂荡魄的三夜，而且毫无反抗地、甚至是渴求地向你敞开了自己心怀的陌生女人，对她你是永远也不会相信的，你永远不会相信，她这么个跟你短暂萍水相逢的无名女人，会对你这个不忠诚的男人忠贞不渝，你永远也不会毫无疑虑地承认这孩子是你的亲生骨肉！即使你觉得我的话满有道理，真假难分，你也不可能消除这种暗暗的怀疑：我很富有，为此你企图把你在另一次风流欢会时种下的这个孩子硬塞给我。这样你就会对我猜疑，在你和我之间就会产生一片阴影，一片飘浮不定、腼腆的怀疑的阴影。这我不愿意。再说，我了解你，非常了解你，比你对自己还了解得清楚，我知道，你这个人只喜欢爱情中无忧无虑，轻松自在，游戏玩耍，要是突然间成了父亲，突然间要对一个命运负责,那你一定会感到难堪而棘手的。你一定会觉得,好像我把你拴住了,而你这个人是只有在自由自在的情况下才能呼吸的。因为我把你拴住了,你一定会因此而恨我的——不错,我知道,你会违背你自己清醒的意志而恨我的。也许只有几小时,也许只有短短的几分钟,你会觉得我是个累赘,会恨我——但是我要保持我的自尊心,我要让你这一辈子想起我的时候没有一丝忧虑。我宁可独自承担一切,也不愿让你背上个包袱,我要使自己成为你所钟情过的女人中的独一无二的一个,让你永远怀着爱情和感激来思念她。可是当然,你从来也没有思念过我,你已经把我忘在九霄云外了。

　　我不埋怨你,我的亲爱的,不,我不埋怨你。如果我的笔下偶尔流露出几滴苦痛的话,那就请你原谅我,请你原谅我——我的孩子——我们的孩子死了,就躺在这里影影绰绰的烛光下;我冲上帝攥紧拳头,管他叫凶手,我的心绪阴郁,神志紊乱。请原谅我倾吐我的哀怨,原谅我吧!我知道,你是善良的,内心深处是乐于助人的,你帮助每一个人,就是素昧平生的人有求于你,你也给予帮助。你的恩惠非常奇特,它对每个人都是敞开的,因此谁都可以自取,两只手能抓多少就取多少,你的恩惠是博大的,是博大无际的,你的恩惠,但是,它是——请原谅我——懒散的。你的恩惠要人家提醒,要人自己去拿。你帮助人要人家叫你,求你,你帮助人是出于害羞,出于软弱,而不是出于快乐。容我坦率地对你说吧,你可以和别人共幸福,而不愿和人共患难。像你这样的人,即使是其中最有良心的人,求他也是很难的。有一次,那时我还是孩子,我从门上的窥视孔里看见有个乞丐按响了你的门铃,你给了他一点钱。还没等他开口向你要,你就迅速给了他,甚至给得很不少,可是你给他的时候心里有点害怕,是慌慌张张递给他的,好把他立即打发走,仿佛你怕看他的眼睛似的。你帮助人家的时候那种忐忑不安、羞羞答答、怕人感激的神态,我永远忘不了。因此我从来也不来求你。当然,我知道,那时即使你还拿不稳这是你的孩子,你也会帮助我的,你也一定会安慰我,给我钱,给我一笔数目相当可观的钱,可是你心里却总悄悄怀着焦躁的情绪,要把这件煞风景的事从你身上推得一干二净;是的,我相信,你甚至要说服我尽早把胎打掉。这是我顶顶害怕的事,因为你所希望的事,我怎么会不去做呢,我又怎么能拒绝你的要求呢!可是这孩子就是我的一切,他也确实是你的,他就是你,但已经不再是那个我无法驾驭的、幸福无忧的你了,而是那个永远——我这样认为——给了我的、禁锢在我的身体里、连着我生命的你了。现在我终于把你捉住了,我可以在自己的血管里感到你在生长,感到你的生命在生长,只要我心里忍不住了,我就可以用食品喂你,用乳汁哺你,可以轻轻抚摸你,温柔地吻你。你瞧,亲爱的,因此当我知道,我怀了你的孩子,我是多么幸福,因此我就没有把这事对你说:因为这样,你就再也不会从我身边逃走了。

当然,亲爱的,后来的生活也并不全是我原先所想的那种幸福的日子,也有日子充满了恐惧和烦恼,充满了对人的卑鄙下流的憎恶。我的日子过得很艰难。为了不让我的亲戚发现我怀了孕,并把这事告诉我家里,因此临产前的几个月我不能再到店里去上班了。我不愿向我母亲要钱——我就把身边有的那点首饰卖掉,这样才勉强维持了分娩前那段时间的生活。分娩前一星期,一个洗衣女工从柜子里偷走了我剩下的最后几枚克朗,因此我只得进了一家妇产医院。只有那些身上分文不名的穷人,那些被抛弃、被遗忘的女人,在走投无路的时候才到那里去,置身于贫困的社会渣滓之中,这孩子,你的孩子,就是在那里呱呱坠地的。那儿真是叫人活不下去：陌生，陌生，一切都陌生，我们躺在那儿的人，互相也都是陌生的，大家寂寞孤独，彼此仇视，大家都是被贫困、被同样的痛苦踢进这间沉闷的、充满哥罗仿和血腥气的、充满叫喊和呻吟的产房里来的。穷人不得不忍受的轻薄，精神上和肉体上的羞辱，在那里我全受过了：我得跟那些娼妓、那些病人挤在一起，她们惯于对有同样命运的病人使坏；我忍受了年轻医生的玩世不恭的态度，他们脸上挂着一丝嘲讽的微笑，掀开我这个毫无反抗力的女人的被单，在身上摸来摸去，美其名曰检查；我忍受着女护理人员贪得无厌的私欲——啊，在那里，人的羞耻心被目光钉上了十字架，任凭语言的鞭笞。只有写着你的名字的那块牌子，在那里只有这块东西还是你自己，因为那床上躺着的，只不过是一块抽搐着的、任凭好奇的人东捏西摸的肉，只不过是一个供观赏和研究的对象而已——啊，那些妇女，那些在自己家里为守候着她们的温存爱抚的丈夫生孩子的妇女，她们不懂得举目无亲、不能防卫、像在实验桌上似的把个孩子生下来是个什么滋味！要是我今天在哪本书里看到"地狱"这个词，我就仍然会不由自主地突然想到那间塞得满满的、水气腾腾的，充满了呻吟、狂笑和惨叫的产房，那间宰割羞耻心的屠场，我就是在那儿遭的罪。

请原谅，请原谅我说了这些事。可是我就谈这一次，以后永远、永远不再说了。这些事十一年来我一句也没说过，不久我就将闭口不语，直到无垠的永恒，但是我得叫喊一次，嚷一次：为了这个孩子，我付出了多少昂贵的代价啊！这孩子就是我的幸福，如今他躺在那里，已经停止了呼吸。我已经忘掉了那些时刻，在孩子的笑容和声音里，在他的幸福中早就把它们忘在九霄云外了；但是现在孩子死了，痛苦又潜入了我的心头,这一次,就这一次,我得把它从心里倾吐出来。但是我并不是埋怨你,我只是埋怨上帝,是他让这些痛苦到处狂奔乱闯的。我不埋怨你,我向你发誓;我从来没有对你发过脾气。即使我腹痛得蜷缩起来的时候,即使在大学生触触摸摸般的目光下我羞愧得无地自容的时候,即使在痛苦撕裂我的灵魂的时候,我都没有在上帝面前控告过你;对于那几夜,我从来都没有后悔过,从来没有责骂过我对你的爱情,我始终都爱着你,一直为你所给我的那个时刻而祝福。假如由于那些时刻我还得再进一次地狱,而且事先知道我将受的苦,那么我还愿意再进一次,我亲爱的,愿意再进一次,再进一千次!

我们的孩子昨天死了——你从来没有见过他。这个活泼可爱的小人儿,你的骨肉,从来没有,连偶然匆匆相遇也未曾有过,就是擦身走过时他也没有碰到过你的目光。有了这个孩子,我就躲了起来,不见你的面;我对你的相思也不那么痛苦了,自从赐给我这个孩子以后,我觉得我爱你爱得没有先前那么狂热了,至少不像先前那样受爱情的煎熬了。我不愿把自己分开来,分给你和他两个人,所以我就没有把自己的感情倾注给你,而是一古脑儿全部给了这个孩子,因为你是个幸运儿,你的生活和我不沾边,而这孩子却需要我,我得抚养他,我可以吻他,可以搂着他。看样子我从由于想你——我的厄运——而陷入的神思恍惚的状态中解救出来了,我是由于这个另外的你,真正属于我的这个你而得救的——只有在很少很少的时候,我的感情才会低三下四地再到你的房前去。我只做一件事:在你生日的时候,我每次都送你一束白玫瑰,和当年我们一起过了第一个恩爱之夜以后,你送给我的一模一样。这十来年当中,你心里是否问过自己,这些鲜花是谁送来的?也许你也想到过你从前送过她这样的玫瑰的那个女人?我不知道,我也不想知道你的回答。我只是暗中把玫瑰给你递过去,一年一次,为了唤醒你对那一时刻的回忆——对我来说,这已经足够了。

你从来没有见过他,没有见过我们可怜的孩子——今天我责备自己,我一直把他对你隐瞒了,因为你是会爱他的。你从来没有见过他,没有见过这个可怜的男孩,从来没有见过他的微笑,每当他轻轻抬起眼睑,然后用他那聪明的黑眼睛——你的眼睛!——向我,向全世界投来一道明亮而欢快的光芒的时候,你从来没有见过他的微笑!啊,他是多么快活,多么可爱呀:在他身上天真地再现了你的全部轻快的性格,在他身上重演了你那敏捷的、驰骋的想象力:他可以接连几小时沉迷在他的玩艺儿里,就像你游戏人生一样,然后他就竖着眉毛,一本正经地坐着看书。他越来越像你了;你所特有的那种既有严肃又有戏谑的性格上的两重性,已经明显地在他身上滋长起来了,他越是像你,我就越发爱他。他学习成绩很好,说起法文来真像只小喜鹊,他的作业本是全班最干净的,再说他的模样多好看,穿身黑天鹅绒衣服或是穿件白海员衫是多么帅气。无论走到那里,他都是最雅致漂亮的;在格拉多① 海滨,我跟他一起散步的时候,女人们都停下来,抚摸他那金色的长发;在塞默林②,他滑雪橇的时候,大家都朝他转过头来啧啧称羡。他是这么漂亮,这么娇嫩,这么惹人爱,去年他进了特莱

---

① 格拉多,位于亚德里亚海滨,是意大利著名的海滨浴场。
② 塞默林是维也纳附近阿尔卑斯山的一个隘口,是著名的避暑胜地和冬季运动场所。

茜娅寄宿中学①，穿了制服，身佩短剑，活像个十八世纪的王室侍从——可是他现在除了身上的一件衬衫之外，别无他物了，这可怜的孩子，他躺在这里，嘴唇苍白，双手交叉叠在一起。

也许你要问我，我怎么能够让孩子在奢华的环境中受教育的呢，怎么能够让他享受到上流社会光明、快活的生活的呢？亲爱的，我在黑暗中跟你说话；我没有廉耻了，我要告诉你，但你别吓坏了，亲爱的——我卖淫了。我倒不是那种街头野鸡，不是娼妓，但是我卖淫了。我有很阔的朋友，很阔的情人，先是我去找他们的，后来他们就来找我了，因为我非常之美——不知你注意到没有？每一个我向他委身的男人都喜欢我，他们大家都感谢我，都依恋我，都爱我——只有你不是，只有你不是，我的亲爱的！

我对你吐露了我卖淫的真情，你会看不起我吗？不会，我知道，你不会看不起我，我知道，你理解这一切，你也将会理解，我只是为了你，为了你的另一个"我"，为了你的孩子才走这一步的。在妇产医院的那间病房里，我就曾经领略过穷困的可怕，我知道，在这个世界上，穷人总是被践踏、被凌辱的，总是牺牲品，我不愿意，无论如何都不愿意让你的孩子，让你的这个开朗、美丽的孩子在社会深深的底层，在小胡同的垃圾堆里，在霉气熏天、卑鄙下流的环境中，在一间陋室的污浊的空气中长大成人。不能让他稚嫩的小嘴去说些俚言俗语，不能让他那雪白的身体去穿霉气熏人的、皱皱巴巴的寒酸的衣

---

① 特莱茜娅寄宿中学，原为奥地利女王玛丽亚·特莱茜娅于 1746 年创办的特莱茜娅贵族学院，1849 年以后改为普通文科中学，一直是维也纳的一所有名的中学。

裳——你的孩子应该享有一切,世上的一切财富,人间的一切快乐,他应该重新升到你的地位,升到你的生活范围里去。由于这个原因,只是因为这个原因,我的亲爱的,我卖淫了。对我来说,这不是什么牺牲,因为大家通常称之为名誉、耻辱的东西,对我来说全是空的:你不爱我,而我的身子又只属于你一个人,既然这样,那么我的身子不管做出什么事来,我也觉得是无所谓的了。男人的爱抚,甚至于他们内心深处的激情,都不能丝毫打动我的心灵,虽然我对他们之中的有些人也很敬重,由于他们的爱情得不到回报而对他们深表同情,这使我想起自己的命运,而内心常常感到深受震动。我所认识的那些男人,他们大家都对我很好,大家都很宠爱我,尊敬我。尤其是有位年纪较大的、丧了妻的帝国伯爵,就是他为我四方奔走,八方说情,好让特莱茜娅中学录取这个没有父亲的孩子、你的孩子——他像爱女儿那么爱我。他向我求过三四次婚——要是我答应了这门亲事,今天就是伯爵夫人了,就是蒂罗尔① 某座迷人的王宫的女主人了,我就可以过着无忧无虑的生活,因为孩子有了一个慈祥的父亲,把他当作宝贝,而我身边就有了个文静、显贵和善良的丈夫——我没有答应,无论他催得多么急迫、频繁,也不论我的拒绝是多么伤他的心。也许我做了件蠢事,因为要不现在我便在什么地方过着安静、悠闲的生活了,而把这孩子,这可爱的孩子,带在我的身边,但是——我干吗不向你承认呢?——我不愿自己为婚姻所羁绊,为了你,我任何时候都要使自己是自由的。在我内心深处,在我的潜意识里,我一直还在做着那个陈旧的孩子梦:也许你会再次把我召唤到你的身边,哪怕只叫我去一小时。为了这可能的一小

---

① 蒂罗尔,奥地利的一个州,首府在因斯布鲁克。

时，我把一切都推开了，只是为你而保持自己的自由，一听召唤，就扑到你的怀里。自从童年时代之后青春萌发以来，我的整整一生不外乎就是等待，等待你的意志！

这个时刻果真来到了。可是你并不知道，你没有觉察到，我的亲爱的！就在那个时刻你也没有认出我——永远，永远，你永远没有认出我！以前我常常遇见你，在剧院里，在音乐会上，在普拉特公园里①，在大街上——每次我的心都猛地一抽，但是你的眼光只在我身边一晃而过；当然，外表上我已经完全变成另外一个人了，我从一个腼腆的小姑娘变成了一位妇人，如像他们所说的，长得漂亮，衣着十分名贵考究，身边围了一帮仰慕者；你怎么会想到，我就是在你卧室里昏暗的灯光下的那个羞答答的姑娘呢！有时候跟我一起走的先生中有一位向你打招呼；你向他答谢，并对我表示敬意；可是你的目光是客气而生疏的，是赞赏的，但从来没有认出我的神情。生疏，可怕的生疏。我还记得，有一次你那认不出我来的目光——虽然我对此几乎已经习以为常了——使我像被火灼了一样痛苦不堪：我跟一位朋友一起坐在歌剧院的一个包厢里，而隔壁的包厢里就是你。序曲开始的时候，灯光熄灭了，你的面容我看不到了，只感到你的呼吸挨我很近，就像当年那个夜晚那样近，你的手，你那纤细、娇嫩的手，支撑在我们这两个包厢的铺着天鹅绒的栏杆上。一种强烈的欲望不断向我袭来，我想俯下身去卑躬屈节地吻一吻这只陌生的、如此可爱的手，过去我曾经领受过这只手的温存多情的拥抱的呀！我耳边音乐声浪起伏越厉害，我的欲望也越狂热，我不得不攥紧拳头，使劲控制住自

---

① 普拉特是维也纳的一座规模很大的自然公园，并以其游乐场而著称，地处多瑙河和多瑙运河之间。

己,我不得不强打精神,正襟危坐,一股巨大的魔力把我的嘴唇往你那只可爱的手上吸引过去。第一幕一完,我就求我的朋友跟我一起走。在黑暗中你如此生疏,如此贴近地挨着我,我再也忍受不住了。

但是这时刻来到了,又一次来到了,最后一次闯进了我这无声无息的生活之中。那差不多是正好一年以前,你生日的第二天。奇怪,我时时刻刻都在想着你,你的生日我每年都是过节一样来庆祝的。一大早我就出门去买了那些年年都让人给你送去的白玫瑰,作为对那个你已经忘却了的时刻的纪念。下午我带着孩子一起乘车出去,把他带到戴默尔点心铺①,晚上带他去看戏。我想让他从少年时代起就感觉到,他也应该感觉到,这一天是个神秘的节日,虽然他对这个日子的意义并不了解。第二天我就和我当时的朋友,布吕恩的一位年轻、有钱的工厂主呆在一起。我已经和他同居两年了,我是他的掌上明珠,他娇我宠我,也同别人一样要跟我结婚,而我也像对别人一样,好像莫名其妙地拒绝了他,尽管他馈赠厚礼给我和孩子,尽管他本人有点儿呆板,有点儿谦卑的样子,但心地善良,人还是很可爱的。我们一起去听音乐会,在那里碰到一帮兴高采烈的朋友,随后大家便到环城马路的一家饭馆去共进晚餐,在欢声笑语之中,我提议再到塔巴林舞厅去跳舞。本来我对这种灯红酒绿、醉生梦死的舞厅,夜间东游西逛的行为一向都很反感,平素别人提议到那儿去,我总是竭力反对的,但是这一次——我心里像有一种莫名的神奇力量,使我突如其来地、本能地作出了这个提议,在在座的人当中引起一阵激动,大家都兴高采烈地表示赞同——我却突然产生了一个无法解释

---

① 戴默尔点心铺,是维也纳的一家高级点心铺。

的愿望，仿佛那里有什么特别的东西在等着我似的。他们大家都习惯于迎合奉承我，便迅速站起身来。我们大家一起来到舞厅，喝着香槟酒，突然我心里产生了一种从未有过的疯狂的、然而又差不多是痛苦的兴致。我喝酒，跟着唱一些拙劣的、多情善感的歌曲，心里产生了一种想要跳舞、想要欢呼的欲望，几乎无法把它摆脱开。可是突然——我觉得仿佛有种什么冷冷的或者灼热的东西猛地放到我的心上——我竭力振作精神，正襟危坐：你和几个朋友坐在邻桌，用欣赏的、露着色迷迷的目光看着我，用那种每每把我撩拨得心旌飘摇的目光看着我。十年来你第一次又以你气质中所具有的全部本能的、沸腾的激情盯着我。我颤抖了。我举着的酒杯差一点儿从手中掉落下来。幸好同桌的人都有注意到我心慌意乱的神态，它在音乐和欢笑的喧嚣中消失了。

你的目光越来越灼人，使我浑身灼烫如焚。我不知道，你是到底，到底认出我来了呢，还是把我当作另外一个女人，一个陌生女人，想把我弄到手？热血涌上了我的双颊，我心不在焉地和同桌的人答着话：你一定注意到了，我被你的目光弄得多么心慌意乱。你脑袋一甩，向我示意，别人根本没有觉察到，你示意我到前厅去一会儿。接着你就十分张扬地去付账，告别了你的朋友，走了出去，临走前又再次向我暗示，你在外面等着我。我浑身直哆嗦，像是发冷，又像发烧，我答不出话来，也控制不住冲动起来的热血。在这一瞬间正好有一对黑人，用鞋后跟踩得啪啪直响，嘴里发出尖声怪叫，开始跳一个奇奇怪怪的新舞蹈：所有的眼睛都注视着他们，而我正好利用这一瞬间。我站起身来，对我的朋友说，我马上就回来，说着就跟着你出来了。

你站在外面前厅里的衣帽间前面等着我。我一来，你的目光就亮了起来。你微笑着快步朝我迎来；我马上看出，你没有认出我来，没有认出从前的那个孩子，没有认出那个少女来，你又一次把我当成一个新欢，当成一个素不相识的人，想把我弄到手。"您也给我一小时行吗？"你亲切地问道——你那副十拿九稳的样子使我感觉到，你把我当作做夜间生意的野鸡了。"行，"我说，这是同样的一个颤抖的、但却是不言而喻地表示同意的"行"字，十多年前在灯光昏暗的马路上那位少女曾经对你说过这个字。"那么我们什么时候可以见面？"你问道。"您什么时候愿意就什么时候见，"我回答说——在你面前我不感到羞耻。你略为有点惊讶地望着我，眼睛里带着和当年完全一样的那种狐疑、好奇的惊讶，那时我的十分迅速的允诺也曾同样使你感到惊异。"您现在行吗？"你略为有些迟疑地问道。"行，"我说，"我们走吧。"

　　我想到衣帽间去取我的大衣。

　　这时我想起，存衣单还在我朋友那里哩，因为我们的大衣是存放在一起的。转去问他要吧，没有一大堆理由是不行的，另一方面，要我放弃同你在一起的时刻，放弃这个多年来我朝思暮想的时刻，我又不愿意。于是，我一秒钟也没迟疑：我只拿条围巾披在晚礼服上，走到外面湿雾弥漫的夜色中去了，根本没去管那件大衣，也没有去理会那个情意绵绵的好人，多年来我是靠他生活的，而我却当着他朋友的面使他成了个可笑的傻瓜，出他的洋相：他结识多年的情妇，一个陌生男人冲她吹了个口哨，就跑掉了。啊，我内心深处意识到，我对一位诚实的朋友所做的事是多么低贱下流，忘恩负义，卑鄙无耻啊，我感到，我做的事很可笑，我以自己的疯狂行为使一个善良的人受到了永久的、致命的精神创伤，我感到，我把自己的生活从正中间撕成了两半——同我急于再一次吻你的嘴唇，再一次听你温柔地对我说话相比，友谊对我来说算得了什么，我的存在又算得了什么！我就是如此地爱你，现在一切都过去了，都消逝了，此刻我可以告诉你了，我相信，哪怕我已经死在床上，假如你呼唤我，我就会立即获得一种力量，站起身来，跟着你走。

　　门口停了一辆车，我们把车开到你的寓所。我又听到了你的声音，感到你情意绵绵地就在我的身边，我感到如此陶醉，如此孩子气的幸福，简直不知所措，和当年完全一样。事隔十多年以后，我第一次重又登上了这楼梯——不，不说了，我无法向你描述，在那些瞬间，我对一切总是有着双重的感觉，既感觉到流去的岁月，又感觉到现时的光阴，而在这一切之中，只感觉到你。你的房间里变化不大，多了几幅画，添了几本书，有几处地方添了几件以前没有见过的家具，不过我对一切都感到十分亲切。书桌上放着花瓶，瓶里插着玫瑰，插着我的玫瑰，这是前一天你过生日的时候我送你的，以纪念一个女人，对于她你已经记不起来，也认不出来了，即使现在她正在你的身边，手拉着手，嘴唇贴着嘴唇，你也认不出她了。不管怎么说，这些鲜花你供养着，这使我心里高兴：这样总还有我心底的一片情分，还有我的一缕呼吸萦绕着你。

　　你把我搂在你的怀里。我又在你那里过了一个风流夜晚。不过我赤裸着身子的时候，你也没有认出我来。我幸福地承受着你娴熟的温存和情意，并且看到，你的激情对一个情人和一个妓女是没有区别的，你纵情恣欲，毫不在乎消耗掉自己大量元气。你对我这个从夜总会叫来的女人是如此温柔，如此多情，如此风雅和如此亲切敬重，而同时在消受女人的时候又是如此激情奔放；我陶醉在往日的幸福之中，我又感觉到了你这种独一无二的心灵上的两重性，在肉欲的激情之中含着意识的、亦即精神的激情,这种激情当年就已经使我这个女孩子对你俯首听命,难舍难分了。我从来没有见过一个男人在柔情蜜意之中,在那片刻之际是如此不要命,如此一览无遗地暴露自己的灵魂——当然,事过境迁,此事也就被无情无义地掷进无边无际的遗忘的汪洋大海里去了。不过我自己也忘了自己:此时在黑暗中挨着你的我到底是谁?我就是往昔那个感情炽烈的姑娘吗,就是你的孩子的母亲,就是这个陌生女人吗?啊,在这个销魂之夜,这一切是多么亲切,多么熟悉,又是多么新鲜。我祈祷,但愿这一夜永无尽头。

但是黎明来临了,我们起得很迟,你请我跟你一起去吃早餐。侍者老早就谨慎地摆好了茶,我们一起喝着,聊着。你又用那种非常坦率、亲切的知心人的态度跟我说话,又是不谈任何不得体的问题,对我这个人的情况一句也不打听。你没有问我的姓名,没有问我的住处;对你来说,这只不过又是春风一度,是件无名的东西,是一刻火热的时光在忘却的烟雾中消散得无影无踪。你说,你现在要出远门了,要到北非去两三个月;我在幸福之中颤抖起来了,因为这时我的耳边响起了一个声音:完了,完了,已经忘了!我真恨不得扑到你的膝下,大声呼喊:"带着我去,你终究会认出我来的,终究,终究,过了多么多年之后,你终究会认出我来的!"但是在你面前我是如此腼腆,如此胆怯,如此奴性十足,如此软弱。我只能说:"多遗憾啊。"你笑嘻嘻地看着我,说:"你真觉得遗憾吗?"

这时我野性突发。我站起来,盯着你,长时间地、紧紧地盯着你。接着我说:"我过去爱过一个人,他也老是出门旅行。"我盯着你,目光直刺你眼睛里的瞳仁。"现在,现在他会认出我来了!"我浑身战栗,心都快要跳出来了。可是你却对我微笑着,安慰我说:"会回来的。""是的,"我回答说,"会回来的，不过到那时也就忘掉了。"

　　我跟你说话的样子，一定有点特别，一定很有激情。因为你站了起来，凝视着我，十分诧异，充满爱怜。你抓着我的肩膀。"美好的东西是忘不了的，我永远也忘不了你，"你说，同时低下头来，目光直射进我的心里，仿佛要把我的形象深深印在你的脑海里似的。我感到这目光透进了我的心灵，在探索、追踪、在吮吸我的整个生命，这时我以为，盲人终于、终于复明了。他要认出我了，他要认出我了！我的整个灵魂都沉浸在这个想法之中，颤抖了。

　　可是你并没有认出我。没有，你没有认出我，在你的心目中，我此刻比已往任何时候都更为陌生，因为否则——否则你就绝对不可能干出你几分钟以后所干的事来。你吻了我，又一次热烈地吻了我。我的头发乱了，我得把它重新整理好，我站在镜子前面，这时我从镜子里看到——我羞惊难言，几乎摔倒在地——我看到，你正小心翼翼地把几张大面值钞票塞进我的暖手筒里去。这一瞬间，我怎么会没有叫起来，没有给你一记耳光呢！——我，我从童年时代起就爱你了，我是你的孩子的母亲，而你却付给我钱，为了这一夜！在你的心目中我是一个塔巴林的妓女，只不过如此而已——你就付钱给我！被你忘了，这还不够，我还得受凌辱！

　　我迅速收拾我的东西。我要离去，马上离去。我的心都碎了。我伸手去拿我的帽子，帽子就搁在书桌上那只插着白玫瑰、插着我的白玫瑰的花瓶旁边。这时我心里又产生了一个强烈的、不可抗拒的希望：我要再来试一试，提醒你想起往事："你愿意给我一朵你的那些白玫瑰吗？""好啊，"说着，你立即取了一朵。"可是这些玫瑰也许是一个女人、一个爱你的女人给你的吧？"我说。"也许是，"你说，"我不知道。花是别人送的，我不知道是谁送的；正因为这样，我才如此喜欢这些花。"我凝视着你。"说不定也是一个已经被你忘却的女人送的呢！"

你不胜惊讶地望着。我死死地盯着你。"认出我吧，最后认出我来吧！"我的目光在呼喊。但是你的眼睛亲切地、莫名其妙地微笑着。你又再一次吻我。可是你并没有认出我来。

我快步走到门口，因为我感觉到眼泪要涌出来了，可不能让你看见。我急忙奔了出去，跑得太急，在前屋差点儿同你的仆人约翰撞个满怀。他怯生生地忙不迭闪到一边，打开房门让我出去，就在这时——就在这一秒钟，你听见了吗？就在我眼噙泪水看着他、看着这位面容衰老的仆人的一秒钟，他的眼里突然一亮。在这一秒钟，你听见了吗？在这一秒钟，这位从我童年时代过后就一直没有见过我的老人认出了我。为了这个，我真要跪倒在他面前，吻他的手。我迅速从暖手筒里把钞票，把你用来鞭笞我的钞票扯出来，塞给了他。他哆嗦着，不胜惊讶地注视着我——在这一瞬间他比你在一生中对我的了解还多。所有的人都很娇惯我，大家都对我很好——只有你，只有你，只有你把我忘掉了，只有你，只有你从来没有认出我！

我的孩子死去了，我们的孩子——现在这个世界上，我除你之外再没有一个好爱的人了。但是对我来说你又是谁？你，你从来都没有认出我，你从我身边走过像是从一条河边走过，你踩在我身上如同踩着一块石头，你总是走啊，不停地走，却让我在等待中消磨一生。我曾经以为在这孩子身上可把你这个逃亡者抓住了。但是这毕竟是你的孩子：一夜之间他就残酷地离开我旅行去了，他把我忘掉了，永远不回来了。我又是孤单单的一个人了，比以往任何时候还孤单，我什么都没有，你的东西什么都没有了——再没有孩子了，没有一句话，没有一行字，没有一点回忆，假若有人在你面前提起我的名字，对你来说是生疏的，你也就这只耳朵进，那只耳朵出。我为什么不乐意死去，因为对你来说我已经死了？我为什么不走开，因为你已经离开了我？不，亲爱的，我不是埋怨你，我不愿把我的哀愁掷进你快乐的屋子里去。请不用担心我会继续来逼你——请原谅我，此刻孩子已经死了，孤零零地躺在那里，此刻我得让我的灵魂呼喊一次。只有这一次我必须得跟你说——说完我就默默地重新回到我的晦暗中去，就像我一直默默地在你身边一样。但是只要我活着，你就不会听到我这呼喊——只有我死了，你才会收到一个女人的这份遗嘱，这个女人她生前爱你胜过所有的人，而你始终没有认出她，她曾经一直等你的，而你从来没有召唤过她。也许，也许将来你会召唤我，而我将第一次没有忠实于你，那是因为我死了，再也不会听到你的召唤了：我没有留给你一张照片，没有留给你一件信物，就像你什么也没有留给我一样；你永远，永远也不会认出我了。我活着命运如此，死后命运也依然如此。在我生命的最后一刻，我不想叫你了，我去了，你连我的名字、我的面容都不知道。我死得很轻松，因为你在远处是不会感觉到的。倘若我的死会使你感到痛苦，那我就不会死了。

　　我写不下去了……我的脑袋里在嗡嗡直响……我四肢疼痛，我在发烧……我想，我得马上躺下。也许很快就过去了，也许命运会对我大发慈悲，我不必看着他们把孩子抬走……我写不下去了。永别了，亲爱的，永别了，我感谢你……不管怎么，事情这样还是好的……我要感谢你，直到我最后一口气。我感到很痛快：我把一切全对你讲了，现在你就知道，不，你只会感觉到，我曾经多么爱你，而你在这份爱情上却没有一丝累赘。我不会让你痛苦地怀念的——这使我感到安慰。在你美好、光明的生活里不会发生些微变化……我并不拿我的死来做任何有损于你的事……这使我感到安慰，你，我的亲爱的。

可是谁……现在谁会在你的生日老送你白玫瑰呢？啊，花瓶也将是空的了，我的一缕呼吸，我的心底的一片情分，往昔一年一度萦绕在你的身边，从此也即烟消云散了！亲爱的，听着，我求你……这是我对你的第一个、也是最后一个请求……请你做件让我高兴的事，你每逢生日——生日是一个想起自己的日子——都买些玫瑰来供在花瓶里。请你这样做，亲爱的，请你这样做吧，像别人一年一度为亲爱的亡灵做次弥撒一样。我可不再相信上帝了，所以不要别人给我做弥撒，我只相信你，我只爱你，我只想继续活在你的心里……啊，一年只要一天，悄悄地、悄悄地继续活在你的心里，就像过去我曾经活在你身边一样……我求你这样去做，亲爱的，这是我对你的第一个请求，也是最后一个……我感谢你……我爱你，我爱你……永别了……

他从颤抖着的手里把信放下。然后就久久地沉思。某种回忆浮现在他的心头，他想起了一个邻居的小孩，想起一位姑娘，想起夜总会的一个女人，但是这些回忆模模糊糊，朦胧不清，宛如一块石头，在流水底下闪烁不定，飘忽无形。影子涌过来，退出去，可是总构不成画面。他感觉到了一些藕断丝连的感情，却又想不起来。他觉得，所有这些形象仿佛都梦见过，常常在深沉的梦里见到过，然而仅仅是梦见而已。

他的目光落到了他面前书桌上的那只蓝花瓶上。花瓶是空的，多年来在他过生日的时候第一次是空的。他全身觳觫一怔：他觉得，仿佛一扇看不见的门突然打开了，股股穿堂冷风从另一世界嗖嗖吹进他安静的屋子。他感觉到一次死亡，感觉到不朽的爱情：一时间他的心里百感交集，他思念起那个看不见的女人，没有实体，充满激情，犹如远方的音乐。

看不见的收藏

——德国通货膨胀时期的生活插曲

关惠文译

列车驶出德累斯顿，过了两站，一位壮年已过的绅士上车走进我们的车厢。他客客气气地打着招呼，然后抬眼一看，便像一位老朋友似的特意再次朝我点了点头。一开始，我真想不起来他是谁。等他面带微笑刚刚说出他的名字，我就立刻想起来了：他是柏林最负盛名的艺术古玩商之一，和平时期①我常到他那里去浏览和购买旧书和名人手迹。我们起初闲谈了一阵子。突然，他出人不备地说道：

"我得告诉您，我这是从哪儿来。因为这个插曲，是我这个老古玩商三十七年经营活动中所遇到的最离奇的事。您本人大概也知道，自从货币贬值，钞票像气体挥发一样不值钱以来，现在古玩生意情况如何：那些暴发户忽然对哥特式的圣母像和古版书以及古老的铜版蚀刻画和画像发生了兴趣；你根本满足不了他们的贪欲，你甚至必须防范他们把店里的东西洗劫一空。他们恨不得把衬衫袖口上的纽扣和写字台上的台灯都买了去。这样，经常收进新的货物就变得越来越难了——请原谅，对那些平常在我们看来多少值得敬重的物件，我竟突然称

---

① 和平时期，指第一次世界大战前。

为货物了——，但这些坏家伙甚至已使人习惯于把一本精美的威尼斯古版书看作大把美元的体现，把一张古埃齐诺① 的素描看成几张一百法郎的化身。这些突然出现的购买狂的顽强冲击，是不可抗拒的，于是，我一夜之间又被榨得干干净净。我真想落下卷帘窗歇业。在我们这个我父亲从祖父手里接过来的老店里，只摆一些连北方街头小贩都不屑放在货摊车上的次品，我真觉得丢脸。

"处境这么狼狈，我突然想到去翻阅我们的老账簿，搜索一下我们的老主顾，说不定会从他们手里弄回几件复制品呢。这样的老顾客名册，几乎就好像是墓地，特别是在眼下这个时候，它其实对我不会有多少帮助。我们从前的大多数买主，要么早就把他们的收藏拿去拍卖了，要么就是离开人世了。对于寥寥无几挺过来的人，也不能抱什么希望。这时，我突然翻到一个最老的顾客的一整捆来信。因为从一九一四年世界大战爆发以来，他再也没有向我们订购和询问过什么，所以我把他忘了。他的通信可以追溯到六十年以前，这一点儿也不夸张！他从我父亲和我祖父手里买过东西，然而在我亲自经营的三十七年里，我不记得他曾进过我们的店。一切都表明，他是一个古怪的、老派的、滑稽可笑的人，是门采尔② 或施皮茨韦格③ 笔下的那种日渐稀少的德国人。到了我们这个时代，这种人作为稀世之宝，在外省小城还可散见一二。他的手迹都是书法艺术精品，极其工整清晰，款项下面总要用尺子和红笔画上横

---

① 古埃齐诺，原名乔万尼·弗朗西斯科·巴比埃利（1590—1666），意大利画家。
② 阿道尔夫·门采尔（1815—1905），德国著名画家。
③ 卡尔·施皮茨韦格（1808—1885），德国画家。

道，而在数字下面还要再画一道红线，以免引出差错。此外，他还专门使用信纸上裁下的空白部分和翻过来的旧信封。这一切都说明了一个终生不改的外省人的吝啬和节约怪癖。这些奇特的信件，除了签上名字以外，总还要写上一长串繁琐的头衔：退休林务官兼经济顾问，退休少尉，一级铁十字勋章获得者。作为一八七〇年普法战争时期的老兵，要是他还活着，起码也有八十岁了。但这位滑稽可笑的刻意求俭者，作为古代版画艺术的收藏家，却表现出一种超常的智慧，优异的知识和高雅的鉴赏力。我就这样慢慢地整理他将近六十年的订单，最早的订单还是用银币结账呢；我发现，在那一个塔勒① 能买一大批最精美的德国木刻画的年代里，这个微贱的外省人悄悄搜集了一批铜板雕刻画，这些收藏与那些暴发户名声大噪的收藏相比，毫不逊色。在半个世纪以来他单是在我们店里花少量马克和芬尼侥幸购得的东西，今天的巨大价值简直叫人瞠目结舌。除此而外，可以想见，他还在拍卖行和其他商人那里廉价捞取了不少东西。自一九一四年以来，就再也没有收到他一张订单，然而我太熟悉艺术商行里的情况了，公开拍卖或私下出售这么一大批收藏都是瞒不过我的。所以，这个怪人很可能还活着，要么这些收藏就在他的继承人手里。

"这件事使我发生了兴趣，第二天，就是昨天晚上，我立刻动身，径直奔向萨克森的一个极其萧条的小城。当我离开小站，闲步穿过主街时，我觉得，这些卑贱小市民的房子庸俗而寒酸，可是其中某一个陋室里，竟住着一个完整无损地保存着

---

① 塔勒，德国旧时的一种银币名。

伦勃朗最杰出的绘画和丢勒① 与蒙塔尼亚② 版画的人，简直不可想象。我在邮局询问这里是否住着一位叫这个名字的林务官或经济顾问，得知这位老先生确实还活在世上，我很惊讶。于是，我在午饭前就踏上去他家的路，不瞒您说，我当时真还心跳得很厉害呢。

"我没费劲儿就找到了他的住宅。他的寓所在那种简易的小城楼房的三层上，这些楼房都是某一个投机取巧的土建工程师在六十年代初匆匆建造的。二层住着一位憨厚的裁缝，三层的左边挂着一个邮政局长的亮闪闪的铜牌，右边一个搪瓷小牌上便是这位林务官兼经济顾问的名字。我小心翼翼地按了按门铃，立刻就有一位头戴干净小黑帽的白发老妇给我开了门。我把名片递给她，问可否见一见林务官先生。她先是带着惊奇和某种怀疑的神态看了看我，然后才看了看名片。在这个与世隔绝的小城里，在这座老式的房子里，从外地来了客人仿佛是一件大事。她亲切地请我稍候，便拿着名片走进屋去。我听到她小声说话，随后传来一个男人很大的响亮的声音：'啊，R先生……从柏林来，那是大古玩店呀！……请进来，请进来……我很高兴！'老太婆又小步跑过来，把我让进这个房间。

"我脱下大衣，走进去。一位满脸连鬓胡子、身穿镶边军便服的健壮老者，挺着腰板站在这简朴房间的中央，热情地朝我伸出双手。这绝对喜悦而自然的真诚欢迎，跟他站在那里的奇怪的呆滞不动的神态极不协调。他一步也不向我迎来，我只好——略感惊讶地——走到他跟前去握他的手。但当我想握他的手时，我从这双手所保持的水平姿势上发现，他的手不是在

---

① 阿尔布莱希特·丢勒（1471—1528），德国著名画家。
② 蒙塔尼亚（约1450—1523），意大利早期文艺复兴时期画家。

寻找而是在等待我的手。随即我全明白了：这是一个盲人。

"从童年时代起，我见到盲人站在面前，就觉得很不舒服。只要感觉到这是一个活人，同时知道他不能有我一样的感觉，我就克服不了某种羞怯和尴尬。就是现在，当我看见这上翘的白色浓眉下面的那双死的、向着空虚直愣愣注视的眼睛时，我也必须压制住我心中的第一阵恐惧。不过，这个盲人没有让我长时间地发怔。我的手一接触他的手，他就使劲握住，再一次用兴奋爽朗的声音表示欢迎。'一位稀客，'他笑着对我说，'真是奇迹，一位柏林的大老板，竟会光临寒舍……但常言道，商人登门，你得留神……在我家乡，总说：来了吉普赛，关门保钱袋……是啊，我能想象得到你为什么来找我。在我们这个走下坡路的可怜的德国，生意不景气啊。没有买主了，大老板就又想起他们的老主顾，又找他们的小羔羊来了……但在我这里，我担心您不会交好运，我们这些靠养老金过活的贫穷的老人，只要有口面包吃也就知足了。冲着你们现在搅起来的疯狂的物价，我们可奉陪不起……'

"我立刻纠正说，他误解了我的来意；我到这儿来，不是向他出售什么，我只是恰好在近处办事，不想错过机会看望一下他这位多年的老主顾和德国最大的收藏家之一。我刚说完'德国最大的收藏家之一'这句话，老人的脸上就起了一种奇异的变化。他仍然怔怔地直立在屋子中间，但现在他的神情突然明快起来，内心十分得意。他转向想象中夫人站的方向，好像想说：'你听见了吗，'声音里饱含着快乐，没有一点刚才说话的那种军人的粗暴语气，而是和蔼地甚至温柔地对我说："'这真是您的美意……但也不能让您白来呀。得让您看看您不是每天都能看到的东西。就是在您那好炫耀的柏林也看不到……有几幅画,像这么好的,就是在'阿尔贝蒂纳'①,在该死的巴黎也是找不到的……是啊,一个人搜集了六十年,总会藏有各种各样并非俯拾即是的东西。'

"这时发生了一点意想不到的情况。这位站在丈夫身边,微笑友好、彬彬有礼地静听我们谈话的老妇人,突然朝我恳求般举起双手,同时用头做了一个强烈反对的动作,这个表示一开始我一点儿也不明白。后来,她走向她丈夫,轻轻地把两手放在他肩头上,说:'海尔瓦特,'她提醒他,'你也不问问这位先生有没有时间看你的收藏。现在该吃午饭了。饭后你必须休息一个小时,这是医生的明确要求。饭后休息完了,你再把你所有的收藏拿给这位先生看,然后我们一块喝咖啡,不是更好吗?那时候,安娜玛丽也在这儿,对这一切她要熟悉得多,还可以帮助你!'

"她刚说完这番话,就好像越过那个无所觉察的丈夫,又对我做了一次那种急切请求的手势。现在我明白她的意思了。我知道,她希望我表示拒绝立刻观赏绘画,我很快就谎称正好有人约我吃饭。我说,能允许我欣赏他的收藏,我感到很荣幸,很愉快,但三点钟以前几乎没有时间,三点以后我倒很愿意再来。

"像一个孩子被人拿走最喜爱的玩具一样恼怒,这位老人气鼓鼓地转过身来。'自然,'他嘀嘀咕咕地说,'这些柏林的老板,他们总是没有时间。但这一回您必须拿出点时间来,因为这不是三五张画,这是二十七大本,每位大师一本,每本没有一张空页。那就三点整吧;但要准时来呀,否则我们就看不

---

① 阿尔贝蒂纳,维也纳著名的艺术陈列馆,馆藏近18000幅杰出大师的铜版画和绘画。

完了。'

"他又朝空中向我伸出手。'您要注意,您可能高兴——也可能生气。您越生气,我越高兴。我们收藏家就是这个样子:一切都为自己,不为别人!'他又使劲地握了握我的手。

"老妇人陪我走到门口。在整个谈话时间里,我发现她一直有些不快,十分不安,畏怯。我刚走到居室门口,她压低声音吞吞吐吐地说:'在您来我家以前,可以让我女儿安娜玛丽接您吗?……由于种种原因,这样要好一些……您大概在旅馆里用饭吧?'

"'是的,很高兴她来接我,真是不胜荣幸,'我说。

"果真,一小时以后,我在市场附近旅馆小餐厅里刚刚吃过午饭,一个衣着朴素的老姑娘,走了进来,睁大眼睛四处搜寻。我朝她走去,作了自我介绍,说我已作好准备,可以立刻跟她一起去看那些收藏。但她突然脸红了,现出跟她母亲一样的慌乱与窘迫,她恳请我,可否在动身前先跟我说几句话。我立时看出她有难言之隐。每当她决意想要说话的时候,这种不安的反复无常的红晕就一直升到她的前额,一只手不停地卷弄她的裙角。最后她终于开口一再慌乱地、时断时续地说:

"'我母亲让我到您这儿来……她把一切都告诉我了,不过……我们对您有一个非常恳切的请求……就是在您去父亲那儿之前,我们想告诉您一些情况……这些收藏……已经不全了……其中缺了不少……可惜,甚至缺得相当多……'

"她又一次不得不喘口气,然后突然直视着我急匆匆地说:

"'我必须十分坦率地对您讲……您了解这个时代,您会理解这一切的……战争爆发以后父亲就双目失明了。那以前,他的视力障碍就常出现,因为激动,后来他就完全丧失了视力——尽管他已经七十六岁了,他还是非常想随军到法国去,等到军队不像一八七〇年那样长驱直入,他心里又急又气,他的视力很快就毁了。不然的话,他本来还是神采奕奕的,战前不久还能走几小时的路,甚至能依着他的喜爱去打猎。现在他连散步都办不到了。留给他的唯一乐趣就是每天欣赏这些收藏……其实,他压根儿看不见画,他甚至什么也看不见,可是他每天下午都把全部画夹取出来,至少是完全依照他几十年熟记在心的顺序,一幅一幅地摸一摸……今天已经没有别的东西引起他的兴趣了,我嘛,总得给他念报上所有的拍卖行情。他听到价格越高,他就越高兴……因为……可怕的是,对于价格和时代父亲一点儿也不了解。他不知道我们已经一无所有,不知道我们靠他一个月的养老金还维持不了两天的生活……加之,我妹夫阵亡了,抛下了我妹妹和四个孩子……父亲对我们的一切物质生活困难一无所知。起初,我们省吃俭用,比以前节俭得多,但无济于事。后来我们就开始卖东西,——当然绝不去动他心爱的收藏……把仅有的一点点首饰变卖了,我的上帝,那能卖几个钱呀。父亲六十年来一芬尼一芬尼省下来的钱都拿去支付他的购画款了。有一天,再也没有什么可卖的了……我们不知道怎样活下去……这时……这时,母亲和我卖掉了一张画。这是父亲绝对不准许的,他一点儿也不知道境况有多么糟,他想不到在黑市搞点吃的多么难。他也不知道我们战败了,阿尔萨斯和洛林地区给割让出去了,这些消息我们读报时不念给他听,免得他又过分激动。

"'有一张很珍贵的画,我们也卖了,那是伦勃朗的铜版蚀刻画。商家给了我们很多钱,有好几千马克。我们本指望靠这笔钱过上几年。但是,您知道得很清楚,货币贬值多快……我们把全部余款都存进银行,可两个月以后就一文不值了。这样,我们不得不再卖一幅画,然后又卖一幅,古玩商总是很迟才汇款来，钱到时又贬值了。后来，我们就试着到拍卖行里卖，但在那里，人家尽管出价几百万，也是骗我们……等这几百万马克到我们手里，这些钱又成了一堆不值钱的废纸。慢慢地，他的收藏的精品，包括几幅名画在内，都不胫而走了，只不过为了维持一贫如洗的穷日子。对此父亲一点儿也不知道。'

"'因此，您今天一来，我母亲就惊呆了……因为他要是为您打开他的画夹，一切就都露馅了。他能摸得出那些老的画框，我们把复制品或类似的画放进这些画框替代那些卖掉的画，这样一来，他摸画时就什么也发现不了啦。他触摸和核对这些画的时候（他脑子里清楚地记得原有的顺序），他就会像当初能亲眼看见时一样高兴。平时在这个鄙陋的小城里，父亲一向认为没有一个人有资格欣赏他的宝贝。他怀着一颗狂热的爱心去爱每一幅画，他要是知道所有这些宝贝早就从他手底下溜走了，他的心会碎的。自从德累斯顿铜版画陈列馆前馆长去世以后，您是这些年来他认为第一个可以欣赏他的绘画的人。因此我恳求您……'

"突然，这个老姑娘举起双手，眼睛里闪着泪花。

"'……我们恳求您……请您不要使他不幸……不要使我们不幸……请您别毁了他最后的幻想。请您帮助我们，使他相信，所有他要向您描述的画都还存在……要是他推测出画都不在了，他也就活不成了。也许我们这样做对他是不公平的，但我们没有别的办法：人总得活呀……人的生命，我妹妹的四个孤儿的生命，总比印出来的画更重要吧……直到今天我们也没有剥夺他的乐趣。每天下午能有三个钟头翻他的画夹，对着每一页像对着一个人似的说说话，他感到很愉快。而今天……今天很可能成为他的最幸福的一天，几年来他就盼着给一位行家看他心爱的绘画；我请求，我举起双手请求您，请您不要毁了

他的这个乐趣!'

"所有这些话都说得非常感人,我根本没法准确地重述。我的上帝,作为一个商人,我甚至看到过许多人被无耻地掠夺,被通货膨胀卑鄙地欺骗,为了换一块面包饷口,连他们最珍贵的、世代相传的财宝都被人诈骗去了——但在这里,命运创造了一种特别使我感动的异乎寻常的情景。我当然一口答应她保持沉默,尽我所能做得最好。

"于是,我们就一起到她家里去。半路上,我又气愤地得知,有人怎样用少得可怜的钱欺骗这可怜的无知的母女俩,这就更坚定了我对他们帮到底的决心。走上楼梯,我们刚拧开门把手,就听到从屋里面传来老者愉快洪亮的声音:'进来!进来!'他一定是凭着盲人的灵敏听觉在我们一上楼时就听到我们的脚步声了。

"'海尔瓦特急着给您看他的宝贝,连午觉都没睡着,'老妇人微笑着说。她女儿使了一个眼色,暗示我已同意他们的请求,使母亲安下心来。桌上已经摆好画夹,就等着人们去展开了。那位盲老者刚刚碰了碰我的手,也不多说问候的话,就抓住我的胳膊,把我按在软椅上。

"'就这样,那么现在我们立刻开始吧——要看的东西很多,可是从柏林来的先生们甚至从来都没有时间。第一本收藏的是丢勒大师的作品,您就会看到,这相当全——而且一幅比一幅美。喏,您自己会作出判断,您就看一看吧!'他翻到画夹的第一张画,这是《大马》。

"他轻而又轻地小心地,就像平时人们去触摸易碎的东西那样,用非常经心的生怕碰坏的指尖抽出一个镶画的硬纸框,里边夹着的是一张变黄了的空白画纸。他激动地把这张不值一文的废纸举在面前。他细细地看了几分钟,实际上不是真看,他不过是用张开的手狂喜地把这张空白的纸片举到跟眼睛同等高的地方；他整个脸都神奇地表现出眼睛看得见的人的聚精会神的表情。他的双眼用僵死的瞳孔凝视着，突然眼中闪出一种反照的光亮，一线智慧的光——不知这是来自那张纸的反光，还是来自内心的喜悦？

"'怎么样，'他自豪地说，'您可曾看到过比这更美的印样吗？这里每个细部的线条印得多么分明，多么清晰！——我拿这张画跟德累斯顿的那张印样作过比较，但那张完全不同，显得很呆板。这儿还附有收藏家的谱系呢！这里，'他把画翻过来，用手指甲在背面丝毫不差地指着空白纸上的一些地方，我也不由得朝那里看去，看那里是否还有标记，'在那里，您可以看见纳格勒的藏画图章，这里是雷米和艾斯代勒的图章；这些绘画的著名的前主人怎么也不会想到，他们的画有一天竟会进了这个陋室。'

"听着这被蒙在鼓里的老者如此狂热地赞美一张空无所有的纸片时，真让我不寒而栗。跟他一起细心观看他用指甲分毫不差地指着的这些只存在于他的想象中、实际上什么也没有的收藏家的标记，真是太可怕了。由于心怀恐惧，我的喉咙像被勒住了一样，我一个字也回答不出来。我慌乱地抬头看了一眼两个女人，我又看到了那个颤抖、激动的老妇举起双手表示恳求。于是我控制住自己，开始扮演我的角色。

"'简直令人叫绝！'我终于结结巴巴地说，'一幅极美的印样。'他整个脸立刻因为自豪而放射着光彩。'这算不得什么，'他不胜喜悦地说，'您得先看看这幅《忧伤》[1] 或者《基督受难》[2]，印工非常精致，同样质量的没有第二份。您就看看

---

[1][2]《忧伤》和《基督受难》均为丢勒的名画。

吧,'——他的手指又在一张幻想中的绘画上轻轻地摸了一下——'这样鲜艳,这样的颗粒状的暖色调。简直可以让柏林的大老板和博物馆的博学之士目瞪口呆。'

"这种雷鸣般不绝于耳的赞赏,足有两个小时。不,我无法给您描述,我是怎样像中了邪似的,跟他一起欣赏了一二百张空空如也的废纸片或粗劣的复制品,但这些东西在这位可悲的一无所知者的记忆中却是无比真实的,使得他毫无差错地按照准确的顺序描述和赞扬每一幅画和它最微小的细部。这看不见的收藏,这早已随风四散的收藏,它们对于这位盲人,对于这位令人感动的受骗者来说,仍旧一丝不假地保存在那里。他幻想中的热情是这样动人心魄,几乎使我都开始相信它们的存在了。只有一次,他差一点儿醒悟过来,他像梦游患者般的欣赏热情几乎遭到破坏:在欣赏伦勃朗的《安提俄珀》①(一幅试印画,其价值曾经确实是无法估量的)的时候,他又称赞那印制的线条分明,同时用他那感觉敏锐的手指一边爱抚地模拟描绘,一边顺着印象里的线条移动,而那敏感的触觉神经竟发现在那张陌生的纸上没有原来那些凹纹。于是,他皱起了眉头,前额好像蒙上了阴影,声音也变得慌乱起来。'这确实是……这确实是《安提俄珀》吗?'他喃喃地说,略显困惑,我立刻计上心来,赶忙从他手里把那张镶了框的纸拿过来,从所有可能想到的细部,热情地描述我也熟悉的蚀刻术。于是,这位盲人困惑不解的面孔才又恢复常态。我越赞美,这位瘦骨嶙峋、老态龙钟的老人心里就越发热情洋溢,越发快活可亲。'这才是一个懂行的人啊,'他欢呼说,得意地转向他家里的人。'终于,终于有这么一个人了,你们可以从他那里了解到

---

① 安提俄珀,希腊神话中双生子安菲翁和泽忒斯的母亲,以美貌著称。

我的绘画究竟有什么价值。你们总是抱着不信任的态度埋怨我把所有的钱都花在我的收藏上了。这倒是真的,六十年来,不喝啤酒,不喝葡萄酒,不吸烟,不旅游,不看戏,不买书,总是省了又省,就是为了收藏这些绘画。等我不在人世了,你们总有一天会看到——你们会变得很富,比本城所有的人都富,像德累斯顿最富有的人一样的富,到了那个时候,你们还会因为我的冒傻气高兴一回呢。但是,只要我还活着,一张画也不准离开这个家。——必须先把我抬出去,然后再搬走我的收藏。'

"同时,他的手轻飘飘地,好像抚摸什么活的东西,在那早已空无一物的画夹上面抚摸了一下。——对我来说,这动作是怵目惊心的,也是令人感动的,因为在这战争年月里,我还从来没有在一个德国人的脸上看到过如此完美如此纯真的极乐表情。站在他身旁的母女二人,跟德国大师的那幅蚀刻画上的妇女形象① 神奇的相似。画上的女人是为瞻仰她们救世主的陵墓而来的,她们站在那个被掘开的空空的拱顶墓穴前面,脸上十分恐怖,又现出十分虔诚的见到奇迹的狂喜。就像这幅画上的两个女信徒深信救世主的上天预言一样,这年老和年长的母女俩——这两个受尽折磨的可怜的小市民女子,也被这位老者孩子般天真无邪的快乐所感染,眼里又含笑又含泪,那情景是那样感人,我从来都没有看见过。不过,这位老人对我的赞扬是百听不厌的,他不断地拿起和翻转这些绘画,如饥似渴地吞咽我说的每一句话。所以,当他终于把这些骗人的画夹推到一边,不情愿地腾清桌子准备喝咖啡时,这对我倒是一次休息。面对这种高涨的喧闹的快乐气氛,面对这位好像年轻了三

---

① 指前面提到的丢勒的《基督受难》。

十岁的老人的豪情,我感到我的这种轻松感简直是犯罪!他滔滔不绝地讲着购买绘画和捞到便宜的趣闻,他拒绝别人的帮助,总是自己摸摸索索地去取出一幅又一幅的绘画:他像喝醉了酒似的兴奋和陶醉。当我终于说我得告辞的时候,他简直大为震惊,竟像一个犟脾气的孩子似的撅嘴生气了,固执地跺着脚说,这可不行,我还没看到一半呢。两个女人费了九牛二虎之力才打消了他的不满情绪,使这个倔强的老人明白不能再挽留我了,不然我就要误了火车了。

"经过绝望的反对,他终于顺从了。告辞在即时,他的声音也就变得柔和了。他抓起我的双手,他的手指凭着一个盲人的全部表达能力爱抚地从我的手一直摸到我的手腕,好像他想更多地了解我,要比言语表达出更多的爱。'您的来访给我带来了极大的快乐,'他激动地开口说,这发自内心的激动我永远也不会忘怀。'终于,终于有一次再跟一位行家一起来欣赏我心爱的绘画了,这对我是一次真正欣慰的事。您应该看到,到我这个双目失明的老人这儿来,您并没有白跑一趟。让我妻子作证,我当着她的面答应您,在我的遗嘱里再加上一条,就是委托您久负盛名的老店拍卖我的收藏。您理应获此殊荣:把这份无人知晓的宝贝'——说到这里,他把一只手抚爱地放在那已被抢劫一空的画夹上 '——掌管到它们在世上散尽的那一天。请您答应我做一个精美的目录:它将成为我的墓碑,我也不需要更好的墓碑。'

"我看了一眼母亲和女儿,她们正紧紧地挨在一起,不时有一阵颤栗从一个人传给另一个人,两人好像连成一体似的在那里受到同样情感的冲击而全身颤抖。我本人的心情则是庄严的,因为这位心情激动的一无所知者把他那看不见的、早已星散的收藏当作珍宝委托我管理。我深受感动地答应了他我永远无法办到的事;他那僵死的瞳孔里又一次闪现出光亮。我觉得,他内心渴望感觉到一个实实在在的我:他的手指握着我的手指表示感谢和许愿,我从他的手指的温柔触摸,从他的手指的爱抚的轻压,感到了他这内心的渴望。

"两个女人把我送到门口。她们不敢说话,因为他听觉敏锐,能听到每一句话;但她们是热泪盈眶地望着我,目光里充满感激之情!我精神恍惚地摸索着走下楼梯。我实在感到羞愧:我像童话里的天使走进一个穷人的家,使一个盲人在一个小时里看见了东西,我使用的方法竟然是充当一种虔诚欺骗的帮手,是不知羞耻地说谎,实际上我这个卑劣的商贩来到这里是想狡猾地从别人手里夺取几件值钱的东西。然而,我从这里带走的东西却多得多:在阴郁的没有欢乐的时代里,我又一次活生生地感觉到了纯真的热情,一种照亮灵魂的、完全献身艺术的巨大喜悦,这种喜悦我们这些人早就不再有了。我心里有着——我不能把它说成别的——一种敬畏之情,虽然不知为何,我仍感到羞愧。

"我已站在下面的大街上,楼上一扇窗户咔拉响了一声,我听到有人喊我的名字:的确,老人非要亲自送我不可,现在他用他那已经失明的眼睛望着他推测中我所去的方向。他使劲地往外哈着腰,两个女人不得不早有防备地扶着他。他摇着手绢喊:'一路平安!'那声音像一个男孩的声音一样欢快、清脆。那情景我永远也不会忘记:上边窗口白发老者那张快乐的面孔高高地飘浮在大街上那愁苦悲凉、奔走忙碌的人们之上,被一种善良幻想的白云轻轻地托起,脱离我们这个令人厌恶的真实世界。我不由得又想到那句千真万确的老话——我想,那是歌德说的——'收藏家是幸福的人!'"

黄金国的发现
——约·奥·苏特尔,加利福尼亚,一八四八年一月

雪 声译

厌倦欧洲生活的人

一八三四年,一艘美国轮船从法国的勒阿弗尔驶往纽约。船上有数以百计在欧洲失去希望的人,约翰·奥古斯特·苏特尔就是其中的一个。他出生在瑞士巴塞尔附近的吕嫩贝格,现年三十一岁,是个破产者、小偷和期票伪造者,为了逃避欧洲法庭的制裁,他匆匆抛下妻子和三个孩子,在巴黎设法搞到一点钱和一张假身份证,远涉重洋,去寻求新的生活。七月七日,他在纽约上了岸,在那里他干了两年力所能及和力不能及的工作。他干过打包工、药剂师、牙医、卖药者和酒店老板。最后,他总算站稳脚跟,开了一家旅店,但不久又将其卖掉,自己顺着神奇的时代潮流到了密苏里。在那里,他成了农民,耕种田地,短期内便积攒了一笔小小的财产,能够过平静的生活了。然而,他看到有许多人不断从他家门前匆匆而过,不禁怦然心动,这些人中有毛皮商、猎人、冒险家和士兵,他们从西部来,又到西部去。"西部"这个词渐渐就有了魅力。要知道那儿当初是一片大草原,草原上野牛成群,往往几天、几星期不见人迹,偶尔有红皮肤的印第安人奔跑而过。草原那边是不易攀登的高山,翻过了山便是那块无人

详知、然而传说十分富饶的土地,即还无人考察过的加利福尼亚。这是一块流淌着牛奶和蜂蜜的土地,每一个想得到它的人都可以随意占有,但去那儿路途遥远,十分遥远,而且有生命危险。

然而,约翰·奥古斯特·苏特尔是个有冒险家天性的人,他不安于过清闲的生活,把自己的土地种好。他变卖了家产,用车辆、马匹和牛群装备起一支远征队,在一八三七年的一天,从独立要塞出发,开赴那块未知的土地。

向加利福尼亚进军

一八三八年,苏特尔同两个军官、五个传教士、三个妇女乘着牛车行进在空旷的原野上。他们穿过一片片草原,最后翻过高山,迎着太平洋前进。他们走了三个月,在十月底到达范库弗堡。先是两个军官离他而去,随后五个传教士也不愿继续前进,而那三个妇女早已在半路上饿死了。

现在只剩下苏特尔一个人。有人想把他留在范库弗堡,他不肯;给他一个职务,他也拒绝了。那块神秘的土地实在富有诱惑力,这使得他浑身热血沸腾。他驾着一艘简陋的帆船横渡太平洋,先到达桑威奇群岛①,又历经千难万险经过阿拉斯加海岸,在一个名叫旧金山的偏僻地方登陆。旧金山不是今天这座在地震后迅速发展起来的有几百万人口的大都市,那时只是一个贫穷的小渔村,在圣方济各会教士来传教后,才有了这个名字,当时还不是墨西哥那不知名的加利福尼亚省的首府。②

---

① 桑威奇群岛,美国夏威夷群岛的旧称。
② 加利福尼亚自 16 世纪以后,先后为西班牙和墨西哥的领地,1850 年正式成为美利坚合众国的一个州。苏特尔来此拓荒时,正是这场历史演变时期。

那里一片荒芜，没有垦殖，但却是这个新大陆最富庶的地区。

由于没有任何权威，由于暴乱，由于缺乏耕畜、人力和可以利用的能源，这儿一片紊乱，成了西班牙人的烂摊子。有一天，苏特尔租了一匹马，策马来到肥沃的萨克拉曼托山谷，只用一天的时间，他便看出这儿不仅可以办农场，建庄园，甚至可以建立一个王国。第二天，他就骑马赶到凋零的首府蒙特里，求见总督阿尔维拉多，向他说明来意，要求开垦这块土地。他说，他从桑威奇群岛上带来一批卡拿卡人，并打算定期把这些勤劳肯干的土著人从那儿移来，建立居民点，建立一个小王国，即一个名叫新赫尔维西亚①的移民区，并对此承担责任。

"为什么叫新赫尔维西亚？"总督问。"因为我是瑞士人，而且是共和主义者。"苏特尔回答说。

"好吧，您去干您想干的事吧！我把那块土地租给您十年。"

真令人惊异，他们在那儿很快就成交了。在离文明社会千里之遥的地方，独自一个人的能量，比在家里具有另一种价值。

新赫尔维西亚

一八三九年，在萨克拉曼托河畔，一支拓荒队缓缓地向上游行进。苏特尔骑马走在前面，身上佩着步枪。跟在他后面的是两三个欧洲人，再后面是一百五十名穿短衫的卡拿卡人，以及三十辆装着粮食、种子和弹药的牛车，五十匹马，七十五头

---

① 瑞士的旧称。

骡子、一群母牛和羊,最后是一支人数不多的后卫队,这就是要去征服新赫尔维西亚的全部人马。

要把森林变成耕地,放火烧林是最省事的办法。整个土地顿时变成了一片火海,一大片火浪在他们面前滚滚向前。树干还在冒烟,他们就开始干起来,建造了仓库,挖掘了水井,在不用犁耕的地上撒下种子,为大量的牲畜建起了畜栏。渐渐地,大批的人从附近偏僻的殖民地向这儿涌来。

垦荒取得了辉煌的成果。产量很快就提高了四倍。粮食堆满了仓库,牲畜数以千计,这块殖民地日益繁荣,尽管垦殖困难重重,尽管要讨伐胆敢不断来骚扰的土著居民,但新赫尔维西亚仍然蓬勃发展成为热带幅员辽阔的地区。这儿开挖了运河,兴建了磨坊和商店,船只在河里来往航行。苏特尔不仅把粮食运到范库弗堡和桑威奇群岛,而且供应停泊在加利福尼亚的所有的帆船。他种植了至今还令人赞叹不已的著名的加利福尼亚水果,放眼望去,到处是一片繁茂的果树。他还移植了法国和莱茵河的葡萄,没有几年,大片的土地上栽满了葡萄藤。他建造了一幢幢房屋,办起了一个个作物生长茂盛的农场。他还派人购置钢琴和蒸汽机,经过一百八十天的旅程,一架普莱埃尔[①]钢琴从巴黎运来,用六十头水牛横穿整个大陆把一台蒸汽机从纽约运到这儿。他同英国和法国的几家大银行都有了信贷关系。现在他四十五岁,正处在事业成功的巅峰,不由得想起十四年前被他遗弃在世界上某个地方的妻子和三个孩子。他写信给他们,请他们到自己的王国里来,因为他现在觉得生活富裕了,他是新赫尔维西亚的主人,是世上最富有的人之

[①] 普莱埃尔(1811—1875),法国女钢琴家和教师,19世纪最著名的钢琴演奏家之一。

一，将来也会如此。后来，美国从墨西哥人的手里夺取了这块荒芜的土地。这一来，一切都有了保障，并得到了保护。又过了几年，苏特尔成了世界上最富有的人。

灾难性的一铲

一八四八年一月，苏特尔的木匠詹姆斯·威·马歇尔万分激动地奔进他的家里，非要找他面谈不可。苏特尔感到很惊异，因为他昨天刚派马歇尔到科洛玛的农场去，要他在那儿再建一个锯木厂。现在此人竟擅自回来，站在他面前，激动得浑身颤抖。他硬把苏特尔推进房里，然后把门关上，从口袋里掏出一把含有黄灿灿颗粒的沙子。昨天他在铲土时发现了这种稀奇的金属，他认为这是金子，可是其他人却取笑他。苏特尔变得严肃起来，他拿起沙子，挑了几粒试了试：真是金子。他决定第二天立即同马歇尔骑马到农场去，可是这位木匠一听说这真的是金子，便急不可待地连夜冒着暴风雨骑马赶了回去，他是第一个被淘金热攫住的人，不久，这股可怕的淘金热席卷了整个世界。

第二天早晨，苏特尔到了科洛玛，叫人拦河淘沙。他们只需把沙子放到筛子里，稍微淘几下，一粒粒金子便留在黑色的筛网上闪闪发光。苏特尔把周围的几个白人召来，要他们发誓保密。锯木厂建成后，他又严肃而果断地骑马回到自己的农场。他心里波澜起伏，因为在他的记忆里，金子如此容易找到，如此露于地表，还是从来没有的事。这块宝地是他的，是他苏特尔的财富。似乎一夜之间胜过十年，他成了世界上最富有的人。

淘金者蜂拥而来

他是最富有的人吗？不，他是这个世上最贫穷、最可怜、最失望的乞丐。八天后，这个秘密被泄露出去。一个女人，总是女人，把它告诉了一个过路人，并给了他几颗金粒。于是前所未有的事发生了，苏特尔的手下人个个丢下了自己的工作，铁匠跑出了锻工场，牧羊人丢下了畜群，葡萄种植工离开了葡萄园，士兵扔掉了枪支，大家像发了疯似的带着赶做起来的筛子和平底锅跑到锯木厂去淘金。一夜之间，土地无人耕种；乳牛无人挤奶，在痛苦的嚎叫中死掉；牛群冲破畜栏，在田里践踏；庄稼无人收割，谷子在腐烂；乳酪厂停工；粮仓倒塌；工厂里的机器停止转动。一封封电报把发现黄金的消息传送到四面八方。水手离开了船只，政府官员丢下了职务，一批批淘金者从城市和港口，从东方和西方蜂拥而来，有的步行，有的骑马，有的乘车，形成一条望不到尽头的长龙。一大群放纵而残忍的乌合之众涌向这块兴盛的殖民地，他们认为拳头就是法律，手枪就是法则，在他们看来，这儿是块没有主人的土地，没有人敢阻挡他们这批亡命之徒。他们宰了苏特尔的牛，拆了他的粮仓造房子，把他的农田踩坏，把他的机器偷走，一夜之间，约翰·奥古斯特·苏特尔成了穷光蛋，像希腊神话中的国王米达斯①一样，被自己的黄金埋得透不过气来。

这股空前的淘金风暴越刮越猛，消息传遍了全世界，单从

---

① 米达斯，希腊神话中弗里吉亚的国王，酒神曾把点金术传授给他。他到处点金，甚至把女儿和食物也变成了金子。这时黄金使他感到厌恶，于是又求酒神收回他的点金术，一切才恢复原状。

纽约就开出一百条船。一八四八、一八四九、一八五〇、一八五一这四年，从德国、英国、法国、西班牙涌来大批冒险家。有些人驾船绕道合恩角① 而来，但心急如焚的人觉得这条航线太长了，他们选择了一条更为危险的路线，即穿越巴拿马地峡。一个善于经营的公司当即决定在地峡上迅速造一条铁路，只是为了让那些急于早日找到黄金的人在路上少花三四个星期的时间，几千名工人却在筑路中死于热病。大规模的车队、各个种族和操着各种语言的人穿越整个大陆纷纷涌来。旧金山这块地方已由政府签发的文件确认归约翰·奥古斯特·苏特尔所有，现在，他们在他的土地上挖掘，就像在自己的土地上挖掘一样。在旧金山这块土地上，一座城市以梦幻般的速度耸立起来，外来的人在互相买卖他的土地，他的王国新赫尔维西亚这个名称已经消失，继之而起的是一个有魔力的名字：黄金国，即加利福尼亚。

约翰·奥古斯特·苏特尔又一次破产了，他呆若木鸡似的望着这批夺了他的财产的人。起初，他想同他们一起挖掘，甚至想同自己的仆人和伙伴们一起利用这些财富，但所有的人都离开了他。于是，他索性从金矿区回到他的一个偏僻的农场隐居起来，这个农场位于山脚下，远离那条该诅咒的河流和造成灾祸的沙子。后来他的妻子和三个已长大成人的孩子来到他的身边。他的妻子刚到，就因旅途疲惫去世了。现在三个儿子成了他的得力助手，他同他们一起经营农业，悄悄地顽强地奋斗，充分利用地球上这块神奇而肥沃的土地，他又一次隐秘地酝酿着一项宏大的计划。

---

① 合恩角，智利南部合恩岛的南角，地处南美洲的最南端。

诉　　讼

　　一八五〇年，加利福尼亚成为美国的一个联邦。在联邦严格的管辖下，这块黄金之国随着财富的增长，又恢复了正常的社会秩序。无政府状态得以克服，法律又具有了自己的权威。

　　这时，约翰·奥古斯特·苏特尔突然向法院申诉自己的权利。他认为，旧金山市所占的整个土地理应归他所有。他的财产因遭到抢劫而蒙受了损失，国家有责任给予赔偿。他要求从他的土地上开采的全部黄金中得到属于他的那一份。诉讼开始了，此案规模之大，涉及范围之广是史无前例的。约翰·奥古斯特·苏特尔控告了一万七千二百二十一个在他种植区安居的农场主，要求他们从强占的土地上迁走。他向加利福尼亚州要求两千五百万美元，以补偿他在修筑道路，开挖运河，建造桥梁、围堰、磨坊等工程上的投资，要求联邦支付给他两千五百万美元用以赔偿他因田地遭到破坏而造成的损失，并要求从开采的黄金中得到他应得的一份。为了进行诉讼，他把大儿子艾米尔送到华盛顿去学习法律；他把自己新农场的巨额收入全部用于这场花费可观的诉讼。他向各级法院申诉达四年之久。

　　一八五五年三月十五日终于作出了判决。加利福尼亚的最高行政长官、公正廉洁的法官汤普逊裁定约翰·奥古斯特·苏特尔对土地拥有完全合法的、不可侵犯的权利。

　　在这一天，约翰·奥古斯特·苏特尔达到了他的目的。他成了世界上最富有的人。

结　　局

　　他是世界上最富有的人吗？不，不是的，他是最贫穷的乞丐，是最不幸的失败者。命运又一次给他致命的打击，永远置他于死地。判决宣布后，在旧金山，在加利福尼亚全州引起了轩然大波。成千上万财产受到威胁的人、街上的流氓、抢劫成性的恶棍都聚集起来，冲击并烧毁法院，他们寻找法官，要用私刑处死他，声势浩大的人群出发去抢劫约翰·奥古斯特·苏特尔的整个家产。他的大儿子被这帮强盗逼得开枪自杀，二儿子被人杀害，三儿子逃了出去，在回来的路上淹死了。新赫尔维西亚到处腾起熊熊的烈火，苏特尔的农场淹没在火海中，他的葡萄藤被肆意糟蹋，他的家具，他的收藏品，他的钱财被抢光，这帮人在盛怒之下把他万贯家财全都毁掉了。只有苏特尔本人幸免于难。

　　遭到这场浩劫，约翰·奥古斯特·苏特尔再也无法恢复元气。他的事业毁了，他的妻子、他的孩子都死了，他的神经错乱了，只有一种思想还在他变得迟钝的脑子里杂乱地闪烁：权利，诉讼。

　　后来，一个神志不清、衣衫褴褛的老人还在华盛顿法院的周围转悠了二十五年。法院各个办公室的人都认识这个身穿肮脏外衣、拖着破鞋、要求赔偿十亿美元的"将军"。那些律师、冒险家和骗子一再出现，诱他拿出最后一点养老金，并怂恿他重新起诉。但他要的不是钱，他憎恨使他贫穷、使他失去三个孩子、毁了他一生的黄金。他要的只是他的权利，他要维护自己的权利，这种自以为有理的偏执狂越来越强烈。他向参议院要求赔偿，他向国会要求赔偿。他向形形色色的支持者诉说自己的真情，这些人便把这桩争讼大肆哄闹起来，他们给他穿上一套滑稽可笑的将军服，把这个不幸的人像稻草人似的从一个公务机关拖到另一个公务机关，从一个议员那儿拖到另一个议员那儿。从一八六〇年到一八八〇年，这个可怜的乞丐就如此度过了二十年。他日复一日地在国会大厦周围转悠，受尽所有官员的嘲笑和街头无赖的戏弄。可是他就是世界上最富饶的土地的所有者，在他的土地上，一个大国的第二大都市耸立着，并时时刻刻在发展，但他却成了一个令人讨厌的人。一八八〇年七月十七日下午，他终于倒毙在国会大厦的楼梯上，这个死去的乞丐被抬走了。在他的口袋里放着一篇争辩书，它根据人世间一切法律要求确保他和他的继承人有权得到世界历史上这笔最大的财产。

至今没有一个人对苏特尔的遗产提出过要求，也没有一个后裔提出过自己的要求。旧金山依然耸立在那儿，整个州依然耸立在别人的土地上。这儿再也没有人谈起权利，只有一个名叫布莱斯·桑德拉尔①的作家至少还赋予这位已被人遗忘的约翰·奥古斯特·苏特尔以唯一的权利——让后人怀着惊讶的心情怀念他伟大命运的权利。

---

① 桑德拉尔（1887—1961），瑞士法语作家。他的小说《黄金》描写移民开发加利福尼亚的业绩，其中生动地记述了苏特尔的事迹。

一个女人一生中的二十四小时

韩耀成译

战争① 爆发前十年，当时我住在里维埃拉② 一座小公寓里。有次在饭桌上发生了一场激烈的讨论，想不到竟演变成粗野的争执，甚至差点闹到彼此恶语相加、互相侮辱的地步。当今大多数人的想象力都很迟钝，不管什么事，只要它与自己无关，只要它没有像一个尖利的楔子打进脑袋，他们就不会大动肝火，可是事情一旦发生在他们眼前，直接触动到他们的感情，那么，即使是一件微不足道的小事，也会立即在他们心里引起过分的激动。于是他们便一反往日少管闲事的常态，显出蛮不讲理、气势汹汹的样子。

这次，在我们同桌吃饭的这些十足的平民百姓身上所表现出来的就是这种情景。平日这帮人在一起心平气和地 small talk③，互相开点无伤大雅的小玩笑，通常吃完饭大家马上就分散了：那对德国夫妇外出观光游览，拍照留影；胖子丹麦人不嫌单调乏味，独自去钓鱼；举止文雅的英国太太接着看她的

---

① 指第一次世界大战。
② 里维埃拉，地中海沿岸地区，包括法国东南部的兰岸地区以及意大利北部的波嫩泰和勒万特，风光绚丽，气候宜人，是著名的旅游胜地。沿海地区有戛纳、昂蒂布、尼斯、芒通、圣雷莫、圣马格丽塔、拉巴洛和莱万托等城市。
③ 英语：闲聊。

书;那对意大利夫妇则到蒙特卡洛① 去豪赌;我呢,不是偷闲在花园里的椅子上一躺,就是工作。可是这次,那场激烈的讨论把我们大家互相完全纠缠在一起了,吃完饭大家都坐着,谁也没有走;我们中要是有人突然一跃而起,那绝不似平日那样站起来彬彬有礼地向大家告退,而是在脑袋发热、心中愤怒的状态下——这我在前面已经说过——所采取的不加掩饰的激愤形式。

把我们桌上这一小拨人拴在一起的那件事,确实够奇怪的。我们七个人下榻的那个公寓从外表看虽然好似独幢别墅——啊,从窗口眺望悬岩峥嵘的海滨真是妙不可言!——但实际上它只不过是皇宫大饭店的附属建筑,收费较低廉,通过花园同大饭店相连,所以我们这些住公寓的客人同住大饭店的客人常有来往。前天,饭店里发生了一件确凿无疑的桃色事件:一位年轻的法国人乘中午十二点二十分的火车——我不得不准确地把时间交待清楚,因为它无论对这段插曲还是对那场激动的谈话的题目都是非常重要的——来到这里,租了一间滨海房间,可以眺览大海,视野非常好,这本身就说明他相当富裕。使其引人注目、给人以好感的,不仅是他谨慎的优雅风度,更主要的是他那超群绝伦、人见人爱的俊美:一张修长的姑娘般的脸庞,热情而性感的嘴唇上长着一圈轻柔、金黄的短髭,柔软的褐发卷曲在白净的额头上,温柔的眸子投给你的每一瞥都是一次爱抚——他身上的一切都显得柔情绰态,依阿取容,风致韵绝,而毫不扭捏作态,矫揉造作。如果说远远见到他首先会使人觉得有点像陈列在大时装店橱窗里的那些表现男性美理想的、拿着精美的手杖、风度翩翩的肉色蜡人的话,那么走近

---

① 世界著名的赌城,在摩纳哥公国境内。

一看却全然没有一丝纨绔之气,因为他身上的俊秀纯属是天然,与生俱来,宛如从肌肤里长出来的,实属罕见。他从旁边走过时,总要以同样谦恭和亲切的方式向每个人打招呼,见他在各种场合无拘无束地展现的那份时时作好外出准备的潇洒劲儿,真让人赏心悦目。若是有位女士往存衣处走去,他总要赶忙迎上前去,帮她脱下大衣,对于每个孩子他都亲切地看上一眼或是说句逗乐的话,显得既平易近人,又不张扬惹眼——总之,看来他就是那种幸运儿,他们凭借得到验证的感觉,深信能以自己俊美的面庞和青春的魅力使别人满面春风,并将这种自信变成新的优雅风度。只要有他在场,对饭店里大多数年老或者有病的客人来说不啻是一种恩惠,他以那种青春的胜利步伐,以那种逍遥自在、清新潇洒的生命的风暴赋予许多人以优美的享受,使得每个挤到前面来看他的人都无可抗拒地对他产生好感。他来了两个小时就已经在同里昂来的两位姑娘打网球了。她们是那位身宽体胖的富有的工厂主的女儿,十二岁的安内特和十三岁的勃朗希。女孩儿的母亲,那位秀美、窈窕、性格内向的亨丽埃特夫人脸露微笑,在一旁看着两位羽毛未丰的女儿在下意识地卖弄风情,同那位陌生的年轻人调情。晚上,他在我们的棋桌旁观看了一小时,这当间随便讲了几个有趣的奇闻轶事,随后又陪亨丽埃特夫人在饭店的屋顶平台上长时间地踱来踱去,而她丈夫则像往常一样,同一位生意上的朋友玩多米诺骨牌;夜里我注意到,他还在办公室的暗影里同饭店的女秘书促膝谈心,神态之亲密简直令人生疑。第二天早晨,他陪我的丹麦同伴出去钓鱼,他在这方面所显示的知识实在令人惊讶;后来又同里昂来的那位工厂主聊了很久的政治,在这方面他也证明自己同样很精通,因为别人听到这位胖胖先生开怀的笑声竟盖过了海浪的轰鸣。午饭后,他再次单独陪亨丽埃特利这两对夫妇的论点而变得颇为激烈:他们带着毫不掩饰的侮辱和轻蔑的神情否定有 coup de foudre① 的情况存在,若是有,那也只是愚蠢的行为,是无聊小说里的想入非非。

好了,这场争吵从喝汤开始一直进行到吃完布丁为止,这里再来把狂风暴雨般的争论的各个细节咀嚼一遍,确实没有必要:只有对那些 Professionals der Table d'hote② 这种争论才是司空见惯的,餐桌上偶然发生一次争论,情绪都很激动,但所持的论点往往很平庸,因为那只是匆忙之中随便捡起来的。我们的讨论何以会急速发展到恶语中伤的程度,这也很难说得清楚。我觉得,由于德国和意大利这两位丈夫下意识地想要将他们各自的夫人排除在有堕入深渊的极其危险的可能性之外,从这时起争论就开始动了肝火。可惜这两位找不到有力的论据来反驳我,他们说,只有那种只根据偶然的、单身男子廉价地征服女人的例证来判断女人心理的人,才会持那种观点。这话已经使我有几分来气了,而那位德国夫人还拿一大堆废话来教训人,说什么世上一方面有真正的女人,另一方面也有"天生的娼妓",照她的看法,亨丽埃特夫人准保就是其中之一。这话更是火上浇油,我再也忍耐不住了,于是便立即采取进攻姿态。我说,一个女人在其一生的某些时刻处于神秘莫测的力量的控制之下,只好任凭摆布,这既非她的意愿,她自己也不知晓,这是明摆着的事实,否认这个事实,只不过是为了掩盖对自己的本能,对我们天性中的恶魔成分的恐惧罢了。看来,这样做许多人可以自得其乐,并觉得自己比那些"容易上钩"的人更坚强,更纯洁,更高尚。我个人还觉得,一个女人如果不

---

① 法语:本意"电击",意为"一见倾心"。
② 法语:在公寓里吃饭的人。

相互对立的人生观所作的一次原则性的阐述和大动干戈的冲突。这位精神彻底崩溃的丈夫一时气昏了头,将手里的信揉成一团,随手往地上一扔。一个侍女捡起信来看了,但不慎泄露了秘密,因而大家很快都知道,亨丽埃特夫人不是独个儿,而是同那位年轻的法国人串通一气才出走的。这样一来,大多数人原来对年轻的法国人所抱的好感,瞬息之间就烟消云散。现在,一眼就看得明明白白:这位瘦小的包法利夫人将她肥胖的、土里土气的丈夫换了一位风流倜傥、年轻潇洒的美男子。然而,使得饭店里所有的人激动不已的,却是以下这一情况:无论是这位工厂主还是他的两个女儿,或者亨丽埃特夫人先前都从未见过这位 Lovelace[①],那么,使得一位大约三十三岁左右、品德无可指责的女人一夜之间就把自己的丈夫和两个孩子抛弃,随随便便跟一位素不相识的纨绔子弟远走高飞的,有傍晚时分在平台上的两小时谈话和在花园里喝一小时黑咖啡这两件事大概就足够了。对于这个表面上显而易见的事实,我们桌上的人却一致不予苟同,大家认为,那是这对情人施放的刁钻烟幕和耍的狡猾花招:不言而喻,亨丽埃特夫人同这位年轻人一定早就有了秘密来往,这位情郎这次是专为商定私奔的最后细节而来这儿的,因为——大家这样推断——一位正派夫人同一个男子结识仅两个小时,听到一声吆喝就随他私奔,这是完全不可能的。我觉得,提出一个不同看法倒是蛮有趣的,我竭力为这样一种可能性辩护:我认为,一个多年来对婚后生活感到失望和无聊的女人,心里早已作了坚决的准备,一旦有人追她,就随他而去,这种情况是极有可能的。由于我出其不意地提出了异议,讨论立刻就吸引了每个人,尤其因为德国和意大

[①] 花花公子。

随后发生了一件骇人听闻的事,简直难以复述,因为人在遭受巨大打击的瞬间,精神极其紧张,他的举止往往表现出一种悲剧色彩,无论用图画还是文字都无法以同样的雷霆之力将其再现。突然,那位笨重、肥胖的丈夫从嘎吱作响的楼梯上下来,脸色也变了,显得十分疲倦,但却十分愤怒。他手里拿了一封信。他以刚好还能听得清的声音对人事部主任说:"请您叫大家都回来,不用再找了。我夫人抛弃了我。"

这就是这位受到致命打击的男人的态度,是他在周围这些人面前所表现的超乎常人的态度。这些人本来都怀着好奇心争先恐后地来看他的,现在突然大吃一惊,个个感到很难为情,人人不知所措,便纷纷离他而去。他剩下的力气正好还够摇摇晃晃地从我们身边走过,朝谁都没看一眼,他还走进阅览室去关掉电灯;随后就听见他沉甸甸的庞大身躯砰的一声跌落在靠背椅里,并听到一阵呜呜的啜泣,像野兽的嗷嗷声,只有还从来没有哭过的男人才会这么个哭法。这种刻骨铭心的痛苦对我们每个人,即使是最卑鄙的人,都具有一种麻醉力。无论是茶房还是怀着好奇心悄悄走来的客人,谁都不敢发出一丝笑声,或者说一句惋惜的话。我们大家都默默无言,对这场可以击碎一切的感情爆炸好像感到羞愧似的,一个接一个溜回各自的房间,只有那位被击倒的人独自在黑暗的房间里啜泣,后来大厦的灯光慢慢熄灭了,但人们还在交头接耳,嘀嘀咕咕,窃窃私语。

人们将会理解,拿这么一桩雷击般落在我们眼前的事件来狠狠地刺激一下那些平时只习惯于悠闲自在、无忧无虑地消磨时间的人大概是非常合适的。但是,随后我们餐桌上爆发的那场讨论,那场如此激烈、差点儿激化为拳脚相加的讨论,虽然是这桩令人惊异的事件引起的,然而从实质上来说,它更是对夫人坐在花园里喝了一小时黑咖啡，又同她的女儿打了网球，同那对德国夫妇在大厅里闲聊了一阵。我所以那么详尽地记下他在各个时间段的时间安排，那是因为这对了解这里的情况是完全必要的。下午六点钟我去寄信，又在火车站遇见了他。他急忙朝我走来，仿佛他要向我告辞似的。他说，他突然接到来信，叫他回去，两天后他仍将回来。晚上，他果然没在餐厅里出现，但这只是他的人不在，因为每张桌上还都在谈他，大家交口赞赏他那种舒适、快活的生活方式。

夜里，大约将近十一点钟的时候，我坐在屋里，想把一本书看完。这时，从打开的窗户里突然听到花园里有不安的叫喊声，又看到那边饭店里的一片忙乱景象。我觉得好奇，但更感到不安，于是马上过去，跑了五十步就到了那边。我发现所有的客人和饭店职工个个张皇失措，乱作一团。原来亨丽埃特夫人每天晚上都要到海滨台地上去散步，今天，在她丈夫照例准时同那慕尔① 来的朋友玩多米诺骨牌的时候，她就去那儿散步，此时尚未回来，大家担心她会遭到什么不测。她那位身宽体胖、平时行动迟钝的丈夫现在像头公牛似的一再向海滩奔去，并朝黑夜高声呼喊："亨丽埃特！亨丽埃特！"由于紧张，声音都变了，这呼唤听起来像是一只受到致命伤害的巨兽发出的原始而可怕的悲号。茶房和侍役惊恐不安地从楼梯上跑上跑下，所有客人都被叫醒，并打电话报告了警察局。这当间，那位胖丈夫敞着坎肩，一面不停地跌跌跄跄、磕磕绊绊地奔来奔去，一面抽抽噎噎，徒劳地朝黑夜呼唤"亨丽埃特！亨丽埃特！"这时楼上的两个女儿也醒了，穿着睡衣，从窗口朝楼下呼喊她们的母亲；于是父亲又急忙跑上楼去宽她们的心。

---

① 比利时的一个城市。

是像常见的那样，躺在丈夫怀里闭着眼睛欺骗丈夫，而是无拘无束、热情奔放地听从她自己的本能，这样倒是更为诚实。我大致就说了这些话，在这火药味十足的谈话中，别人对可怜的亨丽埃特夫人攻击得越厉害，我为她的辩护也就越发激昂慷慨，这实际上已经远远超出了我内心的感情。我的这种热情，用大学生的话来说，是对这两对夫妇的挑战，他们像是不很和谐的四重奏，恶狠狠地一齐向我反扑过来。上了年纪的丹麦人表情和蔼地坐在这里，宛如足球比赛时手握跑表的裁判，不得不时时用指骨敲敲桌子，以示警告："Gentlemen, please."①不过，每次只能起一会儿作用。一位先生满脸涨得通红，已经三次从桌上跳了起来，他夫人费了好大劲才把他按下去。——总而言之，要不是突然 C 夫人出来调解，把这场火药味很浓的谈话平息下去，那么过不了十几分钟，我们这次讨论就会以拳脚相加来结束的。

C 夫人，这位满头银发、气宇不凡的英国老太太，是我们这桌非选举的名誉主席。她坐在座位上，腰板挺直，对每个人的态度总是同样的和蔼可亲，自己不多说话，但却总是兴致勃勃地倾听别人的意见，单就她的体态风度就给人一个赏心悦目的印象：收心养性的奇妙神态和温文尔雅的风采显露出她雍容高贵的气质。虽然她善于用巧妙的手腕对每个人都表示特殊的亲切姿态，但仍对每个人都保持一定的距离：通常她总是坐在花园里看书，有时弹弹钢琴，很少见她同别人呆在一起或者加入热烈的谈话。大家不太注意她，然而她对我们大家却拥有一种特殊的力量，她第一次参与我们的谈话，我们大家就都为自己说话声音太大，未加克制而感到很不好意思。

---

① 英语：先生们，请注意。

就在这位德国先生粗暴地跳起来,随即又被轻轻按住,重新在桌旁坐下的当间,C夫人就乘这个令人不快的间歇,出乎意料地抬起她那亮晶晶的灰色眼睛,犹犹豫豫地对我凝视了一会儿,接着便以几乎是客观明确的语气按她自己的理解提起了这个话题:

"这么说,如果我没理解错的话,您相信亨丽埃特夫人,相信一个女人会无辜地被卷进一桩突如其来的绯闻,相信确有一些这样的女人,会做出一小时之前她们自己都认为不可能、而且几乎也不能由她们来负责的行动?"

"我绝对相信,夫人。"

"这样说来,任何道德评判都毫无意义,任何有伤风化的行为都是合理的了。您要是真的认为,法国人所说的 crime passionnel① 不成其为 crime②,那么还要国家司法机关干吗?什么事不是都得靠并不很多的良好愿望了吗?——想不到您的良好愿望有那么多,"她轻轻一笑,补充说——"在每个罪行中都可找出一种热情来,有了这种热情,罪行也就可以加以宽恕了。"

她说话的声调清晰而快乐,我听了感到分外舒坦,我下意识地模仿她的客观态度,同样以半开玩笑半认真的方式回答道:"国家司法机关对这类事情的裁决肯定比我严厉;它们的职责是毫不留情地维护共同的风俗习惯:它们必须作出裁决,而不是给予宽恕。作为一个人,我看不出我为什么要主动担当起检察官的角色:我宁愿当辩护人。就我个人来说,理解人所得到的乐趣要比审判人所得到的大得多。"

---

① 法语:热情导致的罪行。
② 法语:罪行。

C夫人睁着亮晶晶的灰色眼睛从上到下将我端详了一番，显出犹犹豫豫的样子。我担心她没有正确理解我的意思，准备把刚才的话再用英语向她重复一次。可是她却像在主考一样，以一种严肃得有点奇怪的神情继续提问。

"一个女人扔下丈夫和两个女儿，随便跟人跑了，而她压根儿还不知道这人是否值得她爱，您不觉得这事很可鄙，很丑恶吗？这女人毕竟不算很年轻了，为自己的孩子着想，她也必须学会自尊，可是她却如此不知检点，如此轻率，对于这样的女人您真能原谅她吗？"

"我再说一遍，尊敬的夫人，"我重申自己的看法，"在这种情况下，我不愿作出判断，也不愿去谴责。在您面前，我可以坦率地承认，先前我说的话有点儿过火——可怜的亨丽埃特夫人肯定不是女英雄，连风流女子都不是，更够不上是个grande amoureuse①。就我所了解的，我觉得她只不过是一位平凡而软弱的女人，我对她怀有一些敬意，因为她勇敢地顺应了自己的意愿，然而我却更多地为她感到遗憾，因为要不是今天，那明天她一定会很不幸的。她的做法也许很愚蠢，肯定过于轻率，但绝不是卑鄙下流的，我始终认为，谁也没有权利鄙视这个可怜的、不幸的女人。"

"那么您自己呢，您还对她怀有同样的尊重和敬意吗？在那位您前天曾同她在一起呆过的尊敬的女人和这位昨天跟一个素不相识的人私奔的女人之间，您觉得没有一点儿区别吗？"

"没有一点儿区别。没有一丝一毫区别。"

"Is that so?"② 她下意识地说起了英语：很奇怪，她似乎

---

① 法语：伟大的情人。
② 英语：是真的？

老是在思考整个谈话。她思索了片刻之后,又抬起她那清澈的目光,询问式地望着我。

"倘若您明天,我们假定说在尼查,遇到亨丽埃特夫人,见她挽着那位年轻男子的胳膊,您还会向她打招呼吗?"

"当然。"

"会跟她说话?"

"当然。"

"您是否会——假如您……假如您结了婚,会把这么一个女人介绍给您夫人,就像什么事也没有发生过?"

"当然。"

"Would you really?"① 她又说起了英语,显出难以置信的、十分惊异的样子。

"Surely I would."② 我不觉也用英语回答。

C夫人沉默了。她似乎还一直在认真思考着。突然,她一面注视着我,一面说,好像对自己的勇气感到很惊讶:"I don't know, if I would. Perhaps I might do it also."③ 说完,她已胸有成竹,便站起身来,亲切地把手伸给我,这就结束了谈话,又不显得唐突,只有英国人最善于用这种方式。在她的影响下,我们桌上又恢复了平静,我们大家心里都很感激她,我们这些人,方才还是对立的,现在都心有歉意、客客气气地互相打着招呼,几句轻松的玩笑话就缓和了刚才火药味很浓的气氛。

---

① 英语:您当真?
② 英语:我确实会这样做的。
③ 英语:我不知道自己会不会那样。说不定我也会那样做的。

我们的讨论虽然最后似乎是以骑士风度结束的，可是被激发起来的恼怒情绪却使我的对手和我之间的关系有些疏远了。那对德国夫妇态度审慎，而意大利夫妇在随后的几天里则老是喜欢带着讥讽的意味问我，听到关于那位"cara signora Henrietta"① 的什么消息没有。尽管在形式上似乎我们大家都彬彬有礼，可是以前我们桌上彼此以诚相待、并非刻意追求的那种快乐气氛却已被破坏，再也回不来了。

　　那次讨论以后，C夫人对我表示出特殊的亲切，因此我当时的那些反对者现在对我的讥讽和冷淡就显得更为突出。C夫人一向极其矜持，在用餐时间以外几乎不与同桌的人聊天，现在却多次找机会在花园里同我攀谈。我几乎想说，她这是对我另眼相看，因为她的举止高雅而矜持，能单独同你交谈一次，就好似对你格外的恩宠了。是的，要是说实话，那么我不得不说，她简直是主动找我的，而且借种种因由来跟我说话，她的这种做法明眼人一看便明白，她若不是满头白发的老太太，那真会让我生出许多胡思乱想来哩。但是，我们一起一聊，话题就不可避免和不可控制地又回到了原来的出发点，回到了亨丽埃特夫人身上：看来她对指责那位没有责任心的女人，谴责她的见异思迁，水性杨花感到暗自欣喜。可同时，见我不改初衷，仍旧坚定不移地同情那位娇柔文雅的夫人，而且怎么也不能使我的态度有丝毫改变，她似乎又很高兴。她一再把我们的谈话往这个方向拉，对于她的这种异乎寻常、锲而不舍的执拗劲，事后我真不知道该怎么去想才对。

　　这么着又过了几天，大约五六天吧，她一个字都没有透露，为什么这样的谈话对她那么重要。有次散步时我才明白无

---

① 意大利语：尊敬的亨丽埃特夫人。

误地意识到其中必有隐情。那时我偶然提到，我在这儿的度假快结束了，我想后天就离开。这时，她那平素泰然自若、毫不动容的脸上突然现出奇怪的紧张神色，好似一片阴云飘过她碧如海水的眸子："多遗憾！本来我还有许多问题要跟你讨论呢。"从这一刻起她就显得魂不守舍的样子，说着这事，心里却想着另一件事，另一桩紧紧纠缠她、驾驭她的事。到后来似乎她自己都对这种心不在焉的状态感到不满了，因为她摆脱了突然出现的沉默，突如其来地向我伸出手来，说："我看，我没法把原来要对您说的话表达清楚。我还是给您写信吧。"说着，便朝饭店的大楼走去，步履匆匆，完全不像平日闲适的样子。

傍晚，快要开饭之前，我果真在房间里发现一封信，是她刚劲而洒脱的笔迹。只可惜，我年轻时候对于信件很不经意，因此无法引证原信，只能记叙信中问我的大致内容。她在信里问，是否允许她向我讲讲她自己的生活。她说，那个插曲已是很久以前的事了，本来跟她现在的生活几乎毫不相干，又说，我后天就要走了，她把二十多年来一直在内心折磨和纠缠着她的事说出来，就会感到好受些。她说，要是我对这样一次谈话不感到唐突的话，她很想请我给她这个时间。

这里我只是记叙了信的内容，原信对我有着极大的吸引力：信是用英文写的，单就这一点就使这封信表达得十分清楚和果断。可是我的回信并不容易，我撕掉三次草稿，最后才给她回了这样一封信：

"您那么信任我，这对我是个莫大荣幸。如果您要我说实话，那我答应，我心里是怎么想的，就怎么答复您。除了您心里愿意讲的，我当然不会要求您对我吐露更多的东西。不过您讲的事情，请您对自己和对我完全说真话，请您相信，我是把您的信看作一个殊荣的。"

晚上，这张纸条到了她的房间，第二天早晨，我发现了她的回信：

"您说得完全正确：一半真实是毫无价值的，只有全部真实才有价值。我将竭尽全力，不对我自己或者不对您作任何隐瞒。请您饭后到我房间里来——我已六十七岁，不必担心会招来什么流言蜚语。因为在花园里或挨着很多人的地方我说不出来。您一定会相信，我下此决心，是绝非轻而易举的。"

中午我们还在餐桌上碰过面，彬彬有礼地说了些无关紧要的话。可是，饭后在花园里遇到我，她显然很慌乱，就避开了，这位满头银发的老太太在我面前竟好似一个羞怯的少女，迅速逃往一条松林道上。见此情景，我心里觉得既歉疚又感动。

晚上，在约定的时间，我就去敲她的房门，门立即就为我打开了：室内光线黯淡，只有一盏小台灯在这平时朦胧昏暗的房间里投下一圈黄色的光影。C夫人毫不拘束地朝我迎来，请我在圈椅上坐下，她自己坐在我对面：我觉得，她的每一个动作都是精心准备的，然而还是出现了冷场，显然并非她所愿望的冷场，难于作出决断的冷场。冷场的时间很久，而且越来越久，可我又不敢出声来打破它，因为我感觉到，这冷场意味着一个坚强的意志在同顽强的反抗意识进行激烈的搏斗。楼下客厅里不时断断续续地传来华尔兹的微弱乐声，我聚精会神地听着，似乎想以此来消除这沉默造成的让人喘不过气来的重压。对于沉默所造成的不自然的紧张似乎她也感到有点尴尬，因为她突然一跃而起，说道：

"最难说的是第一句话。这两天我已经作好准备，要十分明白和真实地讲这件事：我希望能够做到。也许您现在还不理解,我为什么要对您这个陌生人讲这些事,可是我几乎无时无刻不在想着这件事,您可以相信我这个老太婆,她要将整个一生都凝视着生命中唯一的一点,凝视着唯一的一天,这是无法忍受的。因为我要对您讲的事,在我六十七年的生活时间里只仅仅占二十四小时,我常对自己说,一个人如果曾一时干过一次荒唐事,那又有什么大不了的。我常常这么说,说得都快成神经病了。然而人们还是摆脱不了我们很没有把握地称之为良心的东西,当时,在听您如此客观地谈论亨丽埃特夫人事件时,我就想,若是一旦我能下定决心,对某个人痛痛快快地说出我生活中的那一天,那么也许就可以结束这毫无意义的追忆和没完没了的自我谴责了。我要不是信奉英国圣公会①,而是天主教,那我早就有机会忏悔,说出那件我一直守口如瓶的事,以求解脱了。——可是这种安慰与我们无缘,因此我今天就要奇怪地试一试,原原本本地向您叙述这件事,以此来宣判自己无罪。我知道,这一切都极为奇怪,可是您毫不犹豫地接受了我的建议,为此我很感谢您。

"好吧,我们言归正传。我已经说过,我要对您说的只是我一生中唯一的一天——在我看来其余的一切都是无关紧要的,别人也会感到枯燥无味。直到四十二岁,我在人生道路上一步也未曾越出常规。我的父母亲是富有的苏格兰乡村勋爵,我们拥有几座大工厂和许多出租的田地,我们依照乡村贵族通常的方式,一年中的大部分时间都生活在自己的庄园里,夏天则住在伦敦。我十八岁那年在一次社交聚会上认识了我的丈夫,他出生于名门望族,是R家的第二个儿子,从军十年一

---

① 圣公会是英国的国教会。1534年英国国会通过法案,规定英国教会不再受治于教皇,而以英王为最高元首,圣公会遂成为英国国教。

直被派驻印度。我们很快就结了婚，在我们的社交圈里过着无忧无虑的生活，每年三个月住在伦敦，三个月住在庄园里，其余的时间则去意大利、西班牙和法国等地旅游，在饭店下榻。我们的婚姻从未出现过一缕阴影，我们的两个儿子如今已经长大成人。我四十岁那年，我丈夫突然去世了。他在热带生活期间得了肝病：真是可怕，他发病只有两星期，我就永远失去了他。我的大儿子当时正在军队服役，小儿子在上大学——所以，一夜之间我就形单影只，独守空房了。我这人已经习惯了温馨的家庭生活，现在的孤单和寂寞对我来说真是一种可怕的折磨。家里的每件东西都让我触景生情，让我想起我亲爱的丈夫，他的去世令我黯然伤神。我觉得再也不能在这凄凉的屋子里呆下去了，哪怕多呆一天也受不了：于是我就决定，在我两个儿子结婚以前到各地去旅游，以消磨岁月。

"其实，从此以后我把自己的生活看作毫无意义、纯属多余的了。二十三年来与我形影不离、意气相投的人已经故世，孩子们并不需要我，我担心自己的郁悒沮丧、黯然神伤的心绪会破坏他们青春的欢乐——就我自己来说，任何东西都不值得去企望、去眷恋了。起初我迁居巴黎，烦闷乏味时就去逛逛商店和博物馆；可是那座城市和我周围的事物显得格格不入，那里的人都用眼睛盯着我的丧服，我受不了他们彬彬有礼的惋惜的目光，所以我总是设法躲开他们，我像吉卜赛人默默地东游西荡。这几个月的时间是怎么过的，我自己也不知道从何说起；我只知道，我老是想死，只是没有力量来促成这个痛苦地期盼的意愿。

"在丧夫的第二年，也就是在我四十二岁那年，自己虽不承认，实际上是为了逃避毫无价值、可又不能马上就死的时间，我于三月末来到蒙特卡洛。坦率地说，我是因为单调无聊,是因为至少要找些外部小刺激来填补一下那折磨人的、像从胃里泛上来的恶心似的内心空虚才到蒙特卡洛去的。我自己心里越是郁郁寡欢,就越发想到生活的陀螺转得最快的地方去;对于没有生活体验的人来说,别人的激情骚动倒犹如戏剧和音乐一样,也是一种精神体验。

"因此我也常常光顾赌场。看到别人脸上惴惴不安、波涛翻涌地变化着喜出望外或惊恐万状的表情可以激起我的兴趣,同时我自己的心潮也吓人地涨涌和退落。再说我丈夫从前偶尔也爱逛逛赌馆,但从不轻率从事,我怀着某种下意识的虔敬,忠实地继续着他昔日的那些习惯。在蒙特卡洛的一家赌馆里,我开始了那个二十四小时,它比一切赌博更加激动人心,从此,年年岁岁长久地使我心意迷惘,怅然若失。

"中午,我是同我家的亲戚封·M公爵夫人一起进的餐。晚餐以后我觉得还不疲倦,还不想就寝。于是我就进了赌厅,在赌台之间来回溜达,我自己并没有赌,而是以特殊的方式观察一拨拨聚集在一起的赌客。我说的'特殊方式'那是我丈夫在世时有次教给我的。那次我看累了,所以抱怨说,老是盯着同样的面孔,真令人厌倦:在椅子上坐了几个小时才敢押上一根筹码的干瘪老太婆,老奸巨滑的赌棍和玩纸牌的娼妓——这帮麇集在一起的臭味相投的无耻之尤,您知道,他们远不像蹩脚小说里所描绘的那样充满诗情画意和罗曼蒂克,也不像小说中所写的那些 fleur d'élégance① 和欧洲的贵族。再说,二十年前赌钱时台上滚动着的是看得见摸得着的现金——沙沙响的钞票、拿破仑金币、厚实的五法郎硬币一起回旋飞舞。那时的赌场魅力无穷,不像今天,在新建的式样时新的豪华赌宫里尽

---

① 法语:"优雅的花朵",意为"头面人物"。

是些透着小市民气的观光客在无精打采地耗费他们手里那些平淡无奇的筹码。那时我觉得这些千篇一律的冷漠的脸孔实在没有什么吸引力,我丈夫对手相术非常热衷,后来他就教给我一种特殊的观察方法,那确实比懒洋洋地东站站西伫伫有趣得多,心情也更为激动和紧张。这种方法是:绝不要看脸,而要专门瞅着桌子的四边,在那儿再专门盯住赌徒的手,只注视这些手的特殊举止。我不知道,您自己是否曾经偶然单单注视过绿色赌桌,专门注视那绿色的菱形桌面,桌面中央那圆球像醉汉似地蹒跚着一个号码一个号码地滚过去。这当间飞舞的钞票、圆圆的银币金币等等赌注纷纷落入各个方格里,宛如种下的禾苗,随后掌盘人的耙子就像锋利的镰刀,一家伙就把这些禾苗割掉,将其耙拢并收拾起来,成了自己的进账,或者将它们作为礼品,推到赢家面前。你只要调准观察的焦距,就会发现,这时惟有那些手才是变幻莫测的——绿色赌台四周的这些手,色泽鲜明,异常激动,都在伺机而伸,都从各自的袖筒里往外窥视着,每只手都像一只猛兽,随时准备蹿将出来;手的形状不一,颜色各异,有裸露的,没戴任何饰物,有的戴着戒子和叮当作响的手镯,有的毛茸茸的像野兽,有的卷曲着,湿漉漉的像鳗鱼,但是所有的手都极其紧张,战战兢兢地显得极其焦灼不安。此情此景常常使我下意识地想到赛马场:开赛前得使劲勒住亢奋的赛马,不让它抢跑。那些马也是这样,浑身打颤,仰首向上,高抬前足,直立而起。根据手的各种状态,如伺机而动,迅速攫取或戛然而止,对赌徒的状况就会一目了然:贪得无厌者的手握得很紧,挥金如土者的手放得很松,工于心计者的手关节平稳安静,举棋不定者的手关节颤栗不已;从抓钱的瞬间姿态上,对人生百态可以一览无遗:这一位把钞票抓成一团,那一位神经质地把钞票揉成碎纸,或者精疲力竭地微曲着有气无力的手指,在整个一局中没下一处赌注。俗语说赌博见人品,但是我说:赌博的时候手将人展露得更加清楚。因为所有的、或者说几乎是所有的赌徒一下就学会了驾驭自己面部表情的本领——在衬衣领子上部戴着一副impassibilité① 的冷漠的面具——他们能抑制嘴角的皱纹,咬紧牙齿,压住内心的激动,不让眼睛里露出一丝不安的神色,他们能抚平脸上暴凸的青筋,不动声色,装出一副优哉游哉的样子。然而,正因为大家都拼命集中注意力,脸上不露声色,却忘了自己的一双手,忘了有专门观察手的人。尽管赌徒们微笑着撅起的嘴唇和故作冷淡的目光竭力想掩饰自己的心曲,可是别人从他们手上已对他们的一切了如指掌。在他泄露秘密这一点上,这种时候手是最直截了当的。因为总有那么一瞬间,稍一疏忽,那些拼命抑制住的、看似毫无动静的手指就会一齐张开:在转盘里的小球落进小格子里,大声报着赢家们号码时紧张到空气都要爆裂的一刻,这一百只或五百只手就会情不自禁地做出各具个性的、具有原始本能特征的动作来。要是有人像我这样——我丈夫将他的此种癖好教给了我——养成在这手的竞技场上进行观察的习惯,那么就会觉得这些性格各异的赌徒的手一下子做出的各不相同、出乎意料的动作,远比戏剧和音乐更为扣人心弦。手的姿态何止千百种,我简直无法向您描述:有的像野兽伸出毛茸茸的、曲卷的手指忘乎所以地在搂钱,有的手指甲苍白、神经质地哆嗦着,几乎不敢去抓钱,有高贵的和卑贱的,残暴的和畏葸的,诡计多端的和老实巴交的——这些手给人的印象各不相同,因为每一双手表达的是一种特殊的人生,只有那四五双掌盘人的手是个例外。这几双手完

---

① 法语:无动于衷。

全像机器，运作起来就事论事，有板有眼，不偏不倚，极其精确，跟那些生气勃勃的手比起来，它们简直就像是计算器上格格作响的钢扣。然而，即使是这几双冷静的手，由于它们在猎人似的亢奋的手之间忙个不停，两相对照又会留下令人吃惊的印象：我要说，这些手单调划一，犹如群众暴动时处于汹涌澎湃、激昂慷慨的人潮中的警察。此外，对我来说还有一种诱惑，那就是要在几天之后熟悉各种手的种种习惯和癖好；数日之后我在众多的手中总会发现一些熟悉的手，并将它们当作人一样分为喜爱的和讨厌的两类：有的厚颜无耻，贪得无厌，令我恶心，所以我总是像是见到下流事一样，赶紧把目光移开。赌台上出现的每一只新手对我来说都是一件大事，都会引起我的好奇；我往往忘了抬头看看那脸，反正这张脸也不外乎是一副冷冰冰的毫无表情的社交面具而已，它是从高领中伸出来插在礼服或者熠熠闪光的胸饰之上面的。

"那天晚上我走进赌馆，绕过两张已经挤满了人的台子，向第三张走去，并且准备了几枚下注的金币。这时大厅里寂然无声，紧张的沉默像要炸裂似的，这种时刻每逢圆球在轮盘上转得有气无力、只在两个号码之间晃来晃去的时候，总是会出现的。就在这一瞬间我听到正对面传来咔嚓一声，像是折断了手关节，这令我大为惊讶。我不由自主地吃惊地朝对面望去。这时我看见——真的，我吓坏了——两只手，我从未见过的两只手，一只右手和一只左手，像两只横眉竖目的猛兽交织在一起在那里厮拼，互相伸出爪子，朝对方身上狠抓，于是指关节便发出砸干核桃时的那种咔嚓声。这两只手美得简直不可思议，长得出奇，又细得卓绝，绷得紧紧的肌肉宛如凝脂，指甲白皙，指甲尖修得圆圆的好似珍珠轮叶。一晚上我一直盯着这双手，对这双出类拔萃的、简直是绝无仅有的的手惊讶不已。

然而最先令我惊愕不已的是这双手的热情，它所表现出来的狂热的激情，是两只手的手指互相交织在一起痉挛地拧扭而又相互支撑的情景。我马上便知道，这是个精力过剩的人，他正把自己的激情集中在手指尖上，免得自己被它炸成两半。而现在……这瞬间圆球啪嗒一声落进码格，掌盘人高喊彩门……这瞬间，两只手突然互相松开，就像两只同时被一颗子弹击中的猛兽。两只手一起都瘫落下来，确实是死了。这不仅仅是精疲力竭，瘫落的时候清楚地现出一副憔悴、失望、遭了电击、彻底完蛋的样子，这情景我实在无法用语言来表达。我还从未见过、从此以后再也没有见到过表情那么丰富的两只手，它们每块肌肉都是一张倾诉心曲的嘴，可以感到几乎每个毛孔都在泄发激情。随后这两只手在绿色赌台上摊放了一会儿，就像被波涛冲上海滩的水母，扁平，并且没有一点生气。稍后，一只手，是右手，又从指尖上艰难地开始动起来了，它颤抖着，缩了回去，自己转动着，颤颤悠悠，旋转起来，突然神经质地抓起一根筹码，捏在拇指和食指的指尖中犹豫不决地捏滚着，像在玩一个小轮子。突然手背像一头豹，弓了起来，把一百法郎的筹码快如闪电似的掷进，不，简直就是一口吐到了黑格中。这时那只一动不动的左手像是接到了信号，也立刻激动起来了；它抬了起来，悄悄滑向，是爬向那只索索发抖、仿佛刚才的一掷耗尽了精力的右手。现在这两只手胆战心惊地挨在一起，用腕肘不出声地碰击台面，就像牙齿上下格格地打着寒战——没有，我还从来没有见过表情如此丰富、简直像是会说话似的手，从来未曾见过激动和紧张到这副痉挛的样子。我盯着这双索索发抖、呼吸急促、喘息不停、伺机而动、哆哆嗦嗦、胆战心惊的手，简直像着了魔似的，除此之外，我觉得这拱形大厅里的其他一切，无论是各个房间里嗡嗡的喧嚷声，掌盘人那商贩似的叫喊声,还是熙来攘往的人群或者现在高高地弹起又跳进轮盘上圆格之中的小球——所有这些营营嗡嗡、刺耳地袭击神经的种种飞速变换的印象,突然之间仿佛全都寂静无声,全不存在了。

"不过,这种情景我没有坚持多久,无论如何我要看看这个人,无论如何要看看那拥有这双神奇之手的脸。我怯生生地——是的,真是怯生生的,因为我怕这双手!——让目光循着衣袖慢慢往上移动,到了两只瘦削的肩膀那儿。这时我又吓了一跳,因为这张脸同那双手一样,说着同样毫无节制、想入非非的语言,以同样娇柔的、几乎是女性之美极其顽强地抑制住自己的表情,使之不露声色。我从未见过这样的脸,这样神情专注、沉湎自我的脸。我有着充分的机会,把这张脸当作一副面具,当作一尊没有眼睛的雕像来从容不迫地加以观赏。这对着了魔的眸子一动不动,既不左顾也不右盼:在睁得大大的眼睑下,那乌黑的瞳仁直勾勾地凝视着,像是没有生命的玻璃珠,映出另一个桃花心木色的、在转轮圆盘里呆头呆脑、左冲右突地滚动和跳跃的圆球。我不得不再说一遍,我从来未曾见过如此紧张、如此令人神往的脸。那是一位大约二十四岁的年轻人的脸,窄窄的、很秀气,略长,表情非常丰富。同那双手一样,这张脸也不是十足的男子气的,它更像一个玩得忘形的男孩子的脸——可是所有这些我是后来才注意到的,因为现在这张脸上完全现着贪婪和暴怒的神情。窄窄的嘴馋涎欲滴地张启着,露了多半的牙齿:在十步的距离就可以看到牙齿在上下打着寒战,嘴唇则一直呆呆地张开着。一绺浅黄色的头发湿漉漉地贴在额头上,往前耷拉着,像正在摔下来似的,鼻翼在不停地翕动抽搐,仿佛有一阵看不见的小浪涛在皮肤底下汹涌翻腾。探着的脑袋下意识地越来越往前伸,让人觉得,这脑袋也要卷进转盘，随着圆球一起旋转。这时我才明白，那两只手为什么要使劲地按着，因为只有按着，只有使劲按着，才能使将要从中间摔倒的身体保持平衡。我不得不再三说，我从来未曾见过这样的脸，会把其激情赤裸裸地流露得如此明目张胆，如此兽性，如此恬不知耻。我紧紧盯着这张脸……它是那么魅力无穷，他那狂迷状态令人如此着魔，就像看到那个旋转的圆球的跳跃和颤动一样。从这一刻起，大厅里其余的一切我全然不再注意了，同这张喷着火焰的脸相比，我觉得大厅里的一切都显得黯淡、迟钝和模糊不清，也许有一小时之久，我谁也没看，单单注视着这一个人，注视着他的每一个姿态：当掌盘人把二十个金币推到他贪婪的手里时，他眼睛里闪着晶亮晶亮的光，本来紧紧抱合着的两只手现在也像是被炸散，手指头也抖抖索索地全都张开了。在这瞬间，他的脸上突然容光焕发，显得非常年轻、滋润，没有了皱纹，眼睛开始炯炯有神，前倾的身体也轻快利索地伸直了——他坐在这里，一下子宛如潇洒的骑手，沾沾自喜和爱不释手地用手指捏着圆圆的金币加以拨弄，将它们彼此弹击，让其戏耍跳动，发出叮当的声响。随后他又心神不定地转过脑袋，朝绿色赌台飞快地寻视一遍，就像一只年轻的猎狗用鼻子东闻闻西嗅嗅，要找出正确的踪迹一样。接着，他突然抓起一把金币，朝轮盘的一角扔去。于是那焦急的期盼和紧张的神态又立即开始了。那电控似的波浪起伏式的抽搐又爬上了他的嘴唇，两只手又互相痉挛般地紧紧抓住，孩子脸消失了，换成了贪婪的期待，直到这抽搐着的紧张突然被炸散，化为失望：刚才还孩子气地兴奋不已的脸憔悴了，变得苍白而衰老，目光呆滞，失去了光泽，而这一切都是在一秒钟之内发生的，是圆球落入他未曾猜中的号码时发生的。他输了：他的眼睛愣愣地瞪了几秒钟，目光几乎是痴呆的,仿佛他对所发生的事全然不解似的;可是一听到掌盘人第一声刺激性的吆喝,他的手指又立即掏出几个金币。然而他已没有了把握,他先将金币押在一个格里,随后想了想,又押到另一个格里,圆球已经在滚动了,他突然身子往前一俯,用颤抖的手又将两张捏成一团的钞票飞快地扔进同一个方格中。

"这样惴惴不安地来来回回,有输有赢,从不停顿,大约持续了一小时。在这一小时里我一直目不转睛地盯着那张不时变化着的脸,种种激情时而波浪翻滚涌到脸上,时而又像潮水一样退得无影无踪,我着了魔的目光始终紧紧凝视着,连喘息时都没有移开;我的眼睛也没有放过那双魅力无穷的手,手上的每块肌肉像喷泉一样生动地反映出他感情上的起伏跌宕。在剧院里我都从来没有如此神魂颠倒地注视过一位演员的脸,像注视这张脸那样,这张脸上不停地突然变幻着各种色彩和感觉,犹如自然景色的光和影。我从来没有如此以全身心来关注过赌局,把别人的喜怒哀乐反映在我自己心里。要是有人此刻注意我,见我呆呆地发愣的样子,准会以为我是受了人家催眠术的戏弄,而我当时正处于十足的迷迷糊糊的状态,也真的同受了催眠差不多——我实在无法把目光从这张不断变幻着表情的脸上移开,其他一切,大厅里交织着灯光、笑声、人群和目光的一切,只像一片黄色的烟雾围在我的四周,而在黄色烟雾中心的就是那张脸,它是火焰中的火焰。我什么也听不见,什么也感觉不到,我注意不到身边往前挤的人,也注意不到其他像触角似的突然伸到前面来扔钱或者把钱归拾到自己面前去的手;我看不见转轮里的圆球,听不见掌盘人的声音,可是台面上所发生的一切我确实就像在梦里一样在这双手上全都看到了,这双手犹如凹镜,把巨大的激动和亢奋映照得一览无遗。因为要知道圆球落入红门还是黑门,是在滚动还是已经停下,这些我都不用看转轮:这张洋溢着激情的脸,脸上的神经和表情就像熊熊烈焰,会把输和赢、期待和失望等等变化一一映照出来。

"但是接着就出现了一个可怕的瞬间——整个时间里我心里一直隐隐约约地在为这一瞬间的出现而担心,它像暴风雨一样高悬于我忐忑不安的神经之上,并且突然之间将我的神经从中间扯断。转轮里的小球带着轻微的噼啪声在倒着滚来,那一秒钟又闪烁起来了,二百张嘴唇一齐屏住呼吸,直到响起掌盘人的宣布声,这次他唱出的是'零位格'①,同时他急忙伸出笓子,从四面八方将叮当作响的金币银币和簌簌作响的钞票全部扒拢在一起,就在这一瞬间这双紧紧抓着的手做了一个特别吓人的动作,它们好似突然往上一伸,要去抓住某样并不存在的东西,接着就死一般地疲乏地重新跌落在桌上,但用的并不是自身的力气,而只是凭借退回来的重力。可是随后这双手突然又一次活了起来,狂热地从桌上缩回到自己身上,像野猫似的顺着躯干爬上爬下,一会儿左,一会儿右,神经质地伸进每只口袋,看看能不能在某只口袋里再找出一个被遗忘的金币来。然而每次总是空手而回,但两只手还在不断重复这种毫无意义、毫无用处的寻找,这时轮盘又已经开始重新旋转,别人的赌博在继续进行,硬币叮当作响,椅子在挪动,由数百种低声细语组成的一片嘈杂声充满大厅。我不得不如此清楚地亲身来体会这一切,仿佛是我自己的手指在口袋里和在皱皱巴巴的衣服的褶子里拼命寻找一块钱币。突然,我对面的那个人猛的一下站了起来——就像有人突如其来地感到不舒服,便猛地站了起来,以免窒息;他背后的椅子咔哒一声倒在地上。他连看都没看一眼,也没去理会旁边的人又胆怯又惊讶地避开这位摇

---

① 即"空门",是轮盘赌场主所得格。

摇晃晃的人,自己拖着笨重的脚步离开了赌台。这可怕的一幕使我颤栗,我不禁浑身直哆嗦。

"目睹这一情景,我完全惊呆了。因为我立即就明白了,这个人要上哪儿去:去死。这副样子站起来的人是不会回旅馆,不会去喝酒、不会去找女人,不会去乘火车,也不会去过另一种生活,而是径直去跃入无底深渊。在这地狱般的大厅里就连最最冷漠的人也准会看出,这个人不会再在家里、在银行里,或者在亲戚那里得到援助了,他方才坐在这里是拿他最后的钱,拿自己的生命来孤注一掷,现在他跟跟跄跄地走了,到别处去了,但肯定是不想活了。我曾一直担着心,从第一个瞬间起我就神奇地感觉到,这里是一场比输赢更高的赌博。这时,当我看到,生活突然从他眼睛里消失,死亡在这张方才还是活生生的脸上蒙上了一层阴影时,一阵黑黑的闪电猛烈地击在了我的身上。此人生动的姿态深深地印在了我心里,所以当他离开座位,蹒跚地走出去的时候,我也不由自主地要用手抵着桌子,因为那种蹒跚的样子现在也从他的神态中传到了我自己身上,正如先前他的紧张心情进入了我的血管和神经一样。我被吸引住了,不得不跟着他:我还没有想好,我的脚已经开始移动了。我谁也没去理会,也没有感觉到自己,就跑到通往大门的走廊上去了。这完全是下意识地发生的,并非是我自己所为,而只是发生在我身上罢了。

"他站在存衣处,侍役替他取来了大衣。可是他自己的胳膊不听使唤了:殷勤的侍役像帮一个手臂麻痹的人似的费了好大的劲,才帮他套上袖子。我看到他机械地将手伸进坎肩的口袋,想给侍役一点小费,但是抽出来的手里仍是空的。这时,他好像突然间又想起了一切,狼狈不堪地对侍役结结巴巴说了一句什么话,便完全像先前一样,突然猛地朝前走去,接着完全像醉汉似的踉踉跄跄走下赌馆的台阶,侍役先是带着轻蔑的、随后便是理解的微笑,还朝他背后望了一会儿。

"他的姿态感人至深,我为自己在一旁观看而感到不好意思。我不由自主地走到一边,心里感到害羞,因为我像在剧场的舞台前那样观看了陌生人走投无路的绝望神情——但是后来那种难以理解的恐惧突然又推了我一把,我赶忙叫侍役把我的衣服取来,未去想什么具体的事情,完全机械地,完全是本能地,急忙跟着这个陌生人往黑暗中走去。"

C夫人把这件事讲到这里便停了一会儿。她坐在我对面,脸上毫无表情,以其特有的冷静和客观态度娓娓道来,几乎没有停顿,只有心里早有准备,对发生的事情进行了精心组织和整理的人才会如此侃侃而谈。现在她第一次打顿,显得有些迟疑不决,随后她脱离开刚才所叙述的事,突然直接对我说:

"我曾向您和我自己答应过,"她开始显得有点不安,"保证极其坦诚地把所有的事实讲出来。可是,我现在必须要求您也要完全相信我的坦诚,不要把我的行为理解成有什么隐蔽的动机,认为也许我今天讲出这个动机不会感到害羞了。在这件事情上,这种猜测是完全错误的。所以我必须强调,我在街上尾随这位身心已经崩溃的赌客,决不是因为我爱上了这个年轻人——我根本没有去想他是个男人,事实上我这个当时已经四十多岁的女人,丈夫去世以后从来未曾正眼注视过任何男人。谈情说爱的事对我来说已经彻底结束了:我要对您强调这一点,而且非对您说不可,否则对于后来所发生的事情的可怕性您就难以理解了。当然,另一方面就我来说,当时我非要去跟随那个不幸的人不可,要把这种感情说清楚也是很难的:这里面有好奇心的成分,但是最主要的还是一种可怕的恐惧,或者确切地说是担心发生什么可怕的事，从第一秒钟起我就隐隐约约地感觉到，那件可怕的事像阴云似的正笼罩在这个年轻人身上。但是又不能把这些感觉加以分解和拆散，这种做法所以不行，尤其是因为这些感觉过于强制性，过于迅速，过于自发，种种因素错综复杂地交织在一起——很可能我所做的完全是救人的本能行为，正如有人在街上看到一个小孩朝汽车跑去，就会马上去把他拉回来一样。或者也许可以这样来解释：自己不会游泳的人在桥上看见一个快要淹死的落水人，就会跟着跳进河里去。他们还没有来得及对自己无谓的冒险壮举作出决定，就受到神奇力量的牵引，一股意志力将他们推了下去，我当时的情况也正是这样，没有思考，没有清醒的考虑，我当时就跟着这个不幸的人出了大厅走到大门口，又从大门口跟下台阶。

"我敢肯定，无论是您或者任何一个能用清醒的眼睛来感觉的人当时都不能摆脱这种充满了恐惧的好奇心；那位顶多二十四岁的年轻人走起路来十分吃力，就像老人一样，摇摇晃晃地又好似醉汉，他四肢的关节像是脱了臼、散了架一样，拖着沉重的脚步从赌馆的台阶上下来朝街头绿地走去。见到这幅可怕的景象，也就不会有思考的余地了。到了那里，他的身体像一只麻袋似的笨重地跌落在一张长椅上。对于这个动作我再一次感到不寒而栗，我想：这人完了。只有死人，或者全身肌肉没有一点生气的人才会这样跌落下去。他的脑袋斜倚着，往后垂靠在长椅的靠背上，两条胳膊软绵绵地垂到地上，在路灯闪烁着昏暗的微光中，每个过路人准会以为这是个自杀者。以为这是个自杀者——我无法解释，怎么我心里突然会出现这种幻象，可是这幻象突然站在这里了，看得见摸得着，非常真切，令人毛骨悚然，胆颤心惊——以为这是个自杀者，这一瞬间，我望着面前的这个人，我心里绝对确信，他口袋里有支手枪，明天别人就会发现在这长椅上或是另一张椅子上躺着这具气息已绝、鲜血淋漓的躯体,因为他跌落下来的情景完全像一块坠入深谷的石头,中间没有停住,一直摔到谷底。这躯体所表现出来的那种疲惫和绝望的样子,我还从来未曾见到过。

"现在请您想一想我的处境:我站在长椅后面二三十步远的地方,椅子上躺着个一动不动、身心全都崩溃的人。我真不知道该怎么办,一方面意志驱使我走上前去帮助他,但是学到的和因袭的羞怯心理又在将我往后推,不好意思去主动跟大街上的一个陌生男人说话。街灯黯淡地闪烁着,天空布满阴云,只有屈指可数的行人打这儿匆匆走过,因为将近子夜了,我几乎是独自一人在街头花园里同这个颇像自杀的人在一起。五次、十次,我鼓起勇气朝他走去,每次都被羞涩心理给拉了回去,或者说也许是被内心深处的这种本能的预感拉回去的:正从高处摔下去的人总喜欢拽住救助者一起同归于尽——我这样再三斟酌,反复考虑,自己都清楚地感觉到这种处境既无意义,又可笑。尽管这样,我还是既不能说话,又不能走开,既不能做些什么,又不能离开他。我希望,您相信我,我要告诉您,我在那片绿地上犹豫不决地徘徊了也许有一小时之久,那是无穷无尽的一小时;这时间是在看不见的海洋的波浪千万次撞击下一点点扯掉的。这个人彻底毁灭的形象竟是如此使我震撼,使我无法离去。

"可是,我始终没有说一句话、做一件事的勇气,后半夜我真该也这样站着等下去的,或者也许最后真该让聪明的自私心理说服自己回家去的。是的,我甚至以为自己已经下了决心,让这个晕厥的可怜家伙就这样躺在这里——然而这时一股强大的力量在我进退两难的时候为我作出了抉择。这时下起雨来了。整个晚上海风呼啸,把沉甸甸的乌黑的春云刮到一起,让人从肺里、心里感觉到，天空整个儿低低地压了下来——突然掉下一滴雨点，接着风助雨势，密密的大雨哗哗而下，竟成瓢泼之势。我不由自主地逃到一座商亭的前檐下，虽然撑开了伞，但是这时从坚实的土地激起的一束束泥水，仍是溅在我衣服上。噼噼啪啪打在地上的雨点弹起带泥的水，溅在我脸上和手上，感到凉丝丝的。

"可是在这瓢泼大雨中，那不幸的怪人仍旧坐在长椅上一动不动，这一可怕的景象，二十年后的今天回想起来喉咙里还感到梗塞。雨水从所有的屋檐上哗哗地流下来，我听到市内隆隆的车轮声，左边和右边都有人撩起大衣在奔跑；一切有生命的东西都怯生生地蜷缩着，都在躲避、逃跑，都在寻找栖身之所，任何地方，无论是人还是动物，都可以感到他们对这场倾盆大雨的恐惧——唯独长椅上那个黑黑的、像团东西的人却纹丝不动。我先前对您说过，这个人具有神奇的法力，能将他的各种感情通过动作和表情生动地表现出来；在滂沱大雨中他纹丝不动，全无感觉地坐着，连站起来几步走到雨水哗哗泼下的屋檐下的力气都没有的那精疲力竭的状态，万念俱灰的心境——世上任何东西也不会像这种情景那样将槁木死灰、彻底自弃以及活人死态表现得如此惊心动魄。这个人活活地任凭大雨浇淋，他精疲力竭，竟懒得动一下来避一避雨。任何雕塑家、诗人，无论是米开朗琪罗还是但丁都不能像这个人那样把万念俱灰的心境，把人间的惨状为我刻画得如此感人肺腑、荡气回肠。

"这一景象把我拉了过去，我也没有别的办法。我猛地穿过密集的大雨，用手去摇长椅上的那个淋得落汤鸡似的人。'来！'我抓住他的胳膊。他的眼睛吃力地朝上瞪着。他身上似乎想慢慢地动一下，但是他没懂我的话。'来！'我再次拽着那只湿漉漉的衣袖,这次我几乎要发火了。他慢慢地站了起来,摇摇晃晃地没有一点意志。'您要干吗?'他问道,我没有回答他,因为我自己也不知道要带他到哪儿去:只要不受冷雨浇淋,只要不再毫无意义地、自杀般地坐在这里万念俱灰的样子。我抓着他的胳膊不放,拉着这个全无意志的人往前走,一直将他拉到商亭那儿。商亭有一个向前伸出来的窄窄的屋檐,多少可以让他遮挡一下驾着风势的滂沱大雨。下一步怎么办,我不知道,也不想有下一步。只要把这个人拉到干的地方,只要把他拉到屋檐下就行了:以后的事起先我并没有考虑。

"我们两人就这么并肩站在狭窄的、淋不着雨的屋檐下,我们的后面商亭的门锁着,我们头上只有一片小屋檐,雨还在没完没了地下,只要突然一阵狂风刮来,冷飕飕的雨水就会不断狠狠地朝我们衣服上、脸上猛袭过来。这种情况真是无法忍受。我可不能老是挨着这个水淋淋的陌生人站着。另一方面,既然我把他拉到这儿来了,总不能一句话都不说就将他撂在这儿。总得想个什么办法呀;我慢慢强迫自己坦率地作一次冷静的考虑。我想,最好是雇辆车先把他送回家,然后我自己再回家:明天他就会知道有人救了他。于是我就问一动不动地站在我旁边愣愣地凝视乌云飞驰的夜空的人:'您住在哪儿?'

"'我没有住处……我傍晚时候才从尼查来……要上我那儿去是不成的。'

"最后这句话我没有立即听懂。后来我才明白,他把我当作……当作娼妓,当作拉客女了——每天晚上赌馆周围都有成群拉客女出没,她们希望能从赢了钱的赌客或醉汉身上得些好处。不论他后来是怎么想的,一直到现在我讲给你听的时候,我才感觉到我当时的处境有点邪乎,有点离奇——我把他从长椅上拉走,当然是把他拽去的,这真的不是正当女人的行径,叫他怎能不以为我是娼妓呢。但是当时我没有立即意识到这一点。后来我才开始意识到他对我这个人作出了错误的判断，但是发现这个可怕的误解时已经太晚了。要是早些发现的话，我就绝不会说出下面这句越发增强他的误解的话来了：'那么，就到旅馆里去要个房间吧。您不该呆在这里。您现在必须找个地方安顿下来。'

"这句话一出口，我就立即明白了他的那个令人难堪的误解，因为他并没有朝我转过头来，而只是以一种讥讽的言辞加以拒绝：'不用，我不要房间，我什么都不需要了。请你别费劲，从我身上是什么都捞不着的。你找错人了，我已身无分文。'

"这句话又是那么可怕地说的，心灰意冷的神态真令人胆颤心惊。一个全身水淋淋的、心力衰竭的人在这儿站着，垂头丧气地靠在墙上，这情景使我如此震撼，以致根本无暇顾及自己所受的那点儿愚蠢的侮辱。我这时感觉到的，同我见到他蹒跚地走出大厅时第一眼的感觉，以及在这难以想象的一小时里不断得到的感觉是一样的：这里的这个人，这个年轻的、活着的、在呼吸的人正处于死亡的边缘，我一定得救他。于是我便走近他。

"'钱您不用担心，来吧！您不能呆在这儿，我来给您找个地方安顿下来。您什么都不用顾虑，现在您就来吧！'

"他转过头来。我们四周雨声噼噼啪啪一阵紧似一阵，檐水哗哗地朝我们的脚倾泻下来，这时我感觉到，在黑暗中他第一次竭力想看一看我的面貌。他的身体似乎也在从昏睡中慢慢地苏醒过来。

"'好吧，随你的便，'他让步了。'对我来说反正都一样……毕竟嘛，干吗不去？我们走吧。'我撑开伞，他走到我身边,挽着我的手臂。这突如其来的亲昵姿态使我感到很别扭,令我惊慌失措,吓得我直发凉,一直凉到心底。但是,我没有勇气拒绝他;因为,要是我现在把他推开,他就会坠入无底深渊,直到现在我所作的一切努力和尝试,就全都白费了。我们往回朝赌馆走了几步。现在我才想起,我还不知道拿他怎么办呢。我很快地思忖,最好是把他领到一家旅馆去,到那儿以后把钱塞在他手里,好让他在那儿过夜,明天乘车回家,其他的事情我没有去想。现在正好有几辆马车从赌馆门前匆匆驶过,我叫了一辆,我们上了车。马车夫问我到哪儿去,一开始我竟答不出来。不过我突然想起,我身边这位全身湿透、水淋淋的人,好饭店是没有一家肯接待他的——另一方面我真是个未谙世事的女人,压根儿未往不正经的事上去想,于是我大声对车夫说:'随便找家普通旅馆!'

"马车夫淋着雨,但镇定自若,他把马匹赶得飞快,我身边的这个陌生人一句话都不说,车轮轧轧,雨势急猛,打在车厢的玻璃上噼啪作响;坐在黑暗的、没有灯光的、棺材般的四角形车厢里,我的心绪很不好,仿佛我是带了具尸体似的。我极力思索,想找出一句话,好把因默不作声地坐在一起而引起的离奇而恐怖的气氛冲淡一些,但是我什么话也没有想出来。几分钟以后马车停住了,我先下车,付了车费,这当间那人也恍惚朦胧地下了车,砰的一声关上了车门。我们现在站在一家陌生的小旅馆门前,我们头上是一个玻璃遮阳,下面的空间由拱形檐盖挡住了雨。这时四周都是单调的雨声,雨水不停地洒向难以捉摸的黑夜。

"那个陌生人受不住自己身躯的重量,所以便不由自主地靠在了墙上,水从他湿透的帽子和皱皱巴巴的衣服上滴滴答答地流下来,他站在那儿,像刚被人从河里救起来的溺水者,神智还是迷迷糊糊的,墙上他靠的那小块地方淋下来的水形成了一条小溪。可是他却不拿出一星点儿力气来,把身上抖一抖,把帽子甩一甩,而是让水滴不断从额头和脸上流下来。他站在那儿,对一切全然漠不关心,我无法告诉您,他那副颓丧的神情使我多么震惊。

"不过,这时我得有点什么表示了。我把手伸进口袋:'给您一百法郎,'我说,'拿去要个房间,明天乘车回尼查。'

"他抬起头来吃惊地望着我。

"'我在赌厅里注意到了您,'我见他迟疑不决,便催促他。'我知道,您把钱输光了,我担心您会因一念之差而做出蠢事来。接受人家的帮助并不丢脸……嗯,拿着吧!'

"然而,他却推开了我的手,我还真没料到他还有这样的劲。'你是个好人,'他说,'但是,别浪费你的钱了。我这个人已是无可救药了。这一夜我睡不睡,都无所谓。明天反正一切都完了。我已经无可救药了。'

"'不,您一定得拿着,'我逼着他说,'明天您的想法会不同的。现在您先上去,睡上一觉再说。白天万物会有另一种面貌的。'

"我再次将钱硬塞给他,可是他却几乎很猛地推开了我的手。'算了吧,'他再次低沉地重复道,'这是毫无意义的。我还是在外面了结好,免得在这里把人家的房间弄得血迹斑斑的。一百法郎救不了我,就是一千法郎也不顶用。只要身上还有几个法郎,明天我又会进赌场的,不把它全部输光,是不会罢手的。何必再重新来一次呢,我已经够了。'

"您一定估量不出,这低沉的声音是怎样深深地震撼着我的灵魂;可是,请您设想一下:离您两寸的地方,站着一个年轻、聪明、有生命、有呼吸的人,您知道,如果不用一切力量让他振作起来,那么两小时之内这个有思想、能说话、会呼吸的青春生命就将变成一具死尸。而要战胜他那毫无意义的抗拒,对我来说不啻发一次大火,激起一阵愤怒。我抓住他的胳膊,说:'别说蠢话!您现在一定得上去。要一个房间,明天早晨我来把您送上火车。您必须离开这里,明天必须回家,我不看见您手持车票坐上火车决不罢休。年纪轻轻的,决不能因为输了几百或几千法郎就自己轻生。那是懦弱,是气愤和懊丧之下的歇斯底里大发作。明天您就会觉得我的话是对的!'

"'明天!'他加重了语气重复地说,声调显得阴郁而带点嘲讽。'明天!要是你知道明天我在哪儿就好了!要是我自己能知道,那也不错,本来我对此就有点儿好奇呢。不,你回家去吧,我的孩子,别费劲了,不要浪费你的钱了。'

"但是,我不肯让步。我心里像发了疯,发了狂似的。我使劲抓住他的手,把钞票硬塞在他手里。'您拿着钱马上上去!'同时我十分果断地走去拉响了门铃。'得,我已经拉了铃,门房马上就来了,您上去吧,倒在床上就睡。明天早上九点我在门口等您,马上就带您去火车站。其余的一切您都不用担心,我会作出必要的安排,让您能回到家里。可是现在,快上床吧,好好睡一觉,别再胡思乱想了!'

"就在这一瞬间,门上的锁从里面喀哒一响,门房打开了大门。

"'进来!'他突然说道,声音又硬又坚决,并带着恼怒。我感到,我的手腕被他牢牢攥住了。我大吃一惊……吓得魂飞魄散,全身酥瘫,如遭电击,失去了知觉……我想抵抗,想把手挣脱出来……但是,我的意志好似麻木了……我……您是会理解的……我……我羞愧难当,门房在那儿等着,已经显得不耐烦了,我却在门房面前跟一个陌生人扯个不停。于是……于是，我一下子到旅馆里去了；我想说话，想把情况说清楚，可是我的喉咙塞住了……他的手沉重而蛮横地按着我的胳膊……我模模糊糊地感觉到，我不自觉地被拉着上了楼梯……门锁喀嚓一声……突然之间我在一家旅馆里——旅馆的名字到今天我还不知道——在一个陌生房间里同一个陌生人单独呆在了一起。"

讲到这儿C夫人又停住了，并且突然站了起来。她的声音似乎不听使唤了。她走到窗口，默默地往外望了几分钟，只是把额头贴在冰凉的玻璃上：我没有勇气仔细朝她看，因为去观察一位情绪激动的老太太，我觉得很尴尬。因此我就静静地坐着，不提问，不出声，只是等待着，直到她以克制的步子重新走回来，在我对面坐下。

"好了——最难的部分现在已经讲了。我希望您相信我，现在我要再次向您保证，我可以用一切在我来说是神圣的东西——我的名誉和我的孩子来起誓，直到那一秒钟我脑子里并没想同这个陌生人发生一种……一种关系，我确实没有任何清醒的意志，完全没有一点知觉，好似一脚踩上活动暗门，从平坦的生活道路上突然摔进这个境地。我曾发过誓，对您和对我自己都要说真话，所以我要向您再重复一次，我陷入这次悲剧性的难以启齿的经历，仅仅是由于我救人之心过于急切，不是因为其他的个人感情，因此完全不带个人的愿望，也未曾有过一点预感。

"在那个房间里，在那天夜里所发生的事，请容我略去不讲吧；那天夜里的每一分钟我自己从未忘怀，而且永远也不愿忘记。因为那天夜里我在同一个人搏斗，目的是为了挽救他的生命，我要再说一遍：那是一场关系到生与死的斗争。我的每根神经都千真万确地感觉到,这个陌生人,这个一半已经沉沦的人,拿出一个垂死者的全部眷恋和激情紧紧抓住最后一线生的希望。他像一个意识到自己已经身悬深渊的人,将我牢牢抓住。我振作起全部力量,拿出自己所有的一切去挽救他。这样的时刻一个人一生中或许只能经历一次,而能经历这一次的,千百万人中又只有一个人——要是没有这次可怕的意外遭遇,我自己恐怕永远也不会想到一个心如死灰、穷途末路之人竟会如此热切,如此忘我,以一种无法遏制的贪婪再次畅饮生命的红色甘醇,我远离生活中的邪魔力量已经二十年之久了,要是没有那次可怕的意外遭遇,我恐怕永远也不会理解大自然有时竟会在瞬息之间如此绝妙,如此神奇地将冷和热、生和死、心醉神迷和悲观绝望聚集和压缩在一起。这一次就是这样充满斗争和对话,充满激情、愤怒和憎恨,充满恳求和陶醉的泪水,我觉得这一夜像是过了一千年,我们两人紧紧缠绕在一起,心醉神迷地一起堕入深渊,一个兴奋得死去活来,另一个极乐之中没有了感知,俩人从这场致命的狂风暴雨中解脱出来以后都变了,完全变了,思想、感情都不一样了。

"不过,这些我不愿讲了。我不能够、也不愿意来描述这一切。只有早晨我醒来时极其可怕的第一分钟我必须简略地向你提一提。我从从未有过的疲惫不堪的沉睡中,从深沉的黑夜中醒来,过了很久我才睁开眼。睁眼看到的第一件东西,就是我顶上的一片陌生的屋顶,眼睛继续一点一点地看下去,又发现一个完全陌生、从未见过、令人生厌的房间,我压根儿不知道,自己是怎么进到这个房间里来的。起初我竭力说服自己,说这还是一个梦,一个相当清醒而透明的梦,我是从朦胧的沉睡中进入梦境的——然而灿烂的、确确实实的阳光已经刺眼地照到了窗前,这是早晨的阳光,楼下不断传来辘辘的马车声、叮当的电车声和嘈杂的人声——现在我明白了,我不是在做梦,而是醒了。我不由自主地坐了起来,想好好思索一下,就在这时……我目光往旁边一转……就看见——我永远无法对您描述出我的惊骇——这张宽床上有个陌生人睡在我身边……是陌生的,陌生的,陌生的,是个半裸的、不相识的人……

"不,我知道,这种惊骇是无法描述的:我一下吓得魂不附体,浑身无力地倒了下去。但是这不是真正的晕厥,没有不省人事,正相反:在闪电般的瞬息之间我一切都明白了,既清清楚楚,又无法解释。我突然发现自己同一个完全陌生的人睡在一个极有可能是下流场所的一张陌生的床上,心里的厌恶和羞愧真是难以言说,当时我只有一个愿望:去死。我还清楚地记得,当时我的心跳停止了,我屏住呼吸,仿佛这样就可以扼杀自己的生命,尤其是自己的意识,那清晰的、清晰得令人胆怯的意识,那一切都知道,但又什么都不懂的意识。

"我永远不会知道,我这样四肢冰凉地躺了多久:死人大概也是这样僵直地躺在棺材里的。我只知道,我双眼紧闭,默默向上帝,向天上的神灵祈祷,但愿这一切都不是真的,全不是真的。但是我敏锐的知觉现在再也不容欺骗,我听见隔壁房间里有人说话,听见有人用水时的哗哗声,外面走廊里有走动的脚步声,每一种声音都无情地证明了一个残酷的事实:我的知觉是清醒的。

"这可怕的状态究竟持续了多久,我说不清楚:那时候每一秒钟都与从容不迫的生活时间不同,那一秒秒钟都另有自己的计时标准。这时另一种恐惧,那突如其来的、令人魂飞魄散的恐惧袭上我的心头:这个陌生人,这个我不知道名字的陌生人现在大概要醒了,大概要跟我说话。我立刻明白我只有一条路可走:在他醒来之前穿好衣服逃走。永远不再让他看见我,永远不再跟他说话。及时拯救自己,走,走,走,回到自己的生活中去,回到我的旅馆去,马上乘下一班火车离开这个可耻的地方,离开这个国家,永远不再碰上他,永远不再看见他,没有证人,没有起诉人,也没有知情人。这个想法使我慢慢从晕厥中清醒过来:我极其小心翼翼地、用小偷常用的蹑手蹑足的动作,一寸一寸地挪动身体(只是为了不弄出响声来),下得床来,摸到我的衣服。我小心翼翼地穿上衣服,因为怕他醒来,我每秒钟都在发抖。现在我已经穿好衣服,这件事算成了。只是我的帽子在另一边的床脚下,现在我踮着足尖轻轻走去拾起帽子——可是在这一秒钟里我却无法把持自己:我一定还要朝这个陌生人的脸庞上一眼,朝这个像陨石似的坠入我的生活中来的陌生人看上一眼。我只要看上一眼就行了,但是……很奇怪,因为这个躺在那儿酣睡的陌生的年轻人——对我来说确实是陌生的:我第一眼所见的竟不是昨天那张脸了。这个情绪激动到极点的人,由于受激情的折磨,脸上呈现的那种恍惚迷离,痉挛抽搐和紧张不安的表情现在好似全都抹掉了——这儿的这个人他的容貌则完全不一样,他的脸显得天真和孩子气,焕发着纯洁和快乐。这两片嘴唇,昨天是用牙齿紧紧咬住的,这时在梦里温柔地微微张启,而且挂着一缕微笑;一丝皱纹也没有的额上柔软地垂下松散的金发,安详的呼吸似轻波细纹从胸部散扩到全身。

"您也许会记得,我先前对您说过,我还从来没有如此强烈、如此毫无顾忌地像盯着观察赌台上的那个陌生人那样观察过一个人所表现出来的贪婪和激情。我要告诉您,我从来没有,就是在孩子身上——襁褓中的婴儿有时身上有一种天使般快乐的光泽——也没有见到过他在真正幸福的酣睡中所呈现的这种焕发着纯洁光辉的表情。这张脸宛如精妙绝伦的雕像,将他所有的情感表现得淋漓尽致：摆脱了内心重压的那种幸福快乐的舒坦感，一种解脱感，一种得救感。看到这副令人惊异的神态，我的全部惊吓和恐惧就像一件沉重的黑大衣，从我身上掉了下来——我不再感到羞愧，不，非但不再感到羞愧，反而几乎感到喜上心头了。原来那种恐怖的、不可捉摸的东西，对我来说突然之间有了意义，一想到这个柔嫩、漂亮的年轻人，这个像鲜花一样快乐而沉静地躺在这里的年轻人，要是没有我的奉献，他将摔得粉身碎骨，血迹斑斑，脸青鼻肿，眼珠暴突，面目全非，气断命绝，躺在悬崖脚下：我救了他，他得救了，一想到这些我就心里乐滋滋的，感到骄傲。现在我带着母爱的目光——我无法用别的说法——朝这个躺着的人望去，我再次把他生了出来，给他以生命——我生他的时候比生自己的孩子痛苦要大得多。在这间陈旧的、污秽不堪的屋子里，在这家令人恶心的、油腻腻的临时旅馆里，我有一种宛如在教堂里的感觉——您听了这话会觉得很可笑的——一种奇异和神圣之感。现在在我心里生出了姐弟之情，我一生中最最可怕的一秒钟，变成了令人惊异、令人倾倒的第二个一秒钟。

"我动作的声音太大了？我情不自禁地说了什么话？我不知道。然而突然之间那个酣睡的人睁开了眼睛。我吓得连忙后退。他诧异地环顾四周——同我自己先前一模一样，仿佛他是从无底深渊和杂乱的迷惘中费尽力气爬上来的。他的目光吃力地扫视这间陌生的、未曾见过的屋子，随后惊讶地落在我身上。但是没等他说话，没等他完全回忆起来，我就镇定自若了。不能让他说话，不能让他提问，不能让他有亲昵的表示，昨天和昨天夜里的事不该重演，不作解释，也不去谈。

"'我现在得走了，'我立即向他表示，'您留在这儿，穿上衣服。十二点钟我在赌馆门口等您：在那儿我会把其余一切事

情都安排好的。'

"没等他回答,我就逃了出去,不愿再看到那间屋子,我头也没回,就奔出旅馆。旅馆的名字我不知道,正如不知道那个我同他在这里过了一夜的陌生男人的名字一样。"

C夫人停下来歇了口气。但是所有的紧张和痛苦都从她声音里消失了:就像一辆马车,费尽力气艰难地爬上山顶,然后就从山顶轻轻松松地飞速驰向山腰,现在她就是这样以轻松的语调继续说下去:

"就这样,我急忙跑回自己住的旅馆。街上晨光明亮,夜里的暴风雨已将沉闷阴郁的天空荡涤得一干二净,就好似令我受尽煎熬的感情现在已从我心里冲刷干净。您一定记得我先前对您说过的话:自从丈夫故世以后,我对自己的生活已经完全不抱奢望,孩子们不需要我,我自己也觉得活着没意思,活着不能达到某个目的,生活本身就是一个谬误。真是意想不到,现在居然第一次有个任务落在了我身上:我救了一个人,竭尽全力把他从毁灭的边缘拉了回来。现在还有一件小事要做,这件事得把它做完。所以我就跑回我的旅馆:门房见我现在早晨九点钟才回来,所以用惊讶的目光打量着我——对于已经发生的这件事,我思想上已经不再感到羞愧和恼怒的重压了,生的愿望突然重新复苏,出乎意外地获得一种必须活下去的新的感受。这些新的感觉融进了我的血液里,温暖地流遍全身。我在房间里匆匆换了衣服,下意识地脱下身上的丧服(这事我后来才注意到),换上一件色彩明快的衣服,到银行去取了钱,风风火火地赶到车站,问明了列车行车时间;此外我还办了几件别的事,赴了几处约会,我行动之果断连我自己都感到吃惊。现在没有别的事要办了,只等将命运扔给我的那个人送上火车,把他最终挽救过来。

"当然,要直接面对他,这需要力量。因为昨天的一切都是在黑暗中,在感情的旋涡里发生的,就像被山洪冲下来的两块石头,突然撞击在一起;我们彼此几乎没有面对面地认识过,那个陌生人是否还会认得我,对此我一点没有把握。昨天——那是事出偶然,是心醉神迷,是两个糊涂人的走火入魔,但是今天我非得比昨天更为公开地在他面前暴露自己了,因为我现在不得不在无情的光天化日之下以我本人,以我的本来面目作为一个活生生的人走到他面前去了。

"不过,一切都比我想的要容易得多。在约定的时间,我还没有到赌馆门口,一位年轻人就从长椅上一跃而起,急忙朝我走来。他那惊异的神情,他那每一个胜过语言的动作完全出自本能,显得多么稚气,多么率真和喜悦:他简直是飞奔过来的,眼睛里流露出既感激又崇敬的快乐之光,但是他的眼睛一觉察到我的眼睛在他面前不知所措的样子,便立即谦恭地垂了下来。这种感激之情在一般人身上很难感觉得到,而且心怀最最感激之情的人往往无法表达出来,他们总是尴尬地沉默不语,羞愧不已,为了掩饰他们的感情,往往欲言又止。上帝好似一位神秘的雕塑家,将这个人的感情姿态表现得极为性感、优美、生动,在他身上感激之情的流露十分炽烈,他的体内像是有一股激情在迸发出来。他朝我的手弯下腰,谦恭地垂下轮廓清瘦的孩子式的脑袋,十分尊敬地吻了一分钟,但是嘴唇仅仅触到我的手指,接着便退后一步,问我身体怎么样,亲切地望着我,他的每一句话都很有礼貌,又极为得体,因此几分钟之后我心里最后的一点惶恐不安也消失得无影无踪了。四周的景物全都着了魔,好似镜子一样映照出我开朗的心情:昨天还是怒涛汹涌的大海,现在明澈而平静,细浪之下每粒砂石都在朝我们闪烁着白灿灿的光辉;那家赌馆,那恶魔聚集之所,在清扫得干干净净的、锦缎似的天空下色彩明朗;那个亭子,昨天下着瓢泼大雨的时候我们曾在其屋檐下躲避,现在已经开启,是一家花店,那里摆放着一束束、一簇簇鲜花,白的,红的,绿的,色彩缤纷,斑斓杂陈,卖花的是位年轻姑娘,她身上的衬衣色彩极为鲜艳。

"我请他到一家小餐馆去吃午饭;在那里这位陌生的年轻人对我讲了他悲剧性的冒险史。他的冒险史完全证实了我在绿色赌台上看到他那双神经质地索索发抖的手时所作的第一个揣测。他出生于奥地利波兰贵族家庭,这确定他将来要在外交界求个锦绣前程,一直在维也纳上学,一个月前他以优异的成绩通过了初考。学习期间他住在叔叔家。他叔叔是总参谋部的高级军官,为了庆祝考试成功,并作为对他奖励,叔叔叫了一辆马车,把他带到普拉特①,俩人一起来到赛马场。叔叔赌运亨通,接连赢了三次。随后他们拿着厚厚一叠白赚的钞票,到一家豪华饭店去大吃了一顿。第二天,这位未来的外交官就收到为奖励他这次考试胜利而寄来的一笔钱,数额相当于他一个月的生活费;要是在两天前,对他来说这笔钱还是个相当可观的数目,可是现在,在那次轻而易举就赢了这么多钱之后,这点钱他就看不起了,觉得它微不足道。这样,吃过饭他又坐马车去赛马场,兴头十足地放手大赌一场。他居然福星高照——或者更应该说是厄运临头——到赛完最后一场马离开普拉特公园时,他的钱数已经增加了三倍。从此以后他赌兴大发,时而赛马场,时而咖啡馆,或者俱乐部,耗费了自己的时间,荒废了学业,损坏了神经,尤其是耗掉了金钱。他再也不能思考,

---

① 普拉特是维也纳著名的公园,内有规模巨大的游乐场。

夜里也不能安眠，他甚至无法控制自己；有天夜里，他在俱乐部里输光了钱回到家里脱衣服时发现背心口袋里还有一张忘记的、已经揉成一团的钞票，他忍不住，便又穿上衣服，到外面东转西晃，最后在一家咖啡馆里找到几个玩多米诺骨牌的人，便坐下来同他们一直赌到天明。他的一位已经出嫁的姐姐接济过他一回，替他偿还了高利贷借款；高利贷者见他是名门贵族的继承人，所以都乐意把钱贷给他。有一阵子他曾赌运亨通，可是后来手气又不好，连连输钱，颓势怎么也阻挡不住，而且输得越多，就越是渴望大赢一次，好支付尚未偿还的债务和以名誉担保一定按时还清的借款。他早就把钟和衣服当掉了，最后竟发生了这么件令人惊骇之事：他偷了老婶婶的两枚花骨朵状的钻石大耳环。这两枚耳环他婶婶很少戴，是一直放在柜子里的。其中的一枚他以高价当了出去，当天晚上拿这笔钱去赌就赢了四倍。但是他没有去赎回耳环，而是将所有的钱拿去孤注一掷，结果输得一干二净。直到他离开维也纳的时候，他的偷窃行为尚未被发现，于是他又把第二枚耳环当掉，这时突然心血来潮，便坐上一列火车来到蒙特卡洛，想在轮盘赌上发一笔他梦寐以求的大财。在这里他卖掉了皮箱、衣服、雨伞，现在他身边只有一支装了四发子弹的手枪和一个镶嵌着宝石的小十字架，这是他的教母X侯爵夫人送他的，他一直舍不得出手，除此之外，他已别无他物。但是，就连这个十字架他也在下午以五十法郎卖掉了，只是为了晚上最后一次去寻求那令人震颤的欢乐，再去作一次生死搏斗。

"他把这一切讲给我听的时候，神态优美，极具魅力，他的气质活泼生动，灵气十足。我听着，心里感到震撼，着迷，激动；然而我并没有因为与我同桌的人本是小偷而愤怒，不，这个想法我片刻都没有出现过。作为女人，我的一生从未有过些微污点,在社交场合总是要求保持最严格的传统尊严,倘若昨天有人即使只是对我暗示,说我将会跟一个完全陌生的年轻人,一个比我儿子大不了多少而且偷过珠宝耳环的人亲密地坐在一起,那我定会把他看作疯子的。可是听着他的叙述,我一点没有惊骇之感,这一切他说得那么自然,而且带着那么一种激情,使人觉得他讲的是一个高烧病人的行为,而不是什么令人气愤之事。再有:谁像我一样昨天夜里亲身经历了那种激流飞泻似的出人意料的事,那么'不可能'这个词就突然失去了它的意义。在那十个小时里,我对现实的了解比先前以市民方式度过的四十年要多得不知多少。

"可是,在他对自己做的那些事进行坦白的时候,却有另一种东西令我惊慌不安,那就是他眼睛里火一般的光亮,他一谈到自己对赌钱的热衷,他眼里便熠熠生辉,脸上的所有神经像通了电一样颤动不已。他在讲这些事的时候,自己还异常激动,他表情丰富的脸上极其清晰地再现了当时欢喜或痛苦的种种紧张神态。他的两只手,那两只奇妙的、细长而灵活的、神经质的手同在赌台上一样,又不由自主地开始变得像或追逐或逃遁的猛兽:我看见他说着说着,两只手就突然从指关节往上剧烈地颤抖,拼命卷曲起来,紧攥拳头,接着手指又突然重新弹开,随后又互相交叉,紧紧抱成一个拳头。他在坦白出偷耳环这件事的时候,两只手闪电般地问前伸去(我不禁吓了一跳),飞快地做了一个偷东西的动作:手指十分利索地朝耳饰张开,将东西匆匆一把攥在拳头窝里,这一切我都看得真真切切。我感到一种无名的震惊,看出这个人身上的每一滴血都中了他自己激情的毒。

"一个年轻、爽朗、生来就是无忧无虑的人竟会可悲地屈从于一股迷糊滑稽的热情,他的叙述中令我如此震撼和吃惊的仅仅就是这一点。因此,我认为自己首要的职责就是友好地规劝我这位不期而遇的被保护人,劝他必须立刻离开蒙特卡洛,离开这个具有最危险的诱惑的地方,趁现在丢失耳环之事尚未被发现,自己的前程尚未永远断送之时,今天就回家去。我答应给他回家的路费和赎回耳饰的钱,当然有一个条件,只有一个条件,他今天就要走,并且要以他的名誉向我起誓,永远不再碰纸牌,也不进行其他赌博活动。

"我永远不会忘记,这位落魄的陌生人听着我说,起初情绪何等沮丧,随后心情逐渐开朗,满怀着热烈的感激之情,当我答应帮助他的时候,他像是要把我的话吮进肚里似的;突然,他的两只手从桌面上伸了过来,抓住我的双手,姿势像是在礼拜和神圣地许愿,令我难以忘怀。他明亮的、通常有些许迷惘的眼睛里含着泪水,快乐和兴奋使他全身激动得直打哆嗦。我常常试图向您描画他独一无二的表现姿态的能力,但是我无法将这种姿态描述出来,因为它表现的是一种极度兴奋的、超越尘世的幸福境界,我们几乎不可能在一般人的脸上见到,只有当我们从梦中醒来,以为在自己面前见到了已经消失的天使的面庞,这时,唯有天使的那片白影才可与他的姿态相比。

"何必隐瞒呢:我经受不住他的目光,他的感激令我高兴,因为这样的感激我们很难见到,温柔的感情让人感到愉悦和舒适,对我这个沉稳、冷静的人来说,那种洋溢的感情确实是一种惬意的、简直是令人喜悦的新感受。再有:自然景物经过昨夜那场大雨,也随着这个身心憔悴的人一起神奇般地苏醒了。我们从餐馆出来时,平静安谧的大海璀璨地闪闪发光,蔚蓝的海水连接天际,在高空的蓝天上只有海鸥在展翅翱翔,点点白影映衬在天际的蔚蓝之中。里维埃拉的风光您是熟悉的。那里的景色永远是美丽的,但却显得平淡,像风景画片一样,映入我们眼帘的是永远浓重的色彩,是一个慵倦的睡美人,她镇定自如地任人浏览欣赏,永远是一副东方式的百依百顺的样子。但有时候——那是极少的——这里也有那么几天,这时美人站起来了,露出了尊容,她色彩鲜艳,熠熠闪光;这几天她使劲向人高声呼唤,并怀着胜利的心情把五彩缤纷的鲜花抛向人们;这几天她热情炽烈,欲火如焚。在经历了那个风雨交加的黑夜和惊涛骇浪的混沌之后,那天也正是这么一个令人振奋的日子,街道被冲洗得干干净净,天空湛蓝高远,树木经雨苍翠欲滴,丛丛灌木到处鲜花怒放,宛如万绿丛中点燃的簇簇火把。空气清凉,阳光灿烂,群山显得清新明亮,好似突然向前走来了,纷纷好奇地挨近这座闪光发亮的小城。放眼四望,突出地感到大自然的挑战和激励,觉得自己的心也不由自主地被大自然夺去了。于是我就说:'我们雇辆马车,到海边去兜兜风吧。'

"他兴奋地点点头:这个年轻人好像到这儿以后还是第一次观赏自然风光。在此之前,他只知道那潮湿而带霉味的赌厅,那儿散发着一股恶浊的汗酸气,拥挤着丑恶而扭曲的人群;他知道的再就是乖戾、灰暗、喧嚣的大海。现在,洒满阳光的海滩像一把打开的巨扇展现在我们面前,遥望远处,顿觉赏心悦目。我们坐在缓缓行驶的马车上(那时还没有汽车),欣赏沿途绮丽的风光,经过许多别墅,碰到不少人的目光;每次驶过一幢房子,经过一座掩映在意大利五针松的绿荫下的别墅,我会千百次地在心里浮现一个秘密的愿望:但愿能生活在这儿,宁静、平和、远离尘嚣!

"我一生中曾经有过比那个时候更幸福的时刻吗?我不知道。在马车里,这个年轻人坐在我身边,昨天他还处在死亡和厄运的魔爪里,奇怪的是,现在倾泻下来的金色阳光洒满了他的全身;似乎好些年岁月从他身上消失了。他好像完全成了一个孩子,成了一个漂亮的、在戏耍的孩子,有一双纵情的、同时又是心怀敬畏的眼睛。他身上最使我着迷的要数他那灵活敏感、善解人意的柔情了:车子爬的坡太陡,马很吃力,他便敏捷地跳下去,在一侧帮着推车。我提到一种花,或指了指路边的某种花,他就急忙跑去摘了来。见到一只被昨夜的雨引诱出来的小蟾蜍在路上艰辛地爬着,他就去将它捧起来,小心地送到青草丛中,以免他身后驶来的马车将它辗碎。这期间他还兴致勃勃地讲了一些令人捧腹大笑、而又很雅致的奇闻轶事;我相信,这笑声是对他的一种拯救,因为他突然感情充溢,欣喜若狂,如痴如醉,要不大笑一阵,他必定会唱歌、蹦跳或干出什么傻事来的。

"后来,我们的马车爬上一个高坡,缓缓驶过一个很小的村子。经过村子的时候,他突然很有礼貌地摘下帽子。我感到有点惊讶:这位外国人当中的外国人,在这里他在向谁致敬呢?得知我的疑问,他的脸微微有点红,几乎像道歉似的向我解释说,我们刚才经过一座教堂,同所有教规严格的天主教国家一样,在波兰从小就培养他们,见到任何教堂和圣殿都要行脱帽礼。对宗教的这种美好的崇敬态度令我深为感动,同时我也想起了他说到过的那个小十字架,所以就问他是否信教。他略现羞赧的样子谦逊地说,他信教,并希望得到上帝的宽宥。听了他的话,我突然心生一念:'停车!'我朝马车夫喊道,并且急忙下了车。他跟着我,感到很诧异:'我们到哪儿去?'我只是回答:'您一起来。'

"他陪我走回教堂。这是一个砖砌的乡村小圣堂。内墙四壁刷着石灰,颜色发灰,墙上是空的,圣堂的大门开着,一束黄色的光锥射进昏暗的圣堂,四周的暗影凸现出蓝色的祭台。圣堂里香烟缭绕,祭台上点着两支蜡烛,朦胧中烛光闪动,犹如两只蒙着面纱的眼睛。我们走进圣堂,他脱下帽子,把手伸进涤罪缸的水里去浸了浸,拿出来划了个十字,随后便屈膝跪下。他一站起身,我就将他抓住。'您过去,'我催促他说,'到祭坛前或者到您所敬仰的神像前去,在那里起个誓,誓言我马上就说给您听。'他诧异地、几乎是吃惊地望着我。但他很快就明白了我的意思,就走到一座神龛前,划了十字,顺从地跪了下去。'您跟着我说,'我说,自己都激动得颤抖了,'您跟着我说:我起誓'——'我起誓,'他重复着说,我继续说下去:'我永远不再参加任何形式的赌博,永远不再把自己的生命和名誉断送在这种嗜好之下。'

"他颤抖着重复了这些话,清晰而响亮的声音回响在空空荡荡的圣堂里。接着便是片刻的寂静,静得连外面微风吹过、树叶发出的簌簌声都能听得见。突然,他像个忏悔者似的扑倒在地,以一种我从未听到过的狂热的声音说了一番我听不懂的波兰话,他的话说得极快,快得连前后的字句都混在一起了。这一定是狂热的祷告,是感激和悔恨的祷告,因为他忏悔时感情非常激昂,一再谦恭地低下头,低得都触到圣案了,他越来越狂热地重复着那外国话语,越来越激越地重复着同样的、以无法形容的热情说出来的话。在这以前和以后,我从未在世界上任何一座教堂里听见过这样的祷告。他的双手紧紧抓住木质的祷告桌,显得有点局促,他内心的风暴刮得他全身不住地晃动,使他时而抬起头来,时而又伏倒在地。他什么也看不见,也感觉不到:他好似在另一个世界,在炼狱里转化,或者在朝神圣的境域飞升。最后,他慢慢站立起来,划了十字,吃力地转过身来。他的两膝还在发抖,面容苍白,像虚脱一样。可是，他一见到我，两眼便炯炯有神，一丝纯真的、真正虔诚的微笑使他阴郁的脸庞也开朗了；他走过来，深深地鞠了一个俄国式的躬，抓着我的两只手，十分崇敬地用嘴唇贴了贴：'是上帝派您到我这里来的。为此，我已经谢过了上帝。'我不知说什么好。我真希望，这时圣堂里的矮椅子上空会突然响起管风琴奏出的音乐，因为我觉得，我一切都成功了：我已经永远挽救了这个人。

"我们从教堂出来，回到五月天灿烂的阳光下，我觉得世界从来都没有这般美丽过。我们的马车继续沿着丘陵起伏的路缓缓驶了两个小时，我们坐在车里俯览全景，尽情观赏绮丽的风光，每转一个弯都别有洞天，就是另一番景色。然而，我们不再交谈了。在付出了那么多感情之后，现在似乎想减少每一句话。每当我与他的目光偶然相遇时，我总不得不难为情地避开他的目光：看到我自己出现的奇迹，对我的心灵震撼太大。

"下午五点左右，我们回到了蒙特卡洛。我同亲戚有个约会，现在要取消已不可能了，我还得去赴约。本来，我心里很想歇一会儿，舒释一下绷得太紧的感情，因为幸福来得太多了。我觉得，这种过分狂热的状态，这种心醉神迷的状态，类似的情况我一生中还从未经历过，我必须得歇一会儿。所以，我就请这位被我保护的人跟我到我的旅馆去一趟，只要一会儿就行；到了旅馆，我就在我的房间里把路费以及赎耳环的钱交给他。我们商定，我去赴约，他去买车票；晚上七点钟我们在车站大厅里会面，就是说在开车前半小时，随后火车将把他经由日内瓦送回家。当我把五张钞票递给他时，他的嘴唇突然奇怪地发白了：'不……不要钱……我请您别给我钱！'他的手指神经质地哆嗦着，慌慌张张地缩了回去，从牙缝里挤出这两句话来。'不要钱……不要钱……不能见到钱。'他又重复了一次，显出极其厌恶和恐惧的神情。见他这副羞愧的样子，我就安慰他说，这些钱就算是借的吧，要是他觉得拿了钱心里过意不去，他可以写张借条给我。'好的……好的……写张借条，'他把目光移开，嘴里喃喃自语，并将钞票折叠在一起，看都不看一眼就塞进了口袋，仿佛那是什么粘粘糊糊的东西，会弄脏他的手似的，随后就在一张纸上潦潦草草地写了几句话。他写好借条，抬起头来，额头上大汗淋漓，仿佛体内有什么东西在冲上来扼住他的脖子似的。他把那张借条往我手里一塞，全身一阵哆嗦，突然——吓得我不由自主地往后退了一步——他跪了下去，捧起我的裙子，连连吻着裙上的镶边，那样子真是难以描述。我受到强烈的震撼，全身不住地颤栗起来。这时我心里升起一阵奇怪的惊恐，心乱如麻，只能结结巴巴地说：'您这么感激，我倒要谢谢您。不过，请您现在就走吧！晚上七点我们在车站大厅里再告别。'

"他望着我，感动得眼里噙着晶莹的泪水；有一瞬间我以为他要说些什么，有一瞬间他仿佛要靠近我。然而，随后他却突然再次深深地、深深地鞠了一躬，便离开了我的房间。"

C夫人又中断了叙述。她站起来，走到窗前，眼望窗外，纹丝不动地站了很久：从她剪影似的、轮廓清晰的背上我看到些微轻轻的颤栗和晃动。突然，她果断地转过身来，一直静静的、没有什么表示的两只手突然做了个剧烈的切割动作，像是要把什么东西撕碎似的。接着，她坚定地、几乎是勇敢地望着我，突然又开始了她的叙述。

"我曾向您许诺，保证做到绝对坦率的。现在我看出，这个诺言是多么必要。因为只有现在，我逼着自己第一次按照事情的前后联系来描述那一时刻的全部经过，并且找出明晰的词句来表述当时那种错综复杂、紊乱不堪的感情,只有现在我才清楚地认识到许多我当时不知道、或者是也许当时我不想知道的事。因此,我要坚定、果断地向自己,也是向您吐露真情:当时,在那个年轻人离开房间、只剩下我只身一人的一秒钟里,我感到心上受到了猛烈的撞击,好似突然晕厥过去一般。有什么东西使我痛不欲生,可是我不知道,或者说我不想知道:受我保护的人他那毕恭毕敬的态度本来是感人至深的,何以对我的伤害会那么深,令我痛苦万分。

"可是现在,因为我逼着自己坚定地、有条有理地把过去的一切当作别人的事一样统统从我心里掏出来,也因为您这位见证人不容许我有丝毫隐瞒,不容许令人羞愧的感情有藏身之所,今天我这才明白,当时我所以会如此痛苦,其实是因为失望……使我感到失望的……是这位年轻人竟如此顺从地走了……并没有想抓住我,留在我身边……他竟恭顺而敬重地服从了我要他坐车回家的初愿,而没有……没有企图把我拉到他身边……我感到失望的是,他只是把我敬为出现在他生活道路上的圣女……而没有……没有感觉到我是个女人。

"这就是我当时的失望……是我不肯承认的失望,当时不承认,后来也不承认,然而,一个女人的感觉是无所不知的,不需要语言和意识。因为……现在我不再继续欺骗自己了——如果这个人当时把我搂着,当时要求我,我定会跟他走到海角天涯,定会玷污我和孩子的姓氏……我定会不顾人们的非议和自己内心的理智,跟他远走高飞,就像那位亨丽埃特夫人跟着一位她一天前还不认识的法国青年一起私奔一样……我一定不会问,到哪儿去,去多久,对于自己以前的生活我也不会回头去看一眼……为了这个人,我一定会把我的钱,我的姓氏,我的财产,我的名誉全都牺牲掉……我一定会去乞讨,或许世界上任何低下的地方他都会把我领了去。我定会将人们称之为羞耻和顾虑的一切统统抛弃，他只要说一句话，朝我走近一步，他只要试图抓着我，那么，在这一秒钟里我整个儿就是他的了。可是……我向您说过……此人举止异常，他望着我，不再用看女人的目光来看我了……我对他的热情燃得多么炽烈，多么渴望委身于他啊！可是，只是在我只身一人时，只是在那股被他开朗的、简直是天使般的脸掀得高高的激情在我心里退落下来，并在空虚寂寞的胸中不住起伏的时候，我才感觉到这一点。我费劲地振作起精神，那个约会成了我的负担，令我倍觉反感。我觉得，我头上仿佛扣了一顶又重又紧的钢盔，压得我直摇晃：当我终于走到另一家旅馆我亲戚那儿时，我的思绪松散凌乱，就像我的脚步一样。在亲戚那里我沉闷地坐着，别人都在进行热烈的谈话，我却心里不断地在担惊受怕，我偶尔抬起眼睛，注视他们毫无表情的脸，比起那张像天上的云层忽亮忽暗变幻莫测、生动无比的脸来，我觉得这些人的脸就像戴了面具或冻僵了似的。我仿佛坐在死人当中，这次聚会竟是如此恐怖，毫无生气，我一边往咖啡杯里放糖，一边心不在焉地同别人应酬，而那张脸却像被我熊熊灼燃的热血涌了上来，时时浮现在我心头。观看这张脸就成了我最大的快乐；想想实在可怕，一两小时之后该是我最后一次见到他了。我不由得下意识地轻轻叹息，或许还发出了呻吟声，因为我丈夫的表姐突然弯下腰来问我，怎么样，是不是不太舒服，说我的脸色苍白，呼吸局促。她这一问倒使我立刻毫不费劲地找到了一个借口，我说，折磨我的实际上是偏头痛，所以请她允许我悄悄地先行离开。

"我这样一脱身，就刻不容缓地奔回我住的旅馆。一进屋子只有自己独自一人，空虚、寂寞的感觉就又袭上我的心头。

我心里急不可待，渴望马上见到那位年轻人，今天我就将永远失去他了。我在房间里面踱来踱去，毫无必要地拉起百叶窗，换了衣服和腰带，照着镜子以审视的眼光打量一番，看看自己这身打扮是否会引起他的注意。忽然间，我明白了自己的心愿：只要把他留住，一切都在所不惜！这个心愿在残酷的一秒钟之内变成了决心。我跑到楼下去告诉门房说，我今天要乘夜班火车离开这儿。现在时间已经很紧了，我按铃把侍女叫来帮我收拾东西。我们俩人一个比一个着急，手忙脚乱地将衣服和小件生活用品装进几只箱子里，我心里则梦想着即将出现的惊喜：我送他上火车，等到最后一刻，到最后的瞬间，当他伸出手来同我握手告别的时候，我就出其不意地登上列车，走到这位惊诧万状的人跟前，同他共度今宵、明夜——只要他要我，就每夜都同他厮守在一起。我感到一阵狂喜，一阵陶醉，全身血液在翻腾、涌流，有时，我一边往箱子里扔衣服，一边哈哈大笑，有时突如其来的一声大笑，弄得侍女莫名其妙。这当间，我感觉到我的神志混乱了。挑夫来取箱子时，起初我直愣愣地瞪着他，完全不解其意；内心激动，犹如阵阵波浪翻滚，这个时候就很难客观地来思考了。

"时间紧迫，这时大概快七点了，离开车时间顶多二十分钟。——当然，我安慰自己说，我现在不再是去同他告别了，我已决定陪他出走，无论他的旅程多久多远，我都与他相守，形影不离。仆人先把几只箱子拿了出去，我匆匆到旅馆账房结了账。经理已经把钱找给了我，我正要走了，这时有只手温柔地拍了拍我的肩头。我吓了一跳。那是我表姐，因为我佯称身体不适，她放心不下，所以特来探望。我觉得眼前一阵发黑。现在这个时候我可不需要她，每一秒钟的延误都意味着厄运降临，意味着将痛失这次机会，可是我又必须顾及礼貌，至少得站着同她搭会儿话呀。'你得上床去躺着,'她催促着我,'你一定发烧了。'这话大概倒也不错,因为我两边太阳穴上脉搏跳得很急,像擂鼓似的,有时我还感到眼前蓝影直晃,快要晕倒。但是我支撑着,竭力做出一副感激的样子,其实每一句话都使我心急如焚,真想干脆一脚将她那不合时宜的关切踢到一边去。然而,这位不受欢迎的、担心我的人却呆着不走,她呆着,呆着,并拿出科隆香水给我,而且非让我自己将这清凉的液体抹在太阳穴上决不罢休:这当间我却一分钟一分钟地数着,同时还想着他,并琢磨着能找个什么借口来摆脱这种折磨人的关切。我越是焦急不安,她对我就越是怀疑:后来,她几乎想强行把我弄到房间里去,让我躺下。她还在一个劲儿地劝我,这时我突然朝大厅中央的钟看了一眼:差两分七点半,而七点三十五分火车就开了。绝望中我对什么都不在乎了,粗暴地径直将我表姐的手狠狠一甩,动作之快,宛如子弹出膛:'再见,我得走了!'说罢,根本不去顾及表姐惊得发呆的目光,也不四下看看落下什么东西没有,便从那些诧异得目瞪口呆的旅馆侍役身边冲出大门,来到街上,径直朝车站奔去。挑夫在车站上守着行李等我,我老远就从他激动的手势上得知,时间一定万分紧迫了。我就盲目地拼命冲到横杆那儿,结果被检票员拦住了:我忘了买票。于是我便软硬兼施,几乎说动了检票员,破例让我到站台上去,可是就在这时,火车开动了:我浑身发抖,目不转睛地望着徐徐开动的列车,希望至少能从某个车厢的窗口见到他的一瞥,见到他的挥手,他的致意。但是火车加快了速度,我再也无法认出他的面容了。一节节车厢呼啸而过,一分钟以后,在我模糊的眼前留下的只有一片冉冉升腾的浓烟。

"我站在那儿准似泥塑木雕一般,上帝知道究竟站了多久,因为挑夫大概叫了我几次我都未答应,他这才大着胆子碰了碰我的胳膊。我猛地吓了一跳。他问,要不要把行李重新搬回旅馆。我考虑了一两分钟;不,这不可能,我走得那么仓促,那么可笑,我不能再回去,也不愿回去,永远不回去。这时我形单影只,心烦意乱,就叫他把行李搬到寄存处去。稍后,车站大厅里旅客熙来攘往,人声鼎沸,在阵阵喧嚣声中,我才设法进行思考,清晰地思考,想甩掉那些令人灰心丧气、痛苦不堪的纠葛,把自己从愤怒、悔恨和绝望中解救出来。因为——为什么不承认呢?——由于自己的过错,失去了与他最后会面的机会,这个想法像把烧红的尖刀无情地在我心里乱搅,那燃红的刀刃越来越无情地往我心灵深处捅,痛得我真想大声叫唤。只有完全没有遭遇过激情的人,在其一生中出现的唯一瞬间,他们的激情也许才会像雪崩似的、像狂飙骤起似的突然爆发出来:于是闲置多年未用的生命力就像碎石倾泻,一齐坠落在自己胸中。在这一秒钟里我已作了最最鲁莽的准备,将自己长期积聚起来、紧紧裹在一起的整个生命猛的一下抛将出去,却突然发现面前有一堵毫无意义的墙,我的激情一头撞了上去,只撞得晕晕乎乎,蒙头转向。像在这一秒钟里所碰到的那种意想不到、令人愤怒而又对它无能为力的事,我在此前从未经历过,以后也未曾经历过。

"我下一步所做的尽是些毫无意义的事,除此之外还能做些什么呢!我做的事很笨,简直愚蠢透顶,讲出来自己都感到羞愧。但是,我曾对自己、对您许下诺言,什么都不隐瞒。——那我就接着说吧。我……我要为自己找回他……就是说,我要为自己找回同他一起度过的每个瞬间……有股强大的力量把我拉向我们昨天一起到过的每个地方:花园里的那张我把他从上面拉走的椅子、我第一次看见他的那个赌厅、甚至那个下等旅馆。这样做的目的,仅仅是为了再一次、再一次重温往事。明天我还打算坐马车沿滨海再循旧路,在心里再次重温每一句话、每一个姿态和表情——这种做法多没有意思,多幼稚,我真是糊涂透顶了。可是,请您想一想,那些事来得快如闪电,一下都落在了我身上,一下就把我击晕了,岂容我作别的考虑。现在从心醉神迷的状态中猛地醒来,借助于我们称之为记忆的那种神奇的自我欺骗,我要将这些正在流逝的经历一一重新追忆,再来品味一次过把瘾——当然,这些事,有的别人理解,有的别人不理解,要完全理解,恐怕需要有一颗火热的心。

"这样,我便先到赌厅,去寻找他坐过的那张赌台,并在那里的许多双手里设想他的那双手。我走了进去。我还记得,我最先看见他的时候,他坐在第二间屋子左边的那张赌台上。他的每个动作姿态还清晰地浮现在我眼前:我就是闭上眼睛,伸出双手,梦游似的都可以把他的座位找到。于是我就走了进去,立即横穿屋子。这时……我在门口朝熙熙攘攘的人群一望……我眼前出现了一件奇怪的事……他正好坐在我梦见他的那个位置,他在那里坐着——这准是狂热引起的幻觉!……真是他……他……他……正是我刚才幻觉中见到的他……同昨天一模一样,两眼直愣愣地盯着转盘里的锥形球,脸色苍白,犹如幽灵……但是,那是他……是他……绝对不会错,那是他……

"这下吓得我非同小可,我差点儿叫喊起来。但是我控制住对这荒唐的幻象的惊吓,并且闭上眼睛。'你神经错乱了……你在做梦……你发烧了,'我对自己说。'这不可能,你眼里出现了幻影……半小时前他就从这里坐火车走了。'后来我重新睁开眼睛。啊,可怕极了:他坐在那里,同方才一模一样,有血有肉,绝对不会错……在千百万双手当中我也能认出他的手来……不,我不是在做梦,那人确确实实是他。他没有走,没有如他向我起誓所保证的那样,这神经错乱的人坐在那里,他有了钱,这钱是我给他回家的路费,他把它拿到这张绿色赌台上,又忘情地沉醉在他的癖好中,大赌起来,而我呢,却绝望地为他把心都掏了出来。

"我猛的一下冲上前去。我泪水模糊,眼里燃烧着愤怒的烈火,这背弃誓言之徒,竟这么无耻地欺骗我的信任、我的感情、我的委身,我真想掐住他的脖子。然而,我还是抑制住了自己。我故意慢慢(我费了多大力气啊)走到赌台的另一边,正好面对他,一位先生很有礼貌地给我腾出个位置。我们俩人中间隔着一张两米宽的绿色赌台,我可以像在楼座上看戏一样盯着他的脸。两小时前这张脸上还容光焕发,充满感激之情,闪烁着上帝宽宥的灵光,现在他的激情正在经受炼狱之火的煎熬,这张脸又抽搐得扭曲了。他的这双手,今天下午他在立下神圣誓言的时候还紧紧抓着教堂椅子的这双手,同是这双手,现在手指微曲,在钱堆里扒来扒去,犹如两个嗜血的魑蝠。他赢了,他准赢了很多钱,很多很多钱:他面前随意拢了一堆筹码、金币和钞票,亮闪闪的,但横七竖八,零乱不堪,颤栗着的、神经质的手指乐滋滋地伸进钱堆里随便把玩。我见他将纸币一张张抚得平平整整,叠在一起,那些金币他则转动着,抚摩着,后来他突然一下子抓起一大把,抛在一个方格当中。他的鼻翼又立即开始快速翕动,掌盘人的叫喊声使他将眼睛,那炯炯有神的贪婪的眼睛从钱堆上移开,注视着蹦跳的圆球,他的身体仿佛自动地要往前冲,而两只胳膊肘却好似用钉子钉在了绿色台面上。他那迷狂的样子表现得比昨天晚上还可怕,还恐怖,他的每个动作都在毁掉我心中那另一个凸现在金色背景上闪闪发光的形象,那是我由于轻信而将它珍藏在自己心里的。

"我们俩人相距两米,呼吸着;我目不转睛地盯着他,他却没有发现我。他没有朝我看,他任何人都不看;他的目光只盯着钱,随着往后倒滚的球不安地颤动着:他的全部感官都禁锢在这个疯狂的绿色圆盘中了,并随着滚动的圆球而来回奔跑。在这个赌徒眼里整个世界、整个人类都融化在这张蒙着绿呢的四角台面上了。我知道,即使我在这儿站上几个小时,他也不会感觉到我的存在的。

"可是,我无法继续忍受下去了。我突然横下一条心,绕过赌台走到他背后,用手紧紧抓住他的肩膀。他晕晕乎乎地抬起头来望着我——他瞪着呆滞的眼珠陌生地盯着我,看了一秒钟,像一个被人从沉睡中摇醒的醉汉,他灰暗的目光透着蒙眬的睡意,还刚开始从弥漫的烟雾中亮起来。后来,他似乎认出了我,抖抖索索地张着嘴,喜出望外地抬头望着我,结结巴巴地轻声说了一番知心话,令人丈二和尚摸不着头脑:'很好……我一进来,见他在这里,便立即知道运气来了……'我不懂他的话。我只看出,他已经赌得如痴如醉了,这个神经错乱的家伙已经把一切都忘了,把他的誓言,他约好的事情,把我、把世界统统都忘掉了。然而,即便是在这种如痴如癫的状态中,他那极度兴奋的神情仍然令我如此着迷,使我不由自主地信了他的话,并且吃惊地问,究竟谁在这里。

"'那儿,就是那个俄国独臂老将军,'为了不让别人偷听到这个神奇的秘密,他紧贴着我,悄声对我说。'那儿,蓄着连鬓白胡须的那个,背后有个侍从。他总是赢家,昨天我就注意他了,他准有一套诀窍,现在我一直望着他下注……昨天他也一直赢……只不过我犯了错误,他走了我还在继续赌……这是我的错……昨天他大概赢了两万法郎……今天他也是每盘都

赢……现在我每回都跟着他下注……现在……'

"正说着,他突然停了下来,因为掌盘人响亮地喊了句'Faites votre jeu!'① 一听到叫喊声,他的目光便一路巡视过去,最后落在白胡子俄国人的位置上,贪婪地巡视着。这位俄国将军从容不迫地坐在那儿,神气十足,他先是不慌不忙地拿出一枚金币,稍作犹豫,随即又摸出第二枚,一齐押在第四格上。我面前那双容易激动的手便立即伸进钱堆里,抓起一把金币,扔在同一个位置上。一分钟后,掌盘人发出一声'空门!'的喊声,接着将笆竿一拐,便把桌上的钱全都收了去。他的眼睛盯住被横扫而去的金钱,好似观看一件稀奇古怪的事一般。您一定以为这下他会朝我转过身来了吧。没有,他没有转过身来,他把我完全忘了,我已经沉没了,完了,从他生活中消失了,他绷得紧紧的全部感官都集中在俄国将军身上,而这位将军却满不在乎,手里又拿了两枚金币掂了掂,一时举棋不定,不知押在哪个数字上好。

"我无法向您描述我当时的愤怒和绝望。但是,请您想想我的心情:我把自己整个一生都抛给了这个人,到头来在他眼里我却连一只苍蝇都不如,对于苍蝇还得用手去随便驱赶一下呢。愤怒的狂涛再次涌上我的心头。我使劲一把抓住他的胳臂,令他大吃一惊。

"'您必须马上站起来!'我轻声对他说,但语气是命令式的。'想想您今天在教堂里立下的誓言,您这背弃誓言的人,真可悲!'

"他愣愣地望着我,神情慌张,脸色惨白。他的眼里突然现出惊恐和颓丧的表情,活像一条挨了打的狗露出的那副样

---

① 法语:"诸位请下注!"

子,他的嘴唇颤栗着。他似乎一下想起了先前的一切,似乎对自己感到害怕了。

"'好……好……'他结结巴巴地说,'噢,我的上帝,我的上帝……好……我就来……请您原谅……'

"说着,他的手便开始把钱归拾起来,起先动作很快,而且显得精神振奋,态度坚决,可是随后就慢慢变得越来越迟钝,像是被一股反作用力给冲了回来。他的目光又重新落在那位正在下注的俄国将军身上。

"'再等会儿……'他迅速将五枚金币扔在俄国将军下了注的格子里。'……就再赌这一盘……我向您起誓,我马上就来……就再赌这一盘……就再……'

"他的声音又消失了。圆球已经开始滚动,并且也将他拽着一起滚动。这着了魔的人,他的心已经从我身边,也从他自己身边滑出去了,连同陀螺一起摔进光滑的凹格里,它里面小球还在不住地滚跳。掌盘人又在吆喝了,笆子又扒走了他的五枚金币;他输了。但是,他并没有转过身来。他把我忘了,把誓言以及一分钟前对我说的话统统都忘了。他的手又哆嗦着去抓那堆渐渐变少的钱,他迷醉的目光不安地颤动着,专门盯住他意愿中的那块磁石,对面那位会给他带来好运的人。

"我再也无法忍耐了。我再次将他摇了摇,但这次摇得很重。'您现在立即站起来!立刻!……您说过,就赌这一盘的……'

"可是,这时意想不到的事发生了。他突然转过身来瞪着我,脸上已经不再是恭顺和迷惘的表情,而是一脸雷霆大作的神色,愤怒使得他眼睛冒火,嘴唇发抖。'别缠着我!'他大声向我叱责。'给我滚开!您给我带来了晦气。只要您在这儿,我就老输。昨天您就让我倒了霉,今天您又来了。快给我滚

开!'

"刹那间我僵住了。见他这么疯狂,我的愤怒也像一匹脱缰的野马。

"'我给您带来了晦气?'我大声谴责他。'您这个骗子,您这个小偷,您曾对我发誓……'我说不下去了,因为这中了邪的人从座位上跳起来,毫不在乎周围喧嚷的人群,把我直往后推。'让我安静点。'他无所顾忌地大声喊道。'我又不受您的监护……拿去……拿去……把您的钱拿去,'说着,他便扔给我几张一百法郎的钞票……'现在您总可以让我安静了吧!'

"他非常大声地嚷着,喊着,完全像中了邪一般,对上百个围观者熟视无睹。所有的人都瞪大眼睛,都在喊喊喳喳,指指点点,放声大笑,就连隔壁大厅里也挤过许多人来看热闹。我觉得,我仿佛被人把我身上的衣服剥了下来,让我赤身裸体地站在这帮看热闹的人面前…… 'Silence, Madame, s'il vous plaît!'①掌盘人盛气凌人地大声喊道,并用筢竿敲着赌台。这可怜的家伙,他这句话是冲着我说的。受到这般侮辱,我被羞得无地自容,站在这帮喊喊喳喳、交头接耳的看热闹的人面前,好似一个妓女,一个别人扔钱给她的妓女。二三百只厚颜无耻的眼睛一齐盯着我的脸,这时……侮辱的污水泼得我羞愧难当,我深深埋下头,把目光躲开,转向一侧,这时正巧遇到两只眼睛,一双惊骇万状地瞪着我的眼睛,真像两把锋利的尖刀——那是我表姐,她望着我,惊得张口结舌,呆若木鸡,还举着一只手。

"我好似挨了当头一棒,直吓得魂飞魄散:还没等她动弹,没等她从惊吓中恢复过来,我便立即冲出大厅,一口气跑到那

---

① 法语:"夫人,请安静!"

张长椅跟前,就是昨天那个着了魔的人倒在上面的那张长椅。我也同样精疲力竭,身心交瘁地倒在这张无情的硬木椅上。——

"这已是二十四年前的事了,可是,每当我回想起那一瞬间,被他嘲讽得低下头来,站在千百个陌生人面前的那一瞬间,我血管里的血就会变得冰凉。我又惊诧地感觉到,我们一直自鸣得意地称之为灵魂、精神、感情的东西,称之为痛苦的东西,其实质又是多么的虚弱、可怜和没有骨气,因为这些东西即使再多,也不能把受痛苦煎熬的肉体和被压坏的身躯完全毁灭——因为人会经受住那样的时刻,血液还会照样搏动,而不会像遭了雷击的大树那样死掉或者翻倒在地。这样的痛苦仅仅是突然一下,只有一瞬间,好像扯断了我的关节一样,使我倒在了长椅上,上气不接下气,脑袋迟钝麻木,简直领略到必定要死亡的快乐预感。然而,我刚才说过,一切痛苦都是懦弱的,而生的欲望却异乎寻常地强烈,在它面前,痛苦自会消退,而生之欲望似乎是植根于我们肉体之中的,它比我们精神上的一切死亡激情更为强大。在感情上经历那样的打击之后,我竟重新站了起来,这一点我自己也无法解释,当然,站起来之后该做些什么,对此我并不知道。我突然想到,我的几只箱子还寄存在车站上。刚一想到,心里便有种东西在催促我:走,走,走,离开这儿,离开这座该诅咒的地狱。我对谁都未加留意,便径直奔到车站,询问去巴黎的下班火车几点开,售票员告诉我是晚上十点开,于是我便立即将行李托运。十点——自那次可怕的邂逅以来正好过了二十四小时,这二十四小时里充满了种种荒谬感情的骤变,以致我的内心世界永远破碎了。可是眼前,在心里持续不变的怦怦锤击的节奏中我只感觉到一个字:走!走!走!我头上的脉搏噗噗直跳,好似楔子不停地打进我的太阳穴里:走!走!走!离开这座城市,离开我自己,回家去,回到亲人身边去,回到我先前的、回到我自己的生活中去!我连夜乘火车到巴黎,从巴黎又几经转车才到了布隆,从布隆再到多佛,从多佛到伦敦,从伦敦到我儿子那里——这趟狂奔疾飞也似的旅程整整四十八小时,一路上我不思,不想,不睡,不说,不吃,在这四十八小时中所有的车轮都咔哒咔哒地只奏着一个字:走!走!走!走!最后,我走进我儿子的乡村别墅时,大家都感到意外,人人都大吃一惊:我的神态和目光里一定有点儿什么泄露了我的隐秘。我儿子要来拥抱我,吻我。我赶忙把头往后一别:他要接触我的嘴唇,而我的嘴唇已被玷污,想到这点我就无法忍受。我拒绝回答任何问题,只要洗个澡,需要从自己身上洗掉旅途的尘土和其他一切污秽,因为我身上似乎还粘着那个着了魔的人、那个毫无尊严的人的激情。随后我拖着脚步上楼,进了自己的房间,睡了十二小时或十四小时,直睡得昏昏沉沉,不知白天黑夜,在此之前和此后我都未曾睡过这样的觉,后来我才体会到,这一觉睡得真像是躺在棺材里死了一样。我的亲人像照看病人似的照看我,但是他们的温存体贴只能使我感到痛苦,他们对我的爱护和尊敬使我觉得内心有愧,我得时时留意,深怕自己突然大声吐露出真情:由于一次疯狂而荒唐的激情,我曾背叛过、忘掉过、抛弃过他们。

"后来,我又毫无目的地来到一座法国小城,谁也不认识,因为有个妄念我怎么也摆脱不了,总觉得人人第一眼就会从外表上看出我的耻辱,我的变化,我深深感到自己已经露出马脚,觉得自己直到灵魂深处都很肮脏。有时我早晨在床上醒来,感到非常害怕,眼睛都不敢睁开。我又想到那天夜里,我醒来突然发现自己身边躺着个半裸的陌生人,我像当时一样只有一个愿望：立即去死。

"但是，毕竟时间拥有最深远的威力，而年龄则具有一种能使各种感情贬值的特殊力量。人老了，就会感到死期渐渐临近，死神的黑影已经罩在了生命的旅途上，这时一切东西都显得不那么耀眼了，不再会强烈地影响一个人的内心感受，而且还减少了许多危险力量。我渐渐摆脱了那次打击的阴影；多年以后，我在一次社交场合遇到奥地利公使馆的专员，一个年轻的波兰人。我问起那个家族的情况，他告诉我，他表兄就是这个家族的，他表兄的一个儿子十年前在蒙特卡洛开枪自杀了——听到这个消息我都没有颤栗一下。我已不再感到痛苦，也许——何必否认人的自私心理呢？——甚至还暗自欣喜呢，因为我以前一直担心说不定什么时候会碰见他，现在这个最后的恐惧也消失了。现在除了我自己的回忆，再也没有会对我构成威胁的见证人了。从此我心里就平静多了。人一老就不再害怕过去，除此一端便别无他长了。

"现在您就了解了，我怎么突然会同您谈我自己的遭遇，您为亨丽埃特夫人辩护时热情地说过，二十四小时完全可能决定一个女人的命运。我觉得这也是我自己的看法。我非常感激您，因为我的观点似乎第一次得到了确认。那时我就思忖：把心里的话统统说出来，这也许可以解除压在我心上的惩罚，以及回顾往事时所感到的惊吓；这样一来，也许我明天就可以去蒙特卡洛，走进那个使我遭遇这番命运的赌厅，既不恨他，也不恨自己。这样，我心上的巨石就落下去了，以它千钧之力沉沉地将过去压在底下，并且使它不能复苏。我能把这一切都讲给您听，于我很有好处：我现在心情轻松，几乎感到很快乐……为此我要感谢您。"

说到这里她突然站了起来，我感觉到，她已经讲完了。我有点发窘，想找句话来说。但是，她一定觉察到了我内心的感动，所以马上就加以阻拦。

　　"不，请您不要说……我不要您回答我或是对我说什么……感谢您听我讲了自己的遭遇，祝您旅途愉快。"

　　她站在我对面，伸出手来同我握手告别。我不由自主地抬头望着她的脸，站在我面前的这位慈祥而又略有羞赧的老太太，她的脸色令我感到非常惊异。不知是往日激情的反照，还是由于心慌意乱，这时她脸上突然泛起一层红晕，将她从脸颊到白发根都染成一片丹霞。她站在那里，活脱脱像个少女，对往事的回忆使她像新娘似的有点不知所措，而对自己的坦率陈述又感到有点羞涩。我不由得深受感动，很想用一句话来表示对她的崇敬。可是，我感到喉头太紧，说不出话来。于是我便弯下腰，满怀敬意地吻了她枯萎的、像秋叶般微微颤抖的手。

里昂的婚礼

韩耀成译

一七九三年十一月十二日，巴雷尔① 在法国国民公会② 上提出一个提案，要置里昂这座暴乱的、后来被攻占的城市于死地。提案结尾是两句简明扼要的话："里昂反对自由，里昂今后不再存在。"巴雷尔要求把这座叛逆城市的一切房屋建筑夷为平地，将其所有的纪念碑化为灰烬，连城市名也要取消。国民公会犹豫了八天，才作出同意摧毁这座法国第二大城市的决定。可是，即使在这项决定签字以后，人民代表库东③ 在执行这项血腥的英雄命令时还是采取了敷衍态度，因为他知道罗伯斯比尔对他的做法是默许的。为了做做样子，他把民众召集到贝勒古广场，举行声势浩大的集会，并用银锤象征性地敲

---

① 巴雷尔（1755—1841），在雅各宾专政期间（1793—1794）是法国救国委员会主要成员，主张对保皇派采取严厉政策。

② 国民公会，18世纪法国资产阶级革命时期建立的最高立法机构，于1792年9月20日召开，次日宣布废除君主制，22日宣布成立法兰西共和国。国民公会于1795年10月26日解散。

③ 库东（1755—1794），法国大革命时期的激进民主派，罗伯斯比尔和圣茹斯特在救国委员会中的亲密战友，1792年8月10日推翻君主制后被选为国民公会议员，8月21日被派往里昂，指挥镇压反革命活动。里昂于10月9日投降。库东不愿执行国民公会关于毁城的命令，遂请求解除他的司令官职务。1794年7月27日热月政变时，库东、罗伯斯比尔和圣茹斯特被捕，次日被送上断头台。

敲那些决定要摧毁的房屋,但是真要掘毁那些精美的门面时,铁锹却迟迟疑疑地下不了手,断头台上的杀人机只是隆隆地空响着,铡刀很少落下来。看到这出乎意外的温和态度,人们心里稍安,这座被内战和长达一月有余的围困弄得人心惶惶的城市又敢呼吸第一口希望之气了。可是这时这位仁慈的、迟疑不决的护民官突然被召回,派来接替他的是科洛·德布瓦① 和富歇②。这两位身佩人民代表绶带的司令一到,里昂在共和国的法令里从此就叫作"解放城"了。于是,原来以为是虚张声势借以吓人的法令,一夜之间就变成了可怕的现实。"迄今为止这里毫无动作,"两位新护民官一到任就迫不及待地向国民公会提交的第一份报告中这样说,以此来证明他们自己的爱国热忱并对那位态度温和的前任表示怀疑。他们立即采取恐怖手段来执行国民公会的命令。富歇,这位"里昂的刽子手"、日后的奥特朗托公爵和一切合法原则的捍卫者,后来最不愿意重提这段往事。

现在不再是用铁锹把建筑物上的灰浆慢慢地铲下来了,而是埋上火药,把精美的建筑物一排排炸掉,行刑时也不再用"既不可靠,也不够用"的断头台,而是用枪和霰弹将被判决的人成百上千地集体处死。司法机关每天都得到新的严厉的命

---

① 科洛·德布瓦(1749—1796),法国激进民主派,1792 年 9 月被选为国民公会议员,翌年 10 月 30 日他和富歇前往里昂平定反革命暴乱,处决大批里昂市民。在热月反动中,科洛·德布瓦被放逐到圭亚那,后在该地死于黄热病。

② 富歇(1758—1820),法国政治家和警察组织的建立者,由于工作勤奋,又能随机应变,所以能在 1792—1815 年间历届政府中供职。1792 年当选为国民公会议员,1793 年 10 月同科洛·德布瓦一起被派往里昂镇压叛乱,他大开杀戒,并毁坏许多建筑物。后来又联合一帮人推翻罗伯斯比尔。他热烈支持拿破仑的雾月 18 日政变,1809 年被封为奥特朗托公爵,曾几度出任警务部长。

令，因而大开杀戒，它像长把镰刀大把大把刈割麦束，日复一日地将大批市民一片片刈倒在地；要将死者收敛掩埋实在太慢，于是便将死者扔进罗纳河，让那汹涌的波涛将尸体冲走。嫌疑犯比比皆是，各个监狱早已人满为患。于是就将公共建筑物、学校和修道院的地窖统统用来收容被判决的人，当然收容的时间极其短促，因为镰刀很快就刈过来了，很少有一堆草会让同一个犯人的身体暖和一个晚上的。

在那个血腥之月，在一个严寒的日子里，又有一批犯人被赶进市政厅的地窖，大家暂且短暂而悲惨地呆在一起。中午，他们挨个儿被带到警长面前，马马虎虎一问便决定了他们的命运。现在六十四个被判决的男人和女人零乱地坐在拱顶很低的地窖里，黑暗中弥漫着酒桶味和霉气，前屋壁炉里的一点儿火并没有使地窖暖和多少，只不过给黑暗染上些微红色而已。大多数犯人都迷迷糊糊地躺在各自的草褥上，其余的人则挤在那张唯一允许放在那里的木桌上，凑着摇曳不定的烛光在匆匆写诀别信，他们都清楚，他们的生命将比这寒冷的屋子里颤颤悠悠地发着蓝光的蜡烛结束得更早。他们说话的时候没有一个不是悄声低语的，所以地雷低沉的爆炸声和紧接着房屋哗啦啦的倒塌声，从寂静的大街上严寒的空气中传到这里就听得分外清晰。可是事态的发展犹如迅雷不及掩耳，这些备受命运折磨的人已经失去了感觉和清楚地思考的一切能力；大多数人像呆在坟墓的进口处一样，在这黑洞洞的地窖里往墙上一靠，一动不动，一言不发，他们万念俱灰，不再存有任何希望。

将近晚上七点钟的时候，吱啦一声，生锈的门闩拉开了。大家下意识地一惊而起：以往是允许过夜的，难道一反这悲惨的常规，他们最后的时刻现在就已到来？一阵寒冷的穿堂风从打开的门里吹来，蜡烛蓝蓝的火苗跳个不停，仿佛要逃脱蜡身,蹿出地窖似的。随着烛光的颤动,人人胆战心惊,对于即将来临的事情未卜凶吉。但是一会儿大家就惊魂稍定,因为狱卒并没有别的动作,只不过又给这里新添了一批犯人,大约二十名左右。狱卒一声不吭地将他们押下台阶,带进挤得满满的屋子,也不给他们指定特定的位置,随后就哐啷一声重新关上了沉重的铁门。

囚犯们带着不友好的目光望着这些新来的人,因为人的天性很奇怪,随处都会适应环境,即使时间极其短暂,也会觉得如在家里一样,这似乎是天经地义的。所以这些先来者已经下意识地把这间空气滞重、散发着霉味的屋子,长了绿毛的草褥和壁炉周围的位置看作了自己的财产,觉得每个新来的人都是擅自闯入的、令人扫兴的入侵者。那些刚押进来的囚徒呢,他们大概也都明显地觉察到了先到这里的犯人所表露出来的冷冰冰的敌意,尽管这种敌意在这死亡的时刻显得如此荒唐。很奇怪,他们既不同先来的难友互致问候,也不说话,也不要求在桌上和草褥上占有一席之地,而只是一言不发、闷闷不乐地挤在一角。如果说先前浮现在拱顶上的寂静已经极其残酷,那么,由于无谓地激起了感情上的紧张气氛,这寂静就显得更为阴森了。

突然,一声呼喊打破了寂静。在这个时候,这喊声听起来格外悦耳,分外响亮,仿佛来自另一个世界。这声响亮的、几乎是颤抖的呼喊,以其不可抗拒的力量把最最漠然的人也触动了,把他们消沉压抑、万念俱灰的心震撼了。一位刚同其他犯人一起新来的姑娘突然猛地跳了起来,像要摔倒似的朝前伸开双臂,一面颤声高呼"罗伯特,罗伯特!"一面朝一个年轻人扑去。这年轻人本来正靠在一边的窗栅上,同姑娘之间隔着几个人,这时也朝她扑了过来。两个年轻人的身体随即紧紧地拥抱在一起，嘴唇紧紧相贴，像两束火焰亲热地在一起熊熊燃烧，欢乐的泪水夺眶而出，在对方脸上涓涓流淌，他们的抽噎像出自一个快要炸裂的喉咙。他们一旦稍停片刻，就不相信这是真的。这难以置信的事情使他们心惊胆颤，因而转瞬之间两人又重新紧紧拥抱在一起，情绪更为炽热。他们失声痛哭，抽抽泣泣，一口气地说着，嚷着，一味沉浸于无穷无尽的感情的海洋中，完全不顾及周围的难友。难友们感到无比惊讶，因此恢复了生气，犹犹豫豫地走近这两位年轻人。

姑娘同这位市政府高级官员的儿子罗伯特·德·L自幼青梅竹马，几个月前两人刚订婚。教堂里已经贴出了结婚公告，而所定的办喜事的日子恰好正赶上血流遍地的那一天。那天，国民公会的军队攻破了里昂城。她的未婚夫一直在佩西将军的军队里同共和国作战，在这骨节眼上当然有责任保着这位保皇派将军去进行孤注一掷的突围。此后接连几星期都没有他的消息，她几乎敢于怀着这样的希望：他已经幸运地越过国境，逃到瑞士去了。这时，突然有位市政府的文书告诉她，告密者打听到她未婚夫躲藏在一个农庄里，昨天他已被送交革命法庭。这位勇敢的姑娘一听到她未婚夫以及他肯定会被处决的消息，身上一下生出一股神奇而不可思议的力量，女人在千钧一发之际其天性所具有的那种力量，办了件本来不可能办到的事。她亲自闯到本是无法接近的人民代表跟前，恳求宽宥她的未婚夫。她先是跪在科洛·德布瓦的脚下，但遭到严厉拒绝。科洛·德布瓦说，对于叛徒他绝不宽宥。随后她就跑去找富歇。而此人心地之残忍丝毫不比科洛·德布瓦逊色，不过手段则更加狡猾。他见年轻姑娘这副绝望的样子，好像也受了感动，于是便用谎言来搪塞，说他倒很愿出面干预，从轻发落她的未婚夫，可是他看见——这时这位惯于用花言巧语蒙骗人的老手透过长柄单片眼镜朝一张无关紧要的纸上随便扫了一眼——今天上午罗伯特·德·L已经在勃罗多的田野上被按军法枪决了。年轻姑娘完全受了这老奸巨滑的家伙的诓骗:她立刻就相信她的未婚夫已死。遇到这种情况,女人通常只有束手无策地沉湎于痛苦之中,可是她却不是这样,她已将毫无意义的生命置之度外。这时她从头发上摘下饰有革命标志的徽章,往地上一扔,双脚一阵猛踩,并大声怒骂富歇和急忙奔来的卫兵是一帮卑鄙的吸血鬼、刽子手和色厉内荏的罪犯。高昂的吼骂,声震屋宇。她被士兵绑了起来,拖出房间的时候,听到富歇正在给他的麻子秘书口授逮捕她的命令。

这位热情满怀的姑娘几乎是乐不可支地对周围的人说,这一切她当时已不再觉得是真实的,不再觉得是实实在在的了,相反,一想到自己很快就可以跟随已被处决的未婚夫而去,就觉得遂心如意,心里有种辉煌感。审讯时她对所有问题概不作答,她强烈地意识到死亡已经临近,心里无比欣喜,当士兵将她同后来的那批犯人一起推进这所监狱时,她甚至连眼睛都没有抬一下。因为她知道心爱的人已死,她自己将在九泉之下幸福地朝他靠近,那么,在这个世界上还有什么不能割舍的呢!因此她完全安之若素地躺在一角。待到她的眼睛刚刚适应狱中的黑暗,就发现一个倚窗沉思的年轻人,他的姿态令她感到诧异,活脱脱就是她未婚夫平时愣神儿凝视的样子。她竭力控制自己,不让自己怀有这样一个镜花水月、虚妄无稽的希望,不过她毕竟还是站了起来。在这瞬间,那年轻人恰好几乎同时走近了蜡烛的光圈。她以仍然激动不已的声调说,她真不明白,在这魂飞魄散的钻心的一刻,居然没有晕死过去,因为她清楚地感觉到,当她突然看到早已被处决的未婚夫仍活生生地出现在她面前时,她的心简直像要从胸口蹦出来一样。

姑娘急匆匆地飞快地讲述着这段经历，同时她的手一直紧紧地握着她心上人的手，一刻也没松开。她目不转睛地盯着他，一次又一次地重新拥抱他，仿佛对他的出现还始终把握不定似的。这对年轻人两情缱绻，这感人至深的一幕神奇地震撼了所有的难友。这些犯人方才还麻木不仁，疲惫不堪，无动于衷，心如死灰，现在一下子活跃起来了，个个热情满怀，纷纷挤在这一对如此奇特地相聚在一起的情人周围。由于这件异乎寻常的事情，他们个个忘掉了自己的厄运，人人心潮翻涌，都忍不住想对他们说句关怀、支持或同情的话，但是这位热情似火的姑娘正沉醉在如痴似迷的自豪中，不需要别人为她抱撼。不需要。她说她很幸福，彻底的幸福，因为她现在知道，她可以和心上人在同一时刻死去，谁也不必为对方伤悲。不过有一件事美中不足，那就是她没有完婚，还只能用父姓，而不能作为他的妻子同他一起走到上帝面前去。

她天真烂漫地说出了自己的心里话，没有任何意图，而且几乎一说出来就已经忘了，只是不住地拥抱她心爱的人，所以并没有发觉，罗伯特的一位战友被她这个愿望深深打动，这时已小心翼翼地溜到一旁，在同一位年纪较大的难友悄悄地合计。他低声所说的那些话似乎使那人大为感动，因为他立即霍地站了起来，挤到这两个年轻人身边。他对这对情侣说，他是土伦的一位神父——他一身农民着装别人真看不出他是神父——，拒绝宣誓效忠共和，由于被人告密才被逮捕到这里来的。可是，尽管他现在没有穿神父的长袍，然而心里依然一如既往地感到自己应履行的职务和所具有的神父的权力。他说，既然两人的婚礼早已公告，另一方面两人又都已被判决，所以完婚之礼不容拖延，因此他豁出去了，愿意立即满足他俩这个完全正当的渴求，在这里由他们的难友和那位无处不在的上帝作证，使他俩结为夫妻。

年轻的姑娘万万没有想到，她的心愿居然还能实现，真是感到无比惊讶，于是她便以询问的神情望着未婚夫。他的回答只是一道喜气洋洋的炯炯闪亮的目光。于是年轻姑娘便双膝跪在坚硬的石板地上，吻着神父的手，请他就在这间极不像样的屋子里为他们主持婚礼，因为她觉得自己的思想是纯洁的，此刻心里充满了神圣的感觉。这阴郁的死屋瞬间将变为教堂这件事深深打动了其他难友的心，他们都下意识地受到新娘激动心情的感染，都急忙做这做那，借以掩饰自己内心的激动。男人把数量不多的几把椅子搬来排好，在铁制耶稣受难像前把蜡烛插成笔直的一行，把那张桌子布置得像祭坛一样。这当间，妇女们把在入狱途中同情者送给她们的些许鲜花匆匆编成一个细花环，戴在姑娘头上。这时，神父同即将成为她夫君的罗伯特进了侧室，神父先听取了新郎、后又听取了新娘的忏悔。两位新人走到临时祭坛前面，这时几分钟之久屋里声息全无，静得出奇，以致看守以为狱中发生了什么可疑之事，因而突然打开牢门，走了进来。当他发现屋里所作的那种奇特的准备时，他那黑黝黝的农民脸庞也不由自主地变得庄严、肃穆了。他站在门口，不去打扰他们，因此他自己也成了这次异乎寻常的婚礼的默默的见证人。

神父走到桌前，简要地解释说：哪里人们愿意诚心诚意地在上帝面前结合在一起，哪里就是教堂和祭坛。说完他便双膝跪下，所有在场的人也随他一齐屈膝；屋里是那么静，静得枝枝蜡烛的火苗也一丝不动。接着，神父打破静默，问两位新人是否愿意生死与共。两人以坚定的声音回答："愿生死与共。"这个"死"字方才还是个恐怖的字眼，现在高昂而清晰地响彻这无声的屋子，再也没有一丝儿可怕了。这时神父把他们的手放在一起,用这句话宣布他俩的结合:"Ego auctoritate sanctae matris Ecclesiae qua fungor, conjungo vos in matrimoniam innomine Patris et Filii et Spiritus sancti."①

至此,结婚仪式结束。新婚夫妇吻着神父的手。难友们都挤上前来,一个个单独向这对新人说一句出自肺腑的至诚的话。此刻谁也没有想到死,就是感觉到死的人,也不再觉得死亡的可怕了。

这期间,刚才在婚礼上担任证人的那位朋友已经跟几个难友悄悄商量过,一会儿又见他们奇怪地忙活起来了。男人从旁边的小屋里把草褥子搬了出来。这时两位新人全身心都沉浸在梦一般的事态中,对已经完成的准备工作尚未觉察到。那位朋友走到他俩跟前,微笑着告诉他们说,他和他的难友都很想送给这对新人一件礼物,以庆贺这个大喜之日,可是对于那些连自己的生命都危如朝露的人来说,还有什么世俗的礼物可送呢!所以他们只想赠送一件新婚夫妇定会非常高兴并倍感珍贵的东西:腾出这间小屋给他们做洞房,让他俩安逸地度过一个新婚之夜,这最后一夜,难友们自己则宁愿在外屋挤一挤。"好好利用不多的几个小时,"他补充说,"逝去的生命是片刻也不会再还给我们的,谁在这样的瞬间还能得到爱情的赐予,谁就该尽情地加以享受。"

少女的脸羞红了,一直红到头发根,她的夫君则真诚地凝视着这位朋友的眼睛,激动得紧紧握住他那充满兄弟情谊的手。他们没说一句话,只是互相凝视着。就这样,没有人大声安排,男人就都下意识地围在新郎身边,女人则围在新娘身

---

① 拉丁文,意为:"我凭圣母教堂的威望,并以此履行职责,以圣父圣子圣灵的名义让你们结为夫妻。"

628

边，大家庄严地手举蜡烛，把这对新人送进那间从死神那里借来的洞房，人人心里都洋溢着关怀之情，所以这种古老的婚礼习俗无意之中又出现了。

随后他们在这对新人身后轻轻关上房门，但是对于临近的合卺之欢谁也不敢开一句不得体的或是不干净的玩笑，因为自从大家对自己的命运已经无能为力，但却还能给予别人些微幸福以来，人人心头都默默升起一种特别庄严的感情。他们做了一点好事，也分散了对自己不可避免的厄运的注意力，对此大家都在心里暗暗感激不已。于是这些已被判决的人在黑暗中七零八落，或醒或梦地躺在各处的草褥上直至天明，屋里虽然充满了绝望的呼吸，但却很少听到有人叹息。

第二天一早士兵进来要将这八十四名犯人押赴刑场时，发现他们都已醒了，并且全都准备停当。只有旁边新婚夫妇的洞房里仍无声息：就连枪托砸得哐哐响也没有将这两个精疲力尽的人吵醒。于是那位男傧相便赶忙悄悄跑进洞房，免得等刽子手去把这对幸福的人强行弄醒。他俩躺着，松松地搂抱在一起，她的手枕在他微微后倾的脖子下，像是忘了抽出来；即使在睡眠中脸上的表情凝固了，但他俩的脸庞仍很舒展，焕发着幸福的容光，以致那位傧相也大为感动，不忍心打扰这样的安宁。可是形势不容他迟疑，于是他便先将新郎摇醒，告诉他现在形势已很紧迫。新郎心醉神迷地一睁开眼睛，就伤心地想起了眼下的处境，于是便情意绵绵地将妻子从铺上扶起。她抬眼一看，像孩子似的被这突如其来的冰冷的现实吓得胆颤心惊，但随即便对他会心地一笑，说："我准备好了！"

当这对新婚夫妇手拉手走进外屋时，所有的人都不由自主地给他们让开路，这样，这对新婚夫妇无意中就走在了这批被押赴刑场的死囚的头里。市民们每天都看到那些押往刑场的悲哀的队伍，对此已经习以为常，尽管如此，这次却诧异地目送这支奇特的队伍离去，因为走在队伍前面的两个人——一位年轻军官和那位头戴新娘花环的姑娘——洋溢着异乎寻常的快乐情绪和对幸福颇有把握的神态，因此即使很迟钝的人在这里也会虔敬地感觉到一个崇高的秘密。其他人也不像以往被押赴刑场的死刑犯那样慢腾腾地拖着踢踢嗒嗒的步子，而是每个人都以热情似火的目光和矢志不移的信任紧紧盯着这对新人。他们两人已经意想不到地三次实现了自己的愿望，在这两位幸福的人身上必定还会、一定还将再次出现奇迹，出现最后的奇迹，从而把大家从确定无疑的死亡中解救出来。

但是生活仅仅是喜爱奇怪的事情而已，现实中的奇迹却很少出现。当时在里昂习以为常的事情现在终于发生了。这支囚犯队伍被押过大桥，来到勃罗多的沼泽地里，在那里等待他们的是十二队步兵，每三支枪的枪筒瞄准一个人。士兵把死囚一行行排好，一排子弹就把所有犯人撂倒。接着，士兵们就将尚在流血的尸体扔进罗纳河，滚滚急流漫不经心地将这些陌生人的脸庞和命运冲入河底。只有那个婚礼上用的花环从正在下沉的新娘头上缓缓脱落下来，还毫无意义地、十分显眼地在奔腾而去的波浪上飘浮了一阵。后来花环也消失了，对于那个从死神嘴唇上抢来的、因而更值得纪念的爱情之夜的记忆，也随着花环的消失而久久地被遗忘了。

迷乱的情感

枢密顾问 R.v.D. 的私人笔录

关惠文译

这是我系里的学生和同事的一番好意：这里摆着语文学家们为庆祝我六十大寿和我在大学执教三十周年而编纂的纪念文集的第一本样书，这本装帧精美的书是他们隆重送来的。它成了一部诚实可信的传记；这本书的材料收得很全：一篇小文章也不缺，连节庆祝词，某一本学术年鉴里的无足轻重的书评也包括在内，这些东西即使是查遍图书目录也很难从故纸堆里挖掘出来——我的整个成长过程，像一座打扫得干干净净的阶梯，一级一级地，无比清晰地，一直延伸到眼前这一刻——真的，如果对这样令人感动的细致认真的精神我不感到高兴，那我就太不近人情了。凡是我认为已经时过境迁、散失不见的东西，都在这幅图像里上下连贯、前后有序地回来了：不，我不能否认，我这个老年人现在翻阅这些文章，跟我从前念小学时阅读老师写的第一次说明我具有科学研究能力和志向的评语，怀着同样的自豪感。

不过，在我翻阅了这二百面勤恳结晶的书页，准确地静观了我的精神的影像之后，我不禁笑了。这真是我的一生吗？它真的像传记作者从书面材料里层次分明地整理出来的一样，如此目标坚定地在蜿蜒曲折的山路上从最初的时刻一直上升到今天吗？这一切我好像第一次从一个留声机里听到用我的声音讲出来：开始我根本辨别不出这是谁的声音；这明明是我的声音，只不过这是别人听到的那种声音，不是我本人好像通过我的血液、在我身体的内核里听到的声音。我毕生致力于从人的事业中来描写人，从本质上筑就当时这种人的精神结构，如今我恰恰是从我自己的经历中觉察到，在每个人的命运中真正的本质核心，一切从中生长的可塑的细胞，是何等难以看清。我们经历着千千万万个瞬间，但永远只有一个瞬间，只有唯一的一瞬使我们的整个内心世界沸腾，在这一瞬间里（斯丹达曾描述过它）心中的那朵以各种汁液滋润的花眨眼间结晶——这是有魔力的一瞬间，就像那个生育瞬间，像它一样隐藏在自己身体的温热的内部，看不见，摸不着，感觉不到，只能体验到的秘密。没有一种精神的代数学能把它解开，没有一种预感的炼金术能猜透它，而自己的感觉也很难把它抓住。

关于我的精神生活发展过程中的那件最隐秘的事，这本书只字未提：因此我不禁笑了。书中的一切都是真实的——只是缺乏本质的东西。它只是描写我，但没有说明我。它仅只谈论我，但没有泄露我的秘密。这本精心分列的花名册上有二百个名字——只是缺少一个名字，一切创造性的冲动都来自这个名字，那是一个男人的名字。他曾决定我的命运，现在他以双倍的力量把我唤到我的青年时代去。所有的人都谈到了，就是没有谈到他，他曾给了我语言，我就是根据这种语言的气息说话的：突然我感觉到这种胆怯的隐瞒就是犯罪。一生中我都在为人们画像，为了当今的感觉唤回了几百年前的形象，但我恰恰从未想到这个最贴近我的人：因此我想给他——这可爱的鬼魂喝我自己的血，就像在荷马史诗里一样，让他再跟我说话，让那位早已逝去的老人回到我这个正在衰老的人身边。我想把这隐去的一页放在公之于众的书稿里，使一次感情的自白与这本学术著作并列，为了他给我自己讲述我青年时代的真实故事。

在我开始讲述之前，我又浏览了一遍这本佯称描写我的一生的书。我禁不住又笑了。他们选择了一个错误的入口，怎么能接近我的生活的真正核心呢？他们第一步就迈错了！我的一位好心的同学，现在是枢密顾问，他信口虚构说：我在文科中学就热爱社会科学，比所有其他同学都胜过一筹。记错了，亲爱的枢密顾问！对我来说，一切人文科学的东西都是难以忍受的、叫我切齿痛恨的桎梏。正因为我作为北德那座小城中学校长的儿子，在日常生活中就看到教育总是被当作养家糊口的营生，所以我从小就憎恨一切语文学：人的天性依其保存创造性事物的神秘使命，总是使孩子讽刺和挖苦父亲的爱好。这种天性不希望有任何一种安逸无力的继承，不希望一代又一代只是继续去干原有的行当；它总是首先把矛盾对立插在同类人之间，只准许后来人走过一段艰苦而有收获的弯路之后才迈上先人的生活道路。总之，我父亲说科学是神圣的，我个人的主张则认为科学只不过是卖弄概念；他称颂古典作家为典范，在我看来他们总是板着脸教训人，因此十分可憎。在书的包围中，我蔑视书；父亲总是催逼我接近他的精神世界，我便反对书面的传统教育的一切形式；所以我费尽心力完成高中毕业考试以后，坚决拒绝进大学学习，也就不足为怪了。我想当军官，海员或工程师；选择这些职业根本不是由于我对此有强烈的爱好。只是对科学的枯燥和训诫的反感驱使我避开学术，力求干点实际的工作。我父亲狂热地尊崇一切大学的学科，他坚持让我接受大学的教育，我以缓和的态度成功地放弃了古典语文学，选择了英国语文学（我最终采取这种折衷的解决办法，是有不可告人的隐秘想法的，因为有了这门航海语言的知识，以后就可以轻而易举地去过我无限渴望的海员生活了）。

因此，在这份履历中，最不正确的莫过于这个友好的断语了：即说我在柏林的第一学期在一些成就斐然的教授指导下获得了语文学的基础知识——当时，我的自由激情猛然爆发，哪里知道什么讲课和讲师啊！当我第一次短时进入听课大厅时，就有一股发霉的气息向我袭来，那种牧师传教式单调而又清高的报告使我疲倦至极，我只好强挺着不把老打瞌睡的头放在扶手椅上。——这简直是又进了我以为已经幸运地逃离的学校，连这间教室摆着的过高的讲台和讲课者的咬文嚼字的雕虫小技也照样：我不由自主地觉得，好像从那位枢密顾问的微张的唇里往外流沙子，破旧的教师备课本里的语言也是被磨得犹如细沙，均匀地缓缓流入这浓重的空气里。我还是小学生时就曾怀疑自己形同陷入一间精神的停尸房，在那里冷漠的手一边解剖一边用手指四处触摸死者的身体，——现在在这间教室里听人讲述早已成了古董的六音步抑扬格押韵诗，这种怀疑又令人惊恐地出现了。这种抗拒的直觉起初十分强烈，我极力耐着性子听完这堂课，就跑到市里的大街上。那时的柏林对它自己的发展也感到惊异，充溢着一种突然冒出来的阳刚之气，从所有石墙和街道都射出电灯光，把一种激烈跳动着的速度强加给每个人，这种速度和它的急于掠取的贪欲与我自己刚刚发觉的男子气极为相似。城市和我这二者都是从一种笃信新教秩序的循规蹈矩的小市民本性中突然蹿出来，过于匆忙地陷进一种力量的和机遇的新的极度兴奋的状态之中——城市和我这一向风风火火的小伙子，我们都像一台不安宁和不耐烦的发电机一样不停颤动。我从来没有像当时那样理解和热爱柏林，因为在那犹如蜂房里蜜蜂般拥挤的温暖的人群里，我身体里的每个细胞都渴望着突然出现的膨胀——每一个强壮的青年人的躁动,除了在这位热乎乎的巨人女子的抽动的怀里,除了在这座焦躁不安、精力充沛的城市里,在什么地方才能发泄呢!这个城市一下子点燃了我的激情,我投身到她的怀抱里,进入她的血管,于是我的好奇心便急急忙忙地去围着她整个石头般冰冷、但又温暖的身体转动——我从早到晚在大街上游荡,乘车到湖畔去,遍寻各个大湖畔的隐蔽处:的确,这是着了魔,有了这种疯狂,我便不去注意学业而投身到我侦察到的生动的冒险的活动里去。但在这种过火的活动中,我自然是听从我的天性的一个特点:从小我就不能同时做两件事,我总是立刻把另一件事丢在脑后;不论何时何地我只有单线向前推进的冲力,就是今天在工作中我也大都是这样狂热地去强攻一个课题,不把最后一根硬骨头啃下来咬在牙齿之间,我决不放手。

那时,在柏林,我心中的自由感变成了一种巨大的癫狂,我本人对上课时的临时测验,甚至对我自己房间的四壁相围,都无法忍受:在我看来,不能导致冒险奇遇的一切都是浪费时间。一个乳臭未干的、刚刚摘下了笼头的外省青年就强制自己要成为真正的男子汉:我在一个大学生社团旁听,试图给我的(实际上很羞怯的)本性上加点俏皮,加点生气,加点潇洒,刚刚一星期就已经摆出一副大城市人和大德意志人的风度了。我以使人惊愕的速度学着在小咖啡馆里懒洋洋地坐着,活像个真正的"光荣武士"①。在这个男子汉阶段,当然也有女人——说得更准确些:有娘们儿,照我们大学生的傲慢口气就是这样称呼她们的——,这对我也正是时候,我已成了一个引人注目的漂亮青年。高高的个子,修长的身材,刚刚被海风吹成

---

① 光荣武士,原文为拉丁文。

古铜色的面颊，每个动作都像体操运动员一样灵活敏捷，我可以轻而易举地对付那些被小房间空气晾干了的鲱鱼一般苍白的店员，他们每星期日都跟我们一起到（那时还位于远郊区的）哈伦湖和洪德凯勒的跳舞厅去寻奇猎艳。时而是一个麦克伦堡的淡黄头发、乳白皮肤的使女，趁她休假回家以前把她从跳舞场拉到我的小房间里，时而是一个来自波森的坐立不宁的神经质的犹太小姑娘，是在蒂茨卖袜子的——大多数是廉价的猎物，很容易弄到手，然后很快转给同学。但在这种意想不到的轻易成功里，这个昨日还很胆怯的中学生却感到醉人的惊喜，这廉价的成果加强了我的冒险，渐渐地，我把这条街道只看作这种完全无选择的、只适于体操运动员冒险的竞技场。有一次，我徒步尾随一个漂亮姑娘来到菩提树下大街，——真是偶然，竟来到了大学门前，这时我不禁笑了，心想：我已多久没跨进那令人肃然起敬的门槛了啊。出于傲慢，我跟一位见解相同的朋友一起走了进去；我们微微推开门，看到（那情景显得无比可笑）一百五十多个人弯腰俯在扶手椅上的后背，好像跟着一位吟唱赞美诗的白胡子牧师一起在做祈祷。我又松开把手关上门，让那个混浊的能言善辩的小溪继续在那些勤奋好学者的肩头上流淌；随后我跟那个同伴傲慢地走出去，来到阳光灿烂的林阴大道。有时我会认为，没有一个青年比我在那几个月里更愚蠢地虚度时光了。我一本书也不读，我敢肯定，我连一句有理智的话也没说过，脑子里没有过真正的思想——我本能地躲避一切文明高雅的社交活动，只是为了用觉醒的身体去更强烈地感觉新的、一直被禁止的东西的浸润。这样的自作自受，这样浪费时间地冲着自己大发雷霆，大概是每个强壮的突然得到自由的青年人的本性吧——尽管如此，我的这种特别的着魔还是使我放荡的生活方式变得十分危险，如果不是一次偶然事件突然抑制了我的内心的堕落，那我就只能彻底毁灭，或者至少沉沦在感情的混沌状态中了。

这个偶然事件——就是在今天我也怀着感激之情称它为一件幸事——是，我的父亲突然按照指示到柏林的部里来参加为期一天的中学校长会议。作为一个职业教育家他要利用这个机会，在不通知我的情况下检查一下我的行为，给我这个事先一无所知的人一个惊喜。这是一次突然袭击，他干得非常成功。跟大多数情况一样，晚上，在北郊我那间租金低廉的大学生小屋里——进屋通道是用一个帘子与女房东的厨房隔开的——正好有一个姑娘做最亲热温存的访问，这时清楚地听到了敲门声。我猜想是来了一个同学，便没好气地嘟嘟哝哝地回答："不会客。"但过了一小会儿，敲门声又响了，一次，两次，然后是听得出的不耐烦的第三次。我气哼哼地穿上裤子，想把这个无礼的打扰者干脆打发走，于是我的衬衫还敞着怀，裤子的背带还低垂摆动着，赤着脚把门打开，但立刻感到好像太阳穴上挨了一拳似的，在前厅的黑暗中认出了我父亲的侧影。在阴影里我只能觉察到他脸上的那副眼镜片闪闪的反光。这黑色侧面头像就足以使我像锐器压喉一样把已来到嘴边的骂人话卡在嗓子眼里了：我麻木地站了一会儿。我不得不——在这可怕的一刻——低声下气地请他到厨房里去等几分钟，让我把我的房间整理好。我已经说过：我没有看见他的脸，但我感觉到他什么都明白了。我从他的沉默，从他的抑制着的态度上感到了这一点，他没有把手伸给我，而是打着一个嫌恶的手势走到布帘后面的厨房里去。在那里，在一个热过咖啡和萝卜后还冒着蒸气的铁炉灶前面，这位老人不得不站着等了十分钟，对我对他同样被侮辱的十分钟，直到我把那个姑娘赶下床穿上衣服，从那不愿偷听的人身边走出房间。他肯定听到了她的脚步声，布帘的皱褶在她匆匆离去时被一阵过堂气流吹得抖动起来；而我还没有把老人从那屈辱的隐蔽处接出来：首先得把明显的杂乱无章的床上弄干净。然后我才走到他的面前——我有生以来从来没有这样感到羞臊。

我父亲在这严重的时刻控制住了自己，今天我还为此打心眼里感谢他。每当我回想起这位早已逝世的老人，我都不从学生的立场去看他，学生只把他视作纠错的机器，视作不停地吹毛求疵的、热衷于一贯正确的迂腐学究而藐视他，而我却总是撷取他这最有人情味的一刻的形象——那时他克制住了自己，一言不发地跟在我后面走进那间闷热的房间。他手里拿着帽子和手套；他本来下意识地想把它们放下，但随后做了一个厌恶的手势，好像他不想让他身上的任何部分去碰那里肮脏的一切。我请他坐在一张椅子上；他没有回答，只做了一个抛掷的动作，好像要使一切丑恶的东西连同这个房间的物件都离他远远的。

在他掉转身冷冰冰地在那里站了几秒钟以后，他终于摘下眼镜来过分仔细地擦拭，我知道，这动作是他窘迫心理的泄露，老人重新戴上眼镜后又用手背抹了抹眼睛，这也没有逃过我的注意。他无颜见我，我在他面前也无地自容，谁也找不到一句话来说。我暗自害怕他喋喋不休地说教，操着那种喉音来一个口若悬河的开场白，自从我进学校读书以来我就憎恨和挖苦他的这种喉音。但是——就在今天我还为此感谢他——这位老人默默地呆在那里，回避我的目光。最后，他向那个摇晃不稳的书架走去，那里放着我的大学课本，他把课本打开——第一眼就看出这些书压根儿没人看过，书页大都没有裁开。"你的听课笔记簿！"——这个命令是他的第一句话。我哆哆嗦嗦地把笔记本递给他，不过我知道，那些速记式的笔记只包括唯一的一个课时的内容。他粗略地翻阅了一下那两页笔记，便把笔记本放在桌子上，没有一点激动的表示。然后他拉过一把椅子坐下，严肃地看着我，但没有责备的意思，问我："喏，你对这一切怎么想？今后怎么办呀？"

这个不动声色的问题，使我丧失了招架之功。我在精神上被解除了武装：如果他骂我几句，我还可以蛮横地发怒，如果他动之以情地规劝我，我还可以嘲笑他。但这个客观的问题却使我失去了抗拒的力量：它的严肃要求严肃的回答，它的逼人的镇静要求尊重和心理准备。我是怎么回答的，我简直不敢去回忆；随后的整个谈话是怎样进行的，就是今天我也不愿意诉诸笔墨：这里有出人意料的感动，有一种内心的浪涛，如果重新叙述，听起来也许会显得感伤，有些话只有在我们四目相对、感情突然激动时才是真实的。我当时和我父亲一起进行的，是唯一的一次真正的谈话，我没有考虑要自愿地忍辱屈从：我让他来决定一切。但他只是劝我离开柏林，下学期到一个小的大学里去读书。他确信，他只要安慰我，我就会从此勤奋地把耽误的功课补上。他的信任使我震惊；霎时间我感觉到，我强加给这位囿于冷冰冰的繁文缛节的老人的一切，都是不对的。我不得不使劲咬住嘴唇，强忍着不让热泪滚滚流出来。他可能也有同样的感觉，因为他突然把手递给了我，颤抖地停了片刻，然后就匆匆走出去了。我没敢跟在他后面，我不安而慌乱地呆在原地，用手帕擦去我嘴唇上的血：为了克制我的感情，我狠狠地把牙齿咬着嘴唇。

那是十九岁的我有生以来第一次被感动——它不费吹灰之力就把我三个月来建造的男子汉气概、大学生派头和自命不凡的整个夸夸其谈的空中楼阁彻底摧垮了。我觉得我十分坚定，因为有了这种被激发的意志力，现在把一切低级的娱乐活动都放弃了，我急不可耐地在精神领域考验我那被浪费的力量，热烈地追求严肃、冷静、纪律和严格。这时，我发誓要像修士效忠于祭祀一样全身心投入大学的学习，当然一点也不知道那在科学领域里等待我的最高的陶醉，也不曾预料到在那个被提高了的精神世界里总有奇遇和危险在等待着狂热的追求者。

我在父亲的同意下为下学期选的那座小省城，位于德国中部。这座小城市在教育方面的遐迩闻名，跟大学建筑周围的那些小沙丘似的房屋形成极不相称的对照。我先把我的行李存在火车站，没怎么费劲就打听到了从火车站去大学的路。即使在那古香古色的宽大的房子里，我也立刻感觉到，在这里工作效率比在柏林那个鸽子笼里不知要高多少倍。两个小时内就办完了注册手续，访问了大多数教授，只是没能立刻见到我的主讲教授，那位英国语文学教师，但他们告诉我下午四点钟能在课堂讨论上见到他。

由于急着去见我的老师，一个钟头也耽误不得，现在在开始面对科学时的热情跟以前躲避它时完全一样，在迅速游览了这座跟柏林相比如同处在麻木的沉睡中的小城以后，准四点钟我来到了指定地点。校役把教室的门指给我。我敲了敲门。因为我以为里边有一个声音在回答，我便走了进去。

但我听错了。没有人让我进去，我所听到的那模糊的声音只不过是教授提高嗓门侃侃而谈的声音，教授正在向紧紧围他而坐的二十多名大学生发表显然是即兴的讲演。我由于误听，未经允许便走了进来，我感到很不自在，想再悄悄地溜出去，但我又怕这样更引人注意。于是我便呆在门边，下意识地被迫地听起讲演来。

很明显，这个报告好像是从一个学术会议或一次讨论会自动衍生出来的，这一点随后至少从教师和学生的松散而随意的分组上就可以看出来：他不是坐在高高的椅子上讲授，一条腿不拘小节地轻轻搭在一张桌子上，现在年轻人都以随便的姿态聚在一起围着他，他们听得十分入神，这就把他们原来漫不经心的组合固定在一种不动的造型上。我看到，当教师突然一跃而上了桌子，从高高在上的位置上像用套索一样用话语把他们吸引到他身边，将他们拴在各自的位置上时，他们一定大家站在一起在说话。只几分钟我就忘记了我是未经招呼就走进来的，我自己已经感觉到了他的讲演的迷人力量像磁石一样有吸引力；我身不由己地往前走了走，为的是看清那双手做着拱型或者相合的奇怪手势，有时命令式地说出一句话时，那双手往往像翅膀似的张开，颤动着向上伸出，以便随后渐渐地以一种音乐指挥的平静的姿势，富有音乐感地轻轻落下。那讲演像暴风雨似的越来越昂奋，这位语流湍急的演讲者像坐在飞跑的马背上一样，在硬桌子上有节奏地直着身体，气喘吁吁地继续激昂慷慨地用充满闪光的形象的语言表达他飞快的思想。我还从来没听到过如此充满激情，如此真实感人的演讲。我第一次体验到会拉丁文的人所说的"身不由己"的状态，——一个人忘却自我、被别人带着往前走的状态；快速运动的嘴唇在这里说话，不是为自己，而是为别人，从嘴里涌出的话语就像是从一个燃烧的胸膛里喷出来的火焰。

　　我从来未曾体验过讲演会如此兴奋，如此热情满怀，这意外的见闻突然把我吸引过去。不知不觉中，我像被一种比好奇更强大的力量催眠似的吸引着，迈着夜游人那种软绵绵的步子，奇奇怪怪地把我推进那个小圈子。突然，我下意识地站到了里边，离他只有一尺，置身于其他人中间，那些人同样也很入迷，对我或别的什么东西都视而不见。我注入了讲演的语流里，被它的滚滚洪流带走，却连它的发源地都不知道：显然是有一个大学生把莎士比亚赞颂为一颗流星,这促使坐在上边的那个人指出,莎士比亚只是整整一代人最强有力的标志,这一代人心声的陈述者,也是一个变得充满激情的时代的感性的标志。他以简洁的画面描绘了英国的那一非同寻常的时刻,那个唯一的极度兴奋的瞬间,在每个民族的生活中如同在每个人的生活中这种心醉神迷的状态都会意想不到地出现,积聚全部力量向永恒猛烈冲击。地球突然变得广阔了,发现了一个新大陆,与此同时,旧大陆的最古老的权力,罗马教皇的统治濒临崩溃:在属于他们的那些大海的后边,自从西班牙的无敌舰队毁灭在大风浪中以来,就开始出现新的发展契机,世界变广阔了,心灵不由得紧张起来,以便与这个世界同步——心灵也想变得广阔,它也想进入善与恶的极限。它想要像那些征服者一样发现、征服,它需要一种新的语言,一种新的力量。一夜醒来,这种语言的代言人,诗人,就出现了,十年中产生五十个、一百个放荡不羁的年轻人,他们不像宫廷小诗人那样在自己面前侍弄风光秀丽的小花园,编造精美的诗体神话——他们抢占剧院,在昔日只有斗兽和凶杀剧目肆虐的木板戏台上开辟他们的战场,然而他们的作品中仍然存在着对血的渴望,他们的剧本本身就是这样的一台最大的马戏,在这里感情的野兽饿得相互猛扑。那些控制不了这类炽烈激情的人,像雄狮一样咆哮,在狂暴和感情洋溢方面一个想超过另一个,一切都可以描写,一切全都允许:乱伦,谋杀,行为不轨,犯罪,人性的无节制和人性的放纵都尽情地登场表现;像过去那些饥肠辘辘的恶棍冲出监狱,现在则是这些醉醺醺的感情激昂的人吼叫着、不无危险地冲进围着木栏的竞技场。唯一的一次感情迸发,像炸药筒一样,爆炸了,持续了五十年之久,像一次大咯血,一次射精,一次猛然抓住并撕碎整个世界的野蛮行径:在这力量的纵情妄为中,人们几乎感觉不到个人的声音,个人的形体。一个人总是借助于另一个人燃起热情,每个人都在学另一个人,每个人都在偷另一个人,每个人都力争制服别人,超越别人;然而所有的人只不过是唯一的节日的精神斗士,砸碎了锁链的奴隶,被时间的守护神鞭挞着向前走。他把他们从歪斜、黑暗的郊区小房子里叫来,又从宫廷里请来泥瓦匠的孙子本·琼森,鞋匠的儿子马洛,宫廷侍从的后裔马辛杰,那位富有而博学的政治家菲利普·锡德尼,① 但热情的旋涡把所有的人都卷到了一起;今天他们备受赞扬,明天他们就会死亡。基德、海伍德,② 在水深火热之中受尽熬煎,像斯宾塞③ 一样饿死在国王大街,所有的人都不是守规矩的市民,而是暴徒、皮条客、喜剧演员、骗子,但他们都是诗人,诗人,诗人。莎士比亚只是他们的中心:"恰是时代的骄子。"④ 但是人们没有时间把他从中区分开来,于是这些人喧腾起来,于是作品连着作品,激情接着激情,飞快地出现。突然,人性的这种灿烂的喷发,像它的出现一样,又颤抖着崩溃了,戏剧结束了,英国精疲力竭,而泰晤士河灰蒙蒙、湿漉漉的迷雾又在精神上笼罩了几百年:在唯一的一次突进中,整整一代人登上一切激情的峰顶,充溢的狂热的情感从胸中猛烈地倾泻出来,——现在,国家就躺在这里,疲惫不堪,精疲力竭;吹毛求疵的清教主义使

---

① 本·琼森(1572?—1637),英国戏剧家、诗人;马洛(1564—1593),英国戏剧家、诗人;马辛杰(1583—1640),英国剧作家;锡德尼(1554—1586),英国诗人、学者。
② 基德(1558—1594),英国剧作家;海伍德(1497?—1575),英国剧作家。
③ 斯宾塞(1552?—1599),英国诗人。
④ "恰是时代的骄子",原文为英文。

剧院关闭，从而锁住了慷慨激昂的言论。圣经又开始发言了，那是神的言词，最有人性的言词说出各个时代最热烈的忏悔，唯一热情的一代人曾为千百代人而历尽人生。

突然话锋一转，他出其不意地把话题对准我们："为什么我的讲授不按历史顺序从头开始，不从亚瑟王和乔叟① 开始，而一反常规从伊丽莎白一世时代的人开始，你们明白吗？我要求你们首先熟悉他们，熟悉这最活跃的力量，你们明白吗？因为没有体验，就不会有文字上的理解，不认识它们的价值，就不懂合乎语法的言词，你们年轻人想要征服一种语言，就应该首先看到语言的最美的形式，你们想要征服一个国家，就应该首先看到它的强壮的青年时期和它的最大的热情。你们必须首先在创造和完成语言的诗人那里听到这语言，你们必须先在心中感受一下文学作品的呼吸和温热，然后我们再开始解剖它。因此，我总是从诸神讲起，因为英国就是伊丽莎白，就是莎士比亚和莎士比亚时代的诗人，此前的一切都是准备，此后的一切都是一瘸一拐地尾随这种向永恒所作的奇特而勇敢的飞跃。——但在这里，你们年轻人，我们这些世上最有生气的青年人，去体会吧，自己去体会吧。人们只能在其火热的形式中认识每个现象，只能在其热情中认识每个人。因为一切精神来自天性，一切思想来自激情，一切激情来自热情——因此，首先讲莎士比亚和他的同代人，他们会使你们年轻人真正年轻！先是狂热，然后才是勤奋，先学习他，学习这位最崇高的人，这位登峰造极的人，先学习这部重现世界的最出色的教科书，然后再研究语言！

---

① 亚瑟王，中世纪传奇中的英国国王；乔叟（约 1343—1400），英国最早的著名诗人。

"今天就讲到这里——再见!"他的手突然一拱,做了个结束的动作,专断而出人不意地向下打了个终止的拍子,同时从桌子上跳了下来。突然,这群紧紧挤在一起的大学生犹如互相摇了几摇,就散开了,椅子稀里哗啦地响,桌子在移动,二十个紧锁的嗓子突然开始说话,低声咳嗽,大口呼吸——现在人们才看到,使所有喘气的嘴紧闭起来的魔法师般的讲演多么有吸引力。现在,在这个小房间里,这杂乱的人群越发激昂,越发无拘无束;有几个人走到教师跟前道声谢或说句别的什么话,其余的人则热情地相互交换着感想;没有一个人安安静静地站着,没有一个人不被这电压所触动,电压的接触已被猛烈分开,但从它那里发出的烟和火好像还在密集的空气里丝丝作响。

我自己倒动弹不了啦:我的心口好像中了一箭。我本人充满激情,能够热情地调动一切感官去理解一切,我第一次感到被一位教师,被一个人吸引住,感觉到一种优势,屈服于这种优势必将是一种责任和欢乐。我感觉到热血在我的血管里奔流,我的呼吸变得更快,这种疾驰的节奏一直撞击我体内,并急躁地撕扯我的每个关节。我终于让步了,慢慢地挤进前排,去看那个人的脸,因为——很奇怪——他讲话时,我压根儿就没看见他的脸上的样子,他的表情全消失了,全渗入到讲演中去了。就是现在,我也只能看见一个模糊的侧面头影:他半身侧向一个大学生,亲切地把手放在学生的肩上,站在暮色朦胧的窗前。但就连这瞬时的动作也使人感到亲切而优雅,我以前一直以为这种气质在教员身上是绝对不可能有的。

这时,有几个大学生注意到了我;为了使他们不把我当作不请自进的闯入者,我又向教授身边迈了几步,直等到他结束谈话。现在我才看见他的脸:一个罗马人的脑袋,大理石般的前额成拱形向前凸起,闪亮的、浓密的白发从头的两侧向后梳成波浪形;这种大胆的智慧超群的上部结构是令人难忘的——在深陷的眼窝下面,光滑而圆润的下巴使面部突然变得几乎像女人似的柔和;不安静的嘴唇四周的神经不停地颤抖,时而露出一丝微笑,时而稍稍一咧。前额上的一切都显出阳刚之美,掩盖了那略显松弛的面颊上有些松软的肌肉和一张不安定的嘴;刚才看,他仪表堂堂,颇有王者之风,现在从近处看,他的面孔却是吃力地绷紧在一起的。就连身体的姿势也显示出类似的双重性。他的左手随意地放在桌子上,或者说至少像是在休息,指节骨上不停地轻微颤动着,那细长的、对一个男人的手略显纤细略显柔软的手指,急躁地在空桌面上画出看不见的图形,与此同时,被沉重的眼皮遮盖着的眼睛十分关注谈话。是他很不安,还是他的激动仍在那膨胀的神经里继续震颤呢:不管怎样,那手上控制不住的急躁与他脸上的细听和静候的表情正好相互矛盾,那张脸好像疲惫、但又留心地沉浸在他和那个大学生的对话里。

终于轮到我了,我走上前去,说了我的名字和意图,他那几乎闪着蓝光的瞳孔里眼仁立刻亮闪闪地对着我。这闪光围着我的脸,从下巴到头发疑惑地看了两三秒钟:我大概脸都红了,不过我是处在这温和的审视下,因为他以一个一闪即逝的微笑消除了我的慌乱。"您想听我的课,那我们还必须详细谈一谈。请原谅,我不能马上跟您谈。我现在还有几件事要办:您可以在下面的大门口等我,然后陪我回家。"说着话,他把那柔软而瘦削的手伸给我,那手放在我的手指上简直比一块手帕还要轻,同时亲切友好地转向下一个等着跟他说话的人。

我的心怦怦地跳着,在大门口等了十分钟。如果他问到我的学习情况,我说什么呢?怎么能向他供认,一切诗人的作品，不管学习时间还是闲暇时间我都没看过呢？那样一来，他不会瞧不起我吗？或者他会不会一开始就把我排除出那个今天曾魔法般的固定过我的火热的圈子呢？但他刚刚快步走近，面带善意的微笑，来到我面前时，就已经驱走了我的一切畏缩，甚至没等他催问，我就承认（在他面前我不能有所隐瞒），说我的第一学期几乎全给耽误了。那种温暖同情的目光又包围了我。"音乐里边有休止，"他微笑着鼓励我说，显然是为了使我不再为我的愚昧无知感到羞愧，他便只询问一些个人的事，他问到我的故乡，还问我打算住在什么地方。当我告诉他，我还没有找到住处时，他对我伸出援助之手，他劝我先到他住的那座房子里去打听打听，那里的一位半聋的老妪有一间小房间出租，过去他的每个学生往往都对这小房间很满意。别的事全由他管：如果我真的有志认真学习，那么他就会想方设法帮助我，而且认为这是他最愿意承担的义务。走到他的住所的门前，他又把手伸给我，并且邀请我明天晚上到他家里去，我们好一起制定一个学习计划。他的好心竟如此出人意料，我心里的感激之情是这样的强烈，弄得我只敬畏地碰了碰他的手，慌乱地摘下帽子，竟忘了说句感谢他的话。

不用说，我当即租下了同一座房子里的那个小房间。即使这房间完全不中我的意，我也会把它租下来。这仅仅是出于我的天真的感激心理，况且这在空间上也离我这位有魔力的老师更近，他在一小时内给予我的比所有其他人给的还要多。但这个小房间也是很有诱惑力的：那是我的老师住房上面的阁楼，由于头上悬着一个木质三角墙，室内略显昏暗，透过宽大的圆形窗可以看到邻舍的屋顶和教堂的尖塔；再往远望，便是一片方形的绿地，天上飘浮的云像家乡的云一样可爱。一位全聋的小老太太以感人的母爱照料着她当时的房客；只用了两分钟，我就跟她谈妥了，一小时以后我的箱子便从嘎嘎作响的楼梯搬了上去。

那天晚上，我没有再出门，我甚至忘了吃饭，忘了吸烟。我打开箱子，一伸手就把偶然装进去的莎士比亚作品集取了出来，急不可耐地（几年来又是第一次）读起来；我的好奇心被那热情的报告所点燃，而我读那诗句，犹如我从未读过它一般。谁能解释这样的变化呢？一个文字的世界突然在我面前出现，字句闪动着向我走来，好像它们几百年来就在寻找我，那诗行掀起火热的巨浪拖着我，一直流到我的血管里，使得我像做了飞翔的梦一样觉得太阳穴里有一种奇特的轻松感。我抽搐，我颤抖，我感觉到血液更热地起伏波动，通过我全身，我好像是突然得了寒热病——所有这一切我觉得从前都没有发生过，我只不过听了一次热情洋溢的演讲罢了。但这次讲演肯定使我心中产生了一种陶醉感，每当我大声重复一行诗句时，我就听到我在不自觉地模仿他的声音，句子以同样疾驰的节奏飞奔，我的双手也感染了巨大的喜悦，像他的手那样做成拱形——像施了魔法一样，我在一小时内便冲破了直到今天还隔在我和精神世界之间的那道墙。我发现，那位热情洋溢的演讲者给了我新的热情，这热情直到今天还忠实于我：这是在充满生气的字句里共同享受一切人间快乐的巨大喜悦。我偶然读到了《科利奥兰纳斯》[①]，我感到一阵狂喜，我发现我身上具有这个最奇特的罗马人的一切要素：骄傲，自大，愤怒、讽刺、嘲笑，感情的一切盐，一切铅，一切金，一切金属。一下子就魔术般的感觉并理解这一切，这是怎样一种喜悦啊！我读啊读，

[①] 莎士比亚的剧本。

直读到两眼发疼;我一看表,已经凌晨三点半了。我大吃一惊,这新的动力竟使我的一切感官激动和麻醉了六小时,我立刻熄了灯。但那些画面仍在我心中继续闪动,由于渴望和期待着第二天,我几乎一点儿也睡不着。这一天将为我扩展那如此奇妙地展开的世界,使它完全属于我自己。

但第二天早上带给我的却是失望。我怀着焦急的心情随着第一批人来到教室,我的老师(从现在起我想这样称呼他)将在这里讲授英语语音学。他一走进来,我便大吃一惊:难道这是昨天那个人吗,或者是我激动的情绪和回忆激励他变成了一个科利奥兰纳斯,他在讲坛上说的话像闪电那样勇敢果断,镇定自若,战无不胜?现在这位悄悄地迈着拖沓的脚步走进来的,却是一个疲惫的老人。仿佛有一层闪亮的毛玻璃从他面孔上揭了下来似的,我现在从第一排座位发现,他脸上几乎是病态的轮廓,像犁过的田地上的垄沟,处处是深深的细纹和很宽的皱褶;蓝色的阴影凿出涓涓小溪横流在松弛的灰色面颊上。过于沉重的眼皮在这位讲课人的眼睛上形成一道暗影。就连那有着太苍白太瘦削的唇的嘴也使他的话失去金属敲击的铿锵声;他的欢快,他从心底发出的洋溢的热情哪里去了呢?就连那声音我都感到很陌生;好像是语法题目起了冷静的作用,这声音像是迈着单调的、令人困倦的步伐呆板地行走在沙沙作响的干沙子上一样。

我感到不安了。这根本不是我从今天第一刻起就等待着的那个人:他的容貌哪儿去了,他昨天灿若星光般照亮我的容貌哪儿去了?今天这位精力耗尽的教授干巴巴地机械地讲授他的题目;我一直怀着新的恐惧心情倾听着他的话,不知昨天那声调,那温暖的颤音,那像一只发出声响的手搅动了我的感情,并使它上升为激情的颤音是否还会回来。我死死地盯着他看，我的目光变得越来越不安，无限失望地在那张变得陌生的脸上扫描：这里的这张面孔，不可否认，仍然是昨天那张面孔，但却像是没了生气，被挖空了，失去了一切生命力，衰弱，老迈，戴上了一个羊皮纸做的老年人的面具。这种事可能吗？一个人有可能在这一小时里这么年轻，在下一小时里就那么不年轻吗？一种通过语言产生的精神的突然波动，真的能使一个人的面孔年轻几十岁吗？

　　这个问题折磨着我。就像一种渴望在我心里燃烧，我想更多地知道一些有关这个内心分裂的人的情况。我突然灵机一动，在他刚从我们面前过去离开讲台看不见我们的时候，我赶快跑进图书馆，去找他的著作看。也许他今天只不过是疲倦了，他身体的不适压抑了他的激情；但在这里，在这些已完成的著作里，必定存在着解释那使我感到惊奇的现象的入门和钥匙。管理员送来了书：我很惊讶，书竟这么少。在二十年里，这位逐渐变老的人只发表了这么一些散本小册子，导言、前言，一篇关于莎士比亚的《佩里克利斯》的真伪问题的讨论发言，一篇关于荷尔德林和雪莱的比较文章（这篇当然写于两位诗人都未被各自的民族视作天才的时代），以及一些没有多大价值的语言学的小文章，自然，在所有的文章中都有关于一部两卷本著作的预告《环球剧院，其历史、演出及其诗人》，尽管从第一个预告算起已经过了二十年，但我再次询问时，图书馆员则向我确认这部书从来没有出版。我多少有点犹豫，只以一半勇气浏览这些文章，渴望从中重新找到那沙沙作响的声音，那奔腾的节奏。但这些文章的步子始终严肃地摆动，没有一个地方出现过那次奔腾咆哮的讲演中那种波涛翻滚、热情洋溢的节奏。多么遗憾呀！我的心在叹息。我恨不得自己揍自己一顿,想到我过于迅速、过于轻信地把自己的感情奉献给他,气愤和不信任使我全身颤抖。

但在下午的讨论课上,我又认出了他。这一次他首先不是自己说话。按照英国大学的习惯,这一次在新近确定的他喜爱的莎士比亚的一部作品作为讨论题以后,参加讨论的二十多人便分成正方和反方。这个题目是:是否可以说《特洛伊罗斯与克瑞西达》(他喜爱的作品)是讽刺嘲弄性的人物,这部作品是滑稽剧还是一部嘲讽掩盖下的悲剧。很快,在他灵巧的手的煽动下,纯精神的谈话中点燃起一股电光飞溅的激情——一些随意的说法遭到有力的反驳,高声的插话尖利地刀割般的刺激着讨论,使它更趋激烈,直至那些年轻人几乎相互敌对起来。随后,当火花噼啪直响的时候,他才跳到中间来,使过于激烈的争论缓和下来,巧妙地把讨论引回正题,同时通过悄悄往无时间性方向一推,便赋与讨论以更强的精神活力。——他就这样突然站在这场辩证法火焰般的论争的中央,自己情绪激动,对这场不同意见的激烈争论既给以激励,又加以控制,他既是掀起这青春热情的汹涌波涛的能手,自己也被这波涛所淹没。他靠在桌子上,把胳膊交叉在胸前,看看这个,又看看那个,朝这个笑笑,又悄悄给了那个以暗示,鼓励他进行反驳,而他的眼睛激动得像昨天那样闪闪发光:我感觉到,他在克制着自己,以免从他们大家嘴上一下子把话抢了过来。但他使劲控制住了自己,我看见他的双手像夹板似的压在前胸,越压越紧,我从他那咧开的嘴角猜到,那是在用力把滚到嘴边的话压下去。突然他对自己的控制失败了,他像游泳者跳入水中风风火火地投身到讨论中来——松开的手打了一个有力的手势,像指挥棒把混乱骚动压了下去:所有的人都立刻沉默不语了,现在他做着拱形的手势,总结所有的论点。在他说话的同时,他昨天的那张脸渐渐浮现出来,皱褶消逝在颤抖不停的神经活动背后,在做着凌驾众人的手势的同时,还伸展着脖子和身体,他从原本细心倾听时向前俯身的姿态投入讲话,犹如投身到奔腾向前的大江大河。即席演讲使他神往:现在我开始预感到,他在单独面对自己时,在干巴巴的课堂上或在孤单的写字间里是缺乏那种引燃材料的;而在这里,在我们屏息静听的神魂颠倒状态中,这引燃物则炸开了他内心的墙;啊,正如我所感觉到的,他需要我们的狂热来激发他的狂热,他需要我们开口说话以引发他滔滔不绝的演说,他需要我们青年人点燃他青春的激情。像一个敲钹的人陶醉于热狂的手击出的越来越疯狂的节奏,他的演讲也变得越来越好,越来越火花四溅,其热烈的言词越来越色彩斑斓,而我们沉默得越深(人们都不由自主地觉得我们在教室里几乎停止了呼吸),他的讲述就飞跃得更高,更紧张,更具赞歌风韵。在这几分钟内,我们大家都是属于他的,都听得完全入神了,都沉浸在他那热情洋溢的演讲里了。

当他突然用歌德关于莎士比亚演讲里的一声呼唤作为结束时,我们的激情便又迅速消退。又像昨天一样,他精疲力竭地靠在桌子上,脸是苍白的,但神经还在抽动和微颤,就像刚刚放开紧紧拥抱着的女人,眼睛里明显流露出依然涌动得到渲泄的喜悦。我不好意思现在就跟他说话;但他的目光突然与我的目光相遇了。显然他感觉到了我充满激情的谢意,因为他友好地朝我微笑,微微向我探身,用手臂搂着我的肩头,提醒我今晚如约到他家里去。

准七点,我到了他家;我这个孩子战战兢兢地第一次迈过这门槛!是的,没有什么比一个年轻人的尊敬更充满激情的了,没有什么比这种尊敬的不安的羞愧更怯懦,更女人气了。我被领进他的工作室,一个半暗的房间。开初我只能透过玻璃窗看见许多五颜六色的书脊。在写字台的上方悬挂着拉斐尔的《雅典学院》，一幅他特别喜欢的画（他后来跟我说过）；因为教学的一切方式，思想的各种形态，在这幅画上都象征性地构成了完美的整体。我第一次看见这幅画，我情不自禁地以为在苏格拉底固执的脸上发现了一个跟他相似的前额。后面有件东西闪着白色大理石似的光，那是一座缩小的巴黎酒童的精美胸像，旁边是出自一位古德意志大师之手的圣塞巴斯蒂昂①，悲剧美与享受美并列在一起恐怕不是偶然的吧。我怀着一颗怦怦跳动的心等待着，像周围这些珍贵的沉默的艺术形象一样屏息静立；这些形象象征性地表现出一种新的精神美，这种美我非但从未想象过，而且也不大清楚，尽管我感觉到与它有着手足之情。不过这观察只延续了片刻，因为恰在此时我等待的人进了门，向我走来；像隐蔽的火焰那样温柔地包围着我的、无焰地燃烧着的目光又上触摸我，这目光在惊异中融化了我心中最大的秘密。我立刻像对朋友似的无拘无束地跟他说话，当他问到我在柏林的大学生活时，突然——我此刻也很吃惊——关于我父亲去看我的那段故事涌到我的唇边，于是我向这个陌生人强调说明了我的秘密的誓言：我要以最严肃认真的态度全身心投入大学的学习。他十分感动地望着我。"不只要严肃，我的孩子，"他接着说，"首要要有热情。不充满热情的人，顶多是一个教书匠——必须从内心深处去做事，去做学问，永远，永远从热情出发。"他的声音越来越温暖，房间越来越黑暗。他讲了许多他青年时代的事，他开始也干过傻事，后来才发现了

---

① 圣塞巴斯蒂昂（？—约288），早期基督教徒，在罗马皇帝军队中服役，因引领许多士兵信奉基督教，被皇帝下令用乱箭射他，未死，后被乱棍打死。后来的艺术家常以塞巴斯蒂昂的殉道事迹为题材。

自己的爱好，他鼓励我要有勇气，只要需要他，他会随时帮助我；不必有顾虑，我有什么愿望和问题都可以去找他。我有生以来，谁也没有这样富有同情心，这样善解人意地跟我说过话；我由于感激而颤抖起来，我很高兴这黑暗，它隐蔽了我湿润的眼睛。

　　我没有注意时间，大概这样过了总有一两小时，听见有人轻轻地敲门。门开了，一个细长身材的人走进来，站在阴影中。他站起来，给我介绍："我的太太。"这身材修长的黑影难以辨认地走过来，把一只瘦瘦的手放在我的手里，然后转身提醒他："晚餐准备好了。""好，好，我知道了，"他急匆匆地（我至少觉得是这样）回答，有点生气的样子。仿佛有股冷气突然钻进他的声音里，好像现在电灯突然一闪，亮了起来，好像那人又变成了普通学校大厅里的那个年迈气衰的老人，他做了一个懒散的动作跟我告别。

　　此后的两周我是在狂热的读书和学习中度过的。我几乎没有离开房间，为了不浪费时间，连用餐都是站着，我刻苦学习，没有中止片刻，也不休息，几乎连觉也不睡。我的情形，就像东方神话里的那个王子一样，他从锁着的房门上揭去一张张封条，每个房间里总能找到成堆的珠翠和宝石，于是越来越贪婪地查找这些房间，急切地想到达最后一个房间。跟这情状一样，我也是从这一本书奔向另一本书，被每一本书迷住，对每一本也不知足；我的放荡不羁现在表现为对精神的东西的追逐。我首先想到：精神世界是无比广阔而且没有现成道路可走的；同样，诱惑着我的，除了城市的那些冒险生活，同时也有不能驾驭的孩童的恐惧；因此，为了利用我第一次视为珍宝的时间，我少睡觉，不娱乐，不谈话，拒绝任何分心的活动。然而激励我如此勤苦的首先是这样的一种虚荣心：要经得住我的老师的考验，不使他的信任落空，博取一个赞赏的微笑，让他像我感觉到他那样感觉到我。每一次一闪即逝的时机都是试验；我不断地激励那迟钝的、但现在却明显敏捷的感官，争取给他一个好印象，使他感到惊喜：每当他在报告里提到我不熟悉的一个诗人及其作品，我下午就去找来阅读，以便第二天在讨论会上炫耀我的知识。一个偶然表示的愿望，别人尚未觉察，就变成了对我的命令：一个随便说出来的反对大学生不停地吸烟的简短意见就足够使我立刻扔掉正燃着的香烟，一下子永远除掉了这个不良习惯。他的话像一个传播福音的教徒的话一样，对我既是恩惠又是法则。在不停的守候中，我的极度紧张的注意力贪婪地抓取他漫不经心抛出来的每个注解。每句话，每个手势我都贪婪地装入脑海，回到家里使用一切感官，热情洋溢地将它触摸并保存起来；正如把他当作唯一的领袖一样，我的褊狭的热情使我把所有的同学都当作敌人，我的嫉妒心天天都发誓要压倒和超过他们。

如果他现在感觉到他对我有多么重要，或者说如果他慢慢地喜欢上了我的性格的这种狂热——那么，无论如何我的老师也会很快用他的明显的同情心对我大加赞扬的。他对我的阅读提出建议，几乎是有失礼貌地把我这个新生推到课堂讨论课的前台，而我则可以常常在晚上去拜访他，跟他促膝谈心。然后，他常常从墙上取下一本书，用他那激动时总是高出一度的洪亮而动听的声音朗读诗歌和悲剧，或解释争论不休的问题；在完全陶醉的这两周里我学到的有关艺术本质的知识，比我在十九年里所学到的还要多。在这对我说来太短的一小时里，我们总是单独待在一起。大约八点钟，便是轻声的敲门：他的太太提醒去吃晚饭。但她再也不走进房间里来了，显然是遵从一个指示，不打断我们的谈话。

　　十四天就这样过去了，充实的，激情满怀的初夏的日子就这样过去了，这时，在一天早上，我的精力好像一根绷得过紧的钢弹簧突然一下弹了出去。此前我的老师就告诫过我做事不要过分狂热，要间或中断一天，到户外去走走——现在，那预言突然变成了现实：我昏昏沉沉地从昏沉的睡眠中醒来，只要我一看书，字母就像大头针的头似的忽隐忽现。我立刻决定像奴隶那样忠实地听从老师的最微不足道的话，在追求深造的日子中间安插进自由自在地游乐的一天。一大早我就出门了，第一次参观了古城的一些名胜，为了增强体质，我爬了几百级台阶，登上教堂的尖塔，从那里的平台上我发现一片绿油油的草木中有一个小湖。我这个滨海地区的北方人是喜爱游泳运动的，在这尖塔上恰恰看到色彩斑斓的草地上绿色的池塘闪着微光，好像吹来了一阵家乡的风，我心中突然产生了一个难以克制的愿望：再投身到我所喜爱的水里去。一吃完饭我便找到那个浴场，跳到水里游了一阵子，我的身体开始又感到无比舒适，两臂肌肉的伸展恢复了几周前的刚健有力。阳光和劲风抚摩着我赤裸的皮肤，使我在半小时内又变回从前的那个生龙活虎的小伙子，那个曾疯狂地跟同学一起滚打，为了显示自己的勇猛，敢于去拼命的小伙子；我疯狂地伸展四肢奋力击水，把书本和科学完全抛到了脑后。现在，怀着我固有的迷醉心态又坠入很久未有的激情中。我在这重新找到的水里泡了两个小时，为了在坠落中消耗过分充沛的力量，我差不多从跳板上跳了三十次，又两次横渡这个湖，但我的蛮劲依然没有耗尽。我鼻子喷着气，抖动全身绷紧的肌肉，四处搜寻某种新玩意儿，急不可耐地想去做点强劲的，鲁莽的或放肆的事。

这时,从女浴场那边传来跳板的嘎嘎声,我感到那有力的撞击的振动一直颤悠悠地传到这边的木架上。从跳跃的曲线到坚挺的半弧形活像一把土耳其弯刀,一个修长的女子身体高高地跃起,头朝下跃了下去。霎时,那一跳跃把水击拍得啪啪直响,水中立刻泛起白色泡沫的漩涡,接着那绷紧的身躯又从水里浮上来,奋力向湖心岛游去。"跟着她!赶上去!"——运动的喜悦牵动我的肌肉,我一个猛冲跃进水里,用肩头向前顶着,以惊人的速度,从后面跟着她的尾迹猛冲。但显然这追踪被对方觉察到了,同时也是充满运动乐趣的被追踪者勇猛地利用她的领先优势,巧妙地贴着小岛斜游过去,想要随后急速转身回游。我一眼识破她的意图,也向右转,用力划水,使得我向前拍水的手已经够到她的尾波了,我们之间只差很短的距离了。

这时,那个被追踪者突然十分狡猾地沉入水中,片刻之后便在女浴场的栅栏边上浮了上来,挡住了我,使我无法继续追踪。那个胜利的女子浑身滴着水从阶梯爬上去:转眼间她又不得不停下来用一只手抚着胸口,显然她有些喘不过气来;接着,她转过身来,当她看见我被挡在栅栏外时,便露着闪光的牙齿朝我这边哈哈大笑。由于正对着太阳,还戴着游泳帽,我看不清她的脸,只有笑声含着无所顾忌的嘲讽向我这个被战胜者示威。

我又生气又高兴:自从离开柏林以来,我还是第一次又感觉到一个女人的那种赞许的目光——也许这里暗示着一次艳遇。我挥动胳膊,三两下便游到那边的男浴场,飞快地把衣服穿在还很湿的身上,以便及时到出口处去等候她。我不得不等了十分钟,然后我的傲慢的女对手——由于体形像孩子似的细瘦决不会弄错——迈着轻盈的脚步走来;她一看见我守候在那里，便加快了脚步，看得出她的意图是不给我攀谈的机会。她肌肉灵活地快步走着，像刚才游泳时一样，所有的关节都听从这肌肉发达，但却像少年一样瘦削的、也可以说太瘦了的身体；而我却上气不接下气地追赶这健步如飞的女子，尽量不引起她的注意。我终于成功了；在拐弯的路口我横越过去，走在她前边，按大学生的方式摘下帽子拿在手里，往旁边一伸，还没仔细看看她，就问，我是否可以陪她走一程。她从侧面朝我讥讽地瞥了一眼，脚下没有放慢速度，几乎以挑衅的嘲讽口气回答我："如果您不嫌我走得太快，为什么不！我有急事。"这种毫不拘谨的态度给了我鼓励，我纠缠不休地提了很多好奇的、太多无知的问题，但她却热心地、极其坦率地给以回答，我的意图与其说是得到了鼓励，不如说是给弄得模糊不清了。因为我的柏林的攀谈方式应付得了反抗和嘲讽，却应付不了这种快步行走时的坦率的交谈；这样，我便第二次感觉到我是极不明智地碰到了一个占优势的女对手。

不过，还有更糟的呢。因为当我的轻率的决心逐渐增强，问她住在哪儿时——那两只傲慢的褐色眼睛突然锐利地转过来一闪，不再掩饰地一笑："在您最近的地方。"我惊愕地抬头凝视她。她又斜睨了一眼，看这支回马箭射中我没有。一点不假，这一箭射中了我的咽喉。柏林的那种粗野无礼的说话声调一下子不见了，我一点信心都没有了，我甚至低声下气地结结巴巴地问，她是不是很讨厌我的陪同。"那怎么会呢，"她又微笑了，"只有两条街我们就到了，我们可以一起走过去。"此刻，连我的血液都在咕咕地响，我几乎迈不动步了，但有什么办法，改变主意岂不更难为情；这样，我就不得不跟她一起走到我住的房子跟前。这时，她突然站住，把手伸给我，顺便说："谢谢您的陪同！您今晚六点钟到我丈夫这儿来吧。"

我很可能羞得满脸通红。但我还没来得及向她道歉,她已经飞快地上了楼梯,我站在那里,心怀疑惧地思考着我冒冒失失地说出的那些蠢话。我这个胡说八道的傻瓜曾用老掉牙的方式称赞她的身段,接着又说了一阵孤独的大学生多愁善感的胡说,像对缝纫女似的邀请她下星期天去郊游。我觉得,我似乎羞得要呕吐了,憎恶感几乎使我窒息。她现在一定是得意忘形、笑容满面地走向她的丈夫,把我的愚蠢行为告诉他,他对我的评判比任何人都重要,在他的面前我将显得那么可笑,这比赤身裸体在市场上被鞭笞还要痛苦。

黄昏以前是可怕的几小时:我千百次想象着他怎样带着那高贵的嘲弄的微笑接待我——哦,我甚至知道,他善于运用讥讽的词语,善于使一句玩笑话尖锐得刺入骨髓。一个死囚被吊上断头台,也不会像我当时上楼梯时那样觉得脖子被勒得更紧,我像在使劲把一个粗硬的东西往下咽似的走进他的房间,我的慌乱的心态仍然有增无已,但我觉得,我好像听到隔壁房间里传来女人衣裙的低语般的窸窣声。这个傲慢的女人,她肯定在那里偷听呢,对我的窘态竟幸灾乐祸,拿一个大言不惭的孩子的出丑开心。我的老师终于来了。"您这是怎么了?"他担忧地问,"您今天脸色这样苍白。"我婉言遮掩,但心里却企盼着爱抚。我所担心的判决解除了,他与往常一样地谈论学问。尽管我小心地倾听他的每一句话,但没有一句话暗含影射和嘲讽。——先是惊异,后是幸运——看得出:她什么也没说。

八点整,又来敲门了。我起身告别:我的心又放回胸口了。等我走出门,她正打门前经过:我向她致意,她的目光朝我轻佻地微笑着,我热血沸腾了,把这当作许诺继续保持沉默的信号。

659

从那一小时起，我的注意力开始了新的转移；直到现在，我孩童般虔诚的崇敬心把这被神化了的老师当作另一个世界的守护神，以致我忘记去注意他的个人的，他的世俗的生活。在这种包含各种真正梦想的过分夸张的行为中，我把他的生活完全排斥在我们这个秩序井然的世界的一切日常活动之外。一个初恋的人不敢在想象中使神圣的女孩脱去衣裙，像欣赏其他上千名穿着衣裙的女人一样很自然地看她，因此，我也不敢诡计多端地向他的私人的生活里瞥上一眼：我总是把他理想化，认为他作为语言的使者和创造精神的体现者没有半点具体的普通的东西。现在，那次悲喜剧的奇遇使他的妻子挡住了我的去路，我就不得不更密切地观察他的家庭生活，观察他的饮食起居了；一反我的意愿，一种不安的探察的好奇心使我瞪大了眼睛。我心中的这种窥探的目光刚一开始，就有点显得慌乱，因为这个人在自己的小天地中的生活是独具特色的，几乎是一个令人恐惧的迷。在那一次邂逅以后不久，我头一次被请去吃饭，看见的不是他一个人，而是他跟他夫人在一起，这时，我心中开始明显地怀疑这是一个特殊的、混杂的生活集体，此后我越深入地观察这个家庭的内在生活，我的感情就变得越混乱。这倒并非两人之间在言语和表情上不是表现出紧张或不和谐，相反，这里什么都没有，相互间不存在任何的紧张。这种什么也没有的情形如此不可思议地把他俩蒙了起来，使人看不透他们，这是感情上的一种压抑的、燥热的平静，它使整个气氛变得比一次争吵的风暴或一次隐蔽着恼怒的闪电更加沉闷。表面上没有流露出丝毫激动或紧张；只感到内心的距离越来越大。在他们很少的谈话中的问与答都只是蜻蜓点水似的，谈话从来都不是心心相通，亲密无间；就是在吃饭时当着我的面，他说起话来也是结结巴巴，言词不畅。有时，只要我们没有再回去工作,谈话就像冻成一块沉默的坚冰,谁也不敢去碰,它那冰冷的重负在我的心上一压就是几个小时。

首先是他的彻底孤独状态使我大为惊恐。这个思想开放、渴求新知识的人没有一个朋友,他的学生只不过是他的交往对象和安慰。跟大学同事之间,除了那种客客气气的正常应酬,没有任何关系。他从不参加社交活动;他常常整天不在家,只是去距离二十步远的大学,不去别的地方。他把一切都默默地埋在心中,既不对别人说也不用文字写下来。现在我也理解了在大学生圈子里他的语言的那火山喷发的气势,那狂热如潮水奔流的激情:这时,从数日的缄默堵塞中涌现出健谈,所有他在沉默中隐藏于内心的思想,毫无羁绊地冲了出来,带着骑者意味深长地称作"马厩失火"的那种遏制不住的气势,咆哮着从沉默的围栏冲进语言的竞技场。

在家里他很少说话,至少跟他太太是如此。就连我这个少不更事的年轻人,也怀着一种战战兢兢乃至羞惭难当的惊异心理,发现了他们两人之间飘浮着的一个阴影,一个由感觉不到的材料组成的、飘荡的、永远在场的阴影,但它却使这个人和那个人完全隔离,于是我第一次意识到一个婚姻对外隐藏着多少秘密。好像门槛上画了一个避邪的五角星,没有特殊的要求这位太太从不敢走进工作室;这就表明她完全被隔绝在他的精神世界之外。我的老师从不当着她的面谈论他的计划和工作;她刚刚进来,他就一下子把他的热情洋溢的一句话中途打住,我觉得这样做太让人难堪了。这几乎是侮辱和明目张胆的歧视,连一点客气的婉转掩饰都没有,他粗暴而公开地拒绝她的参与——但她好像对这侮辱并不介意,或者说已经习以为常了。她总露出一张年轻人欢乐的面容,楼上楼下跑个不停,轻盈敏捷,全身放松而有弹性,手上老是有做不完的事,同时又老是有时间去剧院，不错过任何一次体育活动——反之，对书籍，对家务，对一切封闭的、安静的和从容不迫的事物，这位大约三十五岁的女人没有任何兴趣。只要她——总是独自哼唱着，随便哈哈笑着，随时进行尖刻的谈话——能在跳舞、游泳、奔跑时，在任何一种激烈活动中舒展她的肢体，好像就满足了。她从不跟我严肃地说话，她总是像对待一个半大的孩子似的拿我开心，顶多把我当作纵情较量的对手。她的这种活泼开朗的性格，跟我老师那阴暗的、完全内向的和只被精神活动激励的生活方式形成如此混乱的、矛盾的对比，弄得我一再怀着新的惊异自问，过去这两个完全不同的性格怎么会结合在一起呢。当然，这奇特的对比对我倒只有好处：如果我在精神高度紧张的工作之后跟她交谈一次，就觉得好像从我的头上取下了一个沉甸甸的头盔；所有的东西又都脱离狂迷的热情，返回平淡无奇的世俗之中，生活的这种快活的、平易近人的东西顽皮地要求自己的权利，由于当着他的面总是精神紧张，我几乎都不会笑了，而这笑却能减轻过重的精神压力，使人感到舒畅。她和我之间结成了一种年轻人的友谊；正因为我们总在一起随便谈些无关紧要的事，或一起去看戏，我们在一起就没有任何紧张气氛。唯有一件事令人难堪地打断我们无忧无虑的谈话，每一次都使我很慌乱：这就是提到他的名字的时候。这时，她必然激愤地沉默，挡住我探问的好奇心，或是当我狂热地说话时，对我报以奇怪的躲躲闪闪的微笑。但她始终闭口不语；她以另一种方式，但态度同样坚决地把这个男人排除在她的生活之外，像他把她从他的生活中排除出去一样。然而，他们两人却在同一沉寂的屋顶下生活了十五年。

这个秘密越看不透，它对我这颗热烈的焦躁不安的心越有诱惑力。好像一个影子，一块面纱，我感觉到说话的气流使得它在摆动，我曾多次以为抓住了它的踪迹，它却又滑掉了，这令人困惑的织物，下一刻又重新静静地向我走来，从来没有摸得着的话语和抓得到的形式。对于一个年轻人来说，没有什么比胡乱猜测这种伤透脑筋的游戏更扰乱人心，更让人惊醒的了；想象，它平时只是闲散地四处游荡，现在突然发现了它的捕猎目标，因而怀着这新出现的潜随捕猎的欲念而兴奋不已。在那些日子里，我这个至今仍很迟钝的青年长出了全新的感官，长出一层能奸诈地截获每一种语调的窃听的薄膜，长出一种善于侦察的猎人的狐疑而敏锐的目光，生出一种在黑暗里四处搜索的好奇心——每根神经都灵活地伸展，直至感到痛苦，总是为想抓到一个预想的东西而激动不已，从未平息为一种清晰的感觉。

但我不能斥责它，我不能斥责我的防不胜防的好奇心，它是纯洁的。使我的所有感官如此兴奋的，并不是喜欢幸灾乐祸地在一个优越的人身上捕获低级人性的邪恶的好奇心——相反，这种好奇心具有隐秘的恐惧的色彩，是一种犹豫不决的同情，这种同情惴惴不安地预感到这位沉默者的痛苦。因为我越走近他的生活，那罩在我老师可爱的脸上的清清楚楚的阴影就越使我感到压抑，那是一种高尚地克制着的高尚的伤感，它从来都没有降低为过分粗暴的怨天尤人或无来由的愤懑；如果说他在第一个小时里吸引我这个陌生人的是他的语言的那种类似火山爆发前的红光，那么他现在使我这个知己更加感动的则是他的沉默，是飘浮在他的额头上的愁云。什么也不能像高尚男人的阴郁这样有力地打动一个青年人的思想：米开朗基罗的俯视自己内心的沉思者，贝多芬那痛苦地向里收敛的嘴，这些悲剧性的面部模型比莫扎特的银铃般的旋律和达·芬奇的人物周围的明亮的光线会更加强烈地感动一个未定型的人。青春本身就是美,青春是无需美化的:由于生命力过于旺盛,它向往悲剧的东西,让忧郁甜美地吮吸它还不成熟的血液。因此,所有的青年人都永远情愿铤而走险,愿意向每一个精神上的痛苦表示亲切的同情。

这样一张真正受难者的面孔,我有生以来还是头一次看见。我是一个小人物的儿子,在市民的舒适环境中平平安安地长大,我只在日常生活的可笑的假面具上认识什么是忧虑,装作懊恼,或披着黄色的忌妒的外衣,几个小钱叮当作响——现在,我立刻就感觉到,这张面孔之所以悯然若失,是出自更为神圣的因素。这个阴暗的表情来自忧郁的心理,一枝残忍的画笔从里边把褶皱和裂纹画在早衰的面颊上。有时,当我走进他的房间(总像一个孩子走近住着妖怪的房子那样胆战心惊),他由于全神贯注而没有听见我敲门,当我后来突然羞涩而惊慌地站在这位忘我者的面前时,我觉得坐在这里的只能是戴着瓦格纳的面具的躯体,身上穿着浮士德的长袍,而灵魂却在神秘的悬崖上、在令人战栗的瓦尔普吉斯之夜①里到处游荡在这样的时刻,他的感官完全闭锁了,他既听不见走近的脚步声,也听不见腼腆的问候。如果说他突然恢复了知觉,惊跳起来,他就会试图赶紧说话以掩盖他的窘态:他来回踱着步,竭力通过问话来转移对他审视的目光。但阴影却长时间地悬在他的额头上,只有热情的谈话才能驱散这从内心积聚起来的云团。

他不得不时常经历这种场面,他的一瞥是多么令我感动。他也许从我的眼睛,从我不安的手能感觉到我的嘴似乎隐约地

---

① 传说每年4月30日夜晚,德国海登海姆女隐修院院长瓦尔普吉斯在哈尔茨山布罗肯峰设宴招待魔鬼与巫婆狂欢作乐。《浮士德》第一部中描写了瓦尔普吉斯之夜。

在请求他信任我,或者能从我的探问姿态看出我要把他的痛苦变成我的痛苦的隐秘的热情。无疑,他一定感觉到了这一层,因为他意想不到地中断了活跃的谈话,颇受感动地望着我,甚至那十分温暖的、因内心知足而变得模糊的目光把我整个儿吞没了。随后,他往往抓住我的手,长时间不安地握着——我总是等待着:现在,现在,现在他要跟我说了。但他没有说话,大半代之以一个粗暴的姿态,有时来一句冷冷的、故作冷静的或嘲弄的话。他这个生活在热情中的人,在我心中培育和唤醒了热情,随后又突然把我的热情抹去,就像抹去一篇写得不好的作业里的一个错误,他越多地看到我的内心的思绪,看到我渴望得到他的信任,他就气冲冲地冒出这样一句冷冰冰的话:"这您不明白"或者"您别这样言过其词"。他用这些话刺激我,使我绝望。在这个闪电般耀眼地从热变到冷的人的手下,我多么痛苦呀,他下意识地燃起我的热情,突然又用冷水浇我的头,他以他的狂热激起我的狂热,随后又突然抓起一条讽刺挖苦的鞭子——是的,我有这样一种强烈的感觉,我越接近他,他就越坚决地、甚至无比恐惧地推开我。什么也不能,什么也不许接近他,接近他的秘密。

我意识到,那秘密越来越灼人,那秘密驻留在他那具有魔力般吸引力的内心深处是那么奇异反常,那么阴森可怖。我从他那奇怪地逃避的目光中猜到他心里有一种存心隐瞒的东西。每当人们心怀感激之情沉浸在那目光中时,那目光便热烈地冲向前,又胆怯地逃避开;从他妻子紧闭的嘴唇上,从全城人十分冷淡的观望中,我感觉到了这一点,每当人们称赞他时,城里的人几乎都愤怒地瞪着眼睛——我也从千百种特殊的现象和突如其来的惘然若失的表现上感到这一点。误以为已经进入这样一种生活的内部,但又像在一个迷宫里迷失了方向,找不到那条通向它的本源和内心的道路，处在这样的境地多么叫人痛苦啊！

他的越出常规的行为对我来说是最不可思议、最令人恼怒的事。有一天，我去听他讲课，教室门前贴了一个条子，写着：讲课暂停两天。大学生们好像并不感到惊异，但是我昨天还跟他在一起呢，我赶紧跑回家，生怕他得病了。我显得很着急地闯进他家，他的夫人却不动感情地微笑。"这种事常发生，"她冷淡地说，"只有您还不知道。"事实上，我从同学们那里得知，他常常这样消失一夜，有时只打个电话来请假：有一次，一个大学生早上四点钟在柏林的一条街上碰到过他，另一个人则曾经在别的城市的饭馆里跟他相遇。他突然跑出去，像一个软木塞从一个酒瓶里弹出，然后他又回来了，谁也不知道他到达哪里。他突然的逃走使得我像得了一场大病：这两天我神不守舍、激动不安地四处游荡。没有他像平时那样在场，我觉得学习突然变得空空洞洞，毫无意义。我在种种混乱的妒嫉的猜测中苦受煎熬，甚至在我心中滋生出某种对他性情孤僻的憎恨和愤怒。因为他竟像对待一个饥寒交迫的乞丐一样把我这个热心的追随者排斥在他的真实的生活之外。我劝慰自己，我一个孩子，一个学生根本无权要求什么解释和说明，因为他的善心给予我的信任比一个只尽义务的大学老师要多一百倍。但这样的劝慰也无济于事。理智控制不住炽热的激情：我这个傻头傻脑的小伙子一天要去问十次他回来没有，直到最后感觉到他夫人的一向粗暴的否定发展到恼怒为止。我直到半夜都没睡，侧耳细听他归来的脚步，一大早就不安地悄悄围着门口转，再也不敢去询问了。当他第三天终于出人意料地走进我的房间时，我大大地舒了一口气：我的惊恐一定是太过分了，至少我能从他的窘迫的惊异的表情上看出这一点，他急匆匆地一个接着一个提了几个无足轻重的问题。他的目光在躲避我。我们的谈话第一次转弯抹角地兜起圈子来了，话与话相撞相绊，当我们二人都竭力避免说出任何影射他外出的话语，正是这种尽在不言中的话封锁着每个发音的通道。当他把我一个人留下时，我的好奇心像火焰一样，从我心中熊熊升起，渐渐地，它使我感到坐立不安。

这场谋求说明和深刻认识的斗争持续了几个星期；我顽固地探索那火热的核心，我以为我已感觉到这个核心在岩石般的沉默下就要像火山那样爆发了。终于，幸福的时刻到来了，我第一次成功地闯进他的内心世界。我又一次在他的房间里待到暮色降临，其间他从锁着的抽屉里拿出几篇莎士比亚的十四行诗，他先是按照自己的译文读了读这些像青铜铸就的简洁的作品，然后那么神奇地把诗里看似捉摸不透的文字暗码解释清楚，不过我在由衷的喜悦中不免感到遗憾，因为这位心潮澎湃的人所给予的一切，可能都要在短暂流动的语词中消失。这时，不知从哪儿来了勇气，我突然大胆地问他为什么没有完成《环球剧院的历史》那本大部头的著作。但我刚说出这句话，我便惊恐地发觉，一反我的意愿竟很重地触到了一个秘密的、显然十分痛苦的伤口。他站了起来，扭过身去，沉默了很久。这房间突然好像只充满暮色和沉默。最后他向我走来，严肃地望着我，而嘴唇抽搐了好几次，才微微张开口；然后痛苦地供认说：" 我不能写大部头作品了。这事已成为过去：只有青年人才会有这样大胆的计划。我现在再也没有毅力了。我为什么要隐瞒呢？——我变成了一个没长性的人，我不能坚持到底。过去我精力多的是，现在没有了。我只能讲话了：说话有时我还办得到，说话时总有点什么东西吸引着我。但静静地坐着工作，永远是独自一人，永远是单独工作，这我做不到了。"

他那听天由命的眼神使我震惊。我内心深处对他充满信心，我极力劝他最好把他每天松手撒给我们的东西紧紧地攥在拳头里，不要总是只管发放，而要把自己的东西成型地保存起来。"我不能写了。"他倦怠地重复着，"我的精力集中不了啦。""那您就口授！"为这种想法所吸引，我走向他，几乎祈求地说："那就您口授我记录。您就试一试吧。也许只开个头——然后您自己也不会再退缩了。您就试试这种口授笔录法吧，我请求您给我这个荣幸！"

他抬头望着我，先是有些困惑不解，接着便更加若有所思了。这个想法似乎使他有些动心了。"给您这荣幸？"他重复着。"您真的以为，我一个老年人从事点什么，还能给什么人带来快乐？"我感觉到，一次踌躇不决的让步已从这里开始，这是我从他的目光中觉察到的，那目光刚才还向内遮着一层云雾，但现在云雾被热切的希望驱散了，目光渐渐突现出来，变得明朗了。"您真这样想吗？"他重复着；我感觉到，他的意志里出现了一种打算采纳我的建议的迹象，接着便当即决定："那么我们就试试吧！青年人永远是正确的。向他们让步是明智的。"我狂热地爆发出来的快乐，我得意洋洋的神情，仿佛使他复活了。他急匆匆地走来走去，几乎充满青春的激情，我们商定：晚上九点钟，一吃过晚饭，我们每天先试一个小时。第二天晚上口授笔录便开始了。

这几个小时，我怎样描述它们呢！为了迎接它们，我整整等了一天。下午就有一种压抑的、耗损精神的不安像通电似的压在我的焦躁的感官上，我几乎忍受不了那几个小时了。夜晚终于到来。晚饭一过，我们立刻走进他的工作室，我在写字台前坐下，背对着他，这时，他在屋子里不安地踱着步，直到在他心中好像找到了旋律，从高尚的语言里跳出最初的音节。因为这个古怪的人创造的一切都是来自一种音乐感。开始时他总需要推动，以便使他的思想运动起来。这大多是一幅画，一个比喻，一个形象的环境，在激情的、不知不觉地快速前进中他能把这环境扩大为一个戏剧场景。接着，一切宏伟而自然的创造往往是从这种即兴创作所迸发的火花中闪现的：我记得，有几行，好像是一首抑扬格体的诗中的几节，另几行如同瀑布奔腾飞泻，一个紧接一个出色的排列，就像荷马史诗中的战船目录和沃尔特·惠特曼的粗犷的颂歌。作为一个正在成长的年轻人，我第一次看清这种创作的秘密：我看到，那思想本是没有色彩的，只是一种纯粹的流动的热情，就像浇铸钟的铜从情绪激奋的大坩锅里流出来一样，冷却后才渐渐成型，而后它浑圆丰满起来，直至清楚地从中迸发出语言，犹如钟锤敲响大钟，奏出响亮的声音，赋予诗人的感受以人的语言。正如每个段落来自节奏，每个描写来自场景的画面，这整部巨著完全不用语言，是从一首颂歌发展而成的。在这首颂歌里，大海象征着人世间看得见、摸得着的永恒。大海无边无际，波涛汹涌，仰视苍穹，遮掩万壑，游戏着尘世的命运，游戏着人类颠簸动荡的小船；面对这大海的形象，在奇妙的对比中产生出悲剧的描写；作为自然力，这悲剧气势雄伟地、颇具破怀性地控制着我们的天性。随后，这形象的滚滚波涛涌向一块单独的陆地：英吉利出现了，这个海岛的周围永远被不平静的自然力所冲击，这自然力充满危险地包围着大地的所有边缘，地球的所有地带和地区。在英吉利那里形成了一个国家：在那里，这自然力的冷漠而明澈的目光一直渗到人的眼睛的玻璃体里，渗进灰色的、蓝色的眼睛里。每个人既是海员，又是岛屿，像他的国家一样。这一种族在同诺曼人数百年的争战中不断考验自己的力量,风暴和危险使他们忆起强烈的暴风雨般的激情。但是现在,和平的云雾笼罩着这个四面激浪拍击的国家。然而,他们已习惯于风暴,他们仍然向往大海,向往事件的骤变和日常的危险,于是他们又一次在血腥的游戏中为自己制造出使人兴奋的紧张。先是搭起了斗兽和格斗的木台。熊流血而死,斗鸡残忍地激起人们在恐惧中的欢乐;不久,鉴赏力提高了,人们更希望看到纯粹人类英勇斗争的激动人心的紧张。这时,从虔诚的舞台、从教会的神秘剧中产生了另一种关于人的伟大的波澜壮阔的戏剧。这是所有那些冒险和航行的再现,只不过现在是在内心的海洋上;这是新的无穷,另一个激情汹涌、精神振奋的海洋。激动地驾驭这个海洋,气喘吁吁任其四处抛掷,则是这些依然强大的盎格鲁撒克逊民族后裔的新的欲望:于是产生了英国民族的戏剧,伊丽莎白时代的戏剧。

他狂热地投身到这个野蛮的原始世界开端的描述中,那形象的词语响亮地飞腾而出。他的声音,开始时如低声细语,急速快捷,尔后由于绷紧发出洪亮声音的肌肉和韧带,变成了银光闪闪的飞机,越飞越自由,越飞越高:这个房间,这被回音冲击的四壁,对它来说显得太狭小了,这声音需要一个广阔的空间。我感觉到暴风就在我头顶上逞狂,那海涛般咆哮着的嘴发出隆隆作响的呐喊:我缩背俯身在写字台上,好像我又站在故乡的沙丘上,听到千万层波浪和喷射而来的海风震耳欲聋的声响。一切震颤都像一个人的诞生和一句话的诞生一样都痛苦地伴随着种种恐惧,那时,正是他第一次闯入了我惊恐不已、却又充满幸福的心灵。

在口授中,强有力的灵感夺走了科学表述的语言,思想变成了文学创作,我的老师一结束口授,我便晕晕乎乎地站了起来。极度的疲倦感沉重而强烈地传遍我全身,这是一种跟他的疲惫完全不同的疲劳，他的疲乏是一种精疲力竭，一种如释重负的感受，而我这个过分激动的人还因自己心里涌进的充沛情感而震颤不已。但我们两人随后总还需要一次轻声细语的谈话，然后才回去睡觉或休息；通常我还要念一遍记录稿；奇怪的是，那些符号一旦变成语言，说话也好，呼吸也好，发声也好，从我口里却发出另一个人的声音，好像一个人换去了我嘴里的语言。接着我辨认出：我是在重复吟诵，我是在那样投入地模仿他朗诵的腔调，那腔调跟他的一模一样，以致使我感到，好像是他通过我的嘴在说话，不是我自己在说话——我简直变成了他的共鸣器，他说话的回响。这一切已经过去了四十年；但在今天，只要是做报告，只要演讲词脱离我的口发生振动，我就会突然羞怯地感觉到不是我自己在说，而是好像另一个人在借我讲话的嘴在说话。接着我听出这是一个尊贵的死者的声音，这位死者唯有呼吸还留在我的嘴唇上：只要狂热的精神征服了我，我就是他，永远如此。我知道：这是那些时光对我的影响。

　　工作成果在增长，它像一片树林似的在我周围生长，渐渐遮住了我观察外界的视线；我只生活在那所房子的黯暗里，生活在这部不断扩展的著作的沙沙作响而又不停呼啸的枝叶当中，生活在这个温暖慈爱的人的身边。

　　除了大学里很少的几个课时以外，我整天都属于他。我在他们那里用餐，从他们住处来的消息白天晚上都顺着楼梯上上下下传到我的房间；我有他们的门钥匙，他也有我的门钥匙，这样一来，他就可以随时找到我了，无须事先去喊那个半聋的年老的女房东。我跟这个新的集体结合得越紧密，我就跟外面的世界越疏远；我在分享这种温暖时也分享着他们封闭生活的冰冷的孤独。我的同学一致对我摆出冷淡和蔑视的态度：也许他们私设了一个特别的秘密法庭，或只是对我明显受宠的一种神经过敏的嫉妒——不管怎么说，他们是把我排除在他们的交往之外了，而在课堂讨论中，他们像约定好了似的，都不跟我打招呼，不跟我寒暄。就连那些教授也不掩饰他们充满敌意的嫌恶；有一次，我向一位教罗马语文学的讲师请教一个不很重要的问题，他竟嘲讽地搪塞我。"您是……教授的亲信，怎么连这个也不知道。"我曾试图为自己这种无辜的被排斥进行解释，但是白费气力。他的言词和目光都避开任何解释。自从我完全跟这两个孤独的人在一起生活以来，我自己也变得完全孤独了。

只要把我的注意力完全放在这种精神活动上，这种社会的排斥也就不会使我伤心了。但我的神经渐渐地承受不住这样持续的绷紧状态。一个人几周内都这样不间断的用脑过度，不可能不受到惩罚，再者，我是突然把我的生活彻底翻了一个个儿，我过猛地从一个极端走到另一个极端，不会不危及那神秘地形成的自然平衡。过去在柏林时，我懒散地东游西逛，使我的肌肉舒适放松，跟女人的艳遇在嬉戏中释放了我精神上的焦躁不安；而在这里，沉闷的气氛则不断压迫我昂奋的感官，使它们带着通电的触角在我全身颤栗，流动；我失去了深沉的健康的睡眠，尽管也许是因为我总把抄写每天晚上的听写当作个人的乐趣一直写到第二天大清早的缘故（由于沾沾自喜的急躁情绪，狂热地抄写着，以便尽早把抄好的文稿交给我的老师）。接着，大学里有些材料要赶忙看完，这就要求我付出更多的精力，而跟我老师的谈话也使我的情绪十分激动，因为甚至每根神经都绷得紧紧的，我从来不敢冷漠地出现在他面前。被损害的身体对这种过分紧张的活动没过多久就进行报复了。我多次短时间地昏迷过去,这是我疯狂地超越身体负担的危险的报警信号——但像被施以催眠术的疲惫在增长,每次感情的表达都变得非常激烈,变敏感了的神经向每根神经末梢内部伸展,扯断睡眠,使一直混乱的思想更加混乱。

第一个注意到我的身体处在明显的危险状态的,是我老师的夫人。我常常感觉到她那抚慰的目光向我探索,她总是故意把那些提起我注意的想法随便掺杂在我们的谈话里,诸如劝说我不能希望在一个学期里征服世界。最后她就明明白白地说了。"现在够了,"一个星期天她走到我身边,见我在美丽的阳光照耀下埋头研究语法,便一把将书从我手中夺走,说,"一个年轻的活蹦乱跳的人怎么能做功名心的奴隶呢?您不要老把我丈夫当作榜样:他老了,您还年轻,您得按别的方式生活。"每当她谈到他时,她总是操着这种表示蔑视的压低的声调,我作为一个献身于我老师治学的人,则一再愤怒地反对她的这种腔调。我觉得,她是故意地,甚或怀着一种邪恶的嫉妒心理,越来越试图让我离开他,试图以嘲讽的手段阻止我的过火行为;如果我们晚上口述笔录的时间过长,她就一个劲儿地敲门,不顾他愤怒的驱赶,迫使我们把工作中断。"他会毁掉您的神经的,他还会把您完全毁掉的,"有一次当她发现我倒下时,她愤慨地说,"这几个星期他把您折磨成什么样子了!我可不能再眼巴巴地看着您跟自己过不去了。而且在这里……"她说到这儿停顿下来,没把整句话说完。但她的嘴唇颤动着,由于压抑着的愤怒而变得毫无血色。

的确,我的老师给我的工作并不轻松:我越是热情地为他服务,他对我殷勤的尊敬表现得越冷漠。他很少表示感谢;如果我在早上把熬夜完成的文稿带给他,他就干巴巴地表示拒绝:"明天也来得及。"如果我的追求虚荣的热心努力超出了他要求的范围,在谈话中他的嘴就会突然撇得老长,一句嘲讽的话就会逼得我直往后退。当然,如果随后他看见我忍受着侮辱惶惶不安地退缩了,他那温暖可亲的目光就会又闪现出来,打消我的绝望,但这种情况太少了,太罕见了!他的性情的这种热与冷,这种时而激动的亲切,时而恼怒的顶撞,使我难以控制的充满渴望的感情混乱不堪——不,那时我真说不清,我究竟渴望什么,我希望什么,我要求和谋求什么,我的狂热的献身期望得到他什么样的同情。因为如果一种崇敬的热情即使以纯真的方式献给一个女人,那么它也要不自觉地力图得到一种肉体上的满足,在占有身体的同时自然会为这种热情形象地塑造出一种最高的结合——但这种精神上的一个男人献给另一个男人的热情,它怎能企望得到不可能满足的、完全的满足呢?它心神不定地围着这位可尊敬的人转,永远为新的狂喜而闪闪发光,却从未因为最后的奉献而变得平静。它永远在涌流,从不完全溢出,永远像精神一样从不知足。同样,在长时间的谈话中,我从来也不觉得他与我很近,他从不完全敞开心扉,吐露一切;即使他充满信任地摆脱一切拘谨,我也知道,霎时他就会斩钉截铁地把这亲密的联系切断。这种变化无常一再重新搅乱我的情感;如果我说我在过度受刺激时常常几乎干出蠢事,这一点儿也不夸张,那只是因为他把我介绍给他的一本书松松地拿了一下就随随便便地推到一边,或者,当晚上深入的谈话把我们拴住,我完全被他的思想里所吸引,他会先轻轻地把手放在我的肩上,然后突然站起来,粗暴地说:"现在您走吧!已经很晚了。晚安。"这样的一些无足轻重的小事也就足以搅得我几小时、几天都不得安宁了。也许,在不停的激动中,我的过度兴奋的感情也会看到这些侮辱,虽然他不是故意的——但一切抵制干扰我心境的、暗示我自己如何重要的言行,又有什么用处呢?这种事天天重复出现:他亲近时我忍受他的热,他疏远时我感受他的冷。他的态度永远令人失望,没有半点迹象能使我安宁,每一个偶然的言行都使我感到迷惘。

奇怪的是,每当我感觉到我的感情受到了他的伤害时,我就逃到他夫人那里去。也许是一种冲动,想找一个同样受这种无言的冷落的人,也许只是一种需要,想能够跟随便什么人说说话,即使不能得到帮助,也能得到理解——不管怎么说,我像去找一个乡亲似的跑到她那里去。她往往拿我的敏感开心,或耸耸肩膀冷淡地劝我要习惯这些使人烦恼的怪事。有时,当我突然感到绝望,一下子就结结巴巴地把责难、眼泪和话语甩在她面前,她便十分严肃地、简直是用一种令人惊异的目光凝视我,但一句话也不说;只是在她的嘴唇周围显现出遏制的愤怒,我觉得,她需要使出全部力量,才会不表现出她的愤怒或轻率。无疑,她也有什么话要对我说,她也隐藏着一个秘密,也许这与他是相同的。但我的话一经触犯了他,他便以粗暴的拒绝把我顶回来;而她却通常是说一句笑话或做一个临时想到的恶作剧,跳过任何继续下去的话题。

但只有一次我差点儿套出她的话。我早上把听写送去,坦率而热烈地对我的老师说这篇描述(那是对马洛的描述)使我感动至深。我感情洋溢,热血沸腾,赞叹不已地补充说,没有谁能像他那样描绘出这样杰出的肖像;这时,他尖叫一声表示拒绝,紧紧地咬住嘴唇,把那张稿子扔掉,轻蔑地喃喃地说:"请您不要说这种蠢话!您懂得什么叫杰出。"这句粗暴无礼的话(匆忙戴上的假面具大概只是为了掩饰无可奈何的羞惭)足够打破我一天的安宁了。下午,我单独和他夫人在一起待了一小时,像歇斯底里发作似的我突然冲到她身边,抓住她的手,说:"请您告诉我,他为什么这么恨我?他为什么这么瞧不起我？我怎么得罪他了？为什么我的每句话都这样刺激他？我该怎么办，您帮帮我吧！为什么他容不得我——请您告诉我，我求您了。"

我这粗野发作的突然袭击，惹得她用一种尖锐的目光凝视我。"容不得您？"——她牙缝里挤出一阵笑声，这是一种恶意讽刺的刺耳的笑，我听了不由得往后退缩。"容不得您？"她又重复一遍，无比愤怒地直视我慌乱的眼睛。但随后她便挨近我，俯下身来——她的目光渐渐地变得柔和，更柔和了，几乎是怀着同情——突然，她（第一次）抚摸我的头发。"您真是一个孩子，一个愚蠢的孩子，什么也没发觉，什么也没看见，什么也不知道。但这样更好——否则您会更不安的。"

她猛地转过身去。我徒劳地寻找着安慰：像被捆在一场扯不断的吓人的梦的黑口袋里，我拼命寻找一种解释，拼命挣扎着，想从这种互相矛盾的情感的无比神秘的混乱中醒来。

四个月就这样过去了，这是最难以预料到的自我提高和改变的十几个星期。这学期转瞬跳到了它的终点，我怀着恐惧心理面对这临近的假期，因为我爱我的炼狱，我家乡那平淡的没有文化气息的家庭生活，像流放和劫夺一样威胁着我。我已私下计划，向我父母谎称这里有重要的工作拖住了我。我已巧妙地把谎言和借口编织在一起，以便延长这消耗我精力的现状。但我的时间早就被安排在另一个空间里了。这个时刻无形地悬在我的头顶上，就像正午报时的钟声蕴藏在铜钟里，到时会意外地严肃地召唤那些闲散的人去工作或辞行。

那个决定命运的晚上，开始时多么美好啊！简直是像要泄露什么真情似的美好！我跟他们两人坐在一起吃饭——窗户都开着，天上飘着白云，朦胧的暮色从发暗的窗框悠悠进入室内：一种温和、明澈的光从白云庄严飘过去的反光中散播开来，进到人们的心底。太太跟我，我们谈得比往常更随便，更平和，更不知疲倦。我的老师沉默着，不参与我们的谈话；但他的沉默却像用静静合拢着的翅膀罩在我们的谈话上。我偷偷地斜眼看着他：他今天的神态有一种奇异的明朗的东西，一种不安，但绝无慌张的神色，犹如在那夏日的云彩里。有时他举起酒杯，拿着它对着灯光看，见了那颜色显得很高兴；而当我的目光快乐地随着他的姿态转来转去时，他便微微一笑，把杯子举起来对我致意。我很少看见过他的脸这么明朗，他的动作这么完美，镇静：他几乎是愉快地正襟危坐，好像在欣赏从大街上传来的音乐或在倾听看不见的谈话。他的嘴唇，平时周围一向都有细小的皱纹，现在却又安静又柔和，好像一个削了皮的果实。他的前额稍稍转向窗户时，便反射出那种温柔的光亮，我觉得从来没有这么美。看到他如此平静，真是奇妙：那是纯洁的夏天晚上的反光，是从柔和的空气中涌进他心里的安逸，还是来自他内心的慰藉——我也说不清楚。看他的面孔，就像读一本打开的书，我只觉得：今天有一位宽厚的神抚平了他心上的皱褶和裂纹。

他现在站起来，像通常那样甩头邀我跟他到工作室去，那样子也是无比庄重的：这位平素一向匆匆忙忙的人，现在走路特别稳重。走着，他又转身——这也是一反常习的——从橱里取出一瓶未开盖的葡萄酒，从容不迫地把它带过去。同我一样，他的夫人也好像注意到了他的行为有些古怪，她放下针线活，抬头用惊异的目光看看，好奇地默默观察着他那非比寻常的徐缓而庄重的姿态，这时我正走过去工作。

那房间，好像完全暗了下来，正带着亲切的暮色等待着我们，只有那盏灯在等候在那里的一堆白纸周围画出一个金黄色的圆圈。我坐在我往常的位置上,重复读了一遍草稿里最后的几个句子;他总是需要像用音叉定调那样在内心找准节奏,然后才能让言词倾泻出来。但他平时都是直接从那正在消失的句子开始,这一次却没听到接下去的声音。沉默扩散到了整个空间,沉默从四壁反弹回来的压力压迫着我们。他的精神好像不怎么集中,因为我听见我背后有他神经质地来回走动的脚步声。"请您再读一遍!"——不可思议,他的声音竟突然不安地抖动起来。我重新读最后几段:现在他紧接着我的话开始了,冷不防地就开始了,口述得比平时更快更完整。五个句子过去以后,场景就建造起来了;他至此所描述的一切,全是戏剧文化方面的前提条件,是一幅当时的壁画,是历史的轮廓。现在他突然急转直下,转向了剧院本身,它从中世纪流浪艺人乘着小车四处表演的形式终于变成定点的剧院,为自己建造了一个家园,有了保证自己权利和特权的书面文件,起初是"玫瑰剧院"和"幸福之神"剧院,都是简陋的木板棚,演出简单的戏剧;但后来诗剧勇敢坚定地向前发展了,工匠们便根据它的更大的胸围制作了一件新的木衣裙:在泰晤士河畔,在潮湿的不值钱的泥浆土地上,出现了那座粗笨的、带有六角塔楼的木头建筑,即环球剧院,在它的舞台上出现了莎士比亚这位大师。像被大海抛出来的一只古怪的船,在最高的桅杆上挂着海盗式的红旗,牢牢停泊在那泥泞的土地里。剧场的大厅里,像在码头上似的拥挤着吵吵嚷嚷的低贱的人群,那些上流社会的人则从高层楼座上俯视下面的演员,沾沾自喜地微笑着,闲聊着。他们不耐烦地要求开演。他们踏步顿足,大叫大嚷,剑柄碰撞舞台发出叮当的声响,直至几支闪烁的火光第一次照亮前面低低的舞台,人物都草率地化了装,演出显然是即席创作的喜剧。就在今天,我还记得他的话:"语言的风暴突然咆哮起来,那个大海,那个充满无限激情的大海,从这木板的边界冲出去,直达人类心灵的一切时代和地区,掀起血红的波浪,它是不会枯竭的,深不可测的,快活的和悲惨的,多种多样的,是人类最独特的画像——这就是英国的戏剧,莎士比亚的戏剧。"

演讲就在说到这些崇高的言词处突然中断了。接着是长时间郁闷的沉默。我不安地转过身来:我的老师一只手紧紧地抓着桌子有气无力地站在那里,他的这种姿态我太熟悉了。但这一次在这呆滞的状态里却有着某种令人吃惊的东西。我一跃而起,担心他有什么不适,然后小心翼翼地问他我要不要停止工作。他起初只是屏住呼吸,目不转睛地呆呆地望着我。随后,他的眼睛又放射出蓝色的光来,他嘴唇松松地朝我走来——"喏,您什么也没发现吗?"——他殷切地凝视着我。"究竟是什么?"我毫无把握地结结巴巴地说。这时,他深深地喘了一口气,露出淡淡的微笑;几个月以来,我又感觉到了那种丰富的,柔和的,温情的目光。"第一部完成了。"我强忍着才没兴高采烈地欢呼,这惊喜热乎乎地流过我全身。我怎么竟会视而不见呢,是的,这是完整的构筑,非常出色地从过去的原始基础一级一级升到建造成型的门槛;我赶紧跑过去数那些稿纸。这最重要的第一部共有写得密密麻麻的一百七十面;因为接下去要写的,是自由的模仿的描述,而到现在为止的叙述则是与历史的见证紧密相联的。毫无疑问,他将完成他的著作,我们的著作!

当时我欣喜地叫喊了,因为高兴、自豪和幸福而翩翩起舞了?——我不知道。但我的兴奋感情一定表现出种种出乎意料的激情澎湃的形式,因为他的目光微笑着慢悠悠地追随着我,这时我时而草草浏览最后几句话,时而匆忙地数稿纸,捧着,掂量着,充满爱心地抚摸着,急不可耐地估算着,想象着我们何时才能完成整部著作。他积聚已久、深藏不露的自豪感，在我的快乐情绪中反映了出来：他深受感动地看着我。接着，他慢慢地伸着双手走到我跟前，抓住我的手，毫无表情地凝视着我。他的瞳孔平时只是颤动着间歇地闪出蓝光，现在则充满了明亮的、热情奔放的蓝色的光，在所有的元素中只有海底和人的感情的深处才能构成这种蓝色。这种闪光的蓝色从眼仁里升上来，向前放射，渗入我的体内；我感觉到，他这温暖的眼波轻柔地流到我的内心深处，在那里涌动着，扩展着，使我感情激荡，产生古怪的欲望：由于存在着这种奔涌膨胀的力，我的整个的心胸都变得宽阔了，于是我心中感到明快和温暖。"我知道，"现在他的声音越过了这眼神的闪光，"没有您，我就不可能开始这项工作，为此我永远也不会忘记您。您把我从疲惫无力中拯救了出来，您拯救了我的破碎衰败的余生，您一个人！没有一个人比您为我做的更多，没有一个人这样忠诚地帮助过我。因此，我不说我要感谢您，而说……我要感谢你。来！让我们完全以兄弟相称，呆上一小时！"

他轻轻地把我拉到桌旁，拿来准备好的那瓶酒。两个酒杯也已摆在那里：他是想用这象征性的饮料公开向我表示感谢。我高兴得全身颤栗，再也没有什么比一个热烈愿望的突然实现能更强有力地撼动我们的心旌了。这是最明显的信任的象征，我曾无意识地渴望得到它；他的感谢真是找到了最美好的象征：这个亲如兄弟的"你"，它表明超越年龄的鸿沟，它由于经历了如此艰难的过去而显得无比宝贵。这个酒瓶发出叮当的响声，它现在充当着施洗礼者，它将用信任永远抚平我这颗忧虑不安的心，此刻我心中也响起同样的颤抖、明快的声音——一个小小的障碍延缓了这庄严时刻的到来：酒杯的软木塞还没有开，手头没有瓶起子。他想站起来，去取瓶起子，但我猜到了他的意图,就急忙冲出去奔向餐室——然而我心急如焚地等待这一时刻的到来,这得是我的心最终得到平静的时刻,他对我的好感得到最明显的证明的时刻。

当我飞快地穿过门向有灯光的过道走去时,在黑暗中我跟一个什么软的东西撞在了一起,那软的东西急忙让开:原来是老师的夫人,她显然是在门边偷听呢。但是奇怪的是,我这么有力地跑着跟她撞了个满怀,她却一声没吭,她只是默默地避开了,而我则吓得一动不动地哑口无言。这情景只延续了一瞬间;我们俩都默默地站着,都在对方面前显得很难为情,她是因为在偷听时当场被捉,我则是因为被这太出人意料的发现惊呆了。随后是悄悄的脚步走在黑暗中,灯亮了,于是我看见她脸色煞白,挑衅般地背靠着木柜;她的目光严肃地打量着我,而从她僵硬的态度上可以看到一种可疑的阴暗的东西,一种警告和恐吓。但她一句话也没有说。

当我经过较长时间烦躁的、半盲的摸索,终于找到瓶起子的时候,我的双手颤抖起来;我必须两次从她面前经过,每当我抬起眼睛,总碰上她那呆滞的目光,那目光就像抛了光的木头似的闪着一种冷冷的阴暗的光。在她身上没有任何东西透露出门边偷听被人察觉的羞色;相反,她的眼睛现在粗暴而坚定地闪射出一种令我不解的威胁的光芒,她那倔强的神情表明她已经打定主意不离开这个不适当的地点,还要继续窃听。这种意志上的优越使我感到迷乱,在这种坚定而警告的目光逼视下,我不自觉地低下头来。我终于迈着不稳的步子溜进房间,我的老师在那里焦躁不安地双手握着酒瓶,这时,刚才的极度愉快完全冻结成了一种奇特的恐惧。

然而他是怎样无忧无虑地等待着我,他的目光怎样欢快地瞅着我啊:我一直梦想能有一天看见他这个样子,乌云从他忧郁的额头散尽！现在这前额第一次闪着这样平和的光，直射进我的内心，我倒说不出话来了，全部隐秘的喜悦犹如穿过隐秘的毛孔缓缓地向外流淌。我心慌意乱地甚至面带羞色地听见他再一次向我表示感谢，现在他又用亲密无间的"你"称呼我，两个酒杯碰在一起，发出银铃般的声响。他用一只胳膊友好地搂着我，把我带到扶手椅那里，我们相对而坐，他的手松松地放到我手里：我第一次感觉到他的感情完全自由地流露出来了。但我一句话也说不出来；我下意识地用目光扫视着门边，非常害怕她又站在那里偷听。我不停地想，她在偷听，偷听他对我讲的每一句话，还有我讲的每一句话：为什么恰恰在今天，为什么恰恰在今天？他用那种温暖的目光深情地望着我，突然说："今天我想跟你讲一讲我，讲一讲我自己的青年时代，"听到这话，我吓得站起来，摆着手求他不要讲，他惊奇地抬起头来望着我。"不要在今天，"我结结巴巴地说，"不要在今天……请原谅。"在我看来，他的这个想法太可怕，他很可能把自己暴露给一个窃听者，而关于窃听者这一层我又不得不对他守口如瓶。

我的老师疑惑不解地望着我。"你究竟怎么啦？"他略带愠色地问。"我累了……请原谅……我过分激动了……我想，"我一边说，一边颤抖地站起来——"我想，我还是现在就走吧。"我的目光从他身旁掠过去瞥向那扇门，我估计，那里一直有一个心怀嫉妒和敌意的窃听者好奇地潜伏在门框旁边。

现在他也慢腾腾地从扶手椅里站起来。一个阴影飞上他那突然变得疲倦不堪的脸。"你真的想走……今天……恰恰在今天？"他握着我的手：很不明显地重重地拉着我的手。但他像拿着一块石头似的突然粗暴地让它落下去："很遗憾，"他失望地脱口而出，"我本希望跟你坦率地谈一谈！遗憾！"那深深的叹息像一只黑蝴蝶似的飞过整个房间。我满面含羞，心中有一种无可奈何的难以说清的恐惧，我步履蹒跚地退出去，回手轻轻地关上了门。

我吃力地摸索着上楼走进我的房间，一头扑在床上。但我睡不着。我从来都没有这样强烈地感觉到，我的房间就在他的房间上边，只隔着一堵薄薄的墙，只笼罩在那不透光的黑暗的框架里。现在我以磨得敏锐的感官神奇地感觉到此刻他们俩在底下也没有入睡，我不用看就看得见，我不用听就听得到，他此刻在底下他自己的房间里不安地走来走去，而她却在别的什么地方默默地坐着，或边听边像幽灵似的游荡。我感觉到她的两只眼睛大睁着，一想到她的这种警觉的样子，我心里便不寒而栗：像做了一场噩梦，这整栋沉重的默默不语的房子竟阴影憧憧地突然压在我身上。

我掀去毯子。我的手滚烫。我陷在什么地方了？本来我已经感觉到那秘密离我很近，已经感到它热烘烘的呼吸紧挨着我的脸，现在却又很遥远了，但它的影子，它的沉默的难以辨认的影子，仍在飒飒地四处游荡。我感觉到它在屋里十分不祥，它像猫跷着爪子潜行着，永远在那里跳过来跳过去，总用它那带电的毛皮擦身而过，令人眼花缭乱，虽然温暖却又阴森可怕。我总感觉到他那感情丰富的目光从黑暗中射出来，像他伸过来的手那样柔和，同时感觉到他妻子的另一种锐利的、恐吓的和可怕的目光。我干吗要陷在他们的秘密之中？这两个人蒙起眼睛把我放在他们激情的中心干什么？他们为什么把我赶到他们的不可捉摸的纠纷里去？每个人都把一团愤怒和憎恨的烈火塞进我的心里干什么？

我的前额一直在发热。我跳下床，打开窗。外面，夏日的云雾笼罩着宁静的城市，不少窗子还闪耀着灯光，他们坐在那里,心情平静地谈话,闲适地看书或听家庭音乐。凡是白色窗框后面一片黑暗的所在,肯定人们已安然入眠。像月亮在银色的薄雾里一样,在所有这些静息的屋顶上,飘浮着一种柔和的安谧,飘浮着一种微微向下飘落的轻松的宁静,而钟楼报时的十一响则悠悠地送进他们大家偶然竖起或已在梦乡的耳朵里。这座房子里只有我觉得自己还醒着,觉得被奇异的思想恶狠狠地包围着。一个内在的思想狂热地要弄清楚这杂乱无章的低语。

突然,我吓了一跳。这不是楼梯上的脚步声吗?我边听边站起身来。一点不假,那里是有人在踏步上楼,像盲人似的迈着小心翼翼、踌躇不前、摇摇晃晃的步子;我熟悉这被踏坏的木楼梯发出的吱吱嘎嘎的叹息声。这脚步只能是朝着我这里来的,只能是朝我而来,因为在阁楼上除了那个盲老太婆根本没有别人,她早已睡下,谁也不接待。这是我的老师吗?不,这不是他那踉跄而匆促的步伐;现在这脚步每走一级梯阶都犹疑不前,胆怯地蹒跚而行——现在又来了!——一个小偷,一个罪犯才会这样走过来,决不会是一个朋友。我紧张地听着,我的耳朵里嗡嗡直响。突然,好像有一股冷气袭上我的裸露的大腿。

这时,锁头轻轻地喀哒响了一声:他,这个可怕的客人,肯定已经到了门口。吹到我赤裸的脚趾上的一股微小的气流,说明外面的门已被打开,然而,只有他,我的老师,有钥匙。既然是他——为什么这样畏缩,这样反常?是因为他有些不放心,想来看看我吗?那为什么这个可怕的客人现在还在外面的前厅里犹豫不决呢?那窃贼般潜行的脚步突然停住了。我自己也因恐惧同样呆呆地站住了。我觉得,我好像要叫喊,但嗓子眼里似乎有什么粘的东西粘在那里。我想把门打开;我的双脚却像牢牢地插在地里了。现在,我和这个可怕的客人之间只隔着薄薄的一堵墙了,但他和我谁也不向前迈一步。

这时,塔楼的钟敲响了:只敲了一下,是夜里十一点一刻。但这钟声解除了我的僵直状态。我一把拉开了门。

一点不假,门口站着我的老师,手里拿着蜡烛。猛然拉开的门带起一股气流,使那蜡烛蹿起蓝色的火苗。他僵直地站在那里的影子像一个巨人似的在他身后跟跟跄跄地颤动,活像一个醉汉要横穿这堵墙。但他本人一见到我也动了一动;他缩起身子,仿佛气流突然使他从睡梦中惊醒,他不由得打着寒噤往身上拉了拉毯子。接着又朝后退了一步,蜡烛摆动着把烛油滴在他手上。

我吓得要死,全身颤抖:"您怎么啦?"我只能结结巴巴地这样说。他一言不发地凝视着我,他的喉咙也像被什么卡住了似的说不出话。最后,他把蜡烛放在五斗橱上,于是那像蝙蝠似的在空间晃来晃去的影子立刻安静下来。他最后口吃地说:"我想……我想……"

他的声音又卡住了。他站在那里,瞅着地面,像一个被捉住的小偷。这种恐惧,这种呆立,是令人难以忍受的,我穿着衬衫,冻得发抖,他呢,俯身缩背,羞惭而迷惘。

这个虚弱的身形忽然耸动了一下。他向我走来:面带凶恶的淫荡的微笑,一种只从眼睛里险恶闪现而双唇紧闭的微笑,这微笑就像一个陌生的假面具似的呆呆地对着我停顿了一刹那——然后,像蛇的带分叉的舌头往回一卷,发出尖利的声音:"我只想对您说……我们最好还是放弃这个'你'的称呼吧……这——这……在一个大学新生和他的老师之间不合适……您明白吗?……我们必须保持距离……距离……距离。"

说话时,他一直凝视着我,充满憎恨,充满侮辱人的、想打耳光的恶意,以致他的手不由自主地紧紧地攥了起来。我向后趔趄了一步。难道他疯了吗?难道他喝醉了?他站在那里,攥着拳头,好像他想朝我扑过来或者想照我的脸来一拳。

但这恐怖局面只延续了一秒钟,随后,这种咄咄逼人的目光就收回去了。他转过身去,嘟哝了一句什么,听起来好像是在道歉,抓起那枝蜡烛。一个黑色的热心职守的魔鬼,那个已经朝着地面俯身缩背的影子又出现了,它在他前面旋转着走向屋门。接着是他自己走过去,我都没来得及打起精神想出一句话来。门啪啦一声锁上了;于是楼梯在他那仿佛向下冲去的脚步下发出沉重的痛苦的嘎吱嘎吱的声音。

我不会忘记这一夜;阴森可怖的愤怒和炽烈无奈的绝望疯狂地相互更替。我的思想杂乱无章像火焰一样耀眼地向四处射去。我怀着揪心裂肺的痛苦成百次地问:他为什么折磨我,他为什么这么恨我,特意在夜里偷偷地爬上楼梯,只是为了当面充满敌意地侮辱我?我怎么惹着他了,我该怎么办?我不知道我怎么伤害了他,我该怎样平息他的怒气?我浑身发热地扑在床上,又起床下地,又盖上毯子冥思苦想,但那个幽灵似的形象,我的老师,永远站在我面前,他蹑手蹑脚地潜行,见了我又心慌意乱,而在他身后那个巨大的影子则异常神秘地沿着墙踉踉跄跄地走去。

后来,大清早,我眯了一会儿醒来,起先我还以为那是一场梦呢。但在五斗橱上还粘着一些圆形的黄色蜡烛油。讨厌的记忆一再提醒我,夜里那窃贼似的偷偷爬上来的客人进入了这间亮着灯光的房间。

整个上午我都没出门。一想到会跟他相见,我就浑身没劲。我试图写东西,读书,但都没办到。我的神经完全崩溃了,它们每时每刻都可能痉挛地颤动,发出一阵啜泣,一声怒吼——我看见我的手指像树上的陌生的树叶一样颤抖,没法让它们不动,而膝头则摇摆不停,好像膝头肌腱已被割断。怎么办?怎么办?我反复问我自己,问得我精疲力竭;血液在我的太阳穴里嗡嗡响,我感到头晕目眩。只是在我没有安全感,没有恢复精神活力之前,不要出门,不要下楼,不要突然站在他面前。我重新扑倒在床上,饥肠辘辘,昏昏沉沉,没有洗漱,心慌意乱,我又一次试图透过那堵薄薄的隔墙想象那边的情景:他现在坐在哪里?他在做什么?他像我一样醒着吗?像我一样感到绝望吗?

中午了,我还心烦意乱地躺在床上辗转反侧。我终于听到了楼梯上的脚步声。所有的神经都警觉起来:然而这脚步很轻,显得无忧无虑,一步两个梯阶往上跳跃——现在有一只手在敲门了。我跳起来,没开门就问:"谁呀?"——"您怎么不来吃饭呀?"他的夫人有点生气地应声道,"您病了吗?"——"不,没有,"我慌乱地吞吞吐吐地说,"我就来,我就来。"我毫无办法,只好赶快穿上衣服走下楼去。但我不得不扶住楼梯栏杆,因为我的肢体是那样踉跄不稳。

我走进餐室。我老师的夫人坐在两副餐具中的一副前面等候,并轻描淡写地责备我吃饭还要人催,以此表示打了招呼。他的专用座位是空的。我觉得我的血液一下子涌到了头上。这次出人意外的离去意味着什么呢?难道他比我自己还要害怕相见?他是羞于还是不愿意跟我共同进餐?最后我决定问一问,教授是不是不来。

她惊讶地抬起头来,望了一眼说:"难道您不知道他今天一早就出远门了?"——"出远门了,"我口吃地说,"到哪儿去了?"她的脸立刻绷了起来:"这我的丈夫可没屈尊告诉我,也许——又去做他的寻常的旅行了。"说完,她便突然严厉地怀疑地转向我。"这连您也不知道吗?昨天夜里他还亲自上楼到您那儿去了呢——我以为,这是去向您辞行呢……奇怪,真奇怪……他对您也什么都没有讲。"

"跟我讲?"——我只能这么叫了一声。这一声叫喊把我感到羞愧和受辱的这几个小时内如此危险地堵在心里的一切都呼了出来。突然我啜泣起来,我号叫着剧烈地痉挛起来——我咕噜噜滔滔不绝地一句句地说,一声声地喊,流露出搅成一团的混乱的绝望,我哭泣,不,我全身抖动,我在歇斯底里的啜泣中让整个压在心底的痛苦从我颤动的口中倾泻出来。两个拳头像打鼓似的在桌上乱敲,像一个受了刺激的狂躁的孩子,我脸上眼泪横流,把几个星期以来像雷雨一样压在我头上东西倾吐出来。经过这样剧烈的冲动,我觉得轻松了,同时也为在她面前如此泄露了自己的感情而感到无比羞愧。

"您怎么了!天哪!"她跳了起来,有些张皇失措。随后,她便快步跑过来,把我从桌旁领到沙发前。"请您躺下!您要静一静。"她抚摩着我的手,她抚摩我的头发,激奋的余波一直都在摇动着我的颤抖的身体。"不要折磨自己,罗兰德——请您不要折磨自己了。我了解这一切,我早就感觉到这一切会来的。"她还一直在抚摩我的头发。但她的声音突然变严厉了。"我可知道他能把一个人的感情搅乱,谁也不像我知道得这么清楚。但您要相信我,当我看见您完全依附于他这个靠不住的人的时候,我总想提醒您。——您不了解他,您很盲目,您还是一个孩子——您什么也没预感到,甚至到今天,到今天您还是什么也感觉不到。也许今天您第一次开始明白点什么了——这对他对您都更好。"

她弯着腰亲热地俯在我身上,我感到她的话好像发自玻璃般透明的内心深处,她的手的抚摩能减轻我的痛苦。这真好,终于,终于又一次感到一丝同情,接着也终于又一次感觉到一只女人的手那么亲近,那么富有柔情,简直像母爱一样。也许是我长时间以来太缺乏母爱了,现在我通过这抑郁的面纱接受一个竭力显得温柔的女人的同情时,我感到在痛苦中增加了一种愉快。但是,我是多么害羞啊,我是多么为这泄露一切的突然发作,为这暴露无遗的内心绝望感到害羞啊!一反我的本愿,我吃力地站起来,时而滔滔不绝时而断断续续地,又一次抱怨他不公平待我的种种行径——他怎样拒绝我,迫害我,然后又吸引我,他怎样毫无理由毫无原因地冷酷地反对我——他是个折磨人的魔鬼,我却恋恋不舍地依附于他,我恨他时怀着爱心,我爱他时也心怀憎恨。我又开始激动起来,她只好重新来安慰我。我从沙发上跳了起来,那柔软的手又轻轻地把我按回沙发里。我终于变得平静些了。她显然是若有所思地沉默着:我觉得,她明白一切,也许比我自己更明白……

我们沉默了好几分钟。然后,那女人站了起来。"好了——现在您已经当够孩子了,现在您应该又是大人了。您坐到桌子边来,吃饭吧!并没有什么可悲的事情发生——只不过是误会,这是可以澄清的,"看我有些不同意,她愤激地补充说:"这是可以澄清的,因为我不能让您再这样被牵制被迷惑了。现在必须结束了,他总得学会克制一些。您太善良了,不要涉入他那离奇的游戏。我要跟他说的,请您相信我。不过现在您来吃饭吧。"

我羞涩地任凭她把我拉回饭桌前。她匆忙而急迫地说着一些无关紧要的事,我打心眼里感激她,因为她对我失去自制时的感情发作好像听而不闻,似乎转眼就都忘记了。她敦促我说:明天是星期日,她要跟 W 讲师和他的未婚妻一起到附近的一个湖边去郊游,我也应该一块去散散心,从书本里解放一下。我所有的不适只不过是工作过于繁重神经过度紧张所致;在水里活动活动,到郊外走一走,我的身体就会立刻恢复平衡。

我答应去郊游。什么都行,只要不孤独,只要不闷在我的房间里,只要不在黑暗里胡思乱想。"今天下午您也不要待在家里!您去散散步,到外面去跑一跑,去消遣消遣吧!"她赶快补充说。"奇怪,"我想,"她猜得出我内心深处的感觉,我虽觉得她陌生,她却总知道我需要什么,什么使我痛苦;而他尽管熟知我,却总误解我,摧残我。"这个建议我也答应她了。我心怀感激地抬头一看,竟发现了一张全新的面孔:平时像顽皮少年的那种嘲弄和傲慢,现在却不见了,换成了一种脉脉含情的怜悯的目光:我从未见过她如此真诚。"为什么他却从未如此善意地看过我呢?"我充满渴望地自问,内心充满混乱的感情。"他使我痛苦,为什么他就从未感觉到?为什么他不用这样关切、这样温柔的手抚摩我的头发,不把他的手放在我的手里?"我感激地亲吻她的手,她不安地、几乎是激情地把手抽回去。"您不要折磨自己了,"她又重复一遍,她的声音是她弯着腰那么近地传进我的耳中的。

随后,那坚强的表现又在她的嘴角浮现;她挺直身子,轻声说:"您要相信我,他不值得您那样。"

而这句几乎听不见的耳语般的话,又将痛苦撞到我那本已平静下来的心上。

我那天下午和晚上的种种行为,看来是那样的幼稚可笑,我在几年里都羞于想起它——甚至一次内心的反省都会立刻使我的每一个回忆渐渐隐去。今天我已不再为那愚蠢透顶的行为感到羞愧了——相反，我现在非常理解当年那个无拘无束、感情混乱的少年，他是想要强行摆脱他那特殊的情感风险。

好像从一个极长的通道的终端，好像通过一架望远镜，我看到了我自己：那是一个精神涣散、完全绝望的少年，他上楼走进自己的房间，不知道该怎样打发他自己。他突然穿好上衣，变了一种步态，摆出极为坚定的神情，然后就猛然迈起强劲的步子走到街上去了。是的，这就是我，我认出了我，我知道那时的那个愚蠢、苦恼而又可怜的少年的每一个想法。我知道：我突然挺直了腰板，甚至还照着镜子，对自己说："我才不屑于理他呢！让他见鬼去吧！我干吗要为这个老傻瓜折磨我自己！她是对的：要高高兴兴地消遣一回！前进！"

真的，那时，我就这样走到大街上去了。这是为了解放我自己的一次冲击——然后就是奔跑，唯一的一次怯懦的逃离，同时意识到这种强烈的愉快压根儿不那么愉快，那个大冰块，那个坚硬的大冰块，仍然那样沉重地悬在我的心上。我还知道我当时走路的样子：手里紧握沉重的手杖，严厉地凝视着每个大学生；一个危险的念头在我心中蠢动，总想故意跟随便什么人挑起争端，把无处发泄的愤怒向路上遇到的第一个人发泄。好在没有人注意到我。于是，我便转而奔向我的同班同学一向聚集的那个咖啡馆，想主动地坐到他们的桌旁，打算抓住最小的挖苦话当作我挑衅的导火线。但我的好斗的准备又一次落空了——这一天风和日丽，大多数人都郊游去了，两三个同学坐在那里很客气地跟我打招呼，不给一点借口让我发泄狂怒。很快我便恼怒地站起来走了，这回是到郊区一个我忽然以为不那么低俗的酒馆去，那里有女子小乐队在演奏闹哄哄的音乐，那些寻欢作乐的游手好闲的小城里的人成堆地挤在啤酒和烟雾之间。我急匆匆饮下两三杯啤酒，邀请一个声名狼藉的娘儿们和她的女友，同一个满脸脂粉、骨瘦如柴的"半上流社会"的女人，到我的桌边来，而引起人们对我的注意，正是我病态的欢乐。小城里的每个人都认识我，每个人都知道我是那个教授的学生；那些人则因服装怪异和举止非凡而显出他们不同的身份——我就这样享受着这种无聊的自欺欺人的乐趣，以此败坏我自己和他的名声（我愚蠢地以为如此）；我想让他们看看，我并不把他放在眼里，我并不关心他——而且我当着众人的面以最不得体的、最不知羞耻的方式向那个胸脯丰满的娘儿们献媚。那是一种对愤怒的恶行的陶醉，不久也就真的醉了；我们胡乱地狂饮起来，葡萄酒、烧酒和啤酒什么都喝，我们放荡地推推搡搡、搂搂抱抱，弄得椅子倒地，邻座小心地移位。但我并不感到羞愧；相反，他应该知道，我这个傻瓜发怒了，他应该看到，他在我眼里是无足轻重的，啊，我不悲伤，我没有受辱——相反，"拿酒来，酒！"我用拳头把桌子敲得哐哐乱响，酒杯直颤。最后，我拉着两个女人，一个挎在右胳膊上，一个挎在左胳膊上，横穿过主干街道，在这惯常的节日彩车经过的九点钟，大学生和少女、市民和军人都在那里悠闲地漫步，活像摇摇摆摆的、肮脏透顶的三叶草，我们在快车道上随意高声喧嚷着走了过来，最后惹得一个巡警气哼哼地来到身边，严厉命令我们安静。后来发生了什么事，我就不能准确地描述了。——一团蓝色的酒精烟雾使我的记忆变模糊了，我只知道，我开始讨厌那两个烂醉如泥的娘儿们，我再也不能控制自己了，我便给了点钱打发她们走了。我又到一个地方去喝了咖啡和白兰地。为了使跑过来的年轻人高兴，我在大学生的主楼前作了一次抨击教授的演说。然后，出于抑郁的直觉，我还想更多地玷污自己的名声——这是从混乱的强烈的愤怒中产生的一个荒唐的想法——想再侮辱他一次，于是我想走进一家妓院，但我没有找到路，最后我气恼地跟跟跄跄地回家了。为开大门把我的不听使唤的手累得生疼，我费了九牛二虎之力才爬上头几个台阶。

但随后到了他的门口，我的头好像突然浸在冰冷的水里，我的整个沉沉的醉意就全消散了。突然清醒过来，我从我那张扭曲的脸上看见我在狂怒中昏昏沉沉干的蠢事，我羞愧得低下头去。为了不让人听见，我像一条被殴打过的狗悄悄地爬上楼溜进我的房间。

我睡得像死人一样；我醒来时，阳光已经覆盖了地面，并且慢慢地升到床边，我猛然冲了出去。在疼痛的头脑里渐渐抽筋似的浮现对昨晚一切的回忆；但我把羞愧感压下去，我再也不想有羞怯感了。我故意说，这不过是他的罪过，如果说我如此放荡，那也只能是他的罪过。我抚慰自己，说昨天的一切只不过是一场真正的大学生的玩乐而已，对于一个周复一周地只知工作再工作的人是可以允许的；但我恐怕不能证明自己正确，我相当惊恐不安地、畏葸不前地下楼到我老师的夫人那里去，心里想着我昨天答应过的郊游。

奇怪的是：我刚摸到他的门把手，他便又浮现在我的脑海里，随之而来的是那火烧火燎、抓心搔肝的痛苦，那令人气恼的绝望。我轻轻地敲门，他的夫人朝我走来，目光无比温柔："您都干了些什么蠢事，罗兰德？"她说，与其说是责备，勿宁说是同情，"您干吗这样折磨自己！"我惶恐地站在那里，可见她已经听说我干的那些傻事了。见我窘迫，她立刻鼓励我说："不过今天我们可要放理智些。十点钟，W讲师和他的未婚妻来，然后我们乘车出去划船，游泳，忘掉所有的蠢事。"我壮着胆子十分小心地问了问教授回来没有。她注视着我，没有回答，我心里明白，这个问题是多余的。

准十点，那个讲师来了，他是一个年轻的物理学者，作为一个犹太人在大学教师的圈子里相当孤立，事实上他是剩下来唯一与我们这些离群索居者来往的人；他的未婚妻，也许称他的情人更恰当，陪着他，那是一个年轻姑娘，嘴上老是带着笑，天真而略显调皮，她正是我们这次临时组织的超越常轨活动的合适的伙伴。我们先乘电车到邻近的一个小湖那里去，在车上我们吃啊，聊啊，说笑不停。艰苦严肃地工作了几个星期，我变得不会说笑了，这一小时像喝了一杯低度的有刺激性的葡萄酒，我有些微醉了。真的，他们的幼稚可笑的纵情游乐是完全成功的，它把我的思想从黑色蜜汁不断涌流的蜂房里引了出来，这些思想平时一直围着这个蜂房嗡嗡地盘旋，当我刚刚走到户外，在跟那个年轻姑娘突发异想地赛跑时，我又感到我的肌肉的强劲，这样，我就变成从前的那个无忧无虑、活蹦乱跳的小伙子了。

在湖边，我们租了两只划艇，我老师的夫人驾驶我的这只小船，那一只船上是那位讲师和他的女友各据一个划船的位置。刚一离岸，那种体育竞赛的热情便控制了我们，人人都想超过对方；我当然处于劣势，因为那两个人已经划出去很远了，我不得不单独跟两个人对抗。我甩掉了外衣，我这个训练有素的划船运动员，身子一俯一仰那么用力地划着双桨，这样我就一再重重地击水划在我的邻船的前面。呐喊助威的、揶揄取笑的话语像冰雹般飘过来甩过去，一方朝另一方挑衅，都毫不在意火热的七月阳光的蒸烤，也毫不理会全身大汗淋漓，为了运动的快慰我们相互都像不带枷锁的划桨囚徒一样努力干着苦役。终于接近目的地了，那是湖边的一个树木葱茏的半岛；我们划得更卖劲了，我的同伴也沉溺在这竞赛的游戏中了，她一边欢呼着胜利,我们的船嘎嘎响着首先触到沙滩。我走下小船,全身发热,汗流浃背,陶醉于不同寻常的阳光,陶醉于沸腾的热血,陶醉于胜利的喜悦:我的心都要从胸口跳出来了,汗透的衣衫紧紧贴在我身上。讲师的情况也不比我好,我们非但没有受到称赞,我们这两名顽强的斗士反而因为气喘吁吁的狼狈样子被两个自负的女人尽情地嘲笑了一番。最后她们倒是给了我们一段时间使身子凉快下来;我们一边开着玩笑,一边分成两组,构成临时的男女浴场——用灌木丛隔开的左右两边。我们很快穿上游泳衣,在灌木丛后发亮的衬衣和裸露的臂膀闪着光亮,我们正在作准备时,两个女人已经钻进水里舒适地拍击着湖水了。那位讲师不像我那样疲乏,现在是他一个人对抗她们俩,立刻跟着她们跳下去。我呢,因为划船划得太猛,感到心对着肋骨激烈地跳动,就先从容不迫地躺在阴凉里,舒舒服服地让云彩在我头顶飘过去,通过血液的滚滚流动愉快地体味那甜丝丝嗡嗡响的倦意。

没过几分钟,就从水面传来急促的喊声:"罗兰德,快来!参加游泳比赛!有奖游泳!有奖潜水!"我没有动弹:我觉得我可以这样躺上一千年,从枝叶间透射进来的阳光微晒着皮肤,同时又有柔情拂面的清风送爽。但又飘过来一阵笑声,听到讲师说:"他罢工了!我们把他彻底打垮了!您去把那个懒汉弄来吧。"于是,我果真听到近处的击水声了,现在离得很近的是她的声音:"罗兰德,快来!参加游泳比赛!我们必须给他们点颜色看!"我没有回答,让人寻找,那才开心哪。"您究竟在哪儿?"鹅卵石已经嚓嚓地响了,我听见光脚板在沙滩上走动,突然,她站在我面前,那湿淋淋的游泳衣紧紧地箍着那孩子般细长的身躯。"您在这儿呀,嘿,多么懒!但现在,快来,懒家伙,别人现在已经快到对面的岛子上了。"我舒舒服服地仰面躺着,我懒洋洋地伸展着四肢说:"在这儿要美多了。我随后就来。"

"他不愿意,"她拢起手笑着向湖对岸喊道。"让那个夸海口的人下水!"从远处传来讲师的声音作为回答。"您还是来吧,"她不耐烦地催促着,"您别让我出丑啊。"但我只是懒洋洋地打着哈欠。这时她半开玩笑半生气地折了一个灌木枝。"快来!"她果断地重复说,同时用小树条打了我胳膊一下催我快走。我猛地坐了起来:她打得太狠了,我的胳膊起了一道微红的条痕。"现在就真的不来了,"我说着,既是玩笑的口吻,又稍带愠色。但现在她倒真的生气了,她命令道:"您来吧!马上!"见我顽固地动也不动,她又打了我一下,这回可打得我火辣辣的疼。我霍地愤怒地跳起来,去夺她手里的小树条;她向后退了一步,但我抓住了她的胳膊。为了争夺那根小树条,我俩半裸的身体不自觉地靠得极近。我抓住她的胳膊,扭动她的手腕,想迫使她放下细树条,这时,她向后躲避着使劲一弯腰,突然,发出撕裂的声音——她的游泳衣的腋下带扣被撕断了,左衣片从她赤裸的胸部上掉了下来,她那硬硬的红红的乳头露了出来,直刺我的眼帘。我下意识地朝那儿看了一眼,只有一刹那时间,但这已使我心慌意乱了:我颤抖着羞怯地放开她的被攥住的手。她红着脸转过身去,拿一个发卡凑合着把被撕断的带扣夹在一起。我站在那里,不知说什么好。她也一声不吭。从这一刻起,在我们两人之间便出现了一种令人憋闷、乃至窒息的不安。

"喂……喂……你们究竟在哪里?"——在小岛前边传来这样的喊声。"哎,我来了,"我连忙回答,很高兴摆脱这新的慌乱,一跃跳进水里。几次潜水前冲,向前冲击的内心喜悦,感觉不到的湖水的清澈和凉意，强烈的明快的欢乐，这一切把我血液的危险的嘶嘶的流淌声冲刷得无影无踪。很快我就赶上了他们俩，向那个体质很差的讲师挑战，我要在比赛中战胜他。我们往回游到沙嘴，留下来的人在那里已经穿好衣服等待我们，准备从带来的小筐里取出食物在露天举行野餐。但我们四个人是那样欢畅地说了一通笑话，而我们俩却避免相互接话：我们说，我们笑，只是躲开我们自己。一旦我们的目光无意中相遇，它们就会在无言的同感中避开：那个意外身体相撞的难堪心境还没有平静下来，谁都会感到对方的回忆里隐藏着羞怯的不安。

下午伴随着再一次的划船活动很快过去了，但运动激情的冲动越来越让位于一种舒心的疲倦：葡萄酒浆，温暖的空气和晒在身上的阳光经过过滤渐渐地更深地渗入血液，使毛细血管全都胀得通红。讲师和他的女友毫无顾忌地做着亲昵的小动作，对这一切我们俩则不得不相当烦恼地忍受，他们越凑越近，我们则更加小心地保持距离；于是自然而然地形成这样的局面：那两个纵情欢乐的人在林中小径上甘愿落在后面，显然是为了更不受干扰地亲吻，而我们单独在一起时，总感觉拘谨，很难交谈。最后我们四个人都很满意地又合在一起，他们充满着对新婚之夜的预感，我们呢，也终于摆脱了那苦不堪言的处境。

讲师和他的女友一直把我们送到家门口。我们单独走上楼梯；刚刚进屋，我就又感觉到，环境令人痛苦地、极其迷惘地向我提醒他的存在。"他若是回来了，该多好！"我焦急地想。好像她从我的嘴唇上读到了我这无言的慨叹，她说："让我瞧一瞧他回来了没有。"

我们走了进去。住宅里是静悄悄的。在他的房间里，一切都被遗弃在那里：我的激动的感情不自觉地描绘着他坐在空椅子里的那抑郁悲观的形象。但那些稿纸一动不动地放在那里，像我本人那样在等待着。这时，气忿又来了：他为什么逃走呢？他为什么把我一个人留在这儿呢？嫉妒的愤怒越来越强烈地上升到我的喉咙口，我心中又模模糊糊地波动着那种对他发狠和报复的欲望。

夫人跟在我身后。"您留在这儿吃晚饭吧？您今天不要一个人呆着。"她怎么会知道我害怕空荡荡的房间，害怕楼梯的吱嘎声，害怕苦苦思索回忆呢：她总能猜到我心中的一切，我的每一个没说出口的思想，我的每一个邪恶欲念。

一种莫名的恐惧向我袭来，我害怕起我自己和我内心中那七上八下的仇恨来了，我想拒绝她。但我很怯懦，没敢说"不"。

我向来憎恶通奸，倒不是为了维护一种固执己见的伦理道德，不是由于假正经的贞洁观念，更不是因为它意味着暗中偷窃，占有别人的肉体，而是因为每个女人在这种时候总要泄露她丈夫最隐秘的东西——每一个女人都是一个大利拉①，她把受蒙骗的男人完全合乎人情的最深的秘密偷去，抛给一个陌生的人，不管是他的力气还是他的虚弱的秘密。不是因为女人的献身在我看来是背叛，而是因为她们为了证明自己正确，几乎总是从丈夫的羞耻处揭去遮羞布，把那个恍若睡梦中的蒙在鼓里的人展览出来，以引起异样的好奇和作为嘲讽的笑料。

不是因为我那时被盲目愤怒的绝望搅得不知所措，开始只是同情地、然后才是温情地拥抱他妻子，以寻求保护——一

---

① 大利拉，出卖情人参孙的女子。见《旧约·士师记》第十六章。

种感情无比迅速地滑向另一种感情——,就是在今天我也没感到这是我的生活的最卑鄙的低级趣味(因为这事的发生不是受意志支配的,我们俩都是不知不觉地跳进这灼人的深渊),而是因为我让她在温暖的枕头上给我讲述他的那些亲昵温存的行为,我允许这个被激怒的女人泄露她的婚姻的最大秘密。为什么我忍耐着,没有把她推开,反倒让她告诉我,多年来他就不接触她的身体,而且容忍她不停地作隐约的暗示;为什么我不强令她不要讲他的性生活的秘密呢?我是心急如焚地想知道他的秘密,我渴望知道他对我、对她、对所有的人的过错,以致我迷迷糊糊地接受了她遭冷落的愤怒的表白——那简直跟我自己遭拒斥的感觉一模一样!所以我们俩才会出于混乱的、共同的仇恨干出某种如同爱情的举动来:在我们的身体相互寻找并紧紧结合在一起时,我们想着他,我们一再谈他,只谈他。有时她的话刺伤了我,我也感到害臊,因为我被卷入了我所厌恶的事情里去了。但我下边的身体不服从我的意志,它疯狂地寻求自己的欢乐。我战战兢兢地亲吻着那背叛我最敬爱的人的嘴唇。

第二天早上,由于厌恶和羞耻,我的舌头都有些发苦,我悄悄上楼溜进我的房间。在她身体的温热不再使我销魂荡魄的这一分钟内,我感觉到这鲜明的现实和我的背叛的可憎。我立刻就知道,我决不能再出现在他面前了,再也不能握他的手了:我偷的不是他的,而是我自己的最美好的东西。

现在只有一个解救办法:逃走。我情绪亢奋地把我所有的东西都装进了箱子,摞起我的书,向我的女房东付了房租:不能让他再找到我,我也应该消失,毫无理由地极端秘密地消失,完全像他在我面前消失一样。

但我正在整理东西的时候,我的手突然僵直不动了。我听到了木楼梯吱吱嘎嘎的声响，听得见匆匆地上楼的脚步声——是他的脚步声。

我的脸色一定变得死一样的惨白。刚一进门，他便大吃一惊。"你怎么了，孩子？你生病了吗？"

我向后退缩。当他要走近我，想要关切地抓住我的手时，我躲开了他。

"你怎么了？"他惊恐地问，"你出了什么事？或者……或者……你还生我的气吗？"

我猛地奔向窗口。我不能看他。他那温和的同情的声音好像在我心中撕开一个伤口：接近于昏迷过去，我感觉到有一股热流在我心里流动，非常热，炽烈的热，像烧焦了似的热，那是羞耻的浇铸。

他也惊奇地慌乱地站在那里。突然——他的声音变得很小，怯生生的——他低声提出一个奇怪的问题："对你……有谁对你讲了我的什么事吗？"

我做了一个否定的动作，连身子也没向他转过去。但好像有一种胆怯的思想控制了他，他执拗地重复说：

"告诉我……坦率地告诉我……有谁讲了我一些什么……随便哪个人，我不问究竟是谁。"

我再次否定。他不知所措地站在那里。但他突然好像发现我的箱子装起来了，我的书堆到了一起，他的到来打断了我旅行的最后准备。他心情激动地走近说："你想走，罗兰德，我看出来了……把真情告诉我。"

这时，我已振作起来。"我必须走……请您原谅我……但真情我不能说……我会写信告诉您的。"从被夹紧的喉咙里我再也挤不出话来了，每说一句话我的心就怦怦跳一阵子。

他怔怔地站着。接着，他又突然显出那种疲倦的神态。

"这样也许更好些,罗兰德,是的,当然,这样更好……对您,对大家。但在你走之前,我还想跟你谈谈。七点钟,在往常的钟点,你来吧……然后我们告别,男人跟男人……只是不要逃避自己,不要写信……那太幼稚,跟我们不相称……我想跟你说的一切,一个字我也不想写下来……那么你来,不是吗?"

我只点了点头。我的目光一直都不敢离开窗口。但在明亮的晨曦中,我却什么也看不见,一层浓厚的黑暗的烟雾遮在我和世界之间。

七时整,我最后一次走进那可爱的房间:早来的暮色透过门帘,可以隐约地看见那些大理石雕像的溜光水滑的石头从深处闪着光辉,所有的书都黑压压地躺在珍珠母闪光玻璃的后面。在我的记忆的秘密所在,我感到那话语也变得富有魔力了,我在什么地方也没有经历过这样的精神上的陶醉与狂喜——在这告别的时刻,当那形象慢慢地、慢慢地离开软椅的靠背,影子一样迎面向我走来时,我一直看着你,一直看着你这可尊敬的形象:只有前额像一盏雪花石膏制的灯一样在黑暗中闪着灿烂的光芒,在那上面有一股飘动的云烟,那是老人的白发在起伏波动。现在,他从下面吃力地抬起一只手,想要寻找我的手,这时我才看清他的眼睛正对着我看,于是我感到我的臂膀被他轻轻按住,他让我坐在一把椅子上。

"你坐下,罗兰德,让我们把话说清楚。我们是男人,必须真诚相见。我不强求你——但在最后的时刻,把我们之间的一切都说清楚,岂不更好?说吧,你为什么想离开?是因为每一次无意义的伤害,你生我的气吗?"

我打了一个手势表示否定。我惊异地想:他,这个被欺骗者,这个被出卖者,怎么还想自己承担罪过!

"过去我有意无意地伤害了你，是不是？我有时很古怪，这我知道，不过我激怒你、折磨你，是违背我的本意的。对于你的一切关怀我对你没表示应有的谢意——这我也知道，我知道，我始终都很明白，即使在我使你难过的那几分钟里。是这个原因吗？——告诉我，罗兰德！因为我希望我们能体面地分手。"

我又摇了摇头：我不能说呀，他的声音本来是很坚定的，现在却略微有些慌乱了。

"要么就是……我再问一遍……是不是有人偷偷地向你说了关于我的什么事了？说了你认为粗俗的、讨厌的事，让你瞧不起我的事？"

"不！不！……没有！"像一声抽泣，我脱口提出抗议：我岂能鄙视他！我岂能瞧不起他！

这时，他的声音变得急躁起来。"那又是怎么回事呢？……那究竟可能是怎么回事呢……你觉得工作太累吗？……要么是什么把你吸引住了？……一个女人……是一个女人吗？"

我没吭声。这次沉默是那样的不同，乃至他感到一种肯定。他弯腰凑近我，把声音放低，但一点也不激动，不激动也不生气地小声说：

"是一个女人吧？……是我的女人？"

我仍然一声没吭。他明白了。我全身发抖：现在，现在，现在他可能要说话了，要攻击我，痛打我，惩罚我了……于是……我几乎渴望他鞭挞我，我这个窃贼，叛徒，渴望他像对待一条癞皮狗一样把我从他的被践踏的家里打出去。但是很奇怪……他十分安静……他好像卸下一副重担似的，若有所思地喃喃自语道："这我本来早该想到的。"他在房间里来回走了两趟。然后他在我面前站住，我觉得他有些轻蔑地说：

"这个……你认为这很严重吗？难道她没对你说过她是自由的，她想干什么就干什么，一切都随她的便，我无权干涉她？……无权禁止她做任何事，也不能把最小的喜好强加给她……讨谁喜欢，特别是对你，她何必控制自己呢？……你年轻，你聪明，漂亮……你跟我们这么近……她怎么能不爱你呢……我……"突然他的声音颤抖起来。他很近地弯着腰，近得连他的呼吸我都能感觉到了。我又感觉到他的目光的温暖的包围，又感觉那奇异的光，正如在他和我之间的那些罕见的奇异的时刻里。他越来越近地靠近我。

然后，他轻声地，几乎嘴唇不动地说："我——我爱你呀。"

我冒火了吗？这话无形中使我恐惧了吗？但我肯定做了一个什么惊异和逃走的动作，因为他像一个被顶撞回去的人一样跟跟跄跄地远离我。一个阴影昏暗地罩在他的脸上。"你现在鄙视我吗？"他声音极低地问，"你现在觉得我讨厌吗？"

当时我为什么找不出话说呢？为什么我只是默默地坐在那里，又窘迫又麻木，而没有向这位可爱的人走去，解除他内心的忧虑呢？但一切往事的回忆在心中像波涛一样汹涌澎湃；好像有一个密码突然解开了所有那些不可捉摸的信息的语言，现在无比清楚地明白了一切，明白了他心怀温情的到来，他那粗暴无礼的辩解，我心情激动地明白了那次深夜来访和在我激情突发时他的毅然离去。爱，我永远都在他身上感受到爱，那温情的羞怯的爱，时而很随便，时而又很拘谨，我喜欢这爱，我在每一束飞快向我投来的感情之光中享受这爱——但是，像爱这个字眼现在出自一个胡子拉碴的老人之口，听起来还充满欲望和柔情，倒委实叫我感到悚惧，太阳穴都同时麻得要命。尽管我对他百般恭顺而又十分同情,我这个心慌意乱的、索索发抖的、遭到突然袭击的孩子,对他向我出其不意表露出的激情,还是找不到一句话来回答。

他像被摧毁了似的坐在那里,直勾勾地望着我的沉默。"你觉得这么难以忍受,这么令人恐惧,"他喃喃地说,"你也……你也不原谅我,对你我也要把嘴闭紧,逼得我几乎闷死……我躲起来不让你发现,但我不在任何人面前都躲藏……不过现在你知道这一点更好,现在不要再让我闷得喘不上气来了……因为这对我已经太过分了……哦,太过分了……来一个结束比这样沉默和故意隐瞒要好得多……"

好像是这里充满了悲伤,充满了温情和羞涩,那微微颤抖的声调一直钻入我的心底。我感到害羞,我是这样冷漠,这样像冻得失去知觉似的在这个人面前保持沉默,我从这个人这里得到的比从任何其他人那里得到的还要多,而他却这样无谓地贬低自己。我的灵魂在燃烧,我的心急于对他说一点安慰的话,但嘴唇,我这发抖的嘴唇,却不听话。我那样尴尬,那样悲伤地蜷缩着身子坐在那里,在椅子上左摇右晃。他几乎是很不情愿地鼓励着我:"你不要光这样坐着,罗兰德,不要这样可怕地沉默地坐着……你要镇静……你觉得这真的那么可怕吗?你为我特别感到害羞吗?现在,一切都过去了,一切我都对你讲了……至少让我们很有礼貌地分别吧,像两个男人,符合两个朋友的礼节。"

但我还是一直不能控制自己。他碰了一下我的胳膊:"来,罗兰德,到我这儿来坐!……自从你知道了这一切,自从我们之间的一切都明朗化以来,我觉得轻松多了……起先,我一直担心你知道我是多么爱你……后来,我又希望你自己能感觉到这一点,只是为了省得由我来挑明……现在已经挑明了,现在我自由了……现在我可以跟你说了,我跟别的什么人也不能说啊。因为在这些年里你跟我比任何人都亲近……我只爱过你一个人,孩子,没有一个人像你这样唤醒我生命最后的一点精神。所以,你在离去时也应该比别人更多地知道我,甚至在那些我们共同撰稿的钟点里我都清楚地感到你要问,你默默地想问……唯有你应该了解我的全部生活。我现在讲给你听,你愿意吗?"

从我的目光里,从我的慌乱而震惊的目光里,他看到了我的肯定的回答。

"那就走近些,到我这儿来……这些事我不能大声说。"我哈下腰——应该说这是很虔诚的样子。但我刚刚坐在他对面等待倾听,他又站了起来。"不,这样不行……你不可以同时看着我……否则……否则我就说不出来了。"他一下子把灯熄了。

黑暗罩住了我们。我感觉到他很近,这是我从他的呼吸感觉到的,在看不见的所在,他的呼吸很沉重,他的喉咙里好像呼噜噜作响。突然,在我们中间有一个声音升了起来,向我讲述他的一生。

那天晚上,这位可尊敬的人,像启开一个坚硬的贝壳一样,向我展现了他的命运。从四十年前这个夜晚起,我一直觉得,我们的作家和诗人在书里作为不寻常的东西描述的一切,舞台上的戏剧作为悲剧所演出的一切,都是儿戏,都无足轻重。在生活的上面被照亮的光圈里,感官在公开而有规则地嬉戏,同时在下面拱顶地窖里,在心灵的岩洞底层和阴沟里,真实而危险的激情猛兽像闪着磷光似的四处游动,千姿百态地交媾和撕咬,——他们永远只描绘这生活上面的光圈,这是不是懒散,怯懦,过于目光短浅?是这气息,这疯狂情欲的热乎乎的、消耗体力的气息，这灼热血液的气味把他们吓呆了吗？他们怕不怕在人类的疮疖上把一双过于细嫩的手弄脏？抑或他们的眼睛已习惯于暗淡的光，不能在底层发现这些黏腻的、危险的、腐烂得直掉渣的阶梯？然而知情者的内心喜悦和隐蔽者的喜悦毫无相同之处，没有任何恐惧比得上遇到危险时的不寒而栗，没有哪种痛苦比不能摆脱羞耻更痛心疾首。

在这里，一个人毫无保留地向我敞开了心扉，在这里，一个人撕开最内在的心胸，热切地准备把那颗被击碎的、被毒害的、被烧焦的、化了脓的心掏出来。一种野蛮的性欲在这年复一年被压抑的自供中像自鞭教徒那样任意折磨着自己。只有一生都羞惭、屈从、遮遮掩掩的人会如此忘形地对自己作无情的剖白。一个人在这里一段段地从心里把他的生活吐露出来，而此时此刻我这个孩子第一次看到了尘世感情难以想象的深奥。

起先，他的声音只是无形地在屋子里震响，如感情激动的浑浊的浓烟，秘密事件的信心不足的暗示，然而一个人恰恰在拼命控制激情时感觉到这激情到来的威力，正如一个人在急速的节奏之前那种特别放慢的节拍中预感到神经中的激奋。随后，图像开始闪动，这些景象被内心激情的风暴撕扯着颤巍巍地升起，渐渐地明朗起来。我先是看见一个男孩，一个羞涩的畏首畏尾的男孩，他不敢跟同学说话，但他却在一种混乱的身体本能的欲求驱使下，恰恰对学校里最漂亮的男孩产生了爱恋之情。在他过分温存地表示亲近时，那孩子愤怒地往后一推，把他赶走了，第二个孩子则用露骨的难听话嘲笑他，更糟的是，他们俩把这不正当的欲望当作耻辱行为告诉了别人。于是，出于嘲弄和鄙视，全体同学一致决定把他这个感情迷乱的孩子驱逐出他们快乐的团体，像对待一个麻疯病患者一样。上学的路于是成了他每天苦难的行程。由于自我鄙视，这个过早被打上标记的孩子夜夜不得安宁:这个被排斥的孩子认为他的荒谬的、但最初只在梦中暴露真相的欲望是一种荒唐的妄想和肮脏的罪恶。

那讲述的声音不安宁地起伏波动:有那么一瞬间,那声音好像消逝在黑暗中了。但它又在一声叹息中升上来,此刻,从弥漫的烟雾中闪现出新的图像,影影绰绰,像幽灵一样。这个男孩成了柏林的大学生,这个隐晦的城市使他长时间克制的嗜好得到了满足,但在昏暗的街角、在火车站和大桥的阴暗处的这些幽会,因厌恶变得多么肮脏,被恐惧毒化得多么厉害,在震颤的欢快中显得多么可怜,由于存在危险又多么可怕,这些幽会大多以卑鄙无耻的敲诈勒索而结束,而每一次幽会后几星期之久都一直留着一个不寒而栗的粘腻腻的蜗牛痕迹!这是黑暗与光明之间的地狱之路:白天工作时,他作为研究人员因受到脑力劳动纯正因素的影响而得到净化,夜晚他的嗜好则一再把他推到城郊的垃圾堆里去,使他加入那些可疑的、一见巡警的尖盔便急忙逃窜的青年人的行列,走进阴暗的啤酒馆,那不信任的门只向某种微笑的面孔开启。他必须保持坚强的意志,小心地掩藏日常生活的这种双重性,对陌生的目光掩盖这墨杜萨式①的秘密。白天无可挑剔地保持着一个讲师的尊严,以便夜间到底层世界去游荡,在那里不为人知地躲在昏黄街灯的阴影里羞羞答答地干那种见不得人的冒险勾当。这个备受折磨的人一再绷紧神经,用自我克制的皮鞭把脱离常规的热情赶回围栏里去;而内心的冲动又一再把他拉到黑暗的危险的境地。为对抗那不可医治的嗜好的无形的强大吸引力而进行的十年、

---

① 墨杜萨,希腊神话中的女妖。她头上无发,而缠绕着许多条蛇,任何人见到她的头都要化成石头。

十二年、十五年的殊死搏斗,像一次痉挛的发作,转眼就过去了。没有快感的享乐,透不过气来的羞臊,渐渐地,那含羞地藏在内心的昏暗的目光对自己的激情也产生了恐惧。

  后来,他在三十岁以后,终于吃力地试图把这辆马车拉到正道上来。在一个亲戚那里,他认识了他后来的妻子,一个年轻的少女,她糊里糊涂地被他性格上的神秘莫测所吸引,对他表露了真诚的爱慕。她那孩子般的身躯和她那年轻的狂热举止,第一次短时间使他的热情受到诱惑。短暂的相爱消除了对女人的抵触情绪,他第一次被战胜了,他希望这次正当的关系能使他控制住误入歧途的嗜好。他迫不及待地要紧紧地锁住自己,紧紧地抓住他头一次找到的对抗这种内心危机的支撑物,于是他——在坦白了他过去的行为之后——很快就娶了这个少女。这时,他以为回到那可怕境地的归路已被堵死。很短的几星期里他生活得无忧无虑;但新的刺激很快就失灵了,那天然的要求显出它的顽固和无比强大。从此刻开始,那个大失所望的女人只被当作摆设,用来掩饰他在社会上累犯的嗜好。他又冒着莫大的危险,沿着法律和社会的边缘,走进危险重重的黑暗。

  而在内心的混乱方面又增添了特殊的烦恼:他选的职位使他的嗜好遭到诅咒。跟年轻人经常交往成了这位讲师和很快被任命为教授的职业上的义务,新的风华正茂的青年一再把那种诱惑带到他身边,好像那都是普鲁士僵化世界内部一个个看不见的古希腊竞技场上的少年。这真是新的灾难!新的风气败坏!——所有的人都热烈地爱他,却看不出他在教育者面具下的性爱的面目;当他的手(那暗中发抖的手)亲切地触摸他们时,他们都无比愉快,他们把自己的热情滥用在一个不得不经常对他们控制感情冲动的人身上。这是坦塔罗斯的磨难①：他要冷酷地对待蜂拥而至的热情，又要不断与自己的弱点进行永无休止的斗争！每当他感觉到几乎要屈服于一种诱惑时，就突然采取逃跑的策略。这就是他那些使我感到迷乱的闪电般消失和归来的越轨行为：我现在看到了这条逃避自我的可怕的路，这是一条逃进陋巷和深渊的恐怖之路。后来，他总是到一个大城市里去，在那里的偏僻地方找到知己，那都是社会底层的人，他会见的对象是淫乱的青年，代替了为神圣事业献身的青年，但他需要这种讨厌的人，这种烂泥潭，这种使人反感的事，这种失望的毒汁，以便随后回到家中在成群可信赖的大学生圈子里又能坚定地抵御自己本能的欲求。哦，那是一些什么样的相会呀——他发誓向我供认的，那是一些什么样的幽灵般的散发着恶臭的人间形象啊！这个才智出众的人，这个天生就离不开形象美的人，这位一切感情的真正的大师，他一定是在那些只准知情者进入的烟雾缭绕的下等小酒馆里遇到了那些人间的世界末日的屈辱：他了解那些涂脂抹粉的游荡街头的少年的无理要求，那些散发香水气味的理发师助手的甜言蜜语的亲昵，那些身穿女人衣裙的男扮女装者激动的咯咯笑声，那些无所事事的戏子对金钱的疯狂贪欲，嚼着烟草的海员粗鲁的温柔——他了解所有这些扭曲的、惊恐的、颠倒的和离奇的行为，人们可以在城市最底层的这些行为中寻觅和认出那迷途的性。所有的贬损，所有的凌辱和残暴他都在这些黏腻的路途上碰到过：他多次被偷得精光（他太软弱，太高贵，不能跟一个马车夫扭打），没有表，没有大衣，又在回家的路上被那个城郊的

---

① 坦塔罗斯的磨难，意指知道接近所希望的目的又不能达到这个目的所带来的难以忍受的痛苦。

下等小旅馆里喝醉酒的伙计嘲笑了一番。一伙勒索钱财的人紧紧地跟上了他,其中的一个人经过数月之久对他步步紧逼,一直跟踪到大学里,放肆地坐在听课生的头一排座位上,然后面带下流的微笑抬头盯视这位全城知名的教授,教授见他神秘地眨着眼睛,便哆哆嗦嗦地使足最后一点气力勉强结束了讲座。有一次——我的心差点儿没停止跳动,因为他连这件事也跟我说了——半夜在柏林的一家声名狼藉的酒吧里他跟一个团伙被警察一网打尽;一个肥胖的红脸颊的警官面带下级官员那种趾高气扬的嘲弄的微笑、自以为高出知识分子一头,把这个全身战抖的人的名字和身份记了下来,最终对他大发慈悲,这一次把他无罪释放了,但从此他的名字却留在了某种人的名单里。正如一个人长时间坐在有劣等烧酒的房间里,最后衣服上附着的酒味都能嗅得出,想必在这个独特的小城里也不知从哪里开始渐渐窃窃私语地传开有关他的闲话,因为完全像从前在中学班级里一样,现在在同事的圈子里对他冷冷地说话和打招呼的情况越来越明显,直至最后那间异样的透明的玻璃房间把这个永远的孤独者与所有的人隔离开来。在他的完全隐居、绝对闭锁的房子里,他仍然感到有人窥探他,把他识破。

  这颗受尽折磨的吓怕了的心从来也没有感到过来自真正朋友的、来自思想高尚者的怜悯,也没有感受过男性强烈温柔的庄严回报:他不得不总把他的感情分成上层和下层,就是分给与大学里那些有文化教养的年轻同伴亲切友好的交往,分给黑暗中争取来的而在清晨又使他震颤的伙伴。这个衰老的人从未受到过纯真的爱慕,从未体验过一个青年深情的爱慕;况且,这个听天由命的人已经精力耗尽,心灰意懒,每根神经都在布满荆棘的苦难生活中受过刺伤,觉得自己已快入土——这时,一个年轻人又一次闯进他的生活。他热情地向这衰老的人走来，用言语和行动，无私地向他献出一切。他对这个不知不觉被征服的人抱着满腔的热情。老人惊愕地面对这早已不再期望的奇迹，觉得自己不配接受这份如此纯洁的、如此无意识地奉献出的礼物。就这样又来了一个青春的使者，这青年形象美丽，感情奔放，对他怀有炽烈的热情，通过一条心心相通的纽带同他相连，渴望博得他的好感，却一点也没有感到这种好感的危险。这青年在无知的心灵里燃烧着性爱的火焰，大胆而一无所知，像那个傻瓜帕西法尔① 一样：当时帕西法尔弯下腰，凑近国王中毒的伤口，他并不会施展魔法，仅只他的到来就是治疗的良方——这是他一生长久企盼的人，不过太晚了，此人在暮色降临的最后时刻才走进这所房子。

　　随着这个被描绘的形象，他的声音又从黑暗里升上来。好像有一束光净化了这声音，一种发自内心、引起共鸣的温情使它有了音乐感，因为这个能言善辩的人正在谈论那个年轻人，那个迟来的恋人。我怀着激动而又有同感的愉快心情全身颤抖，但突然间——像有一个锤子锤在我的心上。因为我的老师说的这个热情的年轻人，这正是……这正是……羞色浮现在我的两颊……这正是我本人啊：我好像在火热的镜子里看见自己凸现出来，被笼罩在一道意想不到的爱的光辉里，它的反光还在烘烤着我。是的，这是我——我越来越清楚地看见了我，看清我那激奋的情状，那狂热的想接近他的愿望，那不满足于精神东西的贪婪的心醉神迷状态，看清我这个愚蠢、粗野的孩子，对自己的力量一无所知却又一次在这位被封锁者的心中激

---

① 帕西法尔，中世纪传说中的骑士，因憨厚、纯真被称为"纯洁的傻瓜"。他历尽艰辛，经受了种种考验，最后成了国王。他最后来到圣杯堡，带来了神圣的长矛，治好了前国王的伤。

发创造者的不断膨胀的种子,再一次点燃他灵魂中无力地倒下的性爱的火炬。我现在惊异地认识到,我这个羞怯的孩子对他有什么意义,他把我的过于兴奋的激情当作他晚年的最神圣的赠品来热爱——我同时十分震惊地认识到,在我面前,他的意志力是多么坚强:因为他恰恰不想看到在我这个纯洁的恋人被嘲弄、被顶撞和在受辱时的全身震颤,恰恰不想使耽于享乐的感官得到这愤慨命运的最后恩赐。因此他才激烈地抗拒我高度的热情,用猛然浇在头上的冷冰冰的嘲讽把我不断高涨的感情吓走,把亲切温柔的言词变成尖刻生硬的冷言冷语,控制那温情地攥着的手——仅只为了我的缘故他才强迫自己做出一切使我清醒而使他得到保护的粗暴举动,而这一切搅得我好几星期都心神不宁。那一夜他受感情的控制像梦游者似的爬上吱嘎作响的楼梯,用那句伤人的话挽救他自己,挽救我们的友谊,对那一夜的无端的混乱我现在也觉得惊人的清楚了。我战栗,我感动,像发烧一样激动,溶化在同情里,我明白了他为我忍受了多少痛苦,他为我多么果敢地控制着自己。

  这黑暗里的声音,这黑暗里的声音,我多么真切地感觉到它一直渗入我的心底!这声音里有一种语调是我以前从未听到过的,从前没听见过,以后也不会听见——那是一种发自内心深处的,常人决不会有的语调。一个人一生中只能这样对一个人说一次,为的是今后永远沉默,就像神话里讲的那只天鹅,它只在临死前才用沙哑的声音高唱一次。我战栗地、痛苦地把这热乎乎冲来的、无限恳切的声音纳入我的内心,好像一个女人接受男人一样……

  突然,这声音沉寂了,现在在我们之间只有黑暗。我知道他就在近处。我只好举起一只手,让这伸出去的手去触摸他。

我心急火燎地想要安慰这个受煎熬的人。

　　这时，他动了一下，灯一闪，亮了。一个身影显得很疲倦，很苍老，很痛苦，从软椅里站起来——一位年老的、精疲力竭的人慢悠悠地向我走来。"再见，罗兰德……现在我们都不要再说什么了！你来了，这很好……你走，这对我们两个人都很好……再见……那就让我在告别时吻吻你吧！"

　　像被魔力牵引一般，我摇摇晃晃地向他走去。那平时像被弥漫烟气遮没的微燃的光，现在毫无阻挡地在他的眼睛里闪现：灼热的火苗从那双眼睛里向上升腾。他把我拉近，他的嘴唇如饥似渴地压住我的嘴唇，他强有力地，颤抖地抽搐着，把我的身体紧紧搂在他的怀里。

　　那是我从女人那里从未经历过的一个吻，一个像临死前的叫喊那样野蛮和绝望的吻。他身体的那颤抖的抽搐传到了我身上。我由于被一种异样的可怕的感觉抓得死死的，全身都在发抖——我一心一意地作了奉献，但在心里却因怀着对男性身体接触的反感而万分惊恐——这是激情的极端迷乱，一瞬间的压抑发展成我长久的心醉神迷。

　　这时，他放开了我——那猛的一动就像一个身体被猛力拉开了一样——，他吃力地转过身去，一下子坐在软椅里，背对着我：他呆呆地靠在那里，直勾勾地朝前望了几分钟。但是，他的头渐渐地变得沉重起来，他先是疲倦而虚弱地低下去，然后就像一个过重的东西，一个长时间摇摆的东西，突然往下坠，咕咚一声，朝下的前额重重地跌落在写字台上。

　　我感到一种无限的同情。我不由自主地走近他。但是，那前倾的背突然抽搐起来，从被夹紧的双手的缝隙里发出沙哑的沉闷的呻吟，他威胁地拉着长声说："去……去！不要——不要走近我！……看在上帝的分上……为了我们两个人……现在

713

就走……走吧！"

我明白了。我吓得直往后退：我像一个逃犯似的离开了这可爱的房间。

此后我再也没有看见过他。没有收到一封信，也没得到一点儿消息。他的著作没有出版，他的名字已被人遗忘；关于他，谁也没有我知道得多。但即使在今天，我还觉得，我仍像那个无知的少年：他上有父母，下有妻子儿女，但我不再感激任何人，也不再去爱任何人了。

书商门德尔

罗 炜译

我于外出访友之后重返维也纳，遇到一场倾盆大雨。雨一阵紧似一阵，犹如湿淋淋的鞭子，抽得人们急忙逃到屋檐下，或躲进能避雨的处所。我也急急忙忙寻一处躲雨的地方。幸好，时下维也纳的街头小巷到处都有咖啡馆在恭候客人的光临——于是，我就躲进马路正对面的那家，头上的礼帽已经开始往下流水，肩膀更是淋得透湿。从屋内的陈设来看，这家市郊咖啡馆并未脱离其传统的、近乎千篇一律的模式，没有市内那些仿效德国的音乐演奏场之类的新时髦，这里洋溢着老维也纳的市民气息，来此落座的全是平头百姓，他们对报纸的消费多于点心。现在正值傍晚时分，本已混浊的空气仿佛又带着蓝色的烟圈组成的厚厚的大理石花纹，尽管如此，崭新的丝绒沙发、发亮的铝制收款台使咖啡馆依然显得清爽而洁净。我进来时很匆忙，故而没去细看门口的招牌，就算知道它的店名又有何用呢？——此时，我暖暖和和地坐在咖啡馆里，目光穿过淋着雨水的蓝玻璃窗不耐烦地向外张望，只恨这恼人的大雨下个不停，使我无法继续向前赶几公里的路。

如此一来，我只好无所事事地坐在那里，开始陷入一种懒散的迟钝状态，每家真正的维也纳咖啡馆都看不见地散发着麻醉剂似的慵困气氛。由于这种空虚的感觉，我逐一打量着这里的每个人,烟雾缭绕之中的灯光给他们的眼睛画上了一道病态的灰圈。我注视着收款台后面的那位小姐,看她如何机械地给每杯咖啡放上糖和小匙,然后,分发给侍者端走。我半梦半醒,无意识地看着墙上那些极其无关的广告。这样的昏昏沉沉简直令人感到惬意。但忽然间,我奇怪地从半梦半醒状态中完全清醒过来,我的心里开始了一阵莫名其妙的躁动,就像一阵轻微的牙痛,且还搞不清楚疼痛是源于左边还是右边,上颌还是下颌,我只感到一阵模模糊糊的紧张,一种心灵的不安。突然间——我自己也不明白是什么原因——我意识到,自己数年前肯定来过这里。因为,我觉得这里的墙壁、椅子、桌子以及这间陌生而又烟雾弥漫的房子与我都有着联系。

然而,我越想把握住这个回忆就越不能如愿以偿,它似乎在有意地捉弄我,竟一溜烟地缩了回去——犹如一只水母,蜇伏于意识的最底层,闪烁不定,触不到,抓不着。我的眼睛徒劳无益地凝视着室内陈设的每一件物品。显然,有些东西我并不熟悉,比如收款台配备了叮当作响的自动收款机,墙上仿紫檀木的棕色贴面,这一切想必是后来才添置的。可是确实,确实,这里我二十多年前曾经来过,这里有那个早已消逝的"我"留下的什么东西,就像钉入木头之中的钉子,藏在看不见的地方。我猛的一下振作起来,调动浑身的每一个感官,同时在屋子里和自己心里搜寻着——但真是要了命了!我无法找回这失踪的记忆,它淹没在我的心海里了。

我对自己很气恼,正如由于一次失败,人们认识到精神的力量并非万能和十全十美的时候,往往会十分气恼一样。但我内心仍旧怀有还能找回这个记忆的一线希望。我知道,我只要有一只小钩子就够了,因为我的记性生来就十分特别,既好又坏,既倔强固执,又有难以描述的忠诚。无论大事小事还是各色人等,无论阅读所得还是亲身经历,只要是重要的,它都一古脑儿吞进它那幽黑的仓库里,单凭意志的召唤而不施加压力,是一丁点儿也不会从冥府似的黑暗的仓库里拿出来的。是的,我只需抓住溜得最快的那根线索,一张明信片,信封上的几行字,一份让烟给熏黑的报纸,刹那间,被遗忘的往事如同咬住钓钩的鱼儿,就会真切而实在地蹦出奔流的混浊的水面。我随即便会知道一个人身上的全部细节,他的嘴,嘴一笑便会露出左边因牙齿脱落而留下的窟窿,断断续续的笑声,颤动的胡子,以及在笑声中显露出来的另一副新面孔——这所有的一切随即便完全在幻觉之中浮现于我的眼前,我想起了多年以前这个人对我讲过的每一句话。然而,为了真切地看到和感受往事的存在,我仍需借助于感官的刺激和来自现实的微小的帮助。于是我便双目紧闭,好竭力地思索,用那只神秘的钓钩把往事钩出来。可我一无所获!再度一无所获!全都掩埋了,全都遗忘了!对于长在两个太阳穴之间的这台差劲的、固执的记忆机器我感到无比的愤怒,恨不得拿拳头打自己的脑袋,这就好比是一台失灵的自动售货机,任你怎么摇它,就是不把你买的东西输出来。不,我再不能无动于衷地坐等下去了,这种身体内部的失灵令我气愤至极,我怒气冲天地站起来发泄心中的不快。然而,奇怪的是——我刚在咖啡馆里抬起脚,第一线荧光便闪烁在我的脑海里。走到收款台的右边时,我想起来了,从那儿一定可以进入一间没有窗户、只用人造光源照明的屋子。真的,没错。就是这间屋子,这间轮廓显得模糊的长方形后屋,这间游戏室,虽然室内的装潢与以前不同了,但却仍旧保持了原来的布局。我下意识地逐一环顾四周的物品,神经已开始欢乐起舞(我觉得自己马上就会知道一切了)。屋里两张台球桌闲置着,好似无声的绿色沼泽,墙角摆着几张牌桌,其中的一张是两位枢密官或教授下棋的桌子。而在紧挨铁炉的那个角落里，也就是到电话间去的地方，有一张小方桌。此时此刻，我终于彻底地顿悟了。我心里一热，高兴得全身一阵震颤，立即就想起来了：天啊，这可是门德尔，雅各布·门德尔，书商门德尔的位置啊！事隔二十年之后，我居然又重新来到了他的大本营——坐落在上阿尔泽街的格鲁克咖啡馆。雅各布·门德尔，我怎么会把他忘了那么久呢，真是不可思议，这个最最奇怪的人，这个富于传奇色彩的人，这个古怪的世界奇迹，在大学校园和敬仰他的那个圈子里是遐迩闻名的——他是图书魔术师和经纪人，他每天从早到晚坐在这里，从不间断，他是知识的象征，格鲁克咖啡馆的荣耀，我怎么会把他忘得一干二净呢！

顷刻间，他那清晰无误、栩栩如生的形象就出现在我的面前。我立刻真切地看到了他，他一如既往地坐在那张小方桌旁，脏兮兮的灰色大理石桌面上任何时候都堆满了书籍和杂志。他坚持不懈地坐在那里，毫不动摇。目光透过镜片像着了魔似的死死盯在一本书上，他坐在那里读书，口中叽里咕噜地念出声来，身体和未加精心修饰的、斑斑点点的秃头一起前后摇晃。这是他在东方犹太小学上学时养成的习惯。他呆在这张桌子旁而且只在这张桌子旁阅读他的目录和书籍，正如犹太教法典学校的老师们教他的那样，小声地诵读，轻微地晃动着身子，好似一只荡来荡去的黑色摇篮。孩子通过这种有节奏的、施催眠术似的来回晃动，进入梦乡。因此，在那些虔诚的教徒们看来，懒散的身体通过自己的摇摆晃动，精神也就容易达到专心致志的境界。事实上，这位雅各布·门德尔对发生在他周围的任何事情均一律视而不见，充耳不闻。就在他旁边，打台球的人在大声喧哗吵闹，台球计分员跑前跑后，电话也叮零零地响个不停;有人忙着擦地,有人忙着生炉子,而他却毫无察觉。有一次,一个烧得通红的煤球从炉子里滚落出来,燃着了离他仅两步之远的镶木地板,冒起了黑烟,而且还有焦糊味,等到一位顾客闻到刺鼻的焦味,发现了危险,快步冲过来,急忙把火弄灭了才算了事,而雅各布·门德尔本人虽已为烟雾所困,却跟什么都没发生似的毫无感觉。他看书的时候就像别人祈祷、打台球以及喝醉酒的人两眼茫然望天发呆那样,其痴迷程度令我非常感动,以至于我日后所见的任何人读书的神态都显得极其一般。作为年轻人,我第一次在雅各布·门德尔这位矮小的加里西亚①的旧书商身上看到了那种全神贯注的巨大的奥妙,正是它造就了艺术家、学者,真正的智慧和完完全全的疯子,这种对书本的着魔给人带来了多少悲怆的幸福与不幸啊!

我同他的初次相识是经由大学里一位年长同事的引荐。我当时正致力于研究即使今天也不大为人熟知的帕拉切尔苏斯②派医生兼催眠术家梅斯梅尔③,但遗憾的是,收效甚微。因无法弄到有关的著作,我这涉世不深的新手便跑去找图书管理员帮忙,他却毫不客气地对我说了一通,称查找参考文献是我的事,他不管。这样,我的那位同事第一次对我提起了他的名字。他说:"我带你去找门德尔。"他向我许诺说:"他无所不

---

① 加里西亚,又译加利曾,东欧的一个地区,原属波兰。1772年被奥地利吞并,20世纪仍归波兰。二次大战后,东加里西亚属今乌克兰共和国,西加里西亚划归波兰。
② 帕拉切尔苏斯(1493—1541),瑞士医生、炼金术家,发现并使用了多种新药,对现代医学,包括精神病治疗的兴起作出了贡献。
③ 梅斯梅尔(1734—1815),奥地利医生,当代催眠术的先驱。认为人可以以动物磁力形式向他人传递宇宙力。茨威格对他颇有研究,写过关于他的传记。

知、无所不能,他可以从一家被人忘却的德文旧书店里为你找出最冷门的书来。他不仅是维也纳最能干的人,而且还是个怪人,是书籍领域里的一只濒临绝种的远古巨型爬行动物。"

于是,我们两人来到格鲁克咖啡馆,只见书商门德尔正坐在老地方,戴着眼镜,胡子拉碴,黑衣黑裤,摇晃着身子在念书,仿佛微风中的一簇黝黑的灌木丛。我们走到他的跟前,他也没有发觉。他只顾坐在那里念书,宝塔般的上身来回晃荡于桌子的上方,他那破旧的黑色双排扣大衣也在身后的衣帽钩上摇摆,口袋里塞满了杂志和卡片。我的朋友大声咳了几下,以向对方通报我们来了。但门德尔仍然毫不知觉,所戴眼镜的厚厚镜片已贴着书本了。最后,我的朋友像敲门似的使劲猛敲桌面——门德尔总算抬起头来凝视我们,他将笨重的金属镶边眼镜机械而迅速地往额头上一推,两道灰白色的眉毛竖了起来,眉毛下露出一双奇怪的眼睛,直瞪瞪地看着我们。那是一双黑色而警觉的小眼睛,敏捷、锐利,犹如蛇的舌头。我的朋友把我介绍给门德尔。我随即向他说明了我的请求。我首先——我的朋友执意让我采用这样的计谋——做出愤愤不已的样子,将那位不愿为我提供帮助的图书管理员狠狠抱怨了一顿。门德尔把身子往回靠了靠,小心翼翼地吐了一口唾沫。接着,他淡淡地一笑,操着浓重的东方口音说道:"他不愿意帮忙?不——他是没有能耐!他是外行,是头斗败的灰毛驴子。我认识他,真可惜,整整二十年了,可他直到今日仍不学无术。他们这号人只会领钱拿薪水!这帮博士大人,最好让他们去搬砖头,别让他们坐在书桌旁边。"

随着这番激烈的倾吐,坚冰也就打破了。他做了一个友善的手势,第一次请我坐在这张上面记满了各种事情的大理石方桌旁。坐在此之前对我来说还是陌生的、向爱书人宣谕的祭坛旁，我赶紧不失时机地表明了自己的愿望：我想知道，与梅斯梅尔同时代人的有关磁力学的著作以及后人支持和反对梅斯梅尔的全部书籍和争论文章。我刚把话讲完，门德尔的左眼便眯缝了一下，像个瞄准目标就要射击的射手。不过，这一注意力高度集中的姿势确确实实只持续了一秒钟。紧接着他便迅速而流利地说出了二三十本书名，仿佛在念一张无形的图书目录似的，连每本书的出版地点、出版年月和大致的价格均说得清清楚楚。我惊得目瞪口呆。虽然思想上早有准备，结果仍旧出乎我的意料之外。不过，我的惊讶似乎让他感到惬意。因为，他旋即就在自己记忆的键盘上弹奏起关于我的主题的神奇书目变奏曲来了。他问我，是否也想了解一下梦游者的情况，了解一下催眠术的最初试验情况以及与加斯纳① 驱魔术、基督教科学派② 和勃拉瓦茨基③ 有关的情况？于是，他把人名、书名和内容描述再次如数家珍般地娓娓道来。此时此刻我才明白，我遇到的这位雅各布·门德尔是个记忆力无与伦比的奇才，确实是有两条腿的百科词典和包罗万象的图书目录。我迷迷糊糊地目不转睛地凝视着眼前的这位衣着寒酸甚至有些油污的加里西亚小个子书商，这个图书目录界的奇才。他在一口气举出约摸八十本书名之后，表面上装得毫不经意，实则内心颇为得意地拿起一块原本或许是白色的手绢擦擦眼镜。为了稍稍掩饰一下自己的诧异，于是我便怯生生地问他，这些书目中有哪几本他肯定能够弄到。"这个嘛，看看能搞到多少吧。"他喃喃地

---

① 加斯纳（1727—1779），奥地利催眠术家。
② 基督教科学派，主张靠信仰治病的基督教派别，由艾娣夫人于1879年在美国波士顿创立。
③ 勃拉瓦茨基（1831—1891），俄国女通神学家、著述家，与他人共同创建"通神学会"。主要研究神秘主义和招魂术。

说道,"您明天再来一趟好了,我门德尔是会为您搞到一些的,东家没有西家有嘛。世上无难事,只怕有心人。"我彬彬有礼地表示感谢。可是,由于一味忙于客套而干了一桩大蠢事:我向他建议,把我想要的书写在一张纸条上。我的朋友在一旁见状赶紧用胳膊肘捅了我一下,以示警告。可是太迟了!门德尔已经向我投来了一瞥——这是怎样的一瞥啊!——既得意又感到受了屈辱,既讥讽又傲慢,简直就跟莎士比亚笔下高贵的君王、不可战胜的英雄麦克白投向不自量力、要他束手就擒的敌人麦克道夫那威严的一瞥一模一样。然后,他又笑了几声,脖子上的大喉结引人注目地上下滚动,仿佛艰难地咽下了一句粗话似的。不过,就算善良、正直的门德尔说出什么最最粗鲁的话来,那也自有他的道理。因为,只有不了解情况的人才会斗胆给他——雅各布·门德尔提出如此侮辱性的要求,要他写下书名,拿他当书店里的学徒或图书管理员看待,好像这个金钢钻般的无可比拟的脑袋什么时候需要过这种低劣的辅助手段似的。日后我才明白,自己当时出于礼貌而提的建议对这个古怪的天才的伤害该是多么重啊!因为雅各布·门德尔,这位衣衫不整、胡子拉碴、弯腰驼背、身材矮小的犹太人是记忆王国里的巨人。他灰白、肮脏并已长了老年斑的额头后面,好似有种看不见的文字把平素印在书籍封面上的每本书名,每个人名,都用钢水浇铸在那里一般。无论是昨天还是二百年前出版的新旧书籍,他全都了如指掌,均能准确无误地记得每本书的装帧、插图及其再版,任何作品,不管是他接触过的,还是从橱窗或图书馆里见到过的,他都看得清清楚楚,正如跟艺术家在创作时能清楚地看到自己内心中的别人看不见的形象一样。倘若累根斯堡一家旧书店的书目上标出某本书的价格是六马克,他便能马上记起,该书的另一个版本两年前曾在维也纳的一次拍卖中仅以四克朗成交,而且还记得当时的买主。是的,雅各布·门德尔从不忘记一个书名、一个数字,他熟悉图书世界这个永远动荡、不停翻转的宇宙里的每一株植物,每一只纤毛虫和每一颗星星。他的知识比各个专业的专家还要渊博,他对图书馆的精通胜过图书管理员,他凭借自己神奇的记忆力,对绝大多数图书公司的库存一清二楚,而它们的老板即使借助于一大堆纸条和卡片也望尘莫及。他之所以能如此,不是别的,正是那记忆的魔力,正是那无可比拟、只可用成百上千个实例来加以真实体现的记忆力。当然,这种记忆要训练和培养到如此正确无误的神奇的程度,永恒的秘诀只有一个:全神贯注。这也是任何追求完美造诣的秘诀。一旦走出书的天地,这个怪人对世界便一无所知。对他而言,全部的生活现象只有在被转换成铅字并被汇集到一本书里之后,才算得上是真实的存在。就拿这些书来说吧,即便他读它们,那也不是在读它们的意义、它们的精神内涵和情节,能唤起他的热情的仅仅只是书名、价格、样式以及封面。成百上千个书名和人名的索引铭刻在一只哺乳动物柔软的大脑皮层里,而非如平素那样写进图书目录之中,仅此而已,既无生产性,也无创造性。然而,就其盖世无双的完美无瑕来看,雅各布·门德尔对古旧书籍的特殊记忆力作为奇迹绝不亚于拿破仑对人的外表,梅佐方梯斯[①] 对于语言,拉斯克[②] 对国际象棋的开局,布索尼[③] 对音乐的记忆力。如果请他去讲课或担任某个公职,这颗脑袋定会令成千上万的学生和学者在深受教诲之余感到震惊,它不仅使科学受益,而

[①] 梅佐方梯斯(1774—1849),意大利语言学家。
[②] 拉斯克(1868—1941),德国国际象棋大师,1894—1920 年世界冠军。
[③] 布索尼(1866—1924),意大利钢琴家。

且也给我们称之为图书馆的公共宝库带来无可比拟的好处。可是，对于他这个矮小的、没有受过什么教育的，顶多只上过犹太小学的加里西亚的书商来说，上层社会的大门永远是关闭的。如此一来，他神奇的想象力就只能在格鲁克咖啡馆的那张大理石桌旁作为秘密学科发挥作用了。不过，等到有朝一日，有位伟大的心理学家降临人世时（我们的思想界还始终缺乏这样的巨匠），像布封① 整理和分类那样，耐心而顽强地把我们称之为记忆力的这种神奇力量进行研究，将其种类、特点、原始形态及其变体逐一加以描述和说明的时候，他肯定不会漏掉雅各布·门德尔这位记忆书名及其价格的天才，这位古籍旧书学科里的无名大师。

就其职业来说，不知底里的人自然只会把雅各布·门德尔当作一个小书贩。每逢星期天，《新自由报》和《新维也纳日报》就会登出内容千篇一律的广告："求购旧书，出价最高，随叫随到，门德尔，上阿尔泽大街"，接下来是电话号码，其实这是格鲁克咖啡馆的电话。他在书库里翻来找去，每周都要带上一个留大胡子的老伙计，两人一同把新收购到的书拖回到他的大本营，然后再从那里把书卖出去。由于他没有进行正规图书交易的正式许可证，故而一直干着小本买卖，获利甚微。大学生们把用过的教科书卖给他，经他转手，这些书从高年级传给低年级，此外，他还给人介绍和购买所需的作品，只收取极少的手续费。人们花很少的钱就可以从他那里得到不错的建议。不过，金钱在他的世界里并未占据一席之地。人们所看到的他永远都是那副老样子：总是穿着那套洗得退了颜色的衣服，早晨、下午和晚上全是啃两个面包，喝点牛奶了事，中午

---

① 布封（1707—1788），法国博物学家。

随便吃点人家替他从小饭馆里端来的东西。他不吸烟,也不爱玩,可以说他简直没有活着,唯有镜片后面的一双眼睛是活着的,它源源不断地用单词、书名和人名去喂那谜一般的东西——大脑。而那柔软的、可怕的物质则贪婪地把这些东西吸进去,如同久旱的草原上的草吸入成千上万滴雨水一样。他对各色人等不感兴趣,至于常人所有的种种欲求,也许他只知道一种,当然还是最最合乎人性的那一种——虚荣。如果有人在踏破铁鞋无觅处之后跑来向他请教,而他又能当即解此人的燃眉之急,那么,仅此一项才会令他感到快乐和满足,或许还有一件事,那就是维也纳城里城外有那么几十人尊重和需要他的知识。在每个硕大无朋的、我们称之为大城市的百万人口密集的岩体里,某些地方总免不了会蹦出几个小小的多棱镜来,它们用自己那微小的平面折射着这同一个宇宙。可是,绝大多数人却忽略了它们的存在,只有了解和热爱它们的行家,才懂得去珍视它们。图书业内的这帮行家里手没有不知道雅各布·门德尔的。正如有人要请教一段乐谱,便去音乐之友协会找奥泽比乌斯·曼季舍夫斯基帮忙一样,他头戴灰色小帽,置身于手稿与乐谱之中,为人热情友善,只要抬起眼睛,再困难的问题他也会伴随着微笑给予解决的。这又好比现在的人们,要想了解旧维也纳的戏剧与文化,就去请教格罗西大爷,同样,维也纳的几个坚定执着的爱书人,只要遇上什么特别的难题,他们必定信心十足地前往格鲁克咖啡馆请门德尔赐教。亲眼目睹门德尔如何为人排忧解难,更使我这个好奇的年轻人心中油然而生一种特殊的快感。如果递到他面前的是本无甚价值的书,他往往只把封面一合,嘀咕一声:"两克朗。"相反,如果送来的是某种珍本或孤本,他就肃然起敬,拿张纸来垫在下面,但见他刹那间面呈愧色,仿佛为自己脏兮兮、沾满墨迹的黑指甲感到难堪。然后，他小心翼翼地满怀异乎寻常的敬重之情，逐页逐页地翻看那稀世珍宝。此时此刻，无人能够惊动他，正如真正虔敬的教徒在祈祷时，谁也无法打搅他一样。说真的，他对书的端详、触摸、嗅闻和掂量，他所做的每一个细微的动作，无不体现着某种严守礼仪的意味，连先后顺序也严格按照宗教仪式上的规定。他那驼背摇来晃去，他的手挠着头发，口里叽里咕噜地冒出一连串奇怪的感叹词。先是一声长长的、大惊小怪的"啊"和"哦"，用以表示极度的赞赏；但当他发现某处缺张少页或被蠹虫蛀了时，便又惋惜地发出一阵"哎"或"哎呀"的惊叫来。最后，他充满敬意地将这本旧书放在手里掂了又掂，眯缝着眼睛，把鼻子伸到这个笨重的方块上面又闻又嗅，那种痴迷劲一点也不亚于多愁善感的女孩对晚香玉的怜爱。毋庸置疑，书的主人在这一不无烦琐的鉴定过程中必须具备足够的耐心。不过，检验结束之后，门德尔准保总会十分乐意甚至是兴奋不已地提供各种情况，少不了要东拉西扯地讲一些有关该书类似版本的轶事和价格方面的戏剧性变化。每到此时，他似乎变得开朗，变得年轻，变得活泼了，唯有一样事情会使他感到气愤：那就是某个初次打交道的人想要为他的这番评论支付报酬的时候。这时，他会十分屈辱地躲到一边去，就像画廊顾问在给来旅游的美国人作了一番讲解之后拒绝塞在他手里的小费一样。因为，在门德尔看来，得以亲手触摸一本宝贵的书，就像别人同女人的肌肤相亲。这样的时刻，是他柏拉图式的情爱之夜。只有书可以左右他，金钱对他永远无能为力。因此，好些大收藏家，其中包括普林斯顿大学的创始人，都曾想请他到他们图书馆来当顾问和采购员，但他们全是枉费心机——雅各布·门德尔拒绝了他们的美意。离开了格鲁克咖啡馆，他的生活就不堪设想。三十三年前，他离开东方，到维也纳来学习,想成为犹太教经师。当时,他还只是一个刚刚长出黑绒绒的胡子、头发曲鬈的猥琐的小伙子。可没过多久,他就离开了严厉的单一神耶和华,皈依形形色色的图书众神门下。那时,格鲁克咖啡馆是他最先找的落脚地。渐渐地,这里成为他的作坊,他的大本营,他的邮局,他的世界。就像一位天文学家,每晚孤独地坚守在自己的观象台上,通过望远镜的小圆孔观察夜空中的数不尽的星星,观察它们神秘莫测的运行,它们的纷繁交织、变化无定,它们的消失和重新闪现。雅各布·门德尔则是在这张方桌旁通过自己的那双戴了眼镜的眼睛,向另外一个也在同样永恒地运转着的空间眺望那个书籍的宇宙,我们世界之上的世界。

不用说,格鲁克咖啡馆的人都很敬重他。在我的眼里,该咖啡馆的荣誉更多的来自那张看不见的无形的讲台,而非来自《阿尔塞斯特》及《伊菲革涅亚》的作曲家、高贵的音乐家——克里斯托夫·维利巴尔德·格鲁克① 的名字。他是这里的一件不可或缺的摆设,早已和那古老的樱桃木收款台、两张大修过的台球桌以及那把煮咖啡的铜咖啡壶融为一体,而他的桌子也得到类似圣物般的呵护。他有为数众多的顾客和前来求教的人,每次一来,店里的服务员就热情地敦促他们随便喝点什么。于是,他的学问本该赚取的钱,大部分实则装进了领班多依布勒那只挂在髋部的大皮包里。书商门德尔也因此得到诸多优厚的待遇。电话供他免费使用,有人为他保存信件,代订各种书刊。打扫厕所的忠厚女工帮他缝扣子、刷大衣,每星期还替他把一包脏衣服送到洗衣店去。只有他一个人可以享用别人替他到邻近饭馆里端来的午餐。老板斯坦德哈特纳先生每天早

---

① 格鲁克(1714—1787),德国歌剧作曲家。

晨都要亲自走到桌前跟他打声招呼。当然，在大多数情况下，门德尔只顾着埋头看书，根本没有听见人家对他的问候。他每天早晨七点半准时走进这里，一直呆到熄灯打烊方才离去。他从不和别的客人讲话，也不看报纸，世上的任何变化皆与他无关。有次，斯坦德哈特纳先生客气地问他，在电灯下看书是否比以前在暗淡、摇曳的煤气灯下看书要舒服些。他这才惊讶地抬头望着电灯泡发愣：对这一经过数日敲打折腾安装调试才得以实现的变化，他居然毫无察觉。唯有那黑纤毛虫般数不清的文字被那两只圆圆的镜片和那两个拼命吮吸着的发光晶状体过滤到他的大脑里，其余的一切都好似毫无意义的喧哗从他的身边消失。其实，在长达三十多年的时间里，也就是说在他精力充沛的岁月里，完全是在这里的这张方桌旁以阅读、比较和计算的方式中度过的，仿佛持续不停地做着一个永恒的、只为睡觉打断的长梦。

因此，当我看见雅各布·门德尔当年用以为人解答疑难的那张大理石方桌空空地宛如一块墓碑摆在这间屋子里时，心头不禁掠过一种恐惧。只到现在，自己年纪渐渐大了，我方才明白，有多少东西随着每个像门德尔这样的人的消失而消失了，尤其是在我们这个无可救药地变得越来越单调的世界里，所有独一无二的事物都显得日渐珍贵了。我当时还是一个不谙世事的年轻人，但凭借某种心灵的直觉，深深地喜欢上了这位雅各布·门德尔。而我居然会把他忘掉——当然是在战火纷飞的年代里[①]，是在对自己的创作投入像他那样的忘我精神进行工作的情况下。此时此刻，面对这张空荡荡的桌子，我感到自己有愧于它，同时，一股被它重新激起的好奇也从心底生发出来。

[①] 指第一次世界大战。

他究竟去了哪里呢？他到底出了什么事呢？我叫来侍从，向他打听。没有。他遗憾地表示，我不认识一个叫门德尔的先生，我们咖啡馆没有姓门德尔的先生来过。不过，领班也许知道。后者挺着个大肚子，慢腾腾地走了过来，迟疑片刻后思忖道：不知道。他也不认识一个叫门德尔的先生。不过，他说，我指的也许是曼德尔先生，即弗罗里安尼胡同里那个卖缝纫用品的曼德尔先生？我只觉得心头涌起一阵苦涩，感叹人生如过眼烟云：如果我们最后的足迹都已被脚后的风吹掉了，人活着还有什么意义？三十年了，也许是四十年，有个人在这几平方米的空间里呼吸、阅读、思考、说话，而仅仅只过了三四年，新法老上台，从此约瑟便没了音讯，格鲁克咖啡馆的人便再也不知道雅各布·门德尔，书商门德尔的情况了。我近乎恼怒地问领班，我是否可以找斯坦德哈特纳先生谈一谈，或者找在这里干了好多年的老伙计也行？哦，斯坦德哈特纳先生，天哪，他早就把这家咖啡店给卖掉了，他本人也已去世。那个老领班现住在克雷姆斯附近的庄园里。不，没有什么人在了……对了！对了——斯波席尔太太还在，就是那个扫厕所的女佣（人称巧克力老太）。但她肯定也不会记得起每一位顾客来了。我立刻说出自己的看法：雅各布·门德尔是不会被人忘记的，去替我把她找来吧。

斯波席尔太太顶着一头乱蓬蓬的白发，迈着有些水肿的双腿，走出了她那隐秘的工作场所，她还急急忙忙地拿着一条毛巾揩着通红的双手。显然，她刚才不是在清扫她的那间阴暗的小屋，就是在擦窗子。她显得有些手足无措，这使我马上意识到：如此突兀地把她叫到这家咖啡馆里高雅的场所，让大电灯泡照着，这令她很不自在。因此，她一开始便采取不信任的态度，小心翼翼地用眼睛从下而上地偷偷地打量着我。我又凭什么要她善待于我呢？然而，我刚一张口问起雅各布·门德尔的情况，她那双瞪得圆圆的、溢满泪水的眼睛便盯在了我的脸上，肩膀开始一阵阵抽搐。"老天爷啊，可怜的门德尔先生，竟然还会有人惦念着他！是呀，可怜的门德尔先生！"——她几乎感动得哭出声来了。老年人在有人提及他们的青春时代或某个美好的但却遗忘了的共同经历过的事情的时候，大都会变成这副样子的。我问他是否还活着。"哦，老天爷呀，可怜的门德尔先生肯定在五六年前，不，七年前就已经去世了。那真是个和气的好人啊。我想，我认识他的时间很长了，二十五年多了呀。我进店的时候，他早就来了。他们用那种方法害死他，真是可耻。"她越说越激动，还问我是不是他的亲戚。说实话，从来就没人关心过他，打听过他。她问我知不知道他究竟出了什么事？

不知道，我向她保证，我一无所知，并请她把事情的全部经过都告诉我。善良的老人显得有些胆怯和顾忌，她又开始用毛巾去擦她那双湿手。我明白了：厕所清洁工的身份，戴着肮脏的围裙，顶着一头乱蓬蓬的白发，置身于咖啡馆大堂里，令她感到难堪。此外，她还老是胆怯地环顾左右，看有没有侍从在偷听我们的谈话。于是，我向她提议，我们最好到游戏室门德尔的老地方那里去，并请她在那里把一切都告诉我。她感动得点头表示同意，并谢谢我善解人意。老太太在前，走起路来已经不大稳当，我紧随其后。那两个侍从向我们投来诧异的目光，他们觉出准有什么事，几个客人也惊奇地看着我们这两个年龄差别悬殊的人。我们来到门德尔的桌边之后，她向我讲述了雅各布·门德尔，书商门德尔走向毁灭的经过（部分细节我事后通过其他途径得到补充）。

事情是这样的，她说，他每天早上总是七点半来咖啡馆，即使战争爆发以后也不例外。一进屋就跟往常那样坐在老地方整天埋头研究。大家都感觉到并还常常议论说,他可能压根儿就不知道已经在打仗了。我知道,他从不看报纸,也不和别人说话。每逢卖报的吆喝着叫卖号外时,别人全都抢着去买,他却从未站起来过或用耳朵去听过。侍从弗兰茨(他是在戈尔利采① 附近阵亡的)不见了,他也毫无觉察,斯坦德哈特纳先生的儿子在普热梅希尔② 附近被俘,他一点都不知道,面包变得越来越难吃,他喝的只是用无花果制成的代用咖啡而不再是牛奶了,但他对此却没说过一句怨言。只有一次,他十分惊讶地发现,现在来访的大学生怎么这样少,仅此而已。——"老天爷呀,这可怜的人儿,除了他的书,任何别的事都不能叫他高兴,叫他发愁。"

可是,后来有一天,不幸的事情发生了。上午十一点,一个大晴天,一名警官带着个秘密警察进来问,有没有一个名叫雅各布·门德尔的人经常在我们这里出入,那秘密警察还亮了亮扣眼里的玫瑰花徽章。他们随即走到门德尔的桌旁,而后者还天真地以为,他们有书要卖或者有求于他。可是,他们立即要他跟他们走一趟,他就这样被带走了。这可真是咖啡馆有史以来的奇耻大辱。所有在场的人都走过来,围着可怜的门德尔先生。他站在两个警察之间,眼镜架在头发下面,眼睛不停地来回打量这两个人,弄不清他们究竟想要干什么。不过,她本人曾对那警官说,这肯定是个误会,门德尔先生可是个连只苍蝇也舍不得拍死的人呀。但那秘密警察马上大声喝斥,说她无

---

① 戈尔利采,波兰地名。
② 普热梅希尔,波兰东南部城市,普热梅尔省省会。1772年起由奥地利统治,1918年归波兰。1915年3月俄军攻陷该城要塞。

权干涉他们执行公务。然后，他们把他带走了，很长时间他没有再露面，足有两年之久。她说，直到今天她仍搞不清楚，他们当时想从他身上得到什么。"但我敢对法官起誓，"老太太激动地说道，"门德尔先生是不会干坏事的。他们一定弄错了，我愿意为他作担保。这样对待一个可怜的、无辜的人，那简直是犯罪，是犯罪！"

　　善良的、令人感动的斯波席尔太太是对的。她令我大为感动。我们的朋友雅各布·门德尔的确没有做过任何坏事，但却干了一桩特殊的、令人感动的、即使是在那个疯狂的时代也全无可能的蠢事（全部细节我是后来才了解到的），之所以会这样，这只能解释为他对自己专业的彻底迷恋和不食人间烟火的生活方式。事情的经过是：负责监视与国外通邮的军事检查机关有一天截获了一张由某个叫雅各布·门德尔的人书写并署名的明信片，邮票已按规定贴足。但是，令人难以置信的是名信片是寄往敌国法国的，是寄给巴黎格雷涅尔沿河大街的书商让·拉波戴尔的。这个叫雅各布·门德尔的家伙在信上抱怨说，他虽已预付了全年的订费，却没有收到最近的八期《法国图书通报》。这张名信片落到一个下级检查官手里。此人身着蓝色战时后备军军服，一点也看不出他应征入伍前原是文科中学教师，个人爱好罗曼语言文学①。他觉得十分奇怪，心想，这是谁开的愚蠢的玩笑。他每周都要检查两千封信件，以找出可疑的文字和有间谍之嫌的措辞，但如眼前所见的这般荒唐事倒真还从未碰见过。居然有人胆敢无所顾忌地在信上署上自己的姓名、地址，从奥地利寄往法国，怡然自得地把一张寄往交战国

---

① 罗曼语属印欧语系。罗曼诸语言均自拉丁语衍生，法语为罗曼语的主要语言之一。

去的明信片随手往邮筒里一扔,好像自一九一四年以来边界上并没有铁丝网严密封锁起来,法国、德国、奥地利和俄国在上帝创造的每个日子里也没有各自失去几千名男性公民似的。因此,他起初只把这件古怪的东西塞进写字桌的抽屉,并未向上级汇报这件荒唐事。可是,几周之后又来了一张由同一个雅各布·门德尔写的明信片,是寄给伦敦霍尔伯广场书商约翰·阿尔德里奇的,询问能否帮忙购买最后几期《古董杂志》,而且署的仍是那个雅各布·门德尔的名字,他还写了自己的详细地址,其天真无邪之状着实令人感动。如此一来,那位穿上了军服的文科中学教师可是有点坐不住了。这愚蠢的玩笑背后难道隐藏着什么不可告人的密码?于是,他站起身来,"啪"的一下把双脚后跟一并,向少校行了一个军礼,把两张明信片放到了少校的桌上。少校耸起肩膀说道:怪事!他首先通知警察局,要他们查一下是否真有雅各布·门德尔这个人。一小时以后,雅各布·门德尔便已落网。他对这突如其来的事情还莫名其妙,就稀里糊涂地被人带到了少校面前。少校拿出那两张神秘的明信片,问是不是他寄的。问话时的那种严厉的腔调,特别是因为他正读一份重要的图书目录时被打扰了,这使门德尔非常愤怒,态度近乎粗暴地吼道,这两张明信片当然是他写的。他说,付钱订了刊物,去索要的权利还是有的吧。坐在沙发椅上的少校身子一斜,侧向邻桌的少尉。两人会意地眨了眨眼睛:一个十足的傻瓜!接着,少校在心中盘算,是狠狠地把这个傻瓜训斥一顿就赶走完事呢,还是认真对待这件事。这类机关在遇到类似这种进退两难的尴尬情况时,几乎全都会决定先搞份备忘录再说。有个记录总不会错的。既于事无补,也于事无害,只不过是几百万张故纸堆里又多了一张写满不痛不痒之文字的纸片罢了。

然而，这一回却害了一个可怜的、蒙在鼓里的人。因为，在第二个问题开始时，厄运便已降临。他们首先要他报出自己的名字：雅各布，全名是贾因克夫·门德尔。职业：小商贩（他没有书商许可证，只有小贩证）。第三个问题导致了灾难：出生地。雅各布·门德尔说，出身在彼特里考附近的一个小地方。少校的眉毛竖了起来。彼特里考，这地方不就在离边境不远的俄属波兰境内吗？可疑！非常可疑！于是，他更为严厉地讯问，他是在何时获得奥地利国籍的。门德尔的眼睛惊诧地盯住他，目光暗淡：他不太明白。问他是否有证件，是在什么时候有的？他说，他只有小贩证，并没有别的证件。少校的眉头皱得越来越紧，要他务必讲清楚他的国籍到底是怎么一回事。他的父亲是干什么的，是奥地利人还是俄国人？雅各布·门德尔不慌不忙地答道：当然是俄国人。那他自己呢？啊呀，他本人已在三十年前就偷越俄国边境，一直生活在维也纳。少校愈发不安起来，问他，什么时候在此取得奥地利国籍的？门德尔反问道，问这干吗呢？他说，他从未关心过这类问题。这样看来，他仍是俄国公民啰？门德尔的心早已忍受不了这类乏味的问题了，他无所谓地回答道："本来就是嘛。"

少校大惊失色，猛地将身子往后一仰，沙发椅随即发出咯吱咯吱的声响。原来真有其事啊！在一九一五年岁末的塔尔努夫战役① 和大反攻之后的战争时期，一个俄国人居然可以在奥地利首都维也纳的城里自由自在地晃荡、无所顾忌地往法国和英国邮信，而警察局居然不闻不问。眼下，新闻界的那帮蠢驴正为康拉德·冯·霍岑道夫② 没能立刻向华沙推进感到纳闷，

---

① 塔尔努夫，波兰塔尔努夫省省会。1915年9月奥军在此突破俄军阵地。
② 霍岑道夫，第一次世界大战时期奥地利军元帅。

总参谋部的人也感到奇怪，为什么部队的每次行动被间谍报告了俄国。这时少尉也站起身来，走到桌旁，原先的谈话变成了审讯。他们问他，作为外国人，为什么不立即去登记？门德尔还是没有回过神来，仍用他那唱歌般的犹太腔调答道："我干吗要突然跑去登记呢？"少校认为，门德尔的反问是在向他们挑战，于是便用威胁的口气问他，看过通告没有？没有！连报纸也没有看过吗？没有！

　　由于紧张，雅各布·门德尔已经开始浑身冒汗，少校和少尉目不转睛地盯着他，好像他们的办公室里来了个外星人似的。随后便响起了拨电话的声音和打字机的吧嗒声，传令兵们跑进跑出。接着，雅各布·门德尔便被移送到驻地的部队监狱。后来，再由他们押往集中营。当他们命令他跟那两个士兵一起走的时候，他的两只眼睛还莫名其妙地直发愣。他不明白，他们想从他口里得到什么，他可是从来不识愁滋味的。那个戴着金色领章、说话粗鲁的家伙对他到底怀有什么恶毒的企图呢？他那书籍的高层世界里没有战争，没有误解，只有对数字和词汇、人名和书名的永恒的无休无止的求知欲。于是，他心平气和地夹在两名士兵之间走下楼去。直到警察局的人搜走了他大衣口袋里的几本书，并强行要他交出塞满百来张重要纸条及顾客地址的信夹时，他方才开始暴跳如雷地护住自己的东西，不让拿走。他们不得不拿绳子将他捆住。遗憾的是，他的眼镜，那使他得以眺望精神世界的魔镜，也不幸地于同一时刻落在地上摔成了碎片。两天之后，他身穿单薄的夏装，被押往科莫伦附近的一个专收俄国平民俘虏的集中营。

　　在以后的两年里，雅各布·门德尔远离自己心爱的书籍，身无分文，夹杂在这座巨大牢狱里那些冷漠、粗鲁、基本上是文盲的难友中间，被迫与他那超凡脱俗的、独一无二的书籍世界分离，就像折断了翅膀的雄鹰同超越尘世的苍穹隔绝那样。他在这所集中营里遭受到怎样的精神痛苦和肉体折磨——我们由于缺乏证人而不得而知。然而，从自身的疯狂之中清醒过来的世界已经逐渐地认识到，在这场战争所造成的全部残暴与罪孽里，最无意义、不明智，从而也最为道德所不能饶恕的，莫过于用铁丝网和高墙把那些无辜的早已过了工作年龄的平民集中囚禁起来。他们旅居在一个陌生的国家，并把那里当作故乡生活了多年，只因笃信客居的权利，笃信这种即便通古斯人①和阿劳干人② 也恪守的神圣权利，因而耽误了及时出逃的机会——这是对文明的犯罪，无论是在法国、德国，还是在英国，乃至在我们疯狂的欧洲的每一寸土地上，都同样荒唐地犯下了这样的罪行。倘若不是一个真正奥地利式的偶然情况在那千钧一发之际，使他又重新回到他的世界的话，那么，雅各布·门德尔也许已像成百上千被围困在这堵高墙之内的无辜者那样变得精神失常，或者早在痢疾、虚弱和心灵的创伤等多重折磨下悲惨地走到了生命的尽头。原来，自门德尔失踪之后，常有一些地位显赫的顾客屡屡写信找他：如施蒂利亚州前总督、纹章学著作的狂热收藏家勋伯格伯爵；神学系前系主任、正在为奥古斯丁③ 著作做评注的西根费尔特；还有八十高龄但一直还在修改自己回忆录的退休海军上将艾德勒·冯·皮泽克——他们作为他的忠诚顾客，不断地给雅各布·门德尔往格鲁克咖啡馆写信，其中有几封转到了这位失踪者所在的那座集中

---

① 通古斯人，西方对操阿尔泰语系通古斯－满语族语言的人的泛称。
② 阿劳干人，南美印第安人，分布在智利和阿根廷。
③ 奥古斯丁（354—430），古代基督教会最伟大的思想家，著有《忏悔录》、《论三位一体》、《论上帝之城》等。

营。在那里，它们落到碰巧萌发恻隐之心的上尉手里。上尉十分惊奇，想不到这个半瞎的、脏兮兮的、自眼镜被摔碎之后（他没钱配新的）总跟只没了眼睛的灰鼹鼠似的默默地蹲在角落里的犹太小矮子，竟然还认识这么多的达官显贵。能交这类朋友的人，肯定不是寻常之辈。于是，他允许门德尔给这些人写回信，并请他的保护人为他求情。这一请求十分奏效。显贵们和系主任拿出收藏家才有的那种精诚团结，大量动用了他们的各种关系，最后，在他们的联合担保下，历经两年多牢狱之苦的书商门德尔于一九一七年获释，重返维也纳，条件自然是每天都得去警察局报到。尽管如此，他终究获得了重返自由世界，重返他原先那狭小的阁楼的权利，他又能重新浏览他所心爱的图书橱窗，特别是又能重新回到他的旧地格鲁克咖啡馆了。

　　门德尔从地狱般黑暗世界重返格鲁克咖啡馆的时候，正直的斯波席尔太太正好在场。她向我描述了当时的情形。"有一天——耶稣，马利亚，约瑟！我想，我不敢相信我自己的眼睛了——门被人推开，您知道，只开了一条缝，他总是这样斜着身子进来的。这时可怜的门德尔先生跌跌撞撞地进了咖啡馆。他穿一件破旧的军大衣，上面打满了补丁，头上戴着什么，或许是人家扔掉的破帽子。脖子光秃秃地露在外面，看上去跟个死人似的，脸色灰白，头发也是灰白，瘦得叫人可怜。可是他进来了，就好像什么事都没发生过似的，他什么也不问，什么也不说，径直朝那张桌子走去。然后脱下大衣，只是不像从前那样灵活，还不停地喘着粗气。同往常相比，他这次一本书也没带——只一屁股坐下来，什么也不说，低着头发愣，目光茫然、呆板。我们给他拿来整整一捆从德国寄给他的邮件，他才慢慢地开始读起来。但他已不再是原来的他了。"

不，他不再是从前的他，不再是世界奇迹，也不再是各种图书神奇的目录柜了。当时见到过他的人都沉痛地向我讲述了他们的亲眼所见，内容完全一致。平素他那浏览书籍的目光是平静的，像在睡梦里似的，看来那种目光已无可挽回地被彻底摧毁了。是的，某种东西已经被完全粉碎了：可怖的血色彗星在其疯狂的运行过程中一定也猛然地撞到旁边那颗平静的、高悬于书籍天空中的最亮的星星上了。几十年来，他的两眼已经习惯了书本上的那些秀美的、无声的、细得跟昆虫腿似的铅印字，然而，在那座布满铁丝网的人类牢狱里，这双眼睛必定看见过什么恐怖的事情。因为，曾经是如此敏捷并闪烁过讥讽之光的两只瞳孔上现在笼罩着沉重的眼睑，从前是如此活泼的目光透过好不容易才用细绳又重新扎起来的眼镜，显得幽暗和疲惫，眼眶也是红红的。更为可怕的是在他的记忆力所构筑的这座奇妙的艺术建筑物，肯定有根梁柱坍塌了，从而导致整个结构陷入混乱状态。因为，我们的大脑是由最精细的组织构造的，是我们知识的精密仪器，它是那样的柔弱，以至于只要一根微血管被堵塞，一根神经受震动，一个细胞疲劳过度，简言之，一个诸如此类的小小的分子的错位，就足以使精神领域中最为辉煌的和谐之音哑然。门德尔的记忆本是独一无二的知识键盘，但是他回来的时候这些键都失灵了。间或有人前来向他请教，每当此时，他总是显出一副精疲力竭的样子，眼睛呆呆地凝视着人家，根本不能完全明白人家的来意，不是听错，就是忘了人家对他说的话——门德尔再不是从前的门德尔了，就像世界不再是从前的世界一样。以前读书时来回摇晃的那种专注神情消失得无影无踪，相反，在绝大多数时候，他一个人坐在那里发呆，眼镜也只是机械地冲着书本的方向，别人无法得知，他是真的在读书，还是在打盹。据斯波席尔太太讲，有好几次,他的头都重重地磕到了书上,竟然在大白天就昏昏沉睡了,有时他对着发出奇异臭味的乙炔灯一连几小时地发呆。这种灯就放在他面前的桌子上。不,门德尔已不再是从前的门德尔了,也不再是世界的一个奇迹了,相反,他变成了一个长着胡子,穿着衣服,疲惫不堪地喘着粗气的废物,无所事事地压在那张一度曾是玄妙无比的椅子上,他再也不是格鲁克咖啡馆的荣耀了。相反,是它的耻辱,是它的一块污渍,散发着恶心的臭气,外表令人厌恶。总之,他成了一只多余的、不受欢迎的寄生虫。

所以,他在咖啡馆的新主人那里也的确受到了与此相配的待遇。新老板叫弗罗里安·古特纳,雷茨人,因在饥荒的一九一九年做面粉和黄油的投机买卖暴富,用一张巧舌如簧之嘴说服了老实的斯坦德哈特纳先生,终于用顷刻间便贬值为一堆废纸的八万克朗现钞买下了格鲁克咖啡馆。他凭借自己一双结实的农夫之手立即行动,连忙对这家受人尊敬的老店进行一番装修改造,显得气派高雅。他抢在纸币贬值之前添置了崭新的靠背椅,并用大理石修了大门,为了要修一个有音乐伴奏的舞池,正在同隔壁那家饭馆磋商。在咖啡馆匆匆忙忙进行装璜美化的时候,这位加里西亚的寄食者对他来说当然就显得碍眼了。他从早到晚独占一张桌子不说,一整天的消费总共不过两杯咖啡和五个面包而已。当初,斯坦德哈特纳先生曾请他特别关照一下他的这位老主顾,并再三叮嘱,这位雅各布·门德尔是位多么不同凡响的重要人物,也就是说,他在转让财产的时候也把他作为必须接受的附属条件一同转让了。然而,弗罗里安·古特纳在为咖啡馆添置新家当及锃亮的铝质收款台的同时,也给自己安了一副赚钱人的世道里所特有的铁石心肠,只等找到借口,就把郊区陋室里的最后一点残余从他那已经变得气派豪华的店里清除出去。一次绝好的机会转瞬之间就来了，因为雅各布·门德尔的日子过得十分艰难。他在银行里的最后一点存款为通货膨胀的大潮彻底吞噬，他的顾客们也如鸟兽散去。要想重新一步一步从小书贩做起，上楼下楼，挨家挨户去收集旧书，然后强打精神沿街叫卖，对这个身心俱已疲惫不堪的人来说已经力不从心了。他穷困潦倒，这一点别人通过无数迹象已经觉察到了。他很少让人替他到饭馆去端食物了，即便是用于咖啡和面包的几个小钱，他赊欠的时间也越来越长，有次甚至拖了三个星期之久。领班当时就想把他撵到街上去。幸亏有忠厚老实的清洁女工斯波席尔太太可怜他，为他作保，他才得以免遭此等羞辱。

然而，不幸的悲剧还是在后来的一个月里发生了。新上任的领班在结账的时候已多次发现面包的数目总是不对，实际卖出的面包数量总是与收回的钱款不符。由于有个颤巍巍的老仆役曾三番五次地跑来向他告状，说门德尔欠了他半年的账一个铜子也没还给他，因此，新领班自然而然地便马上怀疑到了门德尔的头上。打这开始，领班格外留神。两天之后，他躲在挡炉板后面，便成功地将偷偷起身离开桌子走进前屋，飞快地从面包筐里抓了两个小面包，饥不择食地一下塞进嘴里的雅各布·门德尔当场抓获。结账的时候，门德尔声称没有吃过一个面包。现在，丢失面包的真相大白了。领班立即向古特纳先生通报此事，老板为找到了这一不易的托辞心中大喜，他当着所有人的面对门德尔一顿怒斥，指责他的偷窃行为，还装得很大度，说不想马上叫警察。不过，他又命令门德尔马上从这里滚出去，永远也别想再来。雅各布·门德尔浑身颤抖，一言不发地从自己的座位上站起来，跟跟跄跄地离开了。

"真是凄惨极了。"斯波席尔太太是这样描述门德尔离去的情景的,"我永远不会忘记当时的情形,他站起来,把眼镜往额头上推了推,脸色白得像块毛巾。虽然是在一月,您知道,那一年特别冷,他却连大衣都没来得及穿。由于惊恐,他把书也忘在桌上。我是过后才发现的,立即就想给他送过去。可他已经跌跌撞撞地走到了门口。我不敢继续往大街上追,因为古特纳先生已站到了门边,还冲着他的后背大叫大嚷,致使行人都停下来看热闹。是的,这是一场奇耻大辱,我心里真是羞死了!仅仅为了几个小面包就把人赶走,要是老斯坦德哈特纳先生在这里,那是绝对不可能发生的事情,他甚至会免费让他吃一辈子。可是,现在的人啊,良心都叫狗给吃了。把个在这里日复一日地坐了三十多年的人撵出去——说实在的,真是可耻呀!我可不想在上帝面前为这事负责——绝不。"

这位善良的女人变得十分激动,像她这么大年纪的人都喜欢唠叨,因此,她来回重复着丢人和斯坦德哈特纳先生绝不会干出这种事情一类的话,终于迫使我不得不问她,我们的门德尔后来究竟怎样以及她是否又见过他。这下可好,她抖擞精神,变得比刚才更加激动起来。"每天,每一次,我从他桌子边走过的时候,我的心里都会咯噔一下。我常常不由自主地想,可怜的门德尔先生,他现在会在哪儿,我要是知道他住在哪里,我会去看他,给他捎点热菜热饭去。否则,他又该到哪儿去弄钱取暖吃饭呢?据我所知,他在这个世界上没有一个亲人。然而,我终究还是没有听到关于他的任何消息。我于是想,他肯定已经不在人世了,我再也见不着他了。我甚至考虑过,是不是让神父给他做次弥撒,因为他是个好人,我认识他可也有二十五年多了。

"可是,二月的一天早晨,七点半的时候,我正在擦黄铜窗框,突然(我是说,我吓了一跳),突然门开了,门德尔先生走了进来。您要知道,他平素进门时总是心不在焉地弯腰斜着进来的,但这次好像有点反常。我发现,他显得有些犹豫不决,眼睛一闪一闪的,我的上帝呀,瞧他那副模样,只剩下大腿和胡子了!我一见到他,我立刻就明白了:我马上想到,他什么都不知道,在大白天里出来四处梦游,他什么都忘了,忘记了小面包的事,忘记了古特纳先生,也忘记了他们是怎样可耻地把他轰走的,他连自己也不知道了。谢天谢地,古特纳先生还没过来,领班恰好也正喝着咖啡。我赶紧冲了过去,以便让他明白,他不该呆在这里,免得又被那个粗鲁的家伙撵出去。"(说到这里,她胆怯地四下望了望,很快纠正了自己的用词)——"我指的是被古特纳先生。'门德尔先生',我这样喊他。他茫然地抬起头。就在这时,我的上帝啊,太可怕了,在这瞬间,他一定把一切都回想了起来,因为,他先是一惊,随后便开始发抖,不仅手指在抖,不,他全身都在抖,外人一看他的肩膀就可知道。他再次摇摇晃晃地往门口跑去。他在那里倒下了。我们赶紧打电话叫急救站派人把他抬走,他当时发着高烧。他于傍晚死去,医生说是得了肺炎。还说,他先前已经神志不清,他自己并不知道怎么会再次跑到我们这里来的。只有梦游者才会有这样的行为。我的上帝啊,如果一个人在一个地方日复一日地坐了三十六年,那张桌子可不就是他的家吗。"

我们作为认识过这位奇才的最后两人,还继续谈论了很长一段时间。尽管他的存在如沧海之一粟那样的渺小,但正是他使我在青年时代首次领略到了一种完全封闭式的精神生活——而她则是个目不识丁、终日劳累不堪的贫穷清洁女工,她与这位同处社会贫困底层的兄弟之间的联系仅仅在于她曾为他刷了二十五年的大衣、钉了二十五年的纽扣。然而,当我们共同坐在这张被遗弃的旧桌旁携手召唤他的亡灵时,却能彼此深刻理解。因此，回忆总会让人走到一起，而怀着爱的回忆则更具双重的凝聚力。突然，她停止了唠叨，思索着，说道："耶稣啊，我真健忘——那本书我还留着呢，就是他当时忘在桌上的那本。我该把书拿到哪儿去还给他呢？事后根本无人来取，我想，就留着它作个纪念吧。这样做也没有什么不对，不是吗？"她快步跑回她的后屋，从里面取来了那本书。我努力克制着自己的微笑，因为命运总爱捉弄人，有时又爱讥讽，偏偏喜欢以恶作剧的方式给这样悲惨的事抹上一层滑稽可笑的色彩。这本书是海恩编的图书《德国色情和离奇文学书库》的第二卷，是每个藏书家都熟知的言情文学书目。恰恰是这本言情书目——每本书都有自己的命运——作为这位已故魔术大师最后的遗物，落到了这位没有文化的女工那双粗糙、红肿的手里，大概是把它作为祈祷书保留下来了。我竭力紧闭双唇，唯恐内心冲上来的微笑情不自禁地迸发出来，我的这一小小的犹豫使这位忠厚的女人迷惑不解。难道这是什么珍贵的东西，或者我认为她应该保留此物？

　　我亲切地同她握手。"您尽管放心地保存吧，倘若我们的老朋友门德尔得知，成千上万与他结下书缘的朋友之中，至少还有一个在怀念着他，他的在天之灵是会感到欣慰的。"然后，我起身告辞，在这位忠厚的老人面前，我感到羞愧。正是她，以一种朴素的、但却最有人情味的方式对死者贡献了永恒的忠诚。她虽然没有受过什么教育，但她至少保存了一本书，以便更好地纪念他。相反，我多年以来却一直把门德尔忘在了脑后，而恰恰是我应该明白，人们写书的目的只是为了超越自我，同别人建立联系，并保护自身以抵御一切生命的无情的敌手：被湮灭和被遗忘。

国际象棋的故事

韩耀成译

今天午夜有一艘巨型客轮将从纽约驶往布宜诺斯艾利斯。轮船即将起锚，此刻船上呈现一派常见的紧张和繁忙景象。到码头上来为朋友送行的客人拥挤不堪，歪戴着帽子的电报投递员穿过一个个休息室，高声喊着旅客的名字；有的旅客拽着箱子，手里拿着鲜花；孩子们好奇地在客轮的阶梯上跑上跑下，乐队不知疲倦地在甲板上卖劲地演奏。我站在上层甲板上同一位朋友聊天，稍稍避开这喧嚷的人群。这时我们身旁闪光灯刺目地闪了两三下——大概是某位知名人士在起航前的一刻还在接受记者的快速采访和照相。我的朋友朝那边看了看，笑着说："岑托维奇在您船上，他可是个罕见的怪物。"听了他的话，我脸上显然露出十分不解的表情，所以他接着便解释道："米尔柯·岑托维奇是国际象棋世界冠军。他在美国从东到西的巡回比赛中取得全胜，现在乘船到阿根廷去夺取新的胜利。"

经他一说，我真想起了这位年轻的世界冠军，甚至还记起了他一鸣惊人、名满天下的若干细节；我的朋友看报要比我仔细得多，所以能拿好些奇闻轶事来补充我所知道的那点细节。大约在一年以前，岑托维奇一下子就跻身于阿廖欣、卡帕布兰卡、塔尔塔柯威尔、拉斯克、波戈留波夫① 等久负盛名的棋坛高手的行列。自从七岁神童热塞夫斯基② 在一九二二年纽约国际象棋比赛中一鸣惊人以来，棋坛上还从来没有因哪位无名之辈闯入名声显赫的高手之中而引起那么大的轰动。因为岑托维奇的智力素质一开始绝不会预示他的前程会那么光彩夺目，平步青云。不久就露馅了：这位国际象棋大师在日常生活中无论用哪种语言都写不出一句没有错误的句子，正如一位被他惹恼的棋手尖刻地嘲讽的那样，"在任何方面，他都全方位地缺乏教养"。他父亲是多瑙河上一名赤贫的南斯拉夫船夫，一天夜里小船被一艘运粮食的轮船撞翻，父亲遇难。当地那个偏僻小村里的神甫出于同情，便收养了这位当时才十二岁的孩子。这位好心的神甫想方设法给他辅导，以弥补这不爱说话、有点迟钝、脑门很宽的孩子在村校里未能学会的功课。

但是，神甫的心血全都是白费。米尔柯两眼瞪着那几个给他讲了上百次的字总还是不认识；课堂上讲的最最简单的东西，他那迟钝的脑袋也理解不了。他都十四岁了，算数还得靠

---

① 阿廖欣（1892—1946），国际象棋名手，出生于俄国，十月革命后加入法国国籍。1927年从古巴的卡帕布兰卡手中夺得国际象棋世界冠军，1935年被荷兰人尤伟取代，1937年又从尤伟手中夺回，一直保持到1946年去世。
卡帕布兰卡（1888—1942），古巴国际象棋大师，1921年战胜拉斯克成为世界冠军，1927年因输给阿廖欣而失去冠军称号。
塔尔塔柯威尔，国际象棋名家。
拉斯克（1868—1914），德国国际象棋大师。1894年战胜奥地利施泰尼茨获世界冠军，直至1921年败于卡帕布兰卡，失去冠军称号。
波戈留波夫，俄罗斯国际象棋名手，在1929和1934年两届世界国际象棋锦标赛上，均负于阿廖欣而获亚军。
② 热塞夫斯基，美国国际象棋名手，曾多次获得全美国际象棋冠军，在世界比赛中也名列前茅。

扳手指头,读书看报对这个半大不小的男孩子来说那是特别费劲的事。但是,这倒不能说米尔柯不乐意或者脾气倔。让他干什么,他都乖乖地去干,担水、劈柴、下地干活、收拾厨房,要他干的事,他样样都干得很认真,尽管慢腾腾得让人恼火。不过,最使好心的神甫生气的,还是这怪癖的孩子对什么事都漠不关心。你不专门叫他,他就什么也不干。他从不提问题,不和别的孩子一起玩,不特别关照他干什么事,他自己从来不去找活干。家务一干完,米尔柯就坐在屋里发呆,目光空虚无神,就像牧场上的绵羊对周围发生的事情熟视无睹,无动于衷。晚上,神甫叼着农家的长烟斗,照例要同巡警队长杀三盘棋。这时,这位头发金黄的少年总是默默地蹲在一旁,沉重的眼皮下,那双眸子盯着画着格子的棋盘,好似昏昏欲睡、漫不经心的样子。

一个冬日的晚上,两位棋友正专心致志地在进行每天的对弈,这时从村道上飞快驶来一辆雪橇,叮叮当当的铃声越来越近。一个农民急匆匆地奔进屋来,他戴的帽子上已经积了一层白雪。他说,他的老母亲已经生命垂危,他恳请神甫尽快赶去,及时给她施行临终涂油礼。神甫毫不迟疑,当即随他前去。巡警队长杯里的啤酒还没喝完,他又点了一袋烟,正准备穿上他那双沉重的高腰皮靴回家的时候,忽然发现米尔柯的目光一动不动地紧紧盯着棋盘上刚开始的那局棋。

"嗨,你想把这盘棋下完吗?"巡警队长开玩笑说。他确信,这睡眼惺忪的小伙子连棋子都不会走。男孩怯生生地抬眼望着他,然后点了点头,就坐到神甫的位子上。走了十四步棋,巡警队长就输了,并且不得不承认,他的失败绝非是不小心走了昏着的原因。第二盘棋的结局也没有什么改观。

"真是出现了'巴兰的驴子'[①]!"神甫回家以后惊奇地大叫起来。巡警队长对《圣经》不太熟悉,所以不懂这句话的意思。神甫便向他解释,说两千年前就发生过类似的奇迹:一头不会说话的牲口突然说出了智慧的话。尽管时间已晚,神甫还是忍不住要同他那半文盲的学生对弈一盘。米尔柯也是不费吹灰之力就把他赢了。他的棋下得坚韧、缓慢、果断,他那附在棋盘上的宽阔的脑袋连抬都不抬一下。他的棋下得极其稳健,无懈可击;接连几天巡警队长和神甫都没能赢过他一盘。神甫收养的这个孩子在其他方面智商极低,对于这一点他比谁都更了解,也更能作出评判。现在他当真很想弄明白,这种单方面的奇特的才能究竟能在多大程度上经受住更为严格的考验。他让米尔柯到乡村理发师那儿去把乱蓬蓬的金黄色的头发理一理,好让他显得有几分样子,然后就带他坐雪橇到邻近的小镇上去。他知道,小镇广场上的咖啡店的一角常常聚集着一群瘾头很大的棋友,根据经验,他知道自己的棋不是这帮人的对手。这位头发金黄、脸颊红红的十五岁少年,今天身穿皮毛里翻的羊皮袄,脚蹬沉重的高腰皮靴。当神甫将他推进咖啡馆时,使得在座的棋友中激起不小的惊讶。进了咖啡馆,少年人怯生生地低垂着双眼,诧异地立在一角,直到人家叫他到一张

[①] "巴兰的驴子",典出《旧约·民数记》第22章。希伯来人在摩西率领下,经过长途跋涉,从埃及来到约旦河东岸的摩押地。摩押王巴勒见一下来了那么多希伯来人,心里害怕,便派人去请先知巴兰来诅咒希伯来人。巴兰应邀骑驴前往。上帝为了保护希伯来人,派天使去阻拦巴兰。天使手持长剑站于路旁。驴子为了避开天使,三次离开大路,三次都遭主人痛打。这时耶和华叫驴开口对巴兰说:"我做了什么错事,你竟三次打我?"耶和华让巴兰看见了手中执刀、站于路旁的天使,巴兰这才知道驴子避路的原因,便俯伏在地,承认自己有罪。后人用"巴兰的驴子"比喻比主人还聪明的人,或者比喻一贯沉默寡言、突然开口抗议的人。

棋桌上去,他才动窝。第一盘米尔柯输了,因为他在好心的神甫家里从未见过所谓西西里开局的下法。第二盘他就已经同镇上最优秀的棋手弈成和棋。从第三四盘开始,他就一个接一个地把所有对手杀得落花流水。

在南斯拉夫外省的小城里,激动人心的事情是很少发生的;所以这位农民冠军的初次亮相,对于聚集在那里的这帮绅士来说立即就成了轰动的新闻。大家一致决定,无论如何也得让这位神童在城里呆到明天,以便把国际象棋俱乐部的其他成员都召集起来,尤其是好到城堡里去通知那位狂热的棋迷——西姆奇茨老伯爵。神甫以一种完全新的自豪心情打量着他所抚养的这个孩子,但是在为自己慧眼独具而感到乐不可支的时候,却不愿耽误自己的职责应做的主日礼拜①,于是表示同意把米尔柯留下来,作进一步的考验。于是年轻的岑托维奇由棋友出钱住进旅馆,当晚他第一次见到抽水马桶。第二天是星期日,下午棋室里挤满了人。米尔柯一动不动地在棋盘前坐了四个钟头,一言不发,连眼睛都不抬起来看一下,就一个接一个战胜了所有棋手。最后有人建议下一盘车轮战。大家解释了好一会儿,才让这位脑袋不开窍的少年明白,所谓车轮战,就是他一个人同时跟好几个棋手对弈。米尔柯一搞清楚这种下法,就进入状态,拖着他那双沉重的咯吱作响的靴子缓步从一张桌子走到另一张桌子,结果八盘棋他赢了七盘。

此后,大家进行了广泛的讨论。虽然严格说来这位新冠军并非本城居民,可是当地的民族自豪感却熊熊地点燃了。这么一来,地图上的这座迄今为止还几乎没有被人注意的小城,说不

---

① 主日礼拜,主日即星期日。相传耶稣基督复活于星期日,故称该日为主日。主日礼拜是在星期日举行的礼拜仪式,是基督教新教的主要宗教活动。

定会第一次获得向世界输送一位名人的荣誉呢。一位名叫科勒的经纪人平时专门介绍女歌星、女歌手到驻军歌舞剧场去演出，这时也表示，他在维也纳认识一位杰出的小个子国际象棋大师，只要有人提供一年的资助，他就准备把这位年轻人安排到那里去接受棋艺方面的专门培养。西姆奇茨伯爵六十年来天天下棋，还从未遇见过这么一个奇特的对手，当即便认捐了这笔款项。从这一天开始，这位船夫的儿子就春风得意，青云直上了，令世人为之惊讶不已。

半年以后，米尔柯便掌握了国际象棋技艺的全部奥秘。不过，他还有一个奇怪的弱点，这一弱点后来多次在行家面前露出马脚，并为他们所嘲笑。因为岑托维奇始终不会凭记忆下棋，用行话来说，就是不会下盲棋，即使下一盘也不行。他完全缺乏那种把棋盘置于无限的想象空间的能力。他面前总得有张画着六十四个黑白相间的方格的棋盘和三十二颗摸得着的棋子；在他享有世界声誉的时候，他还随身带着一副棋盘可以折叠的袖珍象棋，在他想把一盘名棋复盘或是解决某个问题时，直接就能具体看到棋子的位置。这点瑕疵本身是微不足道的，但却暴露出他缺乏想象力，这就像音乐界一位卓越的演奏家或指挥不打开乐谱就不能演奏或指挥一样。但是这个奇怪的缺憾并没有影响米尔柯令人惊讶的飞黄腾达。他十七岁就获得了十多个国际象棋奖，十八岁摘取匈牙利冠军，二十岁终于夺得世界冠军。那些棋风最凌厉的冠军在智力、想象力和勇气方面个个都要比他高出不知多少，可是在他坚韧而冷峻的逻辑面前却一一败下阵来，就像拿破仑败在慢腾腾的库图佐夫①手下,汉尼拔②败在费边·康克推多③手下一样,据李维④的记述,康克推多也是在小时候就表现出冷漠和低能的显著特点。于是,卓越的国际象棋大师的画廊里第一次闯进了一位与精神世界完全不沾边的人。要知道,画廊中的国际象棋大师的行列里汇聚了智力超凡的各种类型的人物——哲学家、数学家,以及计算精确、想象力丰富和往往富于创造性的人物——,可是岑托维奇却只是个农村青年,他性格迟钝,寡言少语,即使是最精明的记者也休想从他嘴里套出一句有新闻价值的话来。当然,岑托维奇从不向报纸提供精练的警句格言,不久报上刊登了关于他这个人的大量轶事,这一点也就得到了弥补。在棋桌上,岑托维奇是无与伦比的大师,可是从他离开棋盘站起身来的一刻起,他就成了一个荒诞不经的、近乎滑稽可笑的人物,而且无可挽救。尽管他穿了一身庄重的黑西服,打了豪华的领带,领带上别了一枚有点显摆的珍珠别针,尽管对指甲作了精心修剪,但是他的整个举止风度仍然是那个头脑简单、在村里替神甫打扫房间的

---

① 库图佐夫(1745—1813),俄国军事统帅。1812年率俄国军队大败入侵的拿破仑军队。

② 汉尼拔(前247—前183或182),迦太基统帅。在第二次布匿战争(前218—前201)的特拉西米诺湖战役(前217)和坎尼战役(前216)中大败罗马军队。长期转战意大利各地,军力耗竭,后援不继,当费边(西庇阿)率罗马军队攻入迦太基本土时,奉命回军(前203)解围,扎马战役(前202)被古罗马统帅西庇阿所败。

③ 费边·康克推多(约前280—前203),费边又译西庇阿,古罗马统帅。第二次布匿战争期间,罗马军在特拉西米诺湖战役中溃败后任狄克推多(独裁官),采用拖延战术,坚壁清野,与汉尼拔军相周旋,决战派讥称他为"康克推多"("拖延者")。公元前205年任执政官,次年率军进攻迦太基本土。公元前202年扎马战役打败汉尼拔。

④ 李维(前59—公元后17),古罗马历史学家,著有《古罗马史》142卷。

乡下少年。他极其粗俗吝啬，贪得无厌，一心想方设法利用自己的天赋和声望去捞取一切可以捞取的金钱，那样子既笨拙又厚颜无耻，惹得棋界同行既好笑又好气。他从一座城市到另一座城市，总是下榻在最便宜的旅馆，只要答应给他报酬，即使是最寒碜的俱乐部，他也去下棋；他同意把自己的肖像印在肥皂广告上，甚至不顾竞争对手的嘲笑——他们深知，他是个三句话都写不好的草包——，把自己的名字卖给一本叫作《国际象棋的哲学》的书，实际上为那个专门以逐利为目的的出版商撰写这本书的是一名加里西亚大学的学生，是个无名之辈。像所有性格坚韧的人一样，他也根本不懂得可笑一说；自从在世界比赛中取胜以来，他就自以为是世界上最重要的人物了，他觉得，所有那些绝顶聪明、才智过人、光灿夺目的演说家和著作家也都在他们各自的战场上被他一一斩于马下，尤其是他挣的钱比他们多，这个具体事实将他原来的犹豫不决变成了冷酷的、往往是拙劣地有意显露的趾高气扬。

"不过，这种平步青云怎么能不叫这空虚的脑袋感到飘飘然呢？"我的朋友说。他还给我讲了岑托维奇颐指气使、目空一切的可笑事例。"一个从巴纳特① 来的二十一岁的乡巴佬，突然间在木棋盘上摆弄几下棋子，在一星期之内赚的钱就比他全村全年伐木和干重活辛辛苦苦挣的钱还多，他怎么能不踌躇满志，沾沾自喜呢？还有，要是一个人压根儿就不知道这个世界上曾经有过伦勃朗、贝多芬、但丁和拿破仑，那不是很容易把自己看作伟人吗？这小伙子那孤陋寡闻的脑袋里只知道一件

---

① 巴纳特，东欧历史上的民族杂居地区，一次大战后匈牙利保有塞格德，罗马尼亚取得东部大片土地，余归塞尔维亚－克罗地亚－斯洛文尼亚王国（南斯拉夫）。

事,那就是几个月来他从未输过一盘棋,而且正因为他不知道除了象棋和金钱之外,这个世界上还存在着其他有价值的东西,所以他完全有理由沉湎于飘飘欲仙的感觉之中。"

我的朋友讲的这些情况大大激起了我特殊的好奇心。我平生对患有各种偏执狂的人、一个心眼儿到底的人最有兴趣,因为一个人知识面越是有限,他离无限就越近;正是那些表面上看来对世界不闻不问的人,在用他们的特殊材料像蚂蚁一样建造一个奇特的、独一无二的微缩世界。因此我对自己的意图毫不隐晦:在开往里约热内卢的十二天航程中仔细观察这位智力单轨发展的奇怪标本。可是,朋友提醒我:"您的运气恐怕不会这么好。就我所知,迄今为止还没有一个人能从岑托维奇那里弄到一星半点可用作心理分析的材料。这个狡猾的乡巴佬虽然知识极其贫乏,但却非常聪明,从不暴露自己的弱点,其实他的办法极其简单,那就是除了从几家小旅店找来的境况与他相仿的几个同乡外,他不跟任何人说话。他只要感到有个有教养的人在场,就立刻爬进他的蜗牛壳;所以谁也无法夸口,说是曾经听到过他的一句蠢话,或是摸清了他缺乏教养到何种程度。"

确实,我的朋友说得不错。旅行的头几天的情况就表明,不硬着脸皮去纠缠就根本不可能接近岑托维奇。当然,这种死皮赖脸的事我是做不出的。有时他倒也走上上层甲板,但每次总是反背着双手,目中无人,显出一副陷入沉思的样子,宛如那幅名画上的拿破仑;此外,在甲板上散步本来很逍遥,可是他总是匆匆忙忙、急不可耐的样子,想跟他搭句话,你得跟在他后面小跑步才行。他又从来不在休息室、酒吧和吸烟室露面;我向服务员悄悄打听过,得知他一天的大部分时间都呆在自己的舱房里,在一个大棋盘上研究棋局或把下过的棋重新摆一摆。

　　他的防御技术比我想接近他的意愿还要巧妙，为此三天以后我真的开始生气了。我一生中还从未有机会同一位国际象棋大师结识，现在我越是竭力想赋予这种类型的人以普通人性，就越觉得难以想象，人的大脑怎么能一辈子都完全围着一个有六十四个黑白方格的空间转呢！根据自己的切身体验，我知道这种"国王的游戏"① 具有神秘的魅力，在人所想出来的各种游戏中，唯有这种游戏绝对容不得半点偶然的随心所欲，它的桂冠只给予智慧，或者更确切地说，只给予某种特殊形式的天赋。那么，把国际象棋称作一种游戏，岂不是犯了侮辱性的限制之罪吗？它难道不也是一门学问，一种艺术，飘浮于这两者之间，就像穆罕默德的棺椁飘浮在天地之间一样？它难道不是一对对矛盾的无与伦比的结合吗？它是古老的，却又永远是崭新的；它在布局上是机械的，不过只有通过想象才能极尽其妙；它被限制在几何形的呆板的空间里，然而在其组合上却是无限的；它是不断发展的，但又是毫无创造性的；它是得不到结果的思想，是什么也算不出的数学，是没有作品的艺术，是没有物质的建筑，尽管如此，在其存在和此在方面却证明比所有的书籍和艺术作品更久长；它属于各个民族和各个时代，而且无人知晓，是哪位神灵把这种游戏带到人间来供人们消遣解闷，磨砺禀性，激励心灵的。它何处为始，何处是终？每个孩子都能学会它的初步规则，每个臭棋篓子都可以一试身手，然而就在这固定不变的小小的方块之内却会产生一类特殊的大

---

　　① 德语 Schachspiel（国际象棋，下棋）一词是由 Schach（国际象棋）和 Spiel（游戏，玩）两字复合而成。Schach 这个字源自波斯文 schah，意为"国王"，它与 Spiel 复合在一起，按字面的意思就是"国王的游戏"。

师，与他们相比，所有其他的人都望尘莫及。他们只是在棋艺方面有天赋，他们是特殊的天才，在他们身上想象力、耐心和技巧也分配得十分精确，并一一起着作用，就像在数学家、诗人和音乐家身上一样，只不过层次和结合不同而已。从前观相术盛行的时候，要是加尔① 解剖了象棋大师的颅脑就好了，这样就可确定，这些象棋天才的大脑灰质是否有一种特殊的曲纹，他们的颅脑里是否有一种比常人更发达的象棋肌或象棋突。像岑托维奇这样的棋手，在绝对迟钝的智力中散布着特殊的天赋，就像在一百公斤不含矿质的岩石中含有一条金脉一般！他这样的实例要是激发起那些观相术家的兴趣就好了。这样一种独一无二的天才游戏是定会造就出特殊的棋王来的，对于这一点，一般来说，我一直都很清楚，然而很难想象，甚至不能想象，一个思想活跃的人竟一辈子把自己的世界仅仅局限在黑白方格之间狭窄的单行轨上，只在三十二颗棋子前后左右的挪动中寻找成功的喜悦，一个人开局先走马而不走卒竟是件了不起的大事，能在棋谱的某个不起眼的地方提到一笔就意味着不朽——总之，一个人，一个会思想的人，十年，二十年，三十年，四十年如一日，将自己思想的全部张力一次又一次可笑地用在把木头棋子"王"逼到木制棋盘上的角落里去，而自己竟没有发狂！

现在，这么一位了不起的人，这么一个奇特的天才，或者说这么一个谜一般的傻瓜第一次离我那么近，在同一艘船上，相隔仅六个船舱，但是我真倒霉，我虽然对有关精神方面的事最好奇，而且这种好奇心往往会变成一种激情，尽管这样，我还是未能接近他。于是我就想出一些荒诞透顶的计谋：我假装

---

① 加尔（1758—1828），德国解剖学家、生理学家，颅相学的创始人。

要为一家重要报纸去采访他,以刺激他的虚荣心;要不我抓住他贪得无厌的心理,建议他到苏格兰去参加一场报酬颇丰的比赛。末了我想起猎人的一个非常灵验的办法:要把山鸡引过来,就学山鸡交尾时的叫声。那么要把象棋大师的注意力吸引到自己身上来,难道还有比自己去下棋更有效的高招吗?

我一生中从来就不是一个正经八百的国际象棋艺术家,其原因十分简单,那就是我总不把下棋当一回事,只不过是下着玩玩的;要是我坐下来下一小时棋,那可不是为了去劳神费脑,相反,是为了使紧张的脑子得到放松。我是本着"玩"①这个字的真正意义下棋的,而别人,那些真正棋手却是为了"较量"。下棋和谈恋爱一样,必须有个对手,而此刻我还不知道,除了我们,船上是否还有其他爱下国际象棋的人。为了把他们引出洞来,我就在吸烟室里设下一个简陋的圈套:我同我妻子在棋桌上对弈,尽管她的棋比我还臭。这样我们就像捕鸟人,网开一面,专等鸟儿来自投罗网。果然,我们走了还不到六个回合,有个人打旁边走过时就停了下来,还有一位请求我们允许他观战;最后来了一位我们所期盼的对手,他向我叫阵,要同我对弈一盘。他名叫麦克康纳,是苏格兰深井采油工程师,我听说,他在加利福尼亚钻探石油发了大财。从外表上看,麦克康纳体格粗壮,方方的腮帮结实坚硬,牙齿坚固,脸色很好,透着红润,大概是威士忌喝多了,至少这是一部分原因。引人注目的是他那宽阔的肩膀,真有点儿运动员的威武架式,可惜下棋的时候也锋芒毕露,因为这位麦克康纳先生是属于踌躇志满、极其自负的那种类型的人,即使是一盘无足轻重

---

① "玩",德文是 spielen。"下国际象棋",德文是 Schachspiel,由 Schach(国际象棋)+ Spiel(游戏,动词是 spielen)构成。

的棋，下输了，他也觉得是贬低了自己的人格。这位白手起家的大块头阔佬，生活中习惯于一意孤行，为自己的成功感到飘飘然，骨子里都渗透着顽固不化的优越感，因此他把任何阻力都看作是对他极不礼貌的反抗，几乎就等于是对他的侮辱。输了第一盘，他就沉下了脸，并且啰嗦开了，蛮不讲理地说，这盘棋只是一时疏忽才输的，第三盘输了，他又把原因归之于隔壁船舱里声音太吵；他每输一盘棋，绝不肯就此罢休，必定立即要求再下一盘。起初我觉得这种顽固的虚荣心很好玩；后来我想，我的本意是把世界冠军吸引到我们桌上来，所以只把他的虚荣心看作是实现我的意图的一种不可避免的伴生现象。

第三天我的计划成功了，但也只是成功一半。无论是岑托维奇从上层甲板上看我们下棋，或是他只是偶尔光临一下吸烟室——反正，他一见我们这些门外汉竟在摆弄他的这门艺术，就下意识地走近了一步，从这个适当的距离朝我们的棋盘投来审视的一瞥。这时正好该麦克康纳走棋。就这一步棋就足以让岑托维奇明白，对于他这位大师级的人来说，我们这点儿业余棋手的水平是不值得继续看下去的。就像我们在书店里人家向我们推荐一本蹩脚的侦探小说，我们看都不看一眼就露出不言而喻的表情将书搁在一边一样，现在他也以同样的表情从我们棋桌边走开，出了吸烟室。"他掂量了一下，觉得没意思，"我思忖，对他那种冷冰冰的、瞧不起人的目光心里有点生气。为了发泄一下我的气恼，我就对麦克康纳说：

"您这步棋大师似乎不怎么看得上眼。"

"哪个大师？"

我向他解释说，刚才从我们身边走过、并以鄙夷的目光看我们下棋的那位先生就是国际象棋大师岑托维奇。我还补充了一句，说，就让他去好了，我们两人认了，名人的鄙视不会使我们伤心的；穷人只有这点能耐。然而出乎我的意外，我随便这么一说，竟对麦克康纳先生产生了完全意想不到的作用。他立刻就激动起来，忘掉了我们的棋局，他的虚荣心上来了，激动得几乎可以听到脉搏砰砰跳动的声音。他说，他根本不知道岑托维奇在船上，无论如何岑托维奇得跟他下盘棋。他一生中还从来没有跟一位世界冠军下过棋，除了有次跟另外四十个人一起同世界冠军下过一盘车轮战。就是那盘棋也是够紧张的，当时他还差点儿赢了呢。他问我是否认识这位象棋冠军，我说不认识。他又问，我想不想去跟他打招呼，把他请到我们这儿来？我没有答应，因为据我所知，岑托维奇不怎么愿意结识新交。另外，对一位世界冠军来说，跟我们这些三流棋手下棋又有什么吸引力呢？

嗨，对于一个像麦克康纳这样虚荣心很强的人，我是不该说什么三流棋手之类的话的。他生气地往后一靠，陡然说，就他而言，他不信一位绅士客气地去请岑托维奇下棋，会遭他拒绝。应他之请，我给他简要描述了这位世界冠军的为人。听了以后他便满不在乎地撂下我们这盘棋，急不可耐地冲到上层甲板上去找岑托维奇。我又一次感到，这位宽肩膀的人一旦想要干什么事，是阻挡不了的。

我颇为紧张地等待着。十分钟以后，麦克康纳先生回来了，我觉得他不那么兴高采烈。

"怎么样？"我问。

"您说得不错，"他有点生气地回答。"他是个不怎么讨人喜欢的先生。我作了自我介绍，告诉他我是谁。他连手都没有伸给我。我试图让他明白，要是他跟我们下盘车轮战，我们船上所有的人都会感到骄傲，感到荣幸。妈的，他就是不答应。他说很遗憾，他同他的经纪人签了合同，合同特别规定，在整个这次巡回比赛期间,他不得下没有报酬的棋,而他的最低酬金是每盘二百五十美元。"

我笑了。"这点我倒从未想到,在黑白方格上挪动几下棋子竟是一桩进项那么多的买卖。那么,我想,您也就客客气气地告辞了吧。"

然而,麦克康纳仍然十分严肃地说:"棋局定在明天下午三点钟,就在这个吸烟室。我希望,不要让他不费吹灰之力就把我们杀得落花流水。"

"怎么?您同意给他二百五十美元了?"我惊诧地叫了起来。

"干吗不给?C'est son métier.① 要是我牙痛,而船上碰巧有个牙科大夫,我也不会白要他给我拔牙呀。这人要价很高,这是对的。各行各业里货真价实的行家也都是生意人。在我来说,买卖说得越清楚越好。我宁愿付现金,也不愿求什么岑托维奇先生对我大发慈悲,到头来还得感谢他。再说,我在船上的俱乐部里有个晚上输掉的就超过二百五十美元,而这还不是同世界冠军下呢。对'三流棋手'来说,败在岑托维奇手下也不算丢脸。"

我注意到,我说的"三流棋手"这句无辜的话竟深深伤害了麦克康纳的自尊心,我心里真觉得好笑。但是,既然他打算为这个玩笑付出昂贵的价码,那么对他的这种过分的虚荣心我也就不好加以非议了,更何况他的虚荣心最终将介绍我去结识这个怪人呢。我们赶紧将这件行将发生的大事通知了迄今为止曾宣称自己是棋手的那四五位先生,并让人为即将举行的比赛作好准备,为了尽量不受过往旅客的干扰,不仅要把我们这张

---

① 法语:他是吃这碗饭的。

桌子,而且还要将紧挨着的几张桌子统统预先定好。

第二天,我们的人在约定时间全部到齐。中间那个席位正对象棋大师,当然是给麦克康纳留的。他一枝接一枝地抽着很冲的雪茄,以缓和内心的紧张,并一再焦急地看手表。这位世界冠军让大家足足等了他十分钟之久——根据我朋友所讲的故事,我早就预感到他会来这一手的——,这样,他的出场就更显出稳操胜券的神态。他从容不迫、泰然自若地走到棋桌旁。他也不作自我介绍,一来就以乏味的专业语气讲了各项具体安排,他的这种无理行为似乎是说:"我是谁,你们都知道,至于你们是些什么人,我不感兴趣。"因为船上没有那么多棋盘,所以没法下车轮战,他就建议我们大家一起来下他一个人。他说,为了不打搅我们商量,每走一步棋,他就到这房间头上的另一张桌子上去。遗憾的是没有小铃,所以我们每走了一步,马上就要用匙子敲敲杯子。他建议,如果我们没有异议,每步棋的时间最多十分钟。我们像腼腆的小学生一样,对他的每项建议当然都表示同意。挑颜色时,岑托维奇猜得黑棋。他还站着就走了第一步,接着便立即转身走到他建议的位置上等候去了。他懒洋洋地往椅子上一靠,顺手拿起画报翻翻。

谈论这盘棋的本身,并没有多大意思。不言而喻,它的结局本在情理之中:以我们的彻底失败而告终,而且弈至第二十四回合就输掉了。一位世界冠军不费吹灰之力就横扫五六个中下流棋手,这事本身并不值得大惊小怪;令我们耿耿于怀的,只是岑托维奇盛气凌人的那副样子,他让我们大家清楚地感觉到,他轻而易举就把我们赢了。每次他都似乎只是漫不经心地朝棋盘上看一眼,懒洋洋地从我们身边走过,那神情就好像我们都是木头棋子似的。这种无理的姿态不由得叫人想起,有人朝癞皮狗扔去一根骨头,却不去看它一眼。其实照我看,他要是稍微通情达理一点，是可以指出我们的错误，或者说句客气话来对我们加以鼓励的。可是下完这盘棋，这个没有人性的象棋机器人连一个鼓励的字都没有说，在说了"将死了"之后就一动不动地站在桌子前等着，看我们是否还想跟他再下一盘。像人们对付厚颜无耻的粗鲁之辈一样，我站起来无可奈何地把手一摊，表明随着这桩美元交易的结束，至少就我来说，我们这场愉快的相识也就到此为止了。令我气恼的是，我身边的麦克康纳这时却声音沙哑地说道："再下一盘！"

麦克康纳挑战性的话简直使我大吃一惊；事实上他此刻给人的印象是个正要出拳的拳击家，而不是温文尔雅的绅士。也许这是他对岑托维奇对待我们的那种让人受不了的态度的回敬，也许仅仅是他一碰就跳起来的那种病态的虚荣心在作怪——反正麦克康纳的性格全变了。他满脸通红，一直红到额头的发根；由于心里生气，他的鼻翼鼓鼓的；显然，他身上在冒汗；他紧紧咬着嘴唇，深深的皱纹从嘴角一直伸到雄赳赳地往前突出的下巴。我在他的眼睛里发现了遏制不住的激情的烈焰，我心里感到不安。这种烈焰通常只有玩轮盘赌的赌徒，如果他下了双倍赌注，但接连六七次就是没碰上他所押的那个颜色时才会出现。此刻我知道，这种狂热的虚荣心将使他同岑托维奇不停地对弈下去，按原来的赌注或者加倍，一直下到他至少赢一盘为止，即使要耗掉他全部资产也在所不惜。如果岑托维奇坚持奉陪到底，那么他就在麦克康纳身上发现了一个金窖，他在到达布宜诺斯艾利斯之前就可以从这个金窖里挖出好几千美金来。

岑托维奇一动不动。"请吧，"他客气地回答，"现在该诸位先生执黑了。"

第二局也没有什么改观，只不过又来了几位好奇者，所以我们这个圈子不仅扩大了,而且也活跃多了。麦克康纳两眼直愣愣地盯着棋盘,仿佛他要以赢棋的愿望对棋子施行催眠术似的;我感觉到,为了向对手这个冷血动物扯着嗓门欢叫一声"将死了",即使牺牲一千美元,他也会兴高采烈的。奇怪的是,他那强忍的激动不知不觉中也感染了我们。现在,每走一步都要进行比第一局更为热烈的讨论,每次直到最后一刻,在大家都同意给信号叫岑托维奇到我们桌上来的时候,总还会有人对大家的意见提出异议。渐渐地,我们弈至第十七步了。这时出现了极为有利的局势,对此我们自己都感到惊奇,因为我们成功地把C线上的卒一直推进到倒数第二格的 c 2;只要将卒往前推进到 c 1,我们的卒就可以升变为一个新后了①。由于这个胜机过于一目了然,我们心里反倒不很踏实;我们大家都心存疑虑,担心这个表面上看来是我们取得的优势极可能正是岑托维奇故意给我们设下的圈套,因为他对棋局看得比我们远得多。但是无论我们大家怎么煞费苦心地探索和讨论,还是找不到这个暗藏的花招。最后,允许我们考虑的时间快完了,我们决定就冒险走这一着。麦克康纳的手指都碰到了卒,想把它推到最后一个方格里。这时他感觉到胳膊猛的一下被紧紧抓住,有人轻声而激动地对他耳语:"上帝保佑!不能走这着!"

  我们大家都情不自禁地转过脸去。一位大约四十五岁上下的先生,瘦削的脸上轮廓分明,脸色像石灰一样,白得出奇,先前在甲板上散步时就引起过我的注意。几分钟前我们的全部注意力都集中在解决那步难棋,他大概就是那时来到我们这儿的。他感觉到我们的目光都在注视着他,便匆匆补充道:

---

  ① 国际象棋规则规定,如果卒进到第 8 排,就可升变为具有最大威力的后或下变为车、象或马。

"您现在如果把卒子升变为后,他马上就会用象 c 1 来吃掉它,您再回马吃掉象。但是,这期间他把他的通路卒走到 d 7,威胁你们的车,你们即使跳马将军,也没有用,再走九到十步棋你们就输了。这同一九二二年皮斯吉仁大赛上阿廖欣与波戈留波夫交手时下的棋局几乎完全一样。"

麦克康纳大为诧异,其惊奇的程度绝不亚于我们。他放下手里的棋子,两眼紧紧盯着这位不速之客,这位像是从天而降、来助我们一臂之力的天使。一个能够预先计算出九步之后会有杀着的人,准是一流专家,说不定也是去参加这次国际象棋大赛的,没准还是冠军争夺者呢。他恰好在关键时刻突然到来并且伸出援助之手,这简直是异乎寻常的事。麦克康纳第一个回过神来。

"您有什么主意呢?"他激动地悄悄问道。

"卒子不要马上往前走,而是先避开!尤其要先把王从 g 8 这个危险位置撤到 h 7。这样,他或许就转而进攻另一翼去了。不过您可把车从 c 8 退到 c 4 来阻挡;于是,他就得多走两步,丢掉一个卒,这样也就失去了优势。这么一来,盘面上就成了卒对卒,如果您防守不出破绽,就可以下成和棋。更高的奢望是达不到了。"

我们再次惊诧不已,啧啧称奇。他计算得那么精确和快速,真有点邪乎,这些步子他仿佛是照棋谱念的。真是意想不到,我们与世界冠军对弈的这盘棋在他的参与下,居然有下和的机会,怎么说也神了。我们大家不约而同地往旁边挪了挪,好让他看到棋盘。麦克康纳又问了一次:

"那么就把王从 g 8 走到 h 7?"

"对!最要紧的是先避开!"

麦克康纳照此走了一着,我们敲了玻璃杯。岑托维奇迈着惯常的漫不经心的步子走到我们桌边,朝我们这步对着打量一眼,接着就把王翼的卒 h 2 进到 h 4,同我们这位素不相识的救星所预言的完全一样。这位陌生人这时激动地悄声说:

"进车,进车,从 c 8 进到 c 4,这样他就非得保卒不可。不过他这样走也无济于事!您马 c 3 进 d 5,不用管他的通路卒,这样就重新建立了均势,随后就全力压过去,不用守了!"

我们不明白他所说的。对我们来说,他说的全是中文。①不过一旦对他着了迷,麦克康纳也就不加思索地照他的意见行棋。我们又敲了玻璃杯,把岑托维奇叫了过来。这回他第一次没有迅速作出决定,而是紧张地注视着棋盘。随后他下的那着棋正是这位陌生人先就向我们点明的。岑托维奇落子以后正转身要走,可是就在他尚未转身之前,发生了一件谁也没有意想到的新奇事。岑托维奇抬起眼睛,把我们每个人都打量一番;很显然,他是想找出那个一下子对他进行这么顽强抵抗的人来。

从这一瞬间起,我们心情之激动到了难以估量的程度。在此之前我们下棋的时候并没有抱多大的希望,现在我们都想煞煞岑托维奇的冷漠和傲慢。这个想法使我们大家热血沸腾,兴奋不已。但是,这时我们的新朋友已经对下一步棋作了安排,我们可以把岑托维奇叫来了。我拿起匙子敲玻璃杯的时候,手指都在发抖。现在我们第一个胜利已经到来了。岑托维奇此前一直是站着下棋的,现在他犹豫了好一阵,终于坐了下来。他坐下去的时候动作缓慢而迟钝;就这样,他与我们之间纯粹从身体上来说,他迄今为止的那种居高临下的架势没有了。我们迫使他至少在空间上同我们处于同一平面上。他考虑了很长时

---

① 以前欧洲人认为中文难学又难懂。这里的意思是说听不懂他说的话。

间，低垂的眼睛一动不动地紧盯棋盘，因此几乎连他黑眼睑下面的眼珠也看不到。在紧张的思考中，他的嘴慢慢地张开，这样就赋予他的圆脸以一种单纯的表情。岑托维奇考虑了几秒钟，然后走了一着棋，就站了起来。我们的朋友随即低声说道：

"这步棋是拖延战术！想得倒好！但是不要上他的当！逼他兑子，非兑不可，这样便是和棋了，现在神仙也帮不了他的忙。"

麦克康纳完全照他的意思走棋。接下来的几步双方你来我往，我们对此更是莫名其妙，实际上我们其余的人早就沦为了摆摆样子的龙套。大约弈了七个回合之后，岑托维奇经过长时间的思考，抬起头来说："和了。"

一刹那室内鸦雀无声。我们突然听到海浪的喧啸，休息厅的收音机里传来爵士音乐，甲板上散步者的脚步声以及从窗缝里透进来的轻微的风声都听得清清楚楚。我们人人屏住呼吸，事情来得太突然，大家还没有回过神来，这位陌生人居然能将他的意志强加于世界冠军，把这盘已经输了一半的棋下和，这真使我们目瞪口呆。麦克康纳突然往后一靠，随着快乐的"啊！"的一声，他憋着的那口气咻的一下从嘴里吐了出来。我又对岑托维奇进行了观察。在下最后这几着棋的时候，我就觉得，他的脸色仿佛更加苍白了。但是他很善于控制自己，仍然保持着看起来满不在乎的木讷神情，一面用镇定的手归拾棋盘上的棋子，一面漫不经心地问道：

"先生们还想下第三盘吗？"

这个问题他纯粹是就事论事地从纯商业的角度提的。但奇怪的是，他提问时并没有看麦克康纳，而是抬起眼睛直接紧紧地盯着我们的救星。他准是从最后几着棋上认出了他事实上的、真正的对手,就像一匹马能从骑者更加稳健的骑姿上认出一位新的、更好的骑手来一样。无意中我们也随着他的目光急切地望着这位陌生人。可是陌生人尚未来得及考虑或答复,正陶醉在虚荣之中、万分激动的麦克康纳就已经以胜利的姿态在冲着他喊了:

"那当然!但是现在您得一个人跟他下!您一个人同岑托维奇对弈!"

然而,这时发生了一件未曾预料到的事情。很奇怪,这位陌生人还一直在紧张地盯着那张棋盘,而棋盘上的棋子已经收拾起来了。他感觉到所有人的眼睛都在注视他,而且人家又那么热情地在同他说话,不觉大为骇然,脸上现出十分慌张的神情。

"绝对不行,先生们,"他结结巴巴地说,显然有点惊惶失措。"这完全不可能……没有考虑的余地……我已经有二十年,不,是二十五年没有挨过棋盘了……我现在才看到,未得你们允许就参与你们的棋局,这样的举止是多么的不得体……请你们原谅我的冒失……我一定不再继续打搅了。"听了这话我们都很愕然,大家还没有回过神来,他已经转身离开了吸烟室。

"这根本不可能!"性格豪爽的麦克康纳用拳头捶着桌子吼道。"他说有二十五年没有下过棋了,绝对不可能!他每一着棋,每一步对着都预先算到五六步之外。这种本事绝非瞬息之间就可学会的。所以他说的绝无可能——是不是?"

最后这个问题麦克康纳是下意识地向岑托维奇提的。但是这位世界冠军不为所动,依然是冷冰冰的。

"对此我无法作出判断。但是不管怎么说,这位先生的棋下得有点奇怪,也很有意思,因此我也故意给了他一个机会。"说着,他便懒洋洋地站起身来,并以他讲究实际的方式补充

道:

"如果这位先生或者在坐的诸位先生明天想再下一局,那我从下午三点钟以后愿意奉陪。"

我们都忍不住轻声笑了。我们每个人都知道,岑托维奇绝不是慷慨地让给我们这位不相识的援手一个机会,他的这种说法无非是掩饰自己没有下好的一个幼稚的遁词而已。因此我们心里滋长起更加强烈的愿望,要亲眼看着把他这种盛气凌人的态度打掉。我们这些心平气和、懒懒散散的乘客心里一下子生起一股疯狂的、充满虚荣心的战斗豪情,因为如果正巧在我们这艘航行在汪洋中的船上能摘下国际象棋世界冠军头上的桂冠,这个记录定会由电讯迅速传遍全世界。这个想法很具挑战性,令我们为之着迷。另外,那种神秘而蹊跷的事也颇有刺激性:恰好在关键时刻我们的救星出乎意料地来介入我们的棋局,他那几乎有点怯生生的谦虚同那位职业棋手那种趾高气扬的神气正好形成对照。这位陌生人是谁?难道通过这里的这次偶然巧遇我们竟找到了一位尚未被发现的国际象棋天才?或是出于某种尚不清楚的原因,一位著名的国际象棋大师对我们隐瞒了自己的名字?我们兴奋地讨论了所有这些可能性。我们认为,为了把这个陌生人谜一般的胆怯和出人意外的自述同他精妙绝伦的棋艺联系在一起,即使是最最大胆的假设也不为过。不过有个问题我们大家的意见是一致的,那就是绝不放弃再杀一盘。我们决定,要不遗余力地促使我们的支援者第二天同岑托维奇对弈一盘,麦克康纳答应由他来承担这次比赛经济上的风险。这期间我们从乘务员那里了解到,我们不认识的这位先生是奥地利人,而我是陌生人的同乡,所以大家就委托我把大家的请求转达给他。

不用很长时间,我就在甲板上找到了匆匆溜掉的那位先生。他正躺在躺椅上看书。我在朝他走去之前,先抓住这个机会将他端详一番。他轮廓分明的脑袋枕在枕头上,显得稍稍有些疲劳;这张还比较年轻的脸显得出奇的苍白,这再次引起我的特别注意;两鬓的头发雪白,白得闪闪发亮。不知是什么原因,我有这么个印象,觉得这个人准是突然变老的。我刚走到他跟前,他就很有礼貌地站起身来,介绍自己的姓名。我听了马上就觉得很熟悉,这是奥地利一家古老的名门望族的姓氏。我想起姓此姓的人中,有位是舒伯特①的密友,老皇帝②有位御医也出身于这个家族。我向B博士转达我们的请求,希望他接受岑托维奇的挑战,他听了显然感到非常惊讶。这表明,他根本不知道刚才与之对弈的是位世界冠军,而且是目前战绩最好的世界冠军,而那盘棋他却光荣地将对手顶住了。由于某种原因,我说的这个情况似乎对他产生了特殊的印象,因为他一再反反复复地问,我是否真有把握,他的对手确实是公认的世界冠军。我马上就发现,这个情况使得我的任务完成起来容易得多了,至于万一棋输了,经济上的风险将由麦克康纳来承担这件事,由于考虑到B博士比较敏感,所以觉得还是不对他说为好。经过好一阵犹豫,B博士最终答应比赛一次,不过他特别请我提醒其他几位先生,千万不要对他的棋艺抱过分的希望。

"因为,"他脸上带着沉思的微笑补充说,"我真不知道,我能不能正确地按照各种规则来下棋。我从中学时代起,也就是说自二十多年以来我连棋子都没有再摸过,请相信我,这绝

---

① 舒伯特(1797—1828),奥地利著名作曲家。
② 指奥匈帝国(1867—1918)第一个皇帝弗·约瑟夫(1830—1916),在位时间是1867—1916。

不是假谦虚。就是在那个时候，我下棋也没有特殊的才华。"

他这话说得极其自然，使我对他的真诚没有一点儿怀疑。可是他对各个大师的每盘具体的棋局又记得那么清楚，对此我又不得不表露出我的惊讶；我说，无论怎么说，他至少在理论上对国际象棋总是作过很多研究吧。B博士又露出那奇怪的梦幻般的笑容。

"作过很多研究！——天知道，倒可以这么说，我对国际象棋作过许多研究。但那是在非常特殊的、是在史无前例的情况下发生的。这是一个相当复杂的故事，充其量只能把它当作我们这个可爱的伟大时代的一个小插曲。要是您有半小时耐心的话……"

他指了指旁边的一把躺椅。我愉快地接受了他的邀请。我们周围没有其他人。B博士把看书时戴上的老花镜摘下放于一边，开始说：

"承蒙您提到，您是维也纳人，还记得我们家的姓氏。不过我猜您准没听说过那个律师事务所。它起初是我父亲和我、后来是我单独主持的，因为我们不办理报上讨论的案件，我们的规矩是不接受新的当事人的委托。实际上我们已经不再从事正式的律师事务了。我们的业务只限于法律咨询，主要是受委托管理大修道院的财产，我父亲以前是天主教党的议员，所以同各大修道院关系很密切。此外，有些皇室成员的财产也委托我们管理。因为君主政体已经成了历史①，所以这方面的情况我们今天可以谈了。我们家族同皇室以及天主教会的联系上两

---

① 1867年建立的奥匈帝国因参加第一次世界大战失败和国内工人运动及民族解放运动的高涨，于1918年瓦解，哈布斯堡王朝的末代皇帝查理退位。11月12日成立奥地利共和国。另外匈牙利和捷克斯洛伐克两个国家也宣告成立。

代就开始了,我叔叔是皇帝的御医,另一位叔叔是塞滕施特滕修道院院长。我们只是保持了这些联系。这是一种静悄悄的、我想说是一种无声的活动,因为当事人对我们家族历来都很信任,所以我们依旧做着这份工作。这个工作只要求严格的保密和可靠,此外并没有更多的要求,而先父正是具有这两种品质的典范;由于他的谨慎,所以无论是在通货膨胀的年代还是政权变革时期,实际上他都为当事人成功地保存了可观的财富。后来德国希特勒上台,开始掠夺教会和修道院的财产,于是德国那边就同我们进行各种谈判和交易,以通过我们的手保住他们的动产免遭没收,关于罗马教廷和皇室进行的某些秘密政治谈判,我们两人知道的比外界知道的要多得多。正因为我们事务所并不惹人注目,门上连牌子都不挂,外加我们两人都很小心谨慎,有意避免同保皇派来往,所以我们很保险,没有人擅自对我们进行调查。事实上在那些年里奥地利当局从未料到,皇室的秘密信使交接最重要的信件一直都是在我们设在五层楼上的那个不起眼的事务所里进行的。

"纳粹分子早在扩充军备,妄图征服世界之前,就开始在其邻国组织一支同样危险的和训练有素的军队——由受歧视、受冷落和受损害的人组成的军团。他们在每个机关企业里都设立了所谓的'支部';他们的坐探和间谍无处不在,包括在陶尔斐斯① 和舒施尼格② 的私人宅邸里。就是在我们这个很不起眼的事务所里也安插了他们的人,可惜我知道得太晚了。当

---

① 陶尔斐斯(1892—1934),1932 年 5 月出任奥地利总理,1934 年 7 月被纳粹分子刺死。

② 舒施尼格(1897—1977),奥地利政治家。1934 年任奥地利联邦总理,1938 年 3 月 11 日被希特勒逼迫辞职,不久被纳粹分子投入监狱。1945 年 5 月获释。

然，此人只不过是个可怜而无能的办事员。他是一位神甫介绍来的，我雇用他的唯一目的，就是为了使我们事务所对外像是个正规机构的样子；实际上我们只用他办些无关紧要的差事，接接电话，整理整理文件，当然是那些无足轻重、不会引起怀疑的文件。他不许拆信件，所有的重要信件都是我亲手用打字机打的，不留副本；每份重要文件我都拿回家去；所有的秘密会谈全都挪到修道院院长办公室或我叔叔的诊室去进行。由于采取了这些预防措施，所有重大的事情这名坐探一件都未曾看到；但是由于发生一件不幸的偶然事件，这心怀叵测、追名逐利之徒一定发现我们不信任他，背着他做了种种很有意思的事。也许有次我们不在，信使没有按照约定称'贝恩男爵'，而是一不小心说了'陛下'这个词，要不就是这无赖非法拆看了信件——总之，在我怀疑他之前，他就从慕尼黑或柏林接受了监视我们的任务。一直到后来，我被捕入狱已经很久了，我才想起，开始的时候他工作马虎大意，而在最后几个月却忽然变得积极起来，而且好多次几乎是死皮赖脸地主动要求将我的信件送往邮局。我不能说我没有某些疏忽大意之处，但是那些伟大的外交家和将军到头来不也是被希特勒那套伎俩狠狠地耍弄了吗？盖世太保早就将我牢牢地盯住了，下面这件事就是最具体的证明：就在舒施尼格宣布下野的那个晚上，也就是希特勒进入维也纳的前一天①，我已经被党卫队逮捕了。幸好，我一听到舒施尼格的辞职演说，就把最最重要的文件全部烧毁

---

① 这里当指 1938 年 3 月 11 日，这天舒施尼格总理被迫宣布辞职，并与当晚发表辞职演说。德国军队于 3 月 12 日入侵奥地利，3 月 13 日宣布德奥合并，希特勒和德国纳粹军队于 3 月 14 日进入维也纳。根据小说所写，希特勒进入维也纳该是 3 月 12 日，似有误。因为 3 月 12 日希特勒只是到达奥地利的林茨，3 月 14 日才进入维也纳。

了,余下的文件连同为证明几所修道院和两位大公爵存在国外的财产所不可缺少的凭据,我真是在冲锋队破门而入之前的最后一分钟将其统统塞在一只盛脏衣服的筐里,让我那年迈而可靠的女管家送到我叔叔那边去的。"

B博士停下来点了一枝烟。借着闪烁的火光,我发现他的右嘴角神经质地抽搐了一下,这我先前就已经注意到了,现在我观察到,每隔几分钟就要抽搐一次。这只是微微抽动一下,就像拂过一丝微风,但是它却使这张脸显出引人注意的心神不安的神情。

"您大概在猜想,现在我要给您讲关于集中营的事——所有忠于我们古老的奥地利的人都被押解来关在那里——,讲我在集中营里受到的侮辱、拷打和刑讯了吧。这样的事情并没有发生。我被列入另外一类。我没有被驱赶到那些不幸的人那儿去,纳粹分子对他们施行肉体和精神折磨,把长期积聚起来的仇恨一古脑儿都发泄在他们身上。我被归入另外一类人之中,这一类人数量不多,纳粹分子想从他们身上逼取金钱或者重要情报。本来,盖世太保对我这个本不值一提的小人物当然毫无兴趣,但他们一定已经获悉,我们曾经是他们最顽强的敌人的财产代理人、经管人和亲信,他们指望从我身上榨取可以构成罪证的材料,既可用来反对修道院,证明它们非法牟利,也可用来反对皇室以及所有那些在奥地利不惜流血牺牲为维护君主王朝而竭尽全力的人。他们猜想——真的,这倒并非空穴来风——,我们经手转移出去的那些资金,绝大部分还藏着,他们想夺过去,可又无从下手,所以他们当天[1]就把我抓了去,想用他们那套行之有效的方法迫使我供出这些秘密。他们想要

---

[1] 指1938年3月11日希特勒迫使舒施尼格下台的当天。

在我这类人身上榨取金钱或者重要材料,所以没有把我们送进集中营,而是给我们以特殊待遇。您也许还记得,我们的首相① 以及罗特席尔德男爵②——纳粹分子指望从他的亲属那里敲榨数百万——都没有被投进铁丝网围着的战俘营,而是表面上给予优待,被送进大都会饭店——同时也是盖世太保的总部——,每人住一单间。我这个不起眼的小人物居然也得到了这种奖励。

"在饭店里住单间——这话本身听起来就极其人道,不是吗?可是请您相信我,他们没有把我们这些'知名人士'塞进二十个人挤在一起的冰冷的木棚里,而是让我们住在供暖还不错的饭店单间里,这绝不是他们给予我们的一种更人道的待遇,而是挖空心思想出来的更加狡猾的方法。他们想从我们嘴里逼出他们所需要的'材料',采用的不是毒打或者用刑,而是以杀人不见血的方式,采用最最狡猾歹毒的隔离手段。他们并没有对我们怎么样,只是将我们置于完全的虚空里。大家都知道,像虚空那样对人的心灵所产生的那种压力是世界上任何东西都办不到的。他们把我们每个人分别关在一个完完全全的真空里,关进一间同外界绝对隔绝的房间里,不用拷打和冰冻从外部给我们压力,而是让我们从内心产生一种压力,最终砸开我们的两片嘴唇。乍一看,安排给我的房间绝对不能说不舒服。这房间有一扇门,一张床,一把沙发椅,一个洗脸盆,一

---

① 指舒施尼格。
② 指欧洲著名的罗特席尔德银行世家某成员。老罗特席尔德的五个儿子是这个家族的第一代,均生活在十九世纪,而且都被授予奥地利帝国男爵勋位。这个家族的第二代恪守家世传统,事业更加兴旺,在纳粹时期,家族成员团结一致,协力适应风暴,克服困难,其表现令世人瞩目。此处具体指的是这个家族的哪位成员,不详。

扇上了栅栏的窗户。可是这扇门白天黑夜都是锁着的,桌上不许放纸和铅笔,窗户外面是一道防火墙;在我周围,甚至在我自己身上都是空无所有。我的每样东西都被搜走了:搜走手表,让我不知道时间;搜走铅笔,我就无法写东西;搜走小刀,使我无法割断动脉血管;就连抽枝烟稍微提提神也不允许。除了不许说话、不许回答问题的看守,我见不到一张人的脸,听不到一点人的声音;从早晨到夜晚,从夜晚到早晨,眼睛、耳朵以及所有其他感官都得不到一丝养料,你成天寂寂一身,茕茕孑立,守着桌子、床、窗户、洗脸盆等四五件不会说话的东西,一筹莫展;你就像玻璃罩里的潜水员,身处寂静无声的黑黝黝的海洋里,甚至感觉到通向外部世界的绳索已经扯断,你永远不会被人从这无声的深底拉回到水面上去了。整天没什么事可做,没什么东西可听,没什么东西可看,你的周围到处是一片虚空,一片绵延不断的完全没有空间和时间的虚空。你走来走去,走去走来,来来回回,循环往复。但是,即使是看似毫无实体形迹的思想也需要一个支撑点啊,否则它就要开始旋转,就要毫无意义地围着自己转圈;思想也受不了虚空。你从早到晚期待着什么,可是什么也没有发生。你等啊,等啊,等啊,你想啊,想啊,想啊,直到太阳穴发痛。什么也没有发生。你仍是孤独一人。孤独一人。孤独一人。

"这样延续了十四天,我在时间之外,世界之外生活的十四天。要是当时爆发了战争,我也不会知道;我的世界就只有桌子、门、床、洗脸盆、沙发椅、窗户和墙这几样东西,我整天凝视着同一面墙上的同一张壁纸,久而久之,壁纸上锯齿形图案的每根线条都好似用刻刀刻进我大脑深处的褶皱里去了。后来,审讯终于开始了。突然来传我了,也弄不清那是白天还是夜里。他们喊了我的名字,押着我穿过几条走廊,也不知道要带我到哪里去；后来，在一个什么地方等着，也不知道那是什么地方，突然，又站在了一张桌子前面，桌旁坐着几个穿制服的人。桌上堆着一叠纸：那是档案，不知道里面是些什么材料。接着就开始提问，这些问题真真假假，有的单刀直入，有的阴险奸诈，有的声东击西，有的设置圈套；你回答问题的时候，陌生而恶毒的手指在翻材料，你不知道里面有些什么东西，陌生而恶毒的手指在审讯记录上写些什么，你不知道写的是什么。可是，对我来说，这次审讯中最可怕的是，我始终猜不出，也估计不到，盖世太保对我们事务所的事情确实已经知道了哪些，哪些想从我口里获取。我已经对您说过，在最后一刻让女管家把那些可以构成罪证的文件送到我叔叔那里去了。可是，他收到这些文件了？他没有收到？那个坐探办事员泄露了多少？他们截住了多少信件？这期间在我们代理的那些德国修道院也许经敲开了某个糊涂神甫的嘴，那么到底逼出了多少秘密？他们问呀，问呀，没完没了地问。我给修道院买过哪些有价证券，同哪些银行有通信往来？我认不认识一位某某先生？我收到过瑞士或者某某地方的信件没有？我一点也估计不出，他们到底查到了多少问题，所以我每个回答关系都非常重大。要是我承认了他们尚未掌握的某件事，我也许就会无谓地使某人罹难；我要是什么都不承认，那就自己害了自己。

"不过，审讯还不是最可怕的。最可怕的是审讯以后回到我那虚空之中，回到那个有着同一张桌子、同一张床、同一个洗脸盆和同样的壁纸的同样的房间里。因为只要我单独一人的时候，我就要重新琢磨审讯的情况，思考怎么回答才最聪明，下次提审也许会因我说话不小心而引起他们的怀疑，如果这样，我该怎么说才能弥补。我仔细思量，反复琢磨，认真检查我向预审官说的每一句证词，把他们提出的每个问题和我回答的每一句话都简要重复一遍，想估量一下我说的话有哪些可能被记录在案。不过我知道，我永远也估计不出来，也不会知道。但是这些思想一旦在这虚无的空间里发动起来，就不停地在脑袋里转动，翻来复去，循环往复，还不断地想出一些新的事情来，而且睡着了脑袋里还在转；每次审讯之后，我脑子里还在经历着那些提问，深究和折磨的煎熬，或许甚至比审讯时的折磨更为残忍，因为每次审讯一个小时就结束了，而审讯之后由于寂寞的无情折磨，脑袋所受的煎熬却是没有完结的时候。我的四周总是只有桌子、柜子、床、壁纸、窗户，没有任何分散我注意力的东西，没有书，没有报纸，没有陌生的面孔，没有可以记点东西的铅笔，没有可以用来玩的火柴，没有，没有，什么都没有。现在我才发觉，把人单独囚禁在饭店的房间里这一套做法用心何其险恶，对人精神上的摧残又何其厉害。要是在集中营里，也许得用小车推石头，推得两只手磨出血来，两只脚冻僵在鞋里，可能得二三十人挤在一个又臭又冷的小屋里。可是你能看到人的脸，可以将目光投向一片田地，一辆手推车，一棵树，一颗星星，以及别的什么东西，而这里呢，你周围都是同样的东西，始终都是这些东西，从来不会改变，真是可怕。这里没有什么东西可以使我分心，使我从自己的思想、从自己的胡思乱想、从自己病态地将审讯时的提问和自己的回答不断复述中解脱出来。而这一点恰恰正是他们打的如意算盘——他们要憋死你，要让你自己的思想来憋你，直到憋得你喘不过气来，你别无他法，最后只好向他们吐露真相，将他们想要的一切招供出来，归终把材料和人统统抛了出来。我渐渐感觉到，在这虚空的令人毛骨悚然的压力下我的神经开始松弛了，我意识到这种危险，便把神经绷得紧紧的，我想，即使把每根神经都绷断，也要找到或者想出点事情来分散自己的注意力。为了使自己有点事做,我就试着把以前会背的东西,如民歌、儿歌、中学课本里的幽默故事、民法条款等,一一朗诵出来,并再复述一遍。后来我又试着演算,随便拿些数字来相加、相除,可是在虚空中我的记忆缺少附着力,没有能使我的思想集中在上面的东西。脑袋里老是出现和闪烁着这个想法:他们知道什么?我昨天说了些什么,下次又该说些什么?

"这种真是难以描述的状况延续了四个月。四个月,写起来容易,才不过两个字!说起来也容易:四个月,一共才四个音节。① 嘴唇动一下就把这几个音发出来了:四个月!但是谁也无法描述、测定,谁也无法用直观例子向别人、也无法向自己说明,在没有空间、没有时间的情况下时间有多长,无法向别人讲清楚,这虚空,虚空,你周围的虚空是如何蛀食和摧毁你的心灵的,整日所见就只有桌子、床、洗脸盆和壁纸,屋里成天都是沉默,成天是同一个看守,他看都不看你一眼就把饭塞了进来,时时刻刻是同样的思想在虚空中围着你转啊转,直弄得你神经错乱,疯疯癫癫为止。我心里惴惴不安,从一些细小的征兆中我发觉自己的脑子混乱了。起先,在审讯的时候心里是清楚的,陈述冷静沉着,深思熟虑;哪些该说,哪些不该说,这种双重思维还在起作用。现在我连说最简单的句子都是结结巴巴的,因为我在作法庭陈述时,眼睛总像是着了魔似的愣愣地盯着那枝往纸上做着记录的笔,仿佛我想追上自己说的话似的。我感觉到,我的力气越来越不济了,我感觉到,为了救我自己,我将会把自己所知道的一切,也许还有更多的东西全部交代出来,为了摆脱虚空的窒息,我将会出卖十二个人,

---

① 四个月,德文为 vier Monate,是两个字,四个音节。

供出他们的秘密,而我自己呢,除了片刻休息之外,什么好处也得不着,我感觉到这样的一刻越来越近了。一天晚上确已走到了这一步:在我快要憋死的当间,看守恰好给我送饭来,于是我就突然朝他背后喊:'您带我去审讯!我什么都交代!什么都交代!我要交代文件在哪儿,钱在哪儿!我统统都交代,彻底交代!'幸好他没有听到更多的东西,或许他也不想听我说。

"在这极其艰难的时刻,发生了一件意想不到的事。这件事把我救了,至少在一段时间里把我救了。那是七月底一个乌云密布的阴沉沉的下雨天;我所以还清楚地记得这个细节,那是因为我被押去审讯、穿过走廊时,雨水正噼噼啪啪地打在玻璃窗上。我得在预审的候审室里等着。每次带去受审都得等,让你等,这也是一种手法。首先,通过叫喊,通过深夜里突然把你从囚室里提溜去受审,让你的神经高度紧张起来,然后,等你作好审讯准备,思想和意志都振作起来准备反击时,他们又让你等着,毫无意义地、无缘无故地等着,一小时,两小时,三小时地等着,等得你身心交瘁。在星期四,七月二十七日,这一天他们让我等得特别长,让我在候审室站着等了两个小时;这个日期我所以还记得,那是有个特别原因的。在候审室里当然不许我坐,我在那里站了两个小时,腿都要站断了。候审室里挂了一本月历,我无法向您解释,在当时如饥似渴地向往着印刷的和手写的东西的情况下,我是如何目不转睛地,如何牢牢地紧盯着墙上'七月二十七日'这几个字的;我仿佛把这几个字吞进了肚里,刻在了脑子里。随后我又等着,等着,眼睛注视着房门,看它什么时候终于会打开,同时心里在思考,审判官这次会问我什么问题,不过我也知道,他们问的问题可能和我准备的截然不同。但是不管怎么说,这种等待和站立的折磨同时也是一件好事，一种快乐，因为这间屋子怎么说也和我那间不一样，不一样，要稍微大一点，有两扇窗户，而我那间只有一扇，还有，这里没有床，没有洗脸盆，窗台上也没有那道明显的、我观察了几百万次的裂缝。房门油漆的颜色也不一样，靠墙放着另一把沙发椅，左边是一个档案柜，以及一个有挂钩的衣帽架，挂钩上挂着三四件湿军大衣，那是折磨我的刑警们的大衣。也就是说，我在这里可以看到一些新东西，同我那屋里不一样的东西，我那饥饿的眼睛终于又可以看到一些别的东西了，它们贪婪地盯着每一件东西。我细细察看这几件大衣上的每一个皱褶，譬如说，我看到一件大衣的湿领子上挂着一颗水滴，您听起来一定很好笑。我怀着莫名其妙的激动心情等待着，看这颗水滴最后会不会克服重力作用，继续长久地附着在衣领上——是的，凝视着这颗水滴，屏住呼吸对它凝视了数分钟之久，仿佛这颗水滴上悬挂着我的生命似的。后来水滴终于滚落下来了，我就开始数大衣上的纽扣，一件是八颗，另一件也是八颗，第三件是十颗，接着我又比较大衣的翻领；我饥渴难当的眼睛以一种我无法描述的贪婪触摸、把玩和抓住所有这些可笑的、微不足道的小事。突然，我的目光呆呆地盯着一样东西。我发现，一件大衣的口袋鼓鼓的。我走近一些，凸起的东西呈长方形。从这一点我就看出这个略为有点鼓突的口袋里藏着的东西：一本书！我的双膝开始发抖：一本书！我已经有四个月手里没有拿过书了，光是想象一本书，想象书里可以看到一个挨一个的字排列成一本书的一行行，一页页，一张张，可以阅读和追踪别的一些新的、不熟悉的、可以分散注意力的思想，并将这些思想记在脑子里——光是这么一想，就令你心驰神往，销魂荡魄。我的眼睛像着了魔似的紧紧盯着那个小小的鼓突的地方，我的灼热的目光紧紧盯着那个不显眼的地方,仿佛想要在大衣上烧个窟窿似的。我终于无法抑制自己的贪欲;我下意识地一点点移近去。我思忖,这回至少可以隔着呢料拿手触摸一本书了。这个想法使我手指上的神经一直热到指甲上。几乎在不知不觉中,我往那儿越挨越近。幸好看守没有注意我这个肯定很奇怪的举动;也许他也觉得,一个人直直地站了两个小时以后,想稍微往墙上靠靠,这是很自然的。我终于站在挨大衣很近的地方了,我故意把双手反背着,以便人不知鬼不觉地碰到大衣。我触摸了呢料,透过面料我确实感觉到有个长方形的东西,这东西可以弯曲,而且还会窸窣作响——一本书!一本书!偷走这本书!这个念头像枪弹似的穿过我的脑子。也许会成功,你可以把书藏在囚室里,然后就读啊读,终于又可以读到书了!这个想法刚闪进我的脑袋,就像烈性毒药似的发生作用了:我耳朵里一下子嗡嗡直响,我的心怦怦直跳,双手冰凉,都不听使唤了。但是经过第一阵沉迷之后,我又轻轻地、巧妙地更往大衣挨近,两眼紧紧盯着看守,同时用藏在背后的双手把口袋里的那本书从下往上托起。接着将书一把抓住,再轻轻地、小心翼翼地一抽,突然,这本不很厚的小书就到了我的手里。现在我才为自己的行为感到后怕。但是我又不能再把书放回去了。可是把书往哪儿放呢?我把书从背后塞到裤子里,掖在系腰带的地方,再从那里将它慢慢挪到腰部,这样走路的时候我就可以像军人那样用手贴着裤缝,把书压住。现在该做第一次试验了。我离开衣架,一步,两步,三步。行。只要把手紧紧压着腰带,走路的时候就可以把书夹住。

"接着就开始审讯了。这次受审我付出的精力比哪次都多,因为这回我在回答问题的时候其实并没有把全部精力集中在我的口供上,而是首先一心想着要不露声色地把书夹住。幸好这次审讯很快就结束了,我安然将书带到我的房间——我不想详述种种细节来耽误您的时间,因为在走廊里书一下从裤子里滑了下来,真危险,我不得不假装一阵剧烈的咳嗽,咳得弯下腰去,把书重新安然塞回到腰带下。不过,当我带着这本书回到我的地狱里,终于独自一人、可又不再是独自一人的时候,我是什么样的心情啊!

"您大概会想,我一定立即抓起书来看了看,就读了起来。完全不是!首先我要品味一下阅读前的乐趣。我身边有了一本书,自己可以先去幻想一番,这本窃得的书最好是哪一类,这是一种故意延缓的、并且使我的神经奇妙地兴奋起来的快乐:首先这是一本印得很密的书,有很多很多字,有很多很多薄薄的书页,这样我就可以多读一些时间,再就是,我希望这是一本能够在精神上给我激励的作品,不是肤浅的、轻松的作品,而是本可以学习、可以背诵的作品,最好是诗歌,是歌德或荷马——这是个多么大胆的梦啊!可是我终于无法继续控制住自己的欲望和好奇心了。我往床上一躺——这样,万一看守突然把门打开,他也抓不住我的把柄——,哆哆嗦嗦地从腰带下抽出书来。

"看了第一眼就使我大为扫兴,甚至感到极其恼怒:冒着那么大的危险窃得的这本书,积聚着那么热烈的期望的这本书只是一本棋谱,是一百五十盘名局汇编。要不是我的窗户闩着,关得严严实实的,我一怒之下不把书从窗户里扔出去才怪,我要这么一本毫无意义的书有什么用?我上中学时像大多数学生一样,无聊的时候偶尔也下棋玩玩。可是这本理论的东西我要它干吗?没有对手可不能下棋,更不用说没有棋子和棋盘了。我懊恼地把这本棋谱浏览了一下,心想说不定会发现什么可读的东西呢,譬如说一篇序言啦,一篇导读啦。但是除了一盘盘名局的光巴巴的正方形棋图以及棋图之下起先令我莫名其妙的符号,诸如 a 2—a 3, Sf 1—g 3 之外,其他什么也没有。这一切我觉得像是一种无法解开的代数方程式。后来我才渐渐地猜出,a、b、c 这些字母代表经线,数字 1 至 8 代表纬线,两者相合就可以确定每个棋子的位置。这么一来,这些纯粹图解式的示意图毕竟获得了一种语言。我思忖,也许我可以在囚室里做一个棋盘,然后就照着棋谱把这些棋局摆一摆;像是上天的旨意,我床单的图案恰好是粗线条的方格子。把床单好好一叠,终于把它摺出六十四个方格来了。于是我就先把书藏在褥子底下,并将书的第一页撕掉。接着我就开始用我省下来的小块面包屑做成王、后等棋子的样子,不言而喻,棋子做得很可笑,很不完美。经过不断努力,我终于可以在方格床单上摆出棋谱上标明的各个位置了。我把这些可笑的面包屑棋子的一半涂上灰,使颜色深一些,以示区别。但是当我试图用这些棋子将一局棋从头到尾复盘时,起初我失败了。头几天我摆棋的时候,摆着摆着就乱套了,一局棋我就得摆五次、十次、二十次,每次都是从头摆起。不过世界上有谁像我这个虚空的奴隶拥有那么多无法利用的和毫无用处的时间呢?又有谁有那么多无法估量的欲望和耐心呢?六天以后我已经能完美地把这盘棋下完了,再过八天我连面包屑都不用放在床单上,就可以把棋谱上这一盘每步棋的位置记得清清楚楚,再过八天,连方格床单也用不着了。起先棋谱上 a 1、a 2、c 7、c 8 这些抽象的符号现在在我脑子里都自动变成了一个个看得见的形象化的位置。这个转化完全成功了:我将棋盘连同棋子都投影在我的脑袋里,光用棋界用语就能看到每步棋的位置,就像一位训练有素的音乐家,只要朝乐谱看上一眼,就足以听出各个声部以及和声来。又过了十四天,我已经能毫不费力地背下棋谱上的每一盘棋——用行话来说,就是下盲棋。现在我才开始懂得,我这次大胆的偷窃给我带来了无可估量的欣慰。因为我一下子有事做了——如果您愿意也可以说这是毫无意义、毫无用处的事,不过它确实摧毁了包围着我的虚空,有了一百五十盘棋的棋谱,我就有了一件神奇的武器来抵御令人窒息的时空的单调。为了使这项新找来的事儿始终保持它的魅力,从现在起我把每天的时间作了精确的划分:上午摆两盘,下午摆两盘,晚上再快速复一次盘。在此之前,我的日子像明胶一样无形无状地延伸着,现在可是填得满满的了,我有事做了,而又不感到疲倦,因为下棋具有一种奇妙的好处,可使智力专注于一个狭窄的范围里,不论如何费劲思考,脑子也不会松弛,相反,会更加增强大脑的灵活和张力。起初我只是机械地照着名局摆棋,在这过程中,在我心里慢慢开始出现一种对国际象棋的艺术的、妙趣横生的理解。我学会了进攻和防御的精微着法,行棋布阵的谋略和深邃的洞察力,我掌握了预先计算,互相呼应和巧妙应着等技巧,不久就能准确无误地识得每位国际象棋大师棋风的个人特点,就像一个人只消读几行诗就能确定该诗出自哪位诗人之手一样。这件事开始时纯粹是为了填满时间而干的,现在变成了享受,阿廖欣、拉斯克、波戈留波夫、塔尔塔柯威尔等伟大的国际象棋战略家的形象,宛若亲爱的朋友,都来到我这寂寞的斗室。棋局中无穷无尽的变化使这间不会说话的囚室每天都充满了生气,正是因为我的练习很有规律性,使我原本已经受了损害的思维能力又恢复了自信;我感觉到我的脑子又重新活跃和振奋起来了。而且由于不断进行思维训练,甚至还好像磨得更锋利了。我考虑问题的时候思路更清晰,思想更集中,这一点尤其是在审讯的时候得到了证明:不知不觉中,在棋盘上对付虚假的讹诈和暗藏的诡计方面达到了完美无缺的程度；从这时起提审的时候我再也不露出任何破绽，我甚至还觉得，盖世太保们渐渐开始带着某种敬意来观察我了。也许他们在暗暗自问，他们看着其他人都垮了，唯独我还在进行不屈不挠的反抗，这种力量是从哪些秘密源泉汲取的？

"这是我的幸福时光，我日复一日地将棋谱上的一百五十盘棋局系统地一一进行复盘，这段时间大约延续了两个半月至三个月。随后出乎意料之外，我又遇到了一个死点。突然之间我又重新面对一片虚空，因为我把每盘棋都从头到尾下了二三十次，这样，这些棋局就失去了新鲜的魅力，不再给人以惊喜，先前那种令人兴奋、令人激动的力量枯竭了。这些棋局的每一步我早已背得滚瓜烂熟，再一次又一次地将它们重复又有什么意思？刚一开局，这盘棋的进程就像自动在我心里展开了，已经不再有惊喜，不再有紧张，不再有任何问题了。为了使自己有事可做，为了给自己制造已经成了不可或缺的劳累，并分散自己的注意力，我真需要另一本汇集了别的棋局的书。可是这是完全不可能的，所以在这条奇怪的歧途上只有一条路：必须自己发明新的棋局来代替旧的棋局。我必须设法跟自己下，更确切地说，是向自己作战。

"我不知道，对于这种'游戏中的游戏'——同自己对弈的精神状态您了解到何种程度。但是只要粗略一想，就足以明白，下国际象棋是一种纯粹的、没有偶然性的思维游戏，因此要跟自己对弈的想法从逻辑上来说是荒谬的。国际象棋的引人入胜之处，从根本上来说仅仅在于其战略是在两个不同的脑袋里不同地发展的，在这种精神战争中黑方并不知道白方的花招，所以不断想方设法去猜测和挫败其诡计，同时就白方而言，对于黑方的秘密意图它力图预先加以识破，给予反击。如果现在执黑和执白是同一个人，那情况就十分荒谬了：同一个大脑同时对一些事情既应该知道,又不应该知道,作为白方在行棋的时候,它能奉命忘掉一分钟前黑方的愿望和意图。这种双重思维其实是以意识的完全分裂为前提的,大脑的功能就像机械仪表一样,开关自如。想要自己战自己,这在国际象棋中是个悖谬,就像一个人想要跳过自己的影子一样。

"好了,说简短些吧,这种背理和荒谬之事我在绝望中竟试了几个月之久。可是,为了使自己不至于陷入完全精神错乱或者智力的彻底衰颓,除了去做这件荒唐事之外,我别无选择。我那可怕的处境逼得我不得不至少去试一试,把自己分裂成一个黑方我和一个白方我,要不然我就得被我周围恐怖的虚空压垮。"

B博士往躺椅上一靠,闭了一会儿眼睛。他仿佛要把令人心烦意乱的回忆强压下去似的。他左边嘴角上又出现了奇怪的抽搐,他无法控制的抽搐。接着,他在躺椅上把身子略为坐直一些。

"这样,到此为止,我希望已经把一切都向您讲得相当清楚了。但遗憾的是我自己也拿不准,其余的事是否也能那么清楚地说给您听。因为这件新工作要求脑子保持绝对的紧张,这就使它不能同时进行任何自我控制。我已经向您提到过,照我看,同自己对弈这本身就很荒谬绝伦;但是即使是荒唐事,面前总有一个实实在在的棋盘,那毕竟还有一个最小的机会,而棋盘这个真实的东西毕竟还容许保持一定的距离,允许享受物质上的治外法权。面对摆着真实的棋子的真实的棋盘,纯粹从身体方面来说,就可以一会儿站在桌子的这一边,一会儿站在桌子的另一边,以便一会儿从执黑的立场,一会儿从执白的立场来把握和运筹局势。但是像我这样迫不得已把向我自己进行的厮杀,要是您愿意的话,也可说是同我自己进行的厮杀投影在一个意想中的空间里。我被迫在脑子里清楚地把握住六十四个方格上每一边的阵势,此外不仅要计算出眼前的行棋,而且也要计算出对弈双方下几步可能要走的棋,确切地说,我要两倍、三倍地盘算,不,是六倍、八倍、十二倍地盘算,我要为每一个我,为黑方我和白方我预先想出四五步棋,我知道,这一切听起来是多么荒谬。请您原谅,我希望您仔细考虑一下我的这种疯癫状态。在抽象的幻想空间中下棋的时候,我作为白方棋手,同时又作为黑方棋手都得为各方预先算出四五步,也就是说,对于棋局发展进程中所出现的各种情况在一定程度上得预先跟两个脑子,跟白方的脑子和跟黑方的脑子配合好。但是即使是这种自我分裂在我这费解的试验中还不是最危险的,由于我独立想出了一些棋局,结果失去了立足之地,坠入了无底深渊。像我前几个星期所练习的那样,光是照名局来下,归终只不过是一种复制的成果,纯粹是对已有物质的重复,这并不比背诵诗歌或者默记法律条文更费劲,这是一种局限的、按部就班的活动,因而是一种绝妙的脑力训练。我上午练习两盘棋,下午练习两盘,这是规定的定额,没有一丝激动我就可以将它完成;这四盘棋是我的正常工作,再说,要是我在下棋的过程中走错了,或者走不下去了,总还可以向棋谱求教。所以对于我受了震惊的神经来说,这是很有疗效的,更能起镇静作用,因为照别人的棋局摆棋不会使自己卷进搏杀中去;管他是黑棋赢还是白棋赢,对我来说都无所谓,这是阿廖欣或波戈留波夫,是他们在争夺比赛的桂冠,而我本人,我的理智,我的心灵,仅仅是作为观众、作为行家里手在品味棋局的转折突变和赏心悦目。但是从我想跟自己搏杀的一刻起,我就下意识地开始向自己挑战了。两个我中的每一个我,黑棋我和白棋我,在互相竞争,为了自己的一方,每一个我都雄心勃勃,心浮气躁，想取胜，想赢棋；作为黑棋我每走一步心里就万分紧张，不知白棋我会怎么应对。我的两个我中的任何一个，要是另一个我走错一步棋就兴高采烈，得意洋洋，而同时对于自己的漏着则怒容满面，忧心如焚。

"这一切看起来毫无意思，事实上这种人为的精神分裂，这种意识分裂，它所带来的危险的心情激动，在正常人的正常状态下是难以想象的。但是，请您不要忘记，我是从正常状态下被强行拉出来的，是个囚犯，无辜遭到监禁，几个月来受尽别人精心策划的寂寞的折磨，早就要将他积聚起来的愤怒向任何东西发泄了。因为我没有别的东西，只有这种向自己进攻的游戏，所以便将我的愤怒，我的复仇欲望统统狂热地倾注到下棋中去。我心里有种东西自以为是，可是我又只有心里的另一个我是我能与之相搏的，所以我下棋时的激动几乎到了发狂的程度。开始我思考的时候还是不慌不忙，谨慎周到的，在一盘棋和另一盘棋之间还安排了休息时间，好让自己歇一歇，放松一下；可是渐渐地，我那被激动起来的神经就不容许我再等了。我的白棋我刚走一步，我的黑棋我就已毛毛腾腾地向前挺进了；一盘棋刚结束，我就向自己挑战，要下第二盘，因为我这两个我每次总有一个被另一个战胜而要求再下一盘，好扳回来。由于这种疯狂的贪婪心理，这几个月在我的囚室里我同自己究竟厮杀了多少盘，我连个大概数都说不出来——也许一千来盘，也许更多。这是一种我自己无法抗拒的癫狂；从早到晚，我什么也不想，想的只是象、卒、车、王和 a、b、c，'将死'和'王车易位'等等，我整个身心都被逼到这个有格子的方块上去了，下棋的乐趣变成了下棋的欲望，下棋的欲望又变成了一种强制，一种棋瘾，一种疯狂的愤怒——不仅浸透在我清醒的时间里，而且也渐渐控制了我的睡眠。我思考的只

能是下棋，只能是行棋，只能是下棋过程中出现的问题；有时
我醒来，额头湿漉漉的，我断定，睡着了甚至还下意识地在继
续下棋。要是我梦见了人，那这个梦一定仅仅是在动象、车的
时候，在马往前跳或往后跳的时候做的。就是在被提审的时
候，我也不再能明确地想到我的责任了；我感觉到，最近几次
审讯的时候，我说的话一定相当的语无伦次，因为，因为审讯
官们有时面面相觑，感到诧异不解。实际上，在审讯官们向我
提问以及他们互相商量的时候，我心里涌动着那糟糕的欲望，
只等着把我重新押回我的囚室去，好继续下棋，继续疯狂地下
棋，重新下一盘，再下一盘。每次中断都会使我神经紊乱；就
是看守来清扫囚室的一刻钟，给我送饭来的两分钟，也使我那
狂热的急躁不安的心情大受折磨；有时候到了晚上我那盒饭还
在那儿放着，碰都没有碰过，我下棋下得忘了吃饭。我肉体上
能感觉到的唯有可怕的口渴；这大概是由于不停地思考，不停
地下棋而上火了；一瓶水我两口就喝干了，就缠着看守，让他
再给我水，但一会儿我又感到口干舌燥了。最后，下棋的时候
——我从早到晚别的什么都不干——我的情绪竟激动到不再能
够静静地坐上片刻的程度；我一面思考棋局，一面不停地走来
走去，越走越快，棋局越是临近收尾，心情就越是急躁；那种
赢棋、取胜的欲望，击败我自己的欲望，渐渐变成了一种愤
怒。我焦躁不安，浑身颤抖，因为我身上一方的我总嫌另一方
的我走棋太慢。一方就催促另一方；要是我身上一方的我觉得
另一方的我应着不够快，我就开始骂自己：'快，快！'或者
'往前，往前！'您也许觉得这很可笑吧。当然，我今天心里很
清楚，我的这种状况完全是精神过分紧张导致的一种病态反
映，对于这种病状我还找不到别的名称，只好把它叫作迄今医
学上还不清楚的'棋中毒'。后来，这种偏执的癫狂不仅开始

侵蚀我的大脑,而且也开始侵蚀我的身体了。我消瘦了,睡不好觉,恍恍惚惚,每次醒来都要费好大的劲才能睁开沉甸甸的眼皮;有时我感到极度虚弱,连拿水杯手都抖得非常厉害,要费很大力气才能把杯子送到嘴边;但是一开始下棋,一股狂热的力量就来了:我紧握拳头走来走去,有时宛如透过一层红雾听见我自己的声音沙哑地、凶狠地冲着自己叫喊:'将死了!'

"这种令人心惊胆颤、难以描述的危机状况是如何出现的,我自己也说不清楚。我所知道的全部情况就是,一天早晨我醒来,觉得跟以往完全不一样。我全身像散了架似的软绵绵地躺着,舒适而安逸。一种深深的、适意的倦意,我几个月来未曾有过的倦意压着我的眼皮,是那么温暖、惬意,起先我犹犹豫豫,竟不愿把眼睛睁开。我醒着躺了几分钟,继续享受恬适的昏昏沉沉的境界,暖融融地躺着,感官陶醉在飘飘欲仙的快感之中。突然,我觉得似乎听见身后有声音,是活人的说话声,我这时心里的狂喜之情您是想象不出的,以往几个月,将近一年以来,除了法官席上那种生硬、凶狠、毒辣的话之外,我没有听到过别的声音。'你在做梦,'我对自己说。'你在做梦!千万不要睁开眼睛!让梦境再延续一会儿,要不然你又要看见围绕着你的那间该死的囚室,那把椅子、那个洗脸台和那图案永远不变的壁纸。你在做梦——继续做下去吧!'

"可是,好奇心还是占了上风。我慢慢地、小心翼翼地睁开眼。奇迹出现了:我处在另一个房间里,这房间比我饭店里的那间囚室宽大。窗户上没有加栅栏,阳光可以不受遮挡地照射进来,窗户外不是我那呆板的防火墙,一眼望去就可看到迎风摇曳的绿树,室内四壁光洁,雪白闪亮,我上面的天花板又白又高——真的,我躺在一张陌生的新床上,这确实不是梦,我身后有人的声音在低语。惊讶之余,我大概是不由自主地使劲动了一下,因为我马上就听到有人走来的脚步声。一个女人步履轻盈地走了过来,头发上罩着白软帽,是个看护,是护士。我惊奇得浑身打了一阵战栗:我已经有一年没有见过女人了。我愣愣地凝视着这个妩媚的身影,我的目光一定极为兴奋和狂热,因为走过来的护士急忙'安静!请您安静!'地说着让我平静下来。可是我只是聆听她的声音——这不是一个人在说话吗?再说还是一个柔和、温暖,简直可以说是甜美的女人的声音。真是不可思议的奇迹!我贪婪地望着她的嘴,一个人居然能怀着善意同别人说话,这在我这个在地狱里呆了一年的人看来,简直是不可能的。护士朝我微笑——是的,她在微笑,居然还有人会善意地微笑——,接着她把食指压着嘴唇,意思是让我别出声,然后就轻声地走了。但是我却不能听从她的命令。这个奇迹我还没有看够呢。我硬是想在床上坐起来,好看看她的背影,看看这个善良的人性之奇迹。我想在床沿上欠身坐起来,但未能做到。另外,我感觉到右手的手指和手腕那儿有点儿不对劲,有一个厚厚的大白卷,显然是用很多绷带包扎起来了。我惊奇地望着我手上厚厚的、奇怪的白色包扎,先是摸不着头脑,随后我慢慢开始明白了我在哪儿,并开始思索我自己究竟出了什么事。一定是他们把我打伤了,或者是我自己弄伤了手。我正躺在一家医院里。

"中午大夫来了。他是位和气的、年纪较大的先生。他知道我们家的姓,并非常尊敬地提到我当御医的叔叔,我马上就感觉到,他对我是一片好意。在随后的交谈中,他向我提出了各种各样的问题,尤其是一个使我感到惊讶的问题:我是不是数学家或者化学家。我说都不是。

"'怪了,'他喃喃地说。'您发烧的时候老是大声嚷着一些奇怪的公式——c_3、c_4什么的。我们大家都听不懂。'

"我向他打听,我究竟出了什么事。他意味深长地笑笑。

"'不很严重。是神经急性刺激。'他先是小心翼翼地往四处看了看,然后轻声补充说,'这毕竟是可以理解的。在三月十三日① 之后,是吧?'

"我点点头。

"'碰上他们使的这种方法,神经受点刺激并不奇怪,'他喃喃地说。'您并不是第一个。不过您放心好了。'

"看到他悄悄叫我放心的那种态度以及他对我劝慰的目光,我知道,在他这儿我是非常安全的。

"两天以后,这位好心的大夫相当坦率地把事情发生的经过告诉了我。那天,看守听见我在囚室里大喊大叫,开始他以为有人进了我的屋,我在同此人吵架。他刚到房门口,我就朝他扑了过去,冲着他大喊大叫,嘴里喊着'跑啊,你这恶棍,你这胆小鬼!'诸如此类的话,并想卡住他的脖子,最后我发了狂似的向他袭击,他不得不大喊救命。我正处于疯狂状态,后来他们就把我拖来让大夫检查,我大概突然挣脱了,就朝走廊里的窗户扑去,打破玻璃,把自己的手割破了——您看这里还有个很深的疤。在医院里的头几夜,我是在大脑极度兴奋的状态下度过的,不过现在他觉得我的意识完全清醒了。'当然,'他悄悄补充说,'这一点我还是不向这帮先生报告为好,否则到头来他们又要把您送回到那儿去了。请您相信我,我会尽力而为的。'

"这位乐于助人的大夫是怎么向那些折磨我的人汇报我的情况的,我不得而知。反正他达到了想要达到的目的:把我释放。可能是他说我神经已经错乱,或者也许在此期间对盖世太

---

① 1938年3月13日希特勒强行宣布德奥合并,奥地利被法西斯德国并吞。

保来说，我已经无足轻重了，因为希特勒在那以后已经占领了波希米亚①，这样，对他来说，奥地利事件就算了结了。这样，我就只需签个字，保证在十四天内离开我们的祖国。这十四天我为办理一个月以前的世界公民今天出国所必须的成千项手续而奔忙：军方和警方的同意证明、税务证明、申请护照、办签证、办健康证明等等，因而没有时间对往事多加思考。看来我们大脑里有一些力量在神秘地起着调节作用，会自动排除那些使我们灵魂讨厌的和对我们灵魂具有危险的东西，因为每当我要回忆我被囚禁的那段日子，我的脑子就有几分糊涂；直到好几个星期以后，实际上是上了这艘船之后，我才重新找到勇气，静下心来思考自己身上所发生的事。

"现在您一定会理解，为什么我对您的朋友们的态度会那么不得体，或许还让人百思不得其解呢。我确实完全是闲逛偶然经过吸烟室才看见您的朋友们坐在那里下棋的；我又惊又怕，感觉到我的脚像长了根似的不由自主地站立在那里。因为我全忘了可以在一个真正的棋盘前用真正的棋子下棋，全忘了下棋的时候有两个完全不同的人真真切切互相面对面地坐着。我用了好几分钟才想起，这两个棋手在那里下的，其实同我在束手待毙的情况下跟我自己下了好几个月的那种棋是一回事。我发现，我疯狂地练习时所使用的那些密码只是代替和象征这些骨制的棋子；让我感到惊喜的是，棋子在棋盘上的移动同我在思维空间中假想的走步是一样的，正如一位天文学家用复杂的方法在纸上算出了一颗新行星，后来果真在天空中看到了这

---

① 波希米亚为捷克西部历史地区。1526年属哈布斯堡王朝统治，为奥匈帝国的一个省，直至1918年捷克斯洛伐克独立。1939年3月捷克斯洛伐克被宣布为纳粹德国的保护国，1942年德国人实际上接管了这个国家。

颗皎洁晶莹的星星的实体。我的惊喜同那位天文学家的惊喜大概很相似。我像是被磁铁吸住了,凝视着棋盘,望着那儿我的棋图——马、象、王、后、卒等木雕的真实棋子;为了看清这局棋的阵势,我不得不下意识地先将这些棋子从我那抽象的符号世界里退出来,进入活动棋子的世界中来。好奇心渐渐主宰了我,想观看两位棋手之间真正的较量。这就发生了很尴尬的事,我竟把礼数忘到了九霄云外,参与到你们的棋局中来了。但是您的朋友那步昏着像在我心里捅了一刀。我阻止他走那一步,这纯粹是一种本能行为,是感情冲动的表现,正如一个人看到一个孩子弓身挂在栏杆上,就不加思索地将他一把抓住一样。后来我才意识到,我一性急就贸然行事,这有多么唐突。"

我赶忙对 B 博士说,通过这件偶然的事能与他相识,我们大家都很高兴,对我来说,在听了他向我吐露了种种情况后,要是在明天的临时棋赛上能见到他出场,定会兴趣倍增。B 博士听了,做了个不安的动作。

"可别这么说,您真的不要对我抱过多的希望。对我来说,这不过是试一试罢了……试试我到底能不能正常地下棋,能不能用实实在在的棋子同一个活跃着生命力的人在真正的棋盘上对弈……因为我现在越来越怀疑我下过的几百盘,或许是数千盘棋是否真正符合国际象棋的规则,会不会仅仅是一种梦里的棋,一种谵妄棋,一种谵妄游戏,做这种游戏总是像在梦里一样,许多中间阶段都跳过去了。希望您不是当真指望让我不自量力,竟以为能与国际象棋大师,而且是当今世界第一高手较量一番,但愿您对此不要抱有认真的指望。使我感到兴趣并让我全力以赴的,仅仅是一种事后的好奇心,想证实一下我那时在囚室里是在下棋还是已经疯了,我当时是处在危险的暗礁之前,还是已经到了它的另一面——仅此而已,只是仅此而已。"

这时船尾响起了进晚餐的锣声。我们大概聊了几乎两个小时了，B博士对我讲的，要比我在这里归纳的多得多。我衷心向他表示感谢，并向他告辞。但是我刚走上甲板，他就从后面追了来，他激动地、甚至有点结结巴巴地补充说：

"还有件事！请您马上先转告诸位先生，免得我到时候显得没有礼貌；我只下一盘……就让这盘棋把旧账画上个句号——彻底了结，而不是新的开始……我不想第二次染上如痴如狂的棋瘾，这种棋瘾现在回想起来都感到胆颤心惊……还有，还有，当时大夫警告过我……郑重其事地警告过我。对某种东西染上了瘾，永远存在着危险，中过棋毒的人即使已经治好了，最好还是不要挨近棋盘……所以，您明白——只下一盘棋，对我自己作个试验，绝不多下。"

第二天，在约定的时间三点钟，我们大家都准时聚集在吸烟室里。我们这边又增加了两位"国王游戏"的爱好者，他们是船上的高级海员，是专门向船上请了假来看比赛的。岑托维奇也没有像昨天那样让别人等他。按照规定挑好了棋子的颜色之后，这场值得纪念的、由 Homo obscurissimus① 对著名的世界冠军的国际象棋比赛开始了。可是很遗憾，这盘棋只是为我们这些外行观众下的，其进展情况没有保存，没有载入国际象棋年鉴，就像贝多芬的一些钢琴即兴曲没有留下乐谱一样。尽管我们在以后的几个下午想一起根据记忆将这盘棋复原，结果是白折腾一场；也许在棋赛进行过程中我们对两位棋手倾注了过多的热情，因而忽视了棋局的进程。因为两位棋手在外表上表现出来的智力差异，在棋局进行过程中愈来愈在形体上显得清楚。岑托维奇这位行家在整个比赛时间里像块石头，一动不

---

① 拉丁文：无名之辈。

动,两眼低垂,紧盯棋盘;在他来说,思考的时候简直像要付出体力似的,使他全部器官不得不高度集中。相反,B博士的举止轻松自如,无拘无束。作为真正的业余爱好者,B博士的身体是完全放松的,就业余爱好者这个词的最美好的意义上来说,下棋只是游戏,是令人快乐的游戏。在头几步棋的间隙时间里,他在闲聊中给我们讲棋,并潇洒地点着一枝烟,只有轮到他走的时候,他才往棋盘上看上一分钟。他每次都给别人这样的印象,仿佛他早就在等着对手的这步棋了。

开局的几步熟套棋下得相当快。到了第七或第八回合一个明确的计划好像才出来。岑托维奇考虑的时间越来越长,由此我们感到,争取优势的真正战斗开始了。说实话,局势的渐渐发展像真正比赛时的每盘棋一样,对我们这些外行来说是相当失望的。因为棋子越是相互交织,形成一个特殊图案,我们对真正的情况就越是琢磨不透。我们既搞不清这位棋手的目的何在,不明白另一位有何打算,也不知道两人之中哪位是先手。我们只看到一个个棋子像起重机似的在挪动,想砸开敌阵,但是他们这样来来往往有何战略意图,我们却不得而知,因为慎重的棋手每走一步都要预先推断出好几步。另外,我们渐渐感到一种令人瘫痪的疲倦,这主要是由于岑托维奇考虑的时间拖得没完没了引起的,这显然也开始激怒了我们的朋友。我心情不安地发现,这盘棋时间拉得越长,他在椅子上心神不宁地动得越厉害。由于烦躁不安,他一会儿一枝接一枝地抽着烟,一会儿又抓起铅笔记点什么。接着他又要了一瓶矿泉水,心急火燎地把水一杯杯灌下肚去;显然,他的推断要比岑托维奇快一百倍。每次岑托维奇没完没了地考虑以后决定用他笨重的手将一个子往前一挪,我们的朋友随即露出笑容,就像见到期待已久的事情终于应验了一样,微微一笑,马上就应了一着。他的判断力极其神速,脑袋里一定把对方的一切可能性都预先计算出来了;因此,岑托维奇思考的时间越长,他就越发心烦意乱,在等待的时候他的嘴边强压着一股子火气,几乎是一股子敌意。可是岑托维奇却仍然不慌不忙。他顽固地思索着,默不作声,棋盘上的棋子越少,他琢磨的时间就越长。到第二十四个回合就已足足下了两小时四十五分钟,我们大家已经坐得疲惫不堪,对棋台上的进展几乎无动于衷了。船上的高级海员一个已经走了,另一个拿着本书在看,只是在棋手走子的时候才抬头瞥上一眼。可是等到岑托维奇的一步棋一走,这时意想不到的事突然发生了。B博士一发现岑托维奇抓住马要往前跳,就像准备扑跳的猫一样弓缩着身子。他浑身开始发抖,岑托维奇的马一跳,他就把后狠狠地往前一推,以胜利的姿态大声说:"好!结束战斗!"说完便将身子往后一靠,双臂交叉搁在胸前,并以挑战的眼光看着岑托维奇。他的瞳孔里突然闪烁着一团灼热的光。

我们大家不由得都俯下身来看着棋盘,想搞清以胜利者的姿态高声宣布的这一步棋。第一眼看不出有什么直接的威胁。那么我们朋友的话一定是就局势的发展而言的,而这一发展我们这些考虑得不远的业余爱好者还计算不出来。听到那挑衅性的宣告,岑托维奇是我们中唯一不动声色的人;他平心静气地坐着,仿佛压根儿没有听见"结束战斗!"这句侮辱性的话似的。室内没有任何反应。因为我们大家下意识地屏住了呼吸,所以那只放在桌上作计时用的闹钟的滴答声一下子听得清清楚楚。三分钟,七分钟,八分钟——岑托维奇一动不动,可是我觉得,由于心里紧张,他厚厚的鼻孔似乎胀得更宽了。对于这种默默的等待,我们的朋友似乎也同我们一样觉得难以忍受。他突然站了起来,开始在吸烟室里走来走去,起先走得很慢,后来越走越快，越走越快。我们大家都有些奇怪地望着他，不过谁也没有我着急，因为我注意到，虽然他走来走去显得很急，然而他的脚步所迈经的那个空间范围每次都是一样的，这就仿佛他在空荡荡的房间里每次都碰到一个看不见的障碍物，迫使他不得不往回走。我不禁打了个冷战，我发现，他这样走来走去，无意中重现了他从前那间囚室的尺寸：在他被囚禁的几个月中一定也是这样，双手抽搐，肩膀蜷缩，同关在笼子里的动物一样跑来跑去；他在那儿一定就是这样，就只能是这样来来往往跑了上千次，在他僵呆而兴奋的目光里闪烁着发狂的红光。不过他的思维能力看来尚未受到损伤，因为他不时烦躁地朝棋桌转过脸去，看看岑托维奇此刻是否作出了决定。九分钟，十分钟过去了。这时终于发生了我们之中谁也没有料到的事。岑托维奇缓缓抬起他那只一直一动不动地搁在棋桌上的手。我们大家都紧张地注视着他将作出的决断。然而岑托维奇没有走子，而是翻过手，手背果断地一推，将所有的棋子慢慢拨出棋盘。过了一会儿我们才明白：岑托维奇放弃了这盘棋。为了免得当着我们的面明显地被将死，他缴械了。难以置信的事发生了，世界冠军、无数次比赛的折桂者，在一个无名之辈面前，在一个已有二十年或者二十五年没有碰过棋盘的人面前卷起了旗帜。我们的这位匿名朋友，棋界的无名小卒，在公开比赛中战胜了当今世界国际象棋第一高手！

不知不觉中我们激动得一个个都站了起来。我们每个人都觉得，B博士一定会说点或做点什么来疏导一下我们快乐的惊吓的。唯一一动不动地保持着镇定的便是岑托维奇。过了一阵，他抬起头来，用冷漠的目光望着我们的朋友。

"还下一盘吗？"他问道。

"当然，"B博士回答，他那种热情让我感到很不对头。我还没来得及提醒他自己下的"只下一盘"的决心,他就已经坐下了,并开始急急忙忙地把棋子重新摆好。他将棋子集拢的时候是那么激动,以致一个卒子两次从他哆哆嗦嗦的手指间滑到地上;我原先心里就极不好受,现在见他很不自然的激动神情,我心里非常害怕。因为他本是个文质彬彬、温文尔雅的人,现在显然兴奋过度;他嘴角上的抽搐也更频繁,他像发了高烧,全身不住地颤抖。

"别下了!"我在他耳边悄悄说。"现在别下了!您今天已经够了!对您来说,这太费神了。"

"费神!哈哈哈……"他恶狠狠地放声大笑。"要不是这么磨蹭,这期间我都可以下十七盘了!这么慢的速度,又不好睡着,这才是唯一让我费神的呢!——行了!这回您开棋吧!"

最后这几句话他是对岑托维奇说的,语调激烈,近乎粗鲁。岑托维奇静静地、泰然自若地望着他,但是他冷漠的目光似乎是一只攥尽的拳头。突然,两位棋手之间出现了新的情况:危险的紧张气氛和强烈的仇恨。现在已不再是两位互相一比高低的棋手,而是两个敌人,都发誓要把对方消灭。岑托维奇犹豫了很长时间才走第一步棋,我明显地感到,他是有意拖那么长时间的。显然,这位训练有素的战略家已经发现,恰恰是由于他下得慢才弄得对手精疲力尽和烦躁不安。因此他用了至少有四分钟,才走了一步最普通、最简单的开局棋:按常规把王前卒往前挪两格。我们的朋友立即以王前卒向迎,可是岑托维奇又作了一次没完没了的停顿,简直让人难以忍受;这就像天上划过一道强烈的闪电,大家心里怦怦直跳,等着惊雷,可是惊雷就是不下来。岑托维奇一动不动。他静静地、慢慢地思索着,我越来越确定地感觉到,他这慢是恶毒的;不过这倒给了我充裕的时间去对 B 博士进行观察。他刚把第三杯水喝下；我不由自主地想到，他给我讲过在囚室里感到一种发高烧似的口渴。这时他身上已经明显地出现了所有反常的激动的征兆；我看见他的额头潮湿了，手上的伤疤比先前更红更显著了。但是他还控制着自己。到了第四个回合，岑托维奇考虑起来又是没完没了，这下B博士沉不住气了。

"总得走棋呀！"

岑托维奇抬起头，冷冷地看着他。"据我所知，我们是约定的，每步棋有十分钟思考时间的呀！我下棋，原则上都不少于这个时间。"

B博士紧紧咬着嘴唇。我发现，在桌底下，他的脚烦乱地、越来越烦乱地摆来摆去往地板上蹭。我有一种预感，觉得他身上正在酝酿着某种荒唐的东西。这种预感压得我喘不过气来，使我自己也无法阻挡地变得越来越神经质了。事实上下到第八个回合又发生了一个风波。B博士等啊等，等得越来越不能自制，他再也无法抑制自己的张力了；他坐在那儿不停地来回晃动，而且禁不住开始用手指头敲着桌子。岑托维奇抬起他那沉重的乡巴佬式的脑袋。

"可以请您别捶桌子吗？这对我是个打搅。这样我无法下棋。"

"哈哈！"B博士短短地笑了一声。"这一点倒是都看见了。"

岑托维奇涨红着脸，严厉而带着恶意地问道："您这话是什么意思？"

B博士又短短地、幸灾乐祸地笑了起来。"没有什么意思。只不过您显然非常不耐烦了。"

岑托维奇没有吭声，低下了脑袋。

过了七分钟他才走子。这盘棋就是以这种慢死人的速度继续进行着。岑托维奇常常在发愣，而且似乎越来越厉害，后来他总是到约定思考时间的最大限度时才决定走一步棋，而从一个间歇到另一个间歇，我们朋友的举止变得越来越奇怪。看来他似乎毫不关心这盘棋，而是在忙于别的事呢。他不再焦灼地跑来跑去，而是一动不动地坐在他的坐位上。他的眼睛直瞪瞪地、几乎是迷乱地凝视着前面的虚空，不停地喃喃自语，说的话谁也不懂；他不是沉湎在没完没了的棋阵组合，就是在创造另一些新的棋局——我怀疑他是在想新棋局——，因为在岑托维奇终于走了一步棋之后，每次都得别人提醒 B 博士，把他从心不在焉的状态中叫回来。随后他每次都只需一分钟了解一下局势；我越来越怀疑，处在这种突然剧烈发作的冷冰冰的精神错乱状态中，其实他早把岑托维奇和我们大家忘掉了。果然，下到第九个回合，危机就爆发了。岑托维奇刚一落子，B 博士连棋盘都没有好好瞅一眼，便突然把他的象向前挺进三格，并喊了起来，声音大得把我们大家吓了一跳：

"将！将军！"

大家怀着希望看到一步妙着的心情，立即一齐注视着棋盘。但是一分钟以后所发生的情况，我们谁也没有料到。岑托维奇缓慢地、非常缓慢地抬起头，把我们这群人一个挨一个看了一遍，此前他从未这样做过。他显出一副得意洋洋的神气，他的嘴唇上渐渐开始浮现出一丝得意的、嘲讽的微笑。一直等到他把他这个我们仍不理解的胜利充分享受以后，才带着虚假的客套朝我们这帮人转过脸来。

"遗憾——我可看不出有'将'的棋。也许哪位先生看出对我的王构成了将军？"

我们望着棋盘，随后又不安地看着 B 博士。岑托维奇的王格确实有一个卒保护着，挡住了对方的象，也就是说，对王构不成将军,这样的棋是孩子都能看得出的。我们心里都很不安。难道是我们的朋友情急之中走偏了一个子,走远了一格还是走近了一格?我们的沉默引起了 B 博士的注意,现在他眼睛盯着棋盘,开始急躁地、结结巴巴地说:

"但是王确实应该在 f 7 上呀……它的位置错了,完全错了。您走错了!棋盘上所有的棋子位置全错了……这个卒应该在 g 5 上,而不该在 f 4……这完全是另一盘棋呀……"

他突然顿住了。我使劲抓住他的胳膊,确切地说,我是在狠狠地掐他的胳膊,他虽然正处在激动不安的迷惘中,大概还是感觉到我在掐他。他转过脸来,像个梦游者似的紧紧望着我。

"您……想干什么?"

我只说了句"Remember!"① 别的什么都没说,同时用手指触了触他手上的疤。他下意识地跟着我的动作做了一遍,目光呆滞地望着自己手上那道血红的伤痕。接着他突然开始颤抖起来,全身起了一阵寒战。

"上帝保佑,"他苍白的嘴唇悄声说道,"我说了什么荒唐话,做了什么荒唐事吗……到头来我又……?"

"没有。"我对他悄悄耳语。"但是您得立即中断这盘棋,现在是关键时刻。请您想一想大夫对您说的话!"

B 博士猛地站了起来。"请原谅我的愚蠢的错误,"他以往日那种客客气气的声音说,并向岑托维奇鞠了一躬。"当然,刚才我纯粹是胡说八道。这盘棋理所当然是您赢了。"接着他又转向我们。"我也要请诸位先生原谅。不过我预先告诫过你们,要你们不要对我抱太多期望。请原谅我的出丑——这是我

---

① 英语:记住。

最后一次试下国际象棋。"他鞠了一躬就走了,他的神情和先前出现时一样,谦虚而神秘。只有我知道,此人何以再也不会去碰棋盘,而其他人还都有点迷惑不解地呆在那里,心里隐隐约约地感觉到,在千钧一发之际避免了一场极不愉快和极其危险的冲突。"Damned fool!"① 麦克康纳在失望之余叽里咕噜地骂了一句。岑托维奇最后一个从坐位上站起来,还朝那盘下了一半的棋看了一眼。

"可惜,"他大度地说。"这个进攻计划一点不坏。对一位业余爱好者来说,这位先生的天赋委实是异乎寻常的。"

---

① 英语:该死的笨蛋。

附录一

茨威格遗书[①]

韩耀成译

我在神志清醒地自愿辞别这个世界之前,急于要完成最后一项义务:向如此友好、如此热忱地给我和我的工作提供休憩地的这个美好的国家巴西表示衷心的感激之情。我日益深情地爱上了这个国家。与我同操一种语言的世界对我来说业已沉沦,我的精神故乡欧洲亦已自我毁灭,在此之后,除了这里,我不想到任何别的地方去彻底重建我的生活了。

要想再次开始全新的生活,那是需要有特殊精力的,但是我已年过花甲,我的精力在流离失所、颠簸流浪的漫长岁月里已经消耗殆尽。因此我觉得还不如及时以尊严的方式来结束我的这个生命,结束我这个始终视精神劳动为最纯粹的快乐、个人自由为世界上最珍贵的财富的生命为好。我向我所有的朋友致意!愿他们在漫漫长夜之后尚能看到朝霞!我这个人过于性急,要先他们而去了。

[①] 茨威格的这份遗书写于自杀的当天,是作家死后在其写字桌上发现的。1942年2月22日午后至下午4点钟之间,茨威格夫妇服了超量巴比妥后便一起躺下,茨威格穿着衬衫、裤子,打着领带,夫人洛蒂浴后穿一件和服式印花晨衣。

斯特凡·茨威格
1942年2月22日于彼德罗保利斯

附录二

茨威格生平及创作年表

韩耀成 编

1881 年
　　11 月 28 日生于维也纳朔滕环城路 14 号,是波希米亚纺织厂的老板莫里茨·茨威格(1845—1926)和夫人伊达(1845—1938,娘家姓布莱陶尔)的次子。茨威格的父母亲均为犹太人。

1887—1892 年
　　在维也纳韦尔德门胡同国民小学读书。

1892—1900 年
　　在维也纳马克西米连中学(后改名为瓦萨中学)读书,从 1897 年起开始在报刊上发表诗歌和小说。

1900 年
　　中学毕业后第一次到法国去旅行。
　　进维也纳大学,学习的专业是哲学、德语文学和法国文学。《忘却的梦》和《普拉特的春天》等小说在报刊上发表。

1901 年
　　第一部诗集《银弦集》在柏林出版。

1902 年
　　开始参加维也纳《新自由报》副刊的编辑工作,直至

1938年。结识犹太复国主义运动的创始人特奥多尔·赫茨尔。在柏林出版翻译作品《保尔·魏兰诗歌精选》,在莱比锡出版波德莱尔的《韵文和散文诗集》(与卡米尔·霍夫曼合译)。

夏天到比利时旅行,初次与艾米尔·维尔哈仑会面。

1902—1903年

1902年下学期转入柏林大学。

参加《十字勋章骑士》文学社团。

1903年

到法国巴黎和布列塔尼半岛旅行。

1904年

以《希波利特·泰纳的哲学》为题的毕业论文获维也纳大学博士学位,结束大学学习。

第一部小说集《艾丽卡·埃瓦尔特之恋》在柏林出版,收有4篇小说:《森林上空的那颗星》、《艾丽卡·埃瓦尔特之恋》、《朝圣》和《生命的奇迹》。翻译作品维尔哈仑的《诗选》在柏林出版。

在巴黎作时间较长的逗留。与里尔克和罗丹会晤。

到比利时去看望维尔哈仑。到英国旅行。

1905年

去西班牙和阿尔及利亚旅行。

在柏林出版传记《保尔·魏兰》。

1906年

诗集《昔日的花环》在莱比锡出版。

在英国逗留4个月。

翻译作品阿奇博尔德·G·B·罗素的《威廉·布莱克的幻想的艺术哲学》在莱比锡出版。

1907 年

迁入他自己的第一个寓所,维也纳科赫胡同 8 号。

诗体剧《忒耳西忒斯》在莱比锡出版。

1908 年

11 月 26 日《忒耳西忒斯》在德累斯顿和卡塞尔首演。

1908—1909 年

1908 年 11 月启程赴锡兰、印度、缅甸和尼泊尔作为期 5 个月的旅行。

1910 年

在莱比锡出版传记《艾米尔·维尔哈仑》及所译维尔哈仑的《诗选》和《三部剧作》。

到巴黎旅行,初次会晤罗曼·罗兰。

9 月,中篇小说《一个女人沦殁的故事》在维也纳《新自由报》连载。

1911 年

美洲之旅:纽约、加拿大、巴拿马运河、古巴、牙买加和波多黎各。

在莱比锡出版小说集《初次经历》及所译维尔哈仑的《生命的颂歌》。《初次经历》收《朦胧夜的故事》、《家庭女教师》、《灼人的秘密》和《夏天的故事》等 4 篇小说。

1912 年

为维尔哈仑安排一次讲课旅行,并陪同维尔哈仑赴汉堡、柏林、维也纳和慕尼黑。

5 月 5 日独幕剧《化身喜剧演员》在布雷斯劳首演。

10 月 26 日悲剧《海滨之家》在维也纳首演。与弗丽德莉克·玛丽亚·冯·温特尼茨(1882—1971)结识。

1913年

去布拉格、德累斯顿、莱比锡，于3月到法国，与漂亮的玛塞尔小姐结识，一起度过一段激情奔放的日子。

《化身喜剧演员》、中篇小说《灼人的秘密》及所译维尔哈仑的《鲁本斯》在莱比锡出版。为写陀思妥耶夫斯基的传记，阅读和收集有关这位俄国作家的资料。

1914年

3月去巴黎，随后弗丽德莉克也去巴黎与他相会，两人一起于4月底回维也纳。

茨威格每年都要到比利时维尔哈仑在卡佑基比克的乡间别墅去度暑，原定8月1日到卡佑基比克。7月中旬先到比利时海滨浴场勒科消夏两星期，因第一次世界大战即将爆发，因而未去维尔哈仑的乡间别墅，就匆忙回国。回到维也纳两天，7月28日奥地利对塞尔维亚宣战，大战爆发。

从12月1日起茨威格在国防部军事档案馆任职。

在德国《柏林日报》发表公开信《致外国的朋友们》。

1915年

7月出差到波兰前线的加利曾，为军事档案馆的图书馆收集奥地利占领区里俄国的宣传品和告示的原件。目睹战争之残酷，决心写一部反战作品，《圣经》人物耶利米的形象渐渐在他心里成熟。

1916年

与弗丽德莉克一起迁往洛道恩市郊卡尔克斯堡。

1917年

反战诗体悲剧《耶利米》在莱比锡出版。

11月5日茨威格以到瑞士去度假为名，向军事档案馆请假两个月，应邀和弗丽德莉克一起去苏黎世参加《耶利米》的首演式。到瑞士后，先去日内瓦湖畔的维尔纳夫和红十字会日内瓦中心拜访罗曼·罗兰，然后才到苏黎世，观看《耶利米》的排演。

赴瑞士途中在萨尔茨堡逗留两天，买下萨尔茨堡卡普齐纳山上的一幢别墅，打算战后居住。

1917年－1918年

在瑞士会晤赫尔曼·黑塞、莱纳·席克勒、弗里茨·冯·翁鲁、詹姆斯·乔伊斯、费鲁齐奥·布索尼和安内蒂·科尔布等作家。同反战知识分子和艺术家（博杜安、阿尔科斯、茹弗、马塞埃尔等）联系密切。

1918年

2月27日诗剧《耶利米》在苏黎世首演。

3月同弗丽德莉克一起下榻苏黎世近郊吕西里孔的贝尔佛饭店，在此住了一年，完成了关于陀思妥耶夫斯基的人物特写。

12月25日话剧《生活的传说》在汉堡首演。

1919年

3月回到奥地利，迁入萨尔茨堡卡普齐纳山上的别墅。

10月9日《耶利米》在维也纳上演。

1920年

在维也纳市政厅同弗丽德莉克·冯·温特尼茨结婚。

在莱比锡出版传记《马塞林娜·德博尔德》、小说《桎梏》以及《世界的建筑师》系列传记小说的第一部分——《三大师》（巴尔扎克、狄更斯、陀思妥耶夫斯基）。

1921年

战后第一次偕弗丽德莉克去意大利、捷克斯洛伐克，两次去德国，一次去瑞士。

在美因河畔的法兰克福出版传记《罗曼·罗兰，其人及其作品》。

1922 年

在莱比锡出版小说集《热带癫狂症患者》和传奇《一个永恒兄弟的眼睛》。《热带癫狂症患者》收有《热带癫狂症患者》、《雨润心田》、《奇妙的夜》、《一个陌生女人的来信》和《月光巷》5 篇小说。

1923 年

传记《雕塑家法朗斯·马塞埃尔其人》在柏林出版。

1924 年

《诗集》在柏林出版。

在巴黎初次会晤西班牙画家萨尔瓦多·达里。

1925 年

《世界的建筑师》系列传记小说的第二部分——《斗恶魔：荷尔德林、克莱斯特和尼采》在莱比锡出版。

到德国去作朗诵旅行。

去法国旅行。

1926 年

茨威格的父亲去世。

取材于本·琼森的喜剧《沃尔波纳》（通译《狐狸》）的同名剧本在波茨坦出版。

到德国作演讲旅行。

11 月 6 日《沃尔波纳》在维也纳首演。

1927 年

2 月 20 日在慕尼黑国家剧院举行里尔克纪念会，茨威格在会上发表题为《告别里尔克》的纪念演说。

小说集《迷乱的情感》和人物特写集《人类命运的转折

点》在莱比锡出版。前者收有《一个女人一生中的二十四小时》、《一颗心的沉沦》和《迷乱的情感》3篇小说；后者收有5篇历史人物特写：《滑铁卢震撼世界的一刻——拿破仑》、《玛丽昂巴德哀歌——从卡尔斯巴德到魏玛途中的歌德》、《黄金国的发现——约·奥·苏特尔，加利福尼亚》、《英雄的瞬间——陀思妥耶夫斯基》和《奋战南极——司各特船长》。

1928年

《世界的建筑师》系列传记小说之三——《三诗人：卡萨诺瓦、斯丹达和托尔斯泰》在莱比锡出版。

去法国和比利时旅行。

9月赴苏联参加纪念托尔斯泰诞辰一百周年庆典。在莫斯科第一次与高尔基见面。

1929年

传记《约瑟夫·富歇——一位政治家的画像》，悲喜剧《穷人的羔羊》和小说集《作品小集》（收有《看不见的收藏》、《日内瓦河畔的插曲》、《雷泼莱拉》和《书商门德尔》4篇小说）在莱比锡出版。

去德国和比利时作演讲旅行。

维也纳举行霍夫曼斯塔尔的追悼会，茨威格在会上致悼词。

1930年

去意大利旅行，与弗丽德莉克一起在意大利索伦托拜访高尔基。

《穷人的羔羊》3月15日在布雷斯劳、汉诺威、吕贝克，4月12日在维也纳首演。

圣经传奇《同上帝辩论的拉结》在柏林出版。

1931年

到法国旅行,在昂蒂布会晤奥地利作家约瑟夫·罗特。

人物特写《精神疗法》(关于发明催眠术的医生梅斯梅尔、基督教科学创始人玛丽·贝克尔-埃迪和精神分析学家弗洛伊德)和《诗选》在莱比锡出版。

开始创作长篇小说,完成第一部分,第二部分大致在1934—1935年完成,全书尚未写完。1982年根据作家遗稿整理出版的这部小说用其中的一句话"变形的陶醉"作为书名。

1932年

在巴黎逗留,并在意大利佛罗伦萨和米兰作报告。

开始创作歌剧脚本《沉默寡言的女人》。传记《玛丽·安托瓦内特》在莱比锡出版。

1933年

德国纳粹大肆进行焚书的罪恶活动,茨威格的作品也遭焚毁。

去法国和意大利旅行。

从10月20日开始,在伦敦住了较长一段时间。完成在瑞士巴塞尔动笔的传记《伊拉斯谟·冯·鹿特丹的胜利和悲剧》,开始创作传记《玛丽·斯图亚特》。

1934年

茨威格在萨尔茨堡卡普齐纳山上的别墅被搜查。他决心离开祖国,移居伦敦,在那里租了一座不太大的住宅。他的夫人弗丽德莉克仍留在奥地利。

传记《伊拉斯谟·冯·鹿特丹的胜利和悲剧》在维也纳出版。

与女秘书洛蒂·阿尔特曼一起到苏格兰旅行,为创作传记《玛丽·斯图亚特》收集材料。

8月去瑞士,并到萨尔茨堡,计划将萨尔茨堡的房子出售。

秋天茨威格夫妇和洛蒂·阿尔特曼到意大利和法国南部地中海沿岸的尼扎和里维埃拉等地旅游。

1935年

6月24日滑稽歌剧《沉默寡言的女人》(由理查特·施特劳斯谱曲)在德累斯顿首演,此后不久便在德国被禁演。

去瑞士和法国,并到美国去作演讲旅行。

《玛丽·斯图亚特》在维也纳出版。

1936年

迁入伦敦哈雷姆大街49号新寓所。

传记《卡斯特里奥反对加尔文:良知反对暴力》在维也纳出版。

8月第一次去巴西旅行,作了多次演讲和朗诵,受到极其盛大的欢迎;随后去阿根廷参加在布宜诺斯艾利斯举行的国际笔会代表大会。

1937年

作品集《万花筒》在维也纳-莱比锡-苏黎世出版,收有小说:包括已收入《作品小集》中的4篇和《巧识新艺》、《恐惧》、《既相似,又不相似的两姐妹》等3篇;传奇:《同上帝辩论的拉结》、《一个永恒兄弟的眼睛》、《被埋葬的烛台》、《第三只鸽子的传说》;人物特写:包括1927年出版的《人类命运的转折点》中的5篇以及《拜占廷的陷落》和《亨德尔的复活》2篇。

评论、随笔、讲演、回忆文章集《与人、书籍和城市的际遇》及传奇《烛台记》在维也纳出版。

售出萨尔茨堡的别墅;与弗丽德莉克彻底分手。

1938年

同洛蒂·阿尔特曼去葡萄牙。开始写《麦哲伦》，该传记于同年在维也纳出版。

3月13日奥地利"并入"德国。茨威格的奥地利护照被吊销，8月向英国申请英国国籍者的身份证。

茨威格的母亲去世。

12月底与弗丽德莉克离婚。

到美国30个城市作演讲旅行。

1939年

开始创作巴尔扎克的传记。

长篇小说《永不安宁的心》的英文版在伦敦出版，德文版在阿姆斯特丹及斯德哥尔摩出版。

7月从伦敦迁往英格兰西南部的疗养地巴思自己的住宅。

9月6日与洛蒂·阿尔特曼正式登记结婚。

9月26日在伦敦作《在西格蒙特·弗洛伊德灵柩旁的讲话》。

1940年

3月，茨威格夫妇获英国国籍。

4月到巴黎去作题为《昨日的维也纳》的学术演讲旅行。在巴黎继续创作传记《巴尔扎克》，该书于1946年在斯德哥尔摩出版。

7月偕洛蒂去纽约，随后前往南美的巴西、阿根廷、乌拉圭作演讲旅行，12月回到纽约。

1941年

迁入美国纽黑文的寓所。

在纽黑文的耶鲁大学创作亚美利加州新大陆的发现者亚美利哥·韦斯普奇的传记。1944年传记以《亚美利哥·韦斯普奇：

一次历史性谬误的故事》为书名，在斯德哥尔摩出版。

《巴西：未来之国》的德文、英文、葡萄牙文、西班牙文、瑞典文、法文版出版。

夏天与洛蒂一起在纽约州的奥斯宁度暑。完成自传《昨日的世界——一个欧洲人的回忆》的初稿。

8月底和洛蒂一道移居巴西里约热内卢，9月7日迁入在近郊彼德罗保利斯山坡上租的一所房子，在那里创作了《国际象棋的故事》，并完成《昨日的世界——一个欧洲人的回忆》。

为写蒙田传记做前期工作。

1942年

2月22日与夫人洛蒂一道自杀。巴西在彼德罗保利斯公墓为茨威格夫妇举行国葬。

5月，维也纳大学取消茨威格的博士学位。

自传《昨日的世界——一个欧洲人的回忆》于作家去世后出版。